# התנ"ך המבואר
## דברים

מהדורת ובלכתך בדרך

# התנ"ך המבואר

על ידי הרב עדין אבן־ישראל (שטיינזלץ)

## דברים

המכון הישראלי לפרסומים תלמודיים ירושלים

מרכז שטיינזלץ

ירושלים קורן

# התנ"ך המבואר

על ידי הרב עדין אבן־ישראל (שטיינזלץ)

## דברים

מהדורה ראשונה, ובלכתך בדרך © תשפ"ה 2025.
הוצאת קורן ירושלים
ת"ד 4044 ירושלים 91040
טל': 02-6330533 פקס: 02-6330534

www.korenpub.co.il
דוא"ל לתיקונים: Tikunim@steinsaltz-center.org



מהדורת כיס, דברים, מסת"ב ISBN 978-965-7844-93-9
מהדורת כיס, סט שלם, מסת"ב ISBN 978-965-7844-88-5

Printed in PRC 2025

**ביצירת הביאור של כרך זה השתתפו:**

**עורכים ראשיים:** שרה פרידלנד בן ארזה והרב יוסף בין ארזה

**עורך:** הרב מאיר קליין

**ראליה וריכוז תמונות:** הרב דניאל אליאב

**מרכז המערכת:** הרב מאיר הנגבי

**הגהות:** גילה מאירסון, סימה אריה

**עימוד:** חיה זיידבנד

**איסוף תמונות ועיבודן:** רזיה ריצ׳מן

**איורים:** אמונה ש״ץ

**ייעוץ גרפי:** הרב מאיר הנגבי, אליאב סטולמן<br>אליהו משגב

**בהכנת החומש ופירוש רש״י השתתפו:**

הרב דוד פוקס<br>
הרב חנן בניהו<br>
הרב ינון חן<br>
הרב כרמיאל כהן<br>
אפרת גרוס

# תוכן העניינים

כי תבוא | נצבים | וילך | האזינו | וזאת הברכה



הפטרות

# הקדמה קצרה למהדורת 'התנ"ך המבואר'

יודעים המעיינים ואפילו הקורא הפשוט שיצירת פירוש חדש למקרא היא מעשה לא פשוט הזקוק לשפע ברכות שמים מעל ולמאמצים רבים מתחת. בכתיבת פירוש למקרא, ולתורה בפרט, כרוכים שני קשיים מהותיים. הקושי האחד נתון בעצם היומרה להתייחס לטקסט העליון ביותר והמקודש ביותר שבגדר הנמצא ולהיצמד אליו בצורה כלשהי. הקושי השני נובע מכך שכבר נכתבו למקרא במשך 3,000 שנה פירושים רבים מאוד, והפירושים הללו נוצרו על ידי אנשים גדולים מכל ההיסטוריה שלנו; ומי יכול להתיימר להצטרף אל חבורה קדושה זו, ואפילו רק להיאחז בשוליה?!

את מפתח הכניסה למעשה נכבד זה אפשר למצוא בדברים שאמר רש"י לנכדו הרשב"ם (שכתב גם הוא פירוש לתורה), שאילו היה בכוחו, היה כותב עוד פירוש לפי "הפשטות המתחדשים בכל יום".[1] בכל דור ובכל יום עשוי להיפתח אור חדש או זווית ראייה חדשה. אכן, לא רק פירושים וחידושים מתחדשים בעולם, בכל דור מתעוררות שאלות חדשות בקרב לומדי התנ"ך, הן מתוך מה שמעסיק את הלומד באופן אישי הן מתוך עניינים האופייניים לתקופתו ולזמנו. כך אפשר לראות בדברי המפרשים הגדולים שכתבו במשך הדורות, כי שאלות שעסק בהן האחד אינן מסוג השאלות שהטרידו את חברו. גם היום יש, תודה לא-ל, לומדים ומעיינים בתנ"ך ושאלות חדשות באמתחותיהם המצריכות תשומת לב, עיון והסבר חדשים. כל אלה מאירים את דברי תורת הנצח במגוון הסתכלויות המולידות "פשטות המתחדשים בכל יום".

הביאור שלפנינו מבקש לפרש את התורה במישור הפשט. לכאורה זהו המישור הפשוט ביותר, אך לאמתו של דבר הוא הקשה ביותר. הפירושים על דרך הרמז, הדרש או הסוד פתוחים יותר. המפרשים בדרכים אלו הם

1. פירוש הרשב"ם בראשית לז,ב.

בני חורין לקשר בין הפסוקים שלפניהם לבין דברים אחרים המצויים במרחבי הרמז, הדרש או הסוד, והם כבולים פחות למלות התורה שבכתב ולמושגיה. לעומת זאת, בהגדרתו של הפשט ובדרכי יישומו התחבטו רבים. שכן פירוש פשוטו של מקרא צריך להיות אחוז באופן הדוק במשמעות המילולית והדקדוקית של המלים ולא להניח ידו גם מהקשרן התחבירי והענייני. אכן, בעיית היחס שבין 'פשוטו' ל'משמעו', אין לה פתרון מלא.[2] קושי עקרוני יותר הוא שבכתיבתו של פירוש על דרך הפשט מנסה המבאר לעמוד על דעתו של המחבר, ואולם לתודעה האינסופית של נותן התורה אין חקר ואין תכלית.[3]

לביאור זה הוצמדו מראי מקומות המפנים למפרשים רבים, אולם אין הוא לקט מן המפרשים הללו. הוא לא נוצר בדרך זו, ואינו מתכוון להיות לקט או מבחר פירושים שנכתבו במשך הדורות. מראי המקומות מובאים כאן כדי להראות שיש לביאור ביסוס במקורות אחרים, או על כל פנים 'חברה'. אכן, אין תכליתו של הביאור הזה להציג חידושים מהפכניים; אדרבא, עיקר עניינו הוא לשמש ביאור שקוף. מגמתו היא להיות כה בלתי מורגש, עד שהקורא–הלומד לא יבחין בקיומה של מחיצה בינו לבין הכתובים. מעשה ההנגשה הזה מבקש לאפשר לתורה לדבר בעצמה, לנביאים לנבא את נבואתם ולחכמים ללמד את חכמתם. כדי שלא להפריע לקולם של הפסוקים להישמע, מנוסח הביאור בקיצור, כך שלא יהיה בגדר שריון מכביד ומסתיר אלא מעטה קל שאיננו ניכר.

במעמד הר סיני שמעו כל ישראל קוֹל גָּדוֹל וְלֹא יָסָף,[4] וחכמים ביארו כי קול גדול זה לא פסק.[5] תקוותי שמפעל זה יעזור לאנשים לשמוע את הקול המידבר מן התורה גם בעולם העסוק והרעשני שלנו.

הרב עדין אבן ישראל (שטיינזלץ)

2. ראו למשל הקדמתו של רבי אברהם אבן עזרא לפירושו.
3. ראו הקדמת פירוש הרמב"ן לתורה.
4. דברים ה,יח.
5. אונקלוס; סנהדרין יז ע"א.

# טיבו של החיבור

ביאור התנ"ך שלפנינו בא להקל על הקורא בן זמננו, לגשר על פערי השפה, תפיסת העולם והתרבות שבינו לבין התורה שבכתב, להבהיר במידת האפשר עמימויות, ולענות על תמיהות וקשיים, מודעים וסמויים, בהבנתה.

לחיבור שני חלקים המשלימים זה את זה אך אינם זוקקים זה את זה: **ביאור** צמוד המשולב במלות המקרא, ו**הרחבות פרשניות וראליות** נפרדות בתחתיתו.

הביאור מחולק ליחידות ענייניות, חלוקה שאינה עולה בקנה אחד עם חלוקת הפרקים המקובלת. כל עניין תָּחום לעצמו, מוגדר בכותרת ופותח במבוא קצר. אין לראות בתבנית המופיעה כאן חלוקה פסוקה של המקרא, אלא מעין הצעת הגשה כחלק מהביאור, לנוחות הקורא והתמצאותו. מוצעת כאן גם תת-חלוקה לפסקאות בתוך כל עניין, וכן פתיחת כל דיבור בשיחה בשורה נפרדת.[6]

בביאור מתפרשים לשון הכתוב והקשרי המשפטים ברובד הפשוט ביותר, מתוך חתירה לקיצור ולהקלה על שטף הקריאה במקרא. כיוון שכך אין הפירוש צמוד לשיטה פרשנית אחת או לפירושים ידועים ומקובלים דווקא. למרות מגמה זו במקרים בודדים מוזכרים גם פירושים חלופיים, כאשר יש יותר מפירוש פשוט אחד. אף כאשר המסורת ההלכתית מפרשת את המקרא בדרך שונה, יוזכר הדבר וינומק בקיצור בביאור עצמו או בהפניות המצוינות בו, כדי לדבוק בפשט העולה מן הכתוב עצמו וגם לעמוד על פירוש הכתוב כפי שנלמד בתורה שבעל פה.

יש לציין כי גם כשהדברים כתובים בלשון סתמית ופסקנית, הפירוש אינו

6. בטקסט המשלב בין פסוקי המקרא לבין הביאור מתקיימות זו בצד זו שתי מערכות פיסוק – סימני הפיסוק שנבחרו לפסוק עצמו, וסימני הפיסוק המתייחסים למהלך הביאור. משום כך ומסיבות דידקטיות רבים בו סימני פיסוק, גם שלא לפי כללי האקדמיה ללשון העברית הנוהגים היום.

מתיימר לקבוע כי זהו הפשט ואין בלתו. אין בכך אלא הצעה - לעתים חדשה - המתיישבת על פשוטו של מקרא ועל לב הקורא. מטעמים דידקטיים לא נפרשו כאן השיקולים הפרשניים העומדים מאחורי הבחירה לבאר כך ולא אחרת.

בצדו הימני של כל מִפְתָּח מופיע רצף הפסוקים המנוקד והמפוסק בטעמי המקרא כבתנ"ך קורן, ומתחתיו פירוש רש"י. בצדו השמאלי מופיעות שנית כל מלות הפסוקים,[7] וביניהן משובצים דברי הביאור הצמוד. כך יוכל הלומד לשוב תמיד לעיין בהקשר הרצוף של מילות התנ"ך, והקריאה בביאור לא תחליף את קריאת המקור.

ההרחבות כוללות חומרי רקע, מקבילות פנים-מקראיות, פירושים חלופיים, העשרה בדברי מדרש ומחשבת ישראל לדורותיה, תעודות חיצוניות והערות לשוניות. בצדם של אלו מופיע חומר ראלי מילולי וחזותי לגבי מקומות, עמים, צמחים ועצמים המוזכרים במקרא - בהתאם לידע המדעי המעודכן ביותר. חומרים אלו מופיעים בצד הכותרת 'העולם'.

בסוף הספר מצוינים **מקורות** והפניות המסומנים בביאור. המקורות, שנכתבו על ידי העורכים, מתייחסים בדרך כלל לפסוקים ולביאוריהם במקומות אחרים במקרא, לדברי חז"ל בתלמודים ובמדרשים, פרשנים מקראיים, ספרי מחשבה, שאלות-ותשובות של חכמים ראשונים ועוד. כאשר המקור אינו זהה לגמרי לכתוב בביאור, הוא צוין כהפניה בלבד ("ראו...") ולא כמקור סתמי.

רצף הפסוקים של התנ"ך המובא במהדורה זו הוא הנוסח המדוקדק שנבחן היטב בהוצאת 'קורן'.[8] המהדורה יכולה להתאים ללימוד אישי, ללימוד של חבורות לומדים ולבית הכנסת. בנוסח זה יצוינו בתורה שלוש חלוקות עתיקות: החלוקה לפרשות השבוע, החלוקה לפרשות הפתוחות והסתומות והחלוקה לסדרים המסומנת בשוליים החיצוניים של העמוד.

7. בתוך הביאור הובא הנוסח המקראי כקריאתו. כלומר, הקרי הוכנס במקום הכתיב, ושמות הוי"ה מסומנים בדרך כלל: 'ה"', או 'ה' אלוהים' כשהצירוף הוא 'אדני ה"', בהתאם לצורת הקריאה המקובלת.
מכיוון שבביאור ניטעים שברי הפסוק בתוך הקשר טקסטואלי חדש, יש שהניקוד המקורי אינו מופיע בשלמותו בעקבות אילוצי התחביר החדש. כמו כן הוסרו במקומות אחדים המקפים כאשר צירוף מקראי מוקף נשבר במילות הביאור.

8. לשם דיוק הקריאה הובחן כאן השווא הנע מן השווא הנח. סימנו של השווא הנע בולט יותר, למשל: **נַפְשְׁךָ**. כדי לבדל את הקמץ הקטן מן הקמץ הגדול סומן הקמץ הקטן באמצעות סימן גדול, דוגמת **חָכְמָה**.
עוד על שיטת הניקוד של תנ"ך קורן ראו בבלוג של הוצאת קורן.

כמו כן צוינה בתורה החלוקה לעליות בשחרית של שבת, ועליות מנחה של שבת ושני וחמישי סומנו בסימן ◂. את פסוקי התורה מלווה פירוש רש"י, שהתקבל בכל הדורות כפירוש הקלאסי של התורה. הפירוש הועמד לפי עדי הנוסח הטובים ואף נוקד לנוחות הקורא. בסוף כל חומש הובאו ההפטרות המבוארות תוך התייחסות לקשר בין ההפטרה לבין השבת שבה היא נקראת.

מחשבה ועבודה רבות הושקעו בעיצוב הנאה והנוח ביותר. עיצוב זה הוא פרי שיתוף הפעולה בין מסורת העיצוב המוקפד של הוצאת קורן לבין הניסיון הרב שנצבר במכון לפרסומים תלמודיים. תודתנו לר' מאיר הנגבי שריכז את הפרויקט בתבונה, בעדינות וביעילות. ייזכר לברכה ר' חנוך בן ארזה ע"ה, אוהב תורה ושוחר ספר, אביהם של שניים מהעורכים, שרוחו והכבוד שחלק למלים שרו עליהם בעת העבודה על החיבור.

סגנון הכתיבה ישראלי–עכשווי. על אף המגמה הכללית לשמר ככל האפשר את שגב המקרא, נושבת על פני החיבור גם רוח מרעננת ורלוונטית לדורנו.

העורכים

# דברים

# מבוא לחומש דברים

ספר דברים נקרא בפי חכמים וגם בשפות אחרות 'משנה תורה', שכן בעיקרו הוא חזרה על מצוות התורה הכתובות בספרים אחרים. מסגרת הזמן שבה נתון הספר הזה קצרה ביותר – שבועות אחדים בלבד בסוף ימיו של משה. רובו הגדול של הספר הוא נאום הפרֵדה שנושא משה רבנו בפני כל ישראל. נאום כזה, ובו דברים סדורים ומובְנים שיש בהם סיכום, שינון וגם חידוש של גופי תורה, לא סביר שייאמר ביום אחד ואף לא בימים ספורים.

את ספר דברים מייחד אופן כתיבתו. שאר החומשים כתובים כסיפור דברים, שבו מופיעים הן דברי אלוקים והן דבריהן של דמויות שונות, ובהן משה רבנו, בגוף שלישי. לא רק במצוות ובחובות מדובר ממרחק אלא גם במעשים ובדיבורים של ה' ושל בני האדם. לעומת זאת, הדובר בספר דברים הוא משה רבנו עצמו, ואת דבריו הוא משמיע בגוף ראשון. אכן, בספר דברים אין מופיעה הפתיחה השכיחה בחומשים הקודמים: וַיְדַבֵּר ה' אֶל מֹשֶׁה לֵּאמֹר, שכן משה הוא המדבר.

בספר דברים שלושה נאומים עיקריים: בנאומו הראשון (א,א – ד,מג) מוכיח משה את העם תוך שהוא סוקר מאורעות מצאתם ממצרים עד לרגע ההווה שבו משה מדבר; נאומו השני (ד,מד – כז,ח) עוסק במצוות; כל אחד מן הנאומים הללו נחתם בנספח; ונאומו השלישי (כז,ט – לא,יג) עוסק בברית. בסופו מתוארת פרֵדת משה מן העם והיא כוללת שני נספחים שיריים: 'האזינו' הכתובה בסגנון השירה הנבואית, וברכתו של משה לישראל.[1] חתימת הספר מתארת את מותו וקבורתו של משה ואת פעלו הגדול. שם הדיבור על משה הוא בגוף שלישי.

בסיפור המאורעות משה חוזר על דברים שסופרו בספרים האחרים. בין שומעיו היו שזכרו את יציאת מצרים – צעירים שיצאו ממצרים, שכפי

1. רד"צ הופמן ובאופן דומה באדרת אליהו.

הנראה מספרם היה קטן; זקנים מופלגים שטרם מתו ולא נכללו בגזרת המיתה במדבר בעקבות חטא המרגלים; בני לוי, שלא חטאו באותו חטא; או נשים – שהרי הגזרה חלה על יוצאי הצבא בלבד. רוב נמעניו של משה בספר דברים לא היו עדים כלל למתן תורה ולהתרחשויות שאירעו בשנה הראשונה לצאת ישראל ממצרים, ואם היו עדים לכך – היו אז צעירים. היו, מן הסתם, ששמעו עליהם מפי הוריהם, ואחרים אולי התוודעו אליהם כאן לראשונה. על כל פנים, משה אינו מסתפק בחזרה על העובדות ובדיווחים על שיחותיו עם ה׳, אלא מוסיף על המאורעות ועל הדיבורים לקח ואף ממד אישי – הוא מספר על מחשבותיו ותחושות לבו, תגובותיו למאורעות שונים ופעולותיו, ומשלים במוסר ותוכחה. למרות מיעוטם היחסי של העדים למאורעות הראשונים, משה מדגיש את נוכחותם בקרב שומעיו, שכן עדים ישירים אלו יכולים לאמת את אירועי העבר הכבירים.[2]

חכמים השוו בין דברי משה בספר לבין כתובים מקבילים במקומות אחרים בתורה, ומצביעים על הבדלים בסגנון או בפרטי התוכן. אין פרשה שאין בה חידוש, קטן או גדול, לעומת מקבילתה בספרים הקודמים. כל הדברים שבספר הזה – לא רק כשמשה מסר את דברי ה׳ אלא גם כשדיבר על עצמו – ״שכינה מדברת מגרונו של משה״.[3] לכן מעמדו של ספר ׳משנה תורה׳, קדושתו וסמכותו אינם נופלים ממעמדם, קדושתם וסמכותם של שאר ספרי התורה. אכן במקומות אחדים בספר דברים (כגון יא,טו) משה מתחיל לדבר בקולו שלו, כמשה האיש, ובהמשך כמו גולש לדבר את דברי ה׳.

באופן כללי הספר עוסק בכל סוגי המצוות שבתורה, אם כי פחות מודגשים בו פרטי דיני הקורבנות ודיני טומאה וטהרה. בתלמוד מובא שהכול מסכימים שיש ללמוד מן הסמוכים שבספר,[4] לאמור: לבחון את הקשר הפנימי שבין מצוות המופיעות בו בשכנות. לעתים נובעת מקשר כזה גם מסקנה מעשית. עם זאת, למרות החטיבות הגדולות המכילות נושא גדול על כל פרטיו, מפרשי התורה לא הצליחו להסביר בשלמות את מכלול סדר המצוות שבו, והדברים צריכים עדיין עיון ולימוד.

הדרך שבה מופיעות מצוות רבות בספר הזה מאופיינת בהיבט נוסף: משה מכין את ישראל לקראת העתיד. הוא מורה להם כיצד יחיו במצבם

2. ראו למשל להלן יא,ב-ז.
3. על פי זוהר פינחס רלב ע״א וראו גם ילקוט הראובני.
4. ראו יבמות ד ע״א.

החדש. בין שאלו מצוות שהופיעו כבר ובין שאלו מצוות חדשות, מודגשת זיקתן לתנאי החיים של עם היושב בארצו, שעליו לבנות את מוסדותיו הציבוריים והמדיניים.

בדברי השירה והברכה שבסוף הספר נפרד משה מישראל. אין הוא משאיר לצאן מרעיתו רק את מכלול המצוות, אלא גם דברים שישמשו להם זיכרון לדורות הבאים, ובכלל דברי ברכתו, הנבדלים מברכת יעקב בפרטיהם ובהדגשותיהם, אבל דומים לה בהיותם מעין ברכה של אב לילדיו.

ספר דברים מסתיים בהסתלקותו של משה רבנו, שהוא הדמות החשובה ביותר בכל ההיסטוריה היהודית, ובתחילתו של עידן בתולדות העם, שבו יחיה על אדמתו כשהוא מלווה בתורת משה ומצויד בברכה ובייעודים שהנחיל לו המנהיג הגדול.

מכיוון שהספר הוא נאום פרדתו של משה מן העם, שבו הוא מבקש לטעת בלב עמו ערכים, מצוות, אזהרות וציוויים, רבות בו החזרות. הרטוריקה שלו מאופיינת גם בכך שלא תמיד אפשר בקלות לקטעו לפסקאות תוכן מובחנות. הקיטוע שנעשה כאן והכותרות שניתנו לקטעים, אינם אלא בגדר הצעת הבניה אפשרית לשם הקלה על הקורא.

דברים א אֵלֶּה הַדְּבָרִים אֲשֶׁר דִּבֶּר מֹשֶׁה אֶל־כָּל־יִשְׂרָאֵל א א
בְּעֵבֶר הַיַּרְדֵּן בַּמִּדְבָּר בָּעֲרָבָה מוֹל סוּף בֵּין־
פָּארָן וּבֵין־תֹּפֶל וְלָבָן וַחֲצֵרֹת וְדִי זָהָב: אַחַד עָשָׂר ב
יוֹם מֵחֹרֵב דֶּרֶךְ הַר־שֵׂעִיר עַד קָדֵשׁ בַּרְנֵעַ: וַיְהִי ג

רש"י

א| **אֵלֶּה הַדְּבָרִים.** לְפִי שֶׁהֵן דִּבְרֵי תוֹכָחוֹת, וּמָנָה כָּאן כָּל הַמְּקוֹמוֹת שֶׁהִכְעִיסוּ לִפְנֵי הַמָּקוֹם בָּהֶן, לְפִיכָךְ סָתַם אֶת הַדְּבָרִים וְהִזְכִּירָם בְּרֶמֶז, מִפְּנֵי כְּבוֹדָן שֶׁל יִשְׂרָאֵל: **אֶל כָּל יִשְׂרָאֵל.** אִלּוּ הוֹכִיחַ מִקְצָתָן, הָיוּ אֵלּוּ שֶׁבַּשּׁוּק אוֹמְרִים: אַתֶּם הֱיִיתֶם שׁוֹמְעִים מִבֶּן עַמְרָם וְלֹא הֲשִׁיבוֹתֶם דָּבָר, מִכָּךְ וְכָךְ, אִלּוּ הָיִינוּ שָׁם הָיִינוּ מְשִׁיבִין אוֹתוֹ; לְכָךְ כִּנְּסָם כֻּלָּם וְאָמַר לָהֶם: הֲרֵי כֻּלְּכֶם כָּאן, כָּל מִי שֶׁיֵּשׁ לוֹ תְּשׁוּבָה יָשִׁיב: **בַּמִּדְבָּר.** לֹא בַּמִּדְבָּר הָיוּ אֶלָּא בְּעַרְבוֹת מוֹאָב, וּמַהוּ "בַּמִּדְבָּר"? אֶלָּא בִּשְׁבִיל מַה שֶּׁהִכְעִיסוּהוּ בַּמִּדְבָּר, שֶׁאָמְרוּ: "מִי יִתֵּן מוּתֵנוּ" וְגוֹ' (שמות טז, ג): **בָּעֲרָבָה.** בִּשְׁבִיל הָעֲרָבָה, שֶׁחָטְאוּ בְּבַעַל פְּעוֹר בַּשִּׁטִּים בְּעַרְבוֹת מוֹאָב: **מוֹל סוּף.** עַל מַה שֶּׁהִמְרוּ בְּיַם סוּף, בְּבוֹאָם לְיַם סוּף, שֶׁאָמְרוּ: "הֲמִבְּלִי אֵין קְבָרִים בְּמִצְרַיִם" (שמות יד, יא), וְכֵן בְּנָסְעָם מִתּוֹךְ הַיָּם, שֶׁנֶּאֱמַר: "וַיַּמְרוּ עַל יָם בְּיַם סוּף" (תהלים קו, ז), כִּדְאִיתָא בַּעֲרָכִין (דף טו ע"א): **בֵּין פָּארָן וּבֵין תֹּפֶל וְלָבָן.** אָמַר רַבִּי יוֹחָנָן: חָזַרְנוּ עַל כָּל הַמִּקְרָא וְלֹא מָצִינוּ מָקוֹם שֶׁשְּׁמוֹ תֹּפֶל וְלָבָן, אֶלָּא הוֹכִיחָן עַל הַדְּבָרִים שֶׁתָּפְלוּ עַל הַמָּן שֶׁהוּא לָבָן, שֶׁאָמְרוּ: "וְנַפְשֵׁנוּ קָצָה בַּלֶּחֶם הַקְּלֹקֵל" (במדבר כא, ה), וְעַל מַה שֶּׁעָשׂוּ בְּמִדְבַּר פָּארָן עַל יְדֵי הַמְרַגְּלִים: **וַחֲצֵרֹת.** בְּמַחֲלָקְתּוֹ שֶׁל קֹרַח. דָּבָר אַחֵר, אָמַר לָהֶם: הָיָה לָכֶם לִלְמֹד מִמַּה שֶּׁעָשִׂיתִי לְמִרְיָם בַּחֲצֵרוֹת בִּשְׁבִיל לָשׁוֹן הָרָע, וְאַתֶּם נִדְבַּרְתֶּם בַּמָּקוֹם: **וְדִי זָהָב.** הוֹכִיחָן עַל הָעֵגֶל שֶׁעָשׂוּ בִּשְׁבִיל רֹב זָהָב שֶׁהָיָה לָהֶם, שֶׁנֶּאֱמַר: "וְכֶסֶף הִרְבֵּיתִי לָהּ וְזָהָב עָשׂוּ לַבָּעַל" (הושע ב, י):

ב| **אַחַד עָשָׂר יוֹם מֵחֹרֵב.** אָמַר לָהֶם מֹשֶׁה: רְאוּ מַה שֶּׁגְּרַמְתֶּם, אֵין לָכֶם דֶּרֶךְ קְצָרָה מֵחוֹרֵב לְקָדֵשׁ בַּרְנֵעַ כְּדֶרֶךְ הַר שֵׂעִיר, וְאַף הִיא מַהֲלַךְ אַחַד עָשָׂר יוֹם וְאַתֶּם הֲלַכְתֶּם אוֹתָהּ בִּשְׁלֹשָׁה יָמִים, שֶׁהֲרֵי בְּעֶשְׂרִים בְּאִיָּר נָסְעוּ מֵחוֹרֵב, שֶׁנֶּאֱמַר: "וַיְהִי בַּשָּׁנָה הַשֵּׁנִית בַּחֹדֶשׁ הַשֵּׁנִי בְּעֶשְׂרִים בַּחֹדֶשׁ" וְגוֹ' (במדבר י, יא), וּבְעֶשְׂרִים וְתִשְׁעָה בְּסִיוָן שָׁלְחוּ אֶת הַמְרַגְּלִים מִקָּדֵשׁ בַּרְנֵעַ, צֵא מֵהֶם שְׁלֹשִׁים יוֹם שֶׁעָשׂוּ בְּקִבְרוֹת הַתַּאֲוָה שֶׁאָכְלוּ הַבָּשָׂר חֹדֶשׁ יָמִים, וְשִׁבְעָה יָמִים שֶׁעָשׂוּ בַּחֲצֵרוֹת לְהֶסְגֵּר שֶׁל מִרְיָם, נִמְצָא בִּשְׁלֹשָׁה יָמִים הָלְכוּ כָּל אוֹתוֹ

העולם

**פָּארָן** א. חצי-האי סיני הכולל מספר מדבריות: מדבר צין, מדבר סיני, מדבר אֵתם ומדבר שור; ב. שם מקום מוגדר (בראשית יד,ו; מלכים א' יא,יח), שייתכן שהוא רכס ההרים שממערב לערבה מול הר שעיר (ראו דברים לג,ב) או בדרום סיני. יש לציין שבדרום-מערב חצי-האי סיני יש נחל מרכזי ששמו דומה – ואדי פיראן.

**תֹּפֶל וְלָבָן** מקומן אינו ידוע. היו שזיהו את תֹּפֶל, על פי דמיון השם, עם העיירה א-טפילה בירדן, המצויה כ-25 ק"מ מדרום-מזרח לים המלח.

**חֲצֵרֹת** מיקומה תלוי בזיהויו של הר סיני. הקובעים אותו בג'בל מוסא שבדרום חצי-האי סיני, מזהים את חצרות עם עין חודרה, בדרך מג'בל מוסא לאילת (עציון גבר). אחרים מזהים אותה עם יישוב הסמוך לג'בל הילאל בצפון מרכז סיני.

# ראשיתו של נאום משה אל ישראל

## פרק א פס׳ א – פרק ב פס׳ ב

לאחר ציון זמן נאומו הגדול של משה והמקומות שבהם ושעליהם הוא מדבר, משה מסביר שהמסע שאמור היה להסתיים תוך ימים ספורים התארך בשל פחדם של ישראל להיכנס אל הארץ. בסופו של דבר נגזר על ישראל לנדוד במדבר עד מותו של דור יוצאי מצרים, ומי שניסו להעפיל להר קודם שהותר להם – הוכו. בסקירה זו מציין משה גם את האצלת האחריות השיפוטית על השופטים והשוטרים, תהליך שלֻווה באזהרה שישפטו את אחיהם בצדק.

ביאור

פרק א א **אֵלֶּה הַדְּבָרִים אֲשֶׁר דִּבֶּר מֹשֶׁה אֶל כָּל יִשְׂרָאֵל בְּעֵבֶר**
**הַיַּרְדֵּן** – **בַּמִּדְבָּר** המשתרע בעבר הירדן המזרחי, **בָּעֲרָבָה**, התחום
שבין ים המלח לבין מפרץ אילת מול, כנגד ים סוף, **בֵּין פָּארָן וּבֵין**
**תֹּפֶל וְלָבָן וַחֲצֵרֹת וְדִי זָהָב**. השמות הללו מציינים מקומות שבהם
דיבר משה,[1] וכן הם רומזים לאירועים שעליהם דיבר.[2] ב **אַחַד עָשָׂר**
**יוֹם מֵחֹרֵב**, מהר סיני **דֶּרֶךְ הַר שֵׂעִיר עַד קָדֵשׁ בַּרְנֵעַ**. ההליכה במסלול

המקומות שבהם דיבר משה

העולם

**דִּי זָהָב** יש המזהים אותה עם א-דהב, נמל בחוף הדרומי-מזרחי של סיני.

**אַחַד עָשָׂר יוֹם מֵחֹרֵב** נוסעים בשיירות גמלים העידו כי עשו את הדרך מג׳בל מוסא – שיש הרואים בו את הר סיני – לקדש ברנע במשך עשרה או אחד-עשר יום (רובינזון, 1934). לדעת הטוענים לזיהוי הר סיני עם הר כרכום, יש בינו ובין קדש ברנע עשר בארות במרחק של 15-10 ק״מ זו מזו, שהוא המרחק המירבי שאותו יכולה קבוצה גדולה לעבור ביום.

**דֶּרֶךְ הַר שֵׂעִיר** יש הטוענים שהר שעיר הוא ג׳בל שעירה או הר חריף, הסמוכים לדרך שהובילה מצפון טיני לכיוון עציון גבר.

בְּאַרְבָּעִים שָׁנָה בְּעַשְׁתֵּי־עָשָׂר חֹדֶשׁ בְּאֶחָד לַחֹדֶשׁ
דִּבֶּר מֹשֶׁה אֶל־בְּנֵי יִשְׂרָאֵל כְּכֹל אֲשֶׁר צִוָּה יְהוָה אֹתוֹ
אֲלֵהֶם: ▸ אַחֲרֵי הַכֹּתוֹ אֵת סִיחֹן מֶלֶךְ הָאֱמֹרִי אֲשֶׁר ד
יוֹשֵׁב בְּחֶשְׁבּוֹן וְאֵת עוֹג מֶלֶךְ הַבָּשָׁן אֲשֶׁר־יוֹשֵׁב
בְּעַשְׁתָּרֹת בְּאֶדְרֶעִי: בְּעֵבֶר הַיַּרְדֵּן בְּאֶרֶץ מוֹאָב ה
הוֹאִיל מֹשֶׁה בֵּאֵר אֶת־הַתּוֹרָה הַזֹּאת לֵאמֹר: יְהוָה ו
אֱלֹהֵינוּ דִּבֶּר אֵלֵינוּ בְּחֹרֵב לֵאמֹר רַב־לָכֶם שֶׁבֶת

רש"י

הַדֶּרֶךְ, וְכָל כָּךְ הָיְתָה הַשְּׁכִינָה מִתְלַבֶּטֶת בִּשְׁבִילְכֶם לְמַהֵר בִּיאַתְכֶם לָאָרֶץ דֶּרֶךְ הַר שֵׂעִיר, וּבִשְׁבִיל שֶׁקִּלְקַלְתֶּם הֵסֵב אֶתְכֶם סְבִיבוֹת הַר שֵׂעִיר אַרְבָּעִים שָׁנָה:

ג) **וַיְהִי בְּאַרְבָּעִים שָׁנָה בְּעַשְׁתֵּי עָשָׂר חֹדֶשׁ בְּאֶחָד לַחֹדֶשׁ.** מְלַמֵּד שֶׁלֹּא הוֹכִיחָן אֶלָּא סָמוּךְ לַמִּיתָה. מִמִּי לָמַד? מִיַּעֲקֹב, שֶׁלֹּא הוֹכִיחַ אֶת בָּנָיו אֶלָּא סָמוּךְ לַמִּיתָה. אָמַר: רְאוּבֵן בְּנִי, אֲנִי אוֹמֵר לְךָ מִפְּנֵי מָה לֹא הוֹכַחְתִּיךָ כָּל הַשָּׁנִים הַלָּלוּ, כְּדֵי שֶׁלֹּא תַּנִּיחֵנִי וְתֵלֵךְ וְתִדְבַּק בְּעֵשָׂו אָחִי. וּמִפְּנֵי אַרְבָּעָה דְּבָרִים אֵין מוֹכִיחִין אֶת הָאָדָם אֶלָּא סָמוּךְ לַמִּיתָה: כְּדֵי שֶׁלֹּא יְהֵא מוֹכִיחוֹ וְחוֹזֵר וּמוֹכִיחוֹ, וְשֶׁלֹּא יְהֵא חֲבֵרוֹ רוֹאֵהוּ וּמִתְבַּיֵּשׁ מִמֶּנּוּ וְכוּ', כִּדְאִיתָא בְּסִפְרֵי (ב). וְכֵן יְהוֹשֻׁעַ לֹא הוֹכִיחַ אֶת יִשְׂרָאֵל אֶלָּא סָמוּךְ לַמִּיתָה. וְכֵן שְׁמוּאֵל, שֶׁנֶּאֱמַר: "הִנְנִי עֲנוּ בִי" (שמואל א' יב, ג). וְכֵן דָּוִד אֶת שְׁלֹמֹה בְּנוֹ:

ד) **אַחֲרֵי הַכֹּתוֹ.** אָמַר מֹשֶׁה: אִם אֲנִי מוֹכִיחָם קֹדֶם שֶׁיִּכָּנְסוּ לִקְצָת הָאָרֶץ, יֹאמְרוּ: מַה לָּזֶה עָלֵינוּ, מַה הֵיטִיב לָנוּ, אֵינוֹ בָּא אֶלָּא לְקַנְתֵּר וְלִמְצֹא עִלָּה, שֶׁאֵין בּוֹ כֹּחַ לַהֲכְנִיסֵנוּ לָאָרֶץ. לְפִיכָךְ הִמְתִּין עַד שֶׁהִפִּיל סִיחוֹן וְעוֹג לִפְנֵיהֶם וְהוֹרִישָׁם אֶת אַרְצָם, וְאַחַר כָּךְ הוֹכִיחָן: **סִיחֹן... אֲשֶׁר יוֹשֵׁב בְּחֶשְׁבּוֹן.** אִלּוּ לֹא הָיָה סִיחוֹן קָשֶׁה וְהָיָה שָׁרוּי בְּחֶשְׁבּוֹן, הָיָה קָשֶׁה, שֶׁהַמְּדִינָה קָשָׁה. וְאִלּוּ הָיְתָה עִיר אַחֶרֶת וְסִיחוֹן שָׁרוּי בְּתוֹכָהּ, הָיָה קָשֶׁה, שֶׁהַמֶּלֶךְ קָשֶׁה. עַל אַחַת כַּמָּה וְכַמָּה שֶׁהַמֶּלֶךְ קָשֶׁה וְהַמְּדִינָה קָשָׁה: **אֲשֶׁר יוֹשֵׁב בְּעַשְׁתָּרֹת.** הַמֶּלֶךְ קָשֶׁה וְהַמְּדִינָה קָשָׁה: **עַשְׁתָּרֹת.** הוּא לְשׁוֹן צוּקִין וְקֹשִׁי, כְּמוֹ: "עַשְׁתְּרֹת קַרְנַיִם" (בראשית יד, ה), וְ'עַשְׁתָּרֹת' זֶה הוּא עַשְׁתְּרֹת קַרְנַיִם שֶׁהָיוּ שָׁם רְפָאִים שֶׁהִכָּה אַמְרָפֶל, שֶׁנֶּאֱמַר: "וַיַּכּוּ אֶת רְפָאִים בְּעַשְׁתְּרֹת קַרְנַיִם" (שם), וְעוֹג נִמְלַט מֵהֶם, וְהוּא שֶׁנֶּאֱמַר: "וַיָּבֹא הַפָּלִיט" (שם פסוק יג), וְאוֹמֵר: "כִּי רַק עוֹג מֶלֶךְ הַבָּשָׁן נִשְׁאַר מִיֶּתֶר הָרְפָאִים" (להלן ג, יא): **בְּאֶדְרֶעִי.** שֵׁם הַמַּלְכוּת:

ה) **הוֹאִיל.** הִתְחִיל, כְּמוֹ: "הִנֵּה נָא הוֹאַלְתִּי" (בראשית יח, כז): **בֵּאֵר אֶת הַתּוֹרָה.** בְּשִׁבְעִים לָשׁוֹן פֵּרְשָׁהּ לָהֶם:

ו) **רַב לָכֶם שֶׁבֶת.** כִּפְשׁוּטוֹ. וְיֵשׁ מִדְרַשׁ אַגָּדָה: הַרְבֵּה גְּדֻלָּה לָכֶם וְשָׂכָר עַל יְשִׁיבַתְכֶם בָּהָר

הרחבות

**'בעשתי עשר חודש באחד לחודש'** לפי המסורת, משה נפטר בשבעה באדר. (ראו קדושין לח ע"א). כיוון שהתחיל את נאומו באחד בשבט, כל הספר כולו נאמר במעט יותר מחודש ימים.

ביאור

זה מהר סיני לקדש ברנע שבגבול הדרומי של ארץ כנען[3] אורכת
אחד-עשר יום, אבל ישראל נזקקו לשנים רבות מאז הגיעו לקדש
ברנע ועד כניסתם לארץ. ג **וַיְהִי בְּאַרְבָּעִים שָׁנָה בְּעַשְׁתֵּי עָשָׂר חֹדֶשׁ**,
בחודש האחד-עשר, הוא שייקרא מאוחר יותר שבָט, **בְּאֶחָד לַחֹדֶשׁ**,
**דִּבֶּר מֹשֶׁה אֶל בְּנֵי יִשְׂרָאֵל כְּכֹל אֲשֶׁר צִוָּה ה׳ אֹתוֹ אֲלֵהֶם.** ד **אַחֲרֵי הַכֹּתוֹ**
**אֵת סִיחֹן מֶלֶךְ הָאֱמֹרִי אֲשֶׁר יוֹשֵׁב בְּחֶשְׁבּוֹן וְאֵת עוֹג מֶלֶךְ הַבָּשָׁן אֲשֶׁר**
**יוֹשֵׁב בְּעַשְׁתָּרֹת**, במלחמה ש**בְּאֶדְרֶעִי**.[4] אף על פי שמשה לא הכניס
את ישראל לארץ, הוא הכין את הדרך לפניהם, וניצח שני מלכים
גדולים. יש בהזכרה זו כדי לבסס את תחושת הביטחון של ישראל
לקראת הצעד הבא. הם יתכוננו לכניסה לארץ לאור הזיכרון החיובי
ומתוך התקווה שזיכרון זה יפיח בהם. ה **בְּעֵבֶר הַיַּרְדֵּן בְּאֶרֶץ מוֹאָב**
**הוֹאִיל**, התחיל,[5] או: רצה[6] **מֹשֶׁה בֵּאֵר אֶת הַתּוֹרָה הַזֹּאת לֵאמֹר:**
ו **ה׳ אֱלֹהֵינוּ דִּבֶּר אֵלֵינוּ** כאשר היינו **בְּחֹרֵב לֵאמֹר: רַב**, די **לָכֶם שֶׁבֶת**

העולם

**חֶשְׁבּוֹן** עיר חשובה הממוקמת על גבול נחלות שבטי גד וראובן (יהושע יג,יז). מקובל לזהותה עם חורבת חִסבאן היושבת על דרך המלך על הרכס הנישא מעל מישור מידבא, כ-20 ק"מ מדרום-מערב לרבת עמון. על פי יוספוס פלביוס, חשבון עברה תחת כמה ידיים במלחמות שונות, והייתה נתונה תחת שלטון ישראל בתקופת החשמונאים. משיר השירים (ז,ה) עולה שהעיר הייתה מוכרת בישראל. (ראו עוד רמב"ן במדבר לב,לח).

**עַשְׁתָּרֹת** (עשתרות קרנים) עיר בנחלת מנשה בבשן שניתנה ללויים, המכונה במקרא גם בעשתרה - אולי קיצור של בית עשתרות (יהושע כא,כז). העיר שלטה על הדרך הראשית בבשן. היא הייתה עיר הבירה של מחוז קרניים, ובה ישב עוג. מזוהה עם תל-עשתרה שבסוריה.

**אֶדְרֶעִי** דרעא, עיר מחוז וצומת דרכים חשוב בדרום הבשן בדרום סוריה. נמצאו בה ממצאים החל מן האלף השלישי לפנה"ס, והיא נזכרת בתעודות מצריות קדומות. אדרעי נכללה בנחלת חצי שבט המנשה, ועל פי עדויות היסטוריות ישבו בה יהודים בימי בית שני, בתקופת המשנה והתלמוד ובימי הביניים.

בָּהָר הַזֶּה׃ פְּנוּ ׀ וּסְעוּ לָכֶם וּבֹאוּ הַר הָאֱמֹרִי וְאֶל־כָּל־ ז
שְׁכֵנָיו בָּעֲרָבָה בָהָר וּבַשְּׁפֵלָה וּבַנֶּגֶב וּבְחוֹף הַיָּם אֶרֶץ
הַכְּנַעֲנִי וְהַלְּבָנוֹן עַד־הַנָּהָר הַגָּדֹל נְהַר־פְּרָת׃ רְאֵה ח
נָתַתִּי לִפְנֵיכֶם אֶת־הָאָרֶץ בֹּאוּ וּרְשׁוּ אֶת־הָאָרֶץ
אֲשֶׁר נִשְׁבַּע יְהוָה לַאֲבֹתֵיכֶם לְאַבְרָהָם לְיִצְחָק
וּלְיַעֲקֹב לָתֵת לָהֶם וּלְזַרְעָם אַחֲרֵיהֶם׃ וָאֹמַר אֲלֵכֶם ט
בָּעֵת הַהִוא לֵאמֹר לֹא־אוּכַל לְבַדִּי שְׂאֵת אֶתְכֶם׃
יְהוָה אֱלֹהֵיכֶם הִרְבָּה אֶתְכֶם וְהִנְּכֶם הַיּוֹם כְּכוֹכְבֵי י
שני הַשָּׁמַיִם לָרֹב׃ יְהוָה אֱלֹהֵי אֲבוֹתֵכֶם יֹסֵף עֲלֵיכֶם כָּכֶם יא

רש"י

הַזֶּה, עֲשִׂיתֶם מִשְׁכָּן מְנוֹרָה וְכֵלִים, קִבַּלְתֶּם תּוֹרָה, מִנִּיתֶם לָכֶם סַנְהֶדְרִין שָׂרֵי אֲלָפִים וְשָׂרֵי מֵאוֹת:

ז] **פְּנוּ וּסְעוּ לָכֶם.** זוֹ דֶּרֶךְ עֲרָד וְחָרְמָה: **וּבֹאוּ הַר הָאֱמֹרִי.** כְּמַשְׁמָעוֹ: **וְאֶל כָּל שְׁכֵנָיו.** עַמּוֹן וּמוֹאָב וְהַר שֵׂעִיר: **בָּעֲרָבָה.** זֶה מִישׁוֹר שֶׁל יַעַר: **בָהָר.** זֶה הַר הַמֶּלֶךְ: **וּבַשְּׁפֵלָה.** זוֹ שְׁפֵלַת דָּרוֹם: **וּבַנֶּגֶב וּבְחוֹף הַיָּם.** אַשְׁקְלוֹן וְעַזָּה וְקֵסָרִי וְכוּ', כִּדְאִיתָא בְּסִפְרֵי (ו): **עַד הַנָּהָר הַגָּדֹל.** מִפְּנֵי שֶׁנִּזְכָּר עִם אֶרֶץ יִשְׂרָאֵל קוֹרְאֵהוּ גָּדוֹל, מְשַׁל הֶדְיוֹט אוֹמֵר: עֶבֶד מֶלֶךְ מֶלֶךְ, הִדָּבֵק לְשַׁחְוָר וְיִשְׁתַּחֲווּ לָךְ, קְרַב לְגַבֵּי דְּהִינָא וְאִדְּהַן:

ח] **רְאֵה נָתַתִּי.** בְּעֵינֵיכֶם אַתֶּם רוֹאִים, אֵינִי אוֹמֵר לָכֶם מֵאֹמֶד וּמִשְּׁמוּעָה: **בֹּאוּ וּרְשׁוּ.** אֵין מְעַרְעֵר בַּדָּבָר וְאֵינְכֶם צְרִיכִים לְמִלְחָמָה, אִלּוּ לֹא שָׁלְחוּ מְרַגְּלִים לֹא הָיוּ צְרִיכִים לִכְלֵי זַיִן: **לַאֲבֹתֵיכֶם.** לָמָּה הִזְכִּיר עוֹד "לְאַבְרָהָם לְיִצְחָק וּלְיַעֲקֹב"? אֶלָּא אַבְרָהָם כְּדַאי לְעַצְמוֹ, יִצְחָק כְּדַאי לְעַצְמוֹ, יַעֲקֹב כְּדַאי לְעַצְמוֹ:

ט] **וָאֹמַר אֲלֵכֶם בָּעֵת הַהִוא לֵאמֹר.** מַהוּ 'לֵאמֹר'? אָמַר לָהֶם מֹשֶׁה: לֹא מֵעַצְמִי אֲנִי אוֹמֵר לָכֶם אֶלָּא מִפִּי הַקָּדוֹשׁ בָּרוּךְ הוּא: **לֹא אוּכַל לְבַדִּי וְגוֹ'.** אֶפְשָׁר שֶׁלֹּא הָיָה מֹשֶׁה יָכוֹל לָדוּן אֶת יִשְׂרָאֵל? אָדָם שֶׁהוֹצִיאָם מִמִּצְרַיִם, וְקָרַע לָהֶם אֶת הַיָּם, וְהוֹרִיד אֶת הַמָּן, וְהֵגִיז אֶת הַשְּׂלָו, לֹא הָיָה יָכוֹל לְדוּנָם? אֶלָּא כָּךְ אָמַר לָהֶם: "ה' אֱלֹהֵיכֶם הִרְבָּה אֶתְכֶם" (להלן פסוק י) – הִגְדִּיל וְהֵרִים אֶתְכֶם עַל דַּיָּנֵיכֶם, נָטַל אֶת הָעֹנֶשׁ מִכֶּם וּנְתָנוֹ עַל הַדַּיָּנִים. וְכֵן אָמַר שְׁלֹמֹה: "כִּי מִי יוּכַל לִשְׁפֹּט אֶת עַמְּךָ הַכָּבֵד הַזֶּה" (מלכים א' ג, ט), אֶפְשָׁר מִי שֶׁכָּתוּב בּוֹ: "וַיֶּחְכַּם מִכָּל הָאָדָם" (שם ה, יא) אוֹמֵר: "מִי יוּכַל לִשְׁפֹּט"? אֶלָּא כָּךְ אָמַר שְׁלֹמֹה: אֵין דַּיָּנֵי אֻמָּה זוֹ כְּדַיָּנֵי שְׁאָר הָאֻמּוֹת, שֶׁאִם דָּן וְהוֹרֵג וּמַכֶּה וְחוֹנֵק וּמַטֶּה אֶת דִּינוֹ וְגוֹזֵל אֵין בְּכָךְ כְּלוּם, אֲנִי אִם חִיַּבְתִּי מָמוֹן שֶׁלֹּא כַּדִּין, נְפָשׁוֹת אֲנִי נִתְבָּע, שֶׁנֶּאֱמַר: "וְקָבַע אֶת קֹבְעֵיהֶם נָפֶשׁ" (משלי כב, כג):

י] **וְהִנְּכֶם הַיּוֹם כְּכוֹכְבֵי הַשָּׁמַיִם.** וְכִי כְּכוֹכְבֵי הַשָּׁמַיִם הָיוּ בְּאוֹתוֹ הַיּוֹם? וַהֲלֹא לֹא הָיוּ אֶלָּא שִׁשִּׁים רִבּוֹא, מַהוּ "וְהִנְּכֶם הַיּוֹם"? הִנְּכֶם מְשׁוּלִים כַּיּוֹם, קַיָּמִים לְעוֹלָם כַּחַמָּה וְכַלְּבָנָה וְכַכּוֹכָבִים:

יא] **יֹסֵף עֲלֵיכֶם כָּכֶם אֶלֶף פְּעָמִים.** מַהוּ עוֹד "וִיבָרֵךְ אֶתְכֶם כַּאֲשֶׁר דִּבֶּר לָכֶם"?

ביאור

בָּהָר הַזֶּה, שבו קיבלתם את התורה. ז פְּנוּ מחורב וּסְעוּ לָכֶם וּבֹאוּ אל
הַר הָאֱמֹרִי וְאֶל כָּל שְׁכֵנָיו, בָּעֲרָבָה בָהָר וּבַשְּׁפֵלָה וּבַנֶּגֶב וּבְחוֹף הַיָּם – אֶרֶץ
הַכְּנַעֲנִי וְהַלְּבָנוֹן, עַד הַנָּהָר הַגָּדֹל, נְהַר פְּרָת. ח רְאֵה נָתַתִּי לִפְנֵיכֶם אֶת
הָאָרֶץ. בֹּאוּ וּרְשׁוּ אֶת הָאָרֶץ אֲשֶׁר נִשְׁבַּע ה׳ לַאֲבֹתֵיכֶם, לְאַבְרָהָם, לְיִצְחָק
וּלְיַעֲקֹב, לָתֵת לָהֶם וּלְזַרְעָם אַחֲרֵיהֶם. צאו למסע שסופו יהיה בכניסה
לארצכם.

ט וָאֹמַר אֲלֵכֶם בָּעֵת הַהִוא לֵאמֹר: לֹא אוּכַל לְבַדִּי שְׂאֵת אֶתְכֶם. י המשא
כבד עלי, שהרי ה׳ אֱלֹהֵיכֶם הִרְבָּה אֶתְכֶם, וְהִנְּכֶם הַיּוֹם כְּכוֹכְבֵי הַשָּׁמַיִם
לָרֹב, עם גדול ורב. כיוון שהזכיר זאת, מצא לנכון להוסיף: אינני
בא חלילה בתלונות על התרבותכם. יא אדרבא, לוואי שה׳ אֱלֹהֵי
אֲבוֹתֵכֶם יֹסֵף עֲלֵיכֶם כָּכֶם, כמו שאתם אֶלֶף פְּעָמִים, וִיבָרֵךְ אֶתְכֶם, יקיים

כּוֹכְבֵי הַשָּׁמַיִם לָרֹב

הרחבות

**וָאֹמַר אֲלֵכֶם** בספר שמות נאמר שהשופטים מונו בעקבות הצעתו של יתרו (שמות יח,יג-כו), אך בדברי משה כאן אין לכך זכר. משה בוודאי הבין את הקושי בתפקודו של שופט יחיד והכיר מערכות שלטוניות מאורגנות, ולכן עצת חותנו לא הייתה הגורם הבלעדי לשינוי אלא מעין זרז.

כאשר משה חזר וסיפר על המאורע בנאומו, שנישא מתוך פרספקטיבה אישית – הוא הדגיש את קשייו, את בחירת השופטים ואת מינוים בפועל, ואילו את העצות הפרטיות ששמע קודם לכן, לא ראה לנכון להזכיר.

יב אֶלֶף פְּעָמִים וִיבָרֵךְ אֶתְכֶם כַּאֲשֶׁר דִּבֶּר לָכֶם׃ אֵיכָה
יג אֶשָּׂא לְבַדִּי טָרְחֲכֶם וּמַשַּׂאֲכֶם וְרִיבְכֶם׃ הָבוּ לָכֶם
אֲנָשִׁים חֲכָמִים וּנְבֹנִים וִידֻעִים לְשִׁבְטֵיכֶם וַאֲשִׂימֵם
יד בְּרָאשֵׁיכֶם׃ וַתַּעֲנוּ אֹתִי וַתֹּאמְרוּ טוֹב־הַדָּבָר אֲשֶׁר־
טו דִּבַּרְתָּ לַעֲשׂוֹת׃ וָאֶקַּח אֶת־רָאשֵׁי שִׁבְטֵיכֶם אֲנָשִׁים
חֲכָמִים וִידֻעִים וָאֶתֵּן אֹתָם רָאשִׁים עֲלֵיכֶם שָׂרֵי

רש"י

אלא אמרו לו: משה, אתה נותן קצבה לברכותינו, כבר הבטיח הקדוש ברוך הוא את אברהם: "אשר אם יוכל איש למנות" וגו' (בראשית יג, טז). אמר להם: זו משלי היא, אבל הוא "יברך אתכם כאשר דבר לכם".

יב) **איכה אשא לבדי.** אם אמר לקבל שכר, לא אוכל, זו היא שאמרתי לכם: לא מעצמי אני אומר לכם אלא מפי הקדוש ברוך הוא: **טרחכם.** מלמד שהיו ישראל טרחנין, היה אחד מהם רואה את בעל דינו נוצח בדין, אומר: יש לי עדים להביא, יש לי ראיות להביא, מוסיף אני עליכם דיינין: **ומשאכם.** מלמד שהיו אפיקורסין. הקדים משה לצאת, אמרו: מה ראה בן עמרם לצאת? שמא אינו שפוי בתוך ביתו. איחר לצאת, אמרו: מה ראה בן עמרם שלא לצאת? מה אתם סבורים, יושב ויועץ עליכם עצות רעות וחושב עליכם מחשבות: **וריבכם.** מלמד שהיו רוגנים:

יג) **הבו לכם.** הזמינו עצמכם לדבר: **אנשים.** וכי תעלה על דעתך נשים? מה תלמוד לומר: אנשים? צדיקים, חכמים, כשופים: **ונבנים.** מבינים דבר מתוך דבר. זהו ששאל אריוס את רבי יוסי: מה בין חכמים לנבונים? חכם דומה לשלחני עשיר, כשמביאין לו דינרין לראות רואה, וכשאין מביאין לו יושב ותוהא. נבון דומה לשלחני תגר, כשמביאין לו מעות לראות רואה, וכשאין מביאין לו הוא מחזר ומביא משלו: **וידעים לשבטיכם.** שהם ניכרים לכם, שאם בא לפני מעוטף בטליתו איני יודע מי הוא ומאיזה שבט הוא ואם הגון הוא, אבל אתם מכירין בו, שאתם גדלתם אותו, לכך נאמר: "וידעים לשבטיכם": **בראשיכם.** ראשים ומכבדים עליכם, שתהיו נוהגין בהם כבוד ויראה: **ואשמם.** חסר יו"ד, למד שאשמותיהם של ישראל תלויות בראשי דייניהם, שהיה להם למחות ולכוון אותם לדרך הישרה:

יד) **ותענו אתי וגו'.** חלטתם את הדבר להנאתכם, היה לכם להשיב: רבנו משה, ממי נאה ללמוד, ממך או מתלמידך? לא ממך שנצטערת עליה? אלא ידעתי מחשבותיכם, הייתם אומרים: עכשיו יתמנו עלינו דיינין הרבה, אם אין מכירנו, אנו מביאין לו דורון והוא נושא לנו פנים: **לעשות.** אם הייתי מתעצל, אתם אומרים עשה מהרה:

טו) **ואקח את ראשי שבטיכם.** משכתים בדברים: אשריכם, על מי באתם להתמנות, על בני אברהם יצחק ויעקב, על בני אדם שנקראו אחים ורעים, חלק ונחלה, וכל לשון חבה: **אנשים חכמים וידעים.** אבל נבונים לא מצאתי. זו אחת משבע מדות שאמר יתרו למשה, ולא מצא אלא שלש: אנשים צדיקים, חכמים וידעים: **ראשים עליכם.** שתנהגו בהם

ביאור | בכם את ברכותיו והבטחותיו **כַּאֲשֶׁר דִּבֶּר לָכֶם**, עליכם. יב ובכל
זאת, כיוון שאתם מרובים מאוד – **אֵיכָה אֶשָּׂא לְבַדִּי אֶת טָרְחֲכֶם**,
בעיותיכם המצריכות פתרון, **וּמַשַּׂאֲכֶם**, המשא שכל אחד מכם מעמיס
עלי **וְרִיבְכֶם**, מריבותיכם הפנימיות?! יג **הָבוּ לָכֶם**, בחרו **אֲנָשִׁים חֲכָמִים**
**וּנְבֹנִים וִידֻעִים**, שאינם זרים או מתבודדים, אלא מוכרים בעלי שם
טוב **לְשִׁבְטֵיכֶם, וַאֲשִׂימֵם**, אשים אותם **בְּרָאשֵׁיכֶם**. הצגתי בפניכם את
ההצעה שהיא בעצם הצעתו של יתרו.
יד **וַתַּעֲנוּ אֹתִי** ותאמרו: **טוֹב הַדָּבָר אֲשֶׁר דִּבַּרְתָּ לַעֲשׂוֹת**.
טו **וָאֶקַּח** על סמך עדותכם וברצונכם **אֶת רָאשֵׁי שִׁבְטֵיכֶם – אֲנָשִׁים**
**חֲכָמִים וִידֻעִים, וָאֶתֵּן אֹתָם רָאשִׁים עֲלֵיכֶם**, ומהם מונו **שָׂרֵי אֲלָפִים**

אֲלָפִים וְשָׂרֵי מֵאוֹת וְשָׂרֵי חֲמִשִּׁים וְשָׂרֵי עֲשָׂרֹת
וְשֹׁטְרִים לְשִׁבְטֵיכֶם: וָאֲצַוֶּה אֶת־שֹׁפְטֵיכֶם בָּעֵת טז
הַהִוא לֵאמֹר שָׁמֹעַ בֵּין־אֲחֵיכֶם וּשְׁפַטְתֶּם צֶדֶק בֵּין־
אִישׁ וּבֵין־אָחִיו וּבֵין גֵּרוֹ: לֹא־תַכִּירוּ פָנִים בַּמִּשְׁפָּט יז
כַּקָּטֹן כַּגָּדֹל תִּשְׁמָעוּן לֹא תָגוּרוּ מִפְּנֵי־אִישׁ כִּי
הַמִּשְׁפָּט לֵאלֹהִים הוּא וְהַדָּבָר אֲשֶׁר יִקְשֶׁה מִכֶּם
תַּקְרִבוּן אֵלַי וּשְׁמַעְתִּיו: וָאֲצַוֶּה אֶתְכֶם בָּעֵת הַהִוא יח
אֵת כָּל־הַדְּבָרִים אֲשֶׁר תַּעֲשׂוּן: וַנִּסַּע מֵחֹרֵב וַנֵּלֶךְ יט

רש"י | כָּבוֹד, רָאשִׁים בְּמִקָּח, רָאשִׁים בְּמִמְכָּר, רָאשִׁים בְּמַשָּׂא וּמַתָּן, נִכְנָס אַחֲרוֹן וְיוֹצֵא רִאשׁוֹן: **שָׂרֵי אֲלָפִים.** אֶחָד מְמֻנֶּה עַל אֶלֶף: **שָׂרֵי מֵאוֹת.** אֶחָד מְמֻנֶּה עַל מֵאָה: **וְשֹׁטְרִים.** מִנִּיתִי עֲלֵיכֶם "לְשִׁבְטֵיכֶם", אֵלּוּ הַכּוֹפְתִין וְהַמַּכִּין בִּרְצוּעָה עַל פִּי הַדַּיָּנִין:

טז **וָאֲצַוֶּה אֶת שֹׁפְטֵיכֶם.** אָמַרְתִּי לָהֶם: הֱווּ מְתוּנִים בַּדִּין, אִם בָּא דִין לְפָנֶיךָ פַּעַם אַחַת וּשְׁתַּיִם וְשָׁלֹשׁ, אַל תֹּאמַר: כְּבָר בָּא דִּין זֶה לְפָנַי פְּעָמִים הַרְבֵּה, אֶלָּא הֱיוּ נוֹשְׂאִים וְנוֹתְנִים בּוֹ: **בָּעֵת הַהִוא.** מִשֶּׁמִּנִּיתִים אָמַרְתִּי לָהֶם: אֵין עַכְשָׁיו כִּלְשֶׁעָבַר, לְשֶׁעָבַר הֱיִיתֶם בִּרְשׁוּת עַצְמְכֶם, עַכְשָׁיו הֲרֵי אַתֶּם מְשֻׁעְבָּדִים לַצִּבּוּר: **שָׁמֹעַ.** לְשׁוֹן הֹוֶה, אוֹדנ"ט בְּלַעַז, כְּמוֹ 'זָכוֹר' וְ'שָׁמוֹר': **וּבֵין גֵּרוֹ.** זֶה בַּעַל דִּינוֹ שֶׁאוֹגֵר עָלָיו דְּבָרִים. דָּבָר אַחֵר, "וּבֵין גֵּרוֹ", אַף עַל עִסְקֵי דִירָה, בֵּין חֲלֻקַּת אַחִים, אֲפִלּוּ בֵּין תַּנּוּר לְכִירַיִם:

יז **לֹא תַכִּירוּ פָּנִים בַּמִּשְׁפָּט.** זֶה הַמְמֻנֶּה לְהוֹשִׁיב הַדַּיָּנִים, שֶׁלֹּא יֹאמַר: אִישׁ פְּלוֹנִי נָאֶה אוֹ גִּבּוֹר, אוֹשִׁיבֶנּוּ דַּיָּן, אִישׁ פְּלוֹנִי קְרוֹבִי, אוֹשִׁיבֶנּוּ דַּיָּן בָּעִיר, וְהוּא אֵינוֹ בָקִי בְּדִינִין, נִמְצָא מְחַיֵּב אֶת הַזַּכַּאי וּמְזַכֶּה אֶת הַחַיָּב, מַעֲלֶה אֲנִי עַל מִי שֶׁמִּנָּהוּ כְּאִלּוּ הִכִּיר פָּנִים בַּדִּין: **כַּקָּטֹן כַּגָּדֹל תִּשְׁמָעוּן.** שֶׁיְּהֵא חָבִיב עָלֶיךָ דִּין שֶׁל פְּרוּטָה כְּדִין שֶׁל מֵאָה מָנֶה, שֶׁאִם קָדַם וּבָא לְפָנֶיךָ לֹא תְסַלְּקֶנּוּ לָאַחֲרוֹנָה. דָּבָר אַחֵר, "כַּקָּטֹן כַּגָּדֹל תִּשְׁמָעוּן", כְּתַרְגּוּמוֹ, שֶׁלֹּא תֹאמַר: זֶה עָנִי הוּא וַחֲבֵרוֹ עָשִׁיר וּמִצְוָה לְפַרְנְסוֹ, אֲזַכֶּה אֶת הֶעָנִי וְנִמְצָא מִתְפַּרְנֵס בִּנְקִיּוּת. דָּבָר אַחֵר, שֶׁלֹּא תֹאמַר: הֵיאַךְ אֲנִי פוֹגֵם כְּבוֹדוֹ שֶׁל עָשִׁיר זֶה בִּשְׁבִיל דִּינָר, אֲזַכֶּנּוּ עַכְשָׁיו, וּכְשֶׁיֵּצֵא לַחוּץ, אֹמַר לוֹ: תֵּן לוֹ, שֶׁאַתָּה חַיָּב לוֹ: **לֹא תָגוּרוּ מִפְּנֵי אִישׁ.** לֹא תִירְאוּ. דָּבָר אַחֵר, "לֹא תָגוּרוּ", לֹא תַכְנִיס דְּבָרֶיךָ מִפְּנֵי אִישׁ, לְשׁוֹן: "אֹגֵר בַּקַּיִץ" (משלי י, ה): **כִּי הַמִּשְׁפָּט לֵאלֹהִים הוּא.** מַה שֶּׁאַתָּה נוֹטֵל מִזֶּה שֶׁלֹּא כַדִּין אַתָּה מַזְקִיקֵנִי לְהַחֲזִיר לוֹ, נִמְצָא שֶׁהִטִּיתָ עָלַי הַמִּשְׁפָּט: **תַּקְרִבוּן אֵלָי.** עַל דָּבָר זֶה נִסְתַּלֵּק מִמֶּנּוּ מִשְׁפַּט בְּנוֹת צְלָפְחָד. וְכֵן שְׁמוּאֵל אָמַר לְשָׁאוּל: "אָנֹכִי הָרֹאֶה" (שמואל א' ט, יט), אָמַר לוֹ הַקָּדוֹשׁ בָּרוּךְ הוּא: חַיֶּיךָ שֶׁאֲנִי מוֹדִיעֲךָ שֶׁאֵין אַתָּה רוֹאֶה. וְאֵימָתַי הוֹדִיעוֹ? כְּשֶׁבָּא לִמְשֹׁחַ אֶת דָּוִד: "וַיַּרְא אֶת אֱלִיאָב וַיֹּאמֶר אַךְ נֶגֶד ה' מְשִׁיחוֹ" (שמואל א' טז, ו), אָמַר לוֹ הַקָּדוֹשׁ בָּרוּךְ הוּא: וְלֹא אָמַרְתָּ: "אָנֹכִי הָרֹאֶה"? "אַל תַּבֵּט אֶל מַרְאֵהוּ" (שם פסוק ז):

יח **אֵת כָּל הַדְּבָרִים אֲשֶׁר תַּעֲשׂוּן.** אֵלּוּ

ביאור

**וְשָׂרֵי מֵאוֹת וְשָׂרֵי חֲמִשִּׁים וְשָׂרֵי עֲשָׂרֹת וְשֹׁטְרִים לְשִׁבְטֵיכֶם.**

טז **וָאֲצַוֶּה אֶת שֹׁפְטֵיכֶם בָּעֵת הַהִוא לֵאמֹר: שָׁמֹעַ בֵּין אֲחֵיכֶם**, הקשיבו ונסו להבין ללבם של החולקים בעמכם, **וּשְׁפַטְתֶּם צֶדֶק בֵּין אִישׁ וּבֵין אָחִיו וּבֵין גֵּרוֹ**, גם כלפי מי שאין לו קרובי משפחה. יז **לֹא תַכִּירוּ פָנִים**, תעדיפו את אחד הצדדים **בַּמִּשְׁפָּט. כַּקָּטֹן כַּגָּדֹל תִּשְׁמָעוּן** בשווה, שִׁמרו על הצדק והיושר. **לֹא תָגוּרוּ**, תפחדו **מִפְּנֵי אִישׁ**, לא בדיבור ולא בהימנעות מדיבור, **כִּי הַמִּשְׁפָּט לֵאלֹהִים הוּא**, אין לשופט כל צד אישי במשפט שהרי הוא רק מורה את דברי האלוקים; כל עיוות במשפט הוא חטא כלפי ה' ומעילה בשליחותו.[7] **אֶת הַדָּבָר אֲשֶׁר יִקְשֶׁה מִכֶּם** – **תַּקְרִבוּן**, תביאו **אֵלַי וּשְׁמַעְתִּיו**, ואנסה לסייע בפתרונו.

יח **וָאֲצַוֶּה אֶתְכֶם בָּעֵת הַהִוא אֵת כָּל הַדְּבָרִים אֲשֶׁר תַּעֲשׂוּן.**

אֵת כָּל־הַמִּדְבָּר הַגָּדוֹל וְהַנּוֹרָא הַהוּא אֲשֶׁר רְאִיתֶם
דֶּרֶךְ הַר הָאֱמֹרִי כַּאֲשֶׁר צִוָּה יְהוָה אֱלֹהֵינוּ אֹתָנוּ
וַנָּבֹא עַד קָדֵשׁ בַּרְנֵעַ׃ וָאֹמַר אֲלֵכֶם בָּאתֶם עַד־הַר כ
הָאֱמֹרִי אֲשֶׁר־יְהוָה אֱלֹהֵינוּ נֹתֵן לָנוּ׃ רְאֵה נָתַן יְהוָה כא
אֱלֹהֶיךָ לְפָנֶיךָ אֶת־הָאָרֶץ עֲלֵה רֵשׁ כַּאֲשֶׁר דִּבֶּר
יְהוָה אֱלֹהֵי אֲבֹתֶיךָ לָךְ אַל־תִּירָא וְאַל־תֵּחָת׃ כב
שלישי וַתִּקְרְבוּן אֵלַי כֻּלְּכֶם וַתֹּאמְרוּ נִשְׁלְחָה אֲנָשִׁים לְפָנֵינוּ
וְיַחְפְּרוּ־לָנוּ אֶת־הָאָרֶץ וְיָשִׁבוּ אֹתָנוּ דָּבָר אֶת־הַדֶּרֶךְ
אֲשֶׁר נַעֲלֶה־בָּהּ וְאֵת הֶעָרִים אֲשֶׁר נָבֹא אֲלֵיהֶן׃ כג
וַיִּיטַב בְּעֵינַי הַדָּבָר וָאֶקַּח מִכֶּם שְׁנֵים עָשָׂר אֲנָשִׁים
אִישׁ אֶחָד לַשָּׁבֶט׃ וַיִּפְנוּ וַיַּעֲלוּ הָהָרָה וַיָּבֹאוּ עַד־נַחַל כד

רש"י | עֲשֶׂרֶת הַדְּבָרִים שֶׁבֵּין דִּינֵי מָמוֹנוֹת לְדִינֵי נְפָשׁוֹת:

יט) **הַמִּדְבָּר הַגָּדוֹל וְהַנּוֹרָא.** שֶׁהָיוּ בּוֹ נְחָשִׁים כְּקוֹרוֹת וְעַקְרַבִּים כִּקְשָׁתוֹת:

כב) **וַתִּקְרְבוּן אֵלַי כֻּלְּכֶם.** בְּעִרְבּוּבְיָא, וּלְהַלָּן הוּא אוֹמֵר: "וַתִּקְרְבוּן אֵלַי כָּל רָאשֵׁי שִׁבְטֵיכֶם וְזִקְנֵיכֶם, וַתֹּאמְרוּ הֵן הֶרְאָנוּ" וְגוֹ' (להלן ה, כ-כא) אוֹתָהּ קְרִיבָה הָיְתָה הוֹגֶנֶת, יְלָדִים מְכַבְּדִים אֶת הַזְּקֵנִים וּשְׁלָחוּם לִפְנֵיהֶם, וּזְקֵנִים מְכַבְּדִים אֶת הָרָאשִׁים לָלֶכֶת לִפְנֵיהֶם, אֲבָל כָּאן: "וַתִּקְרְבוּן אֵלַי כֻּלְּכֶם", בְּעִרְבּוּבְיָא, יְלָדִים דּוֹחֲפִין אֶת הַזְּקֵנִים וּזְקֵנִים דּוֹחֲפִין אֶת הָרָאשִׁים: **וְיָשִׁבוּ אֹתָנוּ דָּבָר.** בְּאֵיזֶה לָשׁוֹן הֵם מְדַבְּרִים: **אֶת הַדֶּרֶךְ אֲשֶׁר נַעֲלֶה בָּהּ.** אֵין דֶּרֶךְ שֶׁאֵין בָּהּ עֲקַמִּימוּת: **וְאֵת הֶעָרִים אֲשֶׁר נָבֹא אֲלֵיהֶן.** תְּחִלָּה לִכְבֹּשׁ:

כג) **וַיִּיטַב בְּעֵינַי הַדָּבָר.** בְּעֵינַי וְלֹא בְּעֵינֵי הַמָּקוֹם. וְאִם בְּעֵינֵי מֹשֶׁה הָיָה טוֹב, לָמָּה אֲמָרָהּ בְּתוֹכָחוֹת? מָשָׁל לְאָדָם שֶׁאוֹמֵר לַחֲבֵרוֹ: מְכֹר לִי חֲמוֹרְךָ זֶה, אָמַר לוֹ: הֵן. נוֹתְנוֹ אַתָּה לִי לְנִסָּיוֹן? אָמַר לוֹ: הֵן. בֶּהָרִים וּגְבָעוֹת? אָמַר לוֹ: הֵן. כֵּיוָן שֶׁרָאָה שֶׁאֵין מְעַכְּבוֹ כְּלוּם, אָמַר הַלּוֹקֵחַ בְּלִבּוֹ: בָּטוּחַ הוּא זֶה שֶׁלֹּא אֶמְצָא בּוֹ מוּם. מִיָּד אָמַר לוֹ: טֹל מְעוֹתֶיךָ וְאֵינִי מְנַסֶּה מֵעַתָּה. אַף אֲנִי הוֹדֵיתִי לְדִבְרֵיכֶם, שֶׁמָּא תַּחְזְרוּ בָּכֶם כְּשֶׁתִּרְאוּ שֶׁאֵינִי מְעַכֵּב, וְאַתֶּם לֹא חֲזַרְתֶּם בָּכֶם: **וָאֶקַּח מִכֶּם.** מִן הַבְּרוּרִים שֶׁבָּכֶם, מִן הַמְסֻלָּתִים שֶׁבָּכֶם: **שְׁנֵים עָשָׂר אֲנָשִׁים אִישׁ אֶחָד לַשָּׁבֶט.** מַגִּיד שֶׁלֹּא הָיָה שֵׁבֶט לֵוִי עִמָּהֶם:

כד) **עַד נַחַל אֶשְׁכֹּל.** מַגִּיד שֶׁנִּקְרָא עַל

הרחבות | 'נשלחה אנשים' לא כך סופרו הדברים בספר במדבר. שם נאמר שה' הורה למשה לשלוח אנשים. לאמתו של דבר הסיפור לא תואר לכל פרטיו בשום מקום. ייתכן שהעם בא תחילה למשה וביקש לשלוח נציגים; משה קיבל את

ביאור

יט וַנִּסַּע מֵחֹרֵב, וַנֵּלֶךְ אֵת כָּל הַמִּדְבָּר הַגָּדוֹל וְהַנּוֹרָא הַהוּא אֲשֶׁר רְאִיתֶם
דֶּרֶךְ הַר הָאֱמֹרִי, כַּאֲשֶׁר צִוָּה ה׳ אֱלֹהֵינוּ אֹתָנוּ. וַנָּבֹא עַד קָדֵשׁ בַּרְנֵעַ.
כ וָאֹמַר אֲלֵכֶם: בָּאתֶם עַד הַר הָאֱמֹרִי אֲשֶׁר ה׳ אֱלֹהֵינוּ נֹתֵן לָנוּ. כא רְאֵה
ממה שעברת עד כאן,[8] כי נָתַן ה׳ אֱלֹהֶיךָ לְפָנֶיךָ אֶת הָאָרֶץ – עֲלֵה רֵשׁ,
כַּאֲשֶׁר דִּבֶּר ה׳ אֱלֹהֵי אֲבֹתֶיךָ לָךְ, אַל תִּירָא וְאַל תֵּחָת, תישבר. גשו
למלחמה, כי הדבר בידכם.
כב אחרי שהודעתי שמתקרב זמן כניסתכם לארץ – וַתִּקְרְבוּן אֵלַי
כֻּלְּכֶם וַתֹּאמרוּ: נִשְׁלְחָה אֲנָשִׁים לְפָנֵינוּ וְיַחְפְּרוּ, ירגלו לָנוּ אֶת הָאָרֶץ, וְיָשִׁבוּ
אֹתָנוּ דָּבָר – אֶת הַדֶּרֶךְ אֲשֶׁר נַעֲלֶה בָּהּ וְאֵת הֶעָרִים אֲשֶׁר נָבֹא אֲלֵיהֶן.
כג וַיִּיטַב בְּעֵינַי הַדָּבָר. וָאֶקַּח מִכֶּם שְׁנֵים עָשָׂר אֲנָשִׁים – אִישׁ אֶחָד לַשָּׁבֶט.
כד וַיִּפְנוּ אותם אנשים וַיַּעֲלוּ הָהָרָה. וַיָּבֹאוּ עַד נַחַל אֶשְׁכֹּל, וַיְרַגְּלוּ

הרחבות

כיצד לעשות זאת כראוי (רמב״ן במדבר יג,ב). הרעיון והוסיף להם מספר – אִישׁ אֶחָד לַשָּׁבֶט – כדי להעניק לתפקידם משמעות ולחזקם, ולאחר מכן הורה להם האלוקים

אֶשְׁכֹּל וַיְרַגְּלוּ אֹתָהּ: וַיִּקְחוּ בְיָדָם מִפְּרִי הָאָרֶץ וַיּוֹרִדוּ כה
אֵלֵינוּ וַיָּשִׁבוּ אֹתָנוּ דָבָר וַיֹּאמְרוּ טוֹבָה הָאָרֶץ אֲשֶׁר־
יהוה אֱלֹהֵינוּ נֹתֵן לָנוּ: וְלֹא אֲבִיתֶם לַעֲלֹת וַתַּמְרוּ כו
אֶת־פִּי יהוה אֱלֹהֵיכֶם: וַתֵּרָגְנוּ בְאָהֳלֵיכֶם וַתֹּאמְרוּ כז
בְּשִׂנְאַת יהוה אֹתָנוּ הוֹצִיאָנוּ מֵאֶרֶץ מִצְרָיִם לָתֵת
אֹתָנוּ בְּיַד הָאֱמֹרִי לְהַשְׁמִידֵנוּ: אָנָה | אֲנַחְנוּ עֹלִים כח
אַחֵינוּ הֵמַסּוּ אֶת־לְבָבֵנוּ לֵאמֹר עַם גָּדוֹל וָרָם מִמֶּנּוּ
עָרִים גְּדֹלֹת וּבְצוּרֹת בַּשָּׁמָיִם וְגַם־בְּנֵי עֲנָקִים רָאִינוּ
שָׁם: וָאֹמַר אֲלֵכֶם לֹא־תַעַרְצוּן וְלֹא־תִירְאוּן מֵהֶם: כט
יהוה אֱלֹהֵיכֶם הַהֹלֵךְ לִפְנֵיכֶם הוּא יִלָּחֵם לָכֶם כְּכֹל ל
אֲשֶׁר עָשָׂה אִתְּכֶם בְּמִצְרַיִם לְעֵינֵיכֶם: וּבַמִּדְבָּר אֲשֶׁר לא
רָאִיתָ אֲשֶׁר נְשָׂאֲךָ יהוה אֱלֹהֶיךָ כַּאֲשֶׁר יִשָּׂא־אִישׁ

רש"י

שֵׁם סוֹפוֹ: **וַיְרַגְּלוּ אֹתָהּ.** מְלַמֵּד שֶׁהָלְכוּ בָּהּ אַרְבָּעָה אוֹמָנִין שְׁתִי וָעֵרֶב:

כה) **וַיּוֹרִדוּ אֵלֵינוּ.** מַגִּיד שֶׁאֶרֶץ יִשְׂרָאֵל גְּבוֹהָה מִכָּל הָאֲרָצוֹת: **וַיֹּאמְרוּ טוֹבָה הָאָרֶץ.** מִי הֵם שֶׁאָמְרוּ טוֹבָתָהּ? יְהוֹשֻׁעַ וְכָלֵב:

כו) **וַתַּמְרוּ.** לְשׁוֹן הַתְרָסָה, הִתְרַסְתֶּם כְּנֶגֶד מַאֲמָרוֹ:

כז) **וַתֵּרָגְנוּ.** לְשׁוֹן הָרַע, וְכֵן: "דִּבְרֵי נִרְגָּן" (משלי יח, ח), אָדָם הַמּוֹצִיא דִּבָּה: **בְּשִׂנְאַת ה' אֹתָנוּ.** וְהוּא הָיָה אוֹהֵב אֶתְכֶם, אֲבָל אַתֶּם שׂוֹנְאִים אוֹתוֹ. מָשָׁל הֶדְיוֹט אוֹמֵר: מָה דִּבְלִבָּךְ עַל רָחֲמָךְ, מָה דִּבְלִבֵּיהּ עֲלָךְ: **בְּשִׂנְאַת ה' אֹתָנוּ הוֹצִיאָנוּ מֵאֶרֶץ מִצְרָיִם.** הוֹצָאָתוֹ לְשִׂנְאָה הָיְתָה. מָשָׁל לְמֶלֶךְ בָּשָׂר וָדָם שֶׁהָיוּ לוֹ שְׁנֵי בָנִים וְיֵשׁ לוֹ שְׁתֵּי שָׂדוֹת, אַחַת שֶׁל שַׁקְיָא וְאַחַת שֶׁל בַּעַל, לְמִי שֶׁהוּא אוֹהֵב נוֹתֵן שֶׁל שַׁקְיָא וּלְמִי שֶׁהוּא שׂוֹנֵא נוֹתֵן לוֹ שֶׁל בַּעַל. אֶרֶץ מִצְרַיִם שֶׁל שַׁקְיָא הִיא, שֶׁנִּילוּס עוֹלֶה וּמַשְׁקֶה אוֹתָהּ, וְאֶרֶץ כְּנַעַן שֶׁל בַּעַל, וְהוֹצִיאָנוּ מִמִּצְרַיִם לָתֵת לָנוּ אֶת אֶרֶץ כְּנָעַן:

כח) **עָרִים גְּדֹלֹת וּבְצוּרֹת בַּשָּׁמָיִם.** דִּבְּרוּ הַכְּתוּבִים לְשׁוֹן הֲבַאי:

כט) **לֹא תַעַרְצוּן.** לְשׁוֹן שְׁבִירָה כְּתַרְגּוּמוֹ, וְדוֹמֶה לוֹ: "בַּעֲרוּץ נְחָלִים" (איוב ל, ו), לִשְׁבַר הַנְּחָלִים:

ל) **יִלָּחֵם לָכֶם.** בִּשְׁבִילְכֶם:

לא) **וּבַמִּדְבָּר אֲשֶׁר רָאִיתָ.** מוּסָב עַל מִקְרָא שֶׁלְּמַעְלָה הֵימֶנּוּ: "כְּכֹל אֲשֶׁר עָשָׂה אִתְּכֶם בְּמִצְרַיִם" וְעָשָׂה אַף בַּמִּדְבָּר, "אֲשֶׁר רָאִיתָ, אֲשֶׁר נְשָׂאֲךָ" וְגוֹ': **כַּאֲשֶׁר יִשָּׂא אִישׁ אֶת בְּנוֹ.** כְּמוֹ שֶׁפֵּרַשְׁתִּי אֵצֶל "וַיִּסַּע מַלְאַךְ הָאֱלֹהִים

ביאור | אֹתָהּ – את הארץ. כה וַיִּקְחוּ בְיָדָם מִפְּרִי הָאָרֶץ וַיּוֹרִדוּ אֵלֵינוּ. וַיָּשִׁבוּ
אֹתָנוּ דָבָר וַיֹּאמְרוּ: טוֹבָה הָאָרֶץ אֲשֶׁר ה׳ אֱלֹהֵינוּ נֹתֵן לָנוּ. המרגלים הודו
שהארץ טובה, אבל הוסיפו דברים שקלקלו את הרושם. באופן כללי
בנאום זה משה אינו מעוניין להבליט לעמו את חטאיהם, אלא
לתאר כיצד אירעו הדברים בפועל. כאן הוא מדגיש את הדיווח
החיובי שמסרו המרגלים.

כו למרות התשובה החיובית לשאלתכם – וְלֹא אֲבִיתֶם, רציתם לַעֲלֹת,
וַתַּמְרוּ אֶת פִּי ה׳ אֱלֹהֵיכֶם. כז וַתֵּרָגְנוּ, לחשתם והתלוננתם בְאָהֳלֵיכֶם.
וַתֹּאמְרוּ: בְּשִׂנְאַת ה׳ אֹתָנוּ הוֹצִיאָנוּ מֵאֶרֶץ מִצְרָיִם, לָתֵת אֹתָנוּ בְּיַד הָאֱמֹרִי
לְהַשְׁמִידֵנוּ. רק מכיוון שהוא רוצה להשמידנו, הוא שולח אותנו
לכנען. כח אָנָה, לאן אֲנַחְנוּ עֹלִים?! אַחֵינוּ, המרגלים הֵמַסּוּ אֶת לְבָבֵנוּ
לֵאמֹר: ״עַם גָּדוֹל וָרָם מִמֶּנּוּ, עָרִים גְּדֹלֹת וּבְצוּרֹת בַּשָּׁמָיִם וְגַם בְּנֵי עֲנָקִים
רָאִינוּ שָׁם. לא נוכל לכבשם״.

כט וָאֹמַר אֲלֵכֶם: לֹא תַעַרְצוּן, אל תישברו, וְלֹא תִירְאוּן, תפחדו מֵהֶם.
ל ה׳ אֱלֹהֵיכֶם הַהֹלֵךְ לִפְנֵיכֶם – הוּא יִלָּחֵם לָכֶם, כְּכֹל אֲשֶׁר עָשָׂה אִתְּכֶם
בְּמִצְרַיִם לְעֵינֵיכֶם. הרי במצרים ראיתם שה׳ הוא שנלחם לכם בלא
כל השתדלות מצדכם. כך הוא ימשיך לעשות גם בעתיד. לא ונוסף
על הנסים שראיתם בזמן יציאת מצרים, בַּמִּדְבָּר אֲשֶׁר רָאִיתָ נסים
רבים, אֲשֶׁר נְשָׂאֲךָ ה׳ אֱלֹהֶיךָ כַּאֲשֶׁר יִשָּׂא אִישׁ אֶת בְּנוֹ בתוקף, באהבה

אֶת־בְּנוֹ בְּכָל־הַדֶּרֶךְ אֲשֶׁר הֲלַכְתֶּם עַד־בֹּאֲכֶם עַד־
הַמָּקוֹם הַזֶּה׃ וּבַדָּבָר הַזֶּה אֵינְכֶם מַאֲמִינִם בַּיהוָה לב
אֱלֹהֵיכֶם׃ הַהֹלֵךְ לִפְנֵיכֶם בַּדֶּרֶךְ לָתוּר לָכֶם מָקוֹם לג
לַחֲנֹתְכֶם בָּאֵשׁ ׀ לַיְלָה לַרְאֹתְכֶם בַּדֶּרֶךְ אֲשֶׁר תֵּלְכוּ־
בָהּ וּבֶעָנָן יוֹמָם׃ וַיִּשְׁמַע יְהוָה אֶת־קוֹל דִּבְרֵיכֶם לד
וַיִּקְצֹף וַיִּשָּׁבַע לֵאמֹר׃ אִם־יִרְאֶה אִישׁ בָּאֲנָשִׁים לה
הָאֵלֶּה הַדּוֹר הָרָע הַזֶּה אֵת הָאָרֶץ הַטּוֹבָה אֲשֶׁר
נִשְׁבַּעְתִּי לָתֵת לַאֲבֹתֵיכֶם׃ זוּלָתִי כָּלֵב בֶּן־יְפֻנֶּה הוּא לו
יִרְאֶנָּה וְלוֹ־אֶתֵּן אֶת־הָאָרֶץ אֲשֶׁר דָּרַךְ־בָּהּ וּלְבָנָיו
יַעַן אֲשֶׁר מִלֵּא אַחֲרֵי יְהוָה׃ גַּם־בִּי הִתְאַנַּף יְהוָה לז
בִּגְלַלְכֶם לֵאמֹר גַּם־אַתָּה לֹא־תָבֹא שָׁם׃ יְהוֹשֻׁעַ בִּן־ לח
נוּן הָעֹמֵד לְפָנֶיךָ הוּא יָבֹא שָׁמָּה אֹתוֹ חַזֵּק כִּי־הוּא
רביעי יַנְחִלֶנָּה אֶת־יִשְׂרָאֵל׃ וְטַפְּכֶם אֲשֶׁר אֲמַרְתֶּם לָבַז לט
יִהְיֶה וּבְנֵיכֶם אֲשֶׁר לֹא־יָדְעוּ הַיּוֹם טוֹב וָרָע הֵמָּה
יָבֹאוּ שָׁמָּה וְלָהֶם אֶתְּנֶנָּה וְהֵם יִירָשׁוּהָ׃ וְאַתֶּם פְּנוּ מ
לָכֶם וּסְעוּ הַמִּדְבָּרָה דֶּרֶךְ יַם־סוּף׃ וַתַּעֲנוּ ׀ וַתֹּאמְרוּ מא

רש"י | הַהֹלֵךְ לִפְנֵי מַחֲנֵה יִשְׂרָאֵל" וְגוֹ' (שמות יד, יט–כ), מָשָׁל לִמְהַלֵּךְ בַּדֶּרֶךְ וּבְנוֹ לְפָנָיו, בָּאוּ לִסְטִים לִשְׁבּוֹתוֹ וכו' [נטלו מלפניו נתנו לאחריו. בא זאב מאחריו, נתנו לפניו. באו לסטים לפניו וזאבים מאחריו, נתנו על זרועו ונלחם בהם. כך: "ואנכי תרגלתי לאפרים קחם על זרועותיו" (הושע יא, ג)].

לב| וּבַדָּבָר הַזֶּה. שֶׁהוּא מַבְטִיחֲכֶם לַהֲבִיאֲכֶם אֶל הָאָרֶץ, "אֵינְכֶם מַאֲמִינִם" בּוֹ:

לג| לַרְאֹתְכֶם. כְּמוֹ 'לְהַרְאוֹתְכֶם', וְכֵן: "לַנְחֹתָם הַדֶּרֶךְ" (שמות יג, כא), וְכֵן: "לַשְׁמִעַ בְּקוֹל תּוֹדָה" (תהלים כו, ז), וְכֵן: "לָלֶכֶת לַגִּיד בְּיִזְרְעֶאל" (מלכים ב' ט, טו ועיין רש"י שם).

לו| אֲשֶׁר דָּרַךְ בָּהּ. חֶבְרוֹן, שֶׁנֶּאֱמַר: "וַיָּבֹא עַד חֶבְרוֹן" (במדבר יג, כב).

לז| הִתְאַנַּף. נִתְמַלֵּא רֹגֶז.

מ| פְּנוּ לָכֶם. חָמַדְתִּי לְהַעֲבִיר אֶתְכֶם דֶּרֶךְ רֹחַב אֶרֶץ אֱדוֹם לְצַד צָפוֹן לִכָּנֵס לָאָרֶץ, קִלְקַלְתֶּם וּגְרַמְתֶּם לָכֶם עִכּוּב: פְּנוּ לָכֶם. לַאֲחוֹרֵיכֶם, וּתְלָכוּ בַּמִּדְבָּר לְצַד יַם

ביאור

וברכות בְּכָל הַדֶּרֶךְ אֲשֶׁר הֲלַכְתֶּם עַד בֹּאֲכֶם עַד הַמָּקוֹם הַזֶּה. לב וּבַדָּבָר
הַזֶּה, כיבוש הארץ, שהוא הרבה פחות מסובך, אֵינְכֶם מַאֲמִינִם בַּה׳
אֱלֹהֵיכֶם, לג הַהֹלֵךְ לִפְנֵיכֶם בַּדֶּרֶךְ לָתוּר לָכֶם מָקוֹם לַחֲנֹתְכֶם, בָּאֵשׁ
היורדת בַלַּיְלָה לַרְאֹתְכֶם בַּדֶּרֶךְ, להראותכם את הדרך אֲשֶׁר תֵּלְכוּ בָהּ
וּבֶעָנָן יוֹמָם, ביום?!

לד מאחר שהעם לא רצה לשמוע את משה, ושררה בו התנגדות
לכניסה לארץ – וַיִּשְׁמַע ה׳ אֶת קוֹל דִּבְרֵיכֶם, וַיִּקְצֹף, כעס וַיִּשָּׁבַע
לֵאמֹר: לה אִם, בוודאי לא יִרְאֶה אִישׁ בָּאֲנָשִׁים הָאֵלֶּה, מכל האנשים
הללו – הַדּוֹר הָרָע הַזֶּה, אֵת הָאָרֶץ הַטּוֹבָה אֲשֶׁר נִשְׁבַּעְתִּי לָתֵת
לַאֲבֹתֵיכֶם. לו זוּלָתִי, מלבד כָּלֵב בֶּן יְפֻנֶּה – הוּא יִרְאֶנָּה – את הארץ,
וְלוֹ אֶתֵּן אֶת הָאָרֶץ אֲשֶׁר דָּרַךְ בָּהּ וּלְבָנָיו, יַעַן אֲשֶׁר מִלֵּא אַחֲרֵי פקודת
ה׳, ומסר דין וחשבון מהימן על הארץ. לז יתר על כן, גַּם בִּי, עלי
הִתְאַנַּף, כעס, חרה אפו של ה׳ בִּגְלַלְכֶם לֵאמֹר: עקב חטאיך, גַּם אַתָּה
לֹא תָבֹא שָׁם. אף שסיפור חטאו של משה הופיע במקום אחר,[9] כבר
בחטא המרגלים נרמז לו שגם הוא לא יגיע לארץ.[10] לח יְהוֹשֻׁעַ
בִּן נוּן הָעֹמֵד לְפָנֶיךָ, שנמצא במחיצתך – הוּא יָבֹא שָׁמָּה. אֹתוֹ חַזֵּק,
כִּי הוּא יַנְחִלֶנָּה אֶת יִשְׂרָאֵל. לט ובאופן אירוני, טַפְּכֶם, תינוקותיכם
אֲשֶׁר אֲמַרְתֶּם ״לָבַז יִהְיֶה״, שחשבתם שהאויבים יקחו בשבי ויהרגו,
וּבְנֵיכֶם הקטנים אֲשֶׁר לֹא יָדְעוּ הַיּוֹם להבחין בין טוֹב וָרָע – הֵמָּה יָבֹאוּ
שָׁמָּה, לארץ כנען, וְלָהֶם אֶתְּנֶנָּה, וְהֵם יִירָשׁוּהָ. מ ואילו אַתֶּם פְּנוּ לָכֶם,
וּסְעוּ חזרה הַמִּדְבָּרָה, למדבר דֶּרֶךְ, לכיוון יַם סוּף. ושם תנדדו ותשהו
עד שתמותו.

אֵלַי חָטָאנוּ לַיהוָה אֲנַחְנוּ נַעֲלֶה וְנִלְחַמְנוּ כְּכֹל אֲשֶׁר־
צִוָּנוּ יְהוָה אֱלֹהֵינוּ וַתַּחְגְּרוּ אִישׁ אֶת־כְּלֵי מִלְחַמְתּוֹ
מב וַתָּהִינוּ לַעֲלֹת הָהָרָה׃ וַיֹּאמֶר יְהוָה אֵלַי אֱמֹר לָהֶם
לֹא תַעֲלוּ וְלֹא תִלָּחֲמוּ כִּי אֵינֶנִּי בְּקִרְבְּכֶם וְלֹא תִּנָּגְפוּ
מג לִפְנֵי אֹיְבֵיכֶם׃ וָאֲדַבֵּר אֲלֵיכֶם וְלֹא שְׁמַעְתֶּם וַתַּמְרוּ
מד אֶת־פִּי יְהוָה וַתָּזִדוּ וַתַּעֲלוּ הָהָרָה׃ וַיֵּצֵא הָאֱמֹרִי
הַיֹּשֵׁב בָּהָר הַהוּא לִקְרַאתְכֶם וַיִּרְדְּפוּ אֶתְכֶם כַּאֲשֶׁר
תַּעֲשֶׂינָה הַדְּבֹרִים וַיַּכְּתוּ אֶתְכֶם בְּשֵׂעִיר עַד־חָרְמָה׃
מה וַתָּשֻׁבוּ וַתִּבְכּוּ לִפְנֵי יְהוָה וְלֹא־שָׁמַע יְהוָה בְּקֹלְכֶם
מו וְלֹא הֶאֱזִין אֲלֵיכֶם׃ וַתֵּשְׁבוּ בְקָדֵשׁ יָמִים רַבִּים כַּיָּמִים
ב א אֲשֶׁר יְשַׁבְתֶּם׃ וַנֵּפֶן וַנִּסַּע הַמִּדְבָּרָה דֶּרֶךְ יַם־סוּף
כַּאֲשֶׁר דִּבֶּר יְהוָה אֵלָי וַנָּסָב אֶת־הַר־שֵׂעִיר יָמִים

רש"י | סוּף, שֶׁהַמִּדְבָּר שֶׁהָיוּ הוֹלְכִים בּוֹ לִדְרוֹמָהּ שֶׁל הַר שֵׂעִיר הָיָה, מַפְסִיק בֵּין יַם סוּף לְהַר שֵׂעִיר, עַתָּה הִמְשַׁכְנוּ לְצַד הַיָּם וְנִסְבַּבְנוּ אֶת הַר שֵׂעִיר כָּל דְּרוֹמוֹ מִן הַמַּעֲרָב לַמִּזְרָח׃

מא| **וַתָּהִינוּ.** לְשׁוֹן: "הִנֶּנּוּ וְעָלִינוּ אֶל הַמָּקוֹם" (במדבר יד, מ), זֶה הַלָּשׁוֹן שֶׁאֲמַרְתֶּם, לְשׁוֹן הֵן, כְּלוֹמַר נִזְדַּמַּנְתֶּם׃

מב| **לֹא תַעֲלוּ.** לֹא עֲלִיָּה תְּהֵא לָכֶם אֶלָּא יְרִידָה׃

מד| **כַּאֲשֶׁר תַּעֲשֶׂינָה הַדְּבֹרִים.** מַה הַדְּבוֹרָה הַזֹּאת כְּשֶׁהִיא מַכָּה אֶת הָאָדָם מִיָּד מֵתָה, אַף הֵם כְּשֶׁהָיוּ נוֹגְעִים בָּכֶם מִיָּד מֵתִים׃

מה| **וְלֹא שָׁמַע ה' בְּקֹלְכֶם.** כִּבְיָכוֹל עֲשִׂיתֶם מִדַּת רַחֲמָיו כְּאִלּוּ אַכְזָרִי׃

מו| **וַתֵּשְׁבוּ בְקָדֵשׁ יָמִים רַבִּים.** תְּשַׁע עֶשְׂרֵה שָׁנָה, שֶׁנֶּאֱמַר: "כַּיָּמִים אֲשֶׁר יְשַׁבְתֶּם" בִּשְׁאָר הַמַּסָּעוֹת, וְהֵם הָיוּ שְׁלֹשִׁים וּשְׁמוֹנֶה שָׁנָה, תְּשַׁע עֶשְׂרֵה מֵהֶם עָשׂוּ בְּקָדֵשׁ וּתְשַׁע עֶשְׂרֵה שָׁנָה הוֹלְכִים וּמְטֹרָפִים וְחָזְרוּ לְקָדֵשׁ, כְּמוֹ שֶׁנֶּאֱמַר: "וַיְנִעֵם בַּמִּדְבָּר" (במדבר לב, יג). כָּךְ מָצָאתִי בְּסֵדֶר עוֹלָם (פרק ח)׃

פרק ב

א| **וַנִּסַּע הַמִּדְבָּרָה.** אִלּוּ לֹא חָטְאוּ הָיוּ עוֹבְרִים דֶּרֶךְ הַר שֵׂעִיר לִכָּנֵס לָאָרֶץ מִדְּרוֹמוֹ לִצְפוֹנוֹ, וּבִשְׁבִיל שֶׁקִּלְקְלוּ הִפְנָן לְצַד הַמִּדְבָּר שֶׁהוּא בֵּין יַם סוּף לִדְרוֹמוֹ שֶׁל הַר שֵׂעִיר, וְהָלְכוּ אֵצֶל דְּרוֹמוֹ מִן הַמַּעֲרָב לַמִּזְרָח דֶּרֶךְ יְצִיאָתָן מִמִּצְרַיִם שֶׁהוּא בְּמִקְצוֹעַ דְּרוֹמִית מַעֲרָבִית, מִשָּׁם הָיוּ הוֹלְכִים לְצַד הַמִּזְרָח: **וַנָּסָב אֶת הַר שֵׂעִיר.** כָּל דְּרוֹמוֹ עַד אֶרֶץ מוֹאָב׃

ביאור | מא וַתַּעֲנוּ וַתֹּאמְרוּ אֵלַי: חָטָאנוּ לַה׳. אֲנַחְנוּ נַעֲלֶה וְנִלְחַמְנוּ כְּכֹל אֲשֶׁר צִוָּנוּ
ה׳ אֱלֹהֵינוּ. וַתַּחְגְּרוּ אִישׁ אֶת כְּלֵי מִלְחַמְתּוֹ, וַתָּהִינוּ, העזתם, או: אמרתם
׳הן׳, ׳הננו׳[11] לַעֲלֹת הָהָרָה, להר.

מב וַיֹּאמֶר ה׳ אֵלַי: אֱמֹר לָהֶם: לֹא תַעֲלוּ וְלֹא תִלָּחֲמוּ, כִּי אֵינֶנִּי בְּקִרְבְּכֶם,
וְלֹא תִּנָּגְפוּ, תנחלו תבוסה לִפְנֵי אֹיְבֵיכֶם.

מג וָאֲדַבֵּר אֲלֵיכֶם שלא תילחמו, מפני שכל ניצחונותיכם עד כה לא
נבעו מכשרונותיכם אלא מן העזרה האלוקית, וְלֹא שְׁמַעְתֶּם. וַתַּמְרוּ
אֶת פִּי ה׳, וַתָּזִדוּ, עשיתם בזדון וַתַּעֲלוּ הָהָרָה.

מד וַיֵּצֵא העם הָאֱמֹרִי הַיֹּשֵׁב בָּהָר הַהוּא לִקְרַאתְכֶם, וַיִּרְדְּפוּ אֶתְכֶם כַּאֲשֶׁר
תַּעֲשֶׂינָה הַדְּבֹרִים. האמורים הקיפו אתכם כנחיל דבורים, ולא נותר
לכם כל מוצא. וַיַּכְּתוּ, הם הכו[12] ושברו[13] אֶתְכֶם בְּשֵׂעִיר עַד חָרְמָה. כך
נקרא אחר כך המקום, על שם החורבן שהיה בו.[14] מה וַתָּשֻׁבוּ וַתִּבְכּוּ
לִפְנֵי ה׳ בחרטה על חטאותיכם, ובבקשת סליחה ורחמים, וְלֹא שָׁמַע
ה׳ בְּקֹלְכֶם וְלֹא הֶאֱזִין אֲלֵיכֶם.

מו וַתֵּשְׁבוּ בְקָדֵשׁ יָמִים רַבִּים, כַּיָּמִים אֲשֶׁר יְשַׁבְתֶּם, כידוע לכם.[15] פרק
ב א וַנֵּפֶן וַנִּסַּע חזרה הַמִּדְבָּרָה בְּדֶרֶךְ יַם סוּף, כַּאֲשֶׁר דִּבֶּר ה׳ אֵלָי, וַנָּסָב
אֶת הַר שֵׂעִיר יָמִים רַבִּים. במשך שנים שהינו באזור הר שעיר ולא
נסענו לכיוון כנען, עד שכל יוצאי מצרים מתו.

מימין:
נחיל דבורים

משמאל:
סיבוב הר שעיר

חמישי ב רַבִּים: וַיֹּאמֶר יְהוָה אֵלַי לֵאמֹר: רַב־לָכֶם ב ג
סֹב אֶת־הָהָר הַזֶּה פְּנוּ לָכֶם צָפֹנָה: וְאֶת־הָעָם צַו ד
לֵאמֹר אַתֶּם עֹבְרִים בִּגְבוּל אֲחֵיכֶם בְּנֵי־עֵשָׂו
הַיֹּשְׁבִים בְּשֵׂעִיר וְיִירְאוּ מִכֶּם וְנִשְׁמַרְתֶּם מְאֹד: אַל־ ה
תִּתְגָּרוּ בָם כִּי לֹא־אֶתֵּן לָכֶם מֵאַרְצָם עַד מִדְרַךְ
כַּף־רָגֶל כִּי־יְרֻשָּׁה לְעֵשָׂו נָתַתִּי אֶת־הַר שֵׂעִיר: אֹכֶל ו
תִּשְׁבְּרוּ מֵאִתָּם בַּכֶּסֶף וַאֲכַלְתֶּם וְגַם־מַיִם תִּכְרוּ
מֵאִתָּם בַּכֶּסֶף וּשְׁתִיתֶם: כִּי יְהוָה אֱלֹהֶיךָ בֵּרַכְךָ בְּכֹל ז
מַעֲשֵׂה יָדֶךָ יָדַע לֶכְתְּךָ אֶת־הַמִּדְבָּר הַגָּדֹל הַזֶּה זֶה
אַרְבָּעִים שָׁנָה יְהוָה אֱלֹהֶיךָ עִמָּךְ לֹא חָסַרְתָּ דָּבָר:
וַנַּעֲבֹר מֵאֵת אַחֵינוּ בְנֵי־עֵשָׂו הַיֹּשְׁבִים בְּשֵׂעִיר מִדֶּרֶךְ ח
הָעֲרָבָה מֵאֵילַת וּמֵעֶצְיֹן גָּבֶר וַנֵּפֶן וַנַּעֲבֹר

רש"י

ג| **פְּנוּ לָכֶם צָפֹנָה.** סִבּוּ לָכֶם לְרוּחַ מִזְרָחִית מִן הַדָּרוֹם לַצָּפוֹן, פְּנֵיכֶם לַצָּפוֹן, נִמְצְאוּ הוֹלְכִים אֶת רוּחַ מִזְרָחִית, וְזֶהוּ שֶׁנֶּאֱמַר: "וַיָּבֹא מִמִּזְרַח שֶׁמֶשׁ לְאֶרֶץ מוֹאָב" (שופטים יא, יח):

ד| **וְנִשְׁמַרְתֶּם מְאֹד.** וּמַהוּ הַשְּׁמִירָה? "אַל תִּתְגָּרוּ בָם" (להלן פסוק ה):

ה| **עַד מִדְרַךְ כַּף רָגֶל.** (אֲפִלּוּ כְּדֵי מִדְרַךְ כַּף רֶגֶל), [כְּלוֹמַר אֲפִלּוּ דְּרִיסַת הָרֶגֶל אֵינִי מַרְשֶׁה לָכֶם לַעֲבֹר בְּאַרְצָם שֶׁלֹּא בִּרְשׁוּת - רבינו שמעיה העיד: "רבי נוה להגיה"]. וּמִדְרַשׁ אַגָּדָה, עַד שֶׁיָּבוֹא יוֹם דְּרִיסַת כַּף רֶגֶל עַל הַר הַזֵּיתִים, שֶׁנֶּאֱמַר: "וְעָמְדוּ רַגְלָיו" וְגוֹ' (זכריה יד, ד): **יְרֻשָּׁה לְעֵשָׂו.** מֵאַבְרָהָם. עֲשָׂרָה עֲמָמִים נָתַתִּי לוֹ, שִׁבְעָה לָכֶם, וְקֵינִי וּקְנִזִּי וְקַדְמֹנִי הֵן עַמּוֹן וּמוֹאָב וְשֵׂעִיר, אַחַת מֵהֶם לְעֵשָׂו, וְהַשְּׁנַיִם לִבְנֵי לוֹט בִּשְׂכַר שֶׁהָלַךְ אִתּוֹ לְמִצְרַיִם וְשָׁתַק עַל מַה שֶּׁהָיָה אוֹמֵר עַל אִשְׁתּוֹ 'אֲחוֹתִי הִיא', לְפִיכָךְ עֲשָׂאוֹ כִּבְנוֹ:

ו| **תִּכְרוּ.** לְשׁוֹן מִקָּח, וְכֵן: "אֲשֶׁר כָּרִיתִי לִי" (בראשית נ, ה), שֶׁכֵּן בִּכְרַכֵּי הַיָּם קוֹרִין לִמְכִירָה כִּירָה:

ז| **כִּי ה' אֱלֹהֶיךָ בֵּרַכְךָ.** לְפִיכָךְ לֹא תִּכְפּוּ אֶת טוֹבָתוֹ לְהַרְאוֹת כְּאִלּוּ אַתֶּם עֲנִיִּים, אֶלָּא הַרְאוּ עַצְמְכֶם עֲשִׁירִים:

ח| **וַנֵּפֶן וַנַּעֲבֹר.** לְצַד צָפוֹן, הָפַכְנוּ פָּנֵינוּ לַהֲלֹךְ רוּחַ מִזְרָחִית:

# המשך הנאום: ההתמודדויות עם יושבי עבר הירדן המזרחי

### פרק ב פס׳ ב – פרק ג פס׳ כב

משה ממשיך ומסכם את העבר, אך כאן הוא מתייחס לאירועים שרוב השומעים זוכרים מעברם הקרוב; ההימנעות ממלחמה בקרובי ישראל – אדום, עמון ומואב, מצד אחד; והניצחונות על שני מלכי האמורי, מצד שני. לקראת סופו של העניין משה מספר על הנחלת אדמות עבר הירדן המזרחי לשבטים ולמשפחות מסוימים, ולאחר מכן הוא מברך ומחזק את יהושע לקראת המשך הכיבוש בעבר הירדן המערבי.

דברי החיזוק של משה נשמעים עתה מתוך הקשר חדש. אכן משה הוציא את ישראל ממצרים, ואת נדודי עמו במדבר חיזק בהבטחה לעתיד לבוא. אולם עתה, לאחר שמשה ניצח את שני המלכים הגדולים, והושיב חלק מן העם בארצם, יש לדבריו משנה תוקף. גם אם טרם מומש הייעוד כולו, משה הגשים חלק ממנו. על כן הודגשו פרטי הסיפור – ניצחון המלחמות, כיבוש האזור וההתיישבות בו, כדוגמא למה שעתיד להיות לאחר כניסתם לארץ.[16]

ביאור | ב **וַיֹּאמֶר ה׳ אֵלַי** לאחר זמן **לֵאמֹר:** ג **רַב,** די **לָכֶם סֹב,** לסובב **אֶת הָהָר**
**הַזֶּה** – הר שעיר ולשהות באותו אזור. **פְּנוּ לָכֶם צָפֹנָה.** עתה צאו
לכיוון מוגדר.

ד **וְאֶת הָעָם צַו לֵאמֹר: אַתֶּם עֹבְרִים בִּגְבוּל אֲחֵיכֶם בְּנֵי עֵשָׂו הַיֹּשְׁבִים**
**בְּשֵׂעִיר, וְיִירְאוּ,** הם יפחדו **מִכֶּם,** כי אתם עם גדול, ואף על פי כן
**וְנִשְׁמַרְתֶּם,** עליכם להיזהר **מְאֹד.** ה **אַל תִּתְגָּרוּ בָם, כִּי לֹא אֶתֵּן לָכֶם**
**מֵאַרְצָם עַד,** אפילו **מִדְרַךְ כַּף רָגֶל, כִּי יְרֻשָּׁה לְעֵשָׂו נָתַתִּי אֶת הַר שֵׂעִיר.**
עשו זכה בהר שעיר כחלק מההבטחה הגדולה שניתנה לאברהם
ולמשפחתו.[17] אמנם לעתיד לבוא יעברו אדמות אלו אל בעליהן
הקבועים – בני ישראל, אבל לפי שעה הן צריכות להישאר ברשות
בני עשו, ונאסר על ישראל לנגוע בחלקם.[18] ו אשר על כן, אם תרצו
לאכול, **אֹכֶל תִּשְׁבְּרוּ,** תקנו[19] **מֵאִתָּם בַּכֶּסֶף – וַאֲכַלְתֶּם, וְגַם מַיִם תִּכְרוּ,**
תקנו[20] **מֵאִתָּם בַּכֶּסֶף – וּשְׁתִיתֶם.** ז **כִּי ה׳ אֱלֹהֶיךָ בֵּרַכְךָ בְּכֹל מַעֲשֵׂה יָדֶךָ,**
**יָדַע,** היה קרוב והכיר את מחסורך[21] **בְּלֶכְתְּךָ אֶת הַמִּדְבָּר הַגָּדֹל הַזֶּה. זֶה**
**אַרְבָּעִים שָׁנָה ה׳ אֱלֹהֶיךָ עִמָּךְ, לֹא חָסַרְתָּ דָּבָר.** ומכיוון שהייתם מבודדים
מכל תרבות ומסחר וצורכיכם סופקו במדבר, לא הוצרכתם להוציא
כסף, ועתה תוכלו להשתמש בכסף שבידכם.[22]

ח **וַנַּעֲבֹר מֵאֵת אַחֵינוּ בְנֵי עֵשָׂו.** אזכור האחווה – כינוי שלא נמצא
במקרא על עם אחר מלבד בני עשו,[23] הקרוב אלינו ביותר
מבחינה משפחתית – מחזק את האזהרה מפגיעה בנחלתם, **הַיֹּשְׁבִים**
**בְּשֵׂעִיר – מִדֶּרֶךְ הָעֲרָבָה, מֵאֵילַת וּמֵעֶצְיֹן גָּבֶר** הסמוכה לאילת, **וַנֵּפֶן וַנַּעֲבֹר**

דרך מדבר מואב: ויאמר יהוה אלי אל-תצר את- ט
מואב ואל-תתגר בם מלחמה כי לא-אתן לך
מארצו ירשה כי לבני-לוט נתתי את-ער ירשה:
האמים לפנים ישבו בה עם גדול ורב ורם כענקים: י
רפאים יחשבו אף-הם כענקים והמאבים יקראו יא
להם אמים: ובשעיר ישבו החרים לפנים ובני עשו יב
יירשום וישמידום מפניהם וישבו תחתם כאשר
עשה ישראל לארץ ירשתו אשר-נתן יהוה להם:
עתה קמו ועברו לכם את-נחל זרד ונעבר את-נחל יג
זרד: והימים אשר-הלכנו | מקדש ברנע עד אשר- יד
עברנו את-נחל זרד שלשים ושמנה שנה עד-תם
כל-הדור אנשי המלחמה מקרב המחנה כאשר
נשבע יהוה להם: וגם יד-יהוה היתה בם להמם טו

רש"י

ט | ואל תתגר בם. לא חסר להם על מואב אלא מלחמה, אבל מיראים היו אותם ונראים להם כשהם מזוינים, לפיכך כתיב: "ויגר מואב מפני העם" (במדבר כב, ג), שהיו שוללים ובוזזים אותם. אבל בבני עמון נאמר: "ואל תתגר בם" (להלן פסוק יט), שום גרוי, בשכר צניעות אמם שלא פרסמה על אביה כמו שעשתה הבכירה שקראתה שם בנה מואב: ער. שם המדינה:

י | האמים לפנים וגו'. אתה סבור שזו ארץ רפאים שנתתי לו לאברהם (בראשית טו, כ), לפי שהאמים שהם רפאים ישבו בה לפנים, אבל לא זו היא, כי אותן רפאים הורשתי מפני בני לוט והושבתים תחתם:

יא-יב | רפאים יחשבו וגו'. רפאים היו נחשבין אותם אמים, כענקים הנקראים רפאים, על שם שכל הרואה אותם ידיו מתרפות: אמים. על שם שאימתם מטלת על הבריות. וכן: "ובשעיר ישבו החרים" ונתתים לבני עשו: יירשום. לשון הווה, כלומר נתתי בהם כח שיהיו מורישים אותם והולכים:

טו | היתה בם. למהר ולהמם בתוך ארבעים שנה, שלא יגרמו לבניהם עוד להתעכב במדבר:

העולם | נחל זרד חוקרים רבים זיהו אותו עם ואדי אל-חאסה הנשפך אל דרום ים המלח, שהוא הגבול בין הרי מואב להרי אדום. היו שזיהו אותו עם ואדי א-דיכ, אחד הוואדיות בצפון-מזרח מואב המתחברים לנחל ארנון, או עם ואדי נחילה הזורם סמוך לערוער (אליצור).

ביאור

צפונה דֶּרֶךְ מִדְבַּר מוֹאָב.

ט וַיֹּאמֶר ה׳ אֵלַי: אַל תָּצַר אֶת, תטיל מצור על מוֹאָב וְאַל תִּתְגָּר בָּם מִלְחָמָה, כִּי לֹא אֶתֵּן לְךָ מֵאַרְצוֹ יְרֻשָּׁה, כִּי לִבְנֵי לוֹט נָתַתִּי אֶת אזור עָר שבמואב יְרֻשָּׁה.

כאן מתועדים מקצת פרטים המתייחסים להיסטוריה הרחוקה:
י הָאֵמִים, שם עם או שבט שנקראו כך אולי מפני שהיו מטילים
אימה, לְפָנִים יָשְׁבוּ בָהּ – באותה הארץ שבה יושבים עתה המואבים,
עַם גָּדוֹל וְרַב וָרָם כַּעֲנָקִים. יא רְפָאִים, עם עתיק אחר, יֵחָשְׁבוּ אַף הֵם
כַּעֲנָקִים, וְהַמֹּאָבִים, שלשונם הייתה קרובה לעברית, יִקְרְאוּ לָהֶם אֵמִים,
משום שעוררו אימה.

הערה נוספת: יב וּבְשֵׂעִיר יָשְׁבוּ הַחֹרִים לְפָנִים, ואולם בְנֵי עֵשָׂו יִירָשׁוּם,
ירשו את החורים וַיַּשְׁמִידוּם מִפְּנֵיהֶם וַיֵּשְׁבוּ תַּחְתָּם, כַּאֲשֶׁר, כמו שעָשָׂה
יִשְׂרָאֵל לְאֶרֶץ יְרֻשָּׁתוֹ – ארץ סיחון ועוג אֲשֶׁר נָתַן ה׳ לָהֶם. למעשה בני
עשו לא השמידו את התושבים כליל אלא התבוללו בתוכם.[24] בני
עשו היו השליטים בפועל, והחורים קיימו עמם יחסי שיתוף וקרבה.

יג עַתָּה, כשהגעתם כבר קרוב לגבול הארץ, אמר ה׳: קֻמוּ וְעִבְרוּ לָכֶם
אֶת נַחַל זָרֶד, שאולי קיבל את שמו מן העצים או הסבכים שבו.[25]
וַנַּעֲבֹר אֶת נַחַל זָרֶד. ונקודה זו נחשבת כנקודת מעבר מהנדודים במדבר
אל הכניסה לתחום הארץ המובטחת. יד וְהַיָּמִים אֲשֶׁר הָלַכְנוּ מִקָּדֵשׁ
בַּרְנֵעַ עַד אֲשֶׁר עָבַרְנוּ אֶת נַחַל זֶרֶד – שְׁלֹשִׁים וּשְׁמֹנֶה שָׁנָה בהמתנה עַד
תֹּם כָּל הַדּוֹר, כל אלה שנמנו במפקד הראשון בין אַנְשֵׁי הַמִּלְחָמָה,
שהיו אז גברים מבני עשרים עד שישים מִקֶּרֶב הַמַּחֲנֶה, כַּאֲשֶׁר נִשְׁבַּע
ה׳ לָהֶם. טו וְגַם יַד, התערבות ה׳ הָיְתָה בָּם לְהֻמָּם, להשמידם מִקֶּרֶב

הרחבות

מן הרפאים נותרו רק פיסות מידע פזורות. תיאור פרטי תולדותיהם ותיעוד שמם בפי עמי האזור נועדו להבהיר שהם לא היו דמויות אגדיות או יצירי הדמיון, אלא עם ממשי שפעל בהיסטוריה המקומית. יתר על כן, שימור זכרם של אותם עמים קדומים עשוי למנוע מן הדורות הבאים לראות בעובדה שהארץ בידם מצב מובן מאליו, כפי שאומר הנביא עמוס: וְאָנֹכִי הִשְׁמַדְתִּי אֶת הָאֱמֹרִי מִפְּנֵיהֶם אֲשֶׁר כְּגֹבַהּ אֲרָזִים גָּבְהוֹ וְחָסֹן הוּא כָּאַלּוֹנִים וָאַשְׁמִיד פִּרְיוֹ מִמַּעַל וְשָׁרָשָׁיו מִתָּחַת (עמוס ב,ט).

מִקֶּרֶב הַמַּחֲנֶה עַד תֻּמָּם: וַיְהִי כַאֲשֶׁר־תַּמּוּ כׇּל־אַנְשֵׁי טז
הַמִּלְחָמָה לָמוּת מִקֶּרֶב הָעָם: וַיְדַבֵּר יז
יְהוָה אֵלַי לֵאמֹר: אַתָּה עֹבֵר הַיּוֹם אֶת־גְּבוּל מוֹאָב יח
אֶת־עָר: וְקָרַבְתָּ מוּל בְּנֵי עַמּוֹן אַל־תְּצֻרֵם וְאַל־ יט
תִּתְגָּר בָּם כִּי לֹא־אֶתֵּן מֵאֶרֶץ בְּנֵי־עַמּוֹן לְךָ יְרֻשָּׁה כִּי
לִבְנֵי־לוֹט נְתַתִּיהָ יְרֻשָּׁה: אֶרֶץ־רְפָאִים תֵּחָשֵׁב אַף־ כ
הִוא רְפָאִים יָשְׁבוּ־בָהּ לְפָנִים וְהָעַמֹּנִים יִקְרְאוּ לָהֶם
זַמְזֻמִּים: עַם גָּדוֹל וְרַב וָרָם כָּעֲנָקִים וַיַּשְׁמִידֵם יְהוָה כא
מִפְּנֵיהֶם וַיִּירָשֻׁם וַיֵּשְׁבוּ תַחְתָּם: כַּאֲשֶׁר עָשָׂה לִבְנֵי כב
עֵשָׂו הַיֹּשְׁבִים בְּשֵׂעִיר אֲשֶׁר הִשְׁמִיד אֶת־הַחֹרִי
מִפְּנֵיהֶם וַיִּירָשֻׁם וַיֵּשְׁבוּ תַחְתָּם עַד הַיּוֹם הַזֶּה:
וְהָעַוִּים הַיֹּשְׁבִים בַּחֲצֵרִים עַד־עַזָּה כַּפְתֹּרִים הַיֹּצְאִים כג
מִכַּפְתֹּר הִשְׁמִידֻם וַיֵּשְׁבוּ תַחְתָּם: קוּמוּ סְּעוּ וְעִבְרוּ כד

**רש״י**

טז–יז] **וַיְהִי כַאֲשֶׁר תַּמּוּ וְגוֹ׳ וַיְדַבֵּר ה׳ אֵלַי וְגוֹ׳.** אֲבָל מִשִּׁלּוּחַ הַמְרַגְּלִים עַד כָּאן לֹא נֶאֱמַר 'וַיְדַבֵּר' בְּפָרָשָׁה זוֹ אֶלָּא 'וַיֹּאמֶר', לְלַמֶּדְךָ שֶׁכׇּל שְׁלֹשִׁים וּשְׁמוֹנֶה שָׁנָה שֶׁהָיוּ יִשְׂרָאֵל נְזוּפִים, לֹא נִתְיַחֵד עִמּוֹ הַדִּבּוּר בִּלְשׁוֹן חִבָּה פָּנִים אֶל פָּנִים וְיִשּׁוּב, לְלַמֶּדְךָ שֶׁאֵין הַשְּׁכִינָה שׁוֹרָה עַל הַנְּבִיאִים אֶלָּא בִּשְׁבִיל יִשְׂרָאֵל: **אַנְשֵׁי הַמִּלְחָמָה.** מִבֶּן עֶשְׂרִים שָׁנָה הַיּוֹצְאִים בַּצָּבָא:

יח–יט] **אַתָּה עֹבֵר הַיּוֹם אֶת גְּבוּל מוֹאָב.** אֶל 'מוּל בְּנֵי עַמּוֹן', מִכָּאן שֶׁאֶרֶץ עַמּוֹן לְצַד צָפוֹן:

כ] **אֶרֶץ רְפָאִים תֵּחָשֵׁב.** אֶרֶץ רְפָאִים נֶחְשֶׁבֶת אַף הִיא לְפִי שֶׁהָרְפָאִים יָשְׁבוּ בָהּ לְפָנִים, אֲבָל לֹא זוֹ הִיא שֶׁנָּתַתִּי לְאַבְרָהָם:

כג] **וְהָעַוִּים הַיֹּשְׁבִים בַּחֲצֵרִים וְגוֹ׳.** עַוִּים מִפְּלִשְׁתִּים הֵם, שֶׁעִמָּהֶם הֵם נֶחְשָׁבִים בְּסֵפֶר יְהוֹשֻׁעַ, שֶׁנֶּאֱמַר: "חֲמֵשֶׁת סַרְנֵי פְלִשְׁתִּים הָעַזָּתִי וְהָאַשְׁדּוֹדִי הָאֶשְׁקְלוֹנִי הַגִּתִּי וְהָעֶקְרוֹנִי וְהָעַוִּים" (יהושע יג, ג), וּמִפְּנֵי הַשְּׁבוּעָה שֶׁנִּשְׁבַּע אַבְרָהָם לַאֲבִימֶלֶךְ לֹא יָכְלוּ יִשְׂרָאֵל לְהוֹצִיא אַרְצָם מִיָּדָם, וְהֵבֵאתִי עֲלֵיהֶם כַּפְתֹּרִים וְהִשְׁמִידוּם וְיָשְׁבוּ תַחְתָּם, וְעַכְשָׁיו אַתֶּם מֻתָּרִים לְקַחְתָּהּ מִיָּדָם:

**העולם**

**כַּפְתֹּר** שמה של כרתים בתעודות קדומות (ראו גם עמוס ט,ז; ירמיה מז,ד). יש סוברים שהוא המקום הנקרא בתעודות המצריות מהאלף השני לפנה״ס קפטיו, אולי מפני שהמצרים לא ביטאו את ההגה ר׳. תושביה נחשבו פלשתים (יחזקאל כה,טז; צפניה ב,ה). ממקורות היסטוריים עולה שחלק מהעמים שהמצרים כינו 'גויי הים' היו פולשים זרים בני כרתים שהגיעו לארץ כנען.

הַמַּחֲנֶה עַד תֻּמָּם. אם לא היה די בשלושים ושמונה שנים אלו שכולם | ביאור
ימותו בדרך הטבע, ה' האיץ תהליך זה.

טז וַיְהִי כַאֲשֶׁר תַּמּוּ כָּל אַנְשֵׁי הַמִּלְחָמָה לָמוּת מִקֶּרֶב הָעָם – אז
מתחיל למעשה המסע הגדול והישיר אל הארץ, יז וַיְדַבֵּר ה' אֵלַי
לֵאמֹר: יח אַתָּה עֹבֵר הַיּוֹם אֶת גְּבוּל מוֹאָב, אֶת עָר. יט וְקָרַבְתָּ מוּל בְּנֵי
עַמּוֹן – אַל תְּצֻרֵם, תטיל עליהם מצור וְאַל תִּתְגָּר בָּם, תתגרה בהם,
אל תקיים נגדם תגרות קרב.[26] כִּי לֹא אֶתֵּן מֵאֶרֶץ בְּנֵי עַמּוֹן לְךָ יְרֻשָּׁה,
כִּי לִבְנֵי לוֹט נְתַתִּיהָ יְרֻשָּׁה מכוחו של אברהם. כ אֶרֶץ רְפָאִים תֵּחָשֵׁב
אַף הִוא – ארצם של בני עמון. רְפָאִים יָשְׁבוּ בָהּ לְפָנִים, וְהָעַמֹּנִים יִקְרְאוּ
לָהֶם – לאותם אנשים – זַמְזֻמִּים. כל עבר הירדן היה בעָבר ארץ של
רפאים, שהם עַם גָּדוֹל וְרַב וָרָם כַּעֲנָקִים. וַיַּשְׁמִידֵם ה' מִפְּנֵיהֶם – מפני
העמונים בני לוט, וַיִּירָשֻׁם וַיֵּשְׁבוּ תַחְתָּם. כב כַּאֲשֶׁר עָשָׂה ה' לִבְנֵי
עֵשָׂו הַיֹּשְׁבִים בְּשֵׂעִיר – אֲשֶׁר הִשְׁמִיד אֶת הַחֹרִי מִפְּנֵיהֶם, וַיִּירָשֻׁם וַיֵּשְׁבוּ
תַחְתָּם עַד הַיּוֹם הַזֶּה. ארץ כנען היא ארץ מעבר, ובסביבתה ישבו
מאז ומעולם עמים וגזעים שדיברו שפות שונות. כמו הרפאים
בני הדורות הקדומים, כך ישבו בעבר הירדן גם החורים, שמקורם
כנראה באסיה הקטנה, עד שבאו לשם בני עשו.

וכאן הערה נוספת, שאינה קשורה בדיוק לאותו עניין, אך מתארת
תמורות דמוגרפיות והיסטוריות קדומות: כג וְהָעַוִּים הַיֹּשְׁבִים בַּחֲצֵרִים,
יישובי קבע שאינם מוקפים חומה,[27] עַד עַזָּה שבשפלת החוף של
אזור הנגב – כַּפְתֹּרִים הַיֹּצְאִים מִכַּפְתֹּר, האי כרתים, הִשְׁמִידֻם וַיֵּשְׁבוּ
תַחְתָּם. הפלשתים יושבי החוף היו מבני כפתור.[28]

כד ועתה, לאחר התיאור ההיסטורי-גיאוגרפי – קוּמוּ, סְּעוּ וְעִבְרוּ אֶת

הרחבות

**השמדת הרפאים** גם זמן רב אחרי שעברו האנשים הגדולים הללו מן העולם, עצם אזכורם הטיל פחד על הבריות. (ראו פס' יא; במדבר יג,לג; כא,לד). לאמתו של דבר לא ברור מה היה מספרם של הרפאים, וייתכן שלא היו כה חזקים – שהרי אנשים קטנים מהם השמידו אותם, ואולי הגורם להכחדתם היה פיזורם הגדול באזור.

**טלטלות העמים** לעומת התפיסה שרווחה בימי קדם, שכל העמים קבועים במקומותיהם, מדגישה כאן התורה שה' הוא המניע את העמים ואת הממלכות. לא רק עם ישראל – שלו שליחות מיוחדת – אלא גם עמים אחרים נעים ממקום למקום. יישובם אינו קבוע, והוא תלוי בחסדי ה' וברצונו ואינו נגזר מן המקום שבו נולדו. (ראו עמוס ט,ז–ט).

אֶת־נַחַל אַרְנֹן רְאֵה נָתַתִּי בְיָדְךָ אֶת־סִיחֹן מֶלֶךְ־
חֶשְׁבּוֹן הָאֱמֹרִי וְאֶת־אַרְצוֹ הָחֵל רָשׁ וְהִתְגָּר בּוֹ
מִלְחָמָה׃ הַיּוֹם הַזֶּה אָחֵל תֵּת פַּחְדְּךָ וְיִרְאָתְךָ עַל־ כה
פְּנֵי הָעַמִּים תַּחַת כָּל־הַשָּׁמָיִם אֲשֶׁר יִשְׁמְעוּן שִׁמְעֲךָ
וְרָגְזוּ וְחָלוּ מִפָּנֶיךָ׃ וָאֶשְׁלַח מַלְאָכִים מִמִּדְבַּר קְדֵמוֹת כו
אֶל־סִיחוֹן מֶלֶךְ חֶשְׁבּוֹן דִּבְרֵי שָׁלוֹם לֵאמֹר׃ אֶעְבְּרָה כז
בְאַרְצֶךָ בַּדֶּרֶךְ בַּדֶּרֶךְ אֵלֵךְ לֹא אָסוּר יָמִין וּשְׂמֹאול׃
אֹכֶל בַּכֶּסֶף תַּשְׁבִּרֵנִי וְאָכַלְתִּי וּמַיִם בַּכֶּסֶף תִּתֶּן־לִי כח
וְשָׁתִיתִי רַק אֶעְבְּרָה בְרַגְלָי׃ כַּאֲשֶׁר עָשׂוּ־לִי בְּנֵי עֵשָׂו כט
הַיֹּשְׁבִים בְּשֵׂעִיר וְהַמּוֹאָבִים הַיֹּשְׁבִים בְּעָר עַד אֲשֶׁר־
אֶעֱבֹר אֶת־הַיַּרְדֵּן אֶל־הָאָרֶץ אֲשֶׁר־יְהוָה אֱלֹהֵינוּ
נֹתֵן לָנוּ׃ וְלֹא אָבָה סִיחֹן מֶלֶךְ חֶשְׁבּוֹן הַעֲבִרֵנוּ בּוֹ ל
כִּי־הִקְשָׁה יְהוָה אֱלֹהֶיךָ אֶת־רוּחוֹ וְאִמֵּץ אֶת־לְבָבוֹ
ששי ג לְמַעַן תִּתּוֹ בְיָדְךָ כַּיּוֹם הַזֶּה׃ וַיֹּאמֶר יְהוָה לא
אֵלַי רְאֵה הַחִלֹּתִי תֵּת לְפָנֶיךָ אֶת־סִיחֹן וְאֶת־אַרְצוֹ
הָחֵל רָשׁ לָרֶשֶׁת אֶת־אַרְצוֹ׃ וַיֵּצֵא סִיחֹן לִקְרָאתֵנוּ לב

רש"י

כה) תַּחַת כָּל הַשָּׁמָיִם. לִמֵּד שֶׁעָמְדָה חַמָּה לְמֹשֶׁה בְּיוֹם מִלְחֶמֶת עוֹג, וְנוֹדַע הַדָּבָר תַּחַת כָּל הַשָּׁמָיִם:

כו) מִמִּדְבַּר קְדֵמוֹת. אַף עַל פִּי שֶׁלֹּא צִוַּנִי הַמָּקוֹם לִקְרֹא לְסִיחוֹן לְשָׁלוֹם, לָמַדְתִּי מִמִּדְבַּר סִינַי, מִן הַתּוֹרָה שֶׁקָּדְמָה לָעוֹלָם, כְּשֶׁבָּא הַקָּדוֹשׁ בָּרוּךְ הוּא לִתְּנָהּ לְיִשְׂרָאֵל חִזֵּר אוֹתָהּ עַל עֵשָׂו וְיִשְׁמָעֵאל, וְגָלוּי לְפָנָיו שֶׁלֹּא יְקַבְּלוּהָ, וְאַף עַל פִּי כֵן פָּתַח לָהֶם בְּשָׁלוֹם, אַף אֲנִי קִדַּמְתִּי אֶת סִיחוֹן בְּדִבְרֵי שָׁלוֹם:

כט) כַּאֲשֶׁר עָשׂוּ לִי בְּנֵי עֵשָׂו. לֹא לְעִנְיַן לַעֲבֹר בְּאַרְצָם, אֶלָּא לְעִנְיַן מֶכֶר אֹכֶל וּמַיִם:

לב) וַיֵּצֵא סִיחֹן. לֹא שָׁלַח בִּשְׁבִיל עוֹג

הרחבות

'ולא אבה סיחן' ייתכן שסיחון היה מעין 'רוזן גבול', שליט שקיים הסכם להגן על ארצות אחרות. אף שסיחון נראה כשליט גדול, ארצו לא הייתה מרובת אוכלוסין כארץ כנען, אבל הוא שמר על תושבי כנען מפני תקיפת אויבים ממזרח. (ראו במדבר רבה יט,כט; תנחומא חקת נב; רש"י במדבר כא,כג). יתרה מזו, אפשר

ביאור | נַחַל אַרְנֹן. רְאֵה נָתַתִּי בְיָדְךָ אֶת סִיחֹן מֶלֶךְ חֶשְׁבּוֹן הָאֱמֹרִי וְאֶת אַרְצוֹ – הָחֵל
רָשׁ! מכאן אתם רשאים ומצֻווים להתחיל לרשת, וְלכן, הִתְגָּר בּוֹ
מִלְחָמָה. האדומים בני עשו וכן בני מואב ובני עמון שבאו מלוט הם
ממשפחת אבות ישראל, ומכוח ההבטחה המשפחתית גם הם ירשו
חלקים מעבר הירדן המזרחי, ומשום כך אל לישראל להתקיף אותם
כדי לכבוש את ארצם. כלפי שאר האומות היחס שונה. כה הַיּוֹם
הַזֶּה, מעתה ואילך אָחֵל לְתֵת את פַּחְדְּךָ וְיִרְאָתְךָ עַל פְּנֵי הָעַמִּים תַּחַת
כָּל הַשָּׁמָיִם, אֲשֶׁר יִשְׁמְעוּן שִׁמְעֲךָ, וְרָגְזוּ וְחָלוּ, וירעדו, ויפחדו מִפָּנֶיךָ. עד
כה נתפס באזור עם ישראל כעם של נוודים כמעט אגדי, שסופרו
עליו סיפורי נסים מלפני ארבעים שנה. מעתה יהפוך העם הזה
לאיום ממשי.

כו וָאֶשְׁלַח מַלְאָכִים, שליחים מִמִּדְבַּר קְדֵמוֹת, המדבר המזרחי אֶל
סִיחוֹן מֶלֶךְ חֶשְׁבּוֹן, דִּבְרֵי שָׁלוֹם לֵאמֹר. אף שה' אומר למשה שבסופו
של דבר ישראל יצטרכו להילחם בסיחון, משה שלח לסיחון דברי
שלום. יש בכך ביטוי לערך של הקדמת משא ומתן לפתיחה
במלחמה.[29] כז אֶעְבְּרָה בְאַרְצֶךָ, ואני מבטיח שבַּדֶּרֶךְ בַּדֶּרֶךְ, רק בדרך
הראשית אֵלֵךְ. לֹא אָסוּר לצדדים יָמִין וּשְׂמֹאול. כח ושוב, אֹכֶל בַּכֶּסֶף
תַּשְׁבִּרֵנִי, תמכור לי וְאָכַלְתִּי, וּמַיִם בַּכֶּסֶף תִּתֶּן לִי וְשָׁתִיתִי, רַק אֶעְבְּרָה בְרַגְלָי.
כל שאני מבקש הוא הרשות לעבור, ואני מבטיח שלא אזיק לסביבה,
לאנשים או לבהמות. יתרה מזו, אין בכך אלא רווח בעבורכם, שכן
אם נאכל כאן דבר – תקבלו את מחירו. כט כַּאֲשֶׁר, כמו שֶׁעָשׂוּ לִי
בְּנֵי עֵשָׂו הַיֹּשְׁבִים בְּשֵׂעִיר, וְהַמּוֹאָבִים הַיֹּשְׁבִים בְּעָר. ישראל לא נכנסו
לארץ שעיר ואף לא לארץ מואב. נראה שהדברים רומזים ליחסי
המסחר והידידות שהיו להם עם העמים הללו באותם מקומות.[30]
משה מבקש מסיחון סיוע דומה, עַד אֲשֶׁר אֶעֱבֹר אֶת הַיַּרְדֵּן אֶל
הָאָרֶץ אֲשֶׁר ה' אֱלֹהֵינוּ נֹתֵן לָנוּ. איננו מעוניינים אלא לעבור דרך עבר
הירדן.

ל וְלֹא אָבָה, רצה סִיחֹן מֶלֶךְ חֶשְׁבּוֹן לְהַעֲבִרֵנוּ בּוֹ, כִּי הִקְשָׁה ה' אֱלֹהֶיךָ
אֶת רוּחוֹ וְאִמֵּץ אֶת לְבָבוֹ, לְמַעַן תִּתּוֹ, כדי שיינתן בְּיָדְךָ כַּיּוֹם הַזֶּה.

לא וַיֹּאמֶר ה' אֵלַי: רְאֵה הַחִלֹּתִי תֵּת לְפָנֶיךָ אֶת סִיחֹן וְאֶת אַרְצוֹ, הָחֵל רָשׁ,
כבוש לָרֶשֶׁת אֶת אַרְצוֹ ללא היסוס.

הרחבות | את ארצם ואת ארץ מואב ועמון. סיחון שיער שכך יקרה אם גם הוא יאסוף את צבאו לשם הרתעה, אלא שלו ה' לא העניק חסינות.

שסירובו נבע מן המחשבה שישראל ינהגו בו כפי שנהגו בעמים אחרים. כאשר בני אדום, למשל, סירבו להצעתו של משה – ישראל נמנעו ממלחמה וסובבו

לג הוּא וְכָל־עַמּוֹ לַמִּלְחָמָה יָהְצָה׃ וַיִּתְּנֵהוּ יְהוָה אֱלֹהֵינוּ
לד לְפָנֵינוּ וַנַּךְ אֹתוֹ וְאֶת־בָּנָו וְאֶת־כָּל־עַמּוֹ׃ וַנִּלְכֹּד אֶת־
כָּל־עָרָיו בָּעֵת הַהִוא וַנַּחֲרֵם אֶת־כָּל־עִיר מְתִם
לה וְהַנָּשִׁים וְהַטָּף לֹא הִשְׁאַרְנוּ שָׂרִיד׃ רַק הַבְּהֵמָה
לו בָּזַזְנוּ לָנוּ וּשְׁלַל הֶעָרִים אֲשֶׁר לָכָדְנוּ׃ מֵעֲרֹעֵר אֲשֶׁר
עַל־שְׂפַת־נַחַל אַרְנֹן וְהָעִיר אֲשֶׁר בַּנַּחַל וְעַד־הַגִּלְעָד
לֹא הָיְתָה קִרְיָה אֲשֶׁר שָׂגְבָה מִמֶּנּוּ אֶת־הַכֹּל נָתַן
לז יְהוָה אֱלֹהֵינוּ לְפָנֵינוּ׃ רַק אֶל־אֶרֶץ בְּנֵי־עַמּוֹן לֹא
קָרָבְתָּ כָּל־יַד נַחַל יַבֹּק וְעָרֵי הָהָר וְכֹל אֲשֶׁר־צִוָּה
א יְהוָה אֱלֹהֵינוּ׃ וַנֵּפֶן וַנַּעַל דֶּרֶךְ הַבָּשָׁן וַיֵּצֵא עוֹג מֶלֶךְ־ ג
הַבָּשָׁן לִקְרָאתֵנוּ הוּא וְכָל־עַמּוֹ לַמִּלְחָמָה אֶדְרֶעִי׃
ב וַיֹּאמֶר יְהוָה אֵלַי אַל־תִּירָא אֹתוֹ כִּי בְיָדְךָ נָתַתִּי אֹתוֹ
וְאֶת־כָּל־עַמּוֹ וְאֶת־אַרְצוֹ וְעָשִׂיתָ לּוֹ כַּאֲשֶׁר עָשִׂיתָ
ג לְסִיחֹן מֶלֶךְ הָאֱמֹרִי אֲשֶׁר יוֹשֵׁב בְּחֶשְׁבּוֹן׃ וַיִּתֵּן יְהוָה

רש"י | לַעֲזֹר לוֹ, לְלַמֶּדְךָ שֶׁלֹּא הָיוּ צְרִיכִים זֶה לָזֶה.

לג) וְאֶת בָּנָו. 'בנו' כְּתִיב, שֶׁהָיָה לוֹ בֵּן גִּבּוֹר כְּמוֹתוֹ.

לד) מְתִם. אֲנָשִׁים. בְּבִזַּת סִיחוֹן נֶאֱמַר: "בָּזַזְנוּ לָנוּ" (להלן פסוק לה), לְשׁוֹן בִּזָּה, שֶׁהָיְתָה חֲבִיבָה עֲלֵיהֶם וּבוֹזְזִים אִישׁ לוֹ, וּכְשֶׁבָּאוּ לְבִזַּת עוֹג כְּבָר הָיוּ שְׂבֵעִים וּמְלֵאִים, וְהָיְתָה בְזוּיָה בְּעֵינֵיהֶם וּמְקַלְּעִין וּמַשְׁלִיכִין בְּהֵמָה וּבְגָדִים, כִּי אִם כֶּסֶף וְזָהָב, לְכָךְ נֶאֱמַר: "בַּזּוֹנוּ לָנוּ" (להלן ג, ז), לְשׁוֹן בִּזָּיוֹן. כָּךְ נִדְרַשׁ בְּסִפְרֵי בְּפָרָשַׁת "וַיֵּשֶׁב יִשְׂרָאֵל בַּשִּׁטִּים" (ספרי במדבר קלא).

לז) כָּל יַד נַחַל יַבֹּק. כָּל אֵצֶל נַחַל יַבֹּק. וְכֹל אֲשֶׁר צִוָּה ה' אֱלֹהֵינוּ. שֶׁלֹּא לִכְבֹּשׁ, הִנַּחְנוּ.

פרק ג

א) וַנֵּפֶן וַנַּעַל. כָּל לְצַד צָפוֹן עֲלִיָּה הִיא.

ב) אַל תִּירָא אֹתוֹ. וּבְסִיחוֹן לֹא הֻצְרַךְ לוֹמַר 'אַל תִּירָא אֹתוֹ', אֶלָּא מִתְיָרֵא הָיָה מֹשֶׁה שֶׁלֹּא תַעֲמֹד לוֹ זְכוּת שֶׁשִּׁמֵּשׁ לְאַבְרָהָם, שֶׁנֶּאֱמַר: "וַיָּבֹא הַפָּלִיט" (בראשית יד, יג) וְהוּא עוֹג.

העולם | יַהַץ עיר בנחלת ראובן (יהושע יג,יח) שניתנה ללויים ממשפחת מררי. (ראו יהושע יג,יח; דברי הימים א' ו,סג). נזכרת גם בכתובת מישע מלך מואב. זיהויה אינו ודאי.

ביאור

לב וַיֵּצֵא סִיחֹן לִקְרָאתֵנוּ, הוּא וְכָל עַמּוֹ, לַמִּלְחָמָה יָהְצָה, ליהץ. לג וַיִּתְּנֵהוּ
ה׳ אֱלֹהֵינוּ לְפָנֵינוּ, ניצחנו אותו, וַנַּךְ, הכינו אֹתוֹ וְאֶת בָּנָו, שהיו אף
הם אנשים חשובים או אנשי מלחמה, וְאֶת כָּל עַמּוֹ. לד וַנִּלְכֹּד אֶת
כָּל עָרָיו בָּעֵת הַהִוא, וַנַּחֲרֵם, הרסנו אֶת כָּל עִיר מְתִם, אנשים, כל
עיר שיש בה בני אדם, וְהַנָּשִׁים וְהַטָּף, והילדים. הכול לקחנו, לֹא
הִשְׁאַרְנוּ שָׂרִיד מן האדם. לה רַק הַבְּהֵמָה בָּזַזְנוּ לָנוּ וכן את שְׁלַל הֶעָרִים
אֲשֶׁר לָכָדְנוּ. לו כבשנו את כל הערים מֵעֲרֹעֵר אֲשֶׁר עַל שְׂפַת נַחַל אַרְנֹן
בגדתו הצפונית, וְהָעִיר אֲשֶׁר בַּנַּחַל, בתוך נחל ארנון. וְעַד הַגִּלְעָד,
הרבה צפונה משם. לֹא הָיְתָה קִרְיָה, עיר אֲשֶׁר שָׂגְבָה מִמֶּנּוּ, שגבהה
והייתה חזקה מכדי שנוכל לה. אֶת הַכֹּל נָתַן ה׳ אֱלֹהֵינוּ לְפָנֵינוּ. לז רַק
אֶל אֶרֶץ בְּנֵי עַמּוֹן לֹא קָרָבְתָּ – כָּל יַד, מקום שבנַחַל יַבֹּק וְעָרֵי הָהָר,
וְכֹל אֲשֶׁר צִוָּה ה׳ אֱלֹהֵינוּ. ישראל לחמו נגד סיחון, שמלכותו הקיפה
שטח גדול והגיעה עד גבול בני עמון, אבל נזהרו שלא לפגוע בארץ
בני עמון.

פרק ג א וַנֵּפֶן וַנַּעַל, הִצְפַּנּוּ[31] דֶּרֶךְ הַבָּשָׁן מצפון-מזרח לכנרת. וַיֵּצֵא עוֹג
מֶלֶךְ הַבָּשָׁן לִקְרָאתֵנוּ, הוּא וְכָל עַמּוֹ, לַמִּלְחָמָה לעיר אֶדְרֶעִי.

ב וַיֹּאמֶר ה׳ אֵלַי: אַל תִּירָא אֹתוֹ, כִּי בְיָדְךָ נָתַתִּי אֹתוֹ וְאֶת כָּל עַמּוֹ
וְאֶת אַרְצוֹ, וְעָשִׂיתָ לּוֹ כַּאֲשֶׁר עָשִׂיתָ לְסִיחֹן מֶלֶךְ הָאֱמֹרִי אֲשֶׁר יוֹשֵׁב
בְּחֶשְׁבּוֹן.

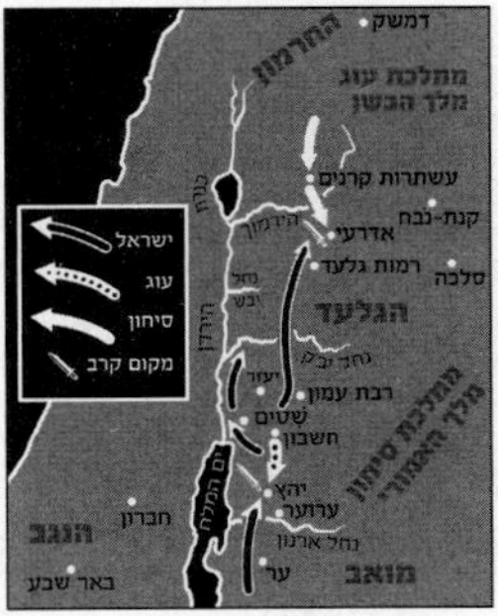


המלחמות בעוג וסיחון

העולם

הָעִיר אֲשֶׁר בַּנַּחַל נזכרת בכתובים במקומות נוספים. בספר יהושע (יג,ט) מוזכרת כנקודת גבול בין גד וראובן, אך לא ברור אם היא יישוב עצמאי שמיקומו המדויק אינו ידוע, אם היא רובע של ערוער או שהיא מצודה.

אֱלֹהֵינוּ בְּיָדֵנוּ גַּם אֶת־עוֹג מֶלֶךְ־הַבָּשָׁן וְאֶת־כָּל־עַמּוֹ
וַנַּכֵּהוּ עַד־בִּלְתִּי הִשְׁאִיר־לוֹ שָׂרִיד׃ וַנִּלְכֹּד אֶת־כָּל־ ד
עָרָיו בָּעֵת הַהִוא לֹא הָיְתָה קִרְיָה אֲשֶׁר לֹא־לָקַחְנוּ
מֵאִתָּם שִׁשִּׁים עִיר כָּל־חֶבֶל אַרְגֹּב מַמְלֶכֶת עוֹג
בַּבָּשָׁן׃ כָּל־אֵלֶּה עָרִים בְּצֻרֹת חוֹמָה גְבֹהָה דְּלָתַיִם ה
וּבְרִיחַ לְבַד מֵעָרֵי הַפְּרָזִי הַרְבֵּה מְאֹד׃ וַנַּחֲרֵם אוֹתָם ו
כַּאֲשֶׁר עָשִׂינוּ לְסִיחֹן מֶלֶךְ חֶשְׁבּוֹן הַחֲרֵם כָּל־עִיר
מְתִם הַנָּשִׁים וְהַטָּף׃ וְכָל־הַבְּהֵמָה וּשְׁלַל הֶעָרִים ז
בַּזּוֹנוּ לָנוּ׃ וַנִּקַּח בָּעֵת הַהִוא אֶת־הָאָרֶץ מִיַּד שְׁנֵי ח
מַלְכֵי הָאֱמֹרִי אֲשֶׁר בְּעֵבֶר הַיַּרְדֵּן מִנַּחַל אַרְנֹן עַד־
הַר חֶרְמוֹן׃ צִידֹנִים יִקְרְאוּ לְחֶרְמוֹן שִׂרְיֹן וְהָאֱמֹרִי ט
יִקְרְאוּ־לוֹ שְׂנִיר׃ כֹּל ׀ עָרֵי הַמִּישֹׁר וְכָל־הַגִּלְעָד וְכָל־ י
הַבָּשָׁן עַד־סַלְכָה וְאֶדְרֶעִי עָרֵי מַמְלֶכֶת עוֹג בַּבָּשָׁן׃
כִּי רַק־עוֹג מֶלֶךְ הַבָּשָׁן נִשְׁאַר מִיֶּתֶר הָרְפָאִים הִנֵּה יא

**רש"י**

ד] חֶבֶל אַרְגֹּב. מְתַרְגְּמִינַן: "בֵּית פֶּלֶךְ טְרָכוֹנָא". וְרָאִיתִי תַּרְגּוּם יְרוּשַׁלְמִי בִּמְגִלַּת אֶסְתֵּר (א, ג) קוֹרֵא פָּלָטִין – טְרָכוֹנִין, לָמַדְתִּי "חֶבֶל אַרְגֹּב" – הַפַּרְכִיָּא שֶׁל הֵיכַל הַמֶּלֶךְ, כְּלוֹמַר שֶׁהַמַּלְכוּת נִקְרָא עַל שְׁמָהּ וְכֵן: "אֶת הָאַרְגֹּב" דִּמְלָכִים (ב׳ טו, כה), אֵצֶל הֵיכַל הַמֶּלֶךְ הֲרָגוֹ פֶּקַח לְ[פְקַחְיָה בֶּן] מְנַחֵם:

ה] מֵעָרֵי הַפְּרָזִי. פְּרוּזוֹת וּפְתוּחוֹת בְּלֹא חוֹמָה, וְכֵן: "פְּרָזוֹת תֵּשֵׁב יְרוּשָׁלַםִ" (זכריה ב, ח):

ו] הַחֲרֵם. לְשׁוֹן הֹוֶה, הָלוֹךְ וְכַלּוֹת:

ח] מִיַּד. מֵרְשׁוּת:

ט] צִידֹנִים יִקְרְאוּ לְחֶרְמוֹן וְגוֹ׳. וּבְמָקוֹם אַחֵר הוּא אוֹמֵר: "וְעַד הַר שִׂיאֹן הוּא חֶרְמוֹן" (להלן ד, מח), הֲרֵי לוֹ אַרְבָּעָה שֵׁמוֹת. לָמָּה הֻצְרְכוּ לִכָּתֵב? לְהַגִּיד שִׁבְחָהּ שֶׁל אֶרֶץ יִשְׂרָאֵל, שֶׁהָיוּ אַרְבַּע מַלְכֻיּוֹת מִתְפָּאֲרוֹת בְּכָךְ, זוֹ אוֹמֶרֶת עַל שְׁמִי יִקָּרֵא, וְזוֹ אוֹמֶרֶת עַל שְׁמִי יִקָּרֵא: שְׂנִיר. הוּא שֶׁלֶג בִּלְשׁוֹן אַשְׁכְּנַז וּבִלְשׁוֹן כְּנַעַן:

יא] מִיֶּתֶר הָרְפָאִים. שֶׁהֲרָגוֹ אַמְרָפֶל

**העולם**

סַלְכָה עיר בנחלת חצי שבט המנשה, שלפי המתואר בספר דברי הימים (א' ה,יא) ישבו בה בני גד. מקובל לזהותה עם צלחיד הסמוכה למרגלות הדרומיים של הר הדרוזים (החורן).

ביאור

ג וַיִּתֵּן ה' אֱלֹהֵינוּ בְּיָדֵנוּ גַּם אֶת עוֹג מֶלֶךְ הַבָּשָׁן וְאֶת כָּל עַמּוֹ, וַנַּכֵּהוּ עַד
בִּלְתִּי הִשְׁאִיר, שלא נשאר לוֹ שָׂרִיד. ד וַנִּלְכֹּד אֶת כָּל עָרָיו בָּעֵת הַהִוא,
לֹא הָיְתָה קִרְיָה, עיר בכל האזור הזה אֲשֶׁר לֹא לָקַחְנוּ מֵאִתָּם, מכללם[32]
שִׁשִּׁים עִיר כָּל חֶבֶל, תחום אַרְגֹּב[33] – מַמְלֶכֶת עוֹג בַּבָּשָׁן. ה כָּל הערים
הָאֵלֶּה – עָרִים בְּצֻרֹת מוקפות חוֹמָה גְבֹהָה, דְּלָתַיִם וּבְרִיחַ, ערים חזקות,
לְבַד מֵעָרֵי הַפְּרָזִי, מקומות היישוב הקטנים שלא היו מוקפים חומה
הַרְבֵּה מְאֹד. ו וַנַּחֲרֵם, השמדנו אותם כַּאֲשֶׁר עָשִׂינוּ לְסִיחֹן מֶלֶךְ חֶשְׁבּוֹן:
הַחֲרֵם כָּל עִיר מְתִם, עיר שיושבים בה בני אדם, הַנָּשִׁים וְהַטָּף. ז וְכָל
הַבְּהֵמָה וּשְׁלַל הֶעָרִים בַּזּוֹנוּ, לקחנו כשלל לָנוּ.

ח וַנִּקַּח בָּעֵת הַהִוא אֶת הָאָרֶץ מִיַּד שְׁנֵי מַלְכֵי הָאֱמֹרִי, סיחון ועוג אֲשֶׁר
בְּעֵבֶר הַיַּרְדֵּן, מִנַּחַל אַרְנֹן עַד הַר חֶרְמוֹן.

הערה על החרמון, רכס ההרים הבולט ביותר לפני הלבנון: ט צִידֹנִים,
היושבים בצדו האחר של ההר, יִקְרְאוּ לְחֶרְמוֹן שִׂרְיֹן, וְהָאֱמֹרִי יִקְרְאוּ
לוֹ שְׂנִיר.

י כֹּל עָרֵי הַמִּישֹׁר, הרמה וְכָל הַגִּלְעָד וְכָל הַבָּשָׁן, עַד סַלְכָה וְאֶדְרֶעִי, עָרֵי
מַמְלֶכֶת עוֹג בַּבָּשָׁן. יא כִּי רַק עוֹג מֶלֶךְ הַבָּשָׁן נִשְׁאַר מִיֶּתֶר הָרְפָאִים ששכנו

הר חרמון

הרחבות

**שמותיו של החרמון** כשם שלמעלה דווח על שמותיהם של הרפאים בפי עמי האזור, כדי להדגיש את ממשיותם ההיסטורית, כך מפורטים כאן שמותיו של הר חרמון בכמה שפות. אנשי אותו הדור ידעו פרטים אלה, אך משמעות הפרטים הללו חשובה לדורות. החרמון היה נקודת ציון בתחום הכיבוש של ישראל, אך לא היה חלק ממשי מנחלתם. אזכור שמותיו מבטא את מעמדו כתחום בינלאומי שכמה עמים מתייחסים אליו ויושבים בקרבתו. (וראו עוד דברי הימים א' ה,כג).

עַרְשׂוֹ עֶרֶשׂ בַּרְזֶל הֲלֹה הִוא בְּרַבַּת בְּנֵי עַמּוֹן תֵּשַׁע
אַמּוֹת אָרְכָּהּ וְאַרְבַּע אַמּוֹת רָחְבָּהּ בְּאַמַּת־אִישׁ:
וְאֶת־הָאָרֶץ הַזֹּאת יָרַשְׁנוּ בָּעֵת הַהִוא מֵעֲרֹעֵר יב
אֲשֶׁר־עַל־נַחַל אַרְנֹן וַחֲצִי הַר־הַגִּלְעָד וְעָרָיו נָתַתִּי
לָראוּבֵנִי וְלַגָּדִי: וְיֶתֶר הַגִּלְעָד וְכָל־הַבָּשָׁן מַמְלֶכֶת יג
עוֹג נָתַתִּי לַחֲצִי שֵׁבֶט הַמְנַשֶּׁה כֹּל חֶבֶל הָאַרְגֹּב
לְכָל־הַבָּשָׁן הַהוּא יִקָּרֵא אֶרֶץ רְפָאִים: יָאִיר בֶּן־ יד
מְנַשֶּׁה לָקַח אֶת־כָּל־חֶבֶל אַרְגֹּב עַד־גְּבוּל הַגְּשׁוּרִי
וְהַמַּעֲכָתִי וַיִּקְרָא אֹתָם עַל־שְׁמוֹ אֶת־הַבָּשָׁן חַוֹּת
שביעי יָאִיר עַד הַיּוֹם הַזֶּה: וּלְמָכִיר נָתַתִּי אֶת־הַגִּלְעָד: טו
וְלָראוּבֵנִי וְלַגָּדִי נָתַתִּי מִן־הַגִּלְעָד וְעַד־נַחַל אַרְנֹן טז

רש"י | וַחֲבֵרָיו בְּעַשְׁתְּרוֹת קַרְנַיִם, וְהוּא פָּלַט מִן הַמִּלְחָמָה, שֶׁנֶּאֱמַר: "וַיָּבֹא הַפָּלִיט" (בראשית יד, יג), זֶהוּ עוֹג: בְּאַמַּת אִישׁ. בְּאַמַּת עוֹג:

יב] וְאֶת הָאָרֶץ הַזֹּאת. הָאֲמוּרָה לְמַעְלָה מִנַּחַל אַרְנֹן וְעַד הַר חֶרְמוֹן (לעיל פסוק ח), "יָרַשְׁנוּ בָּעֵת הַהִיא": מֵעֲרֹעֵר אֲשֶׁר עַל נַחַל אַרְנֹן. אֵינוֹ מְחֻבָּר לְרֹאשׁוֹ שֶׁל מִקְרָא אֶלָּא לְסוֹפוֹ, עַל "נָתַתִּי לָראוּבֵנִי וְלַגָּדִי", אֲבָל לְעִנְיַן יְרֻשָּׁה עַד הַר חֶרְמוֹן הָיְתָה:

יג] הַהוּא יִקָּרֵא אֶרֶץ רְפָאִים. הִיא אוֹתָהּ שֶׁנָּתַתִּי לְאַבְרָהָם:

העולם | הַגְּשׁוּרִי וְהַמַּעֲכָתִי ממלכות ארמיות בגולן – גשור בדרומו ומעכה בצפונו. ממלכות אלה לא נכבשו על ידי יהושע (יהושע יג,יג). הקשרים עם הממלכה הגשורית באו לידי ביטוי בנישואי דוד למעכה בת מלך גשור. ממנה הוא הוליד את אבשלום, שהתגורר תקופה מסוימת אצל סבו בגשור (שמואל ב' ג,ג; יג,לז). שתי הממלכות מוזכרות גם בתעודות מצריות (תל עמארנה) מהמאה ה–14 לפנה"ס.

ביאור | בעבר הירדן המזרחי ורובם מתו.[34] הִנֵּה עַרְשׂוֹ, מיטתו עֶרֶשׂ בַּרְזֶל, שלא
כשאר המיטות באותו הזמן, משום שהיה גדול וכבד באופן חריג.[35]
מיטה זו שרדה – הֲלֹה, הלוא הִוא בְּרַבַּת בְּנֵי עַמּוֹן. בתוך השתלשלות
המאורעות היא הועברה לרבת בני עמון ונשארה שם, תֵּשַׁע אַמּוֹת
אָרְכָּהּ וְאַרְבַּע אַמּוֹת רָחְבָּהּ בְּאַמַּת אִישׁ. אם מידתו של אדם רגיל היא
בין שלוש לארבע אמות,[36] אדם שאורך מיטתו תשע אמות הוא ענק.

יב וְאֶת הָאָרֶץ הַזֹּאת יָרַשְׁנוּ בָּעֵת הַהִוא, מֵעֲרֹעֵר אֲשֶׁר עַל נַחַל אַרְנֹן בדרום,
ליד מואב. וַחֲצִי הַר הַגִּלְעָד וְעָרָיו נָתַתִּי לשבט הראוּבֵנִי וְלַגָּדִי. יג וְיֶתֶר
הַגִּלְעָד וְכָל הַבָּשָׁן, שהם מַמְלֶכֶת עוֹג, נָתַתִּי לַחֲצִי שֵׁבֶט הַמְנַשֶּׁה. כֹּל
חֶבֶל הָאַרְגֹּב לְכָל הַבָּשָׁן, הַהוּא, אזור הבשן במיוחד יִקָּרֵא אֶרֶץ
רְפָאִים. יד יָאִיר בֶּן מְנַשֶּׁה ועוד אנשים לָקַח אֶת כָּל חֶבֶל אַרְגֹּב עַד
גְּבוּל הַגְּשׁוּרִי וְהַמַּעֲכָתִי. גשור ומעכה הן שתי ממלכות קטנות ששכנו
מצפון לארץ. וַיִּקְרָא אֹתָם עַל שְׁמוֹ. אֶת הַבָּשָׁן הוא קרא חַוֺּת יָאִיר
עַד הַיּוֹם הַזֶּה. טו וּלְמָכִיר, משפחה משבט מנשה נָתַתִּי אֶת הַגִּלְעָד
לנחלה. טז וְלָראוּבֵנִי וְלַגָּדִי נָתַתִּי מִן הַגִּלְעָד וְעַד נַחַל אַרְנֹן, שכלל גם את

נחלת שבטי עבר הירדן

הרחבות | ערשו של עוג היו שפירשו כי מדובר בעריסתו בעודו תינוק. ובבגרותו – היו מידותיו גדולות אף יותר מזה. (ראו רשב"ם).

תּוֹךְ הַנַּחַל וּגְבֻל וְעַד יַבֹּק הַנַּחַל גְּבוּל בְּנֵי עַמּוֹן׃
יז וְהָעֲרָבָה וְהַיַּרְדֵּן וּגְבֻל מִכִּנֶּרֶת וְעַד יָם הָעֲרָבָה יָם
יח הַמֶּלַח תַּחַת אַשְׁדֹּת הַפִּסְגָּה מִזְרָחָה׃ וָאֲצַו אֶתְכֶם
בָּעֵת הַהִוא לֵאמֹר יְהוָה אֱלֹהֵיכֶם נָתַן לָכֶם אֶת־
הָאָרֶץ הַזֹּאת לְרִשְׁתָּהּ חֲלוּצִים תַּעַבְרוּ לִפְנֵי אֲחֵיכֶם
יט בְּנֵי־יִשְׂרָאֵל כָּל־בְּנֵי־חָיִל׃ רַק נְשֵׁיכֶם וְטַפְּכֶם וּמִקְנֵכֶם
יָדַעְתִּי כִּי־מִקְנֶה רַב לָכֶם יֵשְׁבוּ בְּעָרֵיכֶם אֲשֶׁר נָתַתִּי
מפטיר כ לָכֶם׃ עַד אֲשֶׁר־יָנִיחַ יְהוָה ׀ לַאֲחֵיכֶם כָּכֶם וְיָרְשׁוּ גַם־
הֵם אֶת־הָאָרֶץ אֲשֶׁר יְהוָה אֱלֹהֵיכֶם נֹתֵן לָהֶם בְּעֵבֶר
כא הַיַּרְדֵּן וְשַׁבְתֶּם אִישׁ לִירֻשָּׁתוֹ אֲשֶׁר נָתַתִּי לָכֶם׃ וְאֶת־
יְהוֹשׁוּעַ צִוֵּיתִי בָּעֵת הַהִוא לֵאמֹר עֵינֶיךָ הָרֹאֹת אֵת
כָּל־אֲשֶׁר עָשָׂה יְהוָה אֱלֹהֵיכֶם לִשְׁנֵי הַמְּלָכִים הָאֵלֶּה
כֵּן־יַעֲשֶׂה יְהוָה לְכָל־הַמַּמְלָכוֹת אֲשֶׁר אַתָּה עֹבֵר
כב שָׁמָּה׃ לֹא תִּירָאוּם כִּי יְהוָה אֱלֹהֵיכֶם הוּא הַנִּלְחָם
לָכֶם׃

**רש"י**

טז **תּוֹךְ הַנַּחַל וּגְבֻל.** כָּל הַנַּחַל וְעַד מֵעֵבֶר לִשְׂפָתוֹ, כְּלוֹמַר, עַד וְעַד בִּכְלָל, וְיוֹתֵר מִכָּאן:

יז **כִּנֶּרֶת.** מֵעֵבֶר הַיַּרְדֵּן הַמַּעֲרָבִי הָיָה, וְנַחֲלַת בְּנֵי גָד מֵעֵבֶר הַיַּרְדֵּן הַמִּזְרָחִי, וְנָפַל בְּגוֹרָלָם רֹחַב הַיַּרְדֵּן כְּנֶגְדָּם וְעוֹד מֵעֵבֶר לִשְׂפָתוֹ עַד כִּנֶּרֶת, וְזֶהוּ שֶׁנֶּאֱמַר: "וְהַיַּרְדֵּן וּגְבֻל", הַיַּרְדֵּן וּמֵעֵבֶר לוֹ:

יח **וָאֲצַו אֶתְכֶם.** לִבְנֵי רְאוּבֵן וְגָד הָיָה מְדַבֵּר: **לִפְנֵי אֲחֵיכֶם.** הֵם הָיוּ הוֹלְכִים לִפְנֵי יִשְׂרָאֵל לַמִּלְחָמָה, לְפִי שֶׁהָיוּ גִּבּוֹרִים וְאוֹיְבִים נוֹפְלִים לִפְנֵיהֶם, שֶׁנֶּאֱמַר: "וְטָרַף זְרוֹעַ אַף קָדְקֹד" (דברים לג, כ):

**הרחבות**

**'וָאֲצַו אתכם בעת ההוא לאמר'** גם מעשה בני גד ובני ראובן מתואר כאן באופן שונה מהדרך שבה סופר בעבר (במדבר לב). כאן לא מסופר שהם יזמו את ההתיישבות בעבר הירדן, לא נזכרת גערתו של משה, ואף תנאי חלוצי הצבא אינו מוצג כרעיון שהם הגו. גם הבדלים אלה קשורים להקשר שהם נאמרים בו. בנאומו האחרון

ביאור | **תּוֹךְ הַנַּחַל וּגְבֻל**, וגבולו, ושפתו **וְעַד יַבֹּק הַנַּחַל – גְּבוּל בְּנֵי עַמּוֹן.** נחל
ארנון הוא גבול מואב, נחל יבוק הוא גבול בני עמון, וכל האזור
הסמוך להם ניתן לראובני ולגדי. יז ובכלל זה, **הָעֲרָבָה וְהַיַּרְדֵּן וּגְבֻל,**
ושפתו. הירדן הוא חלק מארצם והוא גם גבולה המערבי של נחלת
השבטים הללו, **מִכִּנֶּרֶת וְעַד יָם הָעֲרָבָה, יָם הַמֶּלַח, תַּחַת אַשְׁדֹּת הַפִּסְגָּה,**
המפלים היורדים מן הפסגה **מִזְרָחָה** הסמוכים לירדן. ואולי: הנחלים
הזורמים אל הירדן ממזרח.

יח **וָאֲצַו**, ציוויתי **אֶתְכֶם בָּעֵת הַהִוא לֵאמֹר: ה׳ אֱלֹהֵיכֶם נָתַן לָכֶם** – לשבטי
ראובן, גד וחצי מנשה **אֶת הָאָרֶץ הַזֹּאת לְרִשְׁתָּהּ. חֲלוּצִים תַּעַבְרוּ לִפְנֵי**
**אֲחֵיכֶם בְּנֵי יִשְׂרָאֵל כָּל בְּנֵי חָיִל**, כל אלה מכם שמסוגלים להילחם. יט **רַק**
**נְשֵׁיכֶם וְטַפְּכֶם וּמִקְנֵכֶם – יָדַעְתִּי כִּי מִקְנֶה רַב לָכֶם** – הם **יֵשְׁבוּ בְּעָרֵיכֶם**
**אֲשֶׁר נָתַתִּי לָכֶם** בעבר הירדן. כ אבל זכרו: אתם עצמכם, אנשי
המלחמה, תעברו כחלוצים לפני מחנה ישראל, **עַד אֲשֶׁר יָנִיחַ ה׳**
**לַאֲחֵיכֶם**, לשאר השבטים – **כָּכֶם**, כמותכם, **וְיָרְשׁוּ גַם הֵם אֶת הָאָרֶץ**
**אֲשֶׁר ה׳ אֱלֹהֵיכֶם נֹתֵן לָהֶם בְּעֵבֶר הַיַּרְדֵּן** המערבי. ורק כאשר המלחמה
הזו תסתיים – **וְשַׁבְתֶּם אִישׁ לִירֻשָּׁתוֹ אֲשֶׁר נָתַתִּי לָכֶם.** כל אחד מכם
יחזור לביתו כי תהיה לכם פה נחלה מחולקת ומוכנה.

יהושע היה אמנם איש הצבא של משה, אבל על המלחמות הללו
פיקד משה בעצמו. כאן פנה משה אל יהושע: כא **וְאֶת יְהוֹשׁוּעַ צִוֵּיתִי**
**בָּעֵת הַהִוא לֵאמֹר: עֵינֶיךָ הָרֹאֹת אֵת כָּל אֲשֶׁר עָשָׂה ה׳ אֱלֹהֵיכֶם לִשְׁנֵי**
**הַמְּלָכִים הָאֵלֶּה**, שנחלו תבוסה, **כֵּן יַעֲשֶׂה ה׳ לְכָל הַמַּמְלָכוֹת אֲשֶׁר אַתָּה**
**עֹבֵר שָׁמָּה**, לשם. בעבר הירדן המערבי ישנן ממלכות רבות, והיישוב
שם גדול וצפוף יותר. כב ובכל זאת – **לֹא תִּירָאוּם.** אין אתם צריכים
לחשוש מפניהם **כִּי ה׳ אֱלֹהֵיכֶם הוּא הַנִּלְחָם לָכֶם.**

**הרחבות** | האישור הרשמי להתיישב בעבר הירדן, ולחזור בפומבי על התנאי לתקפותו. משה אינו מוצא טעם לפרט את מהלך השיחה ואת כל השתלשלות המאורעות, אלא רק להזכיר את המעמד שהתקיים בפני כל ישראל, שבו העניק להם את

ואתחנן ד וָאֶתְחַנַּן אֶל־יְהוָה בָּעֵת הַהִוא לֵאמֹר: אֲדֹנָי יֱהוִה כג כד
אַתָּה הַחִלּוֹתָ לְהַרְאוֹת אֶת־עַבְדְּךָ אֶת־גָּדְלְךָ וְאֶת־
יָדְךָ הַחֲזָקָה אֲשֶׁר מִי־אֵל בַּשָּׁמַיִם וּבָאָרֶץ אֲשֶׁר־
יַעֲשֶׂה כְמַעֲשֶׂיךָ וְכִגְבוּרֹתֶךָ: אֶעְבְּרָה־נָּא וְאֶרְאֶה כה
אֶת־הָאָרֶץ הַטּוֹבָה אֲשֶׁר בְּעֵבֶר הַיַּרְדֵּן הָהָר הַטּוֹב
הַזֶּה וְהַלְּבָנֹן: · וַיִּתְעַבֵּר יְהוָה בִּי לְמַעַנְכֶם וְלֹא שָׁמַע כו
אֵלָי וַיֹּאמֶר יְהוָה אֵלַי רַב־לָךְ אַל־תּוֹסֶף דַּבֵּר אֵלַי
עוֹד בַּדָּבָר הַזֶּה: עֲלֵה ׀ רֹאשׁ הַפִּסְגָּה וְשָׂא עֵינֶיךָ כז
יָמָּה וְצָפֹנָה וְתֵימָנָה וּמִזְרָחָה וּרְאֵה בְעֵינֶיךָ כִּי־לֹא

**רש״י**

כג| **וָאֶתְחַנַּן.** אֵין חִנּוּן בְּכָל מָקוֹם אֶלָּא לְשׁוֹן מַתְּנַת חִנָּם. אַף עַל פִּי שֶׁיֵּשׁ לָהֶם לַצַּדִּיקִים לִתְלוֹת בְּמַעֲשֵׂיהֶם הַטּוֹבִים, אֵין מְבַקְּשִׁים מֵאֵת הַמָּקוֹם אֶלָּא מַתְּנַת חִנָּם. דָּבָר אַחֵר, זֶה אֶחָד מֵעֲשָׂרָה לְשׁוֹנוֹת שֶׁנִּקְרֵאת תְּפִלָּה, כִּדְאִיתָא בְּסִפְרֵי (כו): **בָּעֵת הַהִוא.** לְאַחַר שֶׁכָּבַשְׁתִּי אֶרֶץ סִיחוֹן וְעוֹג, דִּמִּיתִי שֶׁמָּא הֻתַּר הַנֶּדֶר: **לֵאמֹר.** זֶה אֶחָד מִשְּׁלֹשָׁה מְקוֹמוֹת שֶׁאָמַר מֹשֶׁה לִפְנֵי הַמָּקוֹם: אֵינִי מַנִּיחֲךָ עַד שֶׁתּוֹדִיעֵנִי אִם תַּעֲשֶׂה שְׁאֵלָתִי אִם לָאו:

כד| **ה׳ אֱלֹהִים.** רַחוּם בַּדִּין: **אַתָּה הַחִלּוֹתָ לְהַרְאוֹת אֶת עַבְדְּךָ.** פֶּתַח לִהְיוֹת עוֹמֵד וּמִתְפַּלֵּל אַף עַל פִּי שֶׁנִּגְזְרָה גְּזֵרָה. אָמַר לוֹ: מִמְּךָ לָמַדְתִּי, שֶׁאָמַרְתָּ לִי: "וְעַתָּה הַנִּיחָה לִּי" (שמות לב, י), וְכִי תּוֹפֵס הָיִיתִי בָּךְ? אֶלָּא לִפְתֹּחַ פֶּתַח, שֶׁבִּי הָיָה תָּלוּי לְהִתְפַּלֵּל עֲלֵיהֶם: **אֶת גָּדְלְךָ.** זוֹ מִדַּת טוּבְךָ, וְכֵן הוּא אוֹמֵר: "וְעַתָּה יִגְדַּל נָא כֹּחַ אֲדֹנָי" (במדבר יד, יז): **וְאֶת יָדְךָ.** זוֹ יְמִינְךָ שֶׁהִיא פְּשׁוּטָה לְכָל בָּאֵי עוֹלָם: **הַחֲזָקָה.** שֶׁאַתָּה כּוֹבֵשׁ בְּרַחֲמִים אֶת מִדַּת הַדִּין בְּחָזְקָה: **אֲשֶׁר מִי אֵל וְגוֹ׳.** אֵינְךָ דוֹמֶה לְמֶלֶךְ בָּשָׂר וָדָם, שֶׁיֵּשׁ לוֹ יוֹעֲצִין וְסַנְהֶדְרִין הַמְמַחִין בְּיָדוֹ כְּשֶׁרוֹצֶה לַעֲשׂוֹת חֶסֶד וְלַעֲבֹר עַל מִדּוֹתָיו, אַתָּה אֵין מִי יְמַחֶה בְּיָדְךָ אִם תִּמְחֹל לִי וּתְבַטֵּל גְּזֵרָתְךָ:

כה| **אֶעְבְּרָה נָּא.** אֵין 'נָא' אֶלָּא לְשׁוֹן בַּקָּשָׁה: **הָהָר הַטּוֹב הַזֶּה.** זוֹ יְרוּשָׁלַיִם: **וְהַלְּבָנֹן.** זֶה בֵּית הַמִּקְדָּשׁ:

כו| **וַיִּתְעַבֵּר ה׳.** נִתְמַלֵּא חֵמָה: **לְמַעַנְכֶם.** אַתֶּם גְּרַמְתֶּם לִי, וְכֵן הוּא אוֹמֵר: "וַיַּקְצִיפוּ עַל מֵי מְרִיבָה וַיֵּרַע לְמֹשֶׁה בַּעֲבוּרָם" (תהלים קו, לב): **רַב לָךְ.** שֶׁלֹּא יֹאמְרוּ, הָרַב כַּמָּה קָשֶׁה וְהַתַּלְמִיד כַּמָּה סַרְבָן וּמַפְצִיר. דָּבָר אַחֵר, "רַב לָךְ", הַרְבֵּה מִזֶּה שָׁמוּר לְךָ רַב טוּב הַצָּפוּן לְךָ:

כז| **וּרְאֵה בְעֵינֶיךָ.** בִּקַּשְׁתָּ מִמֶּנִּי: "וְאֶרְאֶה אֶת הָאָרֶץ הַטּוֹבָה" (לעיל פסוק כה), אֲנִי

**הרחבות**

'למענכם' משה אינו מספר כאן שה' מנע ממנו להיכנס לארץ בשל אירועי מי מריבה (במדבר כ,ט-יג), מפני שהדבר עלול לפגוע בכבודם של ישראל, שומעי נאומו. משה מסביר בנאומו שאסור היה לו לעבור את הירדן, כי העם שאותו הוציא ממצרים, נשאר בעבר הירדן. כיוון שצאן מרעיתו מת במדבר, אף עליו להישאר עמם.

# משה והארץ

## פרק ג פס׳ כג–כט

העניין הקודם הסתיים בדברי החיזוק שאמר משה ליהושע בפתח הכניסה אל הארץ. אגב כך יספר משה על תחנוניו וניסיונותיו לקרוע את הגזרה שמנעה את כניסתו לארץ.

למרות הפרספקטיבה האישית שמתוכה נישאים נאומי משה בספר דברים, כמעט כל הסיפורים אינם פרטיים. יוצא מן הכלל הוא העניין הזה, ובו תחינתו של משה לה׳ בדבר הכניסה לארץ. ייתכן שבסיפור זה משה אומר לעם: הייתי מנהיגכם, נשאתי בעולכם, ואף בזקנתי לחמתי בעבורכם, והנה לא הותר לי להיכנס אל הארץ, אלא לראותה מרחוק בלבד. אתם, לעומת זאת, עוברים את הירדן ונכנסים לתוכה. עליכם להכיר בזכות הגדולה שנפלה בחלקכם.

ביאור | כג **וָאֶתְחַנַּן אֶל ה׳ בָּעֵת הַהִוא**, שבה אמר לי ה׳ לצוות את יהושע ולהכין
את העם, **לֵאמֹר:** כד **ה׳ אֱלֹהִים! אַתָּה הַחִלּוֹתָ**, התחלת **לְהַרְאוֹת אֶת**
**עַבְדְּךָ אֶת גָּדְלְךָ וְאֶת יָדְךָ הַחֲזָקָה**, את הנסים הגדולים במצרים, על
ים סוף ועד עזרתך לנו בכיבושים האחרונים. **אֲשֶׁר מִי אֵל בַּשָּׁמַיִם**
**וּבָאָרֶץ אֲשֶׁר יַעֲשֶׂה כְמַעֲשֶׂיךָ וְכִגְבוּרֹתֶךָ**. כעת אני פונה אליך בבקשה
קטנה: כה אני מקבל את העובדה שסיימתי את תפקידי, אבל אני
מבקש **שאֶעְבְּרָה נָּא** את הירדן **וְאֶרְאֶה אֶת הָאָרֶץ הַטּוֹבָה אֲשֶׁר בְּעֵבֶר**
**הַיַּרְדֵּן – הָהָר הַטּוֹב הַזֶּה וְ**עד **הַלְּבָנֹן**. אנא הראה לי את האזור ההררי
של הארץ המובטחת בכל גבולותיו.[1]

כו **וַיִּתְעַבֵּר**, התמלא עֶברה וכעס **ה׳ בִּי לְמַעַנְכֶם**, בגללכם,[2] או: לטובתכם
ולכבודכם,[3] **וְלֹא שָׁמַע אֵלָי. וַיֹּאמֶר ה׳ אֵלַי: רַב**, מספיק **לָךְ. אַל תּוֹסֶף לְדַבֵּר**
ולהתפלל **אֵלַי עוֹד בַּדָּבָר הַזֶּה.** כז **עֲלֵה רֹאשׁ הַפִּסְגָּה, וְשָׂא עֵינֶיךָ יָמָּה**
**וְצָפֹנָה וְתֵימָנָה וּמִזְרָחָה וּרְאֵה בְעֵינֶיךָ** את הארץ עד היכן שתוכל, **כִּי לֹא**

הרחבות | אמנם אפשר היה לזקוף את אי-כניסתם של משה ואהרן לארץ לחטא כלשהו, אך עיקר הגזרה נתלית כאן בכך שהמנהיגים נשארים עם עמם. (ראו חזקוני). הדור החדש יונהג בארץ החדשה על ידי מנהיגים אחרים, ולמשה לא ניתנה אפילו הזכות להיכנס אל הארץ.

תַּעֲבֹר אֶת־הַיַּרְדֵּן הַזֶּה׃ וְצַו אֶת־יְהוֹשֻׁעַ וְחַזְּקֵהוּ כח
וְאַמְּצֵהוּ כִּי־הוּא יַעֲבֹר לִפְנֵי הָעָם הַזֶּה וְהוּא יַנְחִיל
אוֹתָם אֶת־הָאָרֶץ אֲשֶׁר תִּרְאֶה׃ וַנֵּשֶׁב בַּגָּיְא מוּל בֵּית כט
פְּעוֹר׃

וְעַתָּה יִשְׂרָאֵל שְׁמַע אֶל־הַחֻקִּים וְאֶל־הַמִּשְׁפָּטִים א ד
אֲשֶׁר אָנֹכִי מְלַמֵּד אֶתְכֶם לַעֲשׂוֹת לְמַעַן תִּחְיוּ וּבָאתֶם
וִירִשְׁתֶּם אֶת־הָאָרֶץ אֲשֶׁר יְהוָה אֱלֹהֵי אֲבֹתֵיכֶם נֹתֵן
לָכֶם׃ לֹא תֹסִפוּ עַל־הַדָּבָר אֲשֶׁר אָנֹכִי מְצַוֶּה אֶתְכֶם ב
וְלֹא תִגְרְעוּ מִמֶּנּוּ לִשְׁמֹר אֶת־מִצְוֹת יְהוָה אֱלֹהֵיכֶם
אֲשֶׁר אָנֹכִי מְצַוֶּה אֶתְכֶם׃ עֵינֵיכֶם הָרֹאוֹת אֵת אֲשֶׁר־ ג
עָשָׂה יְהוָה בְּבַעַל פְּעוֹר כִּי כָל־הָאִישׁ אֲשֶׁר הָלַךְ
אַחֲרֵי בַעַל־פְּעוֹר הִשְׁמִידוֹ יְהוָה אֱלֹהֶיךָ מִקִּרְבֶּךָ׃
וְאַתֶּם הַדְּבֵקִים בַּיהוָה אֱלֹהֵיכֶם חַיִּים כֻּלְּכֶם הַיּוֹם׃ ד

רש"י | מַרְאֶה לְךָ אֶת כֻּלָּהּ, שֶׁנֶּאֱמַר: "וַיַּרְאֵהוּ ה' אֶת כָּל הָאָרֶץ" (להלן לד, א):

כח | וְצַו אֶת יְהוֹשֻׁעַ. עַל הַטְּרָחוֹת וְעַל הַמַּשָּׂאוֹת וְעַל הַמְּרִיבוֹת: וְחַזְּקֵהוּ וְאַמְּצֵהוּ. בִּדְבָרֶיךָ, שֶׁלֹּא יֵרַךְ לִבּוֹ לוֹמַר: כְּשֵׁם שֶׁנֶּעֱנַשׁ רַבִּי עֲלֵיהֶם כָּךְ סוֹפִי לֵעָנֵשׁ עֲלֵיהֶם, מַבְטִיחוֹ אֲנִי כִּי "הוּא יַעֲבֹר וְהוּא יַנְחִיל": כִּי הוּא יַעֲבֹר. אִם יַעֲבֹר לִפְנֵיהֶם – יִנְחֲלוּ, וְאִם לָאו – לֹא יִנְחֲלוּ. וְכֵן אַתָּה מוֹצֵא כְּשֶׁשָּׁלַח מִן הָעָם אֶל הָעַי וְהוּא יָשַׁב: "וַיַּכּוּ מֵהֶם אַנְשֵׁי הָעַי" וְגוֹ' (יהושע ז, ה), וְכֵיוָן שֶׁנָּפַל עַל פָּנָיו, אָמַר לוֹ: "קֻם לָךְ" (שם פסוק י), 'קָם לָךְ' כְּתִיב, אַתָּה הוּא הָעוֹמֵד בִּמְקוֹמְךָ וּמְשַׁלֵּחַ אֶת בָּנַי לַמִּלְחָמָה, "לָמָּה זֶּה אַתָּה נֹפֵל עַל פָּנֶיךָ", לֹא כָּךְ אָמַרְתִּי לְמֹשֶׁה רַבְּךָ: אִם הוּא עוֹבֵר עוֹבְרִין וְאִם לָאו אֵין עוֹבְרִין?:

כט | וַנֵּשֶׁב בַּגָּיְא וְגוֹ'. וְנִצְמַדְתֶּם לַעֲבוֹדָה זָרָה, וְאַף עַל פִּי כֵן: "וְעַתָּה יִשְׂרָאֵל שְׁמַע אֶל הַחֻקִּים" (להלן ד, א), וְהַכֹּל מָחוּל לָךְ, וַאֲנִי לֹא זָכִיתִי לִמָּחֵל לִי:

פרק ד

ב | לֹא תֹסִפוּ. כְּגוֹן חָמֵשׁ פָּרָשִׁיּוֹת בַּתְּפִלִּין, חֲמֵשֶׁת מִינִין בַּלּוּלָב וְחָמֵשׁ צִיצִיּוֹת, וְכֵן "לֹא תִגְרְעוּ":

הרחבות | בל תוסיף משה מקדים היגד זה בשל חשיבותו המכרעת. האזהרה לא להוסיף ולא לגרוע מן המצוות נמנית כאחת מתרי"ג המצוות שבתורה. (ראו ספר המצוות לרמב"ם לא תעשה שיג-שיד).

ביאור | תַעֲבֹר אֶת הַיַּרְדֵּן הַזֶּה. כח וְצַו אֶת יְהוֹשֻׁעַ וְחַזְּקֵהוּ וְאַמְּצֵהוּ, כִּי הוּא יַעֲבֹר לִפְנֵי הָעָם הַזֶּה וְהוּא יַנְחִיל אוֹתָם אֶת הָאָרֶץ אֲשֶׁר תִּרְאֶה. לך מותר רק לראות את הארץ, אבל לא להגיע אליה.

כט וַנֵּשֶׁב בַּגָּיְא מוּל בֵּית פְּעוֹר. בסיום זה משה רומז למאורעות הקשים שאירעו שם.[4] עתה יושבים ישראל במקומם וממתינים מעט. ספר דברים יסתיים עם מותו של משה רבנו בסוף ימי החורף. יהושע ייכנס לארץ בחודש ניסן, שהוא תחילת העונה המתאימה למלחמות באזור זה. עד שיגיעו ימות החמה, שוהים ישראל בגיא מול בית פעור ומאזינים להמשך דבריו של משה.

# אזהרות כלליות

## פרק ד פס׳ א–מ

לאחר הסיכום ההיסטורי הקצר שבעניינים הקודמים, מעמיד משה במרכז נאומו את ערכה של שמירת חוקי התורה, בעבור העומדים על סף הכניסה לארץ ישראל והחיים בה. בהמשך הנאום יכרוך יחדיו דברי מוסר, עידוד וחיזוק עם דינים פרטיים בתחומים שונים. כאן יודגש בעיקר האיסור לעבוד עבודה זרה בהשפעת יושבי הארץ שאליה עומד העם להיכנס. בדבריו של משה משתקפת האחריות הכבדה של מי שהוריד את התורה לישראל בסיני, ועתה עם המעבר להתיישבות בארץ הוא עומד להיפרד מהם. משה מבקש להשריש בעם את זכרו של המעמד המכונן בסיני, שבו לא נתגלתה לעיניהם שום דמות, בידעו שהם עומדים להיכנס לארץ שתרבותה אלילית.

בסוף העניין משה מציין באוזני באי הארץ, שהמשך התיישבותם בה אינו מובן מאליו אלא תלוי במעשיהם. אם לא ישמרו אמונים לברית עם אלוקים, ואם יאבדו את הזיכרון ההיסטורי שאותו מבקש משה עתה לבסס, ישראל עלולים לגלות ממנה.
במהלך העניין עובר משה מדיבור אל ישראל כגוף אחד לפנייה אל ישראל בלשון רבים. יש בלשונו גם עמעום בין אזהרה בלשון של תנאי ותוצאה לבין נבואה שבה הוא מתאר את אשר יקרה על כל פנים.

פרק ד א וְעַתָּה יִשְׂרָאֵל, שְׁמַע אֶל הַחֻקִּים וְאֶל הַמִּשְׁפָּטִים אֲשֶׁר אָנֹכִי מְלַמֵּד אֶתְכֶם לַעֲשׂוֹת, לְמַעַן תִּחְיוּ וּבָאתֶם וִירִשְׁתֶּם אֶת הָאָרֶץ אֲשֶׁר ה׳ אֱלֹהֵי אֲבֹתֵיכֶם נֹתֵן לָכֶם. ב לֹא תֹסִפוּ עַל הַדָּבָר אֲשֶׁר אָנֹכִי מְצַוֶּה אֶתְכֶם וְלֹא תִגְרְעוּ מִמֶּנּוּ, לִשְׁמֹר אֶת מִצְוֹת ה׳ אֱלֹהֵיכֶם אֲשֶׁר אָנֹכִי מְצַוֶּה אֶתְכֶם. המצוות הללו אינן מושתתות על הסכמה הדדית, אזרחית או לאומית, ועל כן אין הן משתנות לאור חילופי הזמנים ומצבי הרוח. זוהי התורה; עליה אסור להוסיף, וממנה אין לגרוע.

והרי אזהרה: ג עֵינֵיכֶם הָרֹאוֹת את המגפה אֲשֶׁר עָשָׂה ה׳ בְּשל בַּעַל פְּעוֹר לא מזמן, כִּי כָל הָאִישׁ אֲשֶׁר הָלַךְ אַחֲרֵי בַעַל פְּעוֹר הִשְׁמִידוֹ ה׳ אֱלֹהֶיךָ מִקִּרְבֶּךָ, כפי שכולכם זוכרים.[5] ד וְאילו אַתֶּם הַדְּבֵקִים בַּה׳ אֱלֹהֵיכֶם – חַיִּים כֻּלְּכֶם הַיּוֹם.

שני
רְאֵה ׀ לִמַּדְתִּי אֶתְכֶם חֻקִּים וּמִשְׁפָּטִים כַּאֲשֶׁר צִוַּנִי ה
יְהוָה אֱלֹהָי לַעֲשׂוֹת כֵּן בְּקֶרֶב הָאָרֶץ אֲשֶׁר אַתֶּם
בָּאִים שָׁמָּה לְרִשְׁתָּהּ: וּשְׁמַרְתֶּם וַעֲשִׂיתֶם כִּי הִוא ו
חָכְמַתְכֶם וּבִינַתְכֶם לְעֵינֵי הָעַמִּים אֲשֶׁר יִשְׁמְעוּן
אֵת כָּל־הַחֻקִּים הָאֵלֶּה וְאָמְרוּ רַק עַם־חָכָם וְנָבוֹן
הַגּוֹי הַגָּדוֹל הַזֶּה: כִּי מִי־גוֹי גָּדוֹל אֲשֶׁר־לוֹ אֱלֹהִים ז
קְרֹבִים אֵלָיו כַּיהוָה אֱלֹהֵינוּ בְּכָל־קָרְאֵנוּ אֵלָיו: וּמִי ח
גּוֹי גָּדוֹל אֲשֶׁר־לוֹ חֻקִּים וּמִשְׁפָּטִים צַדִּיקִם כְּכֹל
הַתּוֹרָה הַזֹּאת אֲשֶׁר אָנֹכִי נֹתֵן לִפְנֵיכֶם הַיּוֹם:
רַק הִשָּׁמֶר לְךָ וּשְׁמֹר נַפְשְׁךָ מְאֹד פֶּן־תִּשְׁכַּח אֶת־ ט
הַדְּבָרִים אֲשֶׁר־רָאוּ עֵינֶיךָ וּפֶן־יָסוּרוּ מִלְּבָבְךָ כֹּל יְמֵי
חַיֶּיךָ וְהוֹדַעְתָּם לְבָנֶיךָ וְלִבְנֵי בָנֶיךָ: יוֹם אֲשֶׁר עָמַדְתָּ י
לִפְנֵי יְהוָה אֱלֹהֶיךָ בְּחֹרֵב בֶּאֱמֹר יְהוָה אֵלַי הַקְהֶל־
לִי אֶת־הָעָם וְאַשְׁמִעֵם אֶת־דְּבָרָי אֲשֶׁר יִלְמְדוּן
לְיִרְאָה אֹתִי כָּל־הַיָּמִים אֲשֶׁר הֵם חַיִּים עַל־הָאֲדָמָה

רש"י

ו וּשְׁמַרְתֶּם. זוֹ מִשְׁנָה: וַעֲשִׂיתֶם. כְּמַשְׁמָעוֹ: כִּי הִוא חָכְמַתְכֶם וּבִינַתְכֶם וגו'. בְּזֹאת תֵּחָשְׁבוּ חֲכָמִים וּנְבוֹנִים "לְעֵינֵי הָעַמִּים":

ח חֻקִּים וּמִשְׁפָּטִים צַדִּיקִם. הֲגוּנִים וּמְקֻבָּלִים:

ט רַק הִשָּׁמֶר לְךָ וגו' פֶּן תִּשְׁכַּח אֶת הַדְּבָרִים. אָז כְּשֶׁלֹּא תִשְׁכְּחוּ אוֹתָם וְתַעֲשׂוּם עַל אֲמִתָּתָם, תֵּחָשְׁבוּ חֲכָמִים וּנְבוֹנִים, וְאִם תְּעַוְּתוּ אוֹתָם מִתּוֹךְ שִׁכְחָה, תֵּחָשְׁבוּ שׁוֹטִים:

י יוֹם אֲשֶׁר עָמַדְתָּ. מוּסָב עַל מִקְרָא שֶׁלְּמַעְלָה מִמֶּנּוּ: חֲשַׁר רָאוּ עֵינֶיךָ יוֹם חֲשֶׁר עָמַדְתָּ בְּחֹרֵב, חֲשֶׁר רָאִיתָ חֶת הַקּוֹלוֹת וְחֶת הַלַּפִּידִים: יִלְמְדוּן. לְעַצְמָם:

הרחבות

'הגוי הגדול' בהמשך ספר דברים נאמר על עם ישראל שהוא הַמְעַט מִכָּל הָעַמִּים (להלן ז,ז), ואילו כאן ישראל נקראים שלוש פעמים גוֹי גָּדוֹל. משמעותו של ביטוי זה היא עם שלם, ואין הוא מציין את ריבוי מספרם של בני ישראל. ייתכן שהחזרה המשולשת על הביטוי באה משום שאפשר למצוא את התכונות המתוארות כאן באליטות וביחידים נבחרים. הכתוב מדגיש שעם ישראל מתייחד בכך שאומה שלמה

ביאור

ה רְאֵה לִמַּדְתִּי אֶתְכֶם חֻקִּים וּמִשְׁפָּטִים כַּאֲשֶׁר צִוַּנִי ה׳ אֱלֹהָי, לַעֲשׂוֹת
כֵּן – לציית לחוקים ולמשפטים בְּקֶרֶב הָאָרֶץ אֲשֶׁר אַתֶּם בָּאִים שָׁמָּה
לְרִשְׁתָּהּ. לא כל הדינים שהורה משה ניתנו ליישום במדבר. קיומה
המלא של התורה כולה יתאפשר רק בארץ. ו וּשְׁמַרְתֶּם וַעֲשִׂיתֶם
כִּי שמירת התורה הִוא חָכְמַתְכֶם וּבִינַתְכֶם לְעֵינֵי הָעַמִּים אֲשֶׁר יִשְׁמְעוּן
אֵת כָּל הַחֻקִּים הָאֵלֶּה, וְאָמְרוּ: ״רַק עַם חָכָם וְנָבוֹן הַגּוֹי הַגָּדוֹל הַזֶּה״.
אם תמשיכו להחזיק בתורה, תתכבדו בה. ז אינכם רק עם חכם
ונבון אלא גם עם חשוב, כִּי מִי גוֹי גָּדוֹל אֲשֶׁר לוֹ אֱלֹהִים קְרֹבִים אֵלָיו,
כַּה׳ אֱלֹהֵינוּ הקרוב אלינו בְּכָל קָרְאֵנוּ אֵלָיו. ח וּמִי גּוֹי גָּדוֹל אֲשֶׁר
לוֹ חֻקִּים וּמִשְׁפָּטִים צַדִּיקִם, נכונים, כְּכֹל הַתּוֹרָה הַזֹּאת אֲשֶׁר אָנֹכִי נֹתֵן
לִפְנֵיכֶם הַיּוֹם.

ומכאן לציוויים קונקרטיים יותר: ט רַק הִשָּׁמֶר לְךָ וּשְׁמֹר נַפְשְׁךָ
מְאֹד, פֶּן תִּשְׁכַּח אֶת הַדְּבָרִים אֲשֶׁר רָאוּ עֵינֶיךָ וּפֶן יָסוּרוּ הדברים הללו
מִלְּבָבְךָ כֹּל יְמֵי חַיֶּיךָ. מלבד החוקים והמשפטים ישנם גם זכרונות שעם
ישראל צריך לשמר בתודעתו. בבסיס מהותו של העם הזה עומד
הזיכרון הקולקטיבי, שאינו אמור להשתמר בתודעתם של חוקרים
או מומחים בלבד, אלא וְהוֹדַעְתָּם לְבָנֶיךָ וְלִבְנֵי בָנֶיךָ. י אחד האירועים
שעליך לזכור הוא יוֹם אֲשֶׁר עָמַדְתָּ לִפְנֵי ה׳ אֱלֹהֶיךָ בְּחֹרֵב, מעמד
הר סיני, בֶּאֱמֹר ה׳ אֵלַי: הַקְהֶל לִי אֶת הָעָם וְאַשְׁמִעֵם אֶת דְּבָרָי, אֲשֶׁר
יִלְמְדוּן לְיִרְאָה אֹתִי כָּל הַיָּמִים אֲשֶׁר הֵם חַיִּים עַל הָאֲדָמָה, וְאֶת בְּנֵיהֶם
יְלַמֵּדוּן.

הרחבות

באוזניהם את מעמד הר סיני כי זהו ׳המעמד הנכבד׳ (רמב״ן פס׳ ט), שלדעת רבים מהפילוסופים היהודים היה הנקודה המכרעת בכל תולדות עם ישראל.

מצטיינת בדבקות באמונה ובשמירת החוקים והמשפטים החכמים והקרובים לה׳.

**״יום אשר עמדת לפני ה׳״** משה חוזר ומתאר

וְאֶת־בְּנֵיהֶם יְלַמֵּדוּן׃ וַתִּקְרְבוּן וַתַּעַמְדוּן תַּחַת הָהָר יא
וְהָהָר בֹּעֵר בָּאֵשׁ עַד־לֵב הַשָּׁמַיִם חֹשֶׁךְ עָנָן וַעֲרָפֶל׃
וַיְדַבֵּר יהוה אֲלֵיכֶם מִתּוֹךְ הָאֵשׁ קוֹל דְּבָרִים אַתֶּם יב
שֹׁמְעִים וּתְמוּנָה אֵינְכֶם רֹאִים זוּלָתִי קוֹל׃ וַיַּגֵּד יג
לָכֶם אֶת־בְּרִיתוֹ אֲשֶׁר צִוָּה אֶתְכֶם לַעֲשׂוֹת עֲשֶׂרֶת
הַדְּבָרִים וַיִּכְתְּבֵם עַל־שְׁנֵי לֻחוֹת אֲבָנִים׃ וְאֹתִי צִוָּה יד
יהוה בָּעֵת הַהִוא לְלַמֵּד אֶתְכֶם חֻקִּים וּמִשְׁפָּטִים
לַעֲשֹׂתְכֶם אֹתָם בָּאָרֶץ אֲשֶׁר אַתֶּם עֹבְרִים שָׁמָּה
לְרִשְׁתָּהּ׃ וְנִשְׁמַרְתֶּם מְאֹד לְנַפְשֹׁתֵיכֶם כִּי לֹא רְאִיתֶם טו
כָּל־תְּמוּנָה בְּיוֹם דִּבֶּר יהוה אֲלֵיכֶם בְּחֹרֵב מִתּוֹךְ
הָאֵשׁ׃ פֶּן־תַּשְׁחִתוּן וַעֲשִׂיתֶם לָכֶם פֶּסֶל תְּמוּנַת כָּל־ טז
סָמֶל תַּבְנִית זָכָר אוֹ נְקֵבָה׃ תַּבְנִית כָּל־בְּהֵמָה אֲשֶׁר יז
בָּאָרֶץ תַּבְנִית כָּל־צִפּוֹר כָּנָף אֲשֶׁר תָּעוּף בַּשָּׁמָיִם׃
תַּבְנִית כָּל־רֹמֵשׂ בָּאֲדָמָה תַּבְנִית כָּל־דָּגָה אֲשֶׁר־ יח
בַּמַּיִם מִתַּחַת לָאָרֶץ׃ וּפֶן־תִּשָּׂא עֵינֶיךָ הַשָּׁמַיְמָה יט
וְרָאִיתָ אֶת־הַשֶּׁמֶשׁ וְאֶת־הַיָּרֵחַ וְאֶת־הַכּוֹכָבִים כֹּל
צְבָא הַשָּׁמַיִם וְנִדַּחְתָּ וְהִשְׁתַּחֲוִיתָ לָהֶם וַעֲבַדְתָּם
אֲשֶׁר חָלַק יהוה אֱלֹהֶיךָ אֹתָם לְכֹל הָעַמִּים תַּחַת

רש"י

יד) וְאֹתִי צִוָּה ה' בָּעֵת הַהִוא לְלַמֵּד אֶתְכֶם. תּוֹרָה שֶׁבְּעַל פֶּה:

טז) סָמֶל. צוּרָה:

יט) וּפֶן תִּשָּׂא עֵינֶיךָ. לְהִסְתַּכֵּל בַּדָּבָר וְלָתֵת לֵב לִטְעוּת אַחֲרֵיהֶם: אֲשֶׁר חָלַק ה'. לְהָאִיר לָהֶם. דָּבָר אַחֵר, לֶאֱלֹהוּת, לֹא מְנָעָן מִלִּטְעוֹת אַחֲרֵיהֶם, אֶלָּא הֶחֱלִיקָם בְּדִבְרֵי הַבְלֵיהֶם לְטָרְדָם, וְכֵן הוּא אוֹמֵר: "כִּי הֶחֱלִיק אֵלָיו בְּעֵינָיו לִמְצֹא עֲוֹנוֹ לִשְׂנֹא" (תהלים לו, ג).

ביאור

יא וַתִּקְרְבוּן וַתַּעַמְדוּן תַּחַת, לרגלי[6] הָהָר, וְהָהָר בֹּעֵר בָּאֵשׁ עַד לֵב הַשָּׁמַיִם,
חֹשֶׁךְ, עָנָן וַעֲרָפֶל מקיפים אותו.

יב וַיְדַבֵּר ה׳ אֲלֵיכֶם מִתּוֹךְ הָאֵשׁ. קוֹל דְּבָרִים בלבד אַתֶּם שֹׁמְעִים, וּתְמוּנָה
אֵינְכֶם רֹאִים זוּלָתִי קוֹל. אילו נכחה שם דמות כלשהי, הייתם רואים
אותה. העובדה שלא ראיתם דמות היא הבסיס לאיסור עשיית פסל
ותמונה שיופיע בפסוקים הבאים. לא הנסים והנפלאות הם עיקר
מעמד הר סיני. עליכם לזכור את תוכנה של ההתגלות, שכן הוא
יסוד כל התורה. יג וַיַּגֵּד לָכֶם אֶת בְּרִיתוֹ אֲשֶׁר צִוָּה אֶתְכֶם לַעֲשׂוֹת, את
עֲשֶׂרֶת הַדְּבָרִים, וַיִּכְתְּבֵם עַל שְׁנֵי לֻחוֹת אֲבָנִים.

יד וְאֹתִי צִוָּה ה׳ בָּעֵת הַהִוא לְלַמֵּד אֶתְכֶם חֻקִּים וּמִשְׁפָּטִים, לַעֲשֹׂתְכֶם
אֹתָם, כדי שתעשו אותם, או: כדי שהחוקים יעשו אתכם,[7] בָּאָרֶץ
אֲשֶׁר אַתֶּם עֹבְרִים שָׁמָּה לְרִשְׁתָּהּ. טו וְנִשְׁמַרְתֶּם מְאֹד לְנַפְשֹׁתֵיכֶם, כִּי
לֹא רְאִיתֶם כָּל תְּמוּנָה בְּיוֹם דִּבֶּר ה׳ אֲלֵיכֶם בְּחֹרֵב מִתּוֹךְ הָאֵשׁ. טז פֶּן
תַּשְׁחִתוּן וַעֲשִׂיתֶם לָכֶם פֶּסֶל תְּמוּנַת כָּל סָמֶל, צורה.[8] גם אם ישראל
לא ראו תמונות ודמויות בחורב, הם עלולים להתפתות ליצור
לעצמם דמויות ולסגוד להם, בהשפעת סביבתם האלילית. על
כן הכתוב חוזר ומדגיש את האיסור ואף מפרט סוגים שונים של
צורות, שהעיקרית שבהן היא תַּבְנִית זָכָר אוֹ נְקֵבָה אנושיים, יז תַּבְנִית
כָּל בְּהֵמָה אֲשֶׁר בָּאָרֶץ, כמו עגל הזהב, תַּבְנִית כָּל צִפּוֹר כָּנָף אֲשֶׁר
תָּעוּף בַּשָּׁמָיִם, יח תַּבְנִית כָּל רֹמֵשׂ בָּאֲדָמָה, כמו נחש הנחושת, שאף
הוא נעשה במשך הזמן מושא לפולחן,[9] תַּבְנִית כָּל דָּגָה אֲשֶׁר בַּמַּיִם
מִתַּחַת לָאָרֶץ, כדוגמת הלוויתן הקדמוני. הדמויות הללו מסמלות
כוחות שונים בתרבויות אחרות. יט ולחלופין עליך להיזהר פֶּן תִּשָּׂא
עֵינֶיךָ הַשָּׁמַיְמָה, וְרָאִיתָ אֶת הַשֶּׁמֶשׁ וְאֶת הַיָּרֵחַ וְאֶת הַכּוֹכָבִים – כֹּל צְבָא
הַשָּׁמַיִם, וְנִדַּחְתָּ וְהִשְׁתַּחֲוִיתָ לָהֶם וַעֲבַדְתָּם, צבא השמים אֲשֶׁר חָלַק ה׳
אֱלֹהֶיךָ אֹתָם לְכֹל הָעַמִּים תַּחַת כָּל הַשָּׁמָיִם, למאורות ולקביעת הזמנים
בלבד.[10] פירוש אחר: שלא כעם ישראל, שהוזהר בפירוש מפני סגידה

כֹּל צְבָא הַשָּׁמַיִם

שמש, ירח וכוכבים

כָּל־הַשָּׁמָיִם: וְאֶתְכֶם לָקַח יְהוָה וַיּוֹצִא אֶתְכֶם מִכּוּר כ
הַבַּרְזֶל מִמִּצְרָיִם לִהְיוֹת לוֹ לְעַם נַחֲלָה כַּיּוֹם הַזֶּה:
וַיהוָה הִתְאַנַּף־בִּי עַל־דִּבְרֵיכֶם וַיִּשָּׁבַע לְבִלְתִּי עָבְרִי כא
אֶת־הַיַּרְדֵּן וּלְבִלְתִּי־בֹא אֶל־הָאָרֶץ הַטּוֹבָה אֲשֶׁר
יְהוָה אֱלֹהֶיךָ נֹתֵן לְךָ נַחֲלָה: כִּי אָנֹכִי מֵת בָּאָרֶץ כב
הַזֹּאת אֵינֶנִּי עֹבֵר אֶת־הַיַּרְדֵּן וְאַתֶּם עֹבְרִים וִירִשְׁתֶּם
אֶת־הָאָרֶץ הַטּוֹבָה הַזֹּאת: הִשָּׁמְרוּ לָכֶם פֶּן־תִּשְׁכְּחוּ כג
אֶת־בְּרִית יְהוָה אֱלֹהֵיכֶם אֲשֶׁר כָּרַת עִמָּכֶם וַעֲשִׂיתֶם
לָכֶם פֶּסֶל תְּמוּנַת כֹּל אֲשֶׁר צִוְּךָ יְהוָה אֱלֹהֶיךָ: כִּי כד
יְהוָה אֱלֹהֶיךָ אֵשׁ אֹכְלָה הוּא אֵל קַנָּא:
כִּי־תוֹלִיד בָּנִים וּבְנֵי בָנִים וְנוֹשַׁנְתֶּם בָּאָרֶץ וְהִשְׁחַתֶּם כה
וַעֲשִׂיתֶם פֶּסֶל תְּמוּנַת כֹּל וַעֲשִׂיתֶם הָרַע בְּעֵינֵי־
יְהוָה אֱלֹהֶיךָ לְהַכְעִיסוֹ: הַעִידֹתִי בָכֶם הַיּוֹם אֶת־ כו
הַשָּׁמַיִם וְאֶת־הָאָרֶץ כִּי־אָבֹד תֹּאבֵדוּן מַהֵר מֵעַל
הָאָרֶץ אֲשֶׁר אַתֶּם עֹבְרִים אֶת־הַיַּרְדֵּן שָׁמָּה לְרִשְׁתָּהּ

רש"י

כ) מִכּוּר. כּוּר הוּא כְּלִי שֶׁמְּזַקְּקִים בּוֹ אֶת הַזָּהָב:

כא) הִתְאַנַּף. נִתְמַלֵּא רֹגֶז: עַל דִּבְרֵיכֶם. עַל אוֹדוֹתֵיכֶם, עַל עִסְקֵיכֶם:

כב) כִּי אָנֹכִי מֵת וְגוֹ' אֵינֶנִּי עֹבֵר. מֵאַחַר שֶׁמֵּת, מֵהֵיכָן יַעֲבֹר?! אֶלָּא אַף עַצְמוֹתַי אֵינָם עוֹבְרִים:

כג) תְּמוּנַת כֹּל. תְּמוּנַת כָּל דָּבָר: אֲשֶׁר צִוְּךָ ה'. אֲשֶׁר צִוְּךָ שֶׁלֹּא לַעֲשׂוֹת:

כד) אֵל קַנָּא. מְקַנֵּא לִנְקֹם, אנפרנדר"א בְּלַעַז, מִתְחָרֶה עַל רָגְזוֹ לְהִפָּרַע מֵעוֹבְדֵי עֲבוֹדָה זָרָה:

כה) וְנוֹשַׁנְתֶּם. רָמַז לָהֶם שֶׁיִּגְלוּ מִמֶּנָּה לְסוֹף שְׁמוֹנֶה מֵאוֹת וַחֲמִשִּׁים וּשְׁתַּיִם שָׁנָה כְּמִנְיַן 'וְנוֹשַׁנְתֶּם', וְהוּא הִקְדִּים וְהִגְלָם לְסוֹף שְׁמוֹנֶה מֵאוֹת וַחֲמִשִּׁים, וְהִקְדִּים שְׁתֵּי שָׁנִים לְ'וְנוֹשַׁנְתֶּם', כְּדֵי שֶׁלֹּא יִתְקַיֵּם בָּהֶם: "כִּי אָבֹד תֹּאבֵדוּן" (להלן פסוק כו), וְזֶהוּ שֶׁנֶּאֱמַר: "וַיִּשְׁקֹד ה' עַל הָרָעָה וַיְבִיאֶהָ עָלֵינוּ כִּי צַדִּיק ה' אֱלֹהֵינוּ" (דניאל ט, יד), צְדָקָה עָשָׂה עִמָּנוּ שֶׁמִּהֵר לַהֲבִיאָהּ שְׁתֵּי שָׁנִים לִפְנֵי זְמַנָּהּ:

כו) הַעִידֹתִי בָכֶם. הֲרֵינִי מַזְמִינָם לִהְיוֹת עֵדִים שֶׁהִתְרֵיתִי בָּכֶם:

ביאור | לכל כוחות הטבע, על אומות העולם לא נאסר בפירוש לשתף בפולחנם גורמים אחרים.[11] כ ואילו **אֶתְכֶם לָקַח ה׳, וַיּוֹצִא אֶתְכֶם מִכּוּר הַבַּרְזֶל – מִמִּצְרָיִם, לִהְיוֹת לוֹ לְעַם נַחֲלָה כַּיּוֹם הַזֶּה**. הוצאתכם ממצרים מבטאת את הפרדתכם משאר העמים ואת מעמדכם המיוחד.[12]

כא **וַה׳ הִתְאַנֶּף בִּי**, כעס עלי עַל, בגלל **דִּבְרֵיכֶם** בעניין מי מריבה, שכן חטאתי כאשר רגזתי על התנהגותכם.[13] **וַיִּשָּׁבַע לְבִלְתִּי עָבְרִי אֶת הַיַּרְדֵּן, וּלְבִלְתִּי בֹא אֶל הָאָרֶץ הַטּוֹבָה אֲשֶׁר ה׳ אֱלֹהֶיךָ נֹתֵן לְךָ נַחֲלָה.** כב **כִּי אָנֹכִי מֵת בָּאָרֶץ הַזֹּאת, אֵינֶנִּי עֹבֵר אֶת הַיַּרְדֵּן**, וְרק **אַתֶּם עֹבְרִים, וִירִשְׁתֶּם אֶת הָאָרֶץ הַטּוֹבָה הַזֹּאת.** כג על כן עלי להזהירכם ביתר שאת. במציאות האלילית החדשה ובלעדֵי הכול עלול להתפרק. יתר על כן, ייתכן שכשם שעשיתם לכם עגל מסכה כששהיתי בהר סיני, גם כשאעדר מחייכם בעתיד תמצאו לנכון לעשות דמות סמלית שתייצג את ה׳ – **הִשָּׁמְרוּ לָכֶם פֶּן תִּשְׁכְּחוּ אֶת בְּרִית ה׳ אֱלֹהֵיכֶם אֲשֶׁר כָּרַת עִמָּכֶם וַעֲשִׂיתֶם לָכֶם פֶּסֶל תְּמוּנַת כֹּל, אֲשֶׁר צִוְּךָ ה׳ אֱלֹהֶיךָ** שלא לעשות. כד **כִּי ה׳ אֱלֹהֶיךָ כְּאֵשׁ**[14] **אֹכְלָה הוּא** ודינו קשה.[15] פירוש נוסף: כאש אוכלה הוא נוכח ופעיל, ואינו ישות ניטרלית ומרוחקת. **אֵל קַנָּא.** הוא תובע קשר בלעדי וחסר פשרות.[16]

סביר שהדור הראשון של כובשי הארץ יחוש שה׳ מלווה אותם במלחמותיהם. כה אולם – **כִּי תוֹלִיד בָּנִים וּבְנֵי בָנִים**, ולאחר זמן – **וְנוֹשַׁנְתֶּם**, תתיישנו, תסתגלו **בָּאָרֶץ**. הדורות הבאים עלולים לקבל את חייהם על האדמה כמובנים מאליהם, וכתוצאה מכך, **וְהִשְׁחַתֶּם, וַעֲשִׂיתֶם פֶּסֶל תְּמוּנַת כֹּל**, מתוך השתלבותכם במרחב התרבותי ואיבוד ייחודכם. בעשותכם זאת – **וַעֲשִׂיתֶם הָרַע בְּעֵינֵי ה׳ אֱלֹהֶיךָ לְהַכְעִיסוֹ**, שכן כאמור הוא אֵל קַנָּא.

עליכם להביא בחשבון שאף שכניסתכם לארץ וכיבושה מובטחים עתה, המשך ישיבתכם בה תלוי בכם. כו **הַעִידֹתִי בָכֶם הַיּוֹם אֶת הַשָּׁמַיִם וְאֶת הָאָרֶץ**, העדים הנצחיים,[17] **כִּי** אם תנהגו כך, **אָבֹד תֹּאבֵדוּן מַהֵר מֵעַל הָאָרֶץ אֲשֶׁר אַתֶּם עֹבְרִים אֶת הַיַּרְדֵּן שָׁמָּה לְרִשְׁתָּהּ.**

לֹא־תַאֲרִיכֻן יָמִים עָלֶיהָ כִּי הִשָּׁמֵד תִּשָּׁמֵדוּן: וְהֵפִיץ כז
יְהוָה אֶתְכֶם בָּעַמִּים וְנִשְׁאַרְתֶּם מְתֵי מִסְפָּר בַּגּוֹיִם
אֲשֶׁר יְנַהֵג יְהוָה אֶתְכֶם שָׁמָּה: וַעֲבַדְתֶּם־שָׁם כח
אֱלֹהִים מַעֲשֵׂה יְדֵי אָדָם עֵץ וָאֶבֶן אֲשֶׁר לֹא־יִרְאוּן
וְלֹא יִשְׁמְעוּן וְלֹא יֹאכְלוּן וְלֹא יְרִיחֻן: וּבִקַּשְׁתֶּם כט
מִשָּׁם אֶת־יְהוָה אֱלֹהֶיךָ וּמָצָאתָ כִּי תִדְרְשֶׁנּוּ בְּכָל־
לְבָבְךָ וּבְכָל־נַפְשֶׁךָ: בַּצַּר לְךָ וּמְצָאוּךָ כֹּל הַדְּבָרִים ל
הָאֵלֶּה בְּאַחֲרִית הַיָּמִים וְשַׁבְתָּ עַד־יְהוָה אֱלֹהֶיךָ
וְשָׁמַעְתָּ בְּקֹלוֹ: כִּי אֵל רַחוּם יְהוָה אֱלֹהֶיךָ לֹא יַרְפְּךָ לא
וְלֹא יַשְׁחִיתֶךָ וְלֹא יִשְׁכַּח אֶת־בְּרִית אֲבֹתֶיךָ אֲשֶׁר
נִשְׁבַּע לָהֶם: כִּי שְׁאַל־נָא לְיָמִים רִאשֹׁנִים אֲשֶׁר־הָיוּ לב
לְפָנֶיךָ לְמִן־הַיּוֹם אֲשֶׁר בָּרָא אֱלֹהִים ׀ אָדָם עַל־
הָאָרֶץ וּלְמִקְצֵה הַשָּׁמַיִם וְעַד־קְצֵה הַשָּׁמָיִם הֲנִהְיָה
כַּדָּבָר הַגָּדוֹל הַזֶּה אוֹ הֲנִשְׁמַע כָּמֹהוּ: הֲשָׁמַע עָם קוֹל לג
אֱלֹהִים מְדַבֵּר מִתּוֹךְ־הָאֵשׁ כַּאֲשֶׁר־שָׁמַעְתָּ אַתָּה
וַיֶּחִי: אוֹ ׀ הֲנִסָּה אֱלֹהִים לָבוֹא לָקַחַת לוֹ גוֹי מִקֶּרֶב גּוֹי לד

רש"י

כח) **וַעֲבַדְתֶּם שָׁם אֱלֹהִים.** כְּתַרְגּוּמוֹ, מִשֶּׁאַתֶּם עוֹבְדִים לְעוֹבְדֵיהֶם כְּאִלּוּ אַתֶּם עוֹבְדִים לָהֶם:

לא) **לֹא יַרְפְּךָ.** מִלְּהַחְזִיק בְּךָ בְּיָדָיו, וּלְשׁוֹן "לֹא יַרְפְּךָ" לְשׁוֹן לֹא יַפְעִיל הוּא, לֹא יִתֵּן לְךָ רִפְיוֹן, לֹא יַפְרִישׁ אוֹתְךָ מֵאֶצְלוֹ, וְכֵן: "אֲחַזְתִּיו וְלֹא אַרְפֶּנּוּ" (שיר השירים ג, ד), שֶׁלֹּא נָקוּד 'אֶרְפֶּנּוּ'. כָּל לְשׁוֹן רִפְיוֹן מוּסָב עַל לְשׁוֹן מַפְעִיל וּמִתְפַּעֵל, כְּמוֹ "הַרְפֵּה לָהּ" (מלכים ב' ד, כז), תֵּן לָהּ רִפְיוֹן, "הֶרֶף מִמֶּנִּי" (להלן ט, יד), הִתְרַפֵּה מִמֶּנִּי:

לב) **לְיָמִים רִאשֹׁנִים.** עַל יָמִים רִאשׁוֹנִים:

**וּלְמִקְצֵה הַשָּׁמַיִם.** וְגַם שְׁאַל לְכָל הַכְּרוּבִים אֲשֶׁר מִקָּצֶה אֶל קָצֶה, זֶהוּ פְּשׁוּטוֹ. וּמִדְרָשׁוֹ, מְלַמֵּד עַל קוֹמָתוֹ שֶׁל אָדָם שֶׁהָיְתָה מִן הָאָרֶץ עַד הַשָּׁמַיִם, וְהוּא הַשִּׁעוּר עַצְמוֹ אֲשֶׁר מִקָּצֶה אֶל קָצֶה: **הֲנִהְיָה כַּדָּבָר הַגָּדוֹל הַזֶּה.** מַהוּ הַדָּבָר הַגָּדוֹל? "הֲשָׁמַע עָם" וְגוֹ' (להלן פסוק לג):

לד) **אוֹ הֲנִסָּה אֱלֹהִים.** הֲכִי עָשָׂה נִסִּים שׁוּם אֱלוֹהַּ "לָבוֹא לָקַחַת לוֹ גוֹי" וְגוֹ', כָּל הַהֵי"ן הַלָּלוּ תְּמִיהוֹת הֵן, לְכָךְ נְקוּדוֹת הֵן בַּחֲטַף פַּתָּח: הֲנִהְיָה, הֲנִשְׁמַע, הֲשָׁמַע,

ביאור

לֹא תַאֲרִיכֻן יָמִים עָלֶיהָ, כִּי הִשָּׁמֵד תִּשָּׁמֵדוּן מעל הארץ. כז וְהֵפִיץ ה׳
אֶתְכֶם בָּעַמִּים, וְנִשְׁאַרְתֶּם מְתֵי, אנשי מִסְפָּר, אנשים מעטים, בַּגּוֹיִם אֲשֶׁר
יְנַהֵג ה׳ אֶתְכֶם שָׁמָּה. כח וַעֲבַדְתֶּם שָׁם אֱלֹהִים מַעֲשֵׂה יְדֵי אָדָם – עֵץ
וָאֶבֶן, אֲשֶׁר לֹא יִרְאוּן וְלֹא יִשְׁמְעוּן וְלֹא יֹאכְלוּן וְלֹא יְרִיחֻן. אם תגורשו
מן הארץ, תגיעו למקומות שבהם עובדים עבודה זרה באופן בוטה
הרבה יותר מהדרך שבה אתם תעבדו.[18] כט וּבִקַּשְׁתֶּם מִשָּׁם אֶת
ה׳ אֱלֹהֶיךָ – וּמָצָאתָ, כִּי, כאשר תִדְרְשֶׁנּוּ, תחפש אותו בְּכָל לְבָבְךָ
וּבְכָל נַפְשֶׁךָ. ל בַּצַּר לְךָ, בגלות וּמְצָאוּךָ, יקרו לך כֹּל הַדְּבָרִים הָאֵלֶּה
בְּאַחֲרִית הַיָּמִים, בעתיד הקרוב או הרחוק, וְשַׁבְתָּ אז עַד ה׳ אֱלֹהֶיךָ
וְשָׁמַעְתָּ בְּקֹלוֹ. לא כִּי אֵל רַחוּם ה׳ אֱלֹהֶיךָ, ואין הוא רק אל קנא, על
כן אפשר לחזור אליו, ואז לֹא יַרְפְּךָ, לא ירפה מאחיזתו בך,[19] לא
יתייאש ממך וְלֹא יַשְׁחִיתֶךָ, וְלֹא יִשְׁכַּח אֶת בְּרִית אֲבֹתֶיךָ אֲשֶׁר נִשְׁבַּע לָהֶם.

ובעניין השבועה והברית – לב כִּי שְׁאַל נָא לְיָמִים רִאשֹׁנִים אֲשֶׁר
הָיוּ לְפָנֶיךָ – לְמִן הַיּוֹם אֲשֶׁר בָּרָא אֱלֹהִים אָדָם עַל הָאָרֶץ, וּלְמִקְצֵה
הַשָּׁמַיִם וְעַד קְצֵה הַשָּׁמָיִם. אם תרצה לברר בכל תולדות העולם
ובכל מרחביו – הֲנִהְיָה, האם היה כַּדָּבָר הַגָּדוֹל הַזֶּה אוֹ הֲנִשְׁמַע
כָּמֹהוּ?! לג הֲשָׁמַע עָם קוֹל אֱלֹהִים מְדַבֵּר מִתּוֹךְ הָאֵשׁ, כַּאֲשֶׁר שָׁמַעְתָּ
אַתָּה – וַיֶּחִי?! הרי מי שנחשף להתגלות כזו מת מיד,[20] ואילו אתם
שמעתם זאת. לד אוֹ הֲנִסָּה אֱלֹהִים לָבוֹא לָקַחַת לוֹ גוֹי, עֵם מִקֶּרֶב גּוֹי

הרחבות

׳אלהים מעשה ידי אדם׳ לעיל תוארה עשיית צורות שאמורות לייצג את אלוקים, כמו עגל הזהב במדבר ועגלי הזהב שיוקמו לאחר זמן בבית אל ובדן (מלכים א׳ יב,כח-כט). משה מזהיר אותם שאם יגלו מן הארץ, הם ייחשפו במקומות שאליהם יגיעו, לסגידה גסה לצלמים מתים, עץ ואבן.

בְּמַסֹּת בְּאֹתֹת וּבְמוֹפְתִים וּבְמִלְחָמָה וּבְיָד חֲזָקָה
וּבִזְרוֹעַ נְטוּיָה וּבְמוֹרָאִים גְּדֹלִים כְּכֹל אֲשֶׁר־עָשָׂה
לָכֶם יהוה אֱלֹהֵיכֶם בְּמִצְרַיִם לְעֵינֶיךָ׃ לה אַתָּה הָרְאֵתָ
לָדַעַת כִּי יהוה הוּא הָאֱלֹהִים אֵין עוֹד מִלְבַדּוֹ׃ מִן־ לו
הַשָּׁמַיִם הִשְׁמִיעֲךָ אֶת־קֹלוֹ לְיַסְּרֶךָּ וְעַל־הָאָרֶץ הֶרְאֲךָ
אֶת־אִשּׁוֹ הַגְּדוֹלָה וּדְבָרָיו שָׁמַעְתָּ מִתּוֹךְ הָאֵשׁ׃
וְתַחַת כִּי אָהַב אֶת־אֲבֹתֶיךָ וַיִּבְחַר בְּזַרְעוֹ אַחֲרָיו לז
וַיּוֹצִאֲךָ בְּפָנָיו בְּכֹחוֹ הַגָּדֹל מִמִּצְרָיִם׃ לְהוֹרִישׁ גּוֹיִם לח
גְּדֹלִים וַעֲצֻמִים מִמְּךָ מִפָּנֶיךָ לַהֲבִיאֲךָ לָתֶת־לְךָ אֶת־
אַרְצָם נַחֲלָה כַּיּוֹם הַזֶּה׃ וְיָדַעְתָּ הַיּוֹם וַהֲשֵׁבֹתָ אֶל־ לט
לְבָבֶךָ כִּי יהוה הוּא הָאֱלֹהִים בַּשָּׁמַיִם מִמַּעַל וְעַל־
הָאָרֶץ מִתָּחַת אֵין עוֹד׃ וְשָׁמַרְתָּ אֶת־חֻקָּיו וְאֶת־ מ
מִצְוֹתָיו אֲשֶׁר אָנֹכִי מְצַוְּךָ הַיּוֹם אֲשֶׁר יִיטַב לְךָ וּלְבָנֶיךָ
אַחֲרֶיךָ וּלְמַעַן תַּאֲרִיךְ יָמִים עַל־הָאֲדָמָה אֲשֶׁר יהוה
אֱלֹהֶיךָ נֹתֵן לְךָ כָּל־הַיָּמִים׃

רש"י

הַנִּסָּה: בְּמַסֹּת. עַל יְדֵי נִסְיוֹנוֹת הוֹדִיעָם גְּבוּרוֹתָיו, כְּגוֹן: "הִתְפָּאֵר עָלַי" (שמות ח, ה) אִם אוּכַל לַעֲשׂוֹת כֵּן, הֲרֵי זֶה נִסָּיוֹן: בְּאֹתֹת. בְּסִימָנִים לְהַאֲמִין שֶׁהוּא שְׁלוּחוֹ שֶׁל מָקוֹם, כְּגוֹן: "מַה זֶּה בְיָדֶךָ" (שם ד, ב): וּבְמוֹפְתִים. הֵם נִפְלָאוֹת, שֶׁהֵבִיא עֲלֵיהֶם מַכּוֹת מֻפְלָאוֹת: וּבְמִלְחָמָה. בַּיָּם, שֶׁנֶּאֱמַר: "כִּי ה' נִלְחָם לָהֶם" (שם יד, כה):

לה) הָרְאֵתָ. כְּתַרְגּוּמוֹ: "אִתְחֲזֵיתָא", כְּשֶׁנָּתַן הַקָּדוֹשׁ בָּרוּךְ הוּא אֶת הַתּוֹרָה פָּתַח לָהֶם שִׁבְעָה רְקִיעִים וּכְשֵׁם שֶׁקָּרַע אֶת הָעֶלְיוֹנִים כָּךְ קָרַע אֶת הַתַּחְתּוֹנִים וְרָאוּ שֶׁהוּא יְחִידִי, לְכָךְ נֶאֱמַר: "אַתָּה הָרְאֵתָ לָדַעַת":

לז) וְתַחַת כִּי אָהַב. וְכָל זֶה תַּחַת אֲשֶׁר אָהַב: וַיּוֹצִאֲךָ בְּפָנָיו. כְּאָדָם הַמַּנְהִיג בְּנוֹ לְפָנָיו, שֶׁנֶּאֱמַר: "וַיִּסַּע מַלְאַךְ הָאֱלֹהִים הַהֹלֵךְ וגו' וַיֵּלֶךְ מֵאַחֲרֵיהֶם" (שמות יד, יט). דָּבָר אַחֵר, "וַיּוֹצִאֲךָ בְּפָנָיו", בִּפְנֵי אֲבוֹתָיו, כְּמָה שֶׁנֶּאֱמַר: "נֶגֶד אֲבוֹתָם עָשָׂה פֶלֶא" (תהלים עח, יב). וְאַל תִּתְמַהּ עַל שֶׁהִזְכִּירָם בִּלְשׁוֹן יָחִיד, שֶׁהֲרֵי כְּתָבָם בִּלְשׁוֹן יָחִיד, "וַיִּבְחַר בְּזַרְעוֹ אַחֲרָיו":

לח) מִמְּךָ מִפָּנֶיךָ. סָרְסֵהוּ וְדָרְשֵׁהוּ: לְהוֹרִישׁ מִפָּנֶיךָ גּוֹיִם גְּדֹלִים וַעֲצֻמִים מִמְּךָ: כַּיּוֹם הַזֶּה. כַּאֲשֶׁר אַתָּה רוֹאֶה הַיּוֹם:

ביאור | בְּמַסֹּת, מכות והבאת ייסורים המגיעים דרך פלא, כעשר המכות
שבהם נגף ה' את מצרים, בְּאֹתֹת וּבְמוֹפְתִים התראות או איומים, כמו
חושך או דם, וּבְמִלְחָמָה וּבְיָד חֲזָקָה וּבִזְרוֹעַ נְטוּיָה וּבְמוֹרָאִים גְּדֹלִים - כְּכֹל
אֲשֶׁר עָשָׂה לָכֶם ה' אֱלֹהֵיכֶם בְּמִצְרַיִם לְעֵינֶיךָ?! האם אירעו אי-פעם
מאורעות כה מופלאים כמו אלה שראית במו עיניך? לה הנה אַתָּה
הָרְאֵתָ, הראו לך כדי לָדַעַת כִּי ה' הוּא הָאֱלֹהִים, אֵין עוֹד מִלְּבַדּוֹ. אין
מי שימנע ממנו לעשות כרצונו. לו מצד אחד, מִן הַשָּׁמַיִם הִשְׁמִיעֲךָ
אֶת קֹלוֹ לְיַסְּרֶךָּ; ומצד שני, עַל הָאָרֶץ הֶרְאֲךָ אֶת אִשּׁוֹ הַגְּדוֹלָה בהר
ואת דְּבָרָיו שָׁמַעְתָּ מִתּוֹךְ הָאֵשׁ. לז וְזאת[21] תַּחַת כִּי, מאחר שה' אָהַב
אֶת אֲבֹתֶיךָ - וַיִּבְחַר בְּזַרְעוֹ בזרעם,[22] או: בזרעו של יעקב[23] אַחֲרָיו.
וַיּוֹצִאֲךָ בְּפָנָיו, ברצונו[24] ובפעולות מושגחות נסיות,[25] בְּכֹחוֹ הַגָּדֹל
מִמִּצְרָיִם. לח לְהוֹרִישׁ גּוֹיִם גְּדֹלִים וַעֲצֻמִים מִמְּךָ מִפָּנֶיךָ, לַהֲבִיאֲךָ לָתֶת
לְךָ אֶת אַרְצָם לְנַחֲלָה כַּיּוֹם הַזֶּה.

לט וְיָדַעְתָּ הַיּוֹם, ויתרה מזו - וַהֲשֵׁבֹתָ אֶל לְבָבֶךָ, תן דעתך ולבך כִּי
ה' הוּא הָאֱלֹהִים בַּשָּׁמַיִם מִמַּעַל וְעַל הָאָרֶץ מִתָּחַת - אֵין עוֹד. אל לך
להסתפק בזכר השמועה שאתה שומע ממני. עליך להשרישה בנפשך.

מ אם תנהג כך - וְשָׁמַרְתָּ אֶת חֻקָּיו וְאֶת מִצְוֹתָיו אֲשֶׁר אָנֹכִי מְצַוְּךָ הַיּוֹם,
אֲשֶׁר בגללם יִיטַב לְךָ וּלְבָנֶיךָ אַחֲרֶיךָ, וּלְמַעַן תַּאֲרִיךְ יָמִים עַל הָאֲדָמָה
אֲשֶׁר ה' אֱלֹהֶיךָ נֹתֵן לְךָ כָּל הַיָּמִים.

שלישי ה אָז יַבְדִּיל מֹשֶׁה שָׁלֹשׁ עָרִים בְּעֵבֶר הַיַּרְדֵּן מִזְרְחָה מא
שָׁמֶשׁ׃ לָנֻס שָׁמָּה רוֹצֵחַ אֲשֶׁר יִרְצַח אֶת־רֵעֵהוּ מב
בִּבְלִי־דַעַת וְהוּא לֹא־שֹׂנֵא לוֹ מִתְּמֹל שִׁלְשֹׁם וְנָס
אֶל־אַחַת מִן־הֶעָרִים הָאֵל וָחָי׃ אֶת־בֶּצֶר בַּמִּדְבָּר מג
בְּאֶרֶץ הַמִּישֹׁר לָראוּבֵנִי וְאֶת־רָאמֹת בַּגִּלְעָד לַגָּדִי
וְאֶת־גּוֹלָן בַּבָּשָׁן לַמְנַשִּׁי׃ וְזֹאת הַתּוֹרָה אֲשֶׁר־שָׂם מד
מֹשֶׁה לִפְנֵי בְּנֵי יִשְׂרָאֵל׃ אֵלֶּה הָעֵדֹת וְהַחֻקִּים מה
וְהַמִּשְׁפָּטִים אֲשֶׁר דִּבֶּר מֹשֶׁה אֶל־בְּנֵי יִשְׂרָאֵל
בְּצֵאתָם מִמִּצְרָיִם׃ בְּעֵבֶר הַיַּרְדֵּן בַּגַּיְא מוּל בֵּית מו
פְּעוֹר בְּאֶרֶץ סִיחֹן מֶלֶךְ הָאֱמֹרִי אֲשֶׁר יוֹשֵׁב בְּחֶשְׁבּוֹן
אֲשֶׁר הִכָּה מֹשֶׁה וּבְנֵי יִשְׂרָאֵל בְּצֵאתָם מִמִּצְרָיִם׃

רש"י

מא) **אָז יַבְדִּיל.** נָתַן לֵב לִהְיוֹת חָרֵד לַדָּבָר שֶׁיַּבְדִּילֵם, וְאַף עַל פִּי שֶׁאֵינָן קוֹלְטוֹת עַד שֶׁיִּבָּדְלוּ אוֹתָן שֶׁבְּאֶרֶץ כְּנַעַן, אָמַר מֹשֶׁה: מִצְוָה שֶׁאֶפְשָׁר לְקַיְּמָהּ אֲקַיְּמֶנָּה: **בְּעֵבֶר הַיַּרְדֵּן מִזְרְחָה שָׁמֶשׁ.** בְּאוֹתוֹ עֵבֶר שֶׁבְּמִזְרָחוֹ שֶׁל יַרְדֵּן: **מִזְרְחָה שָׁמֶשׁ.** לְפִי שֶׁהוּא דָּבוּק נְקוּדָה רֵי"שׁ בַּחֲטָף, מִזְרַח שֶׁל שֶׁמֶשׁ, מְקוֹם זְרִיחַת הַשֶּׁמֶשׁ:

מד) **וְזֹאת הַתּוֹרָה.** זוֹ שֶׁהוּא עָתִיד לְסַדֵּר אַחַר פָּרָשָׁה זוֹ:

מה-מו) **אֵלֶּה הָעֵדֹת וְגוֹ' אֲשֶׁר דִּבֶּר.** הֵם הֵם אֲשֶׁר דִּבֶּר בְּצֵאתָם מִמִּצְרַיִם דִּבֶּר לָהֶם בְּעַרְבוֹת מוֹאָב אֲשֶׁר בְּעֵבֶר הַיַּרְדֵּן שֶׁהוּא בַּמִּזְרָח, שֶׁהָעֵבֶר הַשֵּׁנִי הָיָה בַּמַּעֲרָב: **בְּעֵבֶר הַיַּרְדֵּן.** חָזַר וְשְׁנָאָהּ לָהֶם:

ערי המקלט בעבר הירדן

# הבדלת ערי מקלט

## פרק ד פס׳ מא–מג

בספר במדבר הצטוו ישראל להכין ערים שיקלטו את מי שרצח בשגגה מפני נקמתו של גואל דמו של הנרצח. כאן, כנספח לנאום התוכחה שבו משה מעורר את המודעות לְמה שכרוך בכניסה לארץ, הוא מבדיל שלוש ערים באזור שכבר נכבש, בעבר הירדן המזרחי, ומייעד אותן למטרה זו.[26]

לפי המסורת, בשלב זה אין שלוש הערים קולטות רוצחים. הן ימלאו את תפקידן רק כאשר יוקדשו שלוש ערים נוספות בעבר הירדן המערבי.[27] אף על פי כן בהקדשת הערים הללו כבר עתה, משה קובע כי עבר הירדן אינו רק קרקע שישראל כבשו, אלא שעל אזור זה חלה במידת מה קדושת ארץ ישראל.

ביאור | מא **אָז יַבְדִּיל מֹשֶׁה שָׁלֹשׁ עָרִים בְּעֵבֶר הַיַּרְדֵּן מִזְרְחָה שָׁמֶשׁ**, במזרח, כיוון
זריחת השמש. מב ערים אלה נועדו **לָנֻס שָׁמָּה רוֹצֵחַ אֲשֶׁר יִרְצַח**
**אֶת רֵעֵהוּ בִּבְלִי דַעַת, וְהוּא לֹא שֹׂנֵא לוֹ מִתְּמֹל שִׁלְשֹׁם**, כמפורט בסוף
הספר הקודם.[28] **וְנָס אֶל אַחַת מִן הֶעָרִים הָאֵל**, האלה – **וָחָי**. מג **אֶת**
העיר **בֶּצֶר בַּמִּדְבָּר, בְּאֶרֶץ הַמִּישֹׁר**, נתן משה **לָראוּבֵנִי**, בנחלת שבט
ראובן, **וְאֶת רָאמֹת בַּגִּלְעָד לַגָּדִי, וְאֶת גּוֹלָן בַּבָּשָׁן לַמְנַשִּׁי.**

# פתיחת נאום המצוות

## פרק ד פס׳ מד–מט

לפי החלוקה שהוצעה במבוא לספר, פסוקים אלו פותחים את חלקו השני של ספר דברים.[29] אולם היו שראו בהם פסקה מסכמת לנאום הקודם.[30]

מד **וְזֹאת הַתּוֹרָה**, הדברים שיובאו בהמשך[31] **אֲשֶׁר שָׂם מֹשֶׁה לִפְנֵי בְּנֵי**
**יִשְׂרָאֵל.** מה **אֵלֶּה הָעֵדֹת וְהַחֻקִּים וְהַמִּשְׁפָּטִים אֲשֶׁר דִּבֶּר מֹשֶׁה אֶל בְּנֵי**
**יִשְׂרָאֵל בְּצֵאתָם מִמִּצְרָיִם.** מו **בְּעֵבֶר הַיַּרְדֵּן בַּגַּיְא מוּל בֵּית פְּעוֹר, בְּאֶרֶץ**
**סִיחֹן מֶלֶךְ הָאֱמֹרִי אֲשֶׁר יוֹשֵׁב**, שישב **בְּחֶשְׁבּוֹן, אֲשֶׁר הִכָּה מֹשֶׁה וּבְנֵי יִשְׂרָאֵל**

העולם |

**בֶּצֶר בַּמִּדְבָּר** אחת מערי הלויים בנחלת ראובן (דברי הימים א׳ ו,סג). מקומה אינו ידוע.

**רָמֹאת (רָמוֹת)** עיר בצפונה של נחלת גד. שימשה עיר המחוז בנציבות שלמה בגלעד (מלכים א׳ ד,יג). על רקע דמיון השם מקובל לזהותה עם תל ראמית כ-6 ק״מ מדרום לעיר רמתא בצפון ירדן, התל שולט על הדרך המרכזית מדמשק לרבת עמון.

**גּוֹלָן** נזכרת בתוספתא ובמקורות חיצוניים מתקופת המשנה והתלמוד, מזוהה עם הכפר סחם אל-ג׳ולאן מדרום-מזרח לעשתרות.

מז וַיִּירְשׁוּ אֶת־אַרְצוֹ וְאֶת־אֶרֶץ ׀ עוֹג מֶלֶךְ־הַבָּשָׁן שְׁנֵי
מַלְכֵי הָאֱמֹרִי אֲשֶׁר בְּעֵבֶר הַיַּרְדֵּן מִזְרַח שָׁמֶשׁ׃
מח מֵעֲרֹעֵר אֲשֶׁר עַל־שְׂפַת־נַחַל אַרְנֹן וְעַד־הַר שִׂיאֹן
מט הוּא חֶרְמוֹן׃ וְכָל־הָעֲרָבָה עֵבֶר הַיַּרְדֵּן מִזְרָחָה וְעַד
יָם הָעֲרָבָה תַּחַת אַשְׁדֹּת הַפִּסְגָּה׃

ה

רביעי א וַיִּקְרָא מֹשֶׁה אֶל־כָּל־יִשְׂרָאֵל וַיֹּאמֶר אֲלֵהֶם שְׁמַע
יִשְׂרָאֵל אֶת־הַחֻקִּים וְאֶת־הַמִּשְׁפָּטִים אֲשֶׁר אָנֹכִי
דֹּבֵר בְּאָזְנֵיכֶם הַיּוֹם וּלְמַדְתֶּם אֹתָם וּשְׁמַרְתֶּם
ב לַעֲשֹׂתָם׃ יְהוָה אֱלֹהֵינוּ כָּרַת עִמָּנוּ בְּרִית בְּחֹרֵב׃
ג לֹא אֶת־אֲבֹתֵינוּ כָּרַת יְהוָה אֶת־הַבְּרִית הַזֹּאת כִּי
ד אִתָּנוּ אֲנַחְנוּ אֵלֶּה פֹה הַיּוֹם כֻּלָּנוּ חַיִּים׃ פָּנִים ׀ בְּפָנִים
ה דִּבֶּר יְהוָה עִמָּכֶם בָּהָר מִתּוֹךְ הָאֵשׁ׃ אָנֹכִי עֹמֵד
בֵּין־יְהוָה וּבֵינֵיכֶם בָּעֵת הַהִוא לְהַגִּיד לָכֶם אֶת־
דְּבַר יְהוָה כִּי יְרֵאתֶם מִפְּנֵי הָאֵשׁ וְלֹא־עֲלִיתֶם

**רש"י** פרק ה

ג] לֹא אֶת אֲבֹתֵינוּ. בִּלְבַד "כָּרַת ה'" וְגוֹ':

ד] פָּנִים בְּפָנִים. אָמַר רַבִּי בֶּרֶכְיָה: כָּךְ אָמַר מֹשֶׁה: אַל תֹּאמְרוּ אֲנִי מַטְעֶה אֶתְכֶם עַל לֹא דָבָר כְּדֶרֶךְ שֶׁהַסַּרְסוּר עוֹשֶׂה בֵּין הַמּוֹכֵר לַלּוֹקֵחַ, הֲרֵי (הַלּוֹקֵחַ) [הַמּוֹכֵר] עַצְמוֹ מְדַבֵּר עִמָּכֶם:

**העולם** אַשְׁדֹּת הַפִּסְגָּה 'אשדות' הם מדרונות תלולים (ראו יהושע י,מ; יב,ח), או מקום שפך נחלים (במדבר כא,טו). מיקומם של אשדות הפסגה יכול להתאים אפוא לערבה שמצפון לים המלח או למדרון היורד מ'ראש הפסגה' (הר נבו) שנזכר הן בפרשת

ביאור | בְּצֵאתָם מִמִּצְרָיִם. מו וַיִּירְשׁוּ אֶת אַרְצוֹ וְאֶת אֶרֶץ עוֹג מֶלֶךְ הַבָּשָׁן - שְׁנֵי
מַלְכֵי הָאֱמֹרִי אֲשֶׁר בְּעֵבֶר הַיַּרְדֵּן מִזְרַח שָׁמֶשׁ. מח ומקומות היישוב שבהם
שלטו ישראל בעבר הירדן היו מֵעֲרֹעֵר אֲשֶׁר עַל שְׂפַת נַחַל אַרְנֹן וְעַד הַר
שִׂיאֹן, הוּא חֶרְמוֹן. מט וְכָל הָעֲרָבָה, עֵבֶר הַיַּרְדֵּן מִזְרָחָה, וְעַד יָם הָעֲרָבָה,
ים המלח תַּחַת אַשְׁדֹּת, מורדות הַפִּסְגָּה.

# מעמד הר סיני

## פרק ה פס' א–כח

בעניין זה מזכיר משה את מעמד הר סיני לזקני העם שעוד נכחו בו, ומספר עליו לצעיריו שלא זכו לכך. הוא חוזר על עשרת הדיברות ואף מתאר את ההתרחשות כולה. הוא מזכיר את יראתם של הנוכחים באותו מעמד ואת בקשתם שמשה יתווך בין קולו של אלוקים לבינם.

נוסח עשרת הדיברות שישמיע כאן משה אינו זהה לחלוטין לנוסח שבספר שמות. ייתכן שהנוסח שהופיע בספר שמות משקף את הדיברות שנכתבו בלוחות הראשונים, שאותם שבר משה, ואילו הנוסח הזה הוא שנחרט על הלוחות השניים;[32] או שזהו אופן אחר לבטא משמעויות נוספות שגלומות באותם דברים.[33] מכל מקום, הדיברות בעיקרם הם אותם דיברות,[34] ויש להניח כי ההבדלים בין ניסוחיהם באים ללמד פרטים נוספים שאינם כתובים במפורש.

העניין מסתיים בקריאתו של ה' לעם כולו לאחר אותו מעמד לשוב אל חייו הרגילים ובפנייתו למשה להישאר עמו. בידיו הוא מפקיד את המשך הנחלתה של התורה לעם.

פרק ה א וַיִּקְרָא מֹשֶׁה אֶל כָּל יִשְׂרָאֵל וַיֹּאמֶר אֲלֵהֶם: שְׁמַע, יִשְׂרָאֵל, אֶת
הַחֻקִּים וְאֶת הַמִּשְׁפָּטִים אֲשֶׁר אָנֹכִי דֹּבֵר בְּאָזְנֵיכֶם הַיּוֹם, וּלְמַדְתֶּם אֹתָם
ואחר כך - וּשְׁמַרְתֶּם לַעֲשֹׂתָם.

ב ה' אֱלֹהֵינוּ כָּרַת עִמָּנוּ בְּרִית בְּחֹרֵב, בסיני. ג לֹא אֶת, עם אֲבֹתֵינוּ
בלבד כָּרַת ה' אֶת הַבְּרִית הַזֹּאת, כִּי אִתָּנוּ - אֲנַחְנוּ אֵלֶּה פֹה הַיּוֹם כֻּלָּנוּ
חַיִּים. כריתת הברית כוללת גם את הצעירים שנולדו לאחר אותו
מעמד.[35] וכך היה הדבר: ד פָּנִים בְּפָנִים דִּבֶּר ה' עִמָּכֶם בָּהָר מִתּוֹךְ הָאֵשׁ.
חלק מהנוכחים היו שם בגופם, בעודם צעירים. אין זה אירוע ישן
שהתרחש בדורות הראשונים. ה אָנֹכִי עֹמֵד בֵּין ה' וּבֵינֵיכֶם כמתווך
בָּעֵת הַהִוא לְהַגִּיד לָכֶם אֶת דְּבַר ה', כִּי יְרֵאתֶם מִפְּנֵי הָאֵשׁ וְלֹא עֲלִיתֶם
בָּהָר, אף ה' לא התיר לעם להתקרב כדי לשמוע את דבריו ישירות,
לֵאמֹר:[36]

העולם | בלעם (במדבר כג,יד), הן כמקום שעלה אליו משה לראות את הארץ (לעיל ג,כז). אפשרות אחרת: 'אשדות הפסגה' הוא שם פרטי של עיר בגבול נחלת ראובן, ועל שם העיר נקרא גם האזור ההררי ממזרח לים המלח. (יהושע יג,כ).

בָּהָר לֵאמֹר׃     אָנֹכִי יְהוָה אֱלֹהֶיךָ אֲשֶׁר ו
הוֹצֵאתִיךָ מֵאֶרֶץ מִצְרַיִם מִבֵּית עֲבָדִים׃ לֹא־יִהְיֶה ז
לְךָ אֱלֹהִים אֲחֵרִים עַל־פָּנָי׃ לֹא־תַעֲשֶׂה לְךָ פֶסֶל ח
כָּל־תְּמוּנָה אֲשֶׁר בַּשָּׁמַיִם מִמַּעַל וַאֲשֶׁר בָּאָרֶץ
מִתָּחַת וַאֲשֶׁר בַּמַּיִם מִתַּחַת לָאָרֶץ׃ לֹא־תִשְׁתַּחֲוֶה ט
לָהֶם וְלֹא תָעָבְדֵם כִּי אָנֹכִי יְהוָה אֱלֹהֶיךָ אֵל קַנָּא
פֹּקֵד עֲוֺן אָבוֹת עַל־בָּנִים וְעַל־שִׁלֵּשִׁים וְעַל־רִבֵּעִים
לְשֹׂנְאָי׃ וְעֹשֶׂה חֶסֶד לַאֲלָפִים לְאֹהֲבַי וּלְשֹׁמְרֵי י
מִצְוֺתָי    מצותו׃     לֹא תִשָּׂא אֶת־שֵׁם־יְהוָה אֱלֹהֶיךָ יא
לַשָּׁוְא כִּי לֹא יְנַקֶּה יְהוָה אֵת אֲשֶׁר־יִשָּׂא אֶת־שְׁמוֹ
לַשָּׁוְא׃     שָׁמוֹר אֶת־יוֹם הַשַּׁבָּת לְקַדְּשׁוֹ יב

רש"י | ד-ה | לֵאמֹר. מוּסָב עַל "דִּבֶּר ה' עִמָּכֶם בָּהָר מִתּוֹךְ הָאֵשׁ" לֵאמֹר, וְ"אָנֹכִי עֹמֵד בֵּין ה' וּבֵינֵיכֶם":

ז | עַל פָּנָי. בְּכָל מָקוֹם אֲשֶׁר אֲנִי שָׁם, וְזֶהוּ כָּל הָעוֹלָם. דָּבָר אַחֵר, כָּל זְמַן שֶׁאֲנִי קַיָּם:

עֲשֶׂרֶת הַדִּבְּרוֹת כְּבָר פֵּרַשְׁתִּים.

יב | שָׁמוֹר. וּבָרִאשׁוֹנוֹת הוּא אוֹמֵר: "זָכוֹר"

הרחבות | ׳אנכי ה׳ אלהיך׳ העניין הראשון - על הפן החיובי ועל הפן השלילי שלו - מתייחס לנוכחות האלוקית. חשיבותן של המצוות המעשיות שינוסחו בשאר הדיברות מושתתת על קיומו של מצַווה. גם אם חלקן נושאות משמעות חברתית, אין ערכן נמדד רק בשאלה עד כמה הן משמשות להסדרת החיים. עשרת הדיברות שניתנו במעמד הנשגב הזה משמשים בעיקר כקביעות ערכיות של טוב ורע. והקביעה הפותחת אותם: אָנֹכִי ה׳ אֱלֹהֶיךָ, המזהה את נותן התורה עם בעל הברית שהושיע את ישראל ממצרים, היא המעניקה להם את תוקפם המוחלט. אין אלה חוקים שיש לקיימם מתוך אימת המשפט או המשטרה, אלא מחמת ערכם העצמי והמוחלט.

׳אל קנָא׳ אין זו קנאה הקשורה לחמדה; זוהי קנאת אהבה, דוגמת הקנאה שבפסוק כִּי עַזָּה כַמָּוֶת אַהֲבָה קָשָׁה כִשְׁאוֹל קִנְאָה (שיר השירים ח,ו). קנאה זו דומה לקנאות, והיא מאופיינת בתביעת בעלות מוחלטת ובלעדית. גם בהופעתה בחברה האנושית וגם בהקשר הזה אין בה רק היעדר סובלנות כלפי קרבתם של אחרים אל האהוב, אלא מצטרפים אליה אף צדדים של מלחמה

ביאור

ו **אָנֹכִי ה׳ אֱלֹהֶיךָ, אֲשֶׁר הוֹצֵאתִיךָ מֵאֶרֶץ מִצְרַיִם מִבֵּית עֲבָדִים.** לפי
חלק מן הפרשנים, דיבר זה אינו ציווי כשלעצמו, אלא הוא הצגתו
העצמית של הדובר, שבלעדיה אין משמעות לכל הציוויים הבאים.[37]
לפי אחרים, זהו הצו הראשון – להאמין בה׳ ולדעת אותו.[38]

ז מכאן נובעת הדרישה לבלעדיות: **לֹא יִהְיֶה לְךָ אֱלֹהִים אֲחֵרִים עַל**
**פָּנָי,** אתי. אין אלוהות זולתי. נוסף על האמונה – ח **לֹא תַעֲשֶׂה לְךָ**
**פֶסֶל, כָּל תְּמוּנָה,** צורה או דימוי של כל דבר **אֲשֶׁר בַּשָּׁמַיִם מִמַּעַל וַאֲשֶׁר**
**בָּאָרֶץ מִתָּחַת וַאֲשֶׁר בַּמַּיִם מִתַּחַת לָאָרֶץ,** בכל מקום בעולם. כל יצירת
תבנית לצורך עבודה זרה נאסרת כאן, בין שהיא מייצגת יצור
מוכר מן המציאות שבשמים או בארץ, ובין שהיא מרמזת למהויות
עצומות מעומק התהום. ט **לֹא תִשְׁתַּחֲוֶה לָהֶם, וְלֹא תָעָבְדֵם, כִּי אָנֹכִי**
**ה׳ אֱלֹהֶיךָ אֵל קַנָּא,** דורש בלעדיות ואיני סובלני לשיתוף עם זולתי.
לכן אני **פֹּקֵד,** זוכר **עֲוֹן,** פשעם של **אָבוֹת עַל בָּנִים וְעַל שִׁלֵּשִׁים,** נכדים
**וְעַל רִבֵּעִים,** נינים **לְשֹׂנְאָי.** גורל הצאצאים לאורך ארבעה דורות
ייקבע לאור מעשיהם הרעים של האבות, אם יוסיפו ללכת בדרכם
הרעה.[39] י ומאידך גיסא, **עֹשֶׂה חֶסֶד לַאֲלָפִים,** לאלפי דורות, **לְאֹהֲבַי**
**וּלְשֹׁמְרֵי מִצְוֹתָי.** ההתייחסות הבלעדית שבקנאה מביאה הן לשלילת
כל המתחרים הן לאהבה גדולה.

ומכאן לתביעת הכבוד והמורא: יא **לֹא תִשָּׂא אֶת,** תישבע **בְּשֵׁם ה׳**
**אֱלֹהֶיךָ לַשָּׁוְא, כִּי לֹא יְנַקֶּה,** ימחל, יפטור **ה׳ אֵת אֲשֶׁר יִשָּׂא אֶת שְׁמוֹ לַשָּׁוְא.**
עיקרו של איסור זה אינו מתייחס לשבועת שקר ורמייה, אלא גם
לחינם וללא צורך. כאן מודגש כי חילול שם ה׳ חמור הרבה יותר
מחטאים אחרים, ואין לו כפרה.[40]

ומכאן למצווה היוצרת את מבנה החיים הבסיסי של עם ישראל:
יב **שָׁמוֹר אֶת,** תן דעתך על, השגח מפגיעה[41] **בְּיוֹם הַשַּׁבָּת לְקַדְּשׁוֹ,**

הרחבות

ושל נקמה. (ראו ר״י בכור שור שמות כ,ד).

**׳לֹא תשא את שם ה׳ אלֹהיך לשוא׳** ביטוי זה נושא עמו גם את הערך של כבוד שם ה׳. נלמדו ממנו ההגבלות באשר להזכרת שמו הגלוי והמפורש לבטלה או שלא בהקשר חיובי, וחובת המרתו בכינויים שונים הבאים להרחיק את האדם מזילות בשימוש בשמו הגדול של ה׳.
מלים אלה נדרשו גם כמתייחסות לחילול כבודו של אלוקים באופן כללי. כיוון שבמשך הזמן עם ישראל הזדהה כעמו של ה׳, הרי שהתנהגותם השלילית הבולטת לעין זר מחללת את שמו של אלוקיהם. בהתנהגות כזאת אין הם מחללים רק את שמם, כלומר את הרושם שהם עושים, ואת כבודם הפרטי, המשפחתי, האישי או אפילו הלאומי, אלא גם את שמו של ה׳. (ראו מדרש בתורה שלמה על אתר; שערי תשובה ב,מה; וראו עוד יומא פו ע״א).

**שבת** נוסח דיבר זה שונה מנוסח הדיבר בספר שמות בכמה עניינים: בשמות הדיבר נפתח בקריאה זָכוֹר, ואין שם התוספת כַּאֲשֶׁר צִוְּךָ ה׳ אֱלֹהֶיךָ. אף ההסבר שניתן

כַּאֲשֶׁר צִוְּךָ יְהוָה אֱלֹהֶיךָ: שֵׁשֶׁת יָמִים תַּעֲבֹד וְעָשִׂיתָ יג
כָּל־מְלַאכְתֶּךָ: וְיוֹם הַשְּׁבִיעִי שַׁבָּת לַיהוָה אֱלֹהֶיךָ יד
לֹא־תַעֲשֶׂה כָל־מְלָאכָה אַתָּה | וּבִנְךָ־וּבִתֶּךָ וְעַבְדְּךָ־
וַאֲמָתֶךָ וְשׁוֹרְךָ וַחֲמֹרְךָ וְכָל־בְּהֶמְתֶּךָ וְגֵרְךָ אֲשֶׁר
בִּשְׁעָרֶיךָ לְמַעַן יָנוּחַ עַבְדְּךָ וַאֲמָתְךָ כָּמוֹךָ: וְזָכַרְתָּ כִּי טו
עֶבֶד הָיִיתָ בְּאֶרֶץ מִצְרַיִם וַיֹּצִאֲךָ יְהוָה אֱלֹהֶיךָ מִשָּׁם
בְּיָד חֲזָקָה וּבִזְרֹעַ נְטוּיָה עַל־כֵּן צִוְּךָ יְהוָה אֱלֹהֶיךָ
לַעֲשׂוֹת אֶת־יוֹם הַשַּׁבָּת: כַּבֵּד אֶת־אָבִיךָ טז
וְאֶת־אִמֶּךָ כַּאֲשֶׁר צִוְּךָ יְהוָה אֱלֹהֶיךָ לְמַעַן | יַאֲרִיכֻן
יָמֶיךָ וּלְמַעַן יִיטַב לָךְ עַל הָאֲדָמָה אֲשֶׁר־יְהוָה אֱלֹהֶיךָ
נֹתֵן לָךְ: לֹא תִרְצָח וְלֹא יז
תִנְאָף וְלֹא תִגְנֹב וְלֹא־

**רש"י** (שמות כ, ח), שְׁנֵיהֶם בְּדִבּוּר אֶחָד וּכְתָבָה אַחַת נֶאֶמְרוּ וּבִשְׁמִיעָה אַחַת נִשְׁמְעוּ: **כַּאֲשֶׁר צִוְּךָ.** קֹדֶם מַתַּן תּוֹרָה, בְּמָרָה:

טו) **וְזָכַרְתָּ כִּי עֶבֶד הָיִיתָ וְגוֹ'.** עַל מְנָת כֵּן פְּדָאֲךָ, שֶׁתִּהְיֶה לוֹ עֶבֶד וְתִשְׁמֹר מִצְוֹתָיו:

טז) **כַּאֲשֶׁר צִוְּךָ.** אַף עַל כִּבּוּד אָב וָאֵם נִצְטַוּוּ בְּמָרָה, שֶׁנֶּאֱמַר: "שָׁם שָׂם לוֹ חֹק וּמִשְׁפָּט" (שמות טו, כה):

יז) **וְלֹא תִנְאָף.** אֵין לְשׁוֹן נִאוּף אֶלָּא בְּאֵשֶׁת אִישׁ:

**הרחבות** לדיבר כאן שונה מן האמור בספר שמות: שם השבת נזכרת כיום מנוחתו של ה' בבריאת העולם, ואילו כאן ניתן לה הסבר אנושי וקרוב יותר - הצורך ביום מנוחה שבועי הנשען על זיכרון עבדותנו במצרים.

במעמד הר סיני לא הובאו פרטי איסורי השבת ומצוותיה. אין ספק שהשביתה בשבת אינה תובעת מישראל לשבת ישיבה קפואה על מקומם. האיסור ממוקד בעשיית מלאכה, שהיא פעולה מוגדרת שאינה זהה עם עבודה. עבודה היא כל פעילות פיזית, ואילו מלאכה היא פעולה יוצרת ומכוונת.

**מצוות כיבוד אב ואם** לא נזכרה בתורה במפורש קודם לעשרת הדיברות, אך בתור עיקרון יסודי הופיע ערך זה כאלף שנים לפני מתן תורה. הוא התגלה כבר אצל בניו של נח (בראשית ט,כ-כג).

בעשרת הדיברות נקשר כיבוד ההורים למהות התורה גם מצד אחר: אין הוא מופיע כאן כחלק מן החובה לחלוק כבוד למבוגרים (כגון: מִפְּנֵי שֵׂיבָה תָּקוּם וְהָדַרְתָּ פְּנֵי זָקֵן). דווקא מצוות כיבוד הורים נבחרה כאחד מן הדיברות הבסיסיים שכן יחסו של אדם להוריו מקביל ליחסו אל בוראו. הדיבר הראשון קשר את עם ישראל לאלוקיו

ביאור

כיום קדוש, **כַּאֲשֶׁר צִוְּךָ ה׳ אֱלֹהֶיךָ** במרה[42] ובמדבר סין.[43] יג **שֵׁשֶׁת**
**יָמִים תַּעֲבֹד וְעָשִׂיתָ כָּל מְלַאכְתֶּךָ.** ששת הימים מיועדים לעבודת
בני אדם ולעשיית כל צורכיהם. יד **וְ**ואילו **יוֹם הַשְּׁבִיעִי - שַׁבָּת לַה׳**
**אֱלֹהֶיךָ.** ביום זה שבת אלוקים, כפי שסופר בתחילת התורה,[44] ואף
אתה, האדם, **לֹא תַעֲשֶׂה** בו **כָל מְלָאכָה,** עליך לדאוג לשביתה סביבתית
רחבה - **אַתָּה וּבִנְךָ וּבִתֶּךָ וְעַבְדְּךָ וַאֲמָתֶךָ וְשׁוֹרְךָ וַחֲמֹרְךָ וְכָל בְּהֶמְתֶּךָ**
**וְגֵרְךָ אֲשֶׁר בִּשְׁעָרֶיךָ, לְמַעַן יָנוּחַ עַבְדְּךָ וַאֲמָתְךָ כָּמוֹךָ.** טו **וְזָכַרְתָּ כִּי עֶבֶד**
**הָיִיתָ בְּאֶרֶץ מִצְרַיִם, וַיֹּצִאֲךָ ה׳ אֱלֹהֶיךָ מִשָּׁם בְּיָד חֲזָקָה וּבִזְרֹעַ נְטוּיָה, עַל**
**כֵּן צִוְּךָ ה׳ אֱלֹהֶיךָ לַעֲשׂוֹת אֶת יוֹם הַשַּׁבָּת.** משמעותה החברתית של
השבת מתייחסת לכלל ישראל ולנספחים אליו. בני אדם זקוקים
ליום אחד של מנוחה מעמלם ועיסוק בעניינים גבוהים יותר. בהיותנו
עבדים במצרים למדנו כי גם העבד זקוק לפנאי.

טז **כַּבֵּד אֶת אָבִיךָ וְאֶת אִמֶּךָ כַּאֲשֶׁר צִוְּךָ ה׳ אֱלֹהֶיךָ** במרה,[45] **לְמַעַן יַאֲרִיכֻן**
**יָמֶיךָ.** במקום שבו מכבדים את הדור הזקן יש אריכות ימים, שכן
ההורים המבוגרים חשים ביטחון קיומי בכך ויודעים שהם יכולים
לסמוך על תמיכת הדור הצעיר. וכן הם אף חשים מוערכים
ומשמעותיים למשפחה ולסביבה.[46] **וּלְמַעַן יִיטַב לָךְ עַל הָאֲדָמָה אֲשֶׁר**
**ה׳ אֱלֹהֶיךָ נֹתֵן לָךְ.** על אף הקושי הכרוך בכיבוד הורים, מצווה זו מוטלת
על הכול. המצווה אינה באה רק לכבודם של ההורים, אלא היא חלק
מתבנית חיים שלמה שהתורה מלמדת, ובצדה טובה ואריכות ימים.

הניסוח המקוצר של שלוש המצוות הבאות קובע את מוחלטותן:
יז **לֹא תִּרְצָח.**

**וְלֹא תִּנְאָף.** איסור זה של עברות בתחום המיני הוגדר בהלכה
ובפרשנות המסורתית כקשר עם אשה נשואה לאדם אחר.[47]

**וְלֹא תִּגְנֹב.**

הרחבות

באמצעות העובדה שהוא יצרם כעם - אֲשֶׁר הוֹצֵאתִיךָ מֵאֶרֶץ מִצְרַיִם מִבֵּית עֲבָדִים; הדיבר הקודם קשר את חובת שמירת השבת שלנו לכך שה׳ הוא שיצרנו - וכך גם החובה לכבד את ההורים שבדיבר זה אינה תלויה באישיותם אלא בהיותם מקורנו. (ראו קדושין ל ע״ב ורמב״ן על אתר).

**׳לא תרצח׳** הבסיס לקיום החברתי הוא ביטחונו של כל אדם בקיומו, הנובע מכך שהוא סומך על זולתו שלא יתנכל לחייו. בחברה שבה היה מותר לאדם לרצוח, האדם, בכלל ובפרט, היה נתון בסכנת הכחדה מתמדת, ועל כן עיקרון דומה נוהג אפילו בחלק מחברות בעלי החיים. אולם בעשרת הדיברות מקבל האיסור משמעות שהיא מעבר להסדרה החברתית, שכן הוא מנוסח במלים: לֹא תִּרְצָח ולא בהוראה: ״אל תרצח״. זהו ניסוח שולל יותר מאשר מזהיר - אין רציחה. מעשה כזה איננו חלק מעולמך. ניסוח דומה חל גם בדיברות הבאים.

**׳ולא תנאף׳** איסורים מיניים אחרים, הנחשבים כאיסורי עריות - כגון האיסורים על יחסים בין קרובי משפחה, מגבלות

תַעֲנֶה בְרֵעֲךָ עֵד שָׁוְא: וְלֹא תַחְמֹד יח
אֵשֶׁת רֵעֶךָ וְלֹא תִתְאַוֶּה בֵּית רֵעֶךָ
שָׂדֵהוּ וְעַבְדּוֹ וַאֲמָתוֹ שׁוֹרוֹ וַחֲמֹרוֹ וְכֹל אֲשֶׁר
חמישי לְרֵעֶךָ: אֶת־הַדְּבָרִים הָאֵלֶּה דִּבֶּר יְהוָה יט
אֶל־כָּל־קְהַלְכֶם בָּהָר מִתּוֹךְ הָאֵשׁ הֶעָנָן וְהָעֲרָפֶל
קוֹל גָּדוֹל וְלֹא יָסָף וַיִּכְתְּבֵם עַל־שְׁנֵי לֻחֹת אֲבָנִים
וַיִּתְּנֵם אֵלָי: וַיְהִי כְּשָׁמְעֲכֶם אֶת־הַקּוֹל מִתּוֹךְ הַחֹשֶׁךְ כ
וְהָהָר בֹּעֵר בָּאֵשׁ וַתִּקְרְבוּן אֵלַי כָּל־רָאשֵׁי שִׁבְטֵיכֶם
וְזִקְנֵיכֶם: וַתֹּאמְרוּ הֵן הֶרְאָנוּ יְהוָה אֱלֹהֵינוּ אֶת־כְּבֹדוֹ כא
וְאֶת־גָּדְלוֹ וְאֶת־קֹלוֹ שָׁמַעְנוּ מִתּוֹךְ הָאֵשׁ הַיּוֹם הַזֶּה
רָאִינוּ כִּי־יְדַבֵּר אֱלֹהִים אֶת־הָאָדָם וָחָי: וְעַתָּה לָמָּה כב
נָמוּת כִּי תֹאכְלֵנוּ הָאֵשׁ הַגְּדֹלָה הַזֹּאת אִם־יֹסְפִים ׀
אֲנַחְנוּ לִשְׁמֹעַ אֶת־קוֹל יְהוָה אֱלֹהֵינוּ עוֹד וָמָתְנוּ:

רש"י | יח) לֹא תִתְאַוֶּה. "לָא תֵרוֹג", חַד הוּא לְשׁוֹן חֶמְדָּה, כְּמוֹ "נֶחְמָד לְמַרְאֶה" (בראשית ב, ט) דְּמִתַּרְגְּמִינַן: "דִּמְרַגַּג לְמִחְזֵי":

יט) וְלֹא יָסָף. מְתַרְגְּמִינַן "וְלָא פְסַק", כִּי קוֹלוֹ חָזָק וְקַיָּם לְעוֹלָם. דָּבָר אַחֵר, "וְלֹא יָסָף", לֹא הוֹסִיף לְהֵרָאוֹת בְּאוֹתוֹ פֻּמְבֵּי:

הרחבות | הנובעות מכבוד ישראל או מכבודם של מעמדות מסוימים בישראל - אינם נכללים בדיבר זה, אף על פי שהם חמורים לא פחות, והעונש על חלקם כבד אף יותר. כאן מופיע דווקא איסור הניאוף, מפני שיש בו שבירה של התא החברתי הבסיסי - המשפחה. הניאוף פוגע בתפיסה שמקורה בראשית הבריאה: עַל כֵּן יַעֲזָב אִישׁ אֶת אָבִיו וְאֶת אִמּוֹ וְדָבַק בְּאִשְׁתּוֹ וְהָיוּ לְבָשָׂר אֶחָד (בראשית ב,כד). באופן דומה, גם איסור הרציחה מתקשר לאמור בבראשית (ט,ו): שֹׁפֵךְ דַּם הָאָדָם בָּאָדָם דָּמוֹ יִשָּׁפֵךְ כִּי בְּצֶלֶם אֱלֹהִים עָשָׂה אֶת הָאָדָם.

'ולא תַעֲנֶה ברעך עֵד שוא' את האיסור ניתן לפרש באופן רחב יותר, כאיסור אמירת שקר על הזולת. (ראו ר"י בכור שור שמות כג,א). לו נמנעו אנשים לחלוטין מדברי שקר, כל אדם יכול היה להישען על זולתו מתוך הידיעה שחייו, אשתו ורכושו בטוחים, ומתוך האמון המלא שהוא יכול לתת במלים הנאמרות לאוזניו.

'ולא תחמד' איסור כזה אינו מתאים להיכתב בשום ספר חוקים, שכן ספרי החוקים מתייחסים למעשים ולא למחשבות ולרצונות של בני האדם. רק

ביאור

מן האיסורים המוחלטים המגדירים את בסיס התנהגותו של האדם כלפי זולתו באופן מוחלט: אין רציחה; אין ניאוף; אין גנבה – עוברת התורה אל איסור שלכאורה אינו עומד באותה דרגה עם קודמיו, אך הוא מתייחס למציאות חברתית שכיחה: **וְלֹא תַעֲנֶה בְרֵעֲךָ עֵד שָׁוְא**. אל תעיד עדות שקר. הגדרותיו ההלכתיות של איסור זה רואות בו איסור על מתן עדות שקרית או פסולה במהלך משפט, העלולה להביא אף למותו של הנאשם, שכן עדות כזאת מערערת את האמון בין בני האדם.

יח **וְלֹא תַחְמֹד**, תשתוקק **לְאֵשֶׁת רֵעֶךָ, וְלֹא תִתְאַוֶּה** אל **בֵּית רֵעֶךָ, שָׂדֵהוּ
וְעַבְדּוֹ וַאֲמָתוֹ, שׁוֹרוֹ וַחֲמֹרוֹ וְכֹל אֲשֶׁר לְרֵעֶךָ.**

יט **אֶת** עשרת **הַדְּבָרִים הָאֵלֶּה דִּבֶּר ה' אֶל כָּל קְהַלְכֶם בָּהָר מִתּוֹךְ הָאֵשׁ,
הֶעָנָן וְהָעֲרָפֶל, קוֹל גָּדוֹל וְלֹא יָסָף**, פסק, אף שה' לא הוסיף לדבר עוד,
הקולות נמשכו.[48] **וַיִּכְתְּבֵם עַל שְׁנֵי לֻחֹת אֲבָנִים וַיִּתְּנֵם אֵלָי.**

כ **וַיְהִי כְּשָׁמְעֲכֶם אֶת הַקּוֹל מִתּוֹךְ הַחֹשֶׁךְ, וְהָהָר בֹּעֵר בָּאֵשׁ, וַתִּקְרְבוּן אֵלַי
כָּל רָאשֵׁי שִׁבְטֵיכֶם וְזִקְנֵיכֶם,** כא **וַתֹּאמְרוּ** בפחד: **הֵן הֶרְאָנוּ ה' אֱלֹהֵינוּ
אֶת כְּבֹדוֹ וְאֶת גָּדְלוֹ, וְאֶת קֹלוֹ שָׁמַעְנוּ מִתּוֹךְ הָאֵשׁ. הַיּוֹם הַזֶּה רָאִינוּ כִּי
יְדַבֵּר אֱלֹהִים אֶת הָאָדָם – וָחָי.** כב **וְעַתָּה לָמָּה נָמוּת, כִּי תֹאכְלֵנוּ הָאֵשׁ
הַגְּדֹלָה** והחריגה **הַזֹּאת**?! **אִם יֹסְפִים**, מוסיפים **אֲנַחְנוּ לִשְׁמֹעַ אֶת קוֹל
ה' אֱלֹהֵינוּ עוֹד – וָמָתְנוּ.** הקול הזה שבא מעל ומעבר לכל העולמות

תבנית לוחות הברית

הרחבות

אלוקים הוא היכול לצוות שלא לרצות דבר, ולהגביל את המזימות והחמדות הכמוסות בלבו של אדם.
הפועל תַחְמֹד מקביל בנוסח זה של עשרת הדיברות לפועל תִתְאַוֶּה, ועל כן נראה כי הכתוב אוסר על דברים שבלב. ואולם בשל חריגותו של האיסור בין הדיברות האחרים, המתייחסים למעשים ולמלים, פירשו אותו חכמי ההלכה באופן מצומצם הרבה יותר – בתור איסור על נקיטת אמצעים שיש בהם כדי לשלול מן הזולת את מה ששייך לו. (ראו ספר המצוות לרמב"ם לא תעשה רסה). אין מדובר בהכרח באמצעים שאינם חוקיים, באמצעים שאסור לנקוט גם מסיבות אחרות, אלא גם באמצעים חוקיים, כגון לחץ, שידול או מניפולציה שעושה אדם כדי לגרום לכך שאשתו של האחר תעבור לרשותו, או כדי לגרום להעברת רכוש הזולת אליו. החמדה במובן הזה דומה קצת לחמס, חטאם של דור המבול (בראשית ו,יא–יג), השונה מן הגזל בכך שהיא חטא מוסרי יותר מאשר עברה על החוק. במובנו המצומצם בא הדיבר האחרון לאסור את התכנון והמזימה המעשית כלפי רכושו של הזולת.

כִּ֣י מִ֣י כָל־בָּשָׂ֡ר אֲשֶׁ֣ר שָׁמַ֣ע קוֹל֩ אֱלֹהִ֨ים חַיִּ֜ים מְדַבֵּ֧ר כג
מִתּוֹךְ־הָאֵ֛שׁ כָּמֹ֖נוּ וַיֶּֽחִי׃ קְרַ֤ב אַתָּה֙ וּֽשֲׁמָ֔ע אֵ֛ת כָּל־ כד
אֲשֶׁ֥ר יֹאמַ֖ר יְהוָ֣ה אֱלֹהֵ֑ינוּ וְאַ֣תְּ ׀ תְּדַבֵּ֣ר אֵלֵ֗ינוּ אֵת֩
כָּל־אֲשֶׁ֨ר יְדַבֵּ֜ר יְהוָ֧ה אֱלֹהֵ֛ינוּ אֵלֶ֖יךָ וְשָׁמַ֥עְנוּ וְעָשִֽׂינוּ׃
וַיִּשְׁמַ֤ע יְהוָה֙ אֶת־ק֣וֹל דִּבְרֵיכֶ֔ם בְּדַבֶּרְכֶ֖ם אֵלָ֑י וַיֹּ֨אמֶר כה
יְהוָ֜ה אֵלַ֗י שָׁ֠מַעְתִּי אֶת־ק֨וֹל דִּבְרֵ֜י הָעָ֤ם הַזֶּה֙ אֲשֶׁ֣ר
דִּבְּר֣וּ אֵלֶ֔יךָ הֵיטִ֖יבוּ כָּל־אֲשֶׁ֥ר דִּבֵּֽרוּ׃ מִֽי־יִתֵּ֡ן וְהָיָה֩ כו
לְבָבָ֨ם זֶ֜ה לָהֶ֗ם לְיִרְאָ֥ה אֹתִ֛י וְלִשְׁמֹ֥ר אֶת־כָּל־מִצְוֺתַ֖י
כָּל־הַיָּמִ֑ים לְמַ֨עַן יִיטַ֥ב לָהֶ֛ם וְלִבְנֵיהֶ֖ם לְעֹלָֽם׃ לֵ֖ךְ כז
אֱמֹ֣ר לָהֶ֑ם שׁ֥וּבוּ לָכֶ֖ם לְאָהֳלֵיכֶֽם׃ וְאַתָּ֗ה פֹּה֮ עֲמֹ֣ד כח
עִמָּדִי֒ וַאֲדַבְּרָ֣ה אֵלֶ֗יךָ אֵ֤ת כָּל־הַמִּצְוָה֙ וְהַחֻקִּ֣ים
וְהַמִּשְׁפָּטִ֔ים אֲשֶׁ֖ר תְּלַמְּדֵ֑ם וְעָשׂ֣וּ בָאָ֔רֶץ אֲשֶׁ֥ר אָנֹכִ֛י
נֹתֵ֥ן לָהֶ֖ם לְרִשְׁתָּֽהּ׃ וּשְׁמַרְתֶּ֣ם לַעֲשׂ֔וֹת כַּאֲשֶׁ֥ר צִוָּ֛ה כט
יְהוָ֥ה אֱלֹהֵיכֶ֖ם אֶתְכֶ֑ם לֹ֥א תָסֻ֖רוּ יָמִ֥ין וּשְׂמֹֽאל׃ בְּכָל־ ל
הַדֶּ֗רֶךְ אֲשֶׁ֨ר צִוָּ֜ה יְהוָ֧ה אֱלֹהֵיכֶ֛ם אֶתְכֶ֖ם תֵּלֵ֑כוּ לְמַ֤עַן
תִּֽחְיוּן֙ וְט֣וֹב לָכֶ֔ם וְהַאֲרַכְתֶּ֣ם יָמִ֔ים בָּאָ֖רֶץ אֲשֶׁ֥ר
תִּירָשֽׁוּן׃ וְזֹ֣את הַמִּצְוָ֗ה הַחֻקִּים֙ וְהַמִּשְׁפָּטִ֔ים אֲשֶׁ֛ר א ו
צִוָּ֛ה יְהוָ֥ה אֱלֹהֵיכֶ֖ם לְלַמֵּ֣ד אֶתְכֶ֑ם לַעֲשׂ֣וֹת בָּאָ֔רֶץ
אֲשֶׁ֥ר אַתֶּ֛ם עֹבְרִ֥ים שָׁ֖מָּה לְרִשְׁתָּֽהּ׃ לְמַ֨עַן תִּירָ֜א אֶת־ ב

רש"י | כד) וְאַתְּ תְּדַבֵּר אֵלֵינוּ. הִתַּשְׁתֶּם אֶת כֹּחִי כִּנְקֵבָה, שֶׁנִּצְטַעַרְתִּי עֲלֵיכֶם וְרִפִּיתֶם אֶת יָדַי, כִּי רָאִיתִי שֶׁאֵינְכֶם חֲרֵדִים לְהִתְקָרֵב אֵלָיו מֵאַהֲבָה, וְכִי לֹא הָיָה יָפֶה לָכֶם לִלְמֹד מִפִּי הַגְּבוּרָה וְלֹא לִלְמֹד מִמֶּנִּי?

ביאור | מתַקשר אתנו באופן כלשהו, אך אנו חוששים שלא נחזיק מעמד
אם נמשיך לשמעו. כג **כִּי מִי כָל בָּשָׂר אֲשֶׁר שָׁמַע קוֹל אֱלֹהִים חַיִּים**
**מְדַבֵּר מִתּוֹךְ הָאֵשׁ, כָּמֹנוּ** – **וַיֶּחִי**?! כד **קְרַב אַתָּה**, משה, **וּשְׁמָע אֵת כָּל**
**אֲשֶׁר יֹאמַר ה׳ אֱלֹהֵינוּ, וְאַתְּ**, ואתה **תְּדַבֵּר אֵלֵינוּ אֵת כָּל אֲשֶׁר יְדַבֵּר**
**ה׳ אֱלֹהֵינוּ אֵלֶיךָ** – **וְשָׁמַעְנוּ וְעָשִׂינוּ**.

כה **וַיִּשְׁמַע ה׳ אֶת קוֹל דִּבְרֵיכֶם בְּדַבֶּרְכֶם אֵלָי, וַיֹּאמֶר ה׳ אֵלַי: שָׁמַעְתִּי**
**אֶת קוֹל דִּבְרֵי הָעָם הַזֶּה אֲשֶׁר דִּבְּרוּ אֵלֶיךָ** – **הֵיטִיבוּ כָּל אֲשֶׁר דִּבֵּרוּ**.
יפה אמרו. כו **מִי יִתֵּן**, הלוואי **וְהָיָה לְבָבָם זֶה לָהֶם לְיִרְאָה אֹתִי וְלִשְׁמֹר**
**אֶת כָּל מִצְוֺתַי כָּל הַיָּמִים, לְמַעַן יִיטַב לָהֶם וְלִבְנֵיהֶם לְעֹלָם**. בתוך
תנאי קיומו של העולם ישנם מגבלות והסתרי פנים רבים, שרק
בקושי אדם מצליח לקיים את המוטל עליו, ועל אחת כמה וכמה
נדיר שאף בניו אחריו ידבקו במשימה.[49] כז **לֵךְ אֱמֹר לָהֶם: שׁוּבוּ לָכֶם**
**לְאָהֳלֵיכֶם**, לחובות ולהרגלי החיים של אנשים נשואים. כח **וְאַתָּה**,
משה, **פֹּה עֲמֹד עִמָּדִי**, ולא תחזור אל החיים הנורמליים, כמותם.
אתה צריך לחרוג מתחומי בני האדם. **וַאֲדַבְּרָה אֵלֶיךָ אֵת כָּל הַמִּצְוָה**
**וְהַחֻקִּים וְהַמִּשְׁפָּטִים אֲשֶׁר תְּלַמְּדֵם, וְעָשׂוּ בָאָרֶץ אֲשֶׁר אָנֹכִי נֹתֵן לָהֶם**
**לְרִשְׁתָּהּ**.

# אזהרה וייעוד כלליים

פרק ה פס׳ כט – פרק ו פס׳ ג

נראה שבפסוקים הבאים משה כבר אינו משחזר את העבר, אלא פונה אל נמעניו בהווה.

כט **וּשְׁמַרְתֶּם לַעֲשׂוֹת כַּאֲשֶׁר צִוָּה ה׳ אֱלֹהֵיכֶם אֶתְכֶם, לֹא תָסֻרוּ יָמִין וּשְׂמֹאל**.
עליכם לקיים את הדברים באותה אימה ובאותה יראה אף על פי
שאינכם שומעים את הקול במישרין. ל **בְּכָל הַדֶּרֶךְ אֲשֶׁר צִוָּה ה׳**
**אֱלֹהֵיכֶם אֶתְכֶם תֵּלֵכוּ**. קיבלתם את מתנת התורה, ועליכם להעריך
את כבודה ואת מעמדכם החדש ולהחזיק בתורה כראוי **לְמַעַן תִּחְיוּן**
**וְטוֹב לָכֶם, וְהַאֲרַכְתֶּם יָמִים בָּאָרֶץ אֲשֶׁר תִּירָשׁוּן**.

פרק ו א **וְזֹאת הַמִּצְוָה, הַחֻקִּים וְהַמִּשְׁפָּטִים אֲשֶׁר צִוָּה ה׳ אֱלֹהֵיכֶם לְלַמֵּד**
**אֶתְכֶם, לַעֲשׂוֹת בָּאָרֶץ אֲשֶׁר אַתֶּם עֹבְרִים שָׁמָּה לְרִשְׁתָּהּ**. ב **לְמַעַן תִּירָא**

הרחבות | **'וְאַתְּ תדבר'** עד לא מזמן היו בני ישראל עבדים. על כן קשה היה להם לקבל שאפשר יהיה ליצור קשר ישיר עם אלוקים. הם חשו שאין הם מסוגלים לעמוד במפגש הישיר שחוו עם קול ה׳ המדבר אליהם מתוך האין, ולכן ביקשו שמשה יתווך בינו לבינם.

יְהוָה אֱלֹהֶיךָ לִשְׁמֹר אֶת־כָּל־חֻקֹּתָיו וּמִצְוֺתָיו אֲשֶׁר
אָנֹכִי מְצַוֶּךָ אַתָּה וּבִנְךָ וּבֶן־בִּנְךָ כֹּל יְמֵי חַיֶּיךָ וּלְמַעַן
ג יַאֲרִכֻן יָמֶיךָ׃ וְשָׁמַעְתָּ יִשְׂרָאֵל וְשָׁמַרְתָּ לַעֲשׂוֹת אֲשֶׁר
יִיטַב לְךָ וַאֲשֶׁר תִּרְבּוּן מְאֹד כַּאֲשֶׁר דִּבֶּר יְהוָה אֱלֹהֵי
אֲבֹתֶיךָ לָךְ אֶרֶץ זָבַת חָלָב וּדְבָשׁ׃
ששי ו ד ה שְׁמַע יִשְׂרָאֵל יְהוָה אֱלֹהֵינוּ יְהוָה ׀ אֶחָד׃ וְאָהַבְתָּ
אֵת יְהוָה אֱלֹהֶיךָ בְּכָל־לְבָבְךָ וּבְכָל־נַפְשְׁךָ וּבְכָל־
ו מְאֹדֶךָ׃ וְהָיוּ הַדְּבָרִים הָאֵלֶּה אֲשֶׁר אָנֹכִי מְצַוְּךָ הַיּוֹם
ז עַל־לְבָבֶךָ׃ וְשִׁנַּנְתָּם לְבָנֶיךָ וְדִבַּרְתָּ בָּם בְּשִׁבְתְּךָ
ח בְּבֵיתֶךָ וּבְלֶכְתְּךָ בַדֶּרֶךְ וּבְשָׁכְבְּךָ וּבְקוּמֶךָ׃ וּקְשַׁרְתָּם

רש"י | פרק ו

ד] **ה' אֱלֹהֵינוּ ה' אֶחָד.** ה' שֶׁהוּא "אֱלֹהֵינוּ" עַתָּה וְלֹא אֱלֹהֵי הָאֻמּוֹת, הוּא עָתִיד לִהְיוֹת "ה' אֶחָד", שֶׁנֶּאֱמַר: "כִּי אָז אֶהְפֹּךְ אֶל עַמִּים שָׂפָה בְרוּרָה לִקְרֹא כֻלָּם בְּשֵׁם ה'" (צפניה ג, ט), וְנֶאֱמַר: "בַּיּוֹם הַהוּא יִהְיֶה ה' אֶחָד וּשְׁמוֹ אֶחָד" (זכריה יד, ט):

ה] **וְאָהַבְתָּ.** עֲשֵׂה דְּבָרָיו מֵאַהֲבָה. אֵינוֹ דוֹמֶה עוֹשֶׂה מֵאַהֲבָה לְעוֹשֶׂה מִיִּרְאָה. הָעוֹשֶׂה אֵצֶל רַבּוֹ מִיִּרְאָה כְּשֶׁהוּא מַטְרִיחַ עָלָיו מַנִּיחוֹ וְהוֹלֵךְ לוֹ: **בְּכָל לְבָבְךָ.** בִּשְׁנֵי יְצָרֶיךָ. דָּבָר אַחֵר, "בְּכָל לְבָבְךָ", שֶׁלֹּא יִהְיֶה לִבְּךָ חָלוּק עַל הַמָּקוֹם: **וּבְכָל נַפְשְׁךָ.** אֲפִלּוּ הוּא נוֹטֵל אֶת נַפְשְׁךָ: **וּבְכָל מְאֹדֶךָ.** בְּכָל מָמוֹנְךָ, יֵשׁ לְךָ אָדָם שֶׁמָּמוֹנוֹ חָבִיב עָלָיו מִגּוּפוֹ, לְכָךְ נֶאֱמַר: "בְּכָל מְאֹדֶךָ". דָּבָר אַחֵר, "וּבְכָל מְאֹדֶךָ", בְּכָל מִדָּה וּמִדָּה שֶׁמּוֹדֵד לְךָ, בֵּין בְּמִדָּה טוֹבָה בֵּין בְּמִדַּת פֻּרְעָנוּת, וְכֵן דָּוִד הוּא אוֹמֵר: "כּוֹס יְשׁוּעוֹת אֶשָּׂא וּבְשֵׁם ה' אֶקְרָא" (תהלים קטז, יג) "צָרָה וְיָגוֹן אֶמְצָא וּבְשֵׁם ה' אֶקְרָא" (שם פסוקים ג–ד):

ו] **וְהָיוּ הַדְּבָרִים.** מַהוּ הָאַהֲבָה? "וְהָיוּ הַדְּבָרִים הָאֵלֶּה", שֶׁמִּתּוֹךְ כָּךְ אַתָּה מַכִּיר בְּהַקָּדוֹשׁ בָּרוּךְ הוּא וּמִדַּבֵּק בִּדְרָכָיו: **אֲשֶׁר אָנֹכִי מְצַוְּךָ הַיּוֹם.** לֹא יִהְיוּ בְעֵינֶיךָ כְּדְיוֹטַגְמָא יְשָׁנָה שֶׁאֵין אָדָם סוֹפְנָהּ, אֶלָּא כַּחֲדָשָׁה שֶׁהַכֹּל רָצִין לִקְרָאתָהּ. 'דְּיוֹטַגְמָא' – מִצְוַת הַמֶּלֶךְ הַבָּאָה בְּמִכְתָּב:

ז] **וְשִׁנַּנְתָּם.** לְשׁוֹן חִדּוּד הוּא, שֶׁיִּהְיוּ מְחֻדָּדִים בְּפִיךָ, שֶׁאִם יִשְׁאָלְךָ אָדָם דָּבָר לֹא תְהֵא צָרִיךְ לְגַמְגֵּם בּוֹ, אֶלָּא אֱמֹר לוֹ מִיָּד: **לְבָנֶיךָ.** אֵלּוּ הַתַּלְמִידִים. מָצִינוּ בְּכָל מָקוֹם שֶׁהַתַּלְמִידִים קְרוּיִים בָּנִים, שֶׁנֶּאֱמַר: "בָּנִים אַתֶּם לַה' אֱלֹהֵיכֶם" (להלן יד, א), וְאוֹמֵר: "בְּנֵי הַנְּבִיאִים אֲשֶׁר בֵּית אֵל" (מלכים ב' ב, ג), וְכֵן בְּחִזְקִיָּהוּ שֶׁלִּמֵּד תּוֹרָה לְכָל יִשְׂרָאֵל וּקְרָאָם בָּנִים, שֶׁנֶּאֱמַר: "בָּנַי עַתָּה אַל תִּשָּׁלוּ" (דברי הימים ב' כט, יא). וּכְשֵׁם שֶׁהַתַּלְמִידִים קְרוּיִים בָּנִים, כָּךְ הָרַב קָרוּי אָב, שֶׁנֶּאֱמַר: "אָבִי אָבִי רֶכֶב יִשְׂרָאֵל" וְגוֹ' (מלכים ב' ב, יב): **וְדִבַּרְתָּ בָּם.** שֶׁלֹּא יְהֵא עִקַּר דִּבּוּרְךָ אֶלָּא בָּם, עֲשֵׂם עִקָּר וְאַל תַּעֲשֵׂם טָפֵל: **וּבְשָׁכְבְּךָ.** יָכוֹל אֲפִלּוּ שָׁכַב בַּחֲצִי

אֶת ה׳ אֱלֹהֶיךָ, לִשְׁמֹר אֶת כָּל חֻקֹּתָיו וּמִצְוֹתָיו אֲשֶׁר אָנֹכִי מְצַוֶּךָ – אַתָּה | ביאור
וּבִנְךָ וּבֶן בִּנְךָ, כֹּל יְמֵי חַיֶּיךָ – וּלְמַעַן יַאֲרִכֻן יָמֶיךָ, כדי שיהיה המשך
לעם ישראל. ג וְשָׁמַעְתָּ יִשְׂרָאֵל וְשָׁמַרְתָּ לַעֲשׂוֹת, אֲשֶׁר, כך שיִּיטַב
לְךָ וַאֲשֶׁר תִּרְבּוּן מְאֹד, כַּאֲשֶׁר דִּבֶּר ה׳ אֱלֹהֵי אֲבֹתֶיךָ לָךְ, בְּאֶרֶץ זָבַת
חָלָב וּדְבָשׁ. אתם עומדים להיכנס לארץ הטובה ולחיות בה חיים
נורמליים. אם תעשו את המוטל עליכם ולא תקלקלו, אף אני אדאג
לרווחתכם.

# פרשת שמע

## פרק ו פס׳ ד–ט

הפסוק הפותח הוא אחת ההצהרות המופשטות הבודדות בתורה. הוא מבטא את אמונת הייחוד, והוא הפסוק החשוב ביותר בתורה מבחינות רבות. פרשה זו נקבעה להיקרא פעמיים בכל יום – ׳קריאת שמע׳, ולאורך דורות יהודים רבים קראו אותה קודם מותם.

מן ההכרזה על ייחוד ה׳ מתחייב כאן גם רגש של אהבה כלפיו. זוהי הפעם הראשונה בתורה שבה האדם נקרא לאהוב את ה׳. ייחוד ה׳ מחייב גם מעשים שבדיבור ובכתיבה, הקושרים ומנכיחים את דבר ה׳ והאמונה בו בגופו של האדם מישראל ובכל אורחותיו.

ד שְׁמַע, יִשְׂרָאֵל! מעבר לפנייתו של משה לבני ישראל אל שומעיו
הוא מבקש להודיע ברבים את עצם מהותו ואמונתו של העם. משה
קובע שתי קביעות: [50] ה׳ הוא אֱלֹהֵינוּ, וה׳ הוא אֶחָד.

מן ההצהרה העקרונית נגזרים הציוויים הבאים: ה וְאָהַבְתָּ אֵת ה׳
אֱלֹהֶיךָ בְּכָל רצונות לְבָבְךָ, ולא יהיה לבך חלוק עליך בעניין זה.[51]
וּבְכָל נַפְשְׁךָ, עד כדי מסירות נפש[52] וּבְכָל מְאֹדֶךָ. הוסף על כך עוד
ועוד. אתה מצווה באהבה הזאת בכל מקום וזמן, ועליך להוסיף
לעשות בעניינה ככל שתוכל מאוד מאוד.[53]

ו וְהָיוּ הַדְּבָרִים הָאֵלֶּה, אֲשֶׁר אָנֹכִי מְצַוְּךָ הַיּוֹם, עַל לְבָבֶךָ, זכור אותם
היטב תמיד. ז וְשִׁנַּנְתָּם לְבָנֶיךָ וְדִבַּרְתָּ בָּם. עליך לחזור עליהם ולדבר
בהם כדי שהם יישמרו בְּשִׁבְתְּךָ בְּבֵיתֶךָ וּבְלֶכְתְּךָ בַדֶּרֶךְ, בכל מקום
שאתה נמצא, וּבְשָׁכְבְּךָ וּבְקוּמֶךָ. ח וּקְשַׁרְתָּם לְאוֹת, סימן שייעשה

לְאוֹת עַל־יָדֶךָ וְהָיוּ לְטֹטָפֹת בֵּין עֵינֶיךָ׃ וּכְתַבְתָּם ט
עַל־מְזֻזוֹת בֵּיתֶךָ וּבִשְׁעָרֶיךָ׃ וְהָיָה כִּי־ י
יְבִיאֲךָ ׀ יְהוָה אֱלֹהֶיךָ אֶל־הָאָרֶץ אֲשֶׁר נִשְׁבַּע לַאֲבֹתֶיךָ
לְאַבְרָהָם לְיִצְחָק וּלְיַעֲקֹב לָתֶת לָךְ עָרִים גְּדֹלֹת
וְטֹבֹת אֲשֶׁר לֹא־בָנִיתָ׃ וּבָתִּים מְלֵאִים כָּל־טוּב אֲשֶׁר יא

רש"י | הַיּוֹם? תַּלְמוּד לוֹמַר: "וּבְלֶכְתְּךָ בַדֶּרֶךְ", דֶּרֶךְ חֶרֶן דִּבְּרָה תּוֹרָה, זְמַן שְׁכִיבָה וּזְמַן קִימָה:

ח| וּקְשַׁרְתָּם לְאוֹת עַל יָדֶךָ. אֵלּוּ תְּפִלִּין שֶׁבַּזְּרוֹעַ: וְהָיוּ לְטֹטָפֹת בֵּין עֵינֶיךָ. אֵלּוּ תְּפִלִּין שֶׁבָּרֹאשׁ. וְעַל שֵׁם מִנְיַן פָּרָשִׁיּוֹתֵיהֶם נִקְרְאוּ טוֹטָפֹת, 'טָט' בְּכַתְפֵּי שְׁתַּיִם, 'פַּת' בְּאַפְרִיקֵי שְׁתַּיִם:

ט| מְזֻזוֹת בֵּיתֶךָ. 'מְזוּזַת' כְּתִיב, שֶׁאֵין צָרִיךְ אֶלָּא אַחַת: וּבִשְׁעָרֶיךָ. לְרַבּוֹת שַׁעֲרֵי חֲצֵרוֹת וְשַׁעֲרֵי מְדִינוֹת וְשַׁעֲרֵי עֲיָרוֹת:

מימין: תפילין

משמאל: קלף ובו פרשיות המזוזה

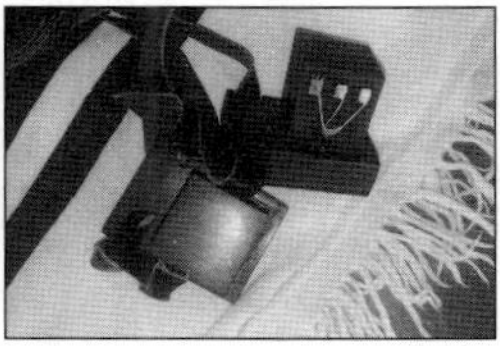

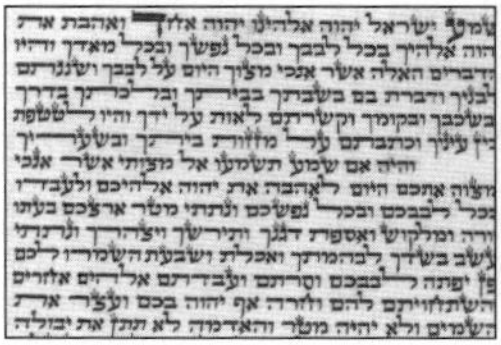
שמע ישראל יהוה אלהינו יהוה אחד ואהבת את
הוה אלהיך בכל לבבך ובכל נפשך ובכל מאדך והיו
הדברים האלה אשר אנכי מצוך היום על לבבך ושננתם
לבניך ודברת בם בשבתך בביתך ובלכתך בדרך
בשכבך ובקומך וקשרתם לאות על ידך והיו לטטפת
בין עיניך וכתבתם על מזזות ביתך ובשעריך
והיה אם שמע תשמעו אל מצותי אשר אנכי
מצוה אתכם היום לאהבה את יהוה אלהיכם ולעבדו
בכל לבבכם ובכל נפשכם ונתתי מטר ארצכם בעתו
ורה ומלקוש ואספת דגנך ותירשך ויצהרך ונתתי
עשב בשדך לבהמתך ואכלת ושבעת השמרו לכם
פן יפתה לבבכם וסרתם ועבדתם אלהים אחרים
השתחויתם להם וחרה אף יהוה בכם ועצר את
השמים ולא יהיה מטר והאדמה לא תתן את יבולה

ביאור | 'בתים' בצורת קוביה שבתוכם כתובים הדברים האלה, **עַל יָדֶךָ**. אלה התפילין של יד – שכריכתן ברצועות אל היד מבטאת את ההתקשרות לה'. **וְהָיוּ לְטֹטָפֹת**, קישוטים,[54] עיטורים וסמלים[55] **בֵּין עֵינֶיךָ**, מעל המצח במרכז הראש, המכוון כנגד בין העיניים.[56] ואלו הן התפילין של ראש. ט **וּכְתַבְתָּם עַל מְזֻזוֹת**, דפנות סף **בֵּיתֶךָ** הפרטי **וּבִשְׁעָרֶיךָ**, בשערי הערים.

# ציוויים ואזהרות הקשורים לזכירת חסדי ה' ולנאמנות לו

### פרק ו פס' י – פרק ט פס' ז

בעניין זה נושאים אחדים הקשורים לזיכרון ולשכחה בארץ.

הדברים הראשונים אמורים כנגד החשש שזיכרון החסד האלוקי וההתחייבות הנובעת ממנו יימחקו כשישראל יתרגלו לטובה הרבה שימצאו בארץ מן המוכן. משה מבסס את הוראתו לישראל ללכת בתמימות אחר הוראות ה' על זיכרון העבר הקרוב – הניסיונות שישראל ניסו את ה' במדבר שהסתיימו בכי רע. את זכר יציאת מצרים, שרוב שומעיו יודעים רק מפי אבותיהם, הוא מורה להודיע באוזני הבנים כדי לחזק את מחויבותם למשפטי התורה.

לא רק טובה של הארץ ותנאיה הנוחים עלולים לערער את נאמנותם של ישראל לה' ולמצוותיו; יושביה עלולים להטות את לבם של ישראל אחר פולחניהם ואמונותיהם. בהמשך העניין משה מזהיר את ישראל מפני השפעותיהם השליליות של יושבי הארץ, ומורה להם להשמיד את שם הנכרים ואת זכר אלוהיהם מסביבת חייהם החדשה.

כחלק מן המאבק בשאננות ובערלת הלב שעלולה להתפתח בישראל בשבתם בטח על אדמתם, יבקש משה להשריש בתודעת העם את זיכרון תלותם באלוקים בעת המסע במדבר ואת חסדיו שגמל עמם. אף שהישארותכם על אדמתם בדורות הבאים מותנית במעשיהם, כניסתם אליה באה בזכות אבותיהם של ישראל וברשעת יושביה הקודמים, וכל הנסים הכרוכים בה באים בחסדו של ה' ולא בצדקתם של ישראל.

י **וְהָיָה כִּי יְבִיאֲךָ ה' אֱלֹהֶיךָ אֶל הָאָרֶץ אֲשֶׁר נִשְׁבַּע לַאֲבֹתֶיךָ, לְאַבְרָהָם לְיִצְחָק וּלְיַעֲקֹב, לָתֶת לָךְ**, ושם יהיו **עָרִים גְּדֹלֹת וְטֹבֹת אֲשֶׁר לֹא בָנִיתָ.** יא **וּבָתִּים מְלֵאִים כָּל טוּב אֲשֶׁר לֹא מִלֵּאתָ**, מיני מזון ואוצרות

הרחבות | 'ובשכבך ובקומך' בשתי המילים הללו מצאו חכמים רמז או ראיה למצוות קריאת שמע, אם כי נחלקו הדעות אם זהו ציווי ברור לקרוא את הפרשה הזו בבוקר ובערב או שזו מצווה כללית שאינה חלה על קריאתה הפורמלית של פרשה מסוימת דווקא. (ראו ברכות כא ע"א).

לֹא־מִלֵּאתָ וּבֹרֹת חֲצוּבִים אֲשֶׁר לֹא־חָצַבְתָּ כְּרָמִים
וְזֵיתִים אֲשֶׁר לֹא־נָטָעְתָּ וְאָכַלְתָּ וְשָׂבָעְתָּ׃ הִשָּׁמֶר לְךָ יב
פֶּן־תִּשְׁכַּח אֶת־יְהוָה אֲשֶׁר הוֹצִיאֲךָ מֵאֶרֶץ מִצְרַיִם
מִבֵּית עֲבָדִים׃ אֶת־יְהוָה אֱלֹהֶיךָ תִּירָא וְאֹתוֹ תַעֲבֹד יג
וּבִשְׁמוֹ תִּשָּׁבֵעַ׃ לֹא תֵלְכוּן אַחֲרֵי אֱלֹהִים אֲחֵרִים יד
מֵאֱלֹהֵי הָעַמִּים אֲשֶׁר סְבִיבוֹתֵיכֶם׃ כִּי אֵל קַנָּא טו
יְהוָה אֱלֹהֶיךָ בְּקִרְבֶּךָ פֶּן־יֶחֱרֶה אַף־יְהוָה אֱלֹהֶיךָ בָּךְ
וְהִשְׁמִידְךָ מֵעַל פְּנֵי הָאֲדָמָה׃ לֹא תְנַסּוּ טז
אֶת־יְהוָה אֱלֹהֵיכֶם כַּאֲשֶׁר נִסִּיתֶם בַּמַּסָּה׃ שָׁמוֹר יז
תִּשְׁמְרוּן אֶת־מִצְוֹת יְהוָה אֱלֹהֵיכֶם וְעֵדֹתָיו וְחֻקָּיו
אֲשֶׁר צִוָּךְ׃ וְעָשִׂיתָ הַיָּשָׁר וְהַטּוֹב בְּעֵינֵי יְהוָה לְמַעַן יח
יִיטַב לָךְ וּבָאתָ וְיָרַשְׁתָּ אֶת־הָאָרֶץ הַטֹּבָה אֲשֶׁר־
נִשְׁבַּע יְהוָה לַאֲבֹתֶיךָ׃ לַהֲדֹף אֶת־כָּל־אֹיְבֶיךָ מִפָּנֶיךָ יט
כַּאֲשֶׁר דִּבֶּר יְהוָה׃ כִּי־יִשְׁאָלְךָ בִנְךָ מָחָר כ

רש"י

יא] חֲצוּבִים. לְפִי שֶׁהָיָה מְקוֹם טְרָשִׁין וּסְלָעִים נוֹפֵל בּוֹ לְשׁוֹן חֲצִיבָה:

יב] מִבֵּית עֲבָדִים. כְּתַרְגּוּמוֹ: "מִבֵּית עַבְדוּתָא", מִמָּקוֹם שֶׁהֱיִיתֶם שָׁם עֲבָדִים:

יג] וּבִשְׁמוֹ תִּשָּׁבֵעַ. אִם יֵשׁ בְּךָ כָּל הַמִּדּוֹת הַלָּלוּ, שֶׁאַתָּה יָרֵא אֶת שְׁמוֹ וְעוֹבֵד אוֹתוֹ, אָז "בִּשְׁמוֹ תִּשָּׁבֵעַ", שֶׁמִּתּוֹךְ שֶׁאַתָּה יָרֵא אֶת שְׁמוֹ תְּהֵא זָהִיר בִּשְׁבוּעָתְךָ, וְאִם לָאו לֹא תִּשָּׁבֵעַ:

יד] מֵאֱלֹהֵי הָעַמִּים אֲשֶׁר סְבִיבוֹתֵיכֶם. הוּא הַדִּין לָרְחוֹקִים, אֶלָּא לְפִי שֶׁאַתָּה רוֹאֶה אֶת סְבִיבוֹתֶיךָ תּוֹעִים אַחֲרֵיהֶם הֻצְרַךְ לְהַזְהִיר עֲלֵיהֶם בְּיוֹתֵר:

טז] בַּמַּסָּה. כְּשֶׁיָּצְאוּ מִמִּצְרַיִם שֶׁנִּסּוּהוּ בַּמַּיִם, שֶׁנֶּאֱמַר: "הֲיֵשׁ ה' בְּקִרְבֵּנוּ" (שמות יז, ז):

יח] הַיָּשָׁר וְהַטּוֹב. זוֹ פְּשָׁרָה לִפְנִים מִשּׁוּרַת הַדִּין:

יט] כַּאֲשֶׁר דִּבֵּר. וְהֵיכָן דִּבֵּר? "וְהַמֹּתִי אֶת כָּל הָעָם" וְגוֹ' (שמות כג, כז):

כ] כִּי יִשְׁאָלְךָ בִנְךָ מָחָר. יֵשׁ מָחָר שֶׁהוּא אַחַר זְמַן:

ביאור

שלא אתם אספתם. **וּבֹרֹת חֲצוּבִים** למים **אֲשֶׁר לֹא חָצַבְתָּ**, וכן **כְּרָמִים**
**וְזֵיתִים אֲשֶׁר לֹא נָטָעְתָּ – וְאָכַלְתָּ** את כל אלה **וְשָׂבָעְתָּ –** יב **הִשָּׁמֶר לְךָ**
**פֶּן תִּשְׁכַּח אֶת ה׳ אֲשֶׁר הוֹצִיאֲךָ מֵאֶרֶץ מִצְרַיִם, מִבֵּית עֲבָדִים.** יג **אֶת ה׳**
**אֱלֹהֶיךָ תִּירָא**. נְהג כלפיו ביראת כבוד. **וְאֹתוֹ תַעֲבֹד** ורק אחר כך,[57] אם
תצטרך להישבע[58] – **בִשְׁמוֹ תִּשָּׁבֵעַ**, וכך תקשר עצמך אליו. יד **לֹא**
**תֵלְכוּן אַחֲרֵי אֱלֹהִים אֲחֵרִים**, לעבדם או להישבע בהם,[59] **מֵאֱלֹהֵי הָעַמִּים**
**אֲשֶׁר סְבִיבוֹתֵיכֶם.** טו **כִּי אֵל קַנָּא ה׳ אֱלֹהֶיךָ בְּקִרְבֶּךָ**. אהבתו של ה׳
אליכם תובעת בלעדיות. הוא לא יהיה סובלני כלפיכם אם תעבדו
גם את אלוהי העמים האחרים, **פֶּן**, שמא **יֶחֱרֶה אַף**, יכעס **ה׳ אֱלֹהֶיךָ**
**בָּךְ, וְהִשְׁמִידְךָ מֵעַל פְּנֵי הָאֲדָמָה.**

טז כאשר עומדת בפניכם בעיה, ואתם זקוקים לעזרת ה׳, **לֹא תְנַסּוּ**
**אֶת ה׳ אֱלֹהֵיכֶם**, אל תבקשו את בקשתכם כבדיקה, בחינה או ניסיון
להוכחה, **כַּאֲשֶׁר נִסִּיתֶם בַּמַּסָּה**. הרי ניסיונכם במסה הסתיים רע.[60]

יז **שָׁמוֹר תִּשְׁמְרוּן אֶת מִצְוֹת ה׳ אֱלֹהֵיכֶם וְעֵדֹתָיו וְחֻקָּיו אֲשֶׁר צִוָּךְ**. ספר
התורה מכיל מצוות רבות מאוד המתייחסות לכל תחום מתחומי
החיים, אך כאן מופיעה דרישה רחבה יותר מן הציות למצוות
המסוימות: יח **וְעָשִׂיתָ הַיָּשָׁר וְהַטּוֹב בְּעֵינֵי ה׳**. אתה נדרש לעשות את
המעשים הנכונים והטובים בעיני ה׳, גם אם אינם מנוסחים במפורש
בתורה, **לְמַעַן יִיטַב לָךְ וּבָאתָ וְיָרַשְׁתָּ אֶת הָאָרֶץ הַטֹּבָה אֲשֶׁר נִשְׁבַּע ה׳**
**לַאֲבֹתֶיךָ,** יט **לַהֲדֹף אֶת כָּל אֹיְבֶיךָ מִפָּנֶיךָ, כַּאֲשֶׁר דִּבֶּר ה׳**. ההתנהגות
הראויה תיטיב עם ישראל ותגן עליהם מאויביהם.

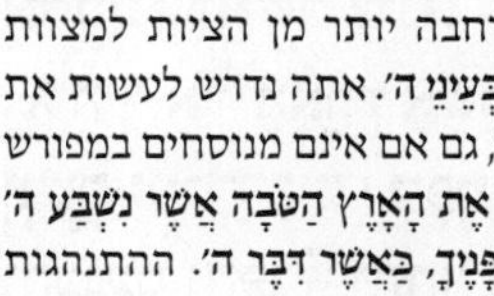

בור חצוב
לאגירת מים
מהתקופה הנבטית
ליד חורבת עוזה
(מבט מלמעלה)

מימין:
כרמים בגולן

משמאל:
מטע עצי זית

לֵאמֹר מָה הָעֵדֹת וְהַחֻקִּים וְהַמִּשְׁפָּטִים אֲשֶׁר צִוָּה
יְהוָה אֱלֹהֵינוּ אֶתְכֶם׃ וְאָמַרְתָּ לְבִנְךָ עֲבָדִים הָיִינוּ כא
לְפַרְעֹה בְּמִצְרָיִם וַיֹּצִיאֵנוּ יְהוָה מִמִּצְרַיִם בְּיָד חֲזָקָה׃
וַיִּתֵּן יְהוָה אוֹתֹת וּמֹפְתִים גְּדֹלִים וְרָעִים ׀ בְּמִצְרַיִם כב
בְּפַרְעֹה וּבְכָל־בֵּיתוֹ לְעֵינֵינוּ׃ וְאוֹתָנוּ הוֹצִיא מִשָּׁם כג
לְמַעַן הָבִיא אֹתָנוּ לָתֶת לָנוּ אֶת־הָאָרֶץ אֲשֶׁר נִשְׁבַּע
לַאֲבֹתֵינוּ׃ וַיְצַוֵּנוּ יְהוָה לַעֲשׂוֹת אֶת־כָּל־הַחֻקִּים כד
הָאֵלֶּה לְיִרְאָה אֶת־יְהוָה אֱלֹהֵינוּ לְטוֹב לָנוּ כָּל־
הַיָּמִים לְחַיֹּתֵנוּ כְּהַיּוֹם הַזֶּה׃ וּצְדָקָה תִּהְיֶה־לָּנוּ כִּי־ כה
נִשְׁמֹר לַעֲשׂוֹת אֶת־כָּל־הַמִּצְוָה הַזֹּאת לִפְנֵי יְהוָה
שביעי אֱלֹהֵינוּ כַּאֲשֶׁר צִוָּנוּ׃ כִּי יְבִיאֲךָ יְהוָה א ז
אֱלֹהֶיךָ אֶל־הָאָרֶץ אֲשֶׁר־אַתָּה בָא־שָׁמָּה לְרִשְׁתָּהּ
וְנָשַׁל גּוֹיִם־רַבִּים ׀ מִפָּנֶיךָ הַחִתִּי וְהַגִּרְגָּשִׁי וְהָאֱמֹרִי
וְהַכְּנַעֲנִי וְהַפְּרִזִּי וְהַחִוִּי וְהַיְבוּסִי שִׁבְעָה גוֹיִם רַבִּים
וַעֲצוּמִים מִמֶּךָּ׃ וּנְתָנָם יְהוָה אֱלֹהֶיךָ לְפָנֶיךָ וְהִכִּיתָם ב
הַחֲרֵם תַּחֲרִים אֹתָם לֹא־תִכְרֹת לָהֶם בְּרִית וְלֹא
תְחָנֵּם׃ וְלֹא תִתְחַתֵּן בָּם בִּתְּךָ לֹא־תִתֵּן לִבְנוֹ וּבִתּוֹ ג
לֹא־תִקַּח לִבְנֶךָ׃ כִּי־יָסִיר אֶת־בִּנְךָ מֵאַחֲרַי וְעָבְדוּ ד
אֱלֹהִים אֲחֵרִים וְחָרָה אַף־יְהוָה בָּכֶם וְהִשְׁמִידְךָ

רש"י | פרק ז

א] וְנָשַׁל. לְשׁוֹן הַשְׁלָכָה וְהַתָּזָה, וְכֵן: "וְנָשַׁל הַבַּרְזֶל" (להלן יט, ה):

ב] וְלֹא תְחָנֵּם. לֹא תִתֵּן לָהֶם חֵן, אָסוּר לוֹ לְאָדָם לוֹמַר: כַּמָּה נָאֶה גּוֹי זֶה. דָּבָר אַחֵר, לֹא תִתֵּן לָהֶם חֲנָיָה בָּאָרֶץ:

ד] כִּי יָסִיר אֶת בִּנְךָ מֵאַחֲרַי. בְּנוֹ שֶׁל גּוֹי כְּשֶׁיִּשָּׂא אֶת בִּתְּךָ, יָסִיר אֶת בִּנְךָ אֲשֶׁר תֵּלֵד

ביאור | כ כִּי יִשְׁאָלְךָ בִנְךָ מָחָר, כאשר תשבו כבר בארצכם, לֵאמֹר: ״מָה הָעֵדֹת,
המצוות הבאות כסימנים למצוות אחרות ולהנכחת דברי התורה,
או המצוות העשויות לשם זיכרון אירועי העבר. וְהַחֻקִּים, דינים
שההסבר להם אינו ידוע או ברור, וְהַמִּשְׁפָּטִים, המצוות שפירושיהן
גלויים ומובנים,[61] אֲשֶׁר צִוָּה ה׳ אֱלֹהֵינוּ אֶתְכֶם?״ מה טעמן של המצוות
הרבות שבתורה, ומדוע דווקא אנו צריכים לקיימם?
כא וְאָמַרְתָּ לְבִנְךָ: ״עֲבָדִים הָיִינוּ לְפַרְעֹה בְּמִצְרָיִם, וַיֹּצִיאֵנוּ ה׳ מִמִּצְרַיִם בְּיָד
חֲזָקָה. כב וַיִּתֵּן ה׳ אוֹתֹת וּמֹפְתִים גְּדֹלִים וְרָעִים בְּמִצְרַיִם, בְּפַרְעֹה וּבְכָל
בֵּיתוֹ לְעֵינֵינוּ. בעינינו ראינו את ה׳ מכה במצרים ובמלכם, כג וְאילו
אוֹתָנוּ הוֹצִיא מִשָּׁם, לא בגלל צדקותינו, אלא לְמַעַן הָבִיא אֹתָנוּ, לָתֶת
לָנוּ אֶת הָאָרֶץ אֲשֶׁר נִשְׁבַּע לַאֲבֹתֵינוּ. הוא שמר את בריתו שכרת
עם אבותינו. כד וַיְצַוֵּנוּ ה׳ לַעֲשׂוֹת אֶת כָּל הַחֻקִּים הָאֵלֶּה, לְיִרְאָה אֶת
ה׳ אֱלֹהֵינוּ לְטוֹב לָנוּ כָּל הַיָּמִים, לְחַיֹּתֵנוּ כְּהַיּוֹם הַזֶּה, על מנת שנמשיך
לחיות תמיד כמו שאנו חיים היום. כה וּצְדָקָה, מעשה צודק ונכון,[62]
תגמול[63] או: זכות[64] תִּהְיֶה לָּנוּ כִּי נִשְׁמֹר לַעֲשׂוֹת אֶת כָּל הַמִּצְוָה הַזֹּאת
לזיכרון לִפְנֵי ה׳ אֱלֹהֵינוּ כַּאֲשֶׁר צִוָּנוּ״.

פרק ז א כִּי יְבִיאֲךָ ה׳ אֱלֹהֶיךָ אֶל הָאָרֶץ אֲשֶׁר אַתָּה בָא שָׁמָּה לְרִשְׁתָּהּ,
וְנָשַׁל, ישיל גּוֹיִם רַבִּים מִפָּנֶיךָ, הוא יגרום לעזיבתם את מקומם.
גויים אלה הם הַחִתִּי וְהַגִּרְגָּשִׁי וְהָאֱמֹרִי וְהַכְּנַעֲנִי וְהַפְּרִזִּי וְהַחִוִּי וְהַיְבוּסִי,
שִׁבְעָה גוֹיִם שכולם רַבִּים וַעֲצוּמִים מִמֶּךָּ, ב ובכל זאת – וּנְתָנָם ה׳
אֱלֹהֶיךָ לְפָנֶיךָ וְהִכִּיתָם – הַחֲרֵם תַּחֲרִים אֹתָם, הילחם בהם עד חרמה.
לֹא תִכְרֹת לָהֶם בְּרִית וְלֹא תְחָנֵּם, אל תחוס עליהם,[65] ג וְלֹא תִתְחַתֵּן
בָּם. אל תקשור אתם קשרי משפחה.[66] חתונה זו יכולה להיעשות
בשני אופנים: בִּתְּךָ לֹא תִתֵּן לִבְנוֹ, וּבִתּוֹ לֹא תִקַּח לִבְנֶךָ. ד בין כך ובין
כך הדבר אסור כִּי יָסִיר אֶת בִּנְךָ מֵאַחֲרַי, וְעָבְדוּ אֱלֹהִים אֲחֵרִים. אם
יתערב במשפחה אדם מן החוץ, אמונותיו ומעשיו ישפיעו בהכרח
על הדורות הבאים. וְחָרָה אַף, יכעס ה׳ בָּכֶם וְהִשְׁמִידְךָ מַהֵר. ה אין

מַהֵר: כִּי אִם כֹּה תַעֲשׂוּ לָהֶם מִזְבְּחֹתֵיהֶם תִּתֹּצוּ ה
וּמַצֵּבֹתָם תְּשַׁבֵּרוּ וַאֲשֵׁירֵהֶם תְּגַדֵּעוּן וּפְסִילֵיהֶם
תִּשְׂרְפוּן בָּאֵשׁ: כִּי עַם קָדוֹשׁ אַתָּה לַיהוָה אֱלֹהֶיךָ ו
בְּךָ בָּחַר ׀ יְהוָה אֱלֹהֶיךָ לִהְיוֹת לוֹ לְעַם סְגֻלָּה מִכֹּל
הָעַמִּים אֲשֶׁר עַל־פְּנֵי הָאֲדָמָה: לֹא מֵרֻבְּכֶם מִכָּל־ ז
הָעַמִּים חָשַׁק יְהוָה בָּכֶם וַיִּבְחַר בָּכֶם כִּי־אַתֶּם
הַמְעַט מִכָּל־הָעַמִּים: כִּי מֵאַהֲבַת יְהוָה אֶתְכֶם ח
וּמִשָּׁמְרוֹ אֶת־הַשְּׁבֻעָה אֲשֶׁר נִשְׁבַּע לַאֲבֹתֵיכֶם הוֹצִיא
יְהוָה אֶתְכֶם בְּיָד חֲזָקָה וַיִּפְדְּךָ מִבֵּית עֲבָדִים מִיַּד
מפטיר פַּרְעֹה מֶלֶךְ־מִצְרָיִם: וְיָדַעְתָּ כִּי־יְהוָה אֱלֹהֶיךָ הוּא ט
הָאֱלֹהִים הָאֵל הַנֶּאֱמָן שֹׁמֵר הַבְּרִית וְהַחֶסֶד לְאֹהֲבָיו
וּלְשֹׁמְרֵי מִצְוֹתָו לְאֶלֶף דּוֹר: וּמְשַׁלֵּם לְשֹׂנְאָיו אֶל־ י
פָּנָיו לְהַאֲבִידוֹ לֹא יְאַחֵר לְשֹׂנְאוֹ אֶל־פָּנָיו יְשַׁלֶּם־לוֹ:

רש"י | לוֹ כְּתַךְ מֵאַחֲרַי. לָמַדְנוּ שֶׁבֵּן בִּתְּךָ הַבָּא מִן הַגּוֹי קָרוּי בִּנְךָ, אֲבָל בֶּן בִּנְךָ הַבָּא מִן הַגּוֹיָה אֵינוֹ קָרוּי בִּנְךָ, שֶׁהֲרֵי לֹא נֶאֱמַר עַל בִּתּוֹ: לֹא תִקַּח, כִּי יָסִיר אֶת בִּנְךָ מֵאַחֲרַי:

ה| מִזְבְּחֹתֵיהֶם. שֶׁל בִּנְיָן: וּמַצֵּבֹתָם. אֶבֶן אַחַת: וַאֲשֵׁירֵהֶם. אִילָנוֹת שֶׁעוֹבְדִין אוֹתָן: וּפְסִילֵיהֶם. צְלָמִים:

ז| לֹא מֵרֻבְּכֶם. כִּפְשׁוּטוֹ. וּמִדְרָשׁוֹ, לְפִי שֶׁאֵין אַתֶּם מַגְדִּילִים עַצְמְכֶם כְּשֶׁאֲנִי מַשְׁפִּיעַ לָכֶם טוֹבָה, לְפִיכָךְ חָשַׁק בָּכֶם: כִּי אַתֶּם הַמְעַט. הַמְמַעֲטִים עַצְמְכֶם, כְּמוֹ: "וְאָנֹכִי עָפָר וָאֵפֶר" (בראשית יח, כז), "וְנַחְנוּ מָה" (שמות טז, ז); לֹא כִּנְבוּכַדְנֶצַּר שֶׁאָמַר: "אֶדַּמֶּה לְעֶלְיוֹן" (ישעיה יד, יד), וְסַנְחֵרִיב שֶׁאָמַר: "מִי בְּכָל אֱלֹהֵי הָאֲרָצוֹת" (שם לו, כ), וְחִירָם שֶׁאָמַר: "אֵל אָנִי מוֹשַׁב אֱלֹהִים יָשַׁבְתִּי" (יחזקאל כח, ב): כִּי אַתֶּם הַמְעַט. הֲרֵי "כִּי" מְשַׁמֵּשׁ בִּלְשׁוֹן "דְּהָא":

ח| כִּי מֵאַהֲבַת ה'. הֲרֵי 'כִּי' מְשַׁמֵּשׁ בִּלְשׁוֹן 'אֶלָּא', לֹא מֵרֻבְּכֶם חָשַׁק ה' בָּכֶם אֶלָּא מֵאַהֲבַת ה' אֶתְכֶם: וּמִשָּׁמְרוֹ אֶת הַשְּׁבֻעָה. מֵאֲשֶׁר שָׁמַר אֶת הַשְּׁבוּעָה:

ט| לְאֶלֶף דּוֹר. וּלְהַלָּן הוּא אוֹמֵר: "לַאֲלָפִים" (לעיל ה, י), כָּאן שֶׁהוּא סָמוּךְ אֵצֶל "לְשֹׁמְרֵי מִצְוֹתָיו" הוּא אוֹמֵר "לְאֶלֶף", וּלְהַלָּן שֶׁהוּא סָמוּךְ אֵצֶל "לְאֹהֲבַי" הוּא אוֹמֵר "לַאֲלָפִים": לְאֹהֲבָיו. אֵלּוּ הָעוֹשִׂין מֵאַהֲבָה: וּלְשֹׁמְרֵי מִצְוֹתָיו. אֵלּוּ הָעוֹשִׂין מִיִּרְאָה:

י| וּמְשַׁלֵּם לְשֹׂנְאָיו אֶל פָּנָיו. בְּחַיָּיו מְשַׁלֵּם לוֹ גְּמוּלוֹ הַטּוֹב, כְּדֵי לְהַאֲבִידוֹ מִן הָעוֹלָם הַבָּא:

ביאור | לכרות ברית עם יושבי הארץ ואין לקיים אתם קשרי משפחה כִּי אִם
כֹּה, אלא כך תַעֲשׂוּ לָהֶם: את מִזְבְּחֹתֵיהֶם תִּתֹּצוּ, תשברו, ואת מַצֵּבֹתָם,
העשויות מאבן אחת, תְּשַׁבֵּרוּ, ואת אֲשֵׁירֵהֶם, העצים המשמשים
לפולחן תְּגַדֵּעוּן, ואת פְסִילֵיהֶם תִּשְׂרְפוּן בָּאֵשׁ. עליכם להשמיד את
העבודה הזרה ואת כל מה שקשור אליה. ו כִּי עַם קָדוֹשׁ אַתָּה
לַה׳ אֱלֹהֶיךָ. בְּךָ בָּחַר ה׳ אֱלֹהֶיךָ לִהְיוֹת לוֹ לְעַם סְגֻלָּה מִכֹּל הָעַמִּים אֲשֶׁר
עַל פְּנֵי הָאֲדָמָה, ועל כן עליך להיבדל לחלוטין מטומאות הגויים
ומחוקותיהם.

ז לֹא מֵרֻבְּכֶם, מכיוון שאתם העם הגדול ביותר מִכָּל הָעַמִּים חָשַׁק ה׳
בָּכֶם וַיִּבְחַר בָּכֶם, כִּי אַתֶּם הַמְעַט מִכָּל הָעַמִּים. ח כִּי אם מֵאַהֲבַת ה׳
אֶתְכֶם, וּמִשָּׁמְרוֹ אֶת הַשְּׁבֻעָה אֲשֶׁר נִשְׁבַּע לַאֲבֹתֵיכֶם הוֹצִיא ה׳ אֶתְכֶם
בְּיָד חֲזָקָה, וַיִּפְדְּךָ, והציל אותך מִבֵּית עֲבָדִים מִיַּד פַּרְעֹה מֶלֶךְ מִצְרָיִם.

ט וְיָדַעְתָּ, היה מודע, הרהר והפנם כִּי ה׳ אֱלֹהֶיךָ הוּא הָאֱלֹהִים, הָאֵל
הַנֶּאֱמָן, שֹׁמֵר הַבְּרִית וְהַחֶסֶד לְאֹהֲבָיו וּלְשֹׁמְרֵי מִצְוֹתָיו עד לְאֶלֶף דּוֹר,
מצד אחד; י ומצד שני, הוא מְשַׁלֵּם לְשֹׂנְאָיו אֶל פָּנָיו לְהַאֲבִידוֹ.
בנוגע לשונאים, ה׳ אינו מאריך אפו אלא מעניש מהר הרבה יותר.
לֹא יְאַחֵר לְשֹׂנְאוֹ – אֶל פָּנָיו, בחייו יְשַׁלֶּם לוֹ את עונשו.

יא וְשָׁמַרְתָּ אֶת־הַמִּצְוָה וְאֶת־הַחֻקִּים וְאֶת־הַמִּשְׁפָּטִים
אֲשֶׁר אָנֹכִי מְצַוְּךָ הַיּוֹם לַעֲשׂוֹתָם׃
עקב ז יב וְהָיָה ׀ עֵקֶב תִּשְׁמְעוּן אֵת הַמִּשְׁפָּטִים הָאֵלֶּה
וּשְׁמַרְתֶּם וַעֲשִׂיתֶם אֹתָם וְשָׁמַר יְהוָה אֱלֹהֶיךָ לְךָ אֶת־
יג הַבְּרִית וְאֶת־הַחֶסֶד אֲשֶׁר נִשְׁבַּע לַאֲבֹתֶיךָ׃ וַאֲהֵבְךָ
וּבֵרַכְךָ וְהִרְבֶּךָ וּבֵרַךְ פְּרִי־בִטְנְךָ וּפְרִי־אַדְמָתֶךָ דְּגָנְךָ
וְתִירֹשְׁךָ וְיִצְהָרֶךָ שְׁגַר־אֲלָפֶיךָ וְעַשְׁתְּרֹת צֹאנֶךָ עַל
יד הָאֲדָמָה אֲשֶׁר־נִשְׁבַּע לַאֲבֹתֶיךָ לָתֶת לָךְ׃ בָּרוּךְ
תִּהְיֶה מִכָּל־הָעַמִּים לֹא־יִהְיֶה בְךָ עָקָר וַעֲקָרָה
טו וּבִבְהֶמְתֶּךָ׃ וְהֵסִיר יְהוָה מִמְּךָ כָּל־חֹלִי וְכָל־מַדְוֵי
מִצְרַיִם הָרָעִים אֲשֶׁר יָדַעְתָּ לֹא יְשִׂימָם בָּךְ וּנְתָנָם
טז בְּכָל־שֹׂנְאֶיךָ׃ וְאָכַלְתָּ אֶת־כָּל־הָעַמִּים אֲשֶׁר יְהוָה
אֱלֹהֶיךָ נֹתֵן לָךְ לֹא־תָחוֹס עֵינְךָ עֲלֵיהֶם וְלֹא תַעֲבֹד
יז אֶת־אֱלֹהֵיהֶם כִּי־מוֹקֵשׁ הוּא לָךְ׃ כִּי
תֹאמַר בִּלְבָבְךָ רַבִּים הַגּוֹיִם הָאֵלֶּה מִמֶּנִּי אֵיכָה אוּכַל
יח לְהוֹרִישָׁם׃ לֹא תִירָא מֵהֶם זָכֹר תִּזְכֹּר אֵת אֲשֶׁר־

רש"י

יא) **הַיּוֹם לַעֲשׂוֹתָם.** וּלְמָחָר, לָעוֹלָם הַבָּא, לִטֹּל שְׂכָרָם:

יב) **וְהָיָה עֵקֶב תִּשְׁמְעוּן.** אִם הַמִּצְוֹת הַקַּלּוֹת שֶׁאָדָם דָּשׁ בַּעֲקֵבָיו תִּשְׁמְעוּן: **וְשָׁמַר ה׳ וגו׳.** יִשְׁמֹר לְךָ הַבְטָחָתוֹ:

יג) **שְׁגַר אֲלָפֶיךָ.** וַלְדֵי בְקָרְךָ שֶׁהַנְּקֵבָה מְשַׁגֶּרֶת מִמֵּעֶיהָ: **וְעַשְׁתְּרֹת צֹאנֶךָ.** מְנַחֵם פֵּרַשׁ: "אַבִּירֵי בָשָׁן" (תהלים כב, יג) מִבְחַר הַצֹּאן, כְּמוֹ: ׳עַשְׁתְּרֹת קַרְנַיִם׳, לְשׁוֹן חֹזֶק, וְאוּנְקְלוֹס תִּרְגֵּם: "וְעֶדְרֵי עָנָךְ", וְרַבּוֹתֵינוּ אָמְרוּ: לָמָּה נִקְרָא שְׁמָם ׳עַשְׁתָּרוֹת׳? שֶׁמְּעַשְּׁרוֹת אֶת בַּעֲלֵיהֶן:

יד) **עָקָר.** שֶׁאֵינוֹ מוֹלִיד:

יז–יח) **כִּי תֹאמַר בִּלְבָבְךָ.** עַל כָּרְחֲךָ לְשׁוֹן ׳דִּלְמָא׳ הוּא, שֶׁמָּא תֹאמַר בִּלְבָבְךָ מִפְּנֵי שֶׁהֵם רַבִּים לֹא אוּכַל לְהוֹרִישָׁם, אַל תֹּאמַר כֵּן, "לֹא תִירָא מֵהֶם"! וְלֹא יִתָּכֵן לְפָרְשׁוֹ בְּאֶחָד מִשְּׁאָר לְשׁוֹנוֹת שֶׁל ׳כִּי׳ שֶׁיִּפֹּל עָלָיו שׁוּב "לֹא תִירָא מֵהֶם":

ביאור

יא וְשָׁמַרְתָּ אֶת הַמִּצְוָה וְאֶת הַחֻקִּים וְאֶת הַמִּשְׁפָּטִים אֲשֶׁר אָנֹכִי מְצַוְּךָ
הַיּוֹם, לַעֲשׂוֹתָם.

פרשת עקב

יב וְהָיָה עֵקֶב, הואיל וּתִשְׁמְעוּן אֵת הַמִּשְׁפָּטִים הָאֵלֶּה, וּשְׁמַרְתֶּם
וַעֲשִׂיתֶם אֹתָם, וְשָׁמַר ה׳ אֱלֹהֶיךָ לְךָ אֶת הַבְּרִית וְאֶת הַחֶסֶד אֲשֶׁר
נִשְׁבַּע לַאֲבֹתֶיךָ. יג וַאֲהֵבְךָ וּבֵרַכְךָ וְהִרְבֶּךָ – וּבֵרַךְ פְּרִי בִטְנְךָ וּפְרִי אַדְמָתֶךָ,
דְּגָנְךָ וְתִירֹשְׁךָ, יינך וְיִצְהָרֶךָ, שמנך, שְׁגַר אֲלָפֶיךָ, ולדות בקרך וְעַשְׁתְּרֹת,
וולדות[1] צֹאנֶךָ. עַל הָאֲדָמָה אֲשֶׁר נִשְׁבַּע לַאֲבֹתֶיךָ לָתֶת לָךְ. יד בָּרוּךְ
תִּהְיֶה מִכָּל הָעַמִּים. בראש ובראשונה – לֹא יִהְיֶה בְךָ עָקָר וַעֲקָרָה,
לא בך ולא בִּבְהֶמְתֶּךָ. טו וְהֵסִיר ה׳ מִמְּךָ כָּל חֹלִי וְכָל מַדְוֵי, תחלואי
מִצְרַיִם הָרָעִים אֲשֶׁר יָדַעְתָּ, המכות שראיתם במצרים – לֹא יְשִׂימָם בָּךְ.
וּנְתָנָם בְּכָל שֹׂנְאֶיךָ. טז וְאָכַלְתָּ, כלה אֶת כָּל הָעַמִּים אֲשֶׁר ה׳ אֱלֹהֶיךָ
נֹתֵן לָךְ. לֹא תָחוֹס עֵינְךָ עֲלֵיהֶם, וְשוב – לֹא תַעֲבֹד אֶת אֱלֹהֵיהֶם, כִּי מוֹקֵשׁ
הוּא לָךְ.

יז כִּי תֹאמַר בִּלְבָבְךָ: רַבִּים הַגּוֹיִם הָאֵלֶּה מִמֶּנִּי, אֵיכָה אוּכַל לְהוֹרִישָׁם,
לסלק את כולם? יח לֹא תִירָא מֵהֶם. זָכֹר תִּזְכֹּר אֵת אֲשֶׁר עָשָׂה ה׳ אֱלֹהֶיךָ

מימין:
שְׁגַר אֲלָפֶיךָ

משמאל:
עשתרות צאן

עָשָׂה יְהוָה אֱלֹהֶיךָ לְפַרְעֹה וּלְכָל־מִצְרָיִם׃ הַמַּסֹּת יט
הַגְּדֹלֹת אֲשֶׁר־רָאוּ עֵינֶיךָ וְהָאֹתֹת וְהַמֹּפְתִים וְהַיָּד
הַחֲזָקָה וְהַזְּרֹעַ הַנְּטוּיָה אֲשֶׁר הוֹצִאֲךָ יְהוָה אֱלֹהֶיךָ
כֵּן־יַעֲשֶׂה יְהוָה אֱלֹהֶיךָ לְכָל־הָעַמִּים אֲשֶׁר־אַתָּה יָרֵא
מִפְּנֵיהֶם׃ וְגַם אֶת־הַצִּרְעָה יְשַׁלַּח יְהוָה אֱלֹהֶיךָ בָּם כ
עַד־אֲבֹד הַנִּשְׁאָרִים וְהַנִּסְתָּרִים מִפָּנֶיךָ׃ לֹא תַעֲרֹץ כא
מִפְּנֵיהֶם כִּי־יְהוָה אֱלֹהֶיךָ בְּקִרְבֶּךָ אֵל גָּדוֹל וְנוֹרָא׃
וְנָשַׁל יְהוָה אֱלֹהֶיךָ אֶת־הַגּוֹיִם הָאֵל מִפָּנֶיךָ מְעַט כב
מְעָט לֹא תוּכַל כַּלֹּתָם מַהֵר פֶּן־תִּרְבֶּה עָלֶיךָ חַיַּת
הַשָּׂדֶה׃ וּנְתָנָם יְהוָה אֱלֹהֶיךָ לְפָנֶיךָ וְהָמָם מְהוּמָה כג
גְדֹלָה עַד הִשָּׁמְדָם׃ וְנָתַן מַלְכֵיהֶם בְּיָדֶךָ וְהַאֲבַדְתָּ כד
אֶת־שְׁמָם מִתַּחַת הַשָּׁמָיִם לֹא־יִתְיַצֵּב אִישׁ בְּפָנֶיךָ
עַד הִשְׁמִדְךָ אֹתָם׃ פְּסִילֵי אֱלֹהֵיהֶם תִּשְׂרְפוּן בָּאֵשׁ כה
לֹא־תַחְמֹד כֶּסֶף וְזָהָב עֲלֵיהֶם וְלָקַחְתָּ לָךְ פֶּן תִּוָּקֵשׁ
בּוֹ כִּי תוֹעֲבַת יְהוָה אֱלֹהֶיךָ הוּא׃ וְלֹא־תָבִיא תוֹעֵבָה כו
אֶל־בֵּיתֶךָ וְהָיִיתָ חֵרֶם כָּמֹהוּ שַׁקֵּץ ׀ תְּשַׁקְּצֶנּוּ וְתַעֵב ׀
תְּתַעֲבֶנּוּ כִּי־חֵרֶם הוּא׃

רש״י

יט) **הַמַּסֹּת.** נִסְיוֹנוֹת: **וְהָאֹתֹת.** כְּגוֹן: "וַיְהִי לְנָחָשׁ" (שמות ד, ג), "וְהָיוּ לְדָם בַּיַּבָּשֶׁת" (שם פסוק ט): **וְהַמֹּפְתִים.** הַמַּכּוֹת הַמֻּפְלָאוֹת: **וְהַיָּד הַחֲזָקָה.** זֶה הַדֶּבֶר: **וְהַזְּרֹעַ הַנְּטוּיָה.** זוֹ הַחֶרֶב שֶׁל מַכַּת בְּכוֹרוֹת:

כ) **הַצִּרְעָה.** מִין שֶׁרֶץ הָעוֹף, שֶׁהָיְתָה זוֹרֶקֶת בָּהֶם מָרָה וּמְסָרַסְתָּן וּמְסַמָּה אֶת עֵינֵיהֶם בְּכָל מָקוֹם שֶׁהָיוּ נִסְתָּרִים שָׁם:

כב) **פֶּן תִּרְבֶּה עָלֶיךָ חַיַּת הַשָּׂדֶה.** וַהֲלֹא אִם עוֹשִׂין רְצוֹנוֹ שֶׁל מָקוֹם אֵין מִתְיָרְאִין מִן הַחַיָּה, שֶׁנֶּאֱמַר: "וְחַיַּת הַשָּׂדֶה הָשְׁלְמָה לָךְ" (איוב ה, כג)? אֶלָּא גָּלוּי הָיָה לְפָנָיו שֶׁעֲתִידִין לַחְטֹא:

כג) **וְהָמָם.** נָקוּד קָמַץ כֻּלּוֹ, לְפִי שֶׁאֵין מֵ"ם אַחֲרוֹנָה מִן הַיְסוֹד, וַהֲרֵי הוּא כְּמוֹ: 'וְהָם אוֹתָם', אֲבָל "וְהָמַם גִּלְגַּל עֶגְלָתוֹ" (ישעיה כח, כח) כֻּלּוֹ יְסוֹד, לְפִיכָךְ חֶצְיוֹ קָמַץ וְחֶצְיוֹ פַּתָּח, כְּאֶחָד פֹּעַל שֶׁל שָׁלֹשׁ אוֹתִיּוֹת:

ביאור | **לְפַרְעֹה וּלְכָל מִצְרָיִם:** יט **הַמַּסֹּת**, הנסים,[2] הניסיונות[3] או ההתרחשויות
**הַגְּדֹלֹת אֲשֶׁר רָאוּ עֵינֶיךָ, וְהָאֹתֹת וְהַמֹּפְתִים וְהַיָּד הַחֲזָקָה וְהַזְּרֹעַ הַנְּטוּיָה**
**אֲשֶׁר** בהם **הוֹצִאֲךָ ה׳ אֱלֹהֶיךָ. כֵּן** – באותות, מופתים ופורענויות **יַעֲשֶׂה**
**ה׳ אֱלֹהֶיךָ לְכָל הָעַמִּים אֲשֶׁר אַתָּה יָרֵא מִפְּנֵיהֶם.** בצד ניצחונותיכם
במלחמות ה׳ יסייע לכם גם בדרכים נוספות: כ **וְגַם אֶת הַצִּרְעָה,**
שרץ העוף הקרוי כך גם היום – מכת צרעות תבריח את תושבי
הארץ ממקומות המסתור שלהם,[4] או: מין צרעת, מחלה[5] **יְשַׁלַּח ה׳**
**אֱלֹהֶיךָ בָּם, עַד אֲבֹד הַנִּשְׁאָרִים וְהַנִּסְתָּרִים מִפָּנֶיךָ.** כא **לֹא תַעֲרֹץ**, תישבר,[6]
תפחד **מִפְּנֵיהֶם, כִּי ה׳ אֱלֹהֶיךָ בְּקִרְבֶּךָ, אֵל גָּדוֹל וְנוֹרָא.** רק ממנו ראוי
לירוא. כב **וְנָשַׁל**, יסיר ויגרש **ה׳ אֱלֹהֶיךָ אֶת הַגּוֹיִם הָאֵל**, האלה **מִפָּנֶיךָ**
**מְעַט מְעָט. לֹא תוּכַל כַּלֹּתָם**, לא יהיה לטובתך[7] אם יושמדו **מַהֵר, פֶּן**
**תִּרְבֶּה עָלֶיךָ חַיַּת הַשָּׂדֶה.** אילו הושמדו הגויים הרבים בבת אחת,
עד התיישבותכם המלאה בארץ היו השטחים שהתרוקנו הופכים
מקום משכנן של חיות הבר. כג **וּנְתָנָם** – את הגויים הללו **ה׳ אֱלֹהֶיךָ**
**לְפָנֶיךָ, וְהָמָם** מהומה **גְדֹלָה**, יכה ויטשטש אותם **עַד הִשָּׁמְדָם.** כד **וְנָתַן**
**מַלְכֵיהֶם בְּיָדֶךָ.**

ואתה מצדך – **וְהַאֲבַדְתָּ אֶת שְׁמָם מִתַּחַת הַשָּׁמָיִם.** אסור לך להנציח
את שמותיהם של עובדי עבודה זרה, וכל שכן את שמות אלוהיהם.
**לֹא יִתְיַצֵּב אִישׁ בְּפָנֶיךָ עַד הִשְׁמִדְךָ אֹתָם.** כה **פְּסִילֵי אֱלֹהֵיהֶם תִּשְׂרְפוּן**
**בָּאֵשׁ. לֹא תַחְמֹד** אפילו **כֶּסֶף וְזָהָב** שיש **עֲלֵיהֶם וְלָקַחְתָּ לָךְ**, אף שלכאורה
היה סביר שאם אדם מוצא חפץ בעל ערך הוא ייקח אותו לעצמו,
**פֶּן תִּוָּקֵשׁ בּוֹ**, שמא הדבר יהיה לך למוקש ולמכשול, **כִּי תוֹעֲבַת**
**ה׳ אֱלֹהֶיךָ הוּא,** כו **וְלֹא תָבִיא תוֹעֵבָה**, וחפצים הקשורים בה **אֶל**
**בֵּיתֶךָ**, שכן אם תביא – **וְהָיִיתָ חֵרֶם**, מתועב ומרוחק **כָּמֹהוּ** – כמו
התועבה. **שַׁקֵּץ תְּשַׁקְּצֶנּוּ וְתַעֵב תְּתַעֲבֶנּוּ כִּי חֵרֶם הוּא**, ואל לך לבוא עמו
במגע.

צרעה מזרחית

**העולם** | **הַצִּרְעָה** צרעה מזרחית (שם מדעי: Vespa orientalis), שרץ שאורכו 20-22 מ״מ, ועקיצתו קשה.

כָּל־הַמִּצְוָה אֲשֶׁר אָנֹכִי מְצַוְּךָ הַיּוֹם תִּשְׁמְרוּן לַעֲשׂוֹת א ח
לְמַעַן תִּחְיוּן וּרְבִיתֶם וּבָאתֶם וִירִשְׁתֶּם אֶת־הָאָרֶץ
אֲשֶׁר־נִשְׁבַּע יְהוָה לַאֲבֹתֵיכֶם׃ וְזָכַרְתָּ אֶת־כָּל־ ב
הַדֶּרֶךְ אֲשֶׁר הוֹלִיכְךָ יְהוָה אֱלֹהֶיךָ זֶה אַרְבָּעִים שָׁנָה
בַּמִּדְבָּר לְמַעַן עַנֹּתְךָ לְנַסֹּתְךָ לָדַעַת אֶת־אֲשֶׁר
בִּלְבָבְךָ הֲתִשְׁמֹר מִצְוֺתָו אִם־לֹא׃ וַיְעַנְּךָ וַיַּרְעִבֶךָ ג
וַיַּאֲכִלְךָ אֶת־הַמָּן אֲשֶׁר לֹא־יָדַעְתָּ וְלֹא יָדְעוּן אֲבֹתֶיךָ
לְמַעַן הוֹדִיעֲךָ כִּי לֹא עַל־הַלֶּחֶם לְבַדּוֹ יִחְיֶה הָאָדָם
כִּי עַל־כָּל־מוֹצָא פִי־יְהוָה יִחְיֶה הָאָדָם׃ · שִׂמְלָתְךָ ד
לֹא בָלְתָה מֵעָלֶיךָ וְרַגְלְךָ לֹא בָצֵקָה זֶה אַרְבָּעִים
שָׁנָה׃ וְיָדַעְתָּ עִם־לְבָבֶךָ כִּי כַּאֲשֶׁר יְיַסֵּר אִישׁ אֶת־ ה
בְּנוֹ יְהוָה אֱלֹהֶיךָ מְיַסְּרֶךָּ׃ וְשָׁמַרְתָּ אֶת־מִצְוֺת יְהוָה ו
אֱלֹהֶיךָ לָלֶכֶת בִּדְרָכָיו וּלְיִרְאָה אֹתוֹ׃ כִּי יְהוָה אֱלֹהֶיךָ ז
מְבִיאֲךָ אֶל־אֶרֶץ טוֹבָה אֶרֶץ נַחֲלֵי מָיִם עֲיָנֹת

**רש"י | פרק ח**

א] כָּל הַמִּצְוָה. כִּפְשׁוּטוֹ. וּמִדְרַשׁ אַגָּדָה, אִם הִתְחַלְתָּ בְּמִצְוָה, גְּמֹר אוֹתָהּ, שֶׁאֵינָהּ נִקְרֵאת אֶלָּא עַל שֵׁם הַגּוֹמְרָהּ, שֶׁנֶּאֱמַר: "וְאֶת עַצְמוֹת יוֹסֵף אֲשֶׁר הֶעֱלוּ בְנֵי יִשְׂרָאֵל מִמִּצְרַיִם קָבְרוּ בִשְׁכֶם" (יהושע כד, לב), וַהֲלֹא מֹשֶׁה לְבַדּוֹ נִתְעַסֵּק בָּהֶם לְהַעֲלוֹתָם (שמות יג, יט)? אֶלָּא לְפִי שֶׁלֹּא הִסְפִּיק לְגָמְרָהּ וּגְמָרוּהָ יִשְׂרָאֵל, נִקְרֵאת עַל שְׁמָם:

ב] הֲתִשְׁמֹר מִצְוֹתָו. שֶׁלֹּא תְנַסֵּהוּ וְלֹא תְהַרְהֵר אַחֲרָיו:

ד] שִׂמְלָתְךָ לֹא בָלְתָה. עַנְנֵי כָבוֹד הָיוּ שָׁפִים בִּכְסוּתָם וּמְגַהֲצִים אוֹתָם כְּמִין כֵּלִים מְגֻהָצִים, וְאַף קְטַנֵּיהֶם כְּמוֹ שֶׁהָיוּ גְדֵלִים, הָיָה גָדֵל לְבוּשָׁן עִמָּהֶם, כִּלְבוּשׁ הַזֶּה שֶׁל חֹמֶט שֶׁגָּדֵל עִמּוֹ: לֹא בָצֵקָה. לֹא נָפְחָה כְּבָצֵק, כְּדֶרֶךְ הוֹלְכֵי יָחֵף שֶׁרַגְלֵיהֶם נְפוּחוֹת:

**הרחבות** | **'למען ענֹתך לנסֹתך'** במהלך ארבעים שנות ההליכה במדבר התעצבה דמות דיוקנו של ישראל כעם השומר את מצוות ה'. סבלו של העם לא הסתיים עם יציאתו מייסורי כור ההיתוך של בית העבדים המצרי (לעיל ד,כ); אף המסע במדבר היה רצוף ניסיונות, ואף הוא שימש כור ליצירת צביונו של העם. ניסיון המדבר נועד לבדוק אם כאשר ה' דואג לצורכיהם של ישראל, הם שומרים אמונים למצוותיו.

ביאור | פרק ח א **כָּל הַמִּצְוָה אֲשֶׁר אָנֹכִי מְצַוְּךָ הַיּוֹם**, הן המצוות שכבר נזכרו והן
אלה שידובר בהן בהמשך **תִּשְׁמְרוּן לַעֲשׂוֹת לְמַעַן תִּחְיוּן**, כדי שתישארו
חיים, שהרי כבר ראיתם שמי שזנח את הקשר עם ה' – הושמד,[8] ומעבר
לשרידתכם בחיים, חיי המצוות יביאו לכם טובות נוספות – **וּרְבִיתֶם
וּבָאתֶם וִירִשְׁתֶּם אֶת הָאָרֶץ אֲשֶׁר נִשְׁבַּע ה' לַאֲבֹתֵיכֶם.**

מלבד הציות המעשי למצוות חשוב גם שתיצמדו לזיכרון הקולקטיבי
של עמכם, הכולל את תקופת הנדודים במדבר, העומדת להסתיים
בקרוב: ב **וְזָכַרְתָּ אֶת כָּל הַדֶּרֶךְ אֲשֶׁר הוֹלִיכְךָ ה' אֱלֹהֶיךָ זֶה אַרְבָּעִים שָׁנָה
בַּמִּדְבָּר**, והדבר נעשה **לְמַעַן עַנֹּתְךָ**, כדי להרגילכם לתנאי נדודים וגלות,[9]
וגם כדי **לְנַסֹּתְךָ, לָדַעַת**, לגלות[10] **אֶת אֲשֶׁר בִּלְבָבְךָ – הֲתִשְׁמֹר מִצְוֹתָיו
אִם לֹא.** ג אמנם – **וַיְעַנְּךָ וַיַּרְעִבֶךָ**, ועם זאת – **וַיַּאֲכִלְךָ אֶת הַמָּן**, שהוא
מאכל **אֲשֶׁר לֹא יָדַעְתָּ וְלֹא יָדְעוּן אֲבֹתֶיךָ, לְמַעַן הוֹדִיעֲךָ כִּי לֹא עַל הַלֶּחֶם
לְבַדּוֹ יִחְיֶה הָאָדָם, כִּי** אם **עַל כָּל מוֹצָא פִי ה' יִחְיֶה הָאָדָם.** ד **שִׂמְלָתְךָ
לֹא בָלְתָה**, בגדיך לא בלו **מֵעָלֶיךָ, וְרַגְלְךָ לֹא בָצֵקָה זֶה אַרְבָּעִים שָׁנָה.**
למרות ההליכה הממושכת סופקו לכם כל צורכיכם. ה **וְיָדַעְתָּ עִם
לְבָבֶךָ**, כאשר תתן דעתך לכך תבין **כִּי כַּאֲשֶׁר**, כמו **שֶׁיְיַסֵּר אִישׁ אֶת
בְּנוֹ** מתוך דאגה ואהבה **ה' אֱלֹהֶיךָ מְיַסְּרֶךָּ.** הבן יודע שעונשו בא לו
מתוך ההשגחה והאכפתיות של אביו, ושגם אם אביו מייסרו, הוא
לא יחדל מן הדאגה לצרכיו. באותו אופן אתם ראיתם שבצד כל
ייסוריכם, לא פסק המן לרדת אפילו יום אחד.

ו **וְשָׁמַרְתָּ אֶת מִצְוֹת ה' אֱלֹהֶיךָ, לָלֶכֶת בִּדְרָכָיו וּלְיִרְאָה אֹתוֹ.** הקשר עמו
אינו מושתת רק על אהבה ורצון, אלא יש בו מחויבות לחוק ולמשפט
המושתתת על יראה.

ז **כִּי ה' אֱלֹהֶיךָ מְבִיאֲךָ אֶל אֶרֶץ טוֹבָה, אֶרֶץ נַחֲלֵי מָיִם, עֲיָנֹת**, מעיינות

אֶרֶץ נַחֲלֵי מָיִם עֲיָנֹת וּתְהֹמֹת יֹצְאִים בַּבִּקְעָה וּבָהָר
נחל סער בגולן

הרחבות | **"על כל מוצא פי ה'"** לאור חייכם הנסיים במדבר אתם יודעים עתה שאפשר לחיות ללא לחם מן הארץ. מי שיהרהר עוד בדבר ייווכח שגם הלחם הטבעי, העשוי ממיני הדגן, קיים בעולם רק בזכות מאמרותיו הבוראים של ה'.

ח וּתְהֹמֹת יֹצְאִים בַּבִּקְעָה וּבָהָר׃ אֶרֶץ חִטָּה וּשְׂעֹרָה
ט וְגֶפֶן וּתְאֵנָה וְרִמּוֹן אֶרֶץ־זֵית שֶׁמֶן וּדְבָשׁ׃ אֶרֶץ אֲשֶׁר
לֹא בְמִסְכֵּנֻת תֹּאכַל־בָּהּ לֶחֶם לֹא־תֶחְסַר כֹּל בָּהּ
אֶרֶץ אֲשֶׁר אֲבָנֶיהָ בַרְזֶל וּמֵהֲרָרֶיהָ תַּחְצֹב נְחֹשֶׁת׃
י וְאָכַלְתָּ וְשָׂבָעְתָּ וּבֵרַכְתָּ אֶת־יְהוָה אֱלֹהֶיךָ עַל־
יא הָאָרֶץ הַטֹּבָה אֲשֶׁר נָתַן־לָךְ׃ הִשָּׁמֶר לְךָ פֶּן־תִּשְׁכַּח שני
אֶת־יְהוָה אֱלֹהֶיךָ לְבִלְתִּי שְׁמֹר מִצְוֺתָיו וּמִשְׁפָּטָיו
יב וְחֻקֹּתָיו אֲשֶׁר אָנֹכִי מְצַוְּךָ הַיּוֹם׃ פֶּן־תֹּאכַל וְשָׂבָעְתָּ
יג וּבָתִּים טֹבִים תִּבְנֶה וְיָשָׁבְתָּ׃ וּבְקָרְךָ וְצֹאנְךָ יִרְבְּיֻן
יד וְכֶסֶף וְזָהָב יִרְבֶּה־לָּךְ וְכֹל אֲשֶׁר־לְךָ יִרְבֶּה׃ וְרָם לְבָבֶךָ
וְשָׁכַחְתָּ אֶת־יְהוָה אֱלֹהֶיךָ הַמּוֹצִיאֲךָ מֵאֶרֶץ מִצְרַיִם

רש"י | ח | זֵית שֶׁמֶן. זֵיתִים הָעוֹשִׂים שֶׁמֶן׃

שבעת המינים

מימין: חיטה

משמאל: שעורה

מימין: גפן

משמאל: תאנה

ביאור

**וּתְהֹמֹת יֹצְאִים**, נגלים **בַּבִּקְעָה וּבָהָר**. ריבוי מקורות המים בארץ המובטחת אינו מנוגד רק לצחיחות המדבר, אלא גם לארץ מצרים, שכן מצרים אמנם משופעת במים, אך כל מימיה באים ממקור אחד – מן הנילוס, ואילו בארצכם נחלים ונהרות קטנים וגדולים ומעיינות רבים מאוד. ח **אֶרֶץ** המשתבחת במיני המזון הגדלים בה: **חִטָּה וּשְׂעֹרָה וְגֶפֶן וּתְאֵנָה וְרִמּוֹן; אֶרֶץ זֵית שֶׁמֶן**, זיתים שמפיקים מהם שמן, **וּדְבָשׁ** תמרים;[11] ט **אֶרֶץ אֲשֶׁר לֹא בְמִסְכֵּנֻת**, בעוני ובדלות **תֹּאכַל בָּהּ לֶחֶם**, אלא נותנת פֵּרותיה בשפע. **לֹא תֶחְסַר כֹּל בָּהּ; אֶרֶץ אֲשֶׁר אֲבָנֶיהָ בַרְזֶל וּמֵהֲרָרֶיהָ תַּחְצֹב נְחֹשֶׁת**. יש בה גם מרבצים של מיני מתכות. י **וְאָכַלְתָּ וְשָׂבָעְתָּ, וּבֵרַכְתָּ אֶת ה׳ אֱלֹהֶיךָ עַל הָאָרֶץ הַטֹּבָה אֲשֶׁר נָתַן לָךְ.**

יא **הִשָּׁמֶר לְךָ פֶּן תִּשְׁכַּח אֶת ה׳ אֱלֹהֶיךָ, לְבִלְתִּי שְׁמֹר מִצְוֹתָיו וּמִשְׁפָּטָיו וְחֻקֹּתָיו אֲשֶׁר אָנֹכִי מְצַוְּךָ הַיּוֹם.** יב **פֶּן תֹּאכַל וְשָׂבָעְתָּ**, שהרי הובטח לך שפע כלכלי, **וּבָתִּים טֹבִים תִּבְנֶה וְיָשָׁבְתָּ** בהם. עכשיו אתם נוודים היושבים לכל היותר בסוכות, אבל לאחר זמן תבנו בתים וחייכם יהפכו נוחים יותר ויותר, יג **וּבְקָרְךָ וְצֹאנְךָ יִרְבְּיֻן, וְכֶסֶף וְזָהָב יִרְבֶּה לָּךְ, וְכֹל אֲשֶׁר לְךָ יִרְבֶּה** כתוצאה מן ההתיישבות בארץ. יד **וְרָם לְבָבֶךָ**, תתגאה, **וְשָׁכַחְתָּ אֶת ה׳ אֱלֹהֶיךָ הַמּוֹצִיאֲךָ מֵאֶרֶץ מִצְרַיִם מִבֵּית עֲבָדִים.** באופן טבעי, אחרי

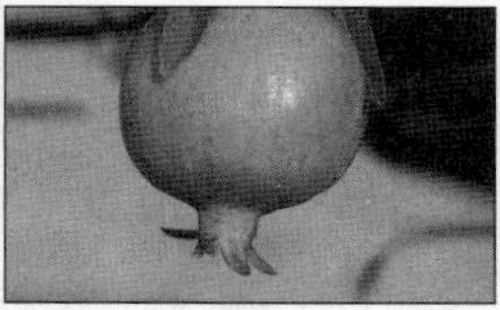

מימין: רימון

משמאל: זית שמן

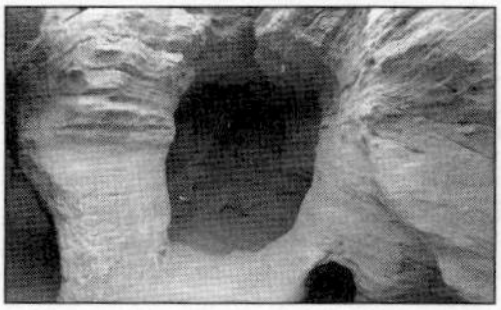

מימין: תמרים ('דבש')

משמאל: מכרה נחושת בתמנע וּמֵהֲרָרֶיהָ תַּחְצֹב נְחֹשֶׁת

הרחבות

**'ואכלת ושבעת וברכת'** פסוק זה נחשב המקור למצוות ברכת המזון, המיוחסת כבר לדורות ראשונים – אם לא בנוסחה המילולי, לפחות בתבניתה. (ראו ברכות כא ע"א; מח ע"ב). ברכה זו כוללת תודה כללית על האוכל, ותודה מיוחדת עַל הָאָרֶץ הַטֹּבָה אֲשֶׁר נָתַן לָךְ, ביטוי המשמש בנוסח ברכת המזון שמקורו בפסוק הזה.

מִבֵּית עֲבָדִים׃ הַמּוֹלִיכְךָ בַּמִּדְבָּר ׀ הַגָּדֹל וְהַנּוֹרָא טו
נָחָשׁ ׀ שָׂרָף וְעַקְרָב וְצִמָּאוֹן אֲשֶׁר אֵין־מָיִם הַמּוֹצִיא
לְךָ מַיִם מִצּוּר הַחַלָּמִישׁ׃ הַמַּאֲכִלְךָ מָן בַּמִּדְבָּר טז
אֲשֶׁר לֹא־יָדְעוּן אֲבֹתֶיךָ לְמַעַן עַנֹּתְךָ וּלְמַעַן נַסֹּתֶךָ
לְהֵיטִבְךָ בְּאַחֲרִיתֶךָ׃ וְאָמַרְתָּ בִּלְבָבֶךָ כֹּחִי וְעֹצֶם יָדִי יז
עָשָׂה לִי אֶת־הַחַיִל הַזֶּה׃ וְזָכַרְתָּ אֶת־יהוה אֱלֹהֶיךָ יח
כִּי הוּא הַנֹּתֵן לְךָ כֹּחַ לַעֲשׂוֹת חָיִל לְמַעַן הָקִים אֶת־
בְּרִיתוֹ אֲשֶׁר־נִשְׁבַּע לַאֲבֹתֶיךָ כַּיּוֹם הַזֶּה׃
וְהָיָה אִם־שָׁכֹחַ תִּשְׁכַּח אֶת־יהוה אֱלֹהֶיךָ וְהָלַכְתָּ יט
אַחֲרֵי אֱלֹהִים אֲחֵרִים וַעֲבַדְתָּם וְהִשְׁתַּחֲוִיתָ לָהֶם
הַעִדֹתִי בָכֶם הַיּוֹם כִּי אָבֹד תֹּאבֵדוּן׃ כַּגּוֹיִם אֲשֶׁר כ
יהוה מַאֲבִיד מִפְּנֵיכֶם כֵּן תֹּאבֵדוּן עֵקֶב לֹא תִשְׁמְעוּן
בְּקוֹל יהוה אֱלֹהֵיכֶם׃

ח שְׁמַע יִשְׂרָאֵל אַתָּה עֹבֵר הַיּוֹם אֶת־הַיַּרְדֵּן לָבֹא א ט
לָרֶשֶׁת גּוֹיִם גְּדֹלִים וַעֲצֻמִים מִמֶּךָּ עָרִים גְּדֹלֹת
וּבְצֻרֹת בַּשָּׁמָיִם׃ עַם־גָּדוֹל וָרָם בְּנֵי עֲנָקִים אֲשֶׁר ב
אַתָּה יָדַעְתָּ וְאַתָּה שָׁמַעְתָּ מִי יִתְיַצֵּב לִפְנֵי בְּנֵי
עֲנָק׃ וְיָדַעְתָּ הַיּוֹם כִּי יהוה אֱלֹהֶיךָ הוּא־הָעֹבֵר ג
לְפָנֶיךָ אֵשׁ אֹכְלָה הוּא יַשְׁמִידֵם וְהוּא יַכְנִיעֵם לְפָנֶיךָ
וְהוֹרַשְׁתָּם וְהַאֲבַדְתָּם מַהֵר כַּאֲשֶׁר דִּבֶּר יהוה לָךְ׃

רש"י | פרק ט

א| גְּדֹלִים וַעֲצֻמִים מִמֶּךָּ. אַתָּה עָצוּם וְהֵם עֲצוּמִים מִמְּךָ:

הרחבות | "אם שכח תשכח את ה'" לעומת עמים אחרים, שאינם נתבעים לזכור את ה' ולחשוב עליו בהתמדה, ישראל מחויבים לא רק לציית למצוותיו אלא אף לזכרו תמיד.

ביאור

שתתרגלו אל החיים הנוחים בארץ תחוו אותם כמובנים מאליהם,
ותשכחו שיש להודות עליהם לה׳, טו **הַמּוֹלִיכֲךָ בַּמִּדְבָּר הַגָּדֹל וְהַנּוֹרָא,**
מקום שיש בו **נָחָשׁ** מסוג **שָׂרָף**, שארסו צורב כאש, **וְעַקְרָב וְצִמָּאוֹן אֲשֶׁר**
**אֵין מָיִם, הַמּוֹצִיא לְךָ מַיִם** אפילו **מִצּוּר הַחַלָּמִישׁ**, מהסלע החזק.[12] עליכם
להזכיר לעצמכם ולבניכם את הטובות שה׳ גמל אתכם. טז **הַמַּאֲכִלְךָ**
**מָן בַּמִּדְבָּר, אֲשֶׁר לֹא יָדְעוּן אֲבֹתֶיךָ, לְמַעַן עַנֹּתְךָ**, העינוי שבמן קשור
בחריגותו של לחם שמים זה. אף שאפשר היה להיזון ממנו, היה זה
תמיד אוכל ממין אחד, לא היו יכולים לשמרו כמבטח ליום מחר,
ואף לא הייתה באכילתו תחושת מלאות ממשית.[13] **וּלְמַעַן נַסֹּתֶךָ**
**לְהֵיטִבְךָ בְּאַחֲרִיתֶךָ**, כדי שתלמדו באמצעות תלות זו מהו מקור
הברכה האמתי. יז **וְאָמַרְתָּ**, אתה עלול לומר **בִּלְבָבֶךָ: "כֹּחִי וְעֹצֶם**,
תוקף **יָדִי עָשָׂה לִי אֶת הַחַיִל**, ההצלחה והרכוש[14] **הַזֶּה".** יח **וְזָכַרְתָּ אֶת**
**ה׳ אֱלֹהֶיךָ, כִּי הוּא הַנֹּתֵן לְךָ כֹּחַ לַעֲשׂוֹת חָיִל, לְמַעַן הָקִים אֶת בְּרִיתוֹ אֲשֶׁר**
**נִשְׁבַּע לַאֲבֹתֶיךָ, כַּיּוֹם הַזֶּה**, כפי שאתה זוכר עכשיו.[15]

יט **וְהָיָה אִם שָׁכֹחַ תִּשְׁכַּח אֶת ה׳ אֱלֹהֶיךָ, וְהָלַכְתָּ אַחֲרֵי אֱלֹהִים אֲחֵרִים**
**וַעֲבַדְתָּם וְהִשְׁתַּחֲוִיתָ לָהֶם, הַעִדֹתִי בָכֶם הַיּוֹם כִּי אָבֹד תֹּאבֵדוּן** מן
הארץ. כ **כַּגּוֹיִם אֲשֶׁר ה׳ מַאֲבִיד מִפְּנֵיכֶם, כֵּן תֹּאבֵדוּן, עֵקֶב**, אם **לֹא**
**תִשְׁמְעוּן בְּקוֹל ה׳ אֱלֹהֵיכֶם.**

אף שהשאלה אם בעתיד ישראל יישארו על אדמתם או יִגלו ממנה
תוכרע על פי התנהגותם, משה מדגיש כאן כי הכניסה אל הארץ
בהווה אינה נובעת ממעשיהם הטובים של ישראל ומצדקתם: פרק
ט א **שְׁמַע, יִשְׂרָאֵל! אַתָּה עֹבֵר הַיּוֹם**, בזמן הקרוב **אֶת הַיַּרְדֵּן לָבֹא לָרֶשֶׁת**
**גּוֹיִם גְּדֹלִים וַעֲצֻמִים מִמֶּךָּ, עָרִים גְּדֹלֹת וּבְצֻרֹת בַּשָּׁמָיִם**, וחזקות מאוד,
לשון גוזמא,[16] ובהן חי **עַם גָּדוֹל וָרָם בְּנֵי עֲנָקִים, אֲשֶׁר אַתָּה יָדַעְתָּ וְאַתָּה**
**שָׁמַעְתָּ** מרחוק – **מִי יִתְיַצֵּב לִפְנֵי בְּנֵי עֲנָק?!** מי יכול להם?! ג עם כל
זה – **וְיָדַעְתָּ הַיּוֹם כִּי ה׳ אֱלֹהֶיךָ הוּא הָעֹבֵר לְפָנֶיךָ – אֵשׁ אֹכְלָה. הוּא**
**יַשְׁמִידֵם וְהוּא יַכְנִיעֵם לְפָנֶיךָ, וְהוֹרַשְׁתָּם וְהַאֲבַדְתָּם מַהֵר, כַּאֲשֶׁר דִּבֶּר ה׳**
**לָךְ**. למרות האתגרים הקשים תנצחו בעזרתו.

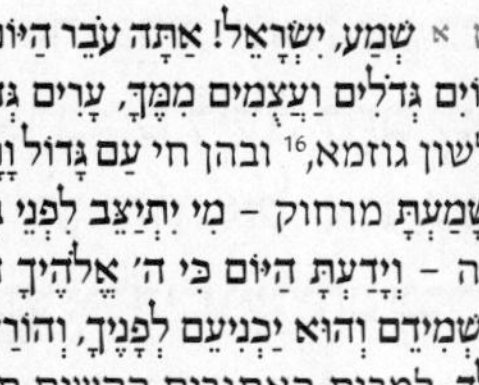

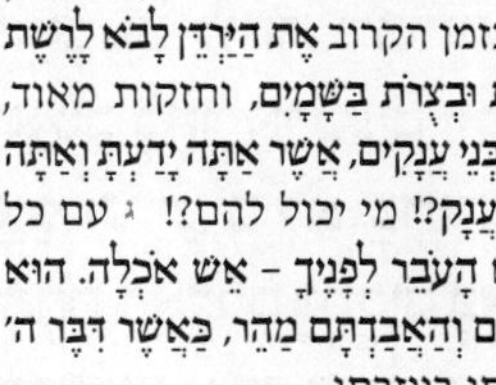

מימין: נחש-שרף עין גדי

משמאל: עקרב

שלישי אַל־תֹּאמַר בִּלְבָבְךָ בַּהֲדֹף יהוה אֱלֹהֶיךָ אֹתָם ׀ ד
מִלְּפָנֶיךָ לֵאמֹר בְּצִדְקָתִי הֱבִיאַנִי יהוה לָרֶשֶׁת אֶת־
הָאָרֶץ הַזֹּאת וּבְרִשְׁעַת הַגּוֹיִם הָאֵלֶּה יהוה מוֹרִישָׁם
מִפָּנֶיךָ: לֹא בְצִדְקָתְךָ וּבְיֹשֶׁר לְבָבְךָ אַתָּה בָא לָרֶשֶׁת ה
אֶת־אַרְצָם כִּי בְּרִשְׁעַת ׀ הַגּוֹיִם הָאֵלֶּה יהוה אֱלֹהֶיךָ
מוֹרִישָׁם מִפָּנֶיךָ וּלְמַעַן הָקִים אֶת־הַדָּבָר אֲשֶׁר נִשְׁבַּע
יהוה לַאֲבֹתֶיךָ לְאַבְרָהָם לְיִצְחָק וּלְיַעֲקֹב: וְיָדַעְתָּ ו
כִּי לֹא בְצִדְקָתְךָ יהוה אֱלֹהֶיךָ נֹתֵן לְךָ אֶת־הָאָרֶץ
הַטּוֹבָה הַזֹּאת לְרִשְׁתָּהּ כִּי עַם־קְשֵׁה־עֹרֶף אָתָּה: ז
זְכֹר אַל־תִּשְׁכַּח אֵת אֲשֶׁר־הִקְצַפְתָּ אֶת־יהוה אֱלֹהֶיךָ
בַּמִּדְבָּר לְמִן־הַיּוֹם אֲשֶׁר־יָצָאתָ ׀ מֵאֶרֶץ מִצְרַיִם
עַד־בֹּאֲכֶם עַד־הַמָּקוֹם הַזֶּה מַמְרִים הֱיִיתֶם עִם־ ח
יהוה: וּבְחֹרֵב הִקְצַפְתֶּם אֶת־יהוה וַיִּתְאַנַּף יהוה
בָּכֶם לְהַשְׁמִיד אֶתְכֶם: בַּעֲלֹתִי הָהָרָה לָקַחַת לוּחֹת ט
הָאֲבָנִים לוּחֹת הַבְּרִית אֲשֶׁר־כָּרַת יהוה עִמָּכֶם
וָאֵשֵׁב בָּהָר אַרְבָּעִים יוֹם וְאַרְבָּעִים לַיְלָה לֶחֶם לֹא
אָכַלְתִּי וּמַיִם לֹא שָׁתִיתִי: וַיִּתֵּן יהוה אֵלַי אֶת־שְׁנֵי י
לוּחֹת הָאֲבָנִים כְּתֻבִים בְּאֶצְבַּע אֱלֹהִים וַעֲלֵיהֶם כְּכָל־
הַדְּבָרִים אֲשֶׁר דִּבֶּר יהוה עִמָּכֶם בָּהָר מִתּוֹךְ הָאֵשׁ

רש"י

ד) אַל תֹּאמַר בִּלְבָבְךָ. צִדְקָתִי וְרִשְׁעַת הַגּוֹיִם גָּרְמוּ:

ה) לֹא בְצִדְקָתְךָ וְגוֹ' אַתָּה בָא לָרֶשֶׁת וְגוֹ' כִּי בְּרִשְׁעַת הַגּוֹיִם. הֲרֵי 'כִּי' מְשַׁמֵּשׁ בִּלְשׁוֹן 'אֶלָּא':

ט) וָאֵשֵׁב בָּהָר. אֵין יְשִׁיבָה אֶלָּא לְשׁוֹן עַכָּבָה:

י) לוּחֹת. 'לֻחֹת' כְּתִיב, שֶׁשְּׁתֵּיהֶן שָׁווֹת:

לעומת זאת, אני מזהירכם: ד **אַל תֹּאמַר בִּלְבָבְךָ – בַּהֲדֹף ה׳ אֱלֹהֶיךָ** ביאור
**אֹתָם מִלְּפָנֶיךָ, לֵאמֹר: "בְּצִדְקָתִי הֱבִיאַנִי ה׳ לָרֶשֶׁת אֶת הָאָרֶץ הַזֹּאת"**.
ובאמת, **בְּרִשְׁעַת הַגּוֹיִם הָאֵלֶּה ה׳ מוֹרִישָׁם מִפָּנֶיךָ**. אשמתם גרמה
לכך יותר מאשר מעשיכם הטובים.[17] ה **לֹא בְצִדְקָתְךָ וּבְיֹשֶׁר לְבָבְךָ**
**אַתָּה בָא לָרֶשֶׁת אֶת אַרְצָם, כִּי** אם **בְּרִשְׁעַת הַגּוֹיִם הָאֵלֶּה ה׳ אֱלֹהֶיךָ**
**מוֹרִישָׁם מִפָּנֶיךָ**. מצד אחד, ראוי שהגויים יסולקו מן הארץ מחמת
רשעתם; **וּ**מצד שני, הדבר נעשה **לְמַעַן הָקִים אֶת הַדָּבָר אֲשֶׁר נִשְׁבַּע**
**ה׳ לַאֲבֹתֶיךָ – לְאַבְרָהָם, לְיִצְחָק וּלְיַעֲקֹב.** ו **וְיָדַעְתָּ כִּי לֹא בְצִדְקָתְךָ ה׳**
**אֱלֹהֶיךָ נֹתֵן לְךָ אֶת הָאָרֶץ הַטּוֹבָה הַזֹּאת לְרִשְׁתָּהּ, כִּי עַם קְשֵׁה עֹרֶף**, סרבן
**אָתָּה.**

על כן הוא חוזר ומזכיר: ז **זְכֹר, אַל תִּשְׁכַּח, אֵת אֲשֶׁר הִקְצַפְתָּ**, הכעסת
**אֶת ה׳ אֱלֹהֶיךָ בַּמִּדְבָּר. לְמִן הַיּוֹם אֲשֶׁר יָצָאתָ מֵאֶרֶץ מִצְרַיִם עַד בֹּאֲכֶם עַד**
**הַמָּקוֹם הַזֶּה – מַמְרִים**, סרבנים **הֱיִיתֶם עִם**, כלפי **ה׳.**

# שבירת הלוחות הראשונים והשתלשלויותיה

## פרק ט פס׳ י – פרק י פס׳ יא

בתוך דוגמה למרים של ישראל במדבר, שבו נחתם העניין הקודם, משה מזכיר כאן לישראל את חטאם בעגל. נוסף לכך, הוא מספר גם על רחמיו של ה׳, שהתבטאו בקבלת תחנוניו של משה ובכפרתו לעמו בנתינת לוחות הברית השניים. דרך אגב נזכר גם השינוי במעמדם של הלויים בעקבות חטא העגל, שינוי שתהיה לו משמעות נוספת עם הכניסה לארץ.

הסיפור של משה אינו רצוף. בתוך תיאורי זיכרונותיו ורשמיו של משה מחטא העגל ומתגובות ה׳ אליו, נזכרים גם חטאים אחרים שחטאו ישראל במדבר, וכן נכנסים שני פסוקים המדברים על מות אהרן שאירע לא מזמן, בשנה הארבעים לצאת ישראל ממצרים, ועל המסעות שלפניו ולאחריו.

ח **וּבְחֹרֵב**, סיני **הִקְצַפְתֶּם**, הרגזתם **אֶת ה׳, וַיִּתְאַנַּף ה׳ בָּכֶם**, והוא אכן
כעס עליכם **לְהַשְׁמִיד אֶתְכֶם.** ט **בַּעֲלֹתִי הָהָרָה**, אל ההר **לָקַחַת לוּחֹת**
**הָאֲבָנִים – לוּחֹת הַבְּרִית אֲשֶׁר כָּרַת ה׳ עִמָּכֶם, וָאֵשֵׁב בָּהָר אַרְבָּעִים יוֹם**
**וְאַרְבָּעִים לַיְלָה**, וכל אותו זמן **לֶחֶם לֹא אָכַלְתִּי וּמַיִם לֹא שָׁתִיתִי**, שהרי
הייתי שרוי בהוויה אחרת.

י **וַיִּתֵּן ה׳ אֵלַי אֶת שְׁנֵי לוּחֹת הָאֲבָנִים** שהיו **כְּתֻבִים בְּאֶצְבַּע אֱלֹהִים,**
**וַעֲלֵיהֶם כְּכָל הַדְּבָרִים אֲשֶׁר דִּבֶּר ה׳ עִמָּכֶם בָּהָר מִתּוֹךְ הָאֵשׁ בְּיוֹם**

בְּיוֹם הַקָּהָל: וַיְהִי מִקֵּץ אַרְבָּעִים יוֹם וְאַרְבָּעִים לָיְלָה יא
נָתַן יְהוָה אֵלַי אֶת־שְׁנֵי לֻחֹת הָאֲבָנִים לֻחוֹת הַבְּרִית: יב
וַיֹּאמֶר יְהוָה אֵלַי קוּם רֵד מַהֵר מִזֶּה כִּי שִׁחֵת עַמְּךָ
אֲשֶׁר הוֹצֵאתָ מִמִּצְרָיִם סָרוּ מַהֵר מִן־הַדֶּרֶךְ אֲשֶׁר
צִוִּיתִם עָשׂוּ לָהֶם מַסֵּכָה: וַיֹּאמֶר יְהוָה אֵלַי לֵאמֹר יג
רָאִיתִי אֶת־הָעָם הַזֶּה וְהִנֵּה עַם־קְשֵׁה־עֹרֶף הוּא: יד
הֶרֶף מִמֶּנִּי וְאַשְׁמִידֵם וְאֶמְחֶה אֶת־שְׁמָם מִתַּחַת
הַשָּׁמָיִם וְאֶעֱשֶׂה אוֹתְךָ לְגוֹי־עָצוּם וָרָב מִמֶּנּוּ: וָאֵפֶן טו
וָאֵרֵד מִן־הָהָר וְהָהָר בֹּעֵר בָּאֵשׁ וּשְׁנֵי לוּחֹת הַבְּרִית
עַל שְׁתֵּי יָדָי: וָאֵרֶא וְהִנֵּה חֲטָאתֶם לַיהוָה אֱלֹהֵיכֶם טז
עֲשִׂיתֶם לָכֶם עֵגֶל מַסֵּכָה סַרְתֶּם מַהֵר מִן־הַדֶּרֶךְ
אֲשֶׁר־צִוָּה יְהוָה אֶתְכֶם: וָאֶתְפֹּשׂ בִּשְׁנֵי הַלֻּחֹת יז
וָאַשְׁלִכֵם מֵעַל שְׁתֵּי יָדָי וָאֲשַׁבְּרֵם לְעֵינֵיכֶם: וָאֶתְנַפַּל יח
לִפְנֵי יְהוָה כָּרִאשֹׁנָה אַרְבָּעִים יוֹם וְאַרְבָּעִים לַיְלָה
לֶחֶם לֹא אָכַלְתִּי וּמַיִם לֹא שָׁתִיתִי עַל כָּל־חַטַּאתְכֶם
אֲשֶׁר חֲטָאתֶם לַעֲשׂוֹת הָרַע בְּעֵינֵי יְהוָה לְהַכְעִיסוֹ: יט
כִּי יָגֹרְתִּי מִפְּנֵי הָאַף וְהַחֵמָה אֲשֶׁר קָצַף יְהוָה עֲלֵיכֶם
לְהַשְׁמִיד אֶתְכֶם וַיִּשְׁמַע יְהוָה אֵלַי גַּם בַּפַּעַם הַהִוא:

רש"י | יח) וָאֶתְנַפַּל לִפְנֵי ה' כָּרִאשֹׁנָה אַרְבָּעִים יוֹם. שֶׁנֶּאֱמַר: "וְעַתָּה אֶעֱלֶה אֶל ה' אוּלַי אֲכַפְּרָה" (שמות לב, ל), בְּאוֹתָהּ עֲלִיָּה נִתְעַכַּבְתִּי אַרְבָּעִים יוֹם, נִמְצְאוּ כָּלִים בְּעֶשְׂרִים וְתִשְׁעָה בְּאָב, שֶׁהוּא עָלָה בִּשְׁמוֹנָה עָשָׂר בְּתַמּוּז. בּוֹ בַּיּוֹם נִתְרַצָּה הַקָּדוֹשׁ בָּרוּךְ הוּא לְיִשְׂרָאֵל וְאָמַר לְמֹשֶׁה: "פְּסָל לְךָ שְׁנֵי לֻחֹת" (שם לד, א), עָשָׂה עוֹד אַרְבָּעִים יוֹם, נִמְצְאוּ כָּלִים בְּיוֹם הַכִּפּוּרִים. בּוֹ בַּיּוֹם נִתְרַצָּה הַקָּדוֹשׁ בָּרוּךְ הוּא לְיִשְׂרָאֵל בְּשִׂמְחָה, וְאָמַר לוֹ לְמֹשֶׁה: "סָלַחְתִּי כִּדְבָרֶךָ" (במדבר יד, כ), לְכָךְ הֻקְבַּע לִמְחִילָה וְלִסְלִיחָה. וּמִנַּיִן שֶׁנִּתְרַצָּה בְּרָצוֹן שָׁלֵם? שֶׁנֶּאֱמַר בָּאַחֲרוֹנִים

ביאור

הַקָּהָל, יום נתינת התורה.[18] יא וַיְהִי מִקֵּץ אַרְבָּעִים יוֹם וְאַרְבָּעִים לָיְלָה,
נָתַן ה׳ אֵלַי אֶת שְׁנֵי לֻחֹת הָאֲבָנִים, לֻחוֹת הַבְּרִית.

יב וַיֹּאמֶר ה׳ אֵלַי: קוּם רֵד מַהֵר מִזֶּה, כִּי שִׁחֵת עַמְּךָ אֲשֶׁר הוֹצֵאתָ מִמִּצְרָיִם,
סָרוּ מַהֵר מִן הַדֶּרֶךְ אֲשֶׁר צִוִּיתִם, ציוויתי אותם וְעָשׂוּ לָהֶם מַסֵּכָה, פסל
יצוק.

יג וַיֹּאמֶר ה׳ אֵלַי לֵאמֹר: רָאִיתִי אֶת הָעָם הַזֶּה, וְהִנֵּה עַם קְשֵׁה עֹרֶף, סרבן,
אינו מקבל מרות הוא. יד הֶרֶף מִמֶּנִּי, הנח לי, וְאַשְׁמִידֵם, וְאֶמְחֶה אֶת
שְׁמָם מִתַּחַת הַשָּׁמָיִם, וְאֶעֱשֶׂה אוֹתְךָ לְגוֹי עָצוּם וָרָב מִמֶּנּוּ. משה לא הזכיר
כאן את תגובתו לכך.[19]

טו וָאֵפֶן וָאֵרֵד מִן הָהָר – וְהָהָר עדיין בֹּעֵר בָּאֵשׁ, וּשְׁנֵי לוּחֹת הַבְּרִית עַל
שְׁתֵּי יָדָי. טז וָאֵרֶא, וְהִנֵּה חֲטָאתֶם לַה׳ אֱלֹהֵיכֶם – עֲשִׂיתֶם לָכֶם עֵגֶל
מַסֵּכָה, סַרְתֶּם מַהֵר מִן הַדֶּרֶךְ אֲשֶׁר צִוָּה ה׳ אֶתְכֶם. הלוא שמעתם את
האיסור לעבוד עבודה זרה, ובכל זאת עברתם עברה זו, ולא זו בלבד
אלא עשיתם זאת בהר סיני, כשההר עדיין בוער באש. יז וָאֶתְפֹּשׂ
בִּשְׁנֵי הַלֻּחֹת שהיו מכתב שה׳ כתבו באצבעו, וָאַשְׁלִכֵם מֵעַל שְׁתֵּי יָדָי,
וָאֲשַׁבְּרֵם לְעֵינֵיכֶם כדי להמחיש את ביטולה של הברית – לוחות אלו
כבר אינם ראויים להינתן לישראל.

יח ולאחר מכן, וָאֶתְנַפַּל לִפְנֵי ה׳ כָּרִאשֹׁנָה, שוב אַרְבָּעִים יוֹם וְאַרְבָּעִים
לַיְלָה – לֶחֶם לֹא אָכַלְתִּי וּמַיִם לֹא שָׁתִיתִי, עַל כָּל חַטַּאתְכֶם אֲשֶׁר חֲטָאתֶם,
לַעֲשׂוֹת הָרַע בְּעֵינֵי ה׳ לְהַכְעִיסוֹ. יט כִּי יָגֹרְתִּי, פחדתי מִפְּנֵי הָאַף וְהַחֵמָה,
הכעס אֲשֶׁר קָצַף ה׳ עֲלֵיכֶם לְהַשְׁמִיד אֶתְכֶם. וַיִּשְׁמַע ה׳ אֵלַי גַּם בַּפַּעַם

וּבְאַהֲרֹן הִתְאַנַּף יְהוָה מְאֹד לְהַשְׁמִידוֹ וָאֶתְפַּלֵּל כ
גַּם־בְּעַד אַהֲרֹן בָּעֵת הַהִוא: וְאֶת־חַטַּאתְכֶם אֲשֶׁר־ כא
עֲשִׂיתֶם אֶת־הָעֵגֶל לָקַחְתִּי וָאֶשְׂרֹף אֹתוֹ ׀ בָּאֵשׁ
וָאֶכֹּת אֹתוֹ טָחוֹן הֵיטֵב עַד אֲשֶׁר־דַּק לְעָפָר וָאַשְׁלִךְ
אֶת־עֲפָרוֹ אֶל־הַנַּחַל הַיֹּרֵד מִן־הָהָר: וּבְתַבְעֵרָה כב
וּבְמַסָּה וּבְקִבְרֹת הַתַּאֲוָה מַקְצִפִים הֱיִיתֶם אֶת־
יְהוָה: וּבִשְׁלֹחַ יְהוָה אֶתְכֶם מִקָּדֵשׁ בַּרְנֵעַ לֵאמֹר כג
עֲלוּ וּרְשׁוּ אֶת־הָאָרֶץ אֲשֶׁר נָתַתִּי לָכֶם וַתַּמְרוּ אֶת־
פִּי יְהוָה אֱלֹהֵיכֶם וְלֹא הֶאֱמַנְתֶּם לוֹ וְלֹא שְׁמַעְתֶּם
בְּקֹלוֹ: מַמְרִים הֱיִיתֶם עִם־יְהוָה מִיּוֹם דַּעְתִּי אֶתְכֶם: כד
וָאֶתְנַפַּל לִפְנֵי יְהוָה אֵת־אַרְבָּעִים הַיּוֹם וְאֶת־ כה
אַרְבָּעִים הַלַּיְלָה אֲשֶׁר הִתְנַפָּלְתִּי כִּי־אָמַר יְהוָה
לְהַשְׁמִיד אֶתְכֶם: וָאֶתְפַּלֵּל אֶל־יְהוָה וָאֹמַר אֲדֹנָי כו
יְהוִה אַל־תַּשְׁחֵת עַמְּךָ וְנַחֲלָתְךָ אֲשֶׁר פָּדִיתָ בְּגָדְלֶךָ
אֲשֶׁר־הוֹצֵאתָ מִמִּצְרַיִם בְּיָד חֲזָקָה: זְכֹר לַעֲבָדֶיךָ כז
לְאַבְרָהָם לְיִצְחָק וּלְיַעֲקֹב אַל־תֵּפֶן אֶל־קְשִׁי הָעָם
הַזֶּה וְאֶל־רִשְׁעוֹ וְאֶל־חַטָּאתוֹ: פֶּן־יֹאמְרוּ הָאָרֶץ כח

רש"י | שֶׁל לוּחוֹת אַחֲרוֹנוֹת: "וְאָנֹכִי עָמַדְתִּי בָהָר כַּיָּמִים הָרִאשֹׁנִים" (להלן י, י), מָה הָרִאשׁוֹנִים בְּרָצוֹן אַף אַחֲרוֹנִים בְּרָצוֹן, אֱמֹר מֵעַתָּה אֶמְצָעִיִּים הָיוּ בְּכַעַס.

כ) וּבְאַהֲרֹן הִתְאַנַּף ה'. לְפִי שֶׁשָּׁמַע לָכֶם: לְהַשְׁמִידוֹ. זֶה כִּלּוּי בָּנִים, וְכֵן הוּא אוֹמֵר: "וָאַשְׁמִיד פִּרְיוֹ מִמַּעַל" (עמוס ב, ט). וָאֶתְפַּלֵּל גַּם בְּעַד אַהֲרֹן. וְהוֹעִילָה תְּפִלָּתִי לְכַפֵּר מֶחֱצָה, וּמֵתוּ שְׁנַיִם וְנִשְׁאֲרוּ הַשְּׁנַיִם:

כא) טָחוֹן. לְשׁוֹן הֹוֶה, כְּמוֹ "הָלוֹךְ וְגָדוֹל" (שמואל ב' ה, י; דברי הימים א' יא, ט). מוֹלְ"נְט בְּלַעַז:

כה) וָאֶתְנַפַּל וְגוֹ'. אֵלּוּ הֵן עַצְמָן הָאֲמוּרִים לְמַעְלָה, וּכְפָלָן כָּאן לְפִי שֶׁכָּתוּב כָּאן סֵדֶר תְּפִלָּתוֹ, שֶׁנֶּאֱמַר: "ה' אֱלֹהִים אַל תַּשְׁחֵת עַמְּךָ" וְגוֹ' (להלן פסוק כו).

ביאור
הַהִיא. כ וּבְאַהֲרֹן הִתְאַנַּף ה׳ מְאֹד לְהַשְׁמִידוֹ, שהרי הוא היה האיש
שיצר את העגל בפועל. וָאֶתְפַּלֵּל גַּם בְּעַד אַהֲרֹן בָּעֵת הַהִיא, כדי שה׳
יחוס עליו. כא וְאֶת חַטַּאתְכֶם אֲשֶׁר עֲשִׂיתֶם – אֶת הָעֵגֶל, לָקַחְתִּי וָאֶשְׂרֹף
אֹתוֹ בָּאֵשׁ, וָאֶכֹּת, כתתי, ניתצתי אֹתוֹ טָחוֹן הֵיטֵב, עַד אֲשֶׁר דַּק לְעָפָר.
וָאַשְׁלִךְ אֶת עֲפָרוֹ אֶל הַנַּחַל הַיֹּרֵד מִן הָהָר, על מנת שייסחף עם המים
ולא יישאר ממנו זכר.

זה היה החטא הגדול והבולט ביותר. כב ואולם גם בְּתַבְעֵרָה וגם
בְּמַסָּה וּבְקִבְרֹת הַתַּאֲוָה מַקְצִפִים הֱיִיתֶם אֶת ה׳.[20] ומכאן לחטא הגדול
הנוסף של ישראל – חטא המרגלים: כג וּבִשְׁלֹחַ ה׳ אֶתְכֶם מִקָּדֵשׁ
בַּרְנֵעַ, לֵאמֹר: עֲלוּ וּרְשׁוּ אֶת הָאָרֶץ אֲשֶׁר נָתַתִּי לָכֶם. באותו זמן הייתם
כבר מוכנים לכך, אבל – וַתַּמְרוּ אֶת פִּי ה׳ אֱלֹהֵיכֶם, וְלֹא הֶאֱמַנְתֶּם לוֹ
וְלֹא שְׁמַעְתֶּם בְּקֹלוֹ להיכנס לארץ. כד ובאופן כללי, מַמְרִים, סרבנים
הֱיִיתֶם עִם, כלפי ה׳ מִיּוֹם דַּעְתִּי, שהכרתי אֶתְכֶם.

כאן חוזר משה אל האירוע המרכזי שהזכיר – חטא העגל, והמוקד
עובר אל רחמיו של ה׳: כה וָאֶתְנַפַּל לִפְנֵי ה׳ אֵת אַרְבָּעִים הַיּוֹם וְאֶת
אַרְבָּעִים הַלַּיְלָה אֲשֶׁר הזכרתי[21] שהִתְנַפָּלְתִּי בהם, כִּי אָמַר ה׳ לְהַשְׁמִיד
אֶתְכֶם. כו וָאֶתְפַּלֵּל אֶל ה׳ וָאֹמַר: אֲדֹנָי אֱלֹהִים! אַל תַּשְׁחֵת עַמְּךָ
וְנַחֲלָתְךָ, חלקך, אֲשֶׁר פָּדִיתָ, הצלת בְּגָדְלֶךָ, אֲשֶׁר הוֹצֵאתָ מִמִּצְרַיִם בְּיָד
חֲזָקָה. כז זְכֹר לַעֲבָדֶיךָ – לְאַבְרָהָם, לְיִצְחָק וּלְיַעֲקֹב, אַל תֵּפֶן, תפנה אֶל
קְשִׁי הָעָם הַזֶּה וְאֶל רִשְׁעוֹ וְאֶל חַטָּאתוֹ. כח וטעם נוסף: פֶּן יֹאמְרוּ אנשי

אֲשֶׁר הוֹצֵאתָנוּ מִשָּׁם מִבְּלִי יְכֹלֶת יְהוָה לַהֲבִיאָם
אֶל־הָאָרֶץ אֲשֶׁר־דִּבֶּר לָהֶם וּמִשִּׂנְאָתוֹ אוֹתָם
הוֹצִיאָם לַהֲמִתָם בַּמִּדְבָּר: וְהֵם עַמְּךָ וְנַחֲלָתֶךָ אֲשֶׁר כט
הוֹצֵאתָ בְּכֹחֲךָ הַגָּדֹל וּבִזְרֹעֲךָ הַנְּטוּיָה:
רביעי ט בָּעֵת הַהִוא אָמַר יְהוָה אֵלַי פְּסָל־לְךָ שְׁנֵי־לוּחֹת א י
אֲבָנִים כָּרִאשֹׁנִים וַעֲלֵה אֵלַי הָהָרָה וְעָשִׂיתָ לְּךָ אֲרוֹן
עֵץ: וְאֶכְתֹּב עַל־הַלֻּחֹת אֶת־הַדְּבָרִים אֲשֶׁר הָיוּ ב
עַל־הַלֻּחֹת הָרִאשֹׁנִים אֲשֶׁר שִׁבַּרְתָּ וְשַׂמְתָּם בָּאָרוֹן:
וָאַעַשׂ אֲרוֹן עֲצֵי שִׁטִּים וָאֶפְסֹל שְׁנֵי־לֻחֹת אֲבָנִים ג
כָּרִאשֹׁנִים וָאַעַל הָהָרָה וּשְׁנֵי הַלֻּחֹת בְּיָדִי: וַיִּכְתֹּב ד
עַל־הַלֻּחֹת כַּמִּכְתָּב הָרִאשׁוֹן אֵת עֲשֶׂרֶת הַדְּבָרִים
אֲשֶׁר דִּבֶּר יְהוָה אֲלֵיכֶם בָּהָר מִתּוֹךְ הָאֵשׁ בְּיוֹם
הַקָּהָל וַיִּתְּנֵם יְהוָה אֵלָי: וָאֵפֶן וָאֵרֵד מִן־הָהָר וָאָשִׂם ה
אֶת־הַלֻּחֹת בָּאָרוֹן אֲשֶׁר עָשִׂיתִי וַיִּהְיוּ שָׁם כַּאֲשֶׁר

רש"י | פרקי

א| **בָּעֵת הַהִוא.** לְסוֹף אַרְבָּעִים יוֹם נִתְרַצָּה לִי וְאָמַר לִי: "פְּסָל לְךָ" וְאַחַר כָּךְ: "וְעָשִׂיתָ לְּךָ אֲרוֹן", וַאֲנִי עָשִׂיתִי אָרוֹן תְּחִלָּה, שֶׁכְּשֶׁאָבֹא וְהַלּוּחוֹת בְּיָדִי הֵיכָן אֶתְּנֵם. וְלֹא זֶה הוּא הָאָרוֹן שֶׁעָשָׂה בְּצַלְאֵל, שֶׁהֲרֵי מִשְׁכָּן לֹא נִתְעַסְּקוּ בּוֹ עַד לְאַחַר יוֹם הַכִּפּוּרִים, כִּי בִּרְדְתּוֹ מִן הָהָר צִוָּה לָהֶם עַל מְלֶאכֶת הַמִּשְׁכָּן, וּבְצַלְאֵל עָשָׂה מִשְׁכָּן תְּחִלָּה וְאַחַר כָּךְ אָרוֹן וְכֵלִים, נִמְצָא זֶה אָרוֹן אַחֵר הָיָה, וְזֶהוּ שֶׁהָיָה יוֹצֵא עִמָּהֶם לַמִּלְחָמָה, וְאוֹתוֹ שֶׁעָשָׂה בְּצַלְאֵל לֹא יָצָא לַמִּלְחָמָה אֶלָּא בִּימֵי עֵלִי, וְנֶעֶנְשׁוּ עָלָיו וְנִשְׁבָּה:

הרחבות | 'פְּסָל לְךָ' הלוחות הראשונים לא היו מעשה ידי אדם אלא ניתנו למשה מוכנים מידי ה'. הואיל ומשה ראה את תבניתם, יכול היה לחקות אותה בחומר משלו. חכמים אומרים שהלוחות השניים נעשו מאבן יקרה, (ראו ירושלמי שקלים ה,ב), אך לא ידוע ממה נעשו הלוחות הראשונים. נראה שהיו בריאה בפני עצמה, כעין מה שנזכר בפרקי אבות (ה,ו), ש'הכתב והמכתב והלוחות' נוצרו עוד לפני שהתחיל סדר העולם הקבוע.

ביאור | הָאָרֶץ אֲשֶׁר הוֹצֵאתָנוּ מִשָּׁם: "מִבְּלִי יְכֹלֶת ה' לַהֲבִיאָם אֶל הָאָרֶץ אֲשֶׁר דִּבֶּר לָהֶם, וּמִשִּׂנְאָתוֹ אוֹתָם - הוֹצִיאָם לַהֲמִתָם בַּמִּדְבָּר". הם עלולים לחשוב שה' לא יכול לגרום לישראל לכבוש את הארץ, והוא שלחם במדבר רק משום שכך חשב להיפטר מהם.
כט וְהֵם עַמְּךָ וְנַחֲלָתֶךָ, אֲשֶׁר הוֹצֵאתָ בְּכֹחֲךָ הַגָּדֹל וּבִזְרֹעֲךָ הַנְּטוּיָה, ועל כן אנא חוס עליהם.

פרק י א בָּעֵת הַהִוא אָמַר ה' אֵלַי: פְּסָל לְךָ שְׁנֵי לוּחֹת אֲבָנִים כָּרִאשֹׁנִים, שיהיו דומים ללוחות הראשונים. וַעֲלֵה אֵלַי הָהָרָה, ומלבד זאת - וְעָשִׂיתָ לְּךָ אֲרוֹן עֵץ להניח בו את הלוחות.
ב וְאֶכְתֹּב עַל הַלֻּחֹת אֶת הַדְּבָרִים אֲשֶׁר הָיוּ עַל הַלֻּחֹת הָרִאשֹׁנִים אֲשֶׁר שִׁבַּרְתָּ. בפעם הראשונה הן הלוחות עצמם והן הכתב שעל גביהם היו מעשה אלוקים, ואילו בלוחות השניים הלוחות נעשו בידי אדם, ואלוקים כתב עליהם אותם תכנים שנכתבו בלוחות הראשונים. וְשַׂמְתָּם בָּאָרוֹן.
ג וָאַעַשׂ אֲרוֹן עֲצֵי שִׁטִּים. וָאֶפְסֹל שְׁנֵי לֻחֹת אֲבָנִים כָּרִאשֹׁנִים, וָאַעַל, עליתי שוב הָהָרָה להר סיני, וּשְׁנֵי הַלֻּחֹת בְּיָדִי.

ד וַיִּכְתֹּב ה' עַל הַלֻּחֹת כַּמִּכְתָּב הָרִאשׁוֹן, ככתיבה הראשונה אֵת עֲשֶׂרֶת הַדְּבָרִים אֲשֶׁר דִּבֶּר ה' אֲלֵיכֶם בָּהָר מִתּוֹךְ הָאֵשׁ בְּיוֹם הַקָּהָל, ביום ההתגלות בהר סיני. וַיִּתְּנֵם ה' אֵלָי.

ה וָאֵפֶן וָאֵרֵד מִן הָהָר. וָאָשִׂם אֶת הַלֻּחֹת בָּאָרוֹן אֲשֶׁר עָשִׂיתִי, וַיִּהְיוּ שָׁם, כַּאֲשֶׁר צִוַּנִי ה'.

עץ שִׁטִּים

הרחבות | הארון לא נאמר עד מתי נותרו הלוחות בארון הזה. מכל מקום, כשנבנו המשכן וכליו, נעשה גם ארון הברית, ובתוך אותו ארון הונחו הלוחות (שמות כה,טז). לא היה זה ארון העץ שעשה משה, אלא ארון עץ שצופה זהב בתבנית מיוחדת (שם י-טו). ארונו של משה היה זמני, ואילו הארון שבנה אומן המשכן, בצלאל בן אורי, היה מקומם הקבוע של לוחות הברית. (ראו בבא בתרא יד).

ו צִוַּנִי יְהוָה׃ וּבְנֵי יִשְׂרָאֵל נָסְעוּ מִבְּאֵרֹת בְּנֵי־יַעֲקָן
מוֹסֵרָה שָׁם מֵת אַהֲרֹן וַיִּקָּבֵר שָׁם וַיְכַהֵן אֶלְעָזָר בְּנוֹ
ז תַּחְתָּיו׃ מִשָּׁם נָסְעוּ הַגֻּדְגֹּדָה וּמִן־הַגֻּדְגֹּדָה יָטְבָתָה
ח אֶרֶץ נַחֲלֵי־מָיִם׃ בָּעֵת הַהִוא הִבְדִּיל יְהוָה אֶת־שֵׁבֶט
הַלֵּוִי לָשֵׂאת אֶת־אֲרוֹן בְּרִית־יְהוָה לַעֲמֹד לִפְנֵי יְהוָה
ט לְשָׁרְתוֹ וּלְבָרֵךְ בִּשְׁמוֹ עַד הַיּוֹם הַזֶּה׃ עַל־כֵּן לֹא־
הָיָה לְלֵוִי חֵלֶק וְנַחֲלָה עִם־אֶחָיו יְהוָה הוּא נַחֲלָתוֹ
י כַּאֲשֶׁר דִּבֶּר יְהוָה אֱלֹהֶיךָ לוֹ׃ וְאָנֹכִי עָמַדְתִּי בָהָר

רש"י | ו–ז **וּבְנֵי יִשְׂרָאֵל נָסְעוּ מִבְּאֵרֹת בְּנֵי יַעֲקָן מוֹסֵרָה.** מָה עִנְיָן זֶה לְכָאן? וְעוֹד, וְכִי מִבְּאֵרוֹת בְּנֵי יַעֲקָן נָסְעוּ לְמוֹסֵרָה? וַהֲלֹא מִמּוֹסֵרָה בָּאוּ לִבְנֵי יַעֲקָן, שֶׁנֶּאֱמַר: "וַיִּסְעוּ מִמֹּסֵרוֹת" וְגוֹ' (במדבר לג, לא)! וְעוֹד, "שָׁם מֵת אַהֲרֹן" – וַהֲלֹא בְּהֹר הָהָר מֵת! צֵא וַחֲשֹׁב וְתִמְצָא שְׁמוֹנֶה מַסָּעוֹת מִמּוֹסֵרוֹת לְהֹר הָהָר! אֶלָּא אַף זוֹ מִן הַתּוֹכָחָה: וְעוֹד עֲשִׂיתֶם זֹאת, כְּשֶׁמֵּת אַהֲרֹן בְּהֹר הָהָר לְסוֹף אַרְבָּעִים שָׁנָה וְנִסְתַּלְּקוּ עַנְנֵי כָבוֹד, יְרֵאתֶם לָכֶם מִמִּלְחֶמֶת מֶלֶךְ עֲרָד וּנְתַתֶּם רֹאשׁ לַחֲזֹר לְמִצְרַיִם, וַחֲזַרְתֶּם לַאֲחוֹרֵיכֶם שְׁמוֹנָה מַסָּעוֹת עַד בְּנֵי יַעֲקָן וּמִשָּׁם לְמוֹסֵרָה, שָׁם נִלְחֲמוּ בָכֶם בְּנֵי לֵוִי וְהָרְגוּ מִכֶּם וְאַתֶּם מֵהֶם, עַד שֶׁהֶחֱזִירוּ אֶתְכֶם בְּדֶרֶךְ חֲזָרַתְכֶם, וּמִשָּׁם חֲזַרְתֶּם "הַגֻּדְגֹּדָה" הוּא חֹר הַגִּדְגָּד, "וּמִן הַגֻּדְגֹּדָה יָטְבָתָה". וּבְמוֹסֵרָה עֲשִׂיתֶם אֵבֶל כָּבֵד עַל מִיתָתוֹ שֶׁל אַהֲרֹן שֶׁגָּרְמָה לָכֶם זֹאת, וְנִדְמֶה לָכֶם כְּאִלּוּ מֵת שָׁם. וְסָמַךְ מֹשֶׁה תּוֹכָחָה זוֹ לִשְׁבִירַת הַלּוּחוֹת, לוֹמַר שֶׁקָּשָׁה מִיתָתָן שֶׁל צַדִּיקִים לִפְנֵי הַקָּדוֹשׁ בָּרוּךְ הוּא כַּיּוֹם שֶׁנִּשְׁתַּבְּרוּ בּוֹ הַלּוּחוֹת, וּלְהוֹדִיעֲךָ שֶׁהִקְשָׁה לוֹ מַה שֶּׁנָּתְנוּ רֹאשׁ לִפְרֹשׁ מִמֶּנּוּ, כַּיּוֹם שֶׁעָשׂוּ בּוֹ אֶת הָעֵגֶל:

ח **בָּעֵת הַהִוא הִבְדִּיל ה' וְגוֹ'.** מוּסָב לָעִנְיָן הָרִאשׁוֹן, "בָּעֵת הַהִוא" בַּשָּׁנָה הָרִאשׁוֹנָה לְצֵאתְכֶם מִמִּצְרַיִם וּטְעִיתֶם בָּעֵגֶל וּבְנֵי לֵוִי לֹא טָעוּ, הִבְדִּילָם הַמָּקוֹם מִכֶּם. וְסָמַךְ מִקְרָא זֶה לַחֲזָרַת בְּנֵי יַעֲקָן, לוֹמַר שֶׁאַף בְּזוֹ לֹא טָעוּ בָּהּ בְּנֵי לֵוִי אֶלָּא עָמְדוּ בֶּאֱמוּנָתָם: **לָשֵׂאת אֶת אֲרוֹן.** הַלְוִיִּם: **לַעֲמֹד... לְשָׁרְתוֹ וּלְבָרֵךְ בִּשְׁמוֹ.** הַכֹּהֲנִים, וְהוּא נְשִׂיאוּת כַּפַּיִם:

ט **עַל כֵּן לֹא הָיָה לְלֵוִי חֵלֶק.** לְפִי שֶׁהֻבְדְּלוּ לַעֲבוֹדַת מִזְבֵּחַ וְאֵינָן פְּנוּיִין לַחֲרֹשׁ וְלִזְרֹעַ: **ה' הוּא נַחֲלָתוֹ.** נוֹטֵל פְּרָס מְזֻמָּן מִבֵּית הַמֶּלֶךְ:

י **וְאָנֹכִי עָמַדְתִּי בָהָר.** לְקַבֵּל לוּחוֹת

הרחבות | **הדילוג אל השנה הארבעים** היו שפירשו כי משה הכניס את האירועים המאוחרים הללו בין אירועי חטא העגל ששחזר מן העבר, כנגד מי שטענו כלפיו: אמרת שהתפללת למען אהרן אחיך בעניין העגל, והרי יודעים אנו שהוא מת. שמא לא הועילה תפילתך?! על כן משה מזכיר כי אהרן נפטר לא בשל חלקו בעגל, אלא במקום אחר ולאחר שנים רבות, והוא אף זכה להעברה מכובדת של כהונתו לאלעזר בנו (רשב"ם פס' ו).

ביאור | כאן מתקיים דילוג בזמן מאירועי סיני אל אירועים מן השנה
האחרונה: ו וּבְנֵי יִשְׂרָאֵל נָסְעוּ מִבְּאֵרֹת בְּנֵי יַעֲקָן לְמוֹסֵרָה, שָׁם מֵת
אַהֲרֹן וַיִּקָּבֵר שָׁם – וַיְכַהֵן אֶלְעָזָר בְּנוֹ תַּחְתָּיו. ז מִשָּׁם נָסְעוּ הַגֻּדְגֹּדָה, וּמִן
הַגֻּדְגֹּדָה – יָטְבָתָה, אֶרֶץ נַחֲלֵי מָיִם. אולי משום שפע מימיה וטובהּ
נקראה בשמה.

כאן חוזר משה אחורה, אל מה שנשתלשל מחטא העגל: ח בָּעֵת
הַהִוא – לאחר מתן הלוחות השניים הִבְדִּיל ה׳ אֶת שֵׁבֶט הַלֵּוִי לָשֵׂאת
אֶת אֲרוֹן בְּרִית ה׳, לַעֲמֹד לִפְנֵי ה׳ לְשָׁרְתוֹ וּלְבָרֵךְ בִּשְׁמוֹ, עַד הַיּוֹם הַזֶּה. ט עַל
כֵּן לֹא הָיָה לְלֵוִי חֵלֶק וְנַחֲלָה עִם אֶחָיו, ה׳ הוּא נַחֲלָתוֹ. הלויים המופקדים
על עבודת ה׳ ייחשבו כיחידה חברתית עצמאית משום שלא חטאו
בעגל.[22]

עתה משה מסיים את שחזור מתן הלוחות השניים, ומשלים פרטים
שדילג עליהם קודם לכן: י וְאָנֹכִי עָמַדְתִּי בתפילה בָהָר כַּיָּמִים הָרִאשֹׁנִים

מימין:
אתרים במסעות

משמאל:
יטבתה
על רקע
הרי אדום

**העולם** | **בְּאֵרֹת בְּנֵי יַעֲקָן** מקובל לזהותן עם בארות המים באל-בירין הסמוכות ליישוב עזוז.

**הַגֻּדְגֹּדָה** בספר במדבר (לג,לב) מסופר שבני ישראל נסעו מבני יעקן אל חֹר הגִדגד.

על רקע דמיון השם זוהה המקום עם בארות עודד בוואדי ע׳דיד, כ-15 ק״מ מדרום-מזרח למצפה רמון, או עם ואדי חדחד׳ הנכנס לנחל פארן מדרום, מצפון לכונתילה.

כַּיָּמִים הָרִאשֹׁנִים אַרְבָּעִים יוֹם וְאַרְבָּעִים לָיְלָה
וַיִּשְׁמַע יהוה אֵלַי גַּם בַּפַּעַם הַהִוא לֹא־אָבָה יהוה
הַשְׁחִיתֶךָ: וַיֹּאמֶר יהוה אֵלַי קוּם לֵךְ לְמַסַּע לִפְנֵי יא
הָעָם וְיָבֹאוּ וְיִירְשׁוּ אֶת־הָאָרֶץ אֲשֶׁר־נִשְׁבַּעְתִּי
לַאֲבֹתָם לָתֵת לָהֶם:

חמישי
וְעַתָּה יִשְׂרָאֵל מָה יהוה אֱלֹהֶיךָ שֹׁאֵל מֵעִמָּךְ כִּי אִם־ יב
לְיִרְאָה אֶת־יהוה אֱלֹהֶיךָ לָלֶכֶת בְּכָל־דְּרָכָיו
וּלְאַהֲבָה אֹתוֹ וְלַעֲבֹד אֶת־יהוה אֱלֹהֶיךָ בְּכָל־לְבָבְךָ
וּבְכָל־נַפְשֶׁךָ: לִשְׁמֹר אֶת־מִצְוֹת יהוה וְאֶת־חֻקֹּתָיו יג
אֲשֶׁר אָנֹכִי מְצַוְּךָ הַיּוֹם לְטוֹב לָךְ: הֵן לַיהוה אֱלֹהֶיךָ יד
הַשָּׁמַיִם וּשְׁמֵי הַשָּׁמָיִם הָאָרֶץ וְכָל־אֲשֶׁר־בָּהּ: רַק טו
בַּאֲבֹתֶיךָ חָשַׁק יהוה לְאַהֲבָה אוֹתָם וַיִּבְחַר בְּזַרְעָם
אַחֲרֵיהֶם בָּכֶם מִכָּל־הָעַמִּים כַּיּוֹם הַזֶּה: וּמַלְתֶּם אֵת טז
עָרְלַת לְבַבְכֶם וְעָרְפְּכֶם לֹא תַקְשׁוּ עוֹד: כִּי יהוה יז

רש"י

הָאַחֲרוֹנוֹת, וּלְפִי שֶׁלֹּא פֵּרֵשׁ לְמַעְלָה כַּמָּה עָמַד בָּהָר בַּעֲלִיָּה אַחֲרוֹנָה זוֹ, חָזַר וְהִתְחִיל בָּהּ: כַּיָּמִים הָרִאשֹׁנִים. שֶׁל לוּחוֹת הָרִאשׁוֹנוֹת, מָה הֵם בְּרָצוֹן, אַף אֵלּוּ בְּרָצוֹן, אֲבָל הָאֶמְצָעִיִּים שֶׁעָמַדְתִּי שָׁם לְהִתְפַּלֵּל עֲלֵיכֶם הָיוּ בְּכַעַס:

יא | וַיֹּאמֶר ה' אֵלַי וְגוֹ'. אַף עַל פִּי שֶׁסַּרְתֶּם מֵאַחֲרָיו וּטְעִיתֶם בָּעֵגֶל, אָמַר לִי: "לֵךְ נְחֵה אֶת הָעָם" (שמות לב, לד):

יב | וְעַתָּה יִשְׂרָאֵל. אַף עַל פִּי שֶׁעֲשִׂיתֶם כָּל זֹאת, עוֹדֶנּוּ רַחֲמָיו וְחִבָּתוֹ עֲלֵיכֶם, וּמִכָּל מַה שֶּׁחֲטָאתֶם לְפָנָיו אֵינוֹ שׁוֹאֵל מִכֶּם "כִּי אִם לְיִרְאָה" וְגוֹ'. וְרַבּוֹתֵינוּ דָּרְשׁוּ מִכָּאן: הַכֹּל בִּידֵי שָׁמַיִם חוּץ מִיִּרְאַת שָׁמַיִם:

יג | לִשְׁמֹר אֶת מִצְוֹת ה'. וְאַף הִיא לֹא לְחִנָּם, אֶלָּא "לְטוֹב לָךְ", שֶׁתְּקַבְּלוּ שָׂכָר:

יד-טו | הֵן לַה' אֱלֹהֶיךָ. הַכֹּל, וְאַף עַל פִּי כֵן, "רַק בַּאֲבֹתֶיךָ חָשַׁק ה'" מִן הַכֹּל: בָּכֶם. כְּמוֹ שֶׁאַתֶּם רוֹאִים אֶתְכֶם חֲשׁוּקִים מִכָּל הָעַמִּים הַיּוֹם הַזֶּה:

טז | עָרְלַת לְבַבְכֶם. אֹטֶם לְבַבְכֶם וְכִסּוּיוֹ:

הרחבות

'מה ה' אלהיך שׁאל מעמך כי אם...' מן הניסוח הזה נראה כאילו משה מציג את הציפיות מישראל, הכוללות יראה, הליכה בדרכי ה', עבודתו ושמירת מצוותיו, כציפיות קלות. (ראו ברכות לג ע"ב) ואכן שאלה רטורית זו מדגישה שלא נדרשים

ביאור | שבהם קיבלתי את התורה[23] – **אַרְבָּעִים יוֹם וְאַרְבָּעִים לָיְלָה**, כדי שה׳
ימחל על חטאם של ישראל.

**וַיִּשְׁמַע ה׳ אֵלַי גַּם בַּפַּעַם הַהִוא, לֹא אָבָה**, רצה ה׳ **לְהַשְׁחִיתֶךָ**, וחס
עליך. יא **וַיֹּאמֶר ה׳ אֵלַי: קוּם לֵךְ לְמַסַּע לִפְנֵי הָעָם, וְיָבֹאוּ וְיִירְשׁוּ אֶת**
**הָאָרֶץ אֲשֶׁר נִשְׁבַּעְתִּי לַאֲבֹתָם לָתֵת לָהֶם.**

# המצוות ואהבת ה׳

## פרק י פס׳ יב – פרק יא פס׳ כה

בעניין זה חוזר משה מספר פעמים על הדרישה שישראל יעבדו את ה׳ ויאהבוהו. דרישה זו נכרכת שוב ושוב במערכת היחסים בין ה׳ לבין ישראל ואבותיהם בעבר ובעתיד, מצד אחד; ועם גדולתו של ה׳ ומידות החסד, הצדקה והדין שלו, מצד שני.

לשם חיזוק מחויבותם של ישראל לאלוקים נזכרים כאן אירועים מן העבר, כגון נסי יציאת מצרים, קריעת הים ופציית האדמה את פיה, וכן הבטחות להתרחשויות העתידות לבוא – ירושת הארץ והאפשרות לשבת בה ברווחה – אם ילכו בדרכי ה׳.

עניין זה כולל בתוכו את פרשת ׳והיה אם שמוע׳, העוסקת בגשם ובבצורת כאפשרויות של גמול למעשיהם של ישראל כשישבו על ארצם. בשל חשיבותה הרבה, בהיותה ׳קבלת עול מצוות׳,[24] היא נקבעה להיאמר כפרשה השנייה של קריאת שמע, ולהיכתב על מזוזות הבית ובתוך התפילין.

יב **וְעַתָּה יִשְׂרָאֵל**, לאחר שסוכם חלק גדול מאירועי העבר, **מָה ה׳ אֱלֹהֶיךָ**
**שֹׁאֵל**, מבקש **מֵעִמָּךְ – כִּי אִם לְיִרְאָה אֶת ה׳ אֱלֹהֶיךָ, לָלֶכֶת בְּכָל דְּרָכָיו**
**וּלְאַהֲבָה אֹתוֹ וְלַעֲבֹד אֶת ה׳ אֱלֹהֶיךָ בְּכָל לְבָבְךָ וּבְכָל נַפְשֶׁךָ;** יג **לִשְׁמֹר אֶת**
**מִצְוֺת ה׳ וְאֶת חֻקֹּתָיו אֲשֶׁר אָנֹכִי מְצַוְּךָ הַיּוֹם, לְטוֹב לָךְ**, ולא למענו. יד **הֵן**
**לַה׳ אֱלֹהֶיךָ הַשָּׁמַיִם**, שאינם קצה המציאות – **וּשְׁמֵי** השמים, **הַשָּׁמַיִם**,
**הָאָרֶץ וְכָל אֲשֶׁר בָּהּ**. מכיוון שהכול שייך לו, אין הוא זקוק לקיום
מצוותיך, והמצוות הן לטובתך בלבד. טו את קיום מצוותיו הוא
בחר להטיל עליך משום **שֶׁרַק בַּאֲבֹתֶיךָ חָשַׁק ה׳ לְאַהֲבָה אוֹתָם, וַיִּבְחַר**
**בְּזַרְעָם אַחֲרֵיהֶם – בָּכֶם – מִכָּל הָעַמִּים כַּיּוֹם הַזֶּה.**

טז לפיכך – **וּמַלְתֶּם**, הסירו **אֵת עָרְלַת**, הכיסוי האוטם את **לְבַבְכֶם**,
עליכם להשיב לעצמכם את רגישותכם כדי שתעמדו בלב שלם
מול ה׳.[25] **וְעָרְפְּכֶם לֹא תַקְשׁוּ עוֹד**. חדלו מעיקשותכם.

הרחבות | מישראל מעשים שיש בהם משום שינוי הטבע האנושי. על ישראל לדבוק בה׳, אך משמעה של ההיצמדות לאלוקים אינו הפיכתם ליצורים משונים. התורה והמצוות נעשות כדרך בני אדם.

אֱלֹהֵיכֶם הוּא אֱלֹהֵי הָאֱלֹהִים וַאֲדֹנֵי הָאֲדֹנִים הָאֵל
הַגָּדֹל הַגִּבֹּר וְהַנּוֹרָא אֲשֶׁר לֹא־יִשָּׂא פָנִים וְלֹא יִקַּח
שֹׁחַד: עֹשֶׂה מִשְׁפַּט יָתוֹם וְאַלְמָנָה וְאֹהֵב גֵּר לָתֶת יח
לוֹ לֶחֶם וְשִׂמְלָה: וַאֲהַבְתֶּם אֶת־הַגֵּר כִּי־גֵרִים הֱיִיתֶם יט
בְּאֶרֶץ מִצְרָיִם: אֶת־יהוה אֱלֹהֶיךָ תִּירָא אֹתוֹ תַעֲבֹד כ
וּבוֹ תִדְבָּק וּבִשְׁמוֹ תִּשָּׁבֵעַ: הוּא תְהִלָּתְךָ וְהוּא כא
אֱלֹהֶיךָ אֲשֶׁר־עָשָׂה אִתְּךָ אֶת־הַגְּדֹלֹת וְאֶת־הַנּוֹרָאֹת
הָאֵלֶּה אֲשֶׁר רָאוּ עֵינֶיךָ: בְּשִׁבְעִים נֶפֶשׁ יָרְדוּ אֲבֹתֶיךָ כב
מִצְרָיְמָה וְעַתָּה שָׂמְךָ יהוה אֱלֹהֶיךָ כְּכוֹכְבֵי הַשָּׁמַיִם
לָרֹב: וְאָהַבְתָּ אֵת יהוה אֱלֹהֶיךָ וְשָׁמַרְתָּ מִשְׁמַרְתּוֹ א יא
וְחֻקֹּתָיו וּמִשְׁפָּטָיו וּמִצְוֹתָיו כָּל־הַיָּמִים: וִידַעְתֶּם הַיּוֹם ב
כִּי ׀ לֹא אֶת־בְּנֵיכֶם אֲשֶׁר לֹא־יָדְעוּ וַאֲשֶׁר לֹא־רָאוּ
אֶת־מוּסַר יהוה אֱלֹהֵיכֶם אֶת־גָּדְלוֹ אֶת־יָדוֹ הַחֲזָקָה
וּזְרֹעוֹ הַנְּטוּיָה: וְאֶת־אֹתֹתָיו וְאֶת־מַעֲשָׂיו אֲשֶׁר ג
עָשָׂה בְּתוֹךְ מִצְרָיִם לְפַרְעֹה מֶלֶךְ־מִצְרַיִם וּלְכָל־
אַרְצוֹ: וַאֲשֶׁר עָשָׂה לְחֵיל מִצְרַיִם לְסוּסָיו וּלְרִכְבּוֹ ד
אֲשֶׁר הֵצִיף אֶת־מֵי יַם־סוּף עַל־פְּנֵיהֶם בְּרָדְפָם
אַחֲרֵיכֶם וַיְאַבְּדֵם יהוה עַד הַיּוֹם הַזֶּה: וַאֲשֶׁר עָשָׂה ה

רש"י

יז) וַאֲדֹנֵי הָאֲדֹנִים. לֹא יוּכַל שׁוּם אָדוֹן לְהַצִּיל אֶתְכֶם מִיָּדוֹ: לֹא יִשָּׂא פָנִים. אִם תִּפְרְקוּ עֻלּוֹ: וְלֹא יִקַּח שֹׁחַד. לְפַיְּסוֹ בְּמָמוֹן:

יח) עֹשֶׂה מִשְׁפַּט יָתוֹם וְאַלְמָנָה. הֲרֵי גְּבוּרָה, וְאֵצֶל גְּבוּרָתוֹ אַתָּה מוֹצֵא עַנְוְתָנוּתוֹ: וְאֹהֵב גֵּר לָתֶת לוֹ לֶחֶם וְשִׂמְלָה. וְדָבָר חָשׁוּב הוּא זֶה, שֶׁכָּל עַצְמוֹ שֶׁל יַעֲקֹב אָבִינוּ עַל זֶה נִתְפַּלֵּל: "וְנָתַן לִי לֶחֶם לֶאֱכֹל וּבֶגֶד לִלְבֹּשׁ" (בראשית כח, כ).

יט) כִּי גֵרִים הֱיִיתֶם. מוּם שֶׁבְּךָ אַל תֹּאמַר לַחֲבֵרְךָ:

כ) אֶת ה' אֱלֹהֶיךָ תִּירָא. וְתַעֲבֹד לוֹ וְתִדְבַּק בּוֹ, וּלְאַחַר שֶׁיִּהְיוּ בְךָ כָּל הַמִּדּוֹת הַלָּלוּ, אָז "בִּשְׁמוֹ תִּשָּׁבֵעַ":

פרק יא

ב) וִידַעְתֶּם הַיּוֹם. תְּנוּ לֵב לָדַעַת וּלְהָבִין וּלְקַבֵּל תּוֹכַחְתִּי: כִּי לֹא אֶת בְּנֵיכֶם. אֲנִי

ביאור

יז כִּי ה' אֱלֹהֵיכֶם הוּא אֱלֹהֵי הָאֱלֹהִים וַאֲדֹנֵי הָאֲדֹנִים, הָאֵל הַגָּדֹל, הַגִּבֹּר
וְהַנּוֹרָא, אֲשֶׁר לֹא יִשָּׂא פָנִים, לא יעדיף אדם בשל מעמדו והשגיו וְלֹא
יִקַּח שֹׁחַד. אנשים חושבים שהם יכולים לשחדו בעשיית מעשים
טובים או בהזכרת שמו, אך הוא אינו נזקק לאדם שיפאר אותו או
שיקיים את חוקיו.[26] יח הרי הוא עצמו אינו מעדיף את המכובדים,
אלא עֹשֶׂה מִשְׁפַּט יָתוֹם וְאַלְמָנָה, וְאֹהֵב גֵּר, לָתֶת לוֹ לֶחֶם, מזון וְשִׂמְלָה,
ובגד. הוא דואג לנמוכים ולשפלים.[27] דווקא בשל גדולתו הוא יכול
לרדת למטה מטה. על כן, אם תבנו מקדשים מפוארים יותר, או
תעטרו אותם בקישוטים מוזהבים יותר, אינכם נעשים רצויים
וטובים בעיניו בכך.

וכהערת אגב: יט וַאֲהַבְתֶּם גם אתם אֶת הַגֵּר. למדו זאת ממידותיו
של ה'. יתר על כן, כִּי גם אתם עצמכם גֵרִים הֱיִיתֶם בְּאֶרֶץ מִצְרָיִם,
ועליכם לזכור כיצד חש הגולה הזר והמשועבד.

כ כללו של דבר, אֶת ה' אֱלֹהֶיךָ תִּירָא, אֹתוֹ תַעֲבֹד וּבוֹ תִדְבָּק וּבִשְׁמוֹ
תִּשָּׁבֵעַ, אם אתה נשבע - צריך אתה להישבע בשמו. כא הוּא
תְהִלָּתְךָ וְהוּא אֱלֹהֶיךָ, ואין דבר זולתו, אֲשֶׁר עָשָׂה אִתְּךָ אֶת הַגְּדֹלֹת וְאֶת
הַנּוֹרָאֹת הָאֵלֶּה אֲשֶׁר רָאוּ עֵינֶיךָ. כב בְּשִׁבְעִים נֶפֶשׁ יָרְדוּ אֲבֹתֶיךָ מִצְרָיְמָה,
וְעַתָּה שָׂמְךָ ה' אֱלֹהֶיךָ כְּכוֹכְבֵי הַשָּׁמַיִם לָרֹב. ריבויכם העצום מבטא את
השגחתו המיוחדת עליכם ואת אהבתו כלפיכם. פרק יא א וְאָהַבְתָּ
אֵת ה' אֱלֹהֶיךָ, וְשָׁמַרְתָּ מִשְׁמַרְתּוֹ, שמור לו אמונים, והתייצב למלא
את פקודתו, וְנוסף על כך - שמור את חֻקֹּתָיו וּמִשְׁפָּטָיו וּמִצְוֹתָיו כָּל
הַיָּמִים. ב וִידַעְתֶּם הַיּוֹם, כִּי לֹא אֶת, עם בְּנֵיכֶם אני מדבר - בניכם
אֲשֶׁר לֹא יָדְעוּ וַאֲשֶׁר לֹא רָאוּ אֶת מוּסַר, תוכחת ה' אֱלֹהֵיכֶם, אֶת גָּדְלוֹ,
אֶת יָדוֹ הַחֲזָקָה וּזְרֹעוֹ הַנְּטוּיָה ג וְאֶת אֹתֹתָיו וְאֶת מַעֲשָׂיו
אֲשֶׁר עָשָׂה בְּתוֹךְ מִצְרָיִם לְפַרְעֹה מֶלֶךְ מִצְרַיִם וּלְכָל אַרְצוֹ;
ד וַאֲשֶׁר עָשָׂה לְחֵיל מִצְרַיִם, לְסוּסָיו וּלְרִכְבּוֹ - אֲשֶׁר הֵצִיף אֶת מֵי יַם סוּף
עַל פְּנֵיהֶם בְּרָדְפָם אַחֲרֵיכֶם, וַיְאַבְּדֵם ה' עַד הַיּוֹם הַזֶּה;

הרחבות

'ובו תדבק' שלא כמו בדתות אחרות, שבהן יש לבני האדם חיים שלמים, ובצדם פולחן דתי, דת ישראל היא תיאוצנטרית. אלוקי ישראל מצווה על עמו התמסרות מלאה - על ישראל לירוא מפניו, לעבדו, לדבוק בו ולהישבע בשמו. הוא מרכז החיים, ואין לישראל קיום בלעדיו.

ו לָכֶם בַּמִּדְבָּר עַד־בֹּאֲכֶם עַד־הַמָּקוֹם הַזֶּה׃ וַאֲשֶׁר
עָשָׂה לְדָתָן וְלַאֲבִירָם בְּנֵי אֱלִיאָב בֶּן־רְאוּבֵן אֲשֶׁר
פָּצְתָה הָאָרֶץ אֶת־פִּיהָ וַתִּבְלָעֵם וְאֶת־בָּתֵּיהֶם וְאֶת־
אָהֳלֵיהֶם וְאֵת כָּל־הַיְקוּם אֲשֶׁר בְּרַגְלֵיהֶם בְּקֶרֶב
ז כָּל־יִשְׂרָאֵל׃ כִּי עֵינֵיכֶם הָרֹאֹת אֵת כָּל־מַעֲשֵׂה
ח יְהוָה הַגָּדֹל אֲשֶׁר עָשָׂה׃ וּשְׁמַרְתֶּם אֶת־כָּל־הַמִּצְוָה
אֲשֶׁר אָנֹכִי מְצַוְּךָ הַיּוֹם לְמַעַן תֶּחֶזְקוּ וּבָאתֶם
וִירִשְׁתֶּם אֶת־הָאָרֶץ אֲשֶׁר אַתֶּם עֹבְרִים שָׁמָּה
ט לְרִשְׁתָּהּ׃ וּלְמַעַן תַּאֲרִיכוּ יָמִים עַל־הָאֲדָמָה אֲשֶׁר
נִשְׁבַּע יְהוָה לַאֲבֹתֵיכֶם לָתֵת לָהֶם וּלְזַרְעָם אֶרֶץ
ששי י זָבַת חָלָב וּדְבָשׁ׃ כִּי הָאָרֶץ אֲשֶׁר אַתָּה
בָא־שָׁמָּה לְרִשְׁתָּהּ לֹא כְאֶרֶץ מִצְרַיִם הִוא אֲשֶׁר

רש"י

מְדַבֵּר עַכְשָׁיו, שֶׁיּוּכְלוּ לוֹמַר: אָנוּ לֹא יָדַעְנוּ וְלֹא רָאִינוּ בְּכָל זֶה:

ו) **בְּקֶרֶב כָּל יִשְׂרָאֵל.** כָּל מָקוֹם שֶׁהָיָה אֶחָד מֵהֶם בּוֹרֵחַ, הָאָרֶץ נִבְקַעַת מִתַּחְתָּיו וּבוֹלַעְתּוֹ, אֵלּוּ דִּבְרֵי רַבִּי יְהוּדָה. אָמַר לוֹ רַבִּי נְחֶמְיָה: וַהֲלֹא כְּבָר נֶאֱמַר: "וַתִּפְתַּח הָאָרֶץ אֶת פִּיהָ" (במדבר טז, לב) וְלֹא 'פִּיּוֹתֶיהָ'? אָמַר לוֹ: וּמָה אֲנִי מְקַיֵּם "בְּקֶרֶב כָּל יִשְׂרָאֵל"? אָמַר לוֹ: שֶׁנַּעֲשֵׂית הָאָרֶץ מִדְרוֹן כְּמַשְׁפֵּךְ, וְכָל מָקוֹם שֶׁהָיָה אֶחָד מֵהֶם, הָיָה מִתְגַּלְגֵּל וּבָא עַד מְקוֹם הַבְּקִיעָה: **וְאֵת כָּל הַיְקוּם אֲשֶׁר בְּרַגְלֵיהֶם.** זֶה מָמוֹנוֹ שֶׁל אָדָם שֶׁמַּעֲמִידוֹ עַל רַגְלָיו:

ז) **כִּי עֵינֵיכֶם הָרֹאֹת.** מוּסָב עַל הַמִּקְרָא הָאָמוּר לְמַעְלָה (לעיל פסוק ב): "כִּי לֹא אֶת בְּנֵיכֶם אֲשֶׁר לֹא יָדְעוּ" וְגוֹ', כִּי אִם עִמָּכֶם, אֲשֶׁר "עֵינֵיכֶם הָרֹאֹת" וְגוֹ':

י) **לֹא כְאֶרֶץ מִצְרַיִם הִוא.** אֶלָּא טוֹבָה הֵימֶנָּה. וְנֶאֶמְרָה הַבְטָחָה זוֹ לְיִשְׂרָאֵל בִּיצִיאָתָם מִמִּצְרַיִם, שֶׁהָיוּ אוֹמְרִים, שֶׁמָּא לֹא נָבוֹא אֶל אֶרֶץ טוֹבָה וְיָפָה כָּזוֹ. יָכוֹל בִּגְנוּתָהּ הַכָּתוּב מְדַבֵּר, וְכָךְ אָמַר לָהֶם: לֹא כְּאֶרֶץ מִצְרַיִם הִיא אֶלָּא רָעָה הֵימֶנָּה? תַּלְמוּד לוֹמַר: "וְחֶבְרוֹן שֶׁבַע שָׁנִים נִבְנְתָה לִפְנֵי צֹעַן מִצְרָיִם" (במדבר יג, כב), אָדָם אֶחָד בְּנָאָן, אִם בָּנָה צֹעַן לְמִצְרַיִם בְּנוֹ וְחֶבְרוֹן לִכְנַעַן; דֶּרֶךְ אֶרֶץ אָדָם בּוֹנֶה אֶת הַנָּאֶה וְאַחַר כָּךְ בּוֹנֶה אֶת הַכָּעוּר, שֶׁפְּסָלְתּוֹ שֶׁל רִאשׁוֹן הוּא נוֹתֵן בַּשֵּׁנִי, וּבְכָל מָקוֹם הֶחָבִיב קוֹדֵם, הָא לָמַדְתָּ שֶׁחֶבְרוֹן יָפָה מִצֹּעַן. וּמִצְרַיִם מְשֻׁבַּחַת מִכָּל הָאֲרָצוֹת, שֶׁנֶּאֱמַר: "כְּגַן ה' כְּאֶרֶץ מִצְרַיִם" (בראשית יג, י), וְצֹעַן שֶׁבַח מִצְרַיִם הִיא, שֶׁהָיְתָה מְקוֹם מַלְכוּת, שֶׁכֵּן הוּא אוֹמֵר: "כִּי הָיוּ בְצֹעַן שָׂרָיו" (ישעיה ל, ד), וְחֶבְרוֹן פְּסָלְתָּהּ שֶׁל אֶרֶץ יִשְׂרָאֵל, לְכָךְ הֻקְצָה לִקְבוּרַת מֵתִים, וְאַף עַל פִּי כֵן הִיא יָפָה מִצֹּעַן. וּבִכְתֻבּוֹת (דף קיב ע"א) דָּרְשׁוּ בְּעִנְיָן אַחֵר: אֶפְשָׁר אָדָם בּוֹנֶה בַּיִת לִבְנוֹ הַקָּטָן וְאַחַר כָּךְ לִבְנוֹ הַגָּדוֹל?

ביאור

ה וַאֲשֶׁר עָשָׂה לָכֶם בַּמִּדְבָּר עַד בֹּאֲכֶם עַד הַמָּקוֹם הַזֶּה;
ו וַאֲשֶׁר עָשָׂה לְדָתָן וְלַאֲבִירָם בְּנֵי אֱלִיאָב בֶּן רְאוּבֵן, אֲשֶׁר פָּצְתָה הָאָרֶץ אֶת
פִּיהָ וַתִּבְלָעֵם וְאֶת בָּתֵּיהֶם וְאֶת אָהֳלֵיהֶם וְאֵת כָּל הַיְקוּם אֲשֶׁר בְּרַגְלֵיהֶם,
הרכוש שעליו הם התבססו[28] בְּקֶרֶב כָּל יִשְׂרָאֵל.
ז כִּי עֵינֵיכֶם שלכם הן הָרֹאֹת אֶת כָּל מַעֲשֵׂה ה' הַגָּדֹל אֲשֶׁר עָשָׂה.
ח לכן – וּשְׁמַרְתֶּם אֶת כָּל הַמִּצְוָה אֲשֶׁר אָנֹכִי מְצַוְּךָ הַיּוֹם, לְמַעַן תֶּחֶזְקוּ
וּבָאתֶם וִירִשְׁתֶּם אֶת הָאָרֶץ אֲשֶׁר אַתֶּם עֹבְרִים שָׁמָּה לְרִשְׁתָּהּ. ט ויתרה
מזו – לְמַעַן תַּאֲרִיכוּ יָמִים עַל הָאֲדָמָה אֲשֶׁר נִשְׁבַּע ה' לַאֲבֹתֵיכֶם לָתֵת
לָהֶם וּלְזַרְעָם, שהיא אֶרֶץ זָבַת חָלָב וּדְבָשׁ.

הארץ המובטחת מתייחדת בכך שהיא תלויה באלוקים: י כִּי
הָאָרֶץ אֲשֶׁר אַתָּה בָא שָׁמָּה לְרִשְׁתָּהּ – לֹא כְאֶרֶץ מִצְרַיִם הִוא אֲשֶׁר

הרחבות

**'ואשר עשה לדתן ולאבירם'** מעניין שקֹרח אינו נזכר כאן, אולי משום שהוויכוח עמו היה בעיה פנים משפחתית, שמשה אינו רואה לנכון להזכירה עתה באוזני כלל ישראל.

**'עיניכם הרֹאֹת'** אף על פי שרבים משומעיו של משה כבר נולדו במדבר ולא ראו בעיניהם את האירועים המוקדמים הנזכרים כאן, היו בקרבם גם מי שיכלו להעיד עליהם עדות ישירה, ואליהם פונה משה. כל אלו שלא היו בעת חטא המרגלים בגיל השירות הצבאי, צעירים מאוד או זקנים, הנשים ובני לוי, שעליהם לא נגזר למות במדבר בעוון המרגלים.

יְצָאתֶם מִשָּׁם אֲשֶׁר תִּזְרַע אֶת־זַרְעֲךָ וְהִשְׁקִיתָ
בְרַגְלְךָ כְּגַן הַיָּרָק: וְהָאָרֶץ אֲשֶׁר אַתֶּם עֹבְרִים שָׁמָּה יא
לְרִשְׁתָּהּ אֶרֶץ הָרִים וּבְקָעֹת לִמְטַר הַשָּׁמַיִם תִּשְׁתֶּה־
מָּיִם: אֶרֶץ אֲשֶׁר־יְהוָה אֱלֹהֶיךָ דֹּרֵשׁ אֹתָהּ תָּמִיד יב
עֵינֵי יְהוָה אֱלֹהֶיךָ בָּהּ מֵרֵשִׁית הַשָּׁנָה וְעַד אַחֲרִית
שָׁנָה: וְהָיָה אִם־שָׁמֹעַ תִּשְׁמְעוּ אֶל־מִצְוֺתַי יג
אֲשֶׁר אָנֹכִי מְצַוֶּה אֶתְכֶם הַיּוֹם לְאַהֲבָה אֶת־יְהוָה
אֱלֹהֵיכֶם וּלְעָבְדוֹ בְּכָל־לְבַבְכֶם וּבְכָל־נַפְשְׁכֶם: וְנָתַתִּי יד

רש"י | אלא שמכנה על אחד משבעה בכנען: **אשר יצאתם משם.** אפלו ארץ רעמסס אשר ישבתם בה והיא במיטב ארץ מצרים, שנאמר: "במיטב הארץ" וגו' (בראשית מז, יא), אף היא אינה כארץ ישראל: **והשקית ברגלך.** ארץ מצרים – היית צריך להביא מים מנילוס ברגלך ולהשקותה, וצריך אתה לנדד את שנתך ולעמל, והנמוך שותה ולא הגבוה, ואתה מעלה המים מן הנמוך לגבוה. אבל זו – "למטר השמים תשתה מים" (להלן פסוק יא), אתה ישן על מטתך והקדוש ברוך הוא משקה נמוך וגבוה, גלוי ושאינו גלוי כאחת: **כגן הירק.** שאין די לו בגשמים ומשקים אותו ברגל ובכתף:

יא| **ארץ הרים ובקעת.** משבח ההר מן המישור, שהמישור בבית כור אתה זורע כור, אבל ההר בית כור ממנו חמשת כורין, ארבעה מארבעה שפועיו ואחד בראשו: **ובקעת.** הן מישור:

יב| **אשר ה' אלהיך דרש אתה.** והלא כל הארצות הוא דורש, שנאמר: "להמטיר על ארץ לא איש" (איוב לח, כו)! אלא כביכול אינו דורש אלא אותה, ועל ידי אותה דרישה שדורשה דורש את כל הארצות עמה: **תמיד עיני ה' אלהיך בה.** לראות מה היא צריכה ולחדש בה גזרות, עתים לטובה ועתים לרעה וכו', כדאיתא בראש השנה (דף יז ע"ב): **מרשית השנה.** מראש השנה נדון מה יהא בסופה:

יג| **והיה אם שמע תשמעו.** אם תשמע בישן, תשמע בחדש, וכן: "והיה אם שכח תשכח" (לעיל ח, יט), אם התחלת לשכח סופך שתשכח כלה, כתיב במגלה: אם תעזבני יום, יומים אעזבך (ראה ספרי מח): **מצוה אתכם היום.** שיהיו עליכם חדשים כאלו שמעתם בו ביום: **לאהבה את ה'.** שלא תאמר: הרי אני למד בשביל שאהיה עשיר, בשביל שאקרא רב, בשביל שאקבל שכר, אלא כל מה שתעשו עשו מאהבה, וסוף הכבוד לבא: **ולעבדו בכל לבבכם.** עבודה שהיא בלב, וזו היא תפלה, שהתפלה קרויה עבודה, שנאמר: "אלהך די אנת פלח לה בתדירא" (דניאל ו, יז), וכי יש פלחן בבבל? אלא על שהיה מתפלל, שנאמר: "וכוין פתיחן לה" וגו' (שם פסוק יא), וכן בדוד הוא אומר: "תכון תפלתי קטרת לפניך" (תהלים קמא, ב): **בכל לבבכם ובכל נפשכם.** והלא כבר הזהיר: "בכל לבבך ובכל נפשך" (דברים ו, ה)? אלא, אזהרה ליחיד, אזהרה לצבור:

ביאור

**יְצָאתֶם מִשָּׁם, אֲשֶׁר תִּזְרַע אֶת זַרְעֲךָ וְהִשְׁקִיתָ בְרַגְלְךָ כְּגַן הַיָּרָק.** הודות
לנילוס המים מצויים במצרים תמיד. הם מובלים בתעלות, ומהן
הם נישאים בדליים אל השדות והגנים. יא **וְאִילו הָאָרֶץ אֲשֶׁר אַתֶּם**
**עֹבְרִים שָׁמָּה לְרִשְׁתָּהּ – אֶרֶץ הָרִים וּבְקָעֹת. לִמְטַר הַשָּׁמַיִם תִּשְׁתֶּה,** היא
שותה **מָּיִם;** יב **אֶרֶץ אֲשֶׁר ה׳ אֱלֹהֶיךָ דֹּרֵשׁ אֹתָהּ,** משגיח עליה. **תָּמִיד**
**עֵינֵי ה׳ אֱלֹהֶיךָ בָּהּ – מֵרֵשִׁית,** מראשית **הַשָּׁנָה וְעַד אַחֲרִית שָׁנָה.** שלא
כארץ מצרים שבה אספקת המים סדירה באופן טבעי, בכנען לא
תוכל להיות בטוח שיהיו די מים לצרכיך. שם באופן מובהק יותר
תימצא תמיד תחת עינה של ההשגחה העליונה.

יג **וְהָיָה אִם שָׁמֹעַ תִּשְׁמְעוּ אֶל מִצְוֹתַי אֲשֶׁר אָנֹכִי מְצַוֶּה אֶתְכֶם הַיּוֹם,**
**לְאַהֲבָה אֶת ה׳ אֱלֹהֵיכֶם וּלְעָבְדוֹ בְּכָל לְבַבְכֶם וּבְכָל נַפְשְׁכֶם.** יד **וְנָתַתִּי**





מימין:
וְהִשְׁקִיתָ בְרַגְלְךָ כְּגַן הַיָּרָק
חקלאות לאורך הנילוס

משמאל:
אֶרֶץ הָרִים וּבְקָעֹת
טרסות מעובדות בגוש עציון

מְטַר־אַרְצְכֶם בְּעִתּוֹ יוֹרֶה וּמַלְקוֹשׁ וְאָסַפְתָּ דְגָנֶךָ
וְתִירֹשְׁךָ וְיִצְהָרֶךָ: וְנָתַתִּי עֵשֶׂב בְּשָׂדְךָ לִבְהֶמְתֶּךָ טו
וְאָכַלְתָּ וְשָׂבָעְתָּ: הִשָּׁמְרוּ לָכֶם פֶּן־יִפְתֶּה לְבַבְכֶם טז
וְסַרְתֶּם וַעֲבַדְתֶּם אֱלֹהִים אֲחֵרִים וְהִשְׁתַּחֲוִיתֶם
לָהֶם: וְחָרָה אַף־יְהוָה בָּכֶם וְעָצַר אֶת־הַשָּׁמַיִם וְלֹא־ יז
יִהְיֶה מָטָר וְהָאֲדָמָה לֹא תִתֵּן אֶת־יְבוּלָהּ וַאֲבַדְתֶּם
מְהֵרָה מֵעַל הָאָרֶץ הַטֹּבָה אֲשֶׁר יְהוָה נֹתֵן לָכֶם:

רש"י

יד **ונתתי מטר ארצכם.** עשיתם מה שעליכם, אף אני אעשה מה שעלי: **בעתו.** בלילות, שלא יטריחו אתכם. דבר אחר, "בעתו", בלילי שבתות, שהכל מצויין בבתיהם: **יורה.** היא רביעה הנופלת לאחר הזריעה, שמרוה את הארץ ואת הזרעים: **ומלקוש.** רביעה היורדת סמוך לקציר למלאת התבואה בקשיה. ולשון "מלקוש" דבר המאחר, כדמתרגמינן: "והיה העטפים ללבן" – "לקישיא" (בראשית ל, מב). דבר אחר, לכך נקראת "מלקוש", שיורדת על המלילות ועל הקשין: **ואספת דגנך.** אתה תאספנו אל הבית ולא אויביך, כענין שנאמר: "אם אתן את דגנך עוד מאכל לאיביך וגו' כי מאספיו יאכלהו" (ישעיה סב, ח-ט), ולא כענין שנאמר: "והיה אם זרע ישראל ועלה מדין ועמלק ובני קדם" וגו' (שופטים ו, ג):

טו **ונתתי עשב בשדך.** שלא תצטרך להוליכה למדברות. דבר אחר, שתהיה גוזז תבואתך כל ימות הגשמים ומשליך לפני בהמתך, ואתה מונע ידך ממנה שלשים יום קודם לקציר ואינה פוחתת מדגנה: **ואכלת ושבעת.** הרי זו ברכה אחרת, שתהא ברכה מצויה בפת בתוך המעים:

טו-טז **ואכלת ושבעת, השמרו לכם.** כיון שתהיו אוכלים ושבעים, השמרו לכם שלא תבעטו, שאין אדם מורד בהקדוש ברוך הוא אלא מתוך שביעה, שנאמר: "פן תאכל ושבעת... ובקרך וצאנך ירבין" (לעיל ח, יב-יג), מה הוא אומר אחריו? "ורם לבבך ושכחת" (שם פסוק יד): **וסרתם.** לפרש מן התורה, ומתוך כך: "ועבדתם אלהים אחרים", שכיון שאדם פורש מן התורה, הולך ומדבק בעבודה זרה. וכן דוד אומר: "כי גרשוני היום מהסתפח בנחלת ה' לאמר לך עבד אלהים אחרים" (שמואל א' כו, יט), ומי אמר לו כן? אלא כיון שאני מגרש מלעסק בתורה, הריני קרוב לעבד אלהים אחרים: **אלהים אחרים.** שהם אחרים לעובדיהם, צועק אליו ואינו עונהו, נמצא עשוי לו כנכרי:

יז **את יבולה.** אף מה שאתה מוביל לה, כענין שנאמר: "זרעתם הרבה והבא מעט" (חגי א, ו): **ואבדתם מהרה.** על כל שאר היסורין, אגלה אתכם מן האדמה שגרמה לכם לחטא. משל למלך ששלח בנו לבית המשתה והיה יושב ומפקדו: אל תאכל יותר מצרכך שתבוא נקי לביתך, ולא השגיח הבן ההוא, אכל ושתה יותר

הרחבות

**גמול הגשמים כנס לציבור** ספר דברים פונה בעיקרו לקהל עדת ישראל כולו ולא ליחידים. אף ירידת הגשמים ועצירתם נוגעות לציבור דווקא, ואינן תגובות למעשיו של פרט זה או אחר. לפי אחת הדעות, מימושן של הבטחות אלה הוא

ביאור | מְטַר אַרְצְכֶם בְּעִתּוֹ, בזמנו - יוֹרֶה, הגשם הראשון, וּמַלְקוֹשׁ, הגשם
האחרון. וְאָסַפְתָּ דְגָנֶךָ, תבואתך וְתִירֹשְׁךָ, יינך וְיִצְהָרֶךָ, שמנך, כלומר
עיקרי היבול. טו וְנָתַתִּי עֵשֶׂב בְּשָׂדְךָ לִבְהֶמְתֶּךָ, הגשמים ישקו את
שדותיך הזרועים, את מטעיך וגם את האזורים המיועדים למרעה.
וְאָכַלְתָּ וְשָׂבָעְתָּ.

טז הִשָּׁמְרוּ לָכֶם פֶּן יִפְתֶּה לְבַבְכֶם, וְסַרְתֶּם וַעֲבַדְתֶּם אֱלֹהִים אֲחֵרִים
וְהִשְׁתַּחֲוִיתֶם לָהֶם. יז וְחָרָה אַף ה' בָּכֶם, ה' יכעס עליכם, וְעָצַר אֶת
הַשָּׁמַיִם וְלֹא יִהְיֶה מָטָר. וכיוון שבארץ שבה תחיו התלות בשמים
והצורך בגשם תמידיים - הָאֲדָמָה לֹא תִתֵּן אֶת יְבוּלָהּ, ובעקבות
הרעב - וַאֲבַדְתֶּם מְהֵרָה מֵעַל הָאָרֶץ הַטֹּבָה אֲשֶׁר ה' נֹתֵן לָכֶם.

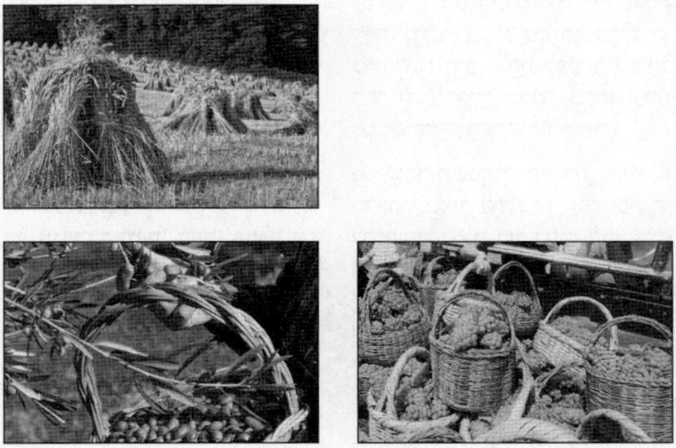

איסוף דגן,
תירוש ויצהר

הרחבות | אירוע נסי, ונסים מתרחשים רק לכלל ישראל כשהוא שרוי במצב שלם, ולא לפרטים (רמב"ן בראשית יז,א; ויקרא כו,י). או-אז כל תנודה שעוברת על החברה - לכאן או לכאן - ניכרת מיד.

וְשַׂמְתֶּם אֶת־דְּבָרַי אֵלֶּה עַל־לְבַבְכֶם וְעַל־נַפְשְׁכֶם יח
וּקְשַׁרְתֶּם אֹתָם לְאוֹת עַל־יֶדְכֶם וְהָיוּ לְטוֹטָפֹת בֵּין
עֵינֵיכֶם׃ וְלִמַּדְתֶּם אֹתָם אֶת־בְּנֵיכֶם לְדַבֵּר בָּם יט
בְּשִׁבְתְּךָ בְּבֵיתֶךָ וּבְלֶכְתְּךָ בַדֶּרֶךְ וּבְשָׁכְבְּךָ וּבְקוּמֶךָ׃
וּכְתַבְתָּם עַל־מְזוּזוֹת בֵּיתֶךָ וּבִשְׁעָרֶיךָ׃ לְמַעַן כ כא
יִרְבּוּ יְמֵיכֶם וִימֵי בְנֵיכֶם עַל הָאֲדָמָה אֲשֶׁר נִשְׁבַּע
יְהוָה לַאֲבֹתֵיכֶם לָתֵת לָהֶם כִּימֵי הַשָּׁמַיִם עַל־
שביעי מפטיר הָאָרֶץ׃ כִּי אִם־שָׁמֹר תִּשְׁמְרוּן אֶת־כָּל־ כב
הַמִּצְוָה הַזֹּאת אֲשֶׁר אָנֹכִי מְצַוֶּה אֶתְכֶם לַעֲשֹׂתָהּ
לְאַהֲבָה אֶת־יְהוָה אֱלֹהֵיכֶם לָלֶכֶת בְּכָל־דְּרָכָיו
וּלְדָבְקָה־בוֹ׃ וְהוֹרִישׁ יְהוָה אֶת־כָּל־הַגּוֹיִם הָאֵלֶּה כג
מִלִּפְנֵיכֶם וִירִשְׁתֶּם גּוֹיִם גְּדֹלִים וַעֲצֻמִים מִכֶּם׃ כָּל־ כד

רש"י

מערכו והקיא וטנף את כל בני המסבה, נטלוהו בידיו וברגליו וזרקוהו אחורי פלטרין: מהרה. איני נותן לכם ארכה. ואם תאמרו, והלא נתנה ארכה לדור המבול, שנאמר: "והיו ימיו מאה ועשרים שנה" (בראשית ו, ג)? דור המבול לא היה להם ממי ללמד, ואתם יש לכם ממי ללמד:

יח) ושמתם את דברי. אף לאחר שתגלו היו מצינים במצות, הניחו תפלין עשו מזוזות, כדי שלא יהיו לכם חדשים כשתחזרו, וכן הוא אומר: "הציבי לך צינים" (ירמיה לא, כ).

יט-כא) לדבר בם. משעה שהבן יודע לדבר, למדהו "תורה צוה לנו משה" (להלן לג, ד), שיהא זה למוד דבורו. מכאן אמרו: כשהתינוק מתחיל לדבר, אביו מסיח עמו בלשון הקדש ומלמדו תורה, ואם לא עשה כן הרי הוא כאלו קוברו, שנאמר: "ולמדתם אתם את בניכם לדבר בם וגו'" "למען ירבו ימיכם וימי בניכם" – אם עשיתם כן ירבו, ואם לאו לא ירבו, שדברי תורה נדרשין מכלל לאו הן ומכלל הן לאו: לתת להם. 'לתת לכם' אין כתיב כאן, אלא "לתת להם", מכאן מצינו למדים תחית המתים מן התורה:

כב) שמר תשמרון. אזהרת שמירות הרבה, להזהר בתלמודו שלא ישתכח: ללכת בכל דרכיו. הוא רחום ואתה תהא רחום, הוא גומל חסדים ואתה גומל חסדים: ולדבקה בו. אפשר לומר כן, והלא "אש אכלה הוא" (לעיל ד, כד)? אלא הדבק בתלמידים ובחכמים, ומעלה אני עליך כאלו נדבקת בו:

כג) והוריש ה'. עשיתם מה שעליכם, אף אני אעשה מה שעלי: ועצמים מכם. אתם גבורים והם גבורים מכם, שאם לא שישראל גבורים, מה השבח ההוא שמשבח את האמוריים לומר: "ועצמים

ביאור | מפאת חשיבותם של דברים אלו עליכם לזכור אותם בהתמדה.
כאן מופיעים צווים אחדים שאפשר לראותם כביטויים כלליים,
מטאפוריים, להפנמתם ולזכירתם, אך יש להם גם משמעויות
מעשיות: יח **וְשַׂמְתֶּם אֶת דְּבָרַי אֵלֶּה עַל לְבַבְכֶם וְעַל נַפְשְׁכֶם**, לתת
עליהם את הדעת. **וּקְשַׁרְתֶּם אֹתָם לְאוֹת**, לסימן זיכרון **עַל יֶדְכֶם**. זכרו
את הדברים הללו ושִׁמרו אותם, ומעבר לכך, קִשרו אותם על היד
בפועל; וכיוצא בזה – **וְהָיוּ לְטוֹטָפֹת**, מעין תכשיט המונח על המצח[29]
**בֵּין עֵינֵיכֶם** ומעליהן. אות זה, התפילין, יסמן גבר כבן לעם ישראל.
יט **וְלִמַּדְתֶּם אֹתָם אֶת בְּנֵיכֶם לְדַבֵּר בָּם** בכל מקום ומצב שתהיו
בו – **בְּשִׁבְתְּךָ בְּבֵיתֶךָ וּבְלֶכְתְּךָ בַדֶּרֶךְ וּבְשָׁכְבְּךָ וּבְקוּמֶךָ**, כדי שילדיכם
ימשיכו את דרך התורה.
כ וכמו כן, **וּכְתַבְתָּם עַל מְזוּזוֹת**, דפנות סף **בֵּיתֶךָ וּבִשְׁעָרֶיךָ**.
כא **לְמַעַן יִרְבּוּ יְמֵיכֶם וִימֵי בְנֵיכֶם עַל הָאֲדָמָה אֲשֶׁר נִשְׁבַּע ה' לַאֲבֹתֵיכֶם
לָתֵת לָהֶם**, וימים אלה יהיו ארוכים **כִּימֵי הַשָּׁמַיִם עַל הָאָרֶץ**, כל עוד
העולם קיים.
כב **כִּי אִם שָׁמֹר תִּשְׁמְרוּן אֶת כָּל הַמִּצְוָה הַזֹּאת אֲשֶׁר אָנֹכִי מְצַוֶּה
אֶתְכֶם לַעֲשֹׂתָהּ** – **לְאַהֲבָה אֶת ה' אֱלֹהֵיכֶם, לָלֶכֶת בְּכָל דְּרָכָיו וּלְדָבְקָה
בוֹ**, כג **וְהוֹרִישׁ ה' אֶת כָּל הַגּוֹיִם הָאֵלֶּה מִלִּפְנֵיכֶם, וִירִשְׁתֶּם גּוֹיִם גְּדֹלִים**

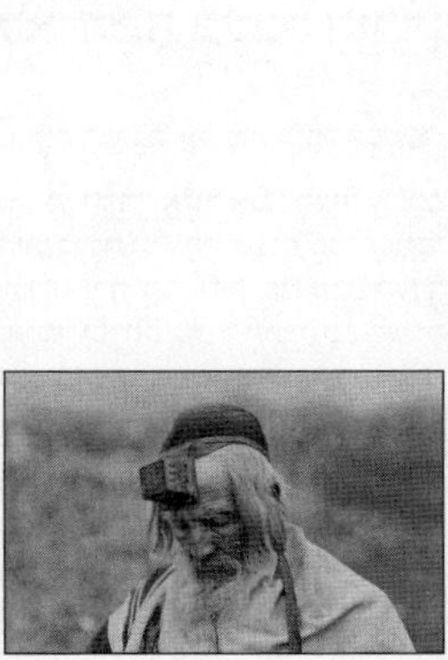

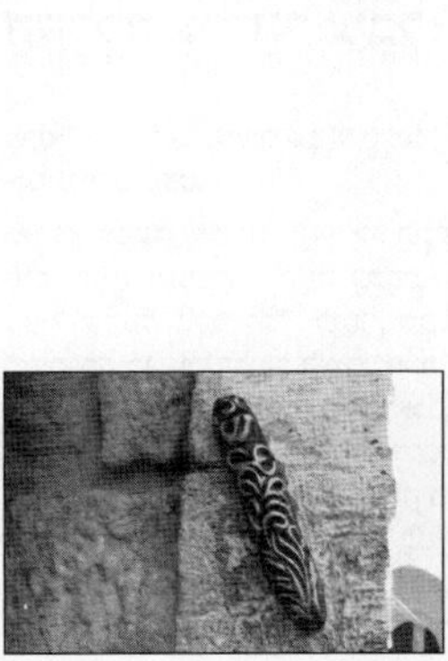

מימין: תפילין של ראש

משמאל: מזוזה בשער

הרחבות | 'מזוזות' המסורת מורה לכתוב את הדברים הללו לא על מזוזות הבית עצמן אלא על קלף, שאותו קובעים על מזוזות הבית או בשער. (ראו מנחות לד ע"א).

הַמָּק֗וֹם אֲשֶׁ֨ר תִּדְרֹ֤ךְ כַּף־רַגְלְכֶם֙ בּ֔וֹ לָכֶ֖ם יִהְיֶ֑ה מִן־
הַמִּדְבָּ֨ר וְהַלְּבָנ֜וֹן מִן־הַנָּהָ֣ר נְהַר־פְּרָ֗ת וְעַד֙ הַיָּ֣ם
הָאַחֲר֔וֹן יִהְיֶ֖ה גְּבֻלְכֶֽם׃ לֹֽא־יִתְיַצֵּ֥ב אִ֖ישׁ בִּפְנֵיכֶ֑ם כה
פַּחְדְּכֶ֨ם וּמוֹרַאֲכֶ֜ם יִתֵּ֣ן ׀ יְהוָ֣ה אֱלֹהֵיכֶ֗ם עַל־פְּנֵ֤י כָל־
הָאָ֙רֶץ֙ אֲשֶׁ֣ר תִּדְרְכוּ־בָ֔הּ כַּאֲשֶׁ֖ר דִּבֶּ֥ר לָכֶֽם׃

ראה
רְאֵ֗ה אָנֹכִ֛י נֹתֵ֥ן לִפְנֵיכֶ֖ם הַיּ֑וֹם בְּרָכָ֖ה וּקְלָלָֽה׃ אֶת־ כו כז
הַבְּרָכָ֕ה אֲשֶׁ֣ר תִּשְׁמְע֗וּ אֶל־מִצְוֺת֙ יְהוָ֣ה אֱלֹהֵיכֶ֔ם
אֲשֶׁ֧ר אָנֹכִ֛י מְצַוֶּ֥ה אֶתְכֶ֖ם הַיּֽוֹם׃ וְהַקְּלָלָ֗ה אִם־לֹ֤א כח
תִשְׁמְעוּ֙ אֶל־מִצְוֺת֙ יְהוָ֣ה אֱלֹהֵיכֶ֔ם וְסַרְתֶּ֣ם מִן־הַדֶּ֔רֶךְ
אֲשֶׁ֧ר אָנֹכִ֛י מְצַוֶּ֥ה אֶתְכֶ֖ם הַיּ֑וֹם לָלֶ֗כֶת אַחֲרֵ֛י אֱלֹהִ֥ים
אֲחֵרִ֖ים אֲשֶׁ֥ר לֹֽא־יְדַעְתֶּֽם׃ וְהָיָ֗ה כִּ֤י יְבִיאֲךָ֙ כט
יְהוָ֣ה אֱלֹהֶ֔יךָ אֶל־הָאָ֕רֶץ אֲשֶׁר־אַתָּ֥ה בָא־שָׁ֖מָּה
לְרִשְׁתָּ֑הּ וְנָתַתָּ֤ה אֶת־הַבְּרָכָה֙ עַל־הַ֣ר גְּרִזִּ֔ים וְאֶת־
הַקְּלָלָ֖ה עַל־הַ֥ר עֵיבָֽל׃ הֲלֹא־הֵ֜מָּה בְּעֵ֣בֶר הַיַּרְדֵּ֗ן ל

רש"י

מִכֶּם"? אֶלָּא אַתֶּם גִּבּוֹרִים מִשְּׁאָר הָאֻמּוֹת, וְהֵם גִּבּוֹרִים מִכֶּם:

כה) **לֹא יִתְיַצֵּב אִישׁ וְגוֹ'.** אֵין לִי אֶלָּא אִישׁ, אֻמָּה וּמִשְׁפָּחָה וְאִשָּׁה בִּכְשָׁפֶיהָ מִנַּיִן? תַּלְמוּד לוֹמַר: "לֹא יִתְיַצֵּב", מִכָּל מָקוֹם. אִם כֵּן, מַה תַּלְמוּד לוֹמַר: "אִישׁ"? אֲפִלּוּ כְּעוֹג מֶלֶךְ הַבָּשָׁן: **פַּחְדְּכֶם וּמוֹרַאֲכֶם.** וַהֲלֹא פַּחַד הוּא מוֹרָא? אֶלָּא "פַּחְדְּכֶם" עַל הַקְּרוֹבִים "וּמוֹרַאֲכֶם" עַל הָרְחוֹקִים. 'פַּחַד' לְשׁוֹן בְּעִיתַת פִּתְאֹם, 'מוֹרָא' לְשׁוֹן דְּאָגָה מִיָּמִים רַבִּים: **כַּאֲשֶׁר דִּבֶּר לָכֶם.** וְהֵיכָן דִּבֶּר? "אֶת אֵימָתִי אֲשַׁלַּח לְפָנֶיךָ" וְגוֹ' (שמות כג, כז):

כו) **רְאֵה אָנֹכִי. בְּרָכָה וּקְלָלָה.** הָאֲמוּרוֹת בְּהַר גְּרִזִּים וּבְהַר עֵיבָל (להלן כז, טו-כו):

כז) **אֶת הַבְּרָכָה.** עַל מְנָת "אֲשֶׁר תִּשְׁמְעוּ":

כח) **מִן הַדֶּרֶךְ אֲשֶׁר אָנֹכִי מְצַוֶּה אֶתְכֶם הַיּוֹם לָלֶכֶת וְגוֹ'.** הָא לָמַדְתָּ שֶׁכָּל הָעוֹבֵד עֲבוֹדָה זָרָה הֲרֵי הוּא סָר מִכָּל הַדֶּרֶךְ שֶׁנִּצְטַוּוּ יִשְׂרָאֵל. מִכָּאן אָמְרוּ: כָּל הַמּוֹדֶה בַּעֲבוֹדָה זָרָה כְּכוֹפֵר בְּכָל הַתּוֹרָה כֻּלָּהּ:

כט) **וְנָתַתָּה אֶת הַבְּרָכָה.** כְּתַרְגּוּמוֹ: "יָת מְבָרְכַיָּא", אֶת הַמְבָרְכִים: **עַל הַר גְּרִזִּים.** כְּלַפֵּי הַר גְּרִזִּים הוֹפְכִים פְּנֵיהֶם וּפָתְחוּ בִּבְרָכָה: 'בָּרוּךְ הָאִישׁ אֲשֶׁר לֹא יַעֲשֶׂה פֶסֶל וּמַסֵּכָה' וְגוֹ', כָּל הָאֲרוּרִים שֶׁבַּפָּרָשָׁה אָמְרוּ תְּחִלָּה בִּלְשׁוֹן 'בָּרוּךְ', וְאַחַר כָּךְ הָפְכוּ פְּנֵיהֶם כְּלַפֵּי הַר עֵיבָל וּפָתְחוּ בִּקְלָלָה:

ל) **הֲלֹא הֵמָּה.** נָתַן בָּהֶם סִימָן: **אַחֲרֵי.**

ביאור | וַעֲצֻמִים מִכֶּם. כד כָּל הַמָּקוֹם אֲשֶׁר תִּדְרֹךְ כַּף רַגְלְכֶם בּוֹ – לָכֶם יִהְיֶה. מִן
הַמִּדְבָּר וְהַלְּבָנוֹן, מִן הַנָּהָר – נְהַר פְּרָת – וְעַד הַיָּם הָאַחֲרוֹן יִהְיֶה גְּבֻלְכֶם.
לא תזכו בארץ שהובטחה לכם מראש בלבד, אלא תוכלו לכבוש גם
מקומות אחרים. כה לֹא יִתְיַצֵּב אִישׁ בִּפְנֵיכֶם, כי את פַּחְדְּכֶם וּמוֹרַאֲכֶם
יִתֵּן ה׳ אֱלֹהֵיכֶם עַל פְּנֵי כָל הָאָרֶץ אֲשֶׁר תִּדְרְכוּ בָהּ, כַּאֲשֶׁר דִּבֶּר לָכֶם.

פרשת ראה

# הברכה והקללה

## פרק יא פס׳ כו–לב

הצהרתו של משה על הברכה המזומנת לעם בארץ – אם יקיים את מצוות ה׳, ועל הקללה – אם לא יקיים אותן, היא מעין מעבר ומבוא לעיסוק המפורט במצוות, שיופיע בהמשך.

כו רְאֵה, אָנֹכִי נֹתֵן לִפְנֵיכֶם הַיּוֹם בְּרָכָה וּקְלָלָה: כז אֶת הַבְּרָכָה – אֲשֶׁר תִּשְׁמְעוּ
אֶל מִצְוֹת ה׳ אֱלֹהֵיכֶם אֲשֶׁר אָנֹכִי מְצַוֶּה אֶתְכֶם הַיּוֹם; כח וְהַקְּלָלָה – אִם לֹא
תִשְׁמְעוּ אֶל מִצְוֹת ה׳ אֱלֹהֵיכֶם, וְסַרְתֶּם מִן הַדֶּרֶךְ אֲשֶׁר אָנֹכִי מְצַוֶּה אֶתְכֶם
הַיּוֹם, לָלֶכֶת אַחֲרֵי אֱלֹהִים אֲחֵרִים אֲשֶׁר לֹא יְדַעְתֶּם. הברכה והקללה
מתייחסות לשמירת התורה כולה, אבל המוקד הראשון שלהן הוא
האיסור על עבודה זרה.

לברכה ולקללה יהיה גם ביטוי טקסי: כט וְהָיָה כִּי יְבִיאֲךָ ה׳ אֱלֹהֶיךָ
אֶל הָאָרֶץ אֲשֶׁר אַתָּה בָא שָׁמָּה לְרִשְׁתָּהּ, וְנָתַתָּה, תן אֶת הַבְּרָכָה עַל
הַר גְּרִזִים וְאֶת הַקְּלָלָה עַל הַר עֵיבָל. הברכות ייקראו כלפי הר גרזים,
והקללות ייקראו כלפי הר עיבל.[1] ל הֲלֹא הֵמָּה – שני ההרים הללו

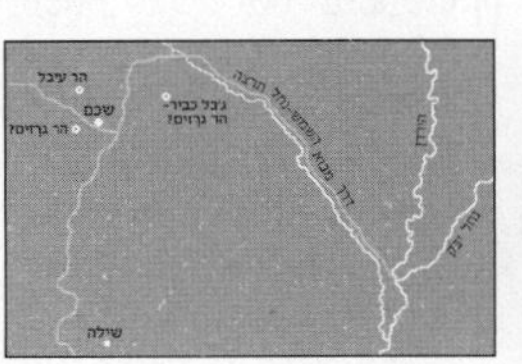


הר גרזים והר עיבל

העולם | הַר גְּרִזִים ההר המכונה כך היום, מדרום לשכם. גובהו 881 מ׳ מעל פני הים, והוא נחשב קדוש לשומרונים. יש מי שמזהה אותו עם ג׳בל כביר שממזרח להר עיבל.

הַר עֵיבָל ההר המכונה כך היום, מצפון לשכם. הר זה הוא הגבוה בהרי מרכז השומרון וצפון השומרון, והוא מתנשא לגובה 940 מ׳ מעל פני הים. השומרונים קוראים לו הר עסכר, כשם הכפר העומד לרגליו בבקעת עין סוכר. בצדו הצפוני-מזרחי נחשפו שרידי מזבח, שמייחסים אותם לשרידי המזבח שהקים יהושע. (ראו דברים כז,א-יא; יהושע ח,ל-לג).

אַחֲרֵי דֶּרֶךְ מְבוֹא הַשֶּׁמֶשׁ בְּאֶרֶץ הַכְּנַעֲנִי הַיֹּשֵׁב
בָּעֲרָבָה מוּל הַגִּלְגָּל אֵצֶל אֵלוֹנֵי מֹרֶה: כִּי אַתֶּם לא
עֹבְרִים אֶת־הַיַּרְדֵּן לָבֹא לָרֶשֶׁת אֶת־הָאָרֶץ אֲשֶׁר־
יְהוָה אֱלֹהֵיכֶם נֹתֵן לָכֶם וִירִשְׁתֶּם אֹתָהּ וִישַׁבְתֶּם־
בָּהּ: · וּשְׁמַרְתֶּם לַעֲשׂוֹת אֵת כָּל־הַחֻקִּים וְאֶת־ לב
הַמִּשְׁפָּטִים אֲשֶׁר אָנֹכִי נֹתֵן לִפְנֵיכֶם הַיּוֹם: אֵלֶּה א יב
הַחֻקִּים וְהַמִּשְׁפָּטִים אֲשֶׁר תִּשְׁמְרוּן לַעֲשׂוֹת בָּאָרֶץ
אֲשֶׁר נָתַן יְהוָה אֱלֹהֵי אֲבֹתֶיךָ לְךָ לְרִשְׁתָּהּ כָּל־
הַיָּמִים אֲשֶׁר־אַתֶּם חַיִּים עַל־הָאֲדָמָה: אַבֵּד תְּאַבְּדוּן ב
אֶת־כָּל־הַמְּקֹמוֹת אֲשֶׁר עָבְדוּ־שָׁם הַגּוֹיִם אֲשֶׁר
אַתֶּם יֹרְשִׁים אֹתָם אֶת־אֱלֹהֵיהֶם עַל־הֶהָרִים הָרָמִים

רש"י | אחר העברת הירדן הרבה והלאה למרחוק, וזהו לשון 'אחרי'. כל מקום שנאמר 'אחרי' מפלג הוא: **דרך מבוא השמש**. להלן מן הירדן לצד מערב. וטעם המקרא מוכיח שהם שני דברים, שנקדו בשני טעמים, 'אחרי' נקוד בפשטא, ו'דרך' נקוד במשפל והוא דגוש, ואם היה 'אחרי דרך' דבור אחד, היה נקוד 'אחרי' במשרת, בשופר הפוך, ו'דרך' בפשטא ורפה: **מול הגלגל**. רחוק מן הגלגל: **אלוני מרה**. שכם הוא, שנאמר: "עד מקום שכם עד אלון מורה" (בראשית יב, ו):

לא | **כי אתם עברים את הירדן וגו'**. נסים של ירדן יהיו סימן בידכם שתבאו ותירשו את הארץ:

פרק יב

ב | **אבד תאבדון**. "אבד" ואחר כך "תאבדון", מכאן לעוקר עבודה זרה שצריך לשרש אחריה: **את כל המקמות אשר עבדו שם וגו'**. ומה תאבדון מהם? "את אלהיהם" אשר "על ההרים":

ביאור
נמצאים בְּעֵבֶר הַיַּרְדֵּן, אַחֲרֵי דֶּרֶךְ מְבוֹא הַשֶּׁמֶשׁ, הדרך הפונה מערבה,
בְּאֶרֶץ הַכְּנַעֲנִי הַיֹּשֵׁב בָּעֲרָבָה, מול הַגִּלְגָּל אֵצֶל, ליד אֵלוֹנֵי מֹרֶה.[2] לא כִּי
אַתֶּם עֹבְרִים אֶת הַיַּרְדֵּן לָבֹא לָרֶשֶׁת אֶת הָאָרֶץ אֲשֶׁר ה׳ אֱלֹהֵיכֶם נֹתֵן
לָכֶם, וִירִשְׁתֶּם אֹתָהּ וִישַׁבְתֶּם בָּהּ. לב וּשְׁמַרְתֶּם לַעֲשׂוֹת אֵת כָּל הַחֻקִּים
וְאֶת הַמִּשְׁפָּטִים אֲשֶׁר אָנֹכִי נֹתֵן לִפְנֵיכֶם הַיּוֹם.

# מצוות הקשורות ברובן בישיבת ישראל בארצם

פרקים יב–כו

בנאום המצוות הארוך שנושא משה מופיעות מצוות חדשות ומצוות שכבר הופיעו בחומשים הקודמים. ואולם בחומשים הקודמים לרוב לא הוגבל קיום המצוות במקום מסוים, ואילו בספר דברים מחודשת הזיקה ההדוקה בין קיום המצוות לבין הכניסה לארץ. בעניין זה – מצוות הקשורות בישיבת העם בארצו ובכינון מדינה בעלת מוסדות שיפוטיים והנהגה רוחנית משלה, מצוות שקיומן קשור במקום אשר יבחר ה׳ לשכן את שמו שם, וכן מצוות המתייחסות לשאר מקומות שבארץ, שחלקן נובעות מאופיו החקלאי של העם העומד לשבת על אדמתו. בין האיסורים בולטים אלו הקשורים להרחקה מעבודה זרה ומן הדומה לה.

הקשר בין מצווה לשכנתה אינו מובהק תמיד. יש מסמיכויות המצוות שהוצעו להן הסברים על דרך הדרש.

## מצוות הקשורות למקדש ולעבודת אלילים בארץ

פרק יב

יחידה זו פותחת בציווי על העם הנכנס לארץ להכרית ולהשמיד כל זכר לפולחן שקיימו בארץ התושבים הקודמים. היא גם מסתיימת בעניינים הקשורים להימנעות מדרכי העבודה הזרה. ובתווך – משה משמיע לעם חוקי אכילה והקרבה הקשורים למקום שבו יבחר ה׳ לשכון. החיוב להביא את הקרבנות למרכז אחד וההיתר לאכול בשר בכל מקום קשורים אף הם להרחקה מן העבודה הזרה, שכן בסביבתם רווחה האמונה שהבאה טקסית של קרבן המלווה כל אכילת בשר היא סגולה להצלחה ולמזל. התורה מזהירה מפני הפיתוי לבנות מזבחות נוספים ולהקריב קרבנות מחוץ למקום האחד שנבחר למטרה זו. גם אם המזבחות כולם יהיו לשם ה׳, ריבוי מקומות הפולחן עלול לגרור אחריו גם אמונות באלים רבים.[3]

פרק יב א אֵלֶּה הַחֻקִּים וְהַמִּשְׁפָּטִים אֲשֶׁר תִּשְׁמְרוּן לַעֲשׂוֹת בָּאָרֶץ אֲשֶׁר
נָתַן ה׳ אֱלֹהֵי אֲבֹתֶיךָ לְךָ לְרִשְׁתָּהּ, כָּל הַיָּמִים אֲשֶׁר אַתֶּם חַיִּים עַל הָאֲדָמָה,
לעולם:

ב עם כניסתכם לארץ, אַבֵּד תְּאַבְּדוּן אֶת כָּל, מכל[4] הַמְּקֹמוֹת אֲשֶׁר
עָבְדוּ שָׁם הַגּוֹיִם אֲשֶׁר אַתֶּם יֹרְשִׁים אֹתָם אֶת אֱלֹהֵיהֶם. לשם כך עליכם
לחפש את העבודה הזרה בכל מקום: עַל הֶהָרִים הָרָמִים וְעַל הַגְּבָעוֹת

וְעַל־הַגְּבָעוֹת וְתַחַת כׇּל־עֵץ רַעֲנָן׃ וְנִתַּצְתֶּם אֶת־ ג
מִזְבְּחֹתָם וְשִׁבַּרְתֶּם אֶת־מַצֵּבֹתָם וַאֲשֵׁרֵיהֶם תִּשְׂרְפוּן
בָּאֵשׁ וּפְסִילֵי אֱלֹהֵיהֶם תְּגַדֵּעוּן וְאִבַּדְתֶּם אֶת־שְׁמָם
מִן־הַמָּקוֹם הַהוּא׃ לֹא־תַעֲשׂוּן כֵּן לַיהוָה אֱלֹהֵיכֶם׃ ד
כִּי אִם־אֶל־הַמָּקוֹם אֲשֶׁר־יִבְחַר יְהוָה אֱלֹהֵיכֶם מִכׇּל־ ה
שִׁבְטֵיכֶם לָשׂוּם אֶת־שְׁמוֹ שָׁם לְשִׁכְנוֹ תִדְרְשׁוּ וּבָאתָ
שָׁמָּה׃ וַהֲבֵאתֶם שָׁמָּה עֹלֹתֵיכֶם וְזִבְחֵיכֶם וְאֵת ו
מַעְשְׂרֹתֵיכֶם וְאֵת תְּרוּמַת יֶדְכֶם וְנִדְרֵיכֶם וְנִדְבֹתֵיכֶם
וּבְכֹרֹת בְּקַרְכֶם וְצֹאנְכֶם׃ וַאֲכַלְתֶּם־שָׁם לִפְנֵי יְהוָה ז
אֱלֹהֵיכֶם וּשְׂמַחְתֶּם בְּכֹל מִשְׁלַח יֶדְכֶם אַתֶּם וּבָתֵּיכֶם
אֲשֶׁר בֵּרַכְךָ יְהוָה אֱלֹהֶיךָ׃ לֹא תַעֲשׂוּן כְּכֹל אֲשֶׁר ח
אֲנַחְנוּ עֹשִׂים פֹּה הַיּוֹם אִישׁ כׇּל־הַיָּשָׁר בְּעֵינָיו׃ כִּי ט

רש"י

ג) **מִזְבֵּחַ.** שֶׁל אֲבָנִים הַרְבֵּה: **מַצֵּבָה.** שֶׁל אֶבֶן אַחַת, וְהִיא 'בִּימוֹס' שֶׁשָּׁנִינוּ בַּמִּשְׁנָה: "אֶבֶן שֶׁחֲצָבָהּ מִתְּחִלָּתָהּ לַבִּימוֹס" (עבודה זרה מז ע"ב): **אֲשֵׁרָה.** אִילָן הַנֶּעֱבָד: **וְאִבַּדְתֶּם אֶת שְׁמָם.** לְכַנּוֹת לָהֶם שֵׁם לִגְנַאי, בֵּית גַּלְיָא קוֹרִין לָהּ בֵּית כַּרְיָא, עֵין כֹּל – עֵין קוֹץ:

ד) **לֹא תַעֲשׂוּן כֵּן.** לְהַקְטִיר לַשָּׁמַיִם בְּכָל מָקוֹם, כִּי אִם בַּמָּקוֹם אֲשֶׁר יִבְחַר (להלן פסוק ה). דָּבָר אַחֵר, "וְנִתַּצְתֶּם אֶת מִזְבְּחֹתָם... וְאִבַּדְתֶּם אֶת שְׁמָם – לֹא תַעֲשׂוּן כֵּן", אַזְהָרָה לַמּוֹחֵק אֶת הַשֵּׁם וְלַנּוֹתֵץ אֶבֶן מִן הַמִּזְבֵּחַ אוֹ מִן הָעֲזָרָה. אָמַר רַבִּי יִשְׁמָעֵאל: וְכִי תַּעֲלֶה עַל דַּעְתְּךָ שֶׁיִּשְׂרָאֵל נוֹתְצִין אֶת הַמִּזְבְּחוֹת? אֶלָּא שֶׁלֹּא תַעֲשׂוּ כְּמַעֲשֵׂיהֶם, וְיִגְרְמוּ עֲוֹנוֹתֵיכֶם לְמִקְדַּשׁ אֲבוֹתֵיכֶם שֶׁיֵּחָרֵב:

ה) **לְשִׁכְנוֹ תִדְרְשׁוּ.** זֶה מִשְׁכַּן שִׁילֹה:

ו) **וְזִבְחֵיכֶם.** שְׁלָמִים שֶׁל חוֹבָה: **מַעְשְׂרֹתֵיכֶם.** מַעְשַׂר בְּהֵמָה וּמַעֲשֵׂר שֵׁנִי, לֶאֱכֹל לִפְנִים מִן הַחוֹמָה: **תְּרוּמַת יֶדְכֶם.** אֵלּוּ הַבִּכּוּרִים, שֶׁנֶּאֱמַר בָּהֶם: "וְלָקַח הַכֹּהֵן הַטֶּנֶא מִיָּדֶךָ" (להלן כו, ד): **וּבְכֹרֹת בְּקַרְכֶם.** לְתִתָּם לַכֹּהֵן וְיַקְרִיבֵם שָׁם:

ז) **אֲשֶׁר בֵּרַכְךָ ה'.** לְפִי הַבְּרָכָה הָבֵא:

ח) **לֹא תַעֲשׂוּן כְּכֹל אֲשֶׁר אֲנַחְנוּ עֹשִׂים וְגוֹ'.** מוּסָב לְמַעְלָה, עַל "כִּי אַתֶּם עֹבְרִים אֶת הַיַּרְדֵּן" וְגוֹ' (לעיל יא, לא), כְּשֶׁתַּעַבְרוּ אֶת הַיַּרְדֵּן מִיָּד מֻתָּרִים אַתֶּם לְהַקְרִיב בַּבָּמָה כָּל אַרְבַּע עֶשְׂרֵה שָׁנָה שֶׁל כִּבּוּשׁ וְחִלּוּק, וּבַבָּמָה לֹא תַקְרִיבוּ כָּל מַה שֶּׁאַתֶּם מַקְרִיבִים פֹּה הַיּוֹם בַּמִּשְׁכָּן שֶׁהוּא עִמָּכֶם וְנִמְשַׁח, וְהוּא כָּשֵׁר לְהַקְרִיב בּוֹ חַטָּאוֹת וַאֲשָׁמוֹת נְדָרִים וּנְדָבוֹת, אֲבָל בַּבָּמָה אֵין קָרֵב אֶלָּא הַנֶּדֶר וְהַנְּדָבָה, וְזֶהוּ "אִישׁ כָּל

ביאור

**וְתַחַת כָּל עֵץ רַעֲנָן.** אין אלו עצים שעבדו להם, אך הם נבחרו להיות
מקומות פולחן. מכיוון שבדרך כלל לא היו כורתים או חותכים
אותם, הם ניכרו בצורתם. ג **וְנִתַּצְתֶּם אֶת מִזְבְּחֹתָם** של אותם גויים,
**וְשִׁבַּרְתֶּם אֶת מַצֵּבֹתָם,** ואת **אֲשֵׁרֵיהֶם,** עצי הפולחן שלהם **תִּשְׂרְפוּן בָּאֵשׁ,**
**וּפְסִילֵי אֱלֹהֵיהֶם תְּגַדֵּעוּן,** תחתכו ותשמידו. מעבר לכך – **וְאִבַּדְתֶּם אֶת**
**שְׁמָם מִן הַמָּקוֹם הַהוּא,** מהמקומות שנקראו על שם פולחן אלילי.
למקומות כאלה עליהם להחליף את השם, לשבשו[5] או להימנע
בכלל מקריאתם בשם.

ד **לֹא תַעֲשׂוּן כֵּן** – לאבד ולנתוץ מזבח ומקום מקודש. או: להקריב
בכל מקום[6] **לַה' אֱלֹהֵיכֶם.** ה **כִּי אִם אֶל הַמָּקוֹם אֲשֶׁר יִבְחַר ה'**
**אֱלֹהֵיכֶם** – ואין הוא מפרש היכן ומתי – **מִכָּל שִׁבְטֵיכֶם לָשׂוּם,** לשים
**אֶת שְׁמוֹ שָׁם** – **לְשִׁכְנוֹ תִדְרְשׁוּ,** חַזרו אחר מקום שכינתו **וּבָאתָ שָּׁמָּה,**
ובו יתקיימו הטקסים הציבוריים. ו **וַהֲבֵאתֶם שָׁמָּה,** אל בית המקדש
שייבנה בו, את **עֹלֹתֵיכֶם,** הקרבנות העולים כליל על המזבח **וְאֶת**
**זִבְחֵיכֶם** הנאכלים **וְאֵת מַעְשְׂרֹתֵיכֶם,** מעשר בהמה, בקר וצאן **וְאֵת**
**תְּרוּמַת יֶדְכֶם וְנִדְרֵיכֶם** שחייבתם את עצמכם להקדיש דבר למקדש
**וְנִדְבֹתֵיכֶם,** מתנות מסוימות שהפרשתם למקדש **וּבְכֹרֹת בְּקַרְכֶם**
**וְצֹאנְכֶם** – את כל מתנותיכם. ז **וַאֲכַלְתֶּם שָׁם לִפְנֵי ה' אֱלֹהֵיכֶם** את
הקרבנות שיובאו כמתנות, **וּשְׂמַחְתֶּם בְּכֹל מִשְׁלַח יֶדְכֶם,** בדברים
שאדם רוכש לו בעבודתו **אַתֶּם וּבָתֵּיכֶם,** משפחותיכם, **אֲשֶׁר בֵּרַכְךָ ה'**
**אֱלֹהֶיךָ.** ח **לֹא תַעֲשׂוּן,** אל תמשיכו לעשות בארצכם **כְּכֹל אֲשֶׁר אֲנַחְנוּ**
**עֹשִׂים פֹּה הַיּוֹם** – **אִישׁ כָּל הַיָּשָׁר בְּעֵינָיו.** חוקים רבים עדיין לא נכנסו
לתוקפם במדבר, ובמיוחד פרטי הדינים של הבאת הקרבנות לבית
המקדש ואכילתם שם, יקבלו את תוקפם רק כשישראל ייכנסו
לארץ. במדבר, אדם שלא חטא לא היה חייב להביא קרבנות, ואף
מי שהביא קרבן בנדבה, אכל אותו בכל מקום שרצה. לאחר שה'
יבחר מקום לשכנו, ייאסר לאכול קרבן בכל מקום אחר, וקרבנות
היחיד, כגון מעשרות, בכורות וחגיגת הרגל יהיו בגדר חובה.[7] ט **כִּי**

לֹא־בָאתֶם עַד־עָתָּה אֶל־הַמְּנוּחָה וְאֶל־הַנַּחֲלָה
אֲשֶׁר־יְהוָה אֱלֹהֶיךָ נֹתֵן לָךְ: וַעֲבַרְתֶּם אֶת־הַיַּרְדֵּן י
וִישַׁבְתֶּם בָּאָרֶץ אֲשֶׁר־יְהוָה אֱלֹהֵיכֶם מַנְחִיל אֶתְכֶם
וְהֵנִיחַ לָכֶם מִכָּל־אֹיְבֵיכֶם מִסָּבִיב וִישַׁבְתֶּם־בֶּטַח:
שני יא וְהָיָה הַמָּקוֹם אֲשֶׁר־יִבְחַר יְהוָה אֱלֹהֵיכֶם בּוֹ לְשַׁכֵּן
שְׁמוֹ שָׁם שָׁמָּה תָבִיאוּ אֵת כָּל־אֲשֶׁר אָנֹכִי מְצַוֶּה
אֶתְכֶם עוֹלֹתֵיכֶם וְזִבְחֵיכֶם מַעְשְׂרֹתֵיכֶם וּתְרֻמַת
יֶדְכֶם וְכֹל מִבְחַר נִדְרֵיכֶם אֲשֶׁר תִּדְּרוּ לַיהוָה:
וּשְׂמַחְתֶּם לִפְנֵי יְהוָה אֱלֹהֵיכֶם אַתֶּם וּבְנֵיכֶם וּבְנֹתֵיכֶם יב
וְעַבְדֵיכֶם וְאַמְהֹתֵיכֶם וְהַלֵּוִי אֲשֶׁר בְּשַׁעֲרֵיכֶם כִּי אֵין
לוֹ חֵלֶק וְנַחֲלָה אִתְּכֶם: הִשָּׁמֶר לְךָ פֶּן־תַּעֲלֶה עֹלֹתֶיךָ יג
בְּכָל־מָקוֹם אֲשֶׁר תִּרְאֶה: כִּי אִם־בַּמָּקוֹם אֲשֶׁר־ יד
יִבְחַר יְהוָה בְּאַחַד שְׁבָטֶיךָ שָׁם תַּעֲלֶה עֹלֹתֶיךָ וְשָׁם

רש"י | הַיָּשָׁר בְּעֵינָיו", נְדָרִים וּנְדָבוֹת שֶׁאַתֶּם מִתְנַדְּבִים עַל יְדֵי שֶׁיָּשָׁר בְּעֵינֵיכֶם לַהֲבִיאָם וְלֹא עַל יְדֵי חוֹבָה, אוֹתָם תַּקְרִיבוּ בַּבָּמָה:

ט] **כִּי לֹא בָאתֶם.** כָּל אוֹתָן אַרְבַּע עֶשְׂרֵה שָׁנָה: **עַד עָתָּה.** כְּמוֹ עֲדַיִן: **אֶל הַמְּנוּחָה.** זוֹ שִׁילֹה: **הַנַּחֲלָה.** זוֹ יְרוּשָׁלַיִם:

י–יא] **וַעֲבַרְתֶּם אֶת הַיַּרְדֵּן וִישַׁבְתֶּם בָּאָרֶץ.** שֶׁתִּתְחַלְּקוּהָ וִיהֵא כָּל אֶחָד מַכִּיר אֶת חֶלְקוֹ וְאֶת שִׁבְטוֹ: **וְהֵנִיחַ לָכֶם.** לְאַחַר כִּבּוּשׁ וְחִלּוּק, וּמְנוּחָה מִן "הַגּוֹיִם אֲשֶׁר הִנִּיחַ ה' לְנַסּוֹת בָּם אֶת יִשְׂרָאֵל" (שופטים ג, א), וְאֵין זוֹ אֶלָּא בִּימֵי דָוִד, אָז "וְהָיָה הַמָּקוֹם" וְגוֹ' – בְּנוּ לָכֶם בֵּית הַבְּחִירָה בִּירוּשָׁלַיִם. וְכֵן הוּא אוֹמֵר בְּדָוִד: "וַיְהִי כִּי יָשַׁב הַמֶּלֶךְ בְּבֵיתוֹ וַה' הֵנִיחַ לוֹ מִסָּבִיב מִכָּל אֹיְבָיו, וַיֹּאמֶר הַמֶּלֶךְ אֶל נָתָן הַנָּבִיא, רְאֵה נָא אָנֹכִי יוֹשֵׁב בְּבֵית אֲרָזִים וַאֲרוֹן הָאֱלֹהִים יֹשֵׁב בְּתוֹךְ הַיְרִיעָה" (שמואל ב' ז, א–ב): **שָׁמָּה תָבִיאוּ** וְגוֹ'. לְמַעְלָה אָמוּר לְעִנְיַן שִׁילֹה, וְכָאן אָמוּר לְעִנְיַן יְרוּשָׁלַיִם, וּלְכָךְ חִלְּקָם הַכָּתוּב, לִתֵּן הֶתֵּר בֵּין זוֹ לָזוֹ, מִשֶּׁחָרְבָה שִׁילֹה וּבָאוּ לְנוֹב וְחָרְבָה נוֹב וּבָאוּ לְגִבְעוֹן, הָיוּ הַבָּמוֹת מֻתָּרוֹת, עַד שֶׁבָּאוּ לִירוּשָׁלַיִם: **מִבְחַר נִדְרֵיכֶם.** מְלַמֵּד שֶׁיָּבִיא מִן הַמֻּבְחָר:

יג] **הִשָּׁמֶר לְךָ.** לִתֵּן לֹא תַעֲשֶׂה עַל הַדָּבָר: **בְּכָל מָקוֹם אֲשֶׁר תִּרְאֶה.** אֲשֶׁר יַעֲלֶה בְּלִבְּךָ, אֲבָל אַתָּה מַקְרִיב עַל פִּי נָבִיא, כְּגוֹן אֵלִיָּהוּ בְּהַר הַכַּרְמֶל:

יד] **בְּאַחַד שְׁבָטֶיךָ.** בְּחֶלְקוֹ שֶׁל בִּנְיָמִין, וּלְמַעְלָה (לעיל פסוק ה) הוּא אוֹמֵר: "מִכָּל שִׁבְטֵיכֶם", הָא כֵּיצַד? כְּשֶׁקָּנָה דָוִד אֶת הַגֹּרֶן מֵאֲרַוְנָה הַיְבוּסִי גָּבָה הַזָּהָב מִכָּל

ביאור

לֹא בָאתֶם עַד עָתָּה אֶל הַמְּנוּחָה וְאֶל הַנַּחֲלָה אֲשֶׁר ה׳ אֱלֹהֶיךָ נֹתֵן לָךְ,
ועדיין אין מקום קבוע להביא אליו קרבנות, שהרי המשכן נע ונד
ממקום למקום. י וַעֲבַרְתֶּם אֶת הַיַּרְדֵּן, וִישַׁבְתֶּם בָּאָרֶץ אֲשֶׁר ה׳ אֱלֹהֵיכֶם
מַנְחִיל אֶתְכֶם, וְהֵנִיחַ לָכֶם מִכָּל אֹיְבֵיכֶם מִסָּבִיב וִישַׁבְתֶּם בֶּטַח, לאחר
מלחמת הכיבוש. יא וְהָיָה הַמָּקוֹם המסוים אֲשֶׁר יִבְחַר ה׳ אֱלֹהֵיכֶם בּוֹ
לְשַׁכֵּן שְׁמוֹ שָׁם, שָׁמָּה תָבִיאוּ אֵת כָּל אֲשֶׁר אָנֹכִי מְצַוֶּה אֶתְכֶם: עוֹלֹתֵיכֶם
וְזִבְחֵיכֶם, מַעְשְׂרֹתֵיכֶם וּתְרֻמַת יֶדְכֶם וְכֹל מִבְחַר נִדְרֵיכֶם אֲשֶׁר תִּדְּרוּ לַה׳.
משה איננו יודע איזה מקום ייבחר, אך הוא יודע שיהיה מקום אחד
שייבחר על ידי ההנהגה שתהיה באותם הימים. יב וּשְׂמַחְתֶּם לִפְנֵי
ה׳ אֱלֹהֵיכֶם, אַתֶּם וּבְנֵיכֶם וּבְנֹתֵיכֶם וְעַבְדֵיכֶם וְאַמְהֹתֵיכֶם, שפחותיכם
וְהַלֵּוִי אֲשֶׁר בְּשַׁעֲרֵיכֶם - כִּי אֵין לוֹ חֵלֶק וְנַחֲלָה אִתְּכֶם. מכיוון שללוי אין
אדמה משלו, הוא ייזון מן המעשרות.[8]

יג הִשָּׁמֶר לְךָ פֶּן תַּעֲלֶה עֹלֹתֶיךָ בְּכָל מָקוֹם אֲשֶׁר תִּרְאֶה. שלא כמו בזמנים
שבהם אין למקדש מקום קבוע, והקרבת קרבנות מותרת בכל
מקום - כאשר ייקבע מקדש, תהיה אסורה הקרבת קרבנות בכל
מקום אחר.[9] יד כִּי אִם בַּמָּקוֹם אֲשֶׁר יִבְחַר ה׳ בְּאַחַד שְׁבָטֶיךָ - שָׁם תַּעֲלֶה
עֹלֹתֶיךָ וְשָׁם תַּעֲשֶׂה כֹּל אֲשֶׁר אָנֹכִי מְצַוֶּךָּ.

תַּעֲשֶׂה כֹּל אֲשֶׁר אָנֹכִי מְצַוֶּךָּ: רַק בְּכָל־אַוַּת נַפְשְׁךָ טו
תִּזְבַּח ׀ וְאָכַלְתָּ בָשָׂר כְּבִרְכַּת יְהוָה אֱלֹהֶיךָ אֲשֶׁר
נָתַן־לְךָ בְּכָל־שְׁעָרֶיךָ הַטָּמֵא וְהַטָּהוֹר יֹאכְלֶנּוּ כַּצְּבִי
וְכָאַיָּל: רַק הַדָּם לֹא תֹאכֵלוּ עַל־הָאָרֶץ תִּשְׁפְּכֶנּוּ טז
כַּמָּיִם: לֹא־תוּכַל לֶאֱכֹל בִּשְׁעָרֶיךָ מַעְשַׂר דְּגָנְךָ יז
וְתִירֹשְׁךָ וְיִצְהָרֶךָ וּבְכֹרֹת בְּקָרְךָ וְצֹאנֶךָ וְכָל־נְדָרֶיךָ
אֲשֶׁר תִּדֹּר וְנִדְבֹתֶיךָ וּתְרוּמַת יָדֶךָ: כִּי אִם־לִפְנֵי יְהוָה יח
אֱלֹהֶיךָ תֹּאכְלֶנּוּ בַּמָּקוֹם אֲשֶׁר יִבְחַר יְהוָה אֱלֹהֶיךָ בּוֹ
אַתָּה וּבִנְךָ וּבִתֶּךָ וְעַבְדְּךָ וַאֲמָתֶךָ וְהַלֵּוִי אֲשֶׁר

רש"י | השבטים, ומכל מקום הגרן בחלקו של בנימין היה:

טו) **רק בכל אות נפשך.** במה הכתוב מדבר? אם בבשר תאוה להתירה להם בלא הקרבת אמורים, הרי אמור במקום אחר: "כי ירחיב ה'... את גבלך וגו' ואמרת אכלה בשר" וגו' (להלן פסוק כ), במה זה מדבר? בקדשים שנפל בהם מום שיפדו ויאכלו בכל מקום. יכול יפדו על מום עובר? תלמוד לומר: "רק". **תזבח ואכלת.** אין לך בהם היתר גזה וחלב, אלא אכילה על ידי זביחה: **הטמא והטהור.** לפי שבא מכלל קדשים שנאמר בהם "והבשר אשר יגע בכל טמא לא יאכל" (ויקרא ז, יט), הצרך להתיר בו שטמא וטהור אוכלים בקערה אחת: **כצבי וכאיל.** שאין קרבן בא מהם: **כצבי וכאיל.** לפטרן מן הזרוע והלחיים והקבה:

טז) **רק הדם לא תאכלו.** אף על פי שאמרתי שאין לך בו זריקת דם במזבח, לא תאכלנו: **תשפכנו כמים.** לומר לך שאין צריך כסוי. דבר אחר, הרי הוא כמים להכשיר את הזרעים:

יז) **לא תוכל.** בא הכתוב ליתן לא תעשה על הדבר: **לא תוכל.** רבי יהושע בן קרחה אומר: יכול אתה, אבל אינך רשאי. כיוצא בו: "ואת היבוסי יושבי ירושלים לא יכלו בני יהודה להורישם" (יהושע טו, סג), יכולים היו אלא שאינן רשאין, לפי שכרת להם אברהם ברית כשלקח מהם מערת המכפלה, ולא יבוסים היו, אלא חתיים היו, אלא על שם העיר שנקראה 'יבוס'. כך מפרש בפרקי דרבי אליעזר (פ' לו). והוא שנאמר: "כי אם הסירך העורים והפסחים" (שמואל ב' ה, ו), צלמים שכתבו עליהם את השבועה: **ובכרת בקרך.** אזהרה לכהנים: **ותרומת ידך.** אלו הבכורים:

יח) **לפני ה'.** לפנים מן החומה: **והלוי**

הרחבות | **איסור אכילת דם בהקשר אכילת בשר חולין** כאשר זובחים במקדש, הדם היוצא מן הבהמה נלקח על ידי הכהנים ומשמש לעבודת הקודש. לעומת זאת בהזדמנויות הפרטיות נדרשת זהירות יתרה. על כן נזכר איסור זה בהקשר של בשר חולין.

ביאור

במדבר לא נֶאכל בשר שלא עלה תחילה על המזבח.[10] עם ההתנחלות
בארץ ופיזור השבטים ישתנה המצב – טו **רַק בְּכָל אַוַּת נַפְשְׁךָ**, תאוותך
**תִּזְבַּח**, תוכל לשחוט **וְאָכַלְתָּ בָשָׂר כְּבִרְכַּת ה׳ אֱלֹהֶיךָ אֲשֶׁר נָתַן לְךָ בְּכָל**
**שְׁעָרֶיךָ**, במקום שבו אתה נמצא. בשר זה הוא מאכל חולין ואין בו
שום צד של קדושה.[11] על כן אפשר שהאדם **הַטָּמֵא וְהַטָּהוֹר יֹאכְלֶנּוּ**
יחד, שלא כקודשים הנאכלים על ידי אנשים טהורים בלבד, **כַּצְּבִי**
**וְכָאַיָּל**, חיות הציד המצויות שמותרות באכילה ואינן קרבות על
המזבח, והן מייצגות כאן אכילת חולין. טז **רַק הַדָּם לֹא תֹאכֵלוּ**, מלבד
הטעם שנאמר במקום אחר,[12] הדם היה קשור לפולחן, ולפיכך גם
לעבודה זרה, ומכאן חשיבות האיסור החוזר שלא לאכלו בשום
פנים[13] – לא בקרבנות ולא בבשר חולין – **אלא עַל הָאָרֶץ תִּשְׁפְּכֶנּוּ**
**כַּמָּיִם**.

יז **לֹא תוּכַל לֶאֱכֹל בִּשְׁעָרֶיךָ**, בכל מקום את **מַעְשַׂר דְּגָנְךָ וְתִירֹשְׁךָ וְיִצְהָרֶךָ**
**וּבְכֹרֹת בְּקָרְךָ וְצֹאנֶךָ וְכָל נְדָרֶיךָ אֲשֶׁר תִּדֹּר וְנִדְבֹתֶיךָ וּתְרוּמַת יָדֶךָ**. כשם
שהקרבת קרבנות לא תהיה אלא במקום מסוים, כך אין לאכול
מעשרות וקרבנות שיש בהם קדושה בכל מקום, יח **כִּי אִם לִפְנֵי**
**ה׳ אֱלֹהֶיךָ תֹּאכְלֶנּוּ, בַּמָּקוֹם אֲשֶׁר יִבְחַר ה׳ אֱלֹהֶיךָ בּוֹ**, וכשתביא אותם
למקדש, לא תגיע לבדך – **אַתָּה וּבִנְךָ וּבִתֶּךָ וְעַבְדְּךָ וַאֲמָתֶךָ וְהַלֵּוִי אֲשֶׁר**

מימין:
צבי

משמאל:
אייל הכרמל

העולם

**צְבִי** (שם מדעי: Gazella), יונק ממשפחת הפריים, ממעלי הגרה ושסועי הפרסה. קרניו קבועות ואינן מסתעפות, גובהו כ-75 ס"מ, ומשקלו הממוצע 18-25 ק"ג. הצבי נפוץ בארץ.

**אַיָּל** מקובל לזהותו עם אַיָּל הכרמל (שם מדעי: Capreolus capreolus), יונק ממשפחת האיילים, ממעלי הגרה ושסועי הפרסה. האייל נכחד מהארץ בתחילת המאה ה-20 ובשנים האחרונות מנסים להשיבו אל הטבע בהר הכרמל. אורך גופו 95-135 ס"מ, גובהו כ-75 ס"מ, ומשקלו הממוצע 15-30 ק"ג. האייל שונה מהצבי בקרניו המסועפות המתחלפות מדי שנה.

בִּשְׁעָרֶיךָ וְשָׂמַחְתָּ לִפְנֵי יְהוָה אֱלֹהֶיךָ בְּכֹל מִשְׁלַח
יָדֶךָ: הִשָּׁמֶר לְךָ פֶּן־תַּעֲזֹב אֶת־הַלֵּוִי כָּל־יָמֶיךָ עַל־ יט
יא אַדְמָתֶךָ: כִּי־יַרְחִיב יְהוָה אֱלֹהֶיךָ אֶת־ כ
גְּבֻלְךָ כַּאֲשֶׁר דִּבֶּר־לָךְ וְאָמַרְתָּ אֹכְלָה בָשָׂר כִּי־תְאַוֶּה
נַפְשְׁךָ לֶאֱכֹל בָּשָׂר בְּכָל־אַוַּת נַפְשְׁךָ תֹּאכַל בָּשָׂר:
כִּי־יִרְחַק מִמְּךָ הַמָּקוֹם אֲשֶׁר יִבְחַר יְהוָה אֱלֹהֶיךָ כא
לָשׂוּם שְׁמוֹ שָׁם וְזָבַחְתָּ מִבְּקָרְךָ וּמִצֹּאנְךָ אֲשֶׁר נָתַן
יְהוָה לְךָ כַּאֲשֶׁר צִוִּיתִךָ וְאָכַלְתָּ בִּשְׁעָרֶיךָ בְּכֹל אַוַּת
נַפְשֶׁךָ: אַךְ כַּאֲשֶׁר יֵאָכֵל אֶת־הַצְּבִי וְאֶת־הָאַיָּל כֵּן כב
תֹּאכְלֶנּוּ הַטָּמֵא וְהַטָּהוֹר יַחְדָּו יֹאכְלֶנּוּ: רַק חֲזַק כג
לְבִלְתִּי אֲכֹל הַדָּם כִּי הַדָּם הוּא הַנָּפֶשׁ וְלֹא־תֹאכַל
הַנֶּפֶשׁ עִם־הַבָּשָׂר: לֹא תֹּאכְלֶנּוּ עַל־הָאָרֶץ תִּשְׁפְּכֶנּוּ כד

רש"י

**אֲשֶׁר בִּשְׁעָרֶיךָ.** אִם אֵין לְךָ לָתֵת לוֹ מֵחֶלְקוֹ כְּגוֹן מַעֲשֵׂר רִאשׁוֹן, תֵּן לוֹ מַעֲשֵׂר עָנִי, אֵין לְךָ מַעֲשֵׂר עָנִי, הַזְמִינֵהוּ עַל שְׁלָמֶיךָ:

יט] **הִשָּׁמֶר לְךָ.** לִתֵּן לֹא תַעֲשֶׂה עַל הַדָּבָר: **עַל אַדְמָתֶךָ.** אֲבָל בַּגּוֹלָה אֵינְךָ מֻזְהָר עָלָיו יוֹתֵר מֵעֲנִיֵּי יִשְׂרָאֵל:

כ] **כִּי יַרְחִיב וגו'.** לִמְּדָה תוֹרָה דֶּרֶךְ אֶרֶץ, שֶׁלֹּא יִתְאַוֶּה אָדָם לֶאֱכֹל בָּשָׂר אֶלָּא מִתּוֹךְ רַחֲבַת יָדַיִם וָעֹשֶׁר: **בְּכָל אַוַּת נַפְשְׁךָ וגו'.** אֲבָל בַּמִּדְבָּר נֶאֱסַר לָהֶם בְּשַׂר חֻלִּין, אֶלָּא אִם כֵּן מַקְדִּישָׁהּ וּמַקְרִיבָהּ שְׁלָמִים:

כא] **כִּי יִרְחַק מִמְּךָ הַמָּקוֹם.** וְלֹא תוּכַל לָבוֹא וְלַעֲשׂוֹת שְׁלָמִים בְּכָל יוֹם, כְּמוֹ עַכְשָׁיו שֶׁהַמִּשְׁכָּן הוֹלֵךְ עִמָּכֶם: **וְזָבַחְתָּ... כַּאֲשֶׁר צִוִּיתִךָ.** לִמְּדָנוּ שֶׁיֵּשׁ צִוּוּי בִּזְבִיחָה הֵיאַךְ יִשְׁחֹט, וְהֵן הִלְכוֹת שְׁחִיטָה שֶׁנֶּאֶמְרוּ לְמֹשֶׁה בְּסִינַי:

כב] **אַךְ כַּאֲשֶׁר יֵאָכֵל אֶת הַצְּבִי וְגוֹ'.** אֵינְךָ מֻזְהָר לְאָכְלָן בְּטָהֳרָה. אִי מָה צְבִי וְאַיָּל חֶלְבָּן מֻתָּר אַף חֻלִּין חֶלְבָּן מֻתָּר? תַּלְמוּד לוֹמַר: "אַךְ":

כג] **רַק חֲזַק לְבִלְתִּי אֲכֹל הַדָּם.** מִמַּה שֶּׁנֶּאֱמַר "חֲזַק" אַתָּה לָמֵד שֶׁהָיוּ שְׁטוּפִים בַּדָּם לְאָכְלוֹ, לְפִיכָךְ הֻצְרַךְ לוֹמַר "חֲזַק", דִּבְרֵי רַבִּי יְהוּדָה. רַבִּי שִׁמְעוֹן בֶּן עַזַּאי אוֹמֵר: לֹא בָא הַכָּתוּב אֶלָּא לְהַזְהִירְךָ וּלְלַמֶּדְךָ עַד כַּמָּה אַתָּה צָרִיךְ לְהִתְחַזֵּק בַּמִּצְוֹת, אִם הַדָּם שֶׁהוּא קַל לְהִשָּׁמֵר מִמֶּנּוּ, שֶׁאֵין אָדָם מִתְאַוֶּה לוֹ, הֻצְרַךְ לְחַזֶּקְךָ בְּאַזְהָרָתוֹ, קַל וָחֹמֶר לִשְׁאָר מִצְוֹת: **וְלֹא תֹאכַל הַנֶּפֶשׁ עִם הַבָּשָׂר.** אַזְהָרָה לְאֵבֶר מִן הַחַי:

כד] **לֹא תֹּאכְלֶנּוּ.** אַזְהָרָה לְדַם הַתַּמְצִית:

ביאור | בִּשְׁעָרֶיךָ, הנלווה אל משפחתך. וְשָׂמַחְתָּ לִפְנֵי ה׳ אֱלֹהֶיךָ בְּכֹל מִשְׁלַח יָדֶךָ.[14]

יט הִשָּׁמֶר לְךָ פֶּן תַּעֲזֹב אֶת הַלֵּוִי כָּל יָמֶיךָ עַל אַדְמָתֶךָ. מכיוון שנשללה מהלויים הזכות לחיות חיים רגילים, הם תלויים בכם. על כן מופיעה כאן אזהרה חמורה לדאוג ללויים, משרתי ה׳.

כאן יורחבו הדברים שנכתבו קודם:[15] כ כִּי יַרְחִיב ה׳ אֱלֹהֶיךָ אֶת גְּבֻלְךָ,
כאשר תתעשר[16] כַּאֲשֶׁר דִּבֶּר לָךְ, ומתוך רווחתך – וְאָמַרְתָּ: ״אֹכְלָה
בָשָׂר״, כִּי תְאַוֶּה נַפְשְׁךָ לֶאֱכֹל בָּשָׂר – בְּכָל אַוַּת נַפְשְׁךָ תֹּאכַל בָּשָׂר. כא כִּי
יִרְחַק מִמְּךָ הַמָּקוֹם אֲשֶׁר יִבְחַר ה׳ אֱלֹהֶיךָ לָשׂוּם, לשים את שְׁמוֹ שָׁם.
במדבר המרחק בין כל מחנות ישראל לבין המשכן לא היה רב, ועל
כן מי שרצו לאכול בשר היו מקריבים קרבנות שלמים, והיו אוכלים
את רובם, ומעט מהם היו משאירים לכהנים, אך עם ההתנחלות
בארץ המרחק יהיה רב מדי. על כן – וְזָבַחְתָּ מִבְּקָרְךָ וּמִצֹּאנְךָ אֲשֶׁר נָתַן
ה׳ לְךָ כַּאֲשֶׁר צִוִּיתִךָ, וְאָכַלְתָּ בִּשְׁעָרֶיךָ, בכל עריך בְּכֹל אַוַּת נַפְשֶׁךָ. כב אַךְ
כַּאֲשֶׁר, כמו שֶׁיֵּאָכֵל אֶת הַצְּבִי וְאֶת הָאַיָּל, באופן חופשי, כפי שאוכלים
בעלי חיים ניצודים – כֵּן תֹּאכְלֶנּוּ, הַטָּמֵא וְהַטָּהוֹר יַחְדָּו יֹאכְלֶנּוּ, בלא
מגבלות טהרה החלות על קודשים. כג ופעם נוספת מדגיש הכתוב:
רַק חֲזַק לְבִלְתִּי אֲכֹל הַדָּם, כִּי הַדָּם הוּא הַנָּפֶשׁ. וְלֹא תֹאכַל הַנֶּפֶשׁ עִם הַבָּשָׂר.
אף על פי שהדם מגיע יחד עם הבשר, אסור לאכלו. כד לֹא תֹּאכְלֶנּוּ;

הרחבות | **אכילת דם ועבודה זרה** כאן האיסור על אכילת הדם מצטרף למצוות אחרות הנוגעות לשחיטה. האזהרה החוזרת ונשנית מוכיחה שישראל היו שטופים באכילת דם. (ראו רש״י על אתר; ספרי דברים עו). כאמור, נראה שאכילת הדם הייתה קשורה בפולחנים שונים, שהרי ברוב התרבויות אין אוכלים אותו כמות שהוא. בימי קדם היו בני עמים שונים מקריבים אותו לאלים ואז אוכלים חלק ממנו. ייתכן שההבטחה שבפסוק רומזת שהגויים שמסביב טענו שיש באכילת הדם סגולות חיוביות. (ראו עוד ההרחבה לויקרא יז,יג; שמואל א׳ יד,לב-לה).

כַּמָּיִם: לֹא תֹּאכְלֶנּוּ לְמַעַן יִיטַב לְךָ וּלְבָנֶיךָ אַחֲרֶיךָ כה
כִּי־תַעֲשֶׂה הַיָּשָׁר בְּעֵינֵי יהוה: רַק קָדָשֶׁיךָ אֲשֶׁר־יִהְיוּ כו
לְךָ וּנְדָרֶיךָ תִּשָּׂא וּבָאתָ אֶל־הַמָּקוֹם אֲשֶׁר־יִבְחַר
יהוה: וְעָשִׂיתָ עֹלֹתֶיךָ הַבָּשָׂר וְהַדָּם עַל־מִזְבַּח יהוה כז
אֱלֹהֶיךָ וְדַם־זְבָחֶיךָ יִשָּׁפֵךְ עַל־מִזְבַּח יהוה אֱלֹהֶיךָ
וְהַבָּשָׂר תֹּאכֵל: שְׁמֹר וְשָׁמַעְתָּ אֵת כָּל־הַדְּבָרִים כח
הָאֵלֶּה אֲשֶׁר אָנֹכִי מְצַוֶּךָּ לְמַעַן יִיטַב לְךָ וּלְבָנֶיךָ
אַחֲרֶיךָ עַד־עוֹלָם כִּי תַעֲשֶׂה הַטּוֹב וְהַיָּשָׁר בְּעֵינֵי
שלישי יהוה אֱלֹהֶיךָ: כִּי־יַכְרִית יהוה אֱלֹהֶיךָ כט
אֶת־הַגּוֹיִם אֲשֶׁר אַתָּה בָא־שָׁמָּה לָרֶשֶׁת אוֹתָם
מִפָּנֶיךָ וְיָרַשְׁתָּ אֹתָם וְיָשַׁבְתָּ בְּאַרְצָם: הִשָּׁמֶר לְךָ ל
פֶּן־תִּנָּקֵשׁ אַחֲרֵיהֶם אַחֲרֵי הִשָּׁמְדָם מִפָּנֶיךָ וּפֶן־

רש"י

כה) **לֹא תֹאכְלֶנּוּ.** אַזְהָרָה לְדַם הָאֵבָרִים: **לְמַעַן יִיטַב לְךָ וְגוֹ'.** רְאֵה וּלְמַד מַתַּן שְׂכָרָן שֶׁל מִצְוֹת, אִם הַדָּם שֶׁנַּפְשׁוֹ שֶׁל אָדָם קָצָה מִמֶּנּוּ, הַפּוֹרֵשׁ מִמֶּנּוּ זוֹכֶה לוֹ וּלְבָנָיו אַחֲרָיו, קַל וָחֹמֶר לְגָזֵל וַעֲרָיוֹת שֶׁנַּפְשׁוֹ שֶׁל אָדָם מִתְאַוָּה לָהֶם:

כו) **רַק קָדָשֶׁיךָ.** אַף עַל פִּי שֶׁאַתָּה מֻתָּר לִשְׁחֹט חֻלִּין, לֹא הִתַּרְתִּי לְךָ לִשְׁחֹט אֶת הַקֳּדָשִׁים וּלְאָכְלָן בִּשְׁעָרֶיךָ בְּלֹא הַקְרָבָה, אֶלָּא הֲבִיאֵם לְבֵית הַבְּחִירָה:

כז) **וְעָשִׂיתָ עֹלֹתֶיךָ.** אִם עוֹלוֹת הֵן, תֵּן "הַבָּשָׂר וְהַדָּם" עַל גַּבֵּי הַמִּזְבֵּחַ, וְאִם זִבְחֵי שְׁלָמִים הֵם, "דַּם זְבָחֶיךָ יִשָּׁפֵךְ" עַל הַמִּזְבֵּחַ תְּחִלָּה, וְאַחַר כָּךְ "וְהַבָּשָׂר תֹּאכֵל". וְעוֹד דָּרְשׁוּ רַבּוֹתֵינוּ, "רַק קָדָשֶׁיךָ", שֶׁבָּא לְלַמֵּד עַל הַקֳּדָשִׁים שֶׁבְּחוּצָה לָאָרֶץ, וּלְלַמֵּד עַל הַתְּמוּרוֹת וְעַל וַלְדוֹת קָדָשִׁים שֶׁיַּקְרִיבֵם:

כח) **שְׁמֹר.** זוֹ מִשְׁנָה, שֶׁאַתָּה צָרִיךְ לְשָׁמְרָהּ בְּבִטְנְךָ שֶׁלֹּא תִשְׁכַּח, כְּעִנְיָן שֶׁנֶּאֱמַר: "כִּי נָעִים כִּי תִשְׁמְרֵם בְּבִטְנֶךָ" (משלי כב, יח), וְאִם שָׁנִיתָ, אֶפְשָׁר שֶׁתִּשְׁמַע וּתְקַיֵּם. הָא כָּל שֶׁאֵינוֹ בִּכְלַל מִשְׁנָה אֵינוֹ בִּכְלַל מַעֲשֶׂה: **אֵת כָּל הַדְּבָרִים.** שֶׁתְּהֵא חֲבִיבָה עָלֶיךָ מִצְוָה קַלָּה כְּמִצְוָה חֲמוּרָה: **הַטּוֹב.** בְּעֵינֵי הַשָּׁמַיִם: **וְהַיָּשָׁר.** בְּעֵינֵי אָדָם:

ל) **פֶּן תִּנָּקֵשׁ.** אוּנְקְלוֹס תִּרְגֵּם לְשׁוֹן מוֹקֵשׁ. וַאֲנִי אוֹמֵר שֶׁלֹּא חָשׁ לְדַקְדֵּק בַּלָּשׁוֹן, שֶׁלֹּא מָצִינוּ נוּ"ן בִּלְשׁוֹן יוֹקֵשׁ, וַאֲפִלּוּ לִיסוֹד הַנּוֹפֵל מִמֶּנּוּ. אֲבָל בִּלְשׁוֹן טֵרוּף וְקִשְׁקוּשׁ מָצִינוּ נוּ"ן: "וְאַרְכֻבָּתֵהּ דָּא לְדָא נָקְשָׁן" (דניאל ה, ו). וְאַף זֶה אֲנִי אוֹמֵר, "פֶּן תִּנָּקֵשׁ אַחֲרֵיהֶם", פֶּן תִּטָּרֵף אַחֲרֵיהֶם לִהְיוֹת כָּרוּךְ אַחַר מַעֲשֵׂיהֶם. וְכֵן: "יְנַקֵּשׁ נוֹשֶׁה לְכָל אֲשֶׁר לוֹ" (תהלים קט, יא), מְקַלֵּל אֶת הָרָשָׁע לִהְיוֹת עָלָיו נוֹשִׁים רַבִּים, וִיהִיוּ מַחֲזִירִין וּמִתְנַקְּשִׁין אַחַר מָמוֹנוֹ: **אַחֲרֵי הִשָּׁמְדָם מִפָּנֶיךָ.** אַחַר שֶׁתִּרְאֶה שֶׁאֲשְׁמִידֵם מִפָּנֶיךָ,

ביאור

עַל הָאָרֶץ תִּשְׁפְּכֶנּוּ כַּמָּיִם. כה לֹא תֹּאכְלֶנּוּ, לְמַעַן יִיטַב לְךָ וּלְבָנֶיךָ אַחֲרֶיךָ,
כִּי תַעֲשֶׂה הַיָּשָׁר בְּעֵינֵי ה׳.

כו רַק את קָדָשֶׁיךָ, קרבנותיך אֲשֶׁר יִהְיוּ לְךָ ואת נְדָרֶיךָ, קודשיך
האישיים שחייבת את עצמך בהם – תִּשָּׂא וּבָאתָ אֶל הַמָּקוֹם אֲשֶׁר
יִבְחַר ה׳. כז וְעָשִׂיתָ במקדש שיעמוד שם את עֹלֹתֶיךָ – הַבָּשָׂר וְהַדָּם,
עַל מִזְבַּח ה׳ אֱלֹהֶיךָ. ואף דַם זְבָחֶיךָ הנאכלים לא ייאכל על ידי אדם
ולא יגיע לידי שימוש כלשהו, אלא יִשָּׁפֵךְ עַל מִזְבַּח ה׳ אֱלֹהֶיךָ, וְרק
את הַבָּשָׂר תֹּאכֵל.

שוב חוזר ונזכר הציווי הכללי: כח שְׁמֹר וְשָׁמַעְתָּ אֵת כָּל הַדְּבָרִים הָאֵלֶּה
אֲשֶׁר אָנֹכִי מְצַוֶּךָּ, לְמַעַן יִיטַב לְךָ וּלְבָנֶיךָ אַחֲרֶיךָ עַד עוֹלָם, כִּי תַעֲשֶׂה הַטּוֹב
וְהַיָּשָׁר בְּעֵינֵי ה׳ אֱלֹהֶיךָ. כט כִּי, כאשר יַכְרִית ה׳ אֱלֹהֶיךָ אֶת הַגּוֹיִם אֲשֶׁר
אַתָּה בָא שָׁמָּה לָרֶשֶׁת אוֹתָם מִפָּנֶיךָ, וְיָרַשְׁתָּ אֹתָם וְיָשַׁבְתָּ בְּאַרְצָם, אבל
הדבר לא יקרה בשלמות מיד. לכאורה, נוכח כיבושם של ישראל
בשם ה׳ אפשר היה לשער שייבטל מיד כוחם של כל אלילי העמים,
שלא הועילו לעובדיהם כלל, ועל כן היה צפוי כלפיהם יחס של
בוז מוחלט. בכל זאת, בשל כוחן הרב של השפעות סביבתיות
התורה חוזרת ומזהירה: ל הִשָּׁמֶר לְךָ פֶּן תִּנָּקֵשׁ, תיכשל אַחֲרֵיהֶם
אַחֲרֵי הִשָּׁמְדָם מִפָּנֶיךָ. וּפֶן תִּדְרֹשׁ לֵאלֹהֵיהֶם, תגלה בהם עניין מעשי

הרחבות

**השפעה סביבתית** ישראל יודעים כיצד עליהם לנהוג, אך הם עלולים להיסחף ולהיות מושפעים משכניהם. בזמן אחר ובאופן אחר אירע דבר דומה לשומרונים, אשר גלו ממקומות רחוקים אל השומרון. הם ביקשו לשמור את הפולחן שהביאו אתם, אבל רצו לשמור גם על יחסים טובים עם 'אלוהי הארץ' וניסו לפצותו כאשר העניינים לא התנהלו כרצוי להם. (ראו מלכים ב׳ יז,כו-לד).

תִּדְרֹשׁ לֵאלֹהֵיהֶם לֵאמֹר אֵיכָה יַעַבְדוּ הַגּוֹיִם הָאֵלֶּה
אֶת־אֱלֹהֵיהֶם וְאֶעֱשֶׂה־כֵּן גַּם־אָנִי: לֹא־תַעֲשֶׂה כֵן לא
לַיהוָה אֱלֹהֶיךָ כִּי כָל־תּוֹעֲבַת יְהוָה אֲשֶׁר שָׂנֵא עָשׂוּ
לֵאלֹהֵיהֶם כִּי גַם אֶת־בְּנֵיהֶם וְאֶת־בְּנֹתֵיהֶם יִשְׂרְפוּ
בָאֵשׁ לֵאלֹהֵיהֶם: אֵת כָּל־הַדָּבָר אֲשֶׁר אָנֹכִי מְצַוֶּה א יג
אֶתְכֶם אֹתוֹ תִשְׁמְרוּ לַעֲשׂוֹת לֹא־תֹסֵף עָלָיו וְלֹא
תִגְרַע מִמֶּנּוּ:
כִּי־יָקוּם בְּקִרְבְּךָ נָבִיא אוֹ חֹלֵם חֲלוֹם וְנָתַן אֵלֶיךָ אוֹת ב
אוֹ מוֹפֵת: וּבָא הָאוֹת וְהַמּוֹפֵת אֲשֶׁר־דִּבֶּר אֵלֶיךָ ג
לֵאמֹר נֵלְכָה אַחֲרֵי אֱלֹהִים אֲחֵרִים אֲשֶׁר לֹא־יְדַעְתָּם
וְנָעָבְדֵם: לֹא תִשְׁמַע אֶל־דִּבְרֵי הַנָּבִיא הַהוּא אוֹ אֶל־ ד
חוֹלֵם הַחֲלוֹם הַהוּא כִּי מְנַסֶּה יְהוָה אֱלֹהֵיכֶם אֶתְכֶם
לָדַעַת הֲיִשְׁכֶם אֹהֲבִים אֶת־יְהוָה אֱלֹהֵיכֶם בְּכָל־

רש"י | יֵשׁ לְךָ לָתֵת לֵב מִפְּנֵי מָה נִשְׁמְדוּ אֵלּוּ? מִפְּנֵי מַעֲשִׂים מְקֻלְקָלִים שֶׁבִּידֵיהֶם. אַף אַתָּה לֹא תַעֲשֶׂה כָּךְ, שֶׁלֹּא יָבוֹאוּ אֲחֵרִים וְיַשְׁמִידוּךָ: **אֵיכָה יַעַבְדוּ.** לְפִי שֶׁלֹּא עָנַשׁ עַל עֲבוֹדָה זָרָה אֶלָּא עַל זִבּוּחַ וְקִטּוּר וְנִסּוּךְ וְהִשְׁתַּחֲוָאָה, כְּמוֹ שֶׁכָּתוּב: "בִּלְתִּי לַה' לְבַדּוֹ" (שמות כב, יט) – דְּבָרִים הַנַּעֲשִׂים לַגָּבוֹהַּ, בָּא וְלִמֶּדְךָ כָּאן שֶׁאִם דַּרְכָּהּ שֶׁל עֲבוֹדָה זָרָה לְעָבְדָהּ בְּדָבָר אַחֵר, כְּגוֹן פּוֹעֵר לִפְעוֹר וְזוֹרֵק אֶבֶן לְמַרְקוּלִיס, זוֹ הִיא עֲבוֹדָתוֹ וְחַיָּב, אֲבָל זִבּוּחַ וְקִטּוּר וְנִסּוּךְ וְהִשְׁתַּחֲוָאָה אֲפִלּוּ שֶׁלֹּא כְּדַרְכָּהּ חַיָּב:

לא) **כִּי גַם אֶת בְּנֵיהֶם.** "גַּם" לְרַבּוֹת אֶת אֲבוֹתֵיהֶם וְאִמּוֹתֵיהֶם. אָמַר רַבִּי עֲקִיבָא: אֲנִי רָאִיתִי גּוֹי שֶׁכָּפַתוֹ לְאָבִיו לִפְנֵי כַּלְבּוֹ וַאֲכָלוֹ:

פרק יג

א) **אֵת כָּל הַדָּבָר.** קַלָּה כַּחֲמוּרָה: **תִּשְׁמְרוּ לַעֲשׂוֹת.** לִתֵּן לֹא תַעֲשֶׂה עַל עֲשֵׂה הָאֲמוּרִים בַּפָּרָשָׁה, שֶׁכָּל 'הִשָּׁמֶר' לְשׁוֹן לֹא תַעֲשֶׂה הוּא, אֶלָּא שֶׁאֵין לוֹקִין עַל 'הִשָּׁמֶר' שֶׁל עֲשֵׂה: **לֹא תֹסֵף עָלָיו.** חָמֵשׁ טוֹטָפוֹת, חֲמִשָּׁה מִינִין בַּלּוּלָב, אַרְבַּע בְּרָכוֹת בְּבִרְכַּת כֹּהֲנִים:

ב) **וְנָתַן אֵלֶיךָ אוֹת.** בַּשָּׁמַיִם, כְּעִנְיָן שֶׁנֶּאֱמַר בְּגִדְעוֹן: "וְעָשִׂיתָ לִּי אוֹת" (שופטים ו, יז), וְאוֹמֵר: "יְהִי נָא חֹרֶב אֶל הַגִּזָּה" וְגוֹ' (שם פסוק לט): **אוֹ מוֹפֵת.** בָּאָרֶץ. אַף עַל פִּי כֵן לֹא תִשְׁמַע לוֹ. וְאִם תֹּאמַר: מִפְּנֵי מָה נוֹתֵן לוֹ הַקָּדוֹשׁ בָּרוּךְ הוּא מֶמְשָׁלָה לַעֲשׂוֹת אוֹת? "כִּי מְנַסֶּה ה' אֱלֹהֵיכֶם אֶתְכֶם" (להלן פסוק ד):

ביאור | **לֵאמֹר: אֵיכָה יַעַבְדוּ הַגּוֹיִם הָאֵלֶּה אֶת אֱלֹהֵיהֶם – וְאֶעֱשֶׂה כֵּן גַּם אָנִי.**
כאן לא נאסרת רק עבודה זרה ממשית, אלא גם חיקוי דרכה של
עבודה זרה. לא **לֹא תַעֲשֶׂה כֵן לַה׳ אֱלֹהֶיךָ, כִּי כָל תּוֹעֲבַת ה׳ אֲשֶׁר שָׂנֵא**
**עָשׂוּ** הגויים הללו **לֵאלֹהֵיהֶם, כִּי**, למשל, **גַּם אֶת בְּנֵיהֶם וְאֶת בְּנֹתֵיהֶם**
**יִשְׂרְפוּ בָאֵשׁ לֵאלֹהֵיהֶם**, ואין להם הסתייגות טבעית מן המעשה הרע
הזה.

## מסיתים לעבודה זרה

### פרק יג

היחידה נפתחת בהצהרה על מוחלטותה של התורה. שלא כבמדינות שבהן המלך, או בית הנבחרים, הוא מקור החוק, התורה קשיחה ויציבה. אין היא משתנה באופן אוטומטי לפי התנאים והרצון, אף על פי שגם לה יש מנגנונים שבאמצעותם היא מתמודדת עם התמורות שעובר העולם. על רקע ההצהרה הזאת מוצגים שלושה מסיתים כנגד חוקי התורה, ובאופן ממוקד יותר – כנגד האיסור לעבוד עבודה זרה: אדם המציג את עצמו כנביא, קרוב משפחה המסית לפולחן זר בלי להתיימר לנבואה וחברה שלמה של עובדי עבודה זרה. תמיכתם בעבודה זרה וניסיונותיהם לעשות לה נפשות חורצים את משפטם למוות.

פרק יג א **אֵת כָּל הַדָּבָר אֲשֶׁר אָנֹכִי מְצַוֶּה אֶתְכֶם – אֹתוֹ תִשְׁמְרוּ לַעֲשׂוֹת,**
**לֹא תֹסֵף עָלָיו וְלֹא תִגְרַע מִמֶּנּוּ.** חוק התורה הוא יציב.

ב **כִּי יָקוּם בְּקִרְבְּךָ נָבִיא**, המתבטא בשפה מהוקצעת ומדויקת **אוֹ**
**חֹלֵם חֲלוֹם** נבואי, מעין חוזה, **וְנָתַן אֵלֶיךָ אוֹת אוֹ מוֹפֵת**, דבר פלא
היוצא מגדר הטבע כדי לאמת את דבריו. ג **וּבָא**, ויתקיים **הָאוֹת**
**וְהַמּוֹפֵת אֲשֶׁר דִּבֶּר אֵלֶיךָ**, ולכאורה נראה שהוא נביא אמת, המנבא
בשליחותה של דת אחרת, או המבקש לערוך תיקונים בעולמו של
עם ישראל, **לֵאמֹר: נֵלְכָה אַחֲרֵי אֱלֹהִים אֲחֵרִים אֲשֶׁר לֹא יְדַעְתָּם וְנָעָבְדֵם.**
הבעיה אינה נובעת משיתוף הפעולה שלו עם האויבים שמסביב,
שכן הפסוק מדבר בעמים רחוקים. ד במקרה כזה – **לֹא תִשְׁמַע אֶל**
**דִּבְרֵי הַנָּבִיא הַהוּא אוֹ אֶל חוֹלֵם הַחֲלוֹם הַהוּא**, אף שנתן אות ומופת
לדבריו. והדבר תמוה: כיצד קיבל סיוע מלמעלה, אם בפיו דברים
שאסור לשמעם? – **כִּי מְנַסֶּה ה׳ אֱלֹהֵיכֶם אֶתְכֶם, לָדַעַת הֲיִשְׁכֶם**, האם
אתם **אֹהֲבִים אֶת ה׳ אֱלֹהֵיכֶם בְּכָל לְבַבְכֶם וּבְכָל נַפְשְׁכֶם.** ה בסופו של

ה לְבַבְכֶם וּבְכָל־נַפְשְׁכֶם׃ אַחֲרֵי יְהוָה אֱלֹהֵיכֶם תֵּלֵכוּ
וְאֹתוֹ תִירָאוּ וְאֶת־מִצְוֹתָיו תִּשְׁמֹרוּ וּבְקֹלוֹ תִשְׁמָעוּ
ו וְאֹתוֹ תַעֲבֹדוּ וּבוֹ תִדְבָּקוּן׃ וְהַנָּבִיא הַהוּא אוֹ חֹלֵם
הַחֲלוֹם הַהוּא יוּמָת כִּי דִבֶּר־סָרָה עַל־יְהוָה אֱלֹהֵיכֶם
הַמּוֹצִיא אֶתְכֶם ׀ מֵאֶרֶץ מִצְרַיִם וְהַפֹּדְךָ מִבֵּית עֲבָדִים
לְהַדִּיחֲךָ מִן־הַדֶּרֶךְ אֲשֶׁר צִוְּךָ יְהוָה אֱלֹהֶיךָ לָלֶכֶת
ז בָּהּ וּבִעַרְתָּ הָרָע מִקִּרְבֶּךָ׃ כִּי יְסִיתְךָ אָחִיךָ
בֶן־אִמֶּךָ אוֹ־בִנְךָ אוֹ־בִתְּךָ אוֹ ׀ אֵשֶׁת חֵיקֶךָ אוֹ רֵעֲךָ
אֲשֶׁר כְּנַפְשְׁךָ בַּסֵּתֶר לֵאמֹר נֵלְכָה וְנַעַבְדָה אֱלֹהִים
ח אֲחֵרִים אֲשֶׁר לֹא יָדַעְתָּ אַתָּה וַאֲבֹתֶיךָ׃ מֵאֱלֹהֵי
הָעַמִּים אֲשֶׁר סְבִיבֹתֵיכֶם הַקְּרֹבִים אֵלֶיךָ אוֹ הָרְחֹקִים
ט מִמֶּךָּ מִקְצֵה הָאָרֶץ וְעַד־קְצֵה הָאָרֶץ׃ לֹא־תֹאבֶה לוֹ

רש"י

ה| **ואת מצותיו תשמרו.** תורת משה: **ובקלו תשמעו.** בקול הנביאים: **ואתו תעבדו.** במקדשו: **ובו תדבקון.** הדבק בדרכיו: גמול חסדים, קבור מתים, בקור חולים, כמו שעשה הקדוש ברוך הוא:

ו| **סרה.** דבר המוסר מן העולם, שלא היה ולא נברא ולא צויתיו לדבר כן, דיסטולוד"א בלעז: **והפדך מבית עבדים.** אפילו אין לו עליך אלא שפדאך, דיו:

ז| **כי יסיתך.** אין הסתה אלא גרוי, שנאמר: "אם ה' הסיתך בי" (שמואל א' כו, יט), אמיטר"א בלעז, שמשיאו לעשות כן: **אחיך.** מאב, או "בן אמך", מאם: **חיקך.** השוכבת בחיקך ומחקה בך, אפיקייד"א בלעז, וכן: "ומחיק החרן" (יחזקאל מג, יד), מיסוד התקוע בארץ: **אשר כנפשך.** זה אביך. פרש לך הכתוב את החביבין לך, קל וחומר לאחרים: **בסתר.** דבר הכתוב בהוה, שאין דברי מסית אלא בסתר, וכן שלמה הוא אומר: "בנשף בערב יום באישון לילה ואפלה" (משלי ז, ט): **אשר לא ידעת אתה ואבתיך.** דבר זה גנאי גדול הוא לך, שאף האמות אין מניחין מה שמסרו להם אבותיהם, וזה אומר לך: עזב מה שמסרו לך אבותיך:

ח| **הקרבים אליך או הרחקים.** למה פרט קרובים ורחוקים? אלא כך אמר הכתוב: מטיבן של קרובים אתה למד טיבן של רחוקים, כשם שאין ממש בקרובים כך אין ממש ברחוקים: **מקצה הארץ.** זו חמה ולבנה וצבא השמים, שהן מהלכין מסוף העולם ועד סופו:

ט| **לא תאבה לו.** לא תהא תאב לו, לא תאהבנו, לפי שנאמר: "ואהבת לרעך

ביאור

דבר, **אַחֲרֵי ה׳ אֱלֹהֵיכֶם תֵּלֵכוּ, וְאֹתוֹ תִירָאוּ, וְאֶת מִצְוֺתָיו תִּשְׁמֹרוּ, וּבְקֹלוֹ**
**תִשְׁמָעוּ, וְאֹתוֹ תַעֲבֹדוּ, וּבוֹ תִדְבָּקוּן.** עשו ככל יכולתכם כדי להידבק
בבורא, כך ששום דבר בעולם לא יוכל להפרידכם. ו **וְהַנָּבִיא הַהוּא**
**אוֹ חֹלֵם הַחֲלוֹם הַהוּא יוּמָת,** בין אם חלם בפועל חלומות של דופי,
ובין אם המציאם, **כִּי דִבֶּר סָרָה עַל ה׳ אֱלֹהֵיכֶם, הַמּוֹצִיא אֶתְכֶם מֵאֶרֶץ**
**מִצְרַיִם וְהַפֹּדְךָ מִבֵּית עֲבָדִים, לְהַדִּיחֲךָ מִן הַדֶּרֶךְ אֲשֶׁר צִוְּךָ ה׳ אֱלֹהֶיךָ לָלֶכֶת**
**בָּהּ – וּבִעַרְתָּ הָרָע מִקִּרְבֶּךָ.** לא ייתכן שה׳ הורה לכם לעבוד אלוהים
זולתו. לכן כל מי שיטען כך אינו אלא בדאי, גם אם הסתייע באות
ובמופת. אין לו סמכות לשנות את חוקי התורה, ובוודאי שלא
להסית לאלוהים אחרים.

ז **כִּי יְסִיתְךָ** אדם מן הקרובים אליך: **אָחִיךָ בֶן אִמֶּךָ,** שמסיבות שונות
עשוי להיות קרוב אליך במיוחד. בין אחים מאותה אם שאינם
אחים מאב אין אפילו יריבות בענייני ירושה, שהרי כל אחד יורש
את אביו,[17] **אוֹ בִנְךָ אוֹ בִתְּךָ אוֹ אֵשֶׁת חֵיקֶךָ,** אשתך, **אוֹ רֵעֲךָ,** ידידך
הקרוב **אֲשֶׁר כְּנַפְשְׁךָ,** שאתה מרגיש כלפיו כמעט רגש של זהות.
אם אחד מהקרובים הללו יסית אותך **בַּסֵּתֶר, לֵאמֹר: נֵלְכָה וְנַעַבְדָה**
**אֱלֹהִים אֲחֵרִים אֲשֶׁר לֹא יָדַעְתָּ אַתָּה וַאֲבֹתֶיךָ,** ח בין שהוא סוכן של
העבודה הזרה או מפני שהוא עצמו נלהב לעניין, ומעוניין לחלוק
עם קרוב משפחתו או עם ידידו את התובנה החדשה שלו, לעבוד
**מֵאֱלֹהֵי הָעַמִּים אֲשֶׁר סְבִיבֹתֵיכֶם הַקְּרֹבִים אֵלֶיךָ אוֹ הָרְחֹקִים מִמֶּךָּ, מִקְצֵה**
**הָאָרֶץ וְעַד קְצֵה הָאָרֶץ** – ט אף על פי שהוא קרוב מאוד, **לֹא תֹאבֶה,**

וְלֹא תִשְׁמַע אֵלָיו וְלֹא־תָחוֹס עֵינְךָ עָלָיו וְלֹא־תַחְמֹל
י וְלֹא־תְכַסֶּה עָלָיו׃ כִּי הָרֹג תַּהַרְגֶנּוּ יָדְךָ תִּהְיֶה־בּוֹ
יא בָרִאשׁוֹנָה לַהֲמִיתוֹ וְיַד כָּל־הָעָם בָּאַחֲרֹנָה׃ וּסְקַלְתּוֹ
בָאֲבָנִים וָמֵת כִּי בִקֵּשׁ לְהַדִּיחֲךָ מֵעַל יהוה אֱלֹהֶיךָ
יב הַמּוֹצִיאֲךָ מֵאֶרֶץ מִצְרַיִם מִבֵּית עֲבָדִים׃ וְכָל־
יִשְׂרָאֵל יִשְׁמְעוּ וְיִרָאוּן וְלֹא־יוֹסִפוּ לַעֲשׂוֹת כַּדָּבָר
יג הָרָע הַזֶּה בְּקִרְבֶּךָ׃ כִּי־תִשְׁמַע בְּאַחַת
עָרֶיךָ אֲשֶׁר יהוה אֱלֹהֶיךָ נֹתֵן לְךָ לָשֶׁבֶת שָׁם לֵאמֹר׃
יד יָצְאוּ אֲנָשִׁים בְּנֵי־בְלִיַּעַל מִקִּרְבֶּךָ וַיַּדִּיחוּ אֶת־יֹשְׁבֵי
עִירָם לֵאמֹר נֵלְכָה וְנַעַבְדָה אֱלֹהִים אֲחֵרִים אֲשֶׁר
טו לֹא־יְדַעְתֶּם׃ וְדָרַשְׁתָּ וְחָקַרְתָּ וְשָׁאַלְתָּ הֵיטֵב וְהִנֵּה
אֱמֶת נָכוֹן הַדָּבָר נֶעֶשְׂתָה הַתּוֹעֵבָה הַזֹּאת בְּקִרְבֶּךָ׃
טז הַכֵּה תַכֶּה אֶת־יֹשְׁבֵי הָעִיר הַהִוא לְפִי־חָרֶב הַחֲרֵם

רש"י | כָּמוֹךָ" (ויקרא יט, יח), אֶת זֶה לֹא תֶאֱהַב: **וְלֹא תִשְׁמַע אֵלָיו.** כְּהִתְחַנְּנוֹ עַל נַפְשׁוֹ לִמְחֹל לוֹ, לְפִי שֶׁנֶּאֱמַר: "עָזֹב תַּעֲזֹב עִמּוֹ" (שמות כג, ה), לָזֶה לֹא תַעֲזֹב: **וְלֹא תָחוֹס עֵינְךָ עָלָיו.** לְפִי שֶׁנֶּאֱמַר: "לֹא תַעֲמֹד עַל דַּם רֵעֶךָ" (ויקרא יט, טז), עַל זֶה לֹא תָחוּס: **וְלֹא תַחְמֹל.** לֹא תְהַפֵּךְ בִּזְכוּתוֹ: **וְלֹא תְכַסֶּה עָלָיו.** אִם אַתָּה יוֹדֵעַ לוֹ חוֹבָה, אֵינְךָ רַשַּׁאי לִשְׁתֹּק:

י] **כִּי הָרֹג תַּהַרְגֶנּוּ.** אִם יָצָא מִבֵּית דִּין זַכַּאי הַחֲזִירֵהוּ לְחוֹבָה, יָצָא מִבֵּית דִּין חַיָּב אַל תַּחֲזִירֵהוּ לִזְכוּת: **יָדְךָ תִּהְיֶה בּוֹ בָרִאשׁוֹנָה.** מִצְוָה בְּיַד הַנִּסָּת לַהֲמִיתוֹ. לֹא מֵת בְּיָדוֹ – יָמוּת בְּיַד אֲחֵרִים, שֶׁנֶּאֱמַר: "וְיַד כָּל הָעָם" וְגוֹ':

יג–יד] **לָשֶׁבֶת שָׁם.** פְּרָט לִירוּשָׁלַיִם שֶׁלֹּא נִתְּנָה לְדִירָה: **בְּנֵי בְלִיַּעַל.** בְּלִי עֹל, שֶׁפָּרְקוּ עֻלּוֹ שֶׁל מָקוֹם: **אֲנָשִׁים.** וְלֹא נָשִׁים: **יֹשְׁבֵי עִירָם.** וְלֹא יוֹשְׁבֵי עִיר אַחֶרֶת, מִכָּאן אָמְרוּ: אֵין נַעֲשֵׂית עִיר הַנִּדַּחַת עַד שֶׁיַּדִּיחוּהָ אֲנָשִׁים, וְעַד שֶׁיִּהְיוּ מַדִּיחֶיהָ מִתּוֹכָהּ:

טו] **וְדָרַשְׁתָּ וְחָקַרְתָּ וְשָׁאַלְתָּ הֵיטֵב.** מִכָּאן לָמְדוּ שֶׁבַע חֲקִירוֹת מֵרִבּוּי הַמִּקְרָא. כָּאן יֵשׁ שָׁלֹשׁ: דְּרִישָׁה וַחֲקִירָה וְ"הֵיטֵב". "וְשָׁאַלְתָּ" אֵינוֹ מִן הַמִּנְיָן, וּמִמֶּנּוּ לָמְדוּ בְּדִיקוֹת. וּבְמָקוֹם אַחֵר הוּא אוֹמֵר: "וְדָרְשׁוּ הַשֹּׁפְטִים הֵיטֵב" (להלן יט, יח), וּבְמָקוֹם אַחֵר הוּא אוֹמֵר: "וְדָרַשְׁתָּ הֵיטֵב" (להלן יז, ד), וְלָמְדוּ "הֵיטֵב" "הֵיטֵב" לִגְזֵרָה שָׁוָה, לִתֵּן הָאָמוּר שֶׁל זֶה בָּזֶה:

טז] **הַכֵּה תַכֶּה.** אִם אֵינְךָ יָכוֹל לַהֲמִיתָם בַּמִּיתָה הַכְּתוּבָה בָּהֶם, הֲמִיתֵם בְּאַחֶרֶת:

ביאור | תסכים לו, וְלֹא תִשְׁמַע אֵלָיו, וְלֹא תָחוֹס עֵינְךָ, תרחם עָלָיו, וְלֹא תַחְמֹל
וְלֹא תְכַסֶּה, תחפה עָלָיו, כדי שלא ייענש, אלא חובה עליך לחשוף
אותו. י כִּי אם הָרֹג תַּהַרְגֶנּוּ, וכך תעשה זאת: יָדְךָ תִּהְיֶה בּוֹ בָרִאשׁוֹנָה
לַהֲמִיתוֹ, שלא כמו במקרה של משפט עובד עבודה זרה, שיד העדים
פוגעת בו בראשונה,[18] כאן האיש שאותו ניסו להסית, צריך להיות
הראשון שיהרוג את המסית. וְיַד כָּל הָעָם בָּאַחֲרֹנָה. יא וּסְקַלְתּוֹ
בָאֲבָנִים – וָמֵת, כִּי בִקֵּשׁ לְהַדִּיחֲךָ מֵעַל ה׳ אֱלֹהֶיךָ הַמּוֹצִיאֲךָ מֵאֶרֶץ מִצְרַיִם
מִבֵּית עֲבָדִים. יב וְכָל יִשְׂרָאֵל יִשְׁמְעוּ וְיִרָאוּן, וְלֹא יוֹסִפוּ לַעֲשׂוֹת כַּדָּבָר
הָרָע הַזֶּה בְּקִרְבֶּךָ. מקרה זה עלול להישנות. על כן עליכם לחסל את
מוקד הרוע הזה בכל מקום שבו יתגלה, גם אם לא נעשתה עברה
מעשית אלא הסתה מילולית בלבד.[19]

יג כִּי תִשְׁמַע בְּאַחַת, על אחת מֵעָרֶיךָ אֲשֶׁר ה׳ אֱלֹהֶיךָ נֹתֵן לְךָ לָשֶׁבֶת
שָׁם, לֵאמֹר: יד יָצְאוּ אֲנָשִׁים בְּנֵי בְלִיַּעַל, גרועים חסרי תקנה מִקִּרְבֶּךָ,
וַיַּדִּיחוּ אֶת יֹשְׁבֵי עִירָם לֵאמֹר: נֵלְכָה וְנַעַבְדָה אֱלֹהִים אֲחֵרִים אֲשֶׁר לֹא
יְדַעְתֶּם. כאן אין מדובר באדם אחד המסית את רעהו בסתר, אלא
בתעמולה מאורגנת וציבורית ברחבי העיר לעבודה זרה. במקרה
זה האחריות מוטלת על בית הדין, המרכז המשפטי של ישראל.
ואליו פונה הכתוב: טו וְדָרַשְׁתָּ, עליך לחפש וְחָקַרְתָּ וְשָׁאַלְתָּ הֵיטֵב,
ולבצע בדיקה מדוקדקת, וְהִנֵּה מתברר שאֱמֶת נָכוֹן, מכוון ומבורר
הַדָּבָר לאשורו, ולא הייתה זו שמועת שווא. אכן נֶעֶשְׂתָה הַתּוֹעֵבָה
הַזֹּאת בְּקִרְבֶּךָ. הסיתו את העיר לעבודה זרה, וכולה עובדת עבודה
זרה – טז הַכֵּה תַכֶּה אֶת יֹשְׁבֵי הָעִיר הַהִוא לְפִי חָרֶב, הַחֲרֵם אֹתָהּ וְאֶת

אֹתָהּ וְאֶת־כָּל־אֲשֶׁר־בָּהּ וְאֶת־בְּהֶמְתָּהּ לְפִי־חָרֶב׃
וְאֶת־כָּל־שְׁלָלָהּ תִּקְבֹּץ אֶל־תּוֹךְ רְחֹבָהּ וְשָׂרַפְתָּ יז
בָאֵשׁ אֶת־הָעִיר וְאֶת־כָּל־שְׁלָלָהּ כָּלִיל לַיהוָה
אֱלֹהֶיךָ וְהָיְתָה תֵּל עוֹלָם לֹא תִבָּנֶה עוֹד׃ וְלֹא־יִדְבַּק יח
בְּיָדְךָ מְאוּמָה מִן־הַחֵרֶם לְמַעַן יָשׁוּב יְהוָה מֵחֲרוֹן
אַפּוֹ וְנָתַן־לְךָ רַחֲמִים וְרִחַמְךָ וְהִרְבֶּךָ כַּאֲשֶׁר נִשְׁבַּע
לַאֲבֹתֶיךָ׃ כִּי תִשְׁמַע בְּקוֹל יְהוָה אֱלֹהֶיךָ לִשְׁמֹר יט
אֶת־כָּל־מִצְוֹתָיו אֲשֶׁר אָנֹכִי מְצַוְּךָ הַיּוֹם לַעֲשׂוֹת
רביעי יב הַיָּשָׁר בְּעֵינֵי יְהוָה אֱלֹהֶיךָ׃ בָּנִים אַתֶּם א יד
לַיהוָה אֱלֹהֵיכֶם לֹא תִתְגֹּדְדוּ וְלֹא־תָשִׂימוּ קָרְחָה בֵּין
עֵינֵיכֶם לָמֵת׃ כִּי עַם קָדוֹשׁ אַתָּה לַיהוָה אֱלֹהֶיךָ וּבְךָ ב
בָּחַר יְהוָה לִהְיוֹת לוֹ לְעַם סְגֻלָּה מִכֹּל הָעַמִּים אֲשֶׁר
עַל־פְּנֵי הָאֲדָמָה׃ לֹא תֹאכַל כָּל־תּוֹעֵבָה׃ ג
זֹאת הַבְּהֵמָה אֲשֶׁר תֹּאכֵלוּ שׁוֹר שֵׂה כְשָׂבִים וְשֵׂה ד

רש"י

יז) לַה' אֱלֹהֶיךָ. לִשְׁמוֹ וּבִשְׁבִילוֹ:

יח) לְמַעַן יָשׁוּב ה' מֵחֲרוֹן אַפּוֹ. שֶׁכָּל זְמַן שֶׁעֲבוֹדָה זָרָה בָּעוֹלָם, חֲרוֹן אַף בָּעוֹלָם:

פרק יד

א) לֹא תִתְגֹּדְדוּ. לֹא תִתְּנוּ גְּדִידָה וְשֶׂרֶט בִּבְשַׂרְכֶם עַל מֵת כְּדֶרֶךְ שֶׁהָאֱמוֹרִיִּים עוֹשִׂין, לְפִי שֶׁאַתֶּם בָּנָיו שֶׁל מָקוֹם, וְאַתֶּם רְאוּיִין לִהְיוֹת נָאִים וְלֹא גְּדוּדִים וּמְקֻרָּחִים: בֵּין עֵינֵיכֶם. אֵצֶל הַפַּדַּחַת, וּבְמָקוֹם אַחֵר הוּא אוֹמֵר: "לֹא יִקְרְחוּ קָרְחָה בְּרֹאשָׁם" (ויקרא כא, ה), לַעֲשׂוֹת כָּל הָרֹאשׁ כְּבֵין הָעֵינַיִם:

ב) כִּי עַם קָדוֹשׁ אַתָּה. קְדֻשַּׁת עַצְמְךָ מֵאֲבוֹתֶיךָ, וְעוֹד: "וּבְךָ בָּחַר ה'":

ג) כָּל תּוֹעֵבָה. כָּל שֶׁתִּעַבְתִּי לְךָ, כְּגוֹן צָרַם אֹזֶן בְּכוֹר כְּדֵי לְשָׁחֲטוֹ בַּמְּדִינָה, הֲרֵי דָּבָר שֶׁתִּעַבְתִּי לְךָ: "כָּל מוּם לֹא יִהְיֶה בּוֹ" (ויקרא כב, כא), הָא וְלָמֵד כֹּהֵן שֶׁלֹּא יִשְׁחֹט וְיֹאכַל עַל אוֹתוֹ הַמּוּם. בַּשֵּׁל בָּשָׂר בְּחָלָב, הֲרֵי דָּבָר שֶׁתִּעַבְתִּי לְךָ, הִזְהִיר כָּאן עַל אֲכִילָתוֹ:

ד-ה) זֹאת הַבְּהֵמָה... אַיָּל וּצְבִי וְיַחְמוּר.

הרחבות

'ונתן לך רחמים ורחמך' באופן מעט פרדוקסלי, כדי שה' ירחם על ישראל וחרון אפו ישוב מהם, עליהם לעשות מעשה קשה, הנראה אכזרי. לאמתו של דבר אין בכך סתירה; הרי גם הרופא הטוב, שרחמיו אינם חיצוניים-סנטימנטליים בלבד, ינתח

ביאור

**כָּל אֲשֶׁר בָּהּ וְאֶת בְּהֶמְתָּהּ לְפִי חָרֶב.** השמד את כל הנמצאים בעיר,
ובעלי החיים בכלל זה. יו **וְאֶת כָּל שְׁלָלָהּ**, החפצים שאפשר לבזוז
**תִּקְבֹּץ**, תאסוף **אֶל תּוֹךְ רְחֹבָהּ**, כיכר העיר. **וְשָׂרַפְתָּ בָאֵשׁ אֶת הָעִיר
וְאֶת כָּל שְׁלָלָהּ כָּלִיל לַה׳ אֱלֹהֶיךָ.** כל העיר תעלה באש לה׳ כקרבן.
ואחרי שהיא תיהרס – **וְהָיְתָה תֵּל עוֹלָם, לֹא תִבָּנֶה עוֹד**, בתור אזהרה
מוחשית וחריפה. יח **וְלֹא יִדְבַּק**, יישאר **בְּיָדְךָ מְאוּמָה מִן הַחֵרֶם**, מרכוש
העיר שהוחרם, **לְמַעַן יָשׁוּב ה׳ מֵחֲרוֹן אַפּוֹ**, מכעסו, **וְנָתַן לְךָ רַחֲמִים
וְרִחַמְךָ וְהִרְבֶּךָ כַּאֲשֶׁר נִשְׁבַּע לַאֲבֹתֶיךָ.** יט **כִּי תִשְׁמַע בְּקוֹל ה׳ אֱלֹהֶיךָ,
לִשְׁמֹר אֶת כָּל מִצְוֹתָיו אֲשֶׁר אָנֹכִי מְצַוְּךָ הַיּוֹם, לַעֲשׂוֹת הַיָּשָׁר בְּעֵינֵי ה׳
אֱלֹהֶיךָ.**

## איסורים הקשורים לקדושת ישראל

פרק יד פס׳ א–כא

קדושתם של ישראל מתבטאת בין היתר ביחסם כלפי גופם. כאן נאסר עליהם להשחית את גופם בעת שהם אבלים, וכן נמנים כאן מיני מאכלים שאסור להם להכניס לגופם משום שהם נחשבים תועבה.

פרק יד א **בָּנִים אַתֶּם לַה׳ אֱלֹהֵיכֶם**, ומעמדכם זה מחייב אתכם להימנע
מן המנהגים הרווחים בסביבתכם: **לֹא תִתְגֹּדְדוּ**, אל תדקרו או תשרטו
עצמכם בסכינים עד זוב דם כביטוי לאבל, כפי שתראו בין העמים,
**וְלֹא תָשִׂימוּ קָרְחָה**, אל תמרטו את שערות הראש **בֵּין עֵינֵיכֶם**, במרכז
הראש שנמצא מעל העיניים, **לָמֵת.** ב אין ה׳ רוצה שבניו ישחיתו את
גופם ויהיו כעורים,[20] **כִּי עַם קָדוֹשׁ אַתָּה לַה׳ אֱלֹהֶיךָ.** אתם מוקדשים
לה׳, **וּבְךָ בָּחַר ה׳ לִהְיוֹת לוֹ לְעַם סְגֻלָּה מִכֹּל הָעַמִּים אֲשֶׁר עַל פְּנֵי הָאֲדָמָה.**

ג **לֹא תֹאכַל כָּל** דבר הנחשב **תּוֹעֵבָה.** לפי דעות מסוימות, גם דברים
המתועבים בעיני שאר העמים הנוכחים בסביבתם.[21]

ד **זֹאת הַבְּהֵמָה אֲשֶׁר תֹּאכֵלוּ: שׁוֹר, שֵׂה כְשָׂבִים וְשֵׂה עִזִּים,** ה מלבד
בהמות הבית הללו מן הבקר ומן הצאן, מותר לכם לאכול גם

הרחבות

את הזקוק לכך. ובמעשה המכאיב של הרחקת החלק הנגוע, יבטא הרופא את רחמיו. אף שירוש העבודה הזרה במהירות ובעצמה רבה אינו בא אלא כדי לשמר את קיומה של האומה.

עִזִּים׃ אַיָּל וּצְבִי וְיַחְמוּר וְאַקּוֹ וְדִישֹׁן וּתְאוֹ וָזָמֶר׃ ה
וְכָל־בְּהֵמָה מַפְרֶסֶת פַּרְסָה וְשֹׁסַעַת שֶׁסַע שְׁתֵּי ו
פְרָסוֹת מַעֲלַת גֵּרָה בַּבְּהֵמָה אֹתָהּ תֹּאכֵלוּ׃ אַךְ אֶת־ ז
זֶה לֹא תֹאכְלוּ מִמַּעֲלֵי הַגֵּרָה וּמִמַּפְרִיסֵי הַפַּרְסָה

**רש"י** | לִמְּדָנוּ שֶׁהַחַיָּה בִּכְלַל בְּהֵמָה, וְלִמְּדָנוּ שֶׁהַבְּהֵמָה וְחַיָּה טְמֵאָה מְרֻבָּה מִן הַטְּהוֹרָה, שֶׁבְּכָל מָקוֹם פּוֹרֵט אֶת הַמּוּעָט: **וְאַקּוֹ.** מְתֻרְגָּם: "יַעְלָא", "יַעֲלֵי סָלַע" הוּא אשטנבו"ק: **וּתְאוֹ.** "תּוֹרְבָּלָא", שׁוֹר הַיַּעַר, 'בָּאלָא' – יַעַר בִּלְשׁוֹן אֲרַמִּי:

ו| **מַפְרֶסֶת.** סְדוּקָה, כְּתַרְגּוּמוֹ: פַּרְסָה. פלנט"א: **וְשֹׁסַעַת.** חֲלוּקָה בִּשְׁתֵּי צִפָּרְנַיִם, שֶׁיֵּשׁ סְדוּקָה וְאֵינָהּ חֲלוּקָה בְּצִפָּרְנַיִם וְהִיא טְמֵאָה: **בַּבְּהֵמָה.** מַשְׁמַע מַה שֶּׁנִּמְצָא בַּבְּהֵמָה אֱכֹל, מִכָּאן אָמְרוּ שֶׁהַשָּׁלִיל מֻתָּר בִּשְׁחִיטַת אִמּוֹ:

יחמור

מימין: יעל נובי ('אקו'?)

משמאל: דישון

**העולם** | **יַחְמוּר** סוג אייל השייך למשפחת האיילים, ממעלי הגרה ושסועי הפרסה, שמקובל לזהותו עם היחמור הפרסי (שם מדעי: Dama dama mesopotamica). אורך גופו מגיע ל-2 מ', המשקל הממוצע של הזכר 80 ק"ג, ושל הנקבה כ-50 ק"ג. סעיפי קרניו בעלי מבנה שטוח מהמצוי אצל שאר האיילים. היו שזיהו אותו עם הבובאל (שם מדעי: Alcelaphus buselaphus), אנטילופה בעלת קרניים מפותלות הדומות לקרני הבקר. שמו המקראי נשמר בארמית וערבית, וייתכן שמקור שמו הוא צבעו החום-אדמדם (בצבע היין, חמר. ראו למשל ישעיה כז,ב). כל התרגומים הארמיים ותרגום רס"ג לערבית מעתיקים את השם יחמור, וכך הוא נקרא גם בצפון-מערב אירן, שם מצויה אוכלוסיית היחמורים הטבעית האחרונה.

**אַקּוֹ** מזוהה ברוב התרגומים הארמיים עם היעל (שם מדעי: Caprinae), עז בר ממשפחת הפריים, ממעלי הגרה ומכפילי הפרסה. היעלים חיים בנוף פתוח ושוכנים בסלעים ובצוקים. (ראו תהלים קד,יח). בישראל מצוי רק היעל הנובי (שם מדעי: Capra ibex nubiana). אורך גופו של

ביאור | **אַיָּל וּצְבִי וְיַחְמוּר**, הדומה לצבי גדול, **וְאַקּוֹ**, כנראה הוא היעל,[22] **וְדִישֹׁן**
**וּתְאוֹ**, שור בר מסוים[23] **וָזָמֶר**, שלפי דעה אחת הוא הג'ירף,[24] והיו
שפירשוהו כבעל חיים שכל גופו מכוסה צמר קצר, הנראה זמור,
כלומר גזוז ממנו. אף שזיהוין של החיות הנזכרות כאן אינו ודאי,
אין לכך חשיבות רבה לעניין התר אכילתן, משום שהתורה מפרטת
סימנים שעל פיהם ניתן לקבוע אם בהמה מותרת או אסורה:[25] ו **וְכָל**
**בְּהֵמָה מַפְרֶסֶת פַּרְסָה**, מעין ציפורן המקיפה את כף הרגל, ואין לה כף
שהאצבעות ניכרות בה, ולא די בסימן זה, הקיים גם בסוס ובחמור
אלא – **וְשֹׁסַעַת שֶׁסַע שְׁתֵּי פְרָסוֹת**, פרסותיה מחולקות לשתיים, והיא
גם **מַעֲלַת גֵּרָה**, חוזרת ולועסת את מזונה **בַּבְּהֵמָה – אֹתָהּ תֹּאכֵלוּ**.
ז **אַךְ אֶת זֶה לֹא תֹאכְלוּ מִמַּעֲלֵי הַגֵּרָה וּמִמַּפְרִיסֵי הַפַּרְסָה הַשְּׁסוּעָה**, יצורים
העונים רק על אחד מהתנאים, מעלי גרה או מפריסי פרסה שסועה:

מימין: שור הבר ('תאו'?)

משמאל: כבש הבר ('זמר'?)

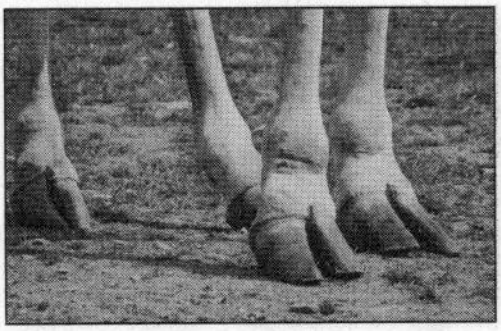

מימין: ג'ירף ('זמר'?)

משמאל: שֹׁסַעַת שֶׁסַע שְׁתֵּי פְרָסוֹת

העולם | היעל 100–125 ס"מ ומשקלו 45–80 ק"ג. אורך קרני הזכר מגיע עד 130 ס"מ, ושל הנקבה – עד 40 ס"מ.

**דִּישֹׁן** לפי התרגומים הארמיים הוא הראם. מקובל לזהותו עם הראם הערבי (שם מדעי: Oryx leucozyx), שהיה נפוץ בעבר באזורי מדבר מישוריים בארץ ונכחד בתחילת המאה ה-20 מחמת צייד. אורך גופו מגיע ל-2 מ', משקלו כ-70 ק"ג, קרניו ישרות וחדות, ואורכן מגיע ל-70 ס"מ.

**תְּאוֹ** על פי התרגומים הארמיים הוא שור הבר (שור היער) המזוהה עם שור הבר האירופי (שם מדעי: Bos primigenius), שהיה מצוי בארץ ישראל בתקופת המקרא ונכחד. הוא היה הרבה יותר גדול מהבקר המודרני. אורכו כ-3 מ', גובה כתפיו כ-2 מ', משקלו הגיע למעלה מ-1,000 ק"ג, ואורך קרניו הגיע ל-80 ס"מ. היו שזיהו אותו עם הג'מוס (שם מדעי: Bubalus bubalis), אולם הג'מוס הגיע לארץ לאחר תקופת המקרא, ולא נמצאו עדויות לשרידיו בממצאים הארכיאוזואולוגיים בארץ.

**זֶמֶר** רס"ג זיהה אותו עם הג'ירף (שם

הַשְּׁסוּעָה אֶת־הַגָּמָל וְאֶת־הָאַרְנֶבֶת וְאֶת־הַשָּׁפָן
כִּי־מַעֲלֵה גֵרָה הֵמָּה וּפַרְסָה לֹא הִפְרִיסוּ טְמֵאִים
ח הֵם לָכֶם: וְאֶת־הַחֲזִיר כִּי־מַפְרִיס פַּרְסָה הוּא וְלֹא
גֵרָה טָמֵא הוּא לָכֶם מִבְּשָׂרָם לֹא תֹאכֵלוּ וּבְנִבְלָתָם
ט לֹא תִגָּעוּ: אֶת־זֶה תֹּאכְלוּ מִכֹּל אֲשֶׁר
י בַּמָּיִם כֹּל אֲשֶׁר־לוֹ סְנַפִּיר וְקַשְׂקֶשֶׂת תֹּאכֵלוּ: וְכֹל
אֲשֶׁר אֵין־לוֹ סְנַפִּיר וְקַשְׂקֶשֶׂת לֹא תֹאכֵלוּ טָמֵא הוּא

**רש"י**

ז] **הַשְּׁסוּעָה.** בְּרִיָּה הִיא שֶׁיֵּשׁ לָהּ שְׁנֵי גַּבִּין וּשְׁתֵּי שִׁדְרָאוֹת. אָמְרוּ רַבּוֹתֵינוּ: לָמָּה נִשְׁנוּ? בַּבְּהֵמָה מִפְּנֵי הַשְּׁסוּעָה וּבָעוֹפוֹת מִפְּנֵי הָרָאָה (להלן פסוק יג), שֶׁלֹּא נֶאֶמְרוּ בְּתוֹרַת כֹּהֲנִים:

ח] **וּבְנִבְלָתָם לֹא תִגָּעוּ.** רַבּוֹתֵינוּ פֵּרְשׁוּ: בָּרֶגֶל, שֶׁאָדָם חַיָּב לְטַהֵר אֶת עַצְמוֹ בָּרֶגֶל. יָכוֹל יְהוּ מֻזְהָרִים בְּכָל הַשָּׁנָה? תַּלְמוּד לוֹמַר: "אֱמֹר אֶל הַכֹּהֲנִים" וְגוֹ' (ויקרא כא, א), וּמָה טֻמְאַת הַמֵּת חֲמוּרָה, כֹּהֲנִים מֻזְהָרִים וְאֵין יִשְׂרָאֵל מֻזְהָרִים, טֻמְאַת נְבֵלָה קַלָּה לֹא כָּל שֶׁכֵּן?

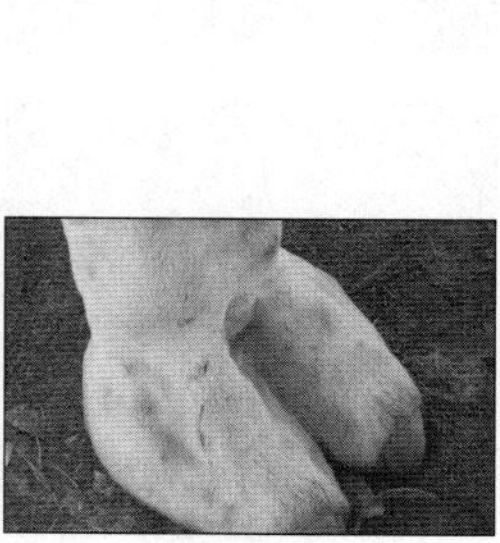

מימין:
פרסת הגמל
השסועה

משמאל:
תחתית רגל הגמל
הנראית כפרסה
אחת

**העולם**

מדעי: Giraffa), שיש בו כל סימני הטהרה. בתקופת המקרא היה מצוי במצרים, אך בארץ טרם נמצאו שרידים ארכיאוזולוגיים שלו. היו שזיהו את הזמר עם אחד מסוגי כבש הבר (שם מדעי: Ovis orientalis או Ammotragus lervi) או עם עז הבר (שם מדעי: Capra aegagrus), אך גם לכך אין עדות.

גָּמָל החלק הגלוי של רגל הגמל נראה שוסע שסע, אך תחתיתה נראית כיחידה אחת. מכל מקום הגמל צועד על כמה אצבעות רכות למדי.

חֲזִיר (שם מדעי: Sus scrofa), בעל חיים גדול ממשפחת החזיריים. אורך גופו מגיע עד 1.5 מ', גובהו מגיע למטר אחד, גופו שעיר והוא מכוסה זיפים חזקים. הוא אוכל כול: צמחים, ביצי עופות, אפרוחים, מכרסמים קטנים ואף נבלות.

ביאור

אֶת הַגָּמָל וְאֶת הָאַרְנֶבֶת וְאֶת הַשָּׁפָן, כִּי מַעֲלֵה גֵרָה הֵמָּה, הם וּפַרְסָה לֹא
הִפְרִיסוּ – טְמֵאִים הֵם לָכֶם ואסורים באכילה. אם הארנבת והשפן הם
היצורים הקרויים כך כיום – אין הם מעלים שנית את המאכל שנבלע
לקיבה, אך לעיסתם דומה להעלאת גרה לעיני המסתכל. ח וְכן אֶת
הַחֲזִיר לא תאכלו, כִּי מַפְרִיס פַּרְסָה הוּא ואף שוסע שסע פרסות, וְלֹא
מעלה גֵרָה – טָמֵא הוּא לָכֶם. מִבְּשָׂרָם של כל בעלי החיים הטמאים
לֹא תֹאכֵלוּ, וּבְנִבְלָתָם לֹא תִגָּעוּ. חכמים דרשו על פי כתובים נוספים
שלא כל מגע בנבלה אסור אלא מגע עמה בזמנים שאדם קרב אל
המקדש וקודשיו, כגון בזמני עלייה לרגל.[26]

ט אֶת זֶה תֹּאכְלוּ מִכֹּל אֲשֶׁר בַּמָּיִם: כֹּל אֲשֶׁר לוֹ סְנַפִּיר, האיבר שבאמצעותו
הוא שוחה במים, וְקַשְׂקֶשֶׂת, קשקשים מכסים את גופו – תֹּאכֵלוּ. י וְכֹל
אֲשֶׁר אֵין לוֹ סְנַפִּיר וְקַשְׂקֶשֶׂת – לֹא תֹאכֵלוּ. טָמֵא הוּא לָכֶם. האיסורים
אינם חלים דווקא על דגים אלא על כל היצורים המימיים שאין
להם סנפיר וקשקשת.

מימין: ארנבת

משמאל: שפן

סימני כשרות הדג

העולם

שלא כמעלי הגרה, שלהם ארבע קיבות, לחזיר יש קיבה אחת. הוא נפוץ בביצות, בחורש ובשטחי חקלאות בצפון הארץ ובמרכזה. שרידי עצמות חזיר נמצאו בארץ ישראל כמעט בכל היישובים שאינם ישראליים.

**סְנַפִּיר** בליטה גרמית היוצאת מצד בטן הדג ומשמשת לו משוט. בגב הדג ובזנבו יש גם סנפירים שאינם נעים.

**קַשְׂקֶשֶׂת** בליטות שטוחות על עור הדג החופות זו את זו כרעפים, וקצותיהם פונים לעבר הזנב. סוגי הקשקשים נבדלים זה מזה בצורתם, במבנה החיבור שלהם לעור הדג ובמאפיינים אחרים. יש דגים שקשקשיהם מתנוונים, חיבורם אל גוף הדג מתרופף, ועם הגיל הם נושרים.

לָכֶם׃ כׇּל־צִפּוֹר טְהֹרָה תֹּאכֵלוּ׃ וְזֶה אֲשֶׁר יא יב
לֹא־תֹאכְלוּ מֵהֶם הַנֶּשֶׁר וְהַפֶּרֶס וְהָעׇזְנִיָּה׃ וְהָרָאָה יג
וְאֶת־הָאַיָּה וְהַדַּיָּה לְמִינָהּ׃ וְאֵת כׇּל־עֹרֵב לְמִינוֹ׃ יד

**רש"י** יא| **כָּל צִפּוֹר טְהֹרָה תֹּאכֵלוּ.** לְהַתִּיר מְשֻׁלַּחַת שֶׁבִּמְּצֹרָע:

יב| **וְזֶה אֲשֶׁר לֹא תֹאכְלוּ.** לֶאֱסֹר אֶת הַשְּׁחוּטָה:

יג| **וְהָרָאָה וְאֶת הָאַיָּה וְגוֹ׳.** הִיא רָאָה, הִיא אַיָּה, הִיא דַּיָּה, וְלָמָּה נִקְרָא שְׁמָהּ 'רָאָה'? שֶׁרוֹאָה בְּיוֹתֵר. וְלָמָּה הִזְהִירְךָ בְּכׇל שְׁמוֹתֶיהָ? שֶׁלֹּא לִתֵּן פִּתְחוֹן פֶּה לְבַעַל

נשר

מימין: פרס

משמאל: עזניה

**העולם** **נֶשֶׁר** (אנגלית: Vulture, שם מדעי: Gyps fulvus), עוף גדול המאופיין בדאייתו ובקינונו הגבוהים, ובכך שעט במהירות על מזונו. (ראו ירמיה מח,מ; עובדיה ד; מיכה א,טז; חבקוק א,ח; איוב לט,כז-כח). עוף זהה היה סמל מלכותי במצרים ואשור. מוטת כנפיו מגיעה ל-2.5 מ׳, והוא שוקל כ-10 ק"ג. ראשו וצווארו חשופים מנוצות כאילו נשרו נוצותיו, וייתכן שמכאן שמו. יש שזיהו אותו עם העיט (אנגלית: Eagle, שם מדעי: Aquila chrysaetos), המופיע בסמלים מהתקופה הרומית, והיו חוקרים שטענו ש'נשר' הוא שם כללי למספר עופות דורסים.

**פֶּרֶס** כיום מקובל לזהותו עם העוף הדורס הגדול הקרוי כך גם בימינו (שם מדעי: Gypaetus barbatus), משום שהוא פורס, כלומר שובר את עצמות הפגרים או בעלי החיים שהוא דורס, באמצעות השלכתם מגובה רב. (בערבית הוא מכונה מוכלפה, כאסר אל-עט'אם - שובר העצמות). במאה ה-19 קינן בכל אזורי המצוקים בארץ. אורך גופו 100-115 ס"מ; מוטת כנפיו 265-280 ס"מ, משקלו 4.5-8 ק"ג. קצות כנפיו מחודדים, וזנבו מעוין.

**עָזְנִיָּה** שמה נגזר מהשורש ע,ז,ז, שמשמעו חוזק ועוז (רד"ק). בלשון המשנה (כלים יז,יד) היא קרויה עוז. על פי חז"ל אין היא שוכנת במקומות יישוב (חולין סב ע"א). לפי תרגום השבעים היא מזוהה עם עיט הים (שם מדעי: Haliaetus albicilla) הנדיר בארץ ישראל, ועל כן במחקר מקובל לזהותה עם עזניית הנגב (שם מדעי: Torgos tracheliotus) ממשפחת הנציים, שצווארה וראשה קרחים וורודים, מוטת כנפיה 3 מ׳, ומשקלה מגיע ל-14 ק"ג. לעוף

ביאור

יא כָּל צִפּוֹר טְהֹרָה תֹּאכֵלוּ.

יב וְזֶה אֲשֶׁר לֹא תֹאכְלוּ מֵהֶם: הַנֶּשֶׁר, העוף המזוהה בשם זה גם
בימינו, אם כי היו גם דעות אחרות.[27] וְהַפֶּרֶס וְהָעָזְנִיָּה, עופות מדבריים,
שאולי הם דומים לנשר[28] יג וְהָרָאָה וְאֶת הָאַיָּה וְהַדַּיָּה, מיני עופות
דורסים לְמִינָהּ. האיסור אינו מתייחס לעוף מסוים אלא לקבוצת
עופות מזנים קרובים או זהים.[29] יד וְאֵת כָּל עֹרֵב לְמִינוֹ טו וְאֵת

מימין: איית הצרעים ('איה'?)

משמאל: עקב החורף ('איה'?)

מימין: דיה

משמאל: עורב

העולם

זה מקור גדול וחזק המסוגל לקרוע עורן של חיות ולשבר עצמות. היו שזיהו אותה עם העזניה השחורה (שם מדעי: Aegypius monachus), המכונה בפי הערבים 'ניסר אסוואד' החולפת בארץ, וכיום היא נדירה מאוד (אנציקלופדיה מקראית).

**אַיָּה, דַּיָּה** חז"ל התייחסו אל האיה והדיה כשמות כוללים למיני עופות שונים בעלי תכונות דומות (חולין סג). האיה נזכרת באיוב (כח,ז) כעוף היכול לראות למרחקים. מזוהה עם עקב החורף (שם מדעי: Buteo buteo), עוף דורס נודד ממשפחת הנציים שמוטת כנפיו כ-120 ס"מ, ומשקלו המרבי כ-900 גרם (פליקס), או עם איית הצרעים (שם מדעי: Pernis apivorus), עוף דורס נודד ממשפחת הנציים המצוי בארץ ישראל, גודלו בינוני – אורך גופו 53-58 ס"מ, מוטת כנפיו 145 ס"מ, ומשקלו 460-800 גרם.

הדיה מכונה גם דאה (ראו ויקרא יא,יד ואונקלוס). היא מתוארת כעוף מדברי המתקבץ בלהקה ללינה ואכילה (ראו ישעיה לד,טו), ומזוהה עם הדיה שחורה (אנגלית: Black Kite, שם מדעי: Milvus migrans), עוף דורס יציב ממשפחת הנציים בארץ ישראל. משקלו 600-1,000 גרם, אורכו 55-60 ס"מ, ומוטת כנפיו 135-150 ס"מ. צד עכברים, עופות בינוניים ואפרוחיהם, ניזון גם מפגרים וזבל ולעתים חוטף מזון נטוש או גלוי לעין. מקנן בעצים או על סלעים.

**בַּת הַיַּעֲנָה** נזכרת בחברת חיות ועופות מדבריים (ישעיה לד,יג; ירמיה נ,ט; מיכה א,ח). משערים ששמה בא מן השורש ו,ע,ן / י,ע,ן, שפירושו בארמית-סורית רעבתן, או מן השורש ע,נ,י / ע,נ,ה על שם קול הצווחה שהיא משמיעה. מכיוון

וְאֵת֙ בַּ֣ת הַֽיַּעֲנָ֔ה וְאֶת־הַתַּחְמָ֖ס וְאֶת־הַשָּׁ֑חַף וְאֶת־ טו
הַנֵּ֖ץ לְמִינֵֽהוּ׃ אֶת־הַכּ֥וֹס וְאֶת־הַיַּנְשׁ֖וּף וְהַתִּנְשָֽׁמֶת׃ טז

רש"י | דִּין לַחֲלֹק, שֶׁלֹּא יְהֵא הָאוֹסְרָהּ קוֹרֵא אוֹתָהּ 'רָאָה' וְהַבָּא לְהַתִּיר אוֹמֵר זוֹ 'דַּיָּה' שְׁמָהּ אוֹ 'אַיָּה' שְׁמָהּ, וְזוֹ לֹא אָסַר הַכָּתוּב. וּבָעוֹפוֹת פֵּרַט לְךָ הַטְּמֵאִים, לְלַמֶּדְךָ שֶׁעוֹפוֹת טְהוֹרִים מְרֻבִּים עַל הַטְּמֵאִים, לְפִיכָךְ פֵּרַט אֶת הַמּוּעָט:

טז] הַתִּנְשֶׁמֶת. קלב"א שורי"ץ:

יען ('בת היענה'?)

מימין: בז ('תחמס'?)
משמאל: שחף

העולם | שבפסוק היא סמוכה לדורסי לילה ממשפחת הינשופים, היו שזיהו אותה עם האוח המדברי (שם מדעי: Bubo ascalaphus), שגודלו כ-40 ס"מ, משקלו כ-2 ק"ג, וקולותיו דומים ליללות. אחרים זיהו אותה עם העוף המכונה היום יען (שם מדעי: Struthio camelusao), על סמך אונקלוס ויונתן, שתרגמוהו נעמיתא (רס"ג, מלבי"ם). היען היה מצוי בעבר במדבריות סוריה, עירק, חצי-האי ערב והנגב. גובהו מגיע ל-2.5 מ', ומשקלו ל-150 ק"ג.

**תַּחְמָס** לפי שורש השם, ח,מ,ס זיהו אותו מפרשים וחוקרים עם ציפור המאופיינת בחטיפה וגזל. כך תורגם בתרגום ירושלמי 'חטפיתא', ובאונקלוס - 'ציצא', שהוא הסיס (Swift), המתאפיין בחטיפת חרקים מעופפים בעת מעופו. היו שזיהו אותו עם העוף הדורס הלילי הקטן המכונה בימינו בשם זה (שם מדעי: Caprimulgus). משקלו של עוף זה כ-80 גרם, ואף הוא מאופיין בציד חרקים תוך כדי מעופו. אחרים זיהו אותו עם הבז המצוי (שם מדעי: Falco tinnunculus), שגם שמו בא מביזה ושוד. זהו עוף דורס זריז חום המצוי בכל הארץ, גודלו כיונה גדולה, מוטת כנפיו 70-80 ס"מ, משקלו כ-150 גרם, והוא ניזון מציפורים, ממכרסמים ומחרקים.

**שָׁחַף** בעקבות השבעים, שתרגמו (=λάρονα laron), יש המזהים אותו עם עוף הים המכונה כיום שחף (שם מדעי: Larus), שמספר מינים שלו מצויים ליד מקורות מים בישראל. גודלו נע בין 25-70 ס"מ, כנפיו ארוכות וחדות, ושלוש אצבעותיו הקדמיות מחוברות בקרום שחייה. השחף ניזון מדגים, נבלות וזבל.

**נֵץ** בעקבות תרגום השבעים, (=ἱέρακα ieraka), זוהה עם הנץ המצוי (שם מדעי: Accipiter nisus). זהו אחד העופות הדורסים השכיחים והבולטים בישראל. כך עולה גם מדברי רש"י (על אתר ובחולין סג ע"א). אורך גופו 30-40 ס"מ, מוטת

ביאור

**בַּת הַיַּעֲנָה**, המזוהה, לפי השערה אחת, עם היען, הנעמית. יצור
גדול מאוד בעל כנפיים שאיננו יכול לעוף אלא מהלך, ונמצא
בעיקר במדבריות. **וְאֶת הַתַּחְמָס וְאֶת הַשָּׁחַף**, שנהוג לזהותו עם
עוף מים, **וְאֶת הַנֵּץ לְמִינֵהוּ**, קבוצת עופות דורסים קטנים המכונים
כך גם היום. טז **אֶת הַכּוֹס וְאֶת הַיַּנְשׁוּף וְהַתִּנְשָׁמֶת**, עופות דורסים

מימין: נץ

משמאל: כוס החרבות

מימין: ינשוף השדות

משמאל: תנשמת

העולם

כנפיו מגיעה עד 65 ס"מ, צבע גבו חום-אפור, וזנבו מפוספס. עם זאת, נראה כי 'הנץ למינהו' בפסוק כולל מיני דורסים אחרים השכיחים בארץ ישראל ודומים לו בגודלם, כגון הבז הנודד (שם מדעי: Falco peregrinus), בז העצים (שם מדעי: Falco subbuteo), בז הצוקים (שם מדעי: Falco biarmicus) ובז הציידים (שם מדעי: Falco cherrug). אפיונו כצייד ציפורים עולה גם מדברי המכילתא בשלח (מסכתא דויהי ב): "למה היו ישראל דומים באותה שעה? ליונה שברחה מפני הנץ".

**כּוֹס** מופיע בתהלים (קב,ז) כעוף מדברי החי בבדידות בשממה ובחורבות. התרגומים הארמיים, השבעים (νυκτικόρακα) ומרבית המפרשים והחוקרים זיהו אותו עם העוף הקרוי בימינו כוס, עוף דורס לילי קטן ממשפחת הינשופים (שם מדעי: Athene noctua saharae), שאורכו מגיע ל-21 ס"מ, מוטת כנפיו כ-60 ס"מ, ומשקלו של הבוגר מגיע ל-150 גרם. הכוס נפוץ בעיקר בשטחים פתוחים, והוא שוכן בתלי חורבות ובאזורים טרשיים או סלעיים. היו שראו בו עוף מים, כגון שקנאי, בגלל הסמיכות בפסוק לשלך (ויקרא יא,יז).

**יַנְשׁוּף (יַנְשׁוּף)** לפי ישעיה (לד,י-יא) הוא עוף השוכן בחורבות ושממה. מפרשי המקרא ראו בו עוף לילי ששמו נגזר משם העצם נֶשֶׁף, שמשמעו לילה (ראב"ע, רד"ק), או מקולות הנשיפה שהוא משמיע. בתרגום ובגמרא (נדה כג ע"א) הוא מזוהה עם 'קפופא' בארמית, עוף דומה לקוף, שעיניו בקדמת פניו. תיאור זה מתאים לדורסי הלילה ממשפחת הינשופים. היום מקובל לזהותו עם העוף המכונה היום ינשוף, ששני מינים ממנו מצויים בישראל: ינשוף העצים (שם מדעי: Asio otus) וינשוף השדות (שם מדעי: Asio flammeuls). מוטת כנפיהם כמטר, אורכם מגיע ל-40 ס"מ, ומשקלם - ל-300 גרם.

**תִּנְשֶׁמֶת** ציפור לילה נפוצה ממשפחת

יז יח וְהַקָּאָת וְאֶת־הָרָחָמָה וְאֶת־הַשָּׁלָךְ׃ וְהַחֲסִידָה וְהָאֲנָפָה

**רש"י** | יז | שָׁלָךְ. הַשּׁוֹלֶה דָּגִים מִן הַיָּם׃

חוברה ('קאת'?)

מימין: שרקרקים ('רָחָמָה'?)

משמאל: רחם ('רָחָמָה'?)

**העולם** | הינשופים (אנגלית: Barn Owl, שם מדעי: Tyto alba), 'בותא' לפי מסורת התרגום, ובגמרא: 'באות' (חולין סג ע"א). אורכה 34 ס"מ, והיא ניכרת בנוצות הערוכות סביב עיניה בצורת לב. התנשמת שוכנת בבורות, חורבות ומערות וניזונה מציד עכברי שדה וציפורים קטנות.

**קָאָת** עוף השוכן בצייה ובשממה (ישעיה לד,יא; צפניה ב,יד; תהלים קב,ז). שמו מעיד שהוא נוהג להקיא צנפה (פסולת מזון בלתי מעוכל), כפי שמצוי בעיקר אצל דורסי לילה. יש המזהים אותו עם האוח העיטי (Eagle Owl) הפעיל במדבר, משום שהוא נזכר בפסוק סמוך לדורסי לילה, והיו ששיערו שהוא החוברה המדברית, עוף קרקע גדול, ארך רגליים וצוואר, שאורכו מגיע ל-65 ס"מ ומוטת כנפיו ל-150 ס"מ.

**רָחָמָה** (**רָחָם**) שרקרק לפי הגמרא (חולין סג ע"א) ותרגום יונתן, וכן בערבית. ציפור צבעונית נודדת שאורכה מגיע עד 29 ס"מ, הנודדת לישראל בחורף. רש"י מפרש שהיא נקראת בשמה מפני שמבשרת את בוא הגשמים, הנקראים רחמים. רס"ג זיהה את הרחם עם העוף הדורס ממשפחת הנציים הקרוי בערבית רחם (שם מדעי: Neophron percnopterus), שאורכו כ-65 ס"מ, מוטת כנפיו כ-150–170 ס"מ, ומשקלו מגיע ל-2.1 ק"ג. היו חוקרים שזיהו את הרחם עם אחד מדורסי הלילה משום שהוא נזכר בפסוק ליד הקאת והתנשמת.

**שָׁלָךְ** לפי התרגומים וחז"ל עוף זה שולה דגים מן הים (חולין סג ע"א). היו שזיהו אותו עם עיט הים הניזון מדגים ומכונה גם עיט הדגים (שם מדעי: Pandion haliaetus). השבעים תרגמוהו (καταρράκτην=katarráktin), הוא הקורמורן הצד דגים בצלילה ומצוי במקווי מים גדולים בארץ. במחקר הועלו

ביאור

ליליים, יז וְהַקָּאָת, שאולי אף היא ציפור דורסת, וְאֶת הָרָחָמָה, הרחם,
אוכל נבלות קטן, וְאֶת הַשָּׁלָךְ, לפי התרגום, הוא עוף החי על החוף
ושולה דגים מן המים.[30] יח וְהַחֲסִידָה, שזיהויה עתיק למדי, אם כי
במשך הדורות היו יהודים במקומות מסוימים שאכלו את העוף
הקרוי היום 'חסידות' משום שהחשיבו אותו לעוף טהור.[31] וְהָאֲנָפָה,

מימין: עיט הים ('שָׁלָךְ'?)

משמאל: קטופה ('שָׁלָךְ'?)

מימין: חסידה

משמאל: אנפה

**העולם**

אפשרויות נוספות: השקנאי (שם מדעי: Pelican), שלדג לבן חזה (שם מדעי: Halcyon smyrnensis) או פרפור עקוד (שם מדעי: Ceryle rudis). היו שזיהו אותו עם קטופה, (שם מדעי: Ketupa zeylonensis), דורס לילי קטן ממשפחת הינשופים הצד דגים.

**חֲסִידָה** עוף נודד דואה המקנן בברושים (ירמיה ח,ז; זכריה ה,ט; תהלים קד,יז; איוב לט,יג). בחז"ל היא מתוארת כציפור העושה חסד עם בניה וחברותיה (חולין סג ע"א; מדרש תהלים כב,יד). לפי המפרשים השם מתאר תכונה ואינו בהכרח שם פרטי של עוף מסוים. על כן הוצעו לה זיהויים שונים לפי הקשרי הופעתה בתנ"ך. בתרגומים הארמיים, בגמרא (חולין סג ע"א) וברס"ג זוהתה עם הדיה הלבנה או הנץ. בתרגום השבעים, הוולגטה ורש"י זוהתה עם עוף מסדרת החסידאיים, עופות החיים בדרך כלל בביצה או על גדות נחלים, כגון שקנאי, אנפה, והציפור הקרויה היום חסידה (שם מדעי: Cigogne), שבתרבויות העולם העתיק שימשה סמל לכיבוד הורים ומסירות. זיהוי זה של החסידה התקבל על ידי מרבית החוקרים.

**אֲנָפָה** לפי התלמוד (חולין סג ע"א) לאנפה ולחסידה מראה ותעופה דומים. מקובל לזהותה עם מה שמכונה היום 'משפחת האנפות' (אנגלית: Heron, שם מדעי: Andea), הדומה לחסידה, וכך זיהה גם רש"י. בארץ יש מספר מיני אנפות בגדלים שונים בעלות רגליים, צוואר ומקור ארוכים וציצית בולטת לראשן. האנפות שוכנות בדרך כלל בקרבת מקור מים.

יט לְמִינָהּ וְהַדּוּכִיפַת וְהָעֲטַלֵּף׃ וְכֹל שֶׁרֶץ הָעוֹף טָמֵא
כ כא הוּא לָכֶם לֹא יֵאָכֵלוּ׃ כָּל־עוֹף טָהוֹר תֹּאכֵלוּ׃ לֹא־
תֹאכְלוּ כָל־נְבֵלָה לַגֵּר אֲשֶׁר־בִּשְׁעָרֶיךָ תִּתְּנֶנָּה
וַאֲכָלָהּ אוֹ מָכֹר לְנָכְרִי כִּי עַם קָדוֹשׁ אַתָּה לַיהוָה
אֱלֹהֶיךָ לֹא־תְבַשֵּׁל גְּדִי בַּחֲלֵב אִמּוֹ׃

**רש"י**

יח] **דוּכִיפַת.** הוּא תַּרְנְגוֹל הַבָּר, וּבְלַעַז הרופ"א וְכַרְבָּלְתּוֹ כְּפוּלָה:

יט] **שֶׁרֶץ הָעוֹף.** הֵם הַנְּמוּכִים הָרוֹחֲשִׁים עַל הָאָרֶץ, כְּגוֹן זְבוּבִים וּצְרָעִים וַחֲגָבִים טְמֵאִים, הֵם קְרוּיִים 'שֶׁרֶץ':

כ] **כָּל עוֹף טָהוֹר תֹּאכֵלוּ.** וְלֹא אֶת הַטָּמֵא, בָּא לִתֵּן עֲשֵׂה עַל לֹא תַעֲשֶׂה; וְכֵן בַּבְּהֵמָה: "אֹתָהּ תֹּאכֵלוּ" (לעיל פסוק ו) וְלֹא בְּהֵמָה טְמֵאָה; לָאו הַבָּא מִכְּלַל עֲשֵׂה עֲשֵׂה, לַעֲבֹר עֲלֵיהֶם בַּעֲשֵׂה וְלֹא תַעֲשֶׂה:

כא] **לַגֵּר אֲשֶׁר בִּשְׁעָרֶיךָ.** גֵּר תּוֹשָׁב שֶׁקִּבֵּל עָלָיו שֶׁלֹּא לַעֲבֹד עֲבוֹדָה זָרָה וְאוֹכֵל נְבֵלוֹת: **כִּי עַם קָדוֹשׁ אַתָּה לַה'.** קַדֵּשׁ אֶת עַצְמְךָ בַּמֻּתָּר לְךָ, דְּבָרִים הַמֻּתָּרִים וַאֲחֵרִים נוֹהֲגִים בָּהֶם אִסּוּר אַל תַּתִּירֵם בִּפְנֵיהֶם: **לֹא תְבַשֵּׁל גְּדִי.** שָׁלֹשׁ פְּעָמִים (שמות כג, יט; שם לד, כו), פְּרָט לְחַיָּה וּלְעוֹפוֹת וְלִבְהֵמָה טְמֵאָה:

כא-כב] **לֹא תְבַשֵּׁל גְּדִי. עַשֵּׂר תְּעַשֵּׂר.** מָה עִנְיַן זֶה אֵצֶל זֶה? אָמַר לָהֶם הַקָּדוֹשׁ בָּרוּךְ הוּא לְיִשְׂרָאֵל: אַל תִּגְרְמוּ לִי לְבַשֵּׁל גְּדָיִים שֶׁל תְּבוּאָה עַד שֶׁהֵן בִּמְעֵי אִמּוֹתֵיהֶן, שֶׁאִם אֵין אַתֶּם מְעַשְּׂרִים מַעַשְׂרוֹת כָּרָאוּי, כְּשֶׁהוּא סָמוּךְ לְהִתְבַּשֵּׁל אֲנִי מוֹצִיא רוּחַ קָדִים וְהִיא מְשַׁדַּפְתָּן, שֶׁנֶּאֱמַר: "וּשְׁדֵפָה

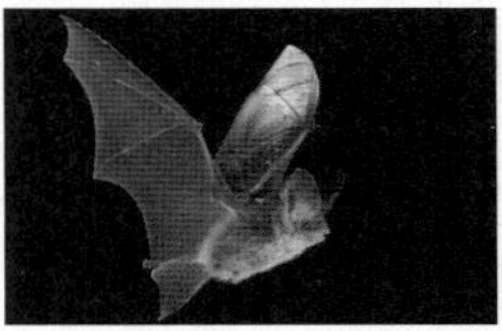

מימין: דוכיפת
משמאל: עטלף

**העולם**

**דוּכִיפַת** על פי התלמוד (חולין סג ע"א) היא עוף ש'הודו כפות' - בעל כרבולת בולטת וכפותה. בתרגומים ארמיים ובתלמוד (גיטין סח ע"א) היא מזוהה עם תרנגול הבר 'נגר טורא'. על פי תרגום השבעים וכן בלטינית היא (=ἔποπα epopa), כלומר העוף המכונה דוכיפת גם היום (שם מדעי: Upupa epops), ציפור בולטת בצבעיה שבראשה כרבולת או ציצית נוצות המתקפלת ונפרשת לסירוגין. אורך גופה כ-28 ס"מ, מוטת כנפיה כ-44 ס"מ ומשקלה 46-70 גרם.

**עֲטַלֵּף** (שם מדעי: Chiroptera), יונק מעופף שעיניו מנוונות, שוכן בעצים ובמערות, פעיל בלילה וניזון מחרקים ומפֵרות. בארץ ישראל יש עשרות מיני עטלפים.

ביאור

הדומה מעט לחסידה **לְמִינָהּ וְהַדּוּכִיפַת**, המפורסמת בציצית הנוצות שלה **וְהָעֲטַלֵּף**, אף שהיום אינו מוגדר כעוף מבחינה זואולוגית, אך הוא יצור מעופף ועל כן נכלל ברשימת העופות.

יט **וְכֹל שֶׁרֶץ הָעוֹף**, שרצים קטנים בעלי כנפיים, השורצים על האדמה
וגם עפים – **טָמֵא הוּא לָכֶם. לֹא יֵאָכֵלוּ.**

כ **כָּל עוֹף טָהוֹר**, שאינו מופיע ברשימה זו **תֹּאכֵלוּ**.[32]

כא **לֹא תֹאכְלוּ כָל נְבֵלָה**, יצור שמת מעצמו או הומת שלא בשחיטה. **לַגֵּר
אֲשֶׁר בִּשְׁעָרֶיךָ**, מי שמתגורר בארץ אך אינו משתלב במערכת החיים
של העם, שאינו מקבל על עצמו את כל המצוות,[33] **תִּתְּנֶנָּה – וַאֲכָלָהּ.
אוֹ מָכֹר** את הנבלה **לְנָכְרִי, כִּי עַם קָדוֹשׁ אַתָּה לַה׳ אֱלֹהֶיךָ**, ובתור עם
קדוש אסור לכם לאכלה. **לֹא תְבַשֵּׁל גְּדִי בַּחֲלֵב אִמּוֹ.** בישולו של גדי
בחלב שממנו הוא היה אמור להיזון נתפס כעיוות.[34]

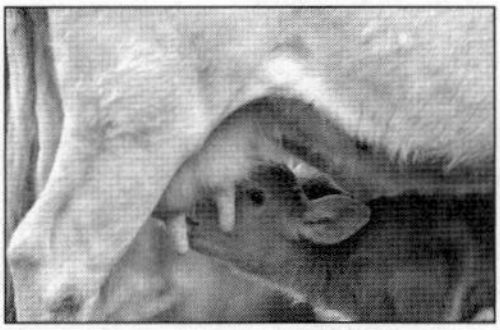

מימין: שרץ עוף

משמאל: גדי יונק

הרחבות

**'כל עוף טהור תאכלו'** אמנם מן הכתוב נראה שכל עוף שאינו אחד מ-24 המינים המפורטים מותר באכילה, אולם במסורת היהודית לא נהגו כך בפועל. מתוך החשש שאיננו בקיאים בזיהויים של המינים שנכללים ברשימה, אסרו רבים ממיני העופות באכילה. התורה נוקטת לשון קצרה; בבהמות היא מונה את המינים המותרים וכל השאר אסור, ובעופות נמנים המינים האסורים והשאר מותר (ראו חולין סג ע"ב), אך ההלכה המעשית נשענת על מסורת מבוססת.

**'לא תבשל גדי בחלב אמו'** משמעותו הפשוטה של הפסוק ברורה, אבל הוא מתפרש גם כהוראה על הרחקת כל מיני בשר ממוצרי חלב, כחלק ממגבלות ההתנהגות והאכילה הנוגעות לקדושתו של עם ישראל. (ראו חולין קיג-קיד ע"א; ספר המצוות לרמב"ם לא תעשה קפג-קפד). ייתכן שיסוד הדבר הוא בכך שאין אדם יכול לדעת בוודאות, כאשר הוא קונה בשר וחלב מן השוק, שאין להם כל זיקה זה לזה. (ראו ראב"ע שמות כג,יט). מכל מקום מבחינה הלכתית גם כשידוע שהחלב אינו מאמו של הגדי, אסור לאכלם ביחד. יש סוברים שאזהרה זו קשורה למנהג עובדי עבודה זרה באכילת בשר בחלב (ראו ההרחבה לשמות כג,יט)

חמישי

כב עַשֵּׂר תְּעַשֵּׂר אֵת כׇּל־תְּבוּאַת זַרְעֶךָ הַיֹּצֵא הַשָּׂדֶה
כג שָׁנָה שָׁנָה׃ וְאָכַלְתָּ לִפְנֵי ׀ יְהוָה אֱלֹהֶיךָ בַּמָּקוֹם
אֲשֶׁר־יִבְחַר לְשַׁכֵּן שְׁמוֹ שָׁם מַעְשַׂר דְּגָנְךָ תִּירֹשְׁךָ
וְיִצְהָרֶךָ וּבְכֹרֹת בְּקָרְךָ וְצֹאנֶךָ לְמַעַן תִּלְמַד לְיִרְאָה
כד אֶת־יְהוָה אֱלֹהֶיךָ כׇּל־הַיָּמִים׃ וְכִי־יִרְבֶּה מִמְּךָ הַדֶּרֶךְ
כִּי לֹא תוּכַל שְׂאֵתוֹ כִּי־יִרְחַק מִמְּךָ הַמָּקוֹם אֲשֶׁר
יִבְחַר יְהוָה אֱלֹהֶיךָ לָשׂוּם שְׁמוֹ שָׁם כִּי יְבָרֶכְךָ יְהוָה
כה אֱלֹהֶיךָ׃ וְנָתַתָּה בַּכָּסֶף וְצַרְתָּ הַכֶּסֶף בְּיָדְךָ וְהָלַכְתָּ
כו אֶל־הַמָּקוֹם אֲשֶׁר יִבְחַר יְהוָה אֱלֹהֶיךָ בּוֹ׃ וְנָתַתָּה
הַכֶּסֶף בְּכֹל אֲשֶׁר־תְּאַוֶּה נַפְשְׁךָ בַּבָּקָר וּבַצֹּאן
וּבַיַּיִן וּבַשֵּׁכָר וּבְכֹל אֲשֶׁר תִּשְׁאָלְךָ נַפְשֶׁךָ וְאָכַלְתָּ
כז שָּׁם לִפְנֵי יְהוָה אֱלֹהֶיךָ וְשָׂמַחְתָּ אַתָּה וּבֵיתֶךָ׃ וְהַלֵּוִי
אֲשֶׁר־בִּשְׁעָרֶיךָ לֹא תַעַזְבֶנּוּ כִּי אֵין לוֹ חֵלֶק וְנַחֲלָה

**רש"י** | "לִפְנֵי קָמָה" (מלכים ב' יט, כו), וְכֵן לְעִנְיַן בִּכּוּרִים: **שָׁנָה שָׁנָה.** מִכָּאן שֶׁאֵין מְעַשְּׂרִין מִן הֶחָדָשׁ עַל הַיָּשָׁן:

כג | **וְאָכַלְתָּ וגו'.** זֶה מַעֲשֵׂר שֵׁנִי, שֶׁכְּבָר לִמְּדָנוּ לִתֵּן מַעֲשֵׂר רִאשׁוֹן לַלְוִיִּם, שֶׁנֶּאֱמַר: "כִּי תִקְחוּ מֵאֵת בְּנֵי יִשְׂרָאֵל" וְגוֹ' (במדבר יח, כו), וְנָתַן לָהֶם רְשׁוּת לְאָכְלוֹ בְּכָל מָקוֹם, שֶׁנֶּאֱמַר: "וַאֲכַלְתֶּם אֹתוֹ בְּכָל מָקוֹם" (שם פסוק לא), עַל כָּרְחֲךָ זֶה מַעֲשֵׂר אַחֵר הוּא:

כד | **כִּי יְבָרֶכְךָ.** שֶׁתְּהֵא הַתְּבוּאָה מְרֻבָּה לָשֵׂאת:

כו | **בְּכֹל אֲשֶׁר תְּאַוֶּה נַפְשְׁךָ.** כְּלָל: **בַּבָּקָר וּבַצֹּאן וּבַיַּיִן וּבַשֵּׁכָר.** פְּרָט: **וּבְכֹל אֲשֶׁר תִּשְׁאָלְךָ נַפְשֶׁךָ.** חָזַר וְכָלַל, מָה הַפְּרָט מְפֹרָשׁ וְלַד וַלְדוֹת הָאָרֶץ וְרָאוּי לְמַאֲכַל אָדָם וְכוּ':

כז | **וְהַלֵּוִי... לֹא תַעַזְבֶנּוּ.** מִלִּתֵּן לוֹ מַעֲשֵׂר

**הרחבות** | **'ואכלת שם'** מעשר התבואה השנתי, או פדיונו, יכול להיות כמות הגונה למדי, שאין לעשות בה שום שימוש אחר מלבד קניית מזון שצריך להיאכל במקום מסוים, בדרך כלל מחוץ לביתו של אדם. כיוון שכך, הבעלים היו חולקים מן המעשר בוודאי עם ידידיהם הירושלמים ועם נזקקים שונים שבעיר, או מעלים עמם נזקקים. מעבר לכך יש השלכות כלכליות לעולי הרגל, לכהנים ולכל מי ששוהה בירושלים, שהרי בגלל ההצע הרב שוקי ירושלים עתירים בפֵרות מוזלים. (ראו מורה נבוכים ח"ג לט מו).

**למי מיועדים המעשרות?** לפי האמור בבמדבר (יח,כא), בכל שנה ניתן ללויים מעשר מהיבול, הנקרא בפי חכמים 'מעשר ראשון'. מלבד המעשר הזה מפרישים בשנה הראשונה והשנייה של מחזור שנות

## מעשרות

פרק יד פס׳ כב–כט

תחילה נדון המעשר המכונה בפי חכמים ׳מעשר שני׳,[35] שאינו ניתן לאחרים אלא נאכל על ידי בעליו בירושלים. מעשר זה נזכר בקצרה לעיל (יב,יז–יח) אגב עניינים הקשורים למקום אשר יבחר ה׳. וכן הוא נזכר בספר ויקרא כז,ל אגב דיני הקדשות. כאן מופיעים פרטים נוספים המתייחסים אליו. אחריו מדובר במעשרות הניתנים ללוי ולעני.

ביאור

כב **עַשֵּׂר תְּעַשֵּׂר אֵת**, הפרש עשירית **מִכָּל תְּבוּאַת זַרְעֶךָ**, יבולך **הַיֹּצֵא**
**הַשָּׂדֶה שָׁנָה שָׁנָה**. המעשרות מחולקים לפי השנים, כפי שיבואר להלן.
חכמים למדו ממלים אלו שאין מפרישים מעשר מפֵּרות שנה אחת
על פרות שנה אחרת.[36] כג **וְאָכַלְתָּ לִפְנֵי ה׳ אֱלֹהֶיךָ בַּמָּקוֹם אֲשֶׁר יִבְחַר**
**לְשַׁכֵּן שְׁמוֹ שָׁם**, בקרבת בית המקדש, את **מַעְשַׂר דְּגָנְךָ, תִּירֹשְׁךָ**, יינך
**וְיִצְהָרֶךָ**, ושמנך **וּבְכֹרֹת בְּקָרְךָ וְצֹאנֶךָ, לְמַעַן תִּלְמַד לְיִרְאָה אֶת ה׳ אֱלֹהֶיךָ**
**כָּל הַיָּמִים**. פיזורו של העם ברחבי הארץ, ללא תקשורת סדירה, עלול
לגרום לו לאבד את תפיסת מהותו. כך יבוא כל אחד מן החקלאים
לפחות פעם בשנה לבית המקדש. בעת שישהה בעיר המקדש
עם משפחתו, באכלם עשירית מן היבול השנתי או את פדיונה,
תתחזק זהותו וזהות בני משפחתו כבנים לעם ישראל, והיא תיטען
לקראת המשך חייהם במקומם.[37] כד **וְכִי יִרְבֶּה מִמְּךָ**, עליך קושי **הַדֶּרֶךְ**,
ממקום מושבך לירושלים **כִּי לֹא תוּכַל שְׂאֵתוֹ** – את עשירית יבולך,
**כִּי יִרְחַק מִמְּךָ הַמָּקוֹם אֲשֶׁר יִבְחַר ה׳ אֱלֹהֶיךָ לָשׂוּם שְׁמוֹ שָׁם, כִּי יְבָרֶכְךָ ה׳**
**אֱלֹהֶיךָ**, ולא תחיה בצפיפות אלא בארץ רחבה, וגם משא הפרות
יגדל – כה **וְנָתַתָּה**, אתה רשאי למכור את המעשר או לחלל את
קדושתו **בַּכָּסֶף, וְצַרְתָּ**, קח בצרור את **הַכֶּסֶף בְּיָדְךָ, וְהָלַכְתָּ אֶל הַמָּקוֹם**
**אֲשֶׁר יִבְחַר ה׳ אֱלֹהֶיךָ בּוֹ**. לשם תביא אותו. כו **וְנָתַתָּה הַכֶּסֶף בְּכֹל אֲשֶׁר**
**תְּאַוֶּה נַפְשְׁךָ**, קנה בו את כל מה שתרצה בו להנאתך – **בַּבָּקָר וּבַצֹּאן**
**וּבַיַּיִן וּבַשֵּׁכָר**, משקה משכר כלשהו **וּבְכֹל אֲשֶׁר תִּשְׁאָלְךָ נַפְשֶׁךָ** ממיני
המזון, **וְאָכַלְתָּ שָּׁם לִפְנֵי ה׳ אֱלֹהֶיךָ. וְשָׂמַחְתָּ אַתָּה וּבֵיתֶךָ.**

כז **וְגם את הַלֵּוִי אֲשֶׁר בִּשְׁעָרֶיךָ**, המתגורר בעריך – **לֹא תַעַזְבֶנּוּ, כִּי אֵין לוֹ**
**חֵלֶק וְנַחֲלָה עִמָּךְ**, ולכן בדרך כלל אין לו גם תבואה משלו. כח על כן

הרחבות

המעשרות ׳מעשר שני׳ שנאכל בירושלים בטהרה על ידי בעל הפֵּרות והנלווים לו, ואילו בשנה השלישית, במקום המעשר השני מפרישים מעשר לעניים – ׳מעשר עני׳. המעשר הראשון הניתן ללוי ומעשר העני הם חולין גמורים ונאכלים בכל מקום ואף בטומאה.

סדר זה חוזר על עצמו לאחר שלוש השנים: בשנים הרביעית והחמישית – מעשר שני, ובששית – מעשר עני. השנה השביעית במחזור היא שנת השמיטה, ובה אין מפרישים מעשרות כלל, מפני שכל פרותיה הפקר לכול.

המעשרות נוהגים גם בזמננו, אלא שהמעשר השני אינו יכול להיאכל בטהרה ובקרבת המקדש שאיננו. לכן הוא מחולל על מטבע קטן – שלא ייעשה בו כל שימוש – שלא כפי ערך הפֵּרות. שונים

עִמָּךְ׃ מִקְצֵה ׀ שָׁלֹשׁ שָׁנִים תּוֹצִיא כח
אֶת־כׇּל־מַעְשַׂר תְּבוּאָתְךָ בַּשָּׁנָה הַהִוא וְהִנַּחְתָּ
בִּשְׁעָרֶיךָ׃ וּבָא הַלֵּוִי כִּי אֵין־לוֹ חֵלֶק וְנַחֲלָה עִמָּךְ כט
וְהַגֵּר וְהַיָּתוֹם וְהָאַלְמָנָה אֲשֶׁר בִּשְׁעָרֶיךָ וְאָכְלוּ
וְשָׂבֵעוּ לְמַעַן יְבָרֶכְךָ יהוה אֱלֹהֶיךָ בְּכׇל־מַעֲשֵׂה יָדְךָ
שישי אֲשֶׁר תַּעֲשֶׂה׃ מִקֵּץ שֶׁבַע־שָׁנִים תַּעֲשֶׂה א טו
שְׁמִטָּה׃ וְזֶה דְּבַר הַשְּׁמִטָּה שָׁמוֹט כׇּל־בַּעַל מַשֵּׁה ב
יָדוֹ אֲשֶׁר יַשֶּׁה בְּרֵעֵהוּ לֹא־יִגֹּשׂ אֶת־רֵעֵהוּ וְאֶת־אָחִיו
כִּי־קָרָא שְׁמִטָּה לַיהוה׃ אֶת־הַנׇּכְרִי תִּגֹּשׂ וַאֲשֶׁר ג
יִהְיֶה לְךָ אֶת־אָחִיךָ תַּשְׁמֵט יָדֶךָ׃ אֶפֶס כִּי לֹא יִהְיֶה־ ד
בְּךָ אֶבְיוֹן כִּי־בָרֵךְ יְבָרֶכְךָ יהוה בָּאָרֶץ אֲשֶׁר יהוה

רש"י | רִאשׁוֹן: **כִּי אֵין לוֹ חֵלֶק וְנַחֲלָה עִמָּךְ.** יָצְאוּ לֶקֶט שִׁכְחָה וּפֵאָה וְהֶפְקֵר, שֶׁאַף הוּא יֵשׁ לוֹ חֵלֶק עִמְּךָ בָּהֶן כָּמוֹךָ, וְאֵינָן חַיָּבִין בְּמַעֲשֵׂר:

כח] **מִקְצֵה שָׁלֹשׁ שָׁנִים.** בָּא וְלִמֵּד שֶׁאִם הִשְׁהָה מַעַשְׂרוֹתָיו שֶׁל שָׁנָה רִאשׁוֹנָה וּשְׁנִיָּה לַשְּׁמִטָּה, שֶׁיְּבַעֲרֵם מִן הַבַּיִת בַּשְּׁלִישִׁית:

כט] **וּבָא הַלֵּוִי.** וְיִטֹּל מַעֲשֵׂר רִאשׁוֹן: **וְהַגֵּר וְהַיָּתוֹם.** וְיִטְּלוּ מַעֲשֵׂר שֵׁנִי, שֶׁהוּא שֶׁל עָנִי שֶׁל שָׁנָה זוֹ, וְלֹא תֹאכְלֶנּוּ אַתָּה בִּירוּשָׁלַיִם כְּדֶרֶךְ שֶׁנִּזְקַקְתָּ לֶאֱכֹל מַעֲשֵׂר שֵׁנִי שֶׁל שְׁתֵּי שָׁנִים: **וְאָכְלוּ וְשָׂבֵעוּ.** תֵּן לָהֶם כְּדֵי שָׂבְעָן, מִכָּאן אָמְרוּ: "אֵין פּוֹחֲתִין לֶעָנִי בַּגֹּרֶן" וְכוּ' (ספרי קי). וְאַתָּה הוֹלֵךְ לִירוּשָׁלַיִם בְּמַעֲשֵׂר שֶׁל שָׁנָה רִאשׁוֹנָה וּשְׁנִיָּה שֶׁהִשְׁהֵיתָ, וּמִתְוַדֶּה: "בִּעַרְתִּי הַקֹּדֶשׁ מִן הַבַּיִת" (להלן כו, יג) כְּמוֹ שֶׁמְּפֹרָשׁ בְּ'כִי תְכַלֶּה לַעְשֵׂר' (שם פסוק יב):

פרק טו

א] **מִקֵּץ שֶׁבַע שָׁנִים.** יָכוֹל שֶׁבַע שָׁנִים לְכָל מִלְוָה וּמִלְוָה? תַּלְמוּד לוֹמַר: "קָרְבָה שְׁנַת הַשֶּׁבַע" (להלן פסוק ט), וְאִם אַתָּה אוֹמֵר שֶׁבַע שָׁנִים לְכָל מִלְוָה וּמִלְוָה, לְהַלְוָאַת כָּל אֶחָד וְאֶחָד, הֵיאַךְ הִיא קְרֵבָה? הָא לָמַדְתָּ שֶׁבַע שָׁנִים לְמִנְיַן הַשְּׁמִטִּים:

ב] **שָׁמוֹט כָּל בַּעַל מַשֵּׁה יָדוֹ.** שָׁמוֹט אֶת יָדוֹ שֶׁל כָּל בַּעַל מַשֶּׁה:

ד] **אֶפֶס כִּי לֹא יִהְיֶה בְּךָ אֶבְיוֹן.** וּלְהַלָּן הוּא אוֹמֵר: "כִּי לֹא יֶחְדַּל אֶבְיוֹן" (להלן פסוק יא)! אֶלָּא בִּזְמַן שֶׁאַתֶּם עוֹשִׂים רְצוֹנוֹ שֶׁל מָקוֹם, אֶבְיוֹנִים בַּאֲחֵרִים וְלֹא בָּכֶם, וּכְשֶׁאֵין אַתֶּם עוֹשִׂים רְצוֹנוֹ שֶׁל מָקוֹם אֶבְיוֹנִים בָּכֶם: **אֶבְיוֹן.** דַּל מֵעָנִי, וּלְשׁוֹן 'אֶבְיוֹן' שֶׁהוּא תָּאֵב לְכָל דָּבָר:

הרחבות | ממנו מעשר ראשון ומעשר עני שכן הם נאכלים אף בטומאה כאמור. על כן כאשר ידוע בוודאות שהפרות חייבים במעשר ראשון או במעשר עני - הפרות עצמם ניתנים ללוי או לעני, או ערכם הכספי ניתן להם לפי הסכם שנערך אתם מראש.

ביאור

**מִקְצֵה**, בסוף כל **שָׁלֹשׁ שָׁנִים** שאתה מפריש בהן מעשרות, **תּוֹצִיא אֶת**
**כָּל מַעְשַׂר תְּבוּאָתְךָ בַּשָּׁנָה הַהִוא**, לעומת מעשר שתי השנים הקודמות,
המובא על ידי בעל הפרות עצמו לירושלים כאמור, מעשר השנה
הזו יֵצא מרשותך, **וְהִנַּחְתָּ**, השאר אותו לנזקקים **בִּשְׁעָרֶיךָ**. מעשר
זה אינו עולה לירושלים.[38] כט **וּבָא הַלֵּוִי, כִּי אֵין לוֹ חֵלֶק וְנַחֲלָה עִמָּךְ,**
**וְהַגֵּר וְהַיָּתוֹם וְהָאַלְמָנָה אֲשֶׁר בִּשְׁעָרֶיךָ**. לכל אלה אין רכוש משלהם
או ידיים עובדות, ועל כן הם נזקקים למעשר. **וְאָכְלוּ וְשָׂבֵעוּ לְמַעַן**,
בעקבות זאת **יְבָרֶכְךָ ה' אֱלֹהֶיךָ בְּכָל מַעֲשֵׂה יָדְךָ אֲשֶׁר תַּעֲשֶׂה.**

## שמיטת כספים

פרק טו פס' א–יא

ישראל נצטוו כבר לשמוט את קרקעותיהם אחת לשבע שנים – להפסיק את עבודתם החקלאית ולהפקיר את תנובת השדה.[39] עתה מוסיפה התורה שבאותה שנה ישמוט כל אחד מישראל את החובות שזולתו חייב לו.

פרק טו א **מִקֵּץ שֶׁבַע שָׁנִים תַּעֲשֶׂה שְׁמִטָּה.** ב **וְזֶה דְּבַר**, עניין **הַשְּׁמִטָּה:**
**שָׁמוֹט**, יניח, יעזוב **כָּל בַּעַל מַשֵּׁה**, נושה את **יָדוֹ**, תביעתו **אֲשֶׁר יַשֶּׁה**
**בְּרֵעֵהוּ**, בחברו. כשתגיע השנה הזאת, **לֹא יִגֹּשׂ**, יתבע, ידחוק **אֶת**
**רֵעֵהוּ וְאֶת אָחִיו** לשלם לו חוב שעברה עליו שנת השבע, **כִּי** כבר
**קָרָא**, הכריז,[40] או: עבר המועד הקבוע[41] של **שְׁמִטָּה לַה'**, והחובות
בטלו. ג **אֶת הַנָּכְרִי תִּגֹּשׂ**, ואולם, **אֲשֶׁר יִהְיֶה לְךָ אֶת**, מֵאָחִיךָ – **תַּשְׁמֵט**
**יָדֶךָ.**

ד הרקע החברתי למצווה זו הוא קיומם של עניים שהוצרכו ללוות מן
העשירים מהם, וטרם עלה בידם לפרוע את חובם. בעקבות ההנחה
המציאותית הזאת מובאת כאן הערת תקווה וברכה:[42] **אֶפֶס**, אבל,
אנחנו באמת מצפים **כִּי לֹא יִהְיֶה בְּךָ אֶבְיוֹן**, עני, **כִּי בָרֵךְ יְבָרֶכְךָ ה' בָּאָרֶץ**

הרחבות

'את הנכרי תגש' בשמיטה לא בטל כל הקניין הפרטי, ואפילו לא בטלים במלואם קנייני הכסף. השמיטה חלה רק בתוך עם ישראל ולא על היחסים בינם לבין מי שאינם בני העם, ולכן את חוב הנכרי מותר לתבוע.

אֱלֹהֶיךָ נֹתֵן־לְךָ נַחֲלָה לְרִשְׁתָּהּ: רַק אִם־שָׁמוֹעַ ה
תִּשְׁמַע בְּקוֹל יְהוָה אֱלֹהֶיךָ לִשְׁמֹר לַעֲשׂוֹת אֶת־
כָּל־הַמִּצְוָה הַזֹּאת אֲשֶׁר אָנֹכִי מְצַוְּךָ הַיּוֹם: כִּי־יְהוָה ו
אֱלֹהֶיךָ בֵּרַכְךָ כַּאֲשֶׁר דִּבֶּר־לָךְ וְהַעֲבַטְתָּ גּוֹיִם רַבִּים
וְאַתָּה לֹא תַעֲבֹט וּמָשַׁלְתָּ בְּגוֹיִם רַבִּים וּבְךָ לֹא
יג יִמְשֹׁלוּ: כִּי־יִהְיֶה בְךָ אֶבְיוֹן מֵאַחַד אַחֶיךָ ז
בְּאַחַד שְׁעָרֶיךָ בְּאַרְצְךָ אֲשֶׁר־יְהוָה אֱלֹהֶיךָ נֹתֵן לָךְ
לֹא תְאַמֵּץ אֶת־לְבָבְךָ וְלֹא תִקְפֹּץ אֶת־יָדְךָ מֵאָחִיךָ
הָאֶבְיוֹן: כִּי־פָתֹחַ תִּפְתַּח אֶת־יָדְךָ לוֹ וְהַעֲבֵט ח
תַּעֲבִיטֶנּוּ דֵּי מַחְסֹרוֹ אֲשֶׁר יֶחְסַר לוֹ: הִשָּׁמֶר לְךָ פֶּן־ ט
יִהְיֶה דָבָר עִם־לְבָבְךָ בְלִיַּעַל לֵאמֹר קָרְבָה שְׁנַת־
הַשֶּׁבַע שְׁנַת הַשְּׁמִטָּה וְרָעָה עֵינְךָ בְּאָחִיךָ הָאֶבְיוֹן
וְלֹא תִתֵּן לוֹ וְקָרָא עָלֶיךָ אֶל־יְהוָה וְהָיָה בְךָ חֵטְא:

רש"י

ה] רַק אִם שָׁמוֹעַ תִּשְׁמַע. אָז לֹא יִהְיֶה בְּךָ אֶבְיוֹן. שָׁמוֹעַ תִּשְׁמַע. שָׁמַע קִמְעָא, מַשְׁמִיעִין אוֹתוֹ הַרְבֵּה:

ו] כַּאֲשֶׁר דִּבֶּר לָךְ. וְהֵיכָן דִּבֵּר? "בָּרוּךְ אַתָּה בָּעִיר" (להלן כח, ג): וְהַעֲבַטְתָּ גּוֹיִם. יָכוֹל שֶׁתְּהֵא לֹוֶה מִזֶּה וּמַלְוֶה לָזֶה? תַּלְמוּד לוֹמַר: "וְאַתָּה לֹא תַעֲבֹט": וּמָשַׁלְתָּ בְּגוֹיִם רַבִּים. יָכוֹל גּוֹיִם אֲחֵרִים מוֹשְׁלִים עָלֶיךָ? תַּלְמוּד לוֹמַר: "וּבְךָ לֹא יִמְשֹׁלוּ":

ז] כִּי יִהְיֶה בְךָ אֶבְיוֹן. הַתָּאֵב תָּאֵב קוֹדֵם: מֵאַחַד אַחֶיךָ. אָחִיךָ מֵאָבִיךָ קוֹדֵם לְאָחִיךָ מֵאִמְּךָ: שְׁעָרֶיךָ. עֲנִיֵּי עִירְךָ קוֹדְמִים: לֹא תְאַמֵּץ. יֵשׁ לְךָ אָדָם שֶׁמִּצְטַעֵר אִם יִתֵּן אִם לֹא יִתֵּן, לְכָךְ נֶאֱמַר: "לֹא תְאַמֵּץ". יֵשׁ לְךָ אָדָם שֶׁפּוֹשֵׁט אֶת יָדוֹ וְקוֹפְצָהּ, לְכָךְ נֶאֱמַר: "וְלֹא תִקְפֹּץ": מֵאָחִיךָ הָאֶבְיוֹן. אִם לֹא תִתֵּן לוֹ, סוֹפְךָ לִהְיוֹת אָחִיו שֶׁל אֶבְיוֹן:

ח] פָּתֹחַ תִּפְתַּח. אֲפִלּוּ כַּמָּה פְּעָמִים: כִּי פָתֹחַ תִּפְתַּח. הֲרֵי 'כִּי' מְשַׁמֵּשׁ בִּלְשׁוֹן 'אֶלָּא': וְהַעֲבֵט תַּעֲבִיטֶנּוּ. אִם לֹא רָצָה בְּמַתָּנָה, תֵּן לוֹ בְּהַלְוָאָה: דֵּי מַחְסֹרוֹ. וְאֵי אַתָּה מְצֻוֶּה לְעַשְּׁרוֹ: אֲשֶׁר יֶחְסַר לוֹ. אֲפִלּוּ סוּס לִרְכֹּב עָלָיו וְעֶבֶד לָרוּץ לְפָנָיו: לוֹ. זוֹ אִשָּׁה, וְכֵן הוּא אוֹמֵר: "אֶעֱשֶׂה לּוֹ עֵזֶר כְּנֶגְדּוֹ" (בראשית ב, יח):

ט] וְקָרָא עָלֶיךָ. יָכוֹל מִצְוָה? תַּלְמוּד לוֹמַר: "וְלֹא יִקְרָא" (להלן כד, טו): וְהָיָה בְךָ חֵטְא. מִכָּל מָקוֹם, אֲפִלּוּ לֹא יִקְרָא. אִם כֵּן לָמָּה נֶאֱמַר: "וְקָרָא עָלֶיךָ"? מְמַהֵר אֲנִי לְהִפָּרַע עַל יְדֵי הַקּוֹרֵא יוֹתֵר מִמִּי שֶׁאֵינוֹ קוֹרֵא:

ביאור
אֲשֶׁר ה׳ אֱלֹהֶיךָ נֹתֵן לְךָ נַחֲלָה לְרִשְׁתָּהּ. ה רַק אִם שָׁמוֹעַ תִּשְׁמַע בְּקוֹל ה׳
אֱלֹהֶיךָ, לִשְׁמֹר לַעֲשׂוֹת אֶת כָּל הַמִּצְוָה הַזֹּאת אֲשֶׁר אָנֹכִי מְצַוְּךָ הַיּוֹם, הן
המצוות שדובר בהן קודם לכן והן אלה שיופיעו בהמשך. ו כִּי ה׳
אֱלֹהֶיךָ בֵּרַכְךָ כַּאֲשֶׁר דִּבֶּר לָךְ, וְהַעֲבַטְתָּ, תלווה כסף לְגוֹיִם רַבִּים, וְאַתָּה
לֹא תַעֲבֹט, תלווה. וּמָשַׁלְתָּ בְּגוֹיִם רַבִּים, וּבְךָ לֹא יִמְשֹׁלוּ. וכך לא יצטרכו
לשמיטת החובות בשנת השמיטה.

בפועל המציאות הנשאפת הזו אינה מתממשת. ז על כן, כִּי יִהְיֶה
בְךָ אֶבְיוֹן מֵאַחַד אַחֶיךָ בְּאַחַד שְׁעָרֶיךָ, באחד ממקומות מושבותיך
בְּאַרְצְךָ אֲשֶׁר ה׳ אֱלֹהֶיךָ נֹתֵן לָךְ – לֹא תְאַמֵּץ, תחזק אֶת לְבָבְךָ להיאטם
לבקשתו, וְלֹא תִקְפֹּץ, תקמוץ, תסגור אֶת יָדְךָ מֵאָחִיךָ, בפני אחיך
הָאֶבְיוֹן שלא לתת לו אפילו נדבות קטנות.[43] ח כִּי פָתֹחַ תִּפְתַּח אֶת
יָדְךָ לוֹ, וְהַעֲבֵט תַּעֲבִיטֶנּוּ, הלווה לו במשכון דֵּי מַחְסֹרוֹ אֲשֶׁר יֶחְסַר לוֹ,
ככל שיזדקק. ט הִשָּׁמֶר לְךָ פֶּן, שמא יִהְיֶה דָבָר עִם לְבָבְךָ בְלִיַּעַל, יעלה
רעיון מרושע בלבך לֵאמֹר: קָרְבָה, עוד מעט מגיעה שְׁנַת הַשֶּׁבַע, שְׁנַת
הַשְּׁמִטָּה, ולכן וְרָעָה עֵינְךָ בְּאָחִיךָ הָאֶבְיוֹן, וְלֹא תִתֵּן לוֹ הלוואות גדולות,
העלולות להסב לך הפסד מרובה. וְקָרָא אם האביון יתלונן עָלֶיךָ אֶל
ה׳ – וְהָיָה בְךָ חֵטְא. אמנם אין התורה מחייבת להלוות כסף לעניים

י נָתוֹן תִּתֵּן לוֹ וְלֹא־יֵרַע לְבָבְךָ בְּתִתְּךָ לוֹ כִּי בִּגְלַל
הַדָּבָר הַזֶּה יְבָרֶכְךָ יְהוָה אֱלֹהֶיךָ בְּכָל־מַעֲשֶׂךָ וּבְכֹל
יא מִשְׁלַח יָדֶךָ׃ כִּי לֹא־יֶחְדַּל אֶבְיוֹן מִקֶּרֶב הָאָרֶץ עַל־
כֵּן אָנֹכִי מְצַוְּךָ לֵאמֹר פָּתֹחַ תִּפְתַּח אֶת־יָדְךָ לְאָחִיךָ
יב לַעֲנִיֶּךָ וּלְאֶבְיֹנְךָ בְּאַרְצֶךָ׃ כִּי־יִמָּכֵר לְךָ
אָחִיךָ הָעִבְרִי אוֹ הָעִבְרִיָּה וַעֲבָדְךָ שֵׁשׁ שָׁנִים וּבַשָּׁנָה
יג הַשְּׁבִיעִת תְּשַׁלְּחֶנּוּ חָפְשִׁי מֵעִמָּךְ׃ וְכִי־תְשַׁלְּחֶנּוּ
יד חָפְשִׁי מֵעִמָּךְ לֹא תְשַׁלְּחֶנּוּ רֵיקָם׃ הַעֲנֵיק תַּעֲנִיק לוֹ
מִצֹּאנְךָ וּמִגָּרְנְךָ וּמִיִּקְבֶךָ אֲשֶׁר בֵּרַכְךָ יְהוָה אֱלֹהֶיךָ

**רש"י**

י) **נָתוֹן תִּתֵּן לוֹ.** אֲפִלּוּ מֵאָה פְּעָמִים: **לוֹ.** בֵּינוֹ וּבֵינְךָ: **כִּי בִגְלַל הַדָּבָר.** אֲפִלּוּ אֲמִירָה לִתֵּן, אַתָּה נוֹטֵל שְׂכַר הָאֲמִירָה עִם שְׂכַר הַמַּעֲשֶׂה:

יא) **עַל כֵּן.** מִפְּנֵי כֵן: **לֵאמֹר.** עֵצָה לְטוֹבָתְךָ אֲנִי מַשִּׂיאֲךָ: **לְאָחִיךָ לַעֲנִיֶּךָ.** לְאֵי זֶה אָח? לֶעָנִי: **לַעֲנִיֶּךָ.** בְּיוּ"ד אֶחָד – לְשׁוֹן עָנִי אֶחָד הוּא, אֲבָל 'עֲנִיֶּיךָ' בִּשְׁנֵי יוּדִי"ן – שְׁנֵי עֲנִיִּים:

יב) **כִּי יִמָּכֵר לְךָ.** עַל יְדֵי אֲחֵרִים, בִּמְכָרוּהוּ בֵּית דִּין בִּגְנֵבָתוֹ הַכָּתוּב מְדַבֵּר. וַהֲרֵי כְּבָר נֶאֱמַר: "כִּי תִקְנֶה עֶבֶד עִבְרִי" (שמות כא, ב), וּבִמְכָרוּהוּ בֵּית דִּין הַכָּתוּב מְדַבֵּר? אֶלָּא מִפְּנֵי שְׁנֵי דְּבָרִים שֶׁנִּתְחַדְּשׁוּ כָּאן: אַחַת, שֶׁכָּתוּב "אוֹ הָעִבְרִיָּה" – אַף הִיא תֵּצֵא בְּשֵׁשׁ, וְלֹא שֶׁמְּכָרוּהָ בֵּית דִּין, שֶׁאֵין הָאִשָּׁה נִמְכֶּרֶת בִּגְנֵבָתָהּ, שֶׁנֶּאֱמַר "בִּגְנֵבָתוֹ" (שם כב, ב) וְלֹא 'בִּגְנֵבָתָהּ', אֶלָּא בִּקְטַנָּה שֶׁמְּכָרָהּ אָבִיהָ, וְלִמֵּד כָּאן שֶׁאַף הִיא יוֹצְאָה בְּשֵׁשׁ שָׁנִים קֹדֶם שֶׁתָּבִיא סִימָנִין – תֵּצֵא. וְעוֹד חִדֵּשׁ כָּאן: "הַעֲנֵיק תַּעֲנִיק":

יד) **הַעֲנֵיק תַּעֲנִיק.** לְשׁוֹן עֲדִי, בְּגֹבַהּ וּבְמַרְאִית הָעַיִן, דָּבָר שֶׁיְּהֵא נִכָּר שֶׁהֱטִיבֹתָ לוֹ. וְיֵשׁ מְפָרְשִׁים לְשׁוֹן הַטְעָנָה עַל צַוָּארוֹ: **מִצֹּאנְךָ וּמִגָּרְנְךָ וּמִיִּקְבֶךָ.** יָכוֹל אֵין לִי אֶלָּא אֵלּוּ בִּלְבַד? תַּלְמוּד לוֹמַר: "אֲשֶׁר בֵּרַכְךָ", מִכָּל מַה שֶּׁבֵּרַכְךָ בּוֹרַאֲךָ. וְלָמָּה נֶאֶמְרוּ אֵלּוּ? מָה אֵלּוּ מְיֻחָדִים שֶׁהֵם בִּכְלַל בְּרָכָה, אַף כֹּל שֶׁהוּא בִּכְלַל בְּרָכָה, יָצְאוּ פְּרָדוֹת. וְלָמְדוּ רַבּוֹתֵינוּ בְּמַסֶּכֶת קִדּוּשִׁין (דף יז ע"א) בִּגְזֵרָה שָׁוָה, כַּמָּה נוֹתֵן לוֹ מִכָּל מִין וָמִין:

**הרחבות**

'כי לא יחדל אביון מקרב הארץ' ייתכן שבדברים הללו כמוס גם איום מרומז: אני מצווה עליך לתת לאחרים משום שאתה אינך אביון; אבל כידוע, אתה עצמך עלול להפוך עני. מכאן מגיע הציווי: פתח את ידך ותן לו, כדי שלא תהיה אף אתה מן הנזקקים. (ראו ספרי; תנחומא משפטים ח).

ביאור

כאשר הדבר כרוך בהפסדו של המלווה, מעבר לחובה הכללית לעשות
טוב ולנהוג בהגינות. עם זאת, אם אדם מסרב להלוות לעני בגלל
מצוות ה׳ שנועדה להקל על העניים – הוא חוטא. י **נָתוֹן תִּתֵּן לוֹ** את
ההלוואה, אף על פי שאתה יודע שיש אפשרות שהיא לא תוחזר
לאחר השמיטה, **וְלֹא יֵרַע לְבָבְךָ בְּתִתְּךָ לוֹ**. נתינת הצדקה או הסיוע
לזולת אינם מעשים חיצוניים בלבד, אלא הם קשורים גם במצב
הנפש של העושה. אין לתת מתוך חוסר רצון ותחושה מרירה,[44] **כִּי**
**בִּגְלַל הַדָּבָר הַזֶּה** – נתינתך הנדיבה בסבר פנים יפות **יְבָרֶכְךָ ה׳ אֱלֹהֶיךָ**
**בְּכָל מַעֲשֶׂךָ וּבְכֹל מִשְׁלַח יָדֶךָ.** יא **כִּי לֹא יֶחְדַּל אֶבְיוֹן מִקֶּרֶב הָאָרֶץ.** הרי
בפועל תמיד יישארו אביונים. אף על פי שהובעה לעיל המשאלה
שלא כך יהיה בעולם האידיאלי. **עַל כֵּן אָנֹכִי מְצַוְּךָ לֵאמֹר: פָּתֹחַ תִּפְתַּח**
**אֶת יָדְךָ לְאָחִיךָ, לַעֲנִיֶּךָ וּלְאֶבְיֹנְךָ בְּאַרְצֶךָ.**

## שחרור עבדים

פרק טו פס׳ יב–יח

אף על פי שדיני עבד עברי ודיני אמה עברייה אינם נחשבים מצוות התלויות בארץ במישרין, אלא הם נוהגים – כאשר ישראל יושבים על אדמתם – גם בחוצה לארץ, הם מופיעים כאן ונסמכים לדיני שמיטת החובות בשל כמה קווי דמיון: החובות משתחררים ובטלים בשנת השבע הקולקטיבית, ואילו העבד העברי משתחרר בשנה השביעית למכירתו; בשני המקרים מגיעה העת שאדם יוותר על מה שנחשב עד כה שלו; התורה דורשת נדיבות לב הן מן המַלווה סמוך לשנת השבע הן ממשחרר עבדו ואמתו, והיא מבטיחה שבשני המקרים אם יעשו כן – יתברכו. בהמשך מתואר גם דינו של עבד המסרב לצאת לחופשי.

יב **כִּי יִמָּכֵר לְךָ אָחִיךָ הָעִבְרִי אוֹ הָעִבְרִיָּה**, שנקלעו לחובות מסיבות
שונות – **וַעֲבָדְךָ שֵׁשׁ שָׁנִים**, שכן זה היה אמצעי התשלום האחרון
שלו – עבודות לתקופה קצובה.[45] **וּבַשָּׁנָה הַשְּׁבִיעִת תְּשַׁלְּחֶנּוּ חָפְשִׁי**
**מֵעִמָּךְ.** יג **וְכִי תְשַׁלְּחֶנּוּ חָפְשִׁי מֵעִמָּךְ – לֹא תְשַׁלְּחֶנּוּ רֵיקָם**, בידיים
ריקות. יד **הַעֲנֵיק תַּעֲנִיק לוֹ מִצֹּאנְךָ וּמִגָּרְנְךָ וּמִיִּקְבֶךָ**, מכל **אֲשֶׁר בֵּרַכְךָ**
**ה׳ אֱלֹהֶיךָ תִּתֶּן לוֹ** מתנה ניכרת כשישתחרר. טו אמנם לפי שורת
הדין, אין הדבר מתבקש, שהרי שילמת את מחירו, והוא עָבד למענך,
ובכל זאת אתה נדרש להעניק לבן עמך מתנה בעת הזאת, שהרי

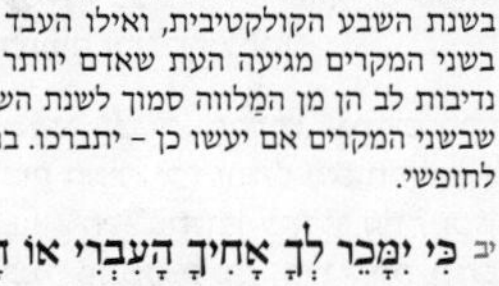

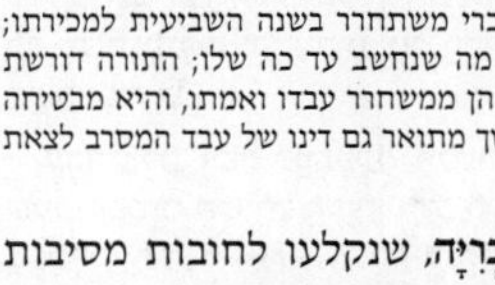

מימין: גורן
משמאל: יקב

טו תִּתֶּן־לוֹ: וְזָכַרְתָּ כִּי עֶבֶד הָיִיתָ בְּאֶרֶץ מִצְרַיִם וַיִּפְדְּךָ
יְהוָה אֱלֹהֶיךָ עַל־כֵּן אָנֹכִי מְצַוְּךָ אֶת־הַדָּבָר הַזֶּה
טז הַיּוֹם: וְהָיָה כִּי־יֹאמַר אֵלֶיךָ לֹא אֵצֵא מֵעִמָּךְ כִּי
יז אֲהֵבְךָ וְאֶת־בֵּיתֶךָ כִּי־טוֹב לוֹ עִמָּךְ: וְלָקַחְתָּ אֶת־
הַמַּרְצֵעַ וְנָתַתָּה בְאָזְנוֹ וּבַדֶּלֶת וְהָיָה לְךָ עֶבֶד
יח עוֹלָם וְאַף לַאֲמָתְךָ תַּעֲשֶׂה־כֵּן: לֹא־יִקְשֶׁה בְעֵינֶךָ
בְּשַׁלֵּחֲךָ אֹתוֹ חָפְשִׁי מֵעִמָּךְ כִּי מִשְׁנֶה שְׂכַר שָׂכִיר
עֲבָדְךָ שֵׁשׁ שָׁנִים וּבֵרַכְךָ יְהוָה אֱלֹהֶיךָ בְּכֹל אֲשֶׁר
תַּעֲשֶׂה:
שביעי
יט כָּל־הַבְּכוֹר אֲשֶׁר יִוָּלֵד בִּבְקָרְךָ וּבְצֹאנְךָ הַזָּכָר
תַּקְדִּישׁ לַיהוָה אֱלֹהֶיךָ לֹא תַעֲבֹד בִּבְכֹר שׁוֹרֶךָ

**רש"י**

טו] **וְזָכַרְתָּ כִּי עֶבֶד הָיִיתָ.** וְהֶעֱנַקְתִּי וְשָׁנִיתִי לְךָ מִבִּזַּת מִצְרַיִם וּבִזַּת הַיָּם, אַף אַתָּה הַעֲנֵק וּשְׁנֵה לוֹ.

יז] **עֶבֶד עוֹלָם.** יָכוֹל כְּמַשְׁמָעוֹ? תַּלְמוּד לוֹמַר: "וְשַׁבְתֶּם אִישׁ אֶל אֲחֻזָּתוֹ וְאִישׁ אֶל מִשְׁפַּחְתּוֹ תָּשֻׁבוּ" (ויקרא כה, י), הָא לָמַדְתָּ שֶׁאֵין זֶה אֶלָּא עוֹלָמוֹ שֶׁל יוֹבֵל. **וְאַף לַאֲמָתְךָ תַּעֲשֶׂה כֵּן.** הַעֲנֵק לָהּ. יָכוֹל אַף לִרְצִיעָה הִשְׁוָה הַכָּתוּב אוֹתָהּ? תַּלְמוּד לוֹמַר: "וְאִם אָמֹר יֹאמַר הָעֶבֶד" (שמות כא, ה), עֶבֶד נִרְצָע וְאֵין אָמָה נִרְצַעַת.

יח] **כִּי מִשְׁנֶה שְׂכַר שָׂכִיר.** מִכָּאן אָמְרוּ: עֶבֶד עִבְרִי עוֹבֵד בֵּין בַּיּוֹם וּבֵין בַּלַּיְלָה, וְזֶהוּ כִּפְלַיִם שֶׁבַּעֲבוֹדַת שְׂכִירֵי יוֹם. וּמַהוּ עֲבוֹדָתוֹ בַּלַּיְלָה? רַבּוֹ מוֹסֵר לוֹ שִׁפְחָה כְּנַעֲנִית וְהַוְּלָדוֹת לָאָדוֹן:

יט] **כָּל הַבְּכוֹר... תַּקְדִּישׁ.** וּבְמָקוֹם אַחֵר הוּא אוֹמֵר: "לֹא יַקְדִּישׁ אִישׁ אֹתוֹ" (ויקרא כז, כו)! אֵינוֹ מַקְדִּישׁוֹ לְקָרְבָּן אַחֵר, וְכָאן לִמֵּד שֶׁמִּצְוָה לוֹמַר: 'הֲרֵי אַתָּה קָדוֹשׁ לִבְכוֹרָה'. דָּבָר אַחֵר, אִי אֶפְשָׁר לוֹמַר "תַּקְדִּישׁ" שֶׁכְּבָר נֶאֱמַר "לֹא יַקְדִּישׁ", וְאִי אֶפְשָׁר לוֹמַר "לֹא יַקְדִּישׁ" שֶׁהֲרֵי כְּבָר נֶאֱמַר "תַּקְדִּישׁ", הָא כֵּיצַד? מַקְדִּישׁוֹ אַתָּה הֶקְדֵּשׁ עִלּוּי וְנוֹתֵן לַהֶקְדֵּשׁ כְּפִי טוֹבַת הֲנָאָה שֶׁבּוֹ: **לֹא תַעֲבֹד בִּבְכֹר שׁוֹרֶךָ** וְלֹא תָגֹז וְגוֹ'. אַף הַחִלּוּף לָמְדוּ רַבּוֹתֵינוּ שֶׁאָסוּר, אֶלָּא שֶׁדִּבֵּר הַכָּתוּב בַּהֹוֶה:

**הרחבות**

**'עבד עולם'** ביטוי זה מתפרש במסורת חכמים באופן מוגבל יותר: לא לנצח אלא עד שנת היובל. (ראו קדושין כא ע"ב; רש"י על אתר. באופן כללי משמעה של המלה 'עולם' במקרא הוא לזמן ארוך מאוד, לא נצחי).

**'ואף לאמתך תעשה כן'** לפי המסורת, פסוק זה משווה את דין האמה העברייה לדינו של העבד העברי בהוצאתה לחופשי כעבור שש שנים ובחובת הענקת המתנות בהשתחררותה (קדושין יז ע"ב). האמה אינה נרצעת ואינה יכולה להאריך כך את תקופת עבודתה כעבד, שכן חלות

ביאור | אתה עצמך באת ממשפחת עבדים – **וְזָכַרְתָּ כִּי עֶבֶד הָיִיתָ בְּאֶרֶץ**
**מִצְרַיִם – וַיִּפְדְּךָ**, הציל אותך **ה׳ אֱלֹהֶיךָ. עַל כֵּן אָנֹכִי מְצַוְּךָ אֶת הַדָּבָר הַזֶּה**
**הַיּוֹם.**

בדרך כלל העבד העברי יצא לחופשי לאחר שש שנים, אבל קיימת
גם אפשרות אחרת: טו **וְהָיָה כִּי יֹאמַר אֵלֶיךָ: "לֹא אֵצֵא מֵעִמָּךְ"** בשנה
השביעית, **כִּי אֲהֵבְךָ וְאֶת** בני **בֵּיתֶךָ, כִּי טוֹב לוֹ עִמָּךְ.** אולי הוא חושש
לקבל על עצמו את האחריות וההתחייבויות המוטלות על אדם
חופשי – יז **וְלָקַחְתָּ אֶת הַמַּרְצֵעַ**, כלי אומנות של רצען המשמש
לנקיבת חורים. עשוי מחוד מתכתי הנעוץ בקת או בעצם, **וְנָתַתָּה**
**בְאָזְנוֹ וּבַדֶּלֶת.** עליך להצמיד את אוזנו של העבד ליד הדלת, ולנקב
באוזן באמצעות המרצע נקב שיגיע עד הדלת, ועל ידי מעשה זה –
**וְהָיָה לְךָ עֶבֶד עוֹלָם**, ולא ישתחרר בשנה השביעית.
**וְאַף לַאֲמָתְךָ**, לשפחתך **תַּעֲשֶׂה כֵּן.**

יח **לֹא יִקְשֶׁה בְעֵינֶךָ בְּשַׁלֵּחֲךָ אֹתוֹ חָפְשִׁי מֵעִמָּךְ**, שלא כעבדים שאינם
עבריים, שבהם אתה מחזיק לעולם, **כִּי מִשְׁנֶה**, פי שניים **מִשְׂכַר שָׂכִיר**
**עֲבָדְךָ, שֵׁשׁ שָׁנִים**, שכן חוזה שכיר סתמי נהג למשך שלוש שנים.[46]
לקחת אפוא אדם שיעבוד כפליים מזמנו של שכיר, וכנראה עולה
פחות. על כל פנים, הוא אחד מאחיך בני ישראל, ועליך להתחשב
בו ולהעניק לו מצב נוח המאפשר פתיחת דרך חדשה. **וּבֵרַכְךָ ה׳**
**אֱלֹהֶיךָ בְּכֹל אֲשֶׁר תַּעֲשֶׂה.**

## בכור בהמה

פרק טו פס׳ יט–כג

כאן מופיע הציווי להקדיש לה׳ את בכור הצאן והבקר, שהבאתו (על ידי בעליו הכהן) למקום המקדש בחגיגה המשפחתית הוזכרה לעיל.[47] כאן נוספים פרטים אחדים על האמור שם.

יט **כָּל הַבְּכוֹר אֲשֶׁר יִוָּלֵד בִּבְקָרְךָ וּבְצֹאנְךָ, הַזָּכָר – תַּקְדִּישׁ לַה׳ אֱלֹהֶיךָ. לֹא**

הרחבות | 'לא תעבֹד בבכֹר שורך ולא תָגֹז בכור צאנך' זהו הנוהג הרווח, אך האיסור חל כמובן גם על המקרים הפחות שכיחים: אין לעבוד גם בבכורות הצאן ואין לגזוז את צמרו של בכור השור. (ראו רש"י על אתר; חולין קלז ע"א).

עליה הלכות מיוחדות. למעשה היא קניה לאדון רק עד שתתבגר ותעמוד על דעתה העצמאית, ויש בה אפשרות קניין אישות, מעין אשתו של בעליה או של בנו, אף שהיא אינה נקנית בדרך המקובלת של קידושין ונישואין. (ראו שמות כא,זיא).

וְלֹא תָגֹז בְּכוֹר צֹאנֶךָ: לִפְנֵי יְהוָה אֱלֹהֶיךָ תֹאכְלֶנּוּ כ
שָׁנָה בְשָׁנָה בַּמָּקוֹם אֲשֶׁר־יִבְחַר יְהוָה אַתָּה וּבֵיתֶךָ:
וְכִי־יִהְיֶה בוֹ מוּם פִּסֵּחַ אוֹ עִוֵּר כֹּל מוּם רָע לֹא כא
תִזְבָּחֶנּוּ לַיהוָה אֱלֹהֶיךָ: בִּשְׁעָרֶיךָ תֹּאכְלֶנּוּ הַטָּמֵא כב
וְהַטָּהוֹר יַחְדָּו כַּצְּבִי וְכָאַיָּל: רַק אֶת־דָּמוֹ לֹא תֹאכֵל כג
עַל־הָאָרֶץ תִּשְׁפְּכֶנּוּ כַּמָּיִם:
טז שָׁמוֹר אֶת־חֹדֶשׁ הָאָבִיב וְעָשִׂיתָ פֶּסַח לַיהוָה אֱלֹהֶיךָ א
כִּי בְּחֹדֶשׁ הָאָבִיב הוֹצִיאֲךָ יְהוָה אֱלֹהֶיךָ מִמִּצְרַיִם
לָיְלָה: וְזָבַחְתָּ פֶּסַח לַיהוָה אֱלֹהֶיךָ צֹאן וּבָקָר בַּמָּקוֹם ב

רש"י

כ] **לִפְנֵי ה' אֱלֹהֶיךָ תֹּאכְלֶנּוּ.** לַכֹּהֵן הוּא אוֹמֵר, שֶׁכְּבָר מָצִינוּ שֶׁהוּא מִמַּתְּנוֹת כְּהֻנָּה, אֶחָד תָּם וְאֶחָד בַּעַל מוּם, שֶׁנֶּאֱמַר: "וּבְשָׂרָם יִהְיֶה לָּךְ" וְגוֹ' (במדבר יח, יח): **שָׁנָה בְשָׁנָה.** מִכָּאן שֶׁאֵין מַשְׁהִין אוֹתוֹ יוֹתֵר עַל שְׁנָתוֹ. יָכוֹל יְהֵא פָּסוּל מִשֶּׁעָבְרָה שְׁנָתוֹ? כְּבָר הִקִּישׁוֹ לְמַעֲשֵׂר, שֶׁנֶּאֱמַר: "וְאָכַלְתָּ לִפְנֵי ה' אֱלֹהֶיךָ... מַעְשַׂר דְּגָנְךָ תִּירֹשְׁךָ וְיִצְהָרֶךָ וּבְכֹרֹת בְּקָרְךָ וְצֹאנֶךָ" (לעיל יד, כג), מַה מַּעֲשֵׂר שֵׁנִי אֵינוֹ נִפְסָל מִשָּׁנָה לַחֲבֶרְתָּהּ, אַף בְּכוֹר אֵינוֹ נִפְסָל, אֶלָּא שֶׁמִּצְוָה בְּתוֹךְ שְׁנָתוֹ: **שָׁנָה בְשָׁנָה.** אִם שְׁחָטוֹ בְּסוֹף שְׁנָתוֹ, אוֹכְלוֹ אוֹתוֹ הַיּוֹם וְיוֹם אֶחָד מִשָּׁנָה אַחֶרֶת, לִמֵּד שֶׁנֶּאֱכָל לִשְׁנֵי יָמִים וְלַיְלָה אֶחָד:

כא] **מוּם.** כְּלָל: **פִּסֵּחַ אוֹ עִוֵּר.** פְּרָט: **כֹּל מוּם רָע.** חָזַר וְכָלַל, מַה הַפְּרָט מְפֹרָשׁ מוּם הַגָּלוּי וְאֵינוֹ חוֹזֵר, אַף כָּל מוּם שֶׁבַּגָּלוּי וְאֵינוֹ חוֹזֵר:

כג] **רַק אֶת דָּמוֹ לֹא תֹאכֵל.** שֶׁלֹּא תֹּאמַר: הוֹאִיל וְכֻלּוֹ הֶתֵּר הַבָּא מִכְּלַל אִסּוּר הוּא, שֶׁהֲרֵי קָדוֹשׁ וְנִשְׁחָט בַּחוּץ בְּלֹא פִּדְיוֹן וְנֶאֱכָל, יָכוֹל יְהֵא אַף הַדָּם מֻתָּר? תַּלְמוּד לוֹמַר: "רַק אֶת דָּמוֹ לֹא תֹאכֵל":

פרק טז

א] **שָׁמוֹר אֶת חֹדֶשׁ הָאָבִיב.** מִקֹּדֶם בּוֹאוֹ שְׁמֹר שֶׁיְּהֵא רָאוּי לְאָבִיב, לְהַקְרִיב בּוֹ אֶת מִנְחַת הָעֹמֶר, וְאִם לָאו – עַבֵּר אֶת הַשָּׁנָה: **מִמִּצְרַיִם לָיְלָה.** וַהֲלֹא בַּיּוֹם יָצְאוּ, שֶׁנֶּאֱמַר: "מִמָּחֳרַת הַפֶּסַח יָצְאוּ בְנֵי יִשְׂרָאֵל" וְגוֹ' (במדבר לג, ג)? אֶלָּא לְפִי שֶׁבַּלַּיְלָה נָתַן לָהֶם פַּרְעֹה רְשׁוּת לָצֵאת, שֶׁנֶּאֱמַר: "וַיִּקְרָא לְמֹשֶׁה וּלְאַהֲרֹן לַיְלָה" וְגוֹ' (שמות יב, לא):

ב] **וְזָבַחְתָּ פֶּסַח לַה' אֱלֹהֶיךָ צֹאן.** שֶׁנֶּאֱמַר: "מִן הַכְּבָשִׂים וּמִן הָעִזִּים תִּקָּחוּ" (שמות יב, ה): **וּבָקָר.** תִּזְבַּח לַחֲגִיגָה, שֶׁאִם נִמְנוּ עַל הַפֶּסַח חֲבוּרָה מְרֻבָּה, מְבִיאִים עִמּוֹ חֲגִיגָה כְּדֵי שֶׁיְּהֵא נֶאֱכָל עַל הַשֹּׂבַע. וְעוֹד לָמְדוּ רַבּוֹתֵינוּ דְּבָרִים הַרְבֵּה מִפָּסוּק זֶה:

הרחבות

**'שָׁמוֹר את חדש האביב'** מאחר שהחודשים בלוח העברי נקבעים על פי הירח, כל חג ומועד יכול היה עקרונית לחול בכל עונות השנה, כמו בשנה המוסלמית של ימינו. מסיבה זו בא הציווי לדאוג לכך שחודש הגאולה יחפוף את חודש האביב, כפי שהייתה הגאולה עצמה. לשם כך נוצר מנגנון עיבור השנה בלוח העברי (ראש השנה ז ע"א; סנהדרין יא ע"ב).

ביאור | **תַעֲבֹד בִּבְכֹר שׁוֹרֶךָ וְלֹא תָגֹז**, תגזוז את הצמר שעל **בְּכוֹר צֹאנֶךָ.** כ **לִפְנֵי**
**ה׳ אֱלֹהֶיךָ תֹאכְלֶנּוּ שָׁנָה בְשָׁנָה**, בכל שנה, **בַּמָּקוֹם אֲשֶׁר יִבְחַר ה׳** – **אַתָּה**
**וּבֵיתֶךָ.** כא **וְכִי יִהְיֶה בוֹ** – בבכור **מוּם**, למשל שהוא יהיה **פִּסֵּחַ אוֹ עִוֵּר**
או שיהיה בו **כֹּל מוּם רָע – לֹא תִזְבָּחֶנּוּ לַה׳ אֱלֹהֶיךָ.** כב **בִּשְׁעָרֶיךָ תֹּאכְלֶנּוּ,**
את בשרו מותר לך לאכול בכל מקום ומקום – **הַטָּמֵא וְהַטָּהוֹר יַחְדָּו,**
**כַּצְּבִי וְכָאַיָּל** – כפי המזדמן, כמו שאוכלים את הצבי ואת האייל,
שאינם ראויים לקרבן, ואין להם דיני קדושה מיוחדים. כג **רַק אֶת**
**דָּמוֹ לֹא תֹאכֵל, עַל הָאָרֶץ תִּשְׁפְּכֶנּוּ כַּמָּיִם.**

## שלוש רגלים

פרק טז פס׳ א–יז

ההוראות הבאות נוגעות למחזור השנה. אמנם לא כולן נוהגות דווקא בארץ, אבל כאן מודגש הקשר הייחודי בין החגים לבין המקום אשר יבחר ה׳.

פרק טז א **שָׁמוֹר אֶת חֹדֶשׁ הָאָבִיב, וְעָשִׂיתָ פֶּסַח לַה׳ אֱלֹהֶיךָ.** שמור
והקפד שימי הפסח שבחודש הראשון לחודשי השנה יחולו תמיד
באביב, זמן הבשלת התבואה החדשה, **כִּי בְּחֹדֶשׁ הָאָבִיב הוֹצִיאֲךָ ה׳**
**אֱלֹהֶיךָ מִמִּצְרַיִם לָיְלָה.**
ב **וְזָבַחְתָּ** בו קרבן **פֶּסַח לַה׳ אֱלֹהֶיךָ – צֹאן** לקרבן הפסח עצמו **וּבָקָר**
לצורך הסעודה והקרבנות הנלווים לפסח,[48] **בַּמָּקוֹם אֲשֶׁר יִבְחַר ה׳**

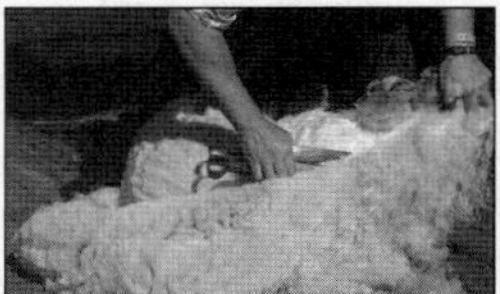

גז הצאן

הרחבות | **וּבָקָר׳** כיוון שמגיעים לירושלים לזבוח את קרבן הפסח, נשארים לחגוג בה שבוע. על כן, חוגגי הפסח מביאים אתם זבחים נוספים לסעודות הימים הבאים, ואם הם יכולים להרשות זאת לעצמם – יהיו אלה זבחי בקר.

סימוכין לפירוש זה אפשר למצוא גם בתיאור חגיגת הפסח בימי מלכי יהודה האחרונים. (ראו דברי הימים ב׳ לה,ז–יג; רמב״ן על אתר).

אֲשֶׁר יִבְחַר יְהוָה לְשַׁכֵּן שְׁמוֹ שָׁם: לֹא־תֹאכַל עָלָיו ג
חָמֵץ שִׁבְעַת יָמִים תֹּאכַל־עָלָיו מַצּוֹת לֶחֶם עֹנִי
כִּי בְחִפָּזוֹן יָצָאתָ מֵאֶרֶץ מִצְרַיִם לְמַעַן תִּזְכֹּר אֶת־
יוֹם צֵאתְךָ מֵאֶרֶץ מִצְרַיִם כֹּל יְמֵי חַיֶּיךָ: וְלֹא־יֵרָאֶה ד
לְךָ שְׂאֹר בְּכָל־גְּבֻלְךָ שִׁבְעַת יָמִים וְלֹא־יָלִין מִן־
הַבָּשָׂר אֲשֶׁר תִּזְבַּח בָּעֶרֶב בַּיּוֹם הָרִאשׁוֹן לַבֹּקֶר:
לֹא תוּכַל לִזְבֹּחַ אֶת־הַפָּסַח בְּאַחַד שְׁעָרֶיךָ אֲשֶׁר־ ה
יְהוָה אֱלֹהֶיךָ נֹתֵן לָךְ: כִּי אִם־אֶל־הַמָּקוֹם אֲשֶׁר־ ו
יִבְחַר יְהוָה אֱלֹהֶיךָ לְשַׁכֵּן שְׁמוֹ שָׁם תִּזְבַּח אֶת־
הַפֶּסַח בָּעָרֶב כְּבוֹא הַשֶּׁמֶשׁ מוֹעֵד צֵאתְךָ מִמִּצְרָיִם:

רש"י

ג) **לֶחֶם עֹנִי.** לֶחֶם שֶׁמַּזְכִּיר אֶת הָעֹנִי שֶׁנִּתְעַנּוּ בְּמִצְרַיִם: **כִּי בְחִפָּזוֹן יָצָאתָ.** וְלֹא הִסְפִּיק בָּצֵק לְהַחֲמִיץ, וְזֶה יִהְיֶה לְךָ לְזִכָּרוֹן. וְחִפָּזוֹן לֹא שֶׁלְּךָ הָיָה אֶלָּא שֶׁל מִצְרַיִם, שֶׁכֵּן הוּא אוֹמֵר: "וַתֶּחֱזַק מִצְרַיִם עַל הָעָם" וְגוֹ' (שמות יב, לג): **לְמַעַן תִּזְכֹּר.** עַל יְדֵי אֲכִילַת הַפֶּסַח וְהַמַּצָּה "אֶת יוֹם צֵאתְךָ":

ד) **וְלֹא יָלִין מִן הַבָּשָׂר אֲשֶׁר תִּזְבַּח בָּעֶרֶב בַּיּוֹם הָרִאשׁוֹן לַבֹּקֶר.** אַזְהָרָה לַמּוֹתִיר בְּפֶסַח דּוֹרוֹת, לְפִי שֶׁלֹּא נֶאֱמַר אֶלָּא בְּפֶסַח מִצְרַיִם, וְיוֹם רִאשׁוֹן הָאָמוּר כָּאן הוּא אַרְבָּעָה עָשָׂר בְּנִיסָן, כְּמָה דְאַתְּ אָמַר: "אַךְ בַּיּוֹם הָרִאשׁוֹן תַּשְׁבִּיתוּ שְּׂאֹר מִבָּתֵּיכֶם" (שמות יב, טו). וּלְפִי שֶׁנִּסְתַּלֵּק הַכָּתוּב מֵעִנְיָנוֹ שֶׁל פֶּסַח וְהִתְחִיל לְדַבֵּר בְּחֻקּוֹת שִׁבְעַת יָמִים, כְּגוֹן: "שִׁבְעַת יָמִים תֹּאכַל עָלָיו מַצּוֹת", "וְלֹא יֵרָאֶה לְךָ שְׂאֹר בְּכָל גְּבֻלְךָ", הֻצְרַךְ לְפָרֵשׁ בְּאֵיזוֹ זְבִיחָה הוּא מַזְהִיר, שֶׁאִם כָּתַב: 'וְלֹא יָלִין מִן הַבָּשָׂר אֲשֶׁר תִּזְבַּח בָּעֶרֶב לַבֹּקֶר', הָיִיתִי אוֹמֵר, שְׁלָמִים הַנִּשְׁחָטִים כָּל שִׁבְעָה כֻּלָּן בְּבַל תּוֹתִירוּ וְאֵינָן נֶאֱכָלִין אֶלָּא לְיוֹם וָלַיְלָה, לְכָךְ כָּתַב: "בָּעֶרֶב בַּיּוֹם הָרִאשׁוֹן". דָּבָר אַחֵר, בַּחֲגִיגַת אַרְבָּעָה עָשָׂר הַכָּתוּב מְדַבֵּר, וְלִמֵּד עָלֶיהָ שֶׁנֶּאֱכֶלֶת לִשְׁנֵי יָמִים, וְ"הָרִאשׁוֹן" הָאָמוּר כָּאן – בְּיוֹם טוֹב הָרִאשׁוֹן הַכָּתוּב מְדַבֵּר, וְכֵן מַשְׁמָעוּת הַמִּקְרָא: בְּשַׂר חֲגִיגָה אֲשֶׁר תִּזְבַּח בָּעֶרֶב לֹא יָלִין בְּיוֹם טוֹב הָרִאשׁוֹן עַד בָּקְרוֹ שֶׁל שֵׁנִי, אֲבָל נֶאֱכֶלֶת הִיא בְּאַרְבָּעָה עָשָׂר וּבַחֲמִשָּׁה עָשָׂר. וְכָךְ הִיא שְׁנוּיָה בְּמַסֶּכֶת פְּסָחִים (דף ע"א ע"א – ע"א ע"ב):

ו) **בָּעֶרֶב כְּבוֹא הַשֶּׁמֶשׁ מוֹעֵד צֵאתְךָ מִמִּצְרָיִם.** הֲרֵי שְׁלֹשָׁה זְמַנִּים חֲלוּקִים: 'בָּעֶרֶב' מִשֵּׁשׁ שָׁעוֹת וּלְמַעְלָה זָבְחֵהוּ, וּ'כְבוֹא הַשֶּׁמֶשׁ' תֹּאכְלֵהוּ, וּ'מוֹעֵד צֵאתְךָ' אַתָּה שׂוֹרְפֵהוּ, כְּלוֹמַר נַעֲשֶׂה נוֹתָר וְיֵצֵא לְבֵית הַשְּׂרֵפָה:

הרחבות

**הפסח וחג המצות** הם שני מועדים שונים. (ראו במדבר כח,טז-יז). הפסח חל ביום הארבעה-עשר בניסן בין הערביים, בערב הסמוך לזמן יציאת מצרים, ואילו חג המצות מתחיל למחרת, ביום החמישה-עשר בניסן, ונמשך שבעה ימים (רק בדברי

ביאור

לְשַׁכֵּן שְׁמוֹ שָׁם. ג לֹא תֹאכַל עָלָיו, עם קרבן הפסח חָמֵץ. שִׁבְעַת יָמִים
תֹּאכַל עָלָיו מַצּוֹת, לחם שלא הניחו לעיסתו לתסוס, שהן לֶחֶם עֹנִי,
לחם של עניים, כִּי בְחִפָּזוֹן יָצָאתָ מֵאֶרֶץ מִצְרַיִם. מצוות אכילת המצות
מזכירה הן את החיפזון שנכפה על ישראל במצרים ולא אִפשר
להם להשתהות עד שבצקם יתפח, הן את העוני והגלות שקדמה
לכך,[49] לְמַעַן תִּזְכֹּר אֶת יוֹם צֵאתְךָ מֵאֶרֶץ מִצְרַיִם כֹּל יְמֵי חַיֶּיךָ. ד וְלֹא יֵרָאֶה
לְךָ שְׂאֹר, חמץ העשוי להחמיץ עיסה, מחמצת בְּכָל גְּבֻלְךָ שִׁבְעַת
יָמִים.

ואיסור אחר: וְלֹא יָלִין מִן הַבָּשָׂר של קרבן הפסח אֲשֶׁר תִּזְבַּח בָּעֶרֶב
בַּיּוֹם הָרִאשׁוֹן, הקודם לשבעת הימים – לַבֹּקֶר. יש לסיים את אכילתו
בלילה.[50]

עד כה נאמרו דברים ידועים בעיקרם, ואילו הדין הבא מתחדש
כאן: ה לֹא תוּכַל לִזְבֹּחַ אֶת הַפָּסַח בְּאַחַד שְׁעָרֶיךָ אֲשֶׁר ה׳ אֱלֹהֶיךָ נֹתֵן
לָךְ. אף שאת קרבן הפסח לא אוכלים הכהנים, אלא כל ישראל
אוכלים אותו עם בני משפחותיהם בבתיהם, אין לזבחו בכל
מקום. ו כִּי אִם אֶל הַמָּקוֹם אֲשֶׁר יִבְחַר ה׳ אֱלֹהֶיךָ לְשַׁכֵּן שְׁמוֹ – בבית
המקדש, שָׁם תִּזְבַּח אֶת הַפֶּסַח בָּעָרֶב, כְּבוֹא הַשֶּׁמֶשׁ, בזמן שקיעת
השמש של יום ארבעה-עשר, מוֹעֵד צֵאתְךָ מִמִּצְרָיִם. אמנם יציאת
מצרים בפועל אירעה רק בבוקר, אבל כבר בערב היו ישראל מוכנים

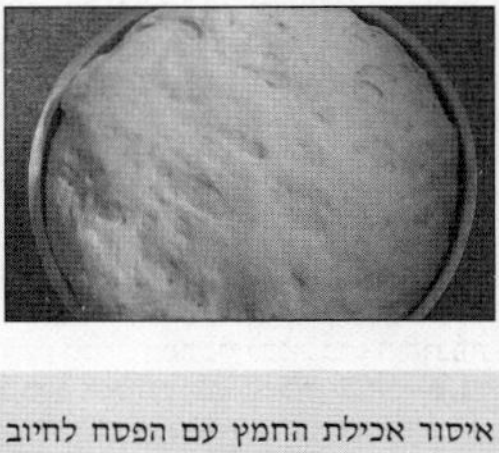

מימין: מחמצת שאור

משמאל: בצק שתפח

הרחבות

חכמים מכונה ׳חג המצות׳ - חג הפסח). מועדים אלה צמודים וקשורים זה לזה, כפי שמשתקף כאן; אין הפרדה בין איסור אכילת החמץ עם הפסח לחיוב אכילת המצות בשבעת ימי החג הבא אחריו.

ז וּבִשַּׁלְתָּ֙ וְאָ֣כַלְתָּ֔ בַּמָּק֕וֹם אֲשֶׁ֥ר יִבְחַ֛ר יְהוָ֥ה אֱלֹהֶ֖יךָ
ח בּ֑וֹ וּפָנִ֣יתָ בַבֹּ֔קֶר וְהָלַכְתָּ֖ לְאֹהָלֶֽיךָ׃ שֵׁ֥שֶׁת יָמִ֖ים
תֹּאכַ֣ל מַצּ֑וֹת וּבַיּ֣וֹם הַשְּׁבִיעִ֗י עֲצֶ֙רֶת֙ לַיהוָ֣ה אֱלֹהֶ֔יךָ
ט לֹ֥א תַעֲשֶׂ֖ה מְלָאכָֽה׃ שִׁבְעָ֥ה שָׁבֻעֹ֖ת
תִּסְפׇּר־לָ֑ךְ מֵהָחֵ֤ל חֶרְמֵשׁ֙ בַּקָּמָ֔ה תָּחֵ֣ל לִסְפֹּ֔ר
י שִׁבְעָ֖ה שָׁבֻעֽוֹת׃ וְעָשִׂ֜יתָ חַ֤ג שָׁבֻעוֹת֙ לַיהוָ֣ה אֱלֹהֶ֔יךָ
מִסַּ֛ת נִדְבַ֥ת יָדְךָ֖ אֲשֶׁ֣ר תִּתֵּ֑ן כַּאֲשֶׁ֥ר יְבָרֶכְךָ֖ יְהוָ֥ה
יא אֱלֹהֶֽיךָ׃ וְשָׂמַחְתָּ֞ לִפְנֵ֣י ׀ יְהוָ֣ה אֱלֹהֶ֗יךָ אַתָּ֨ה וּבִנְךָ֥
וּבִתֶּ֘ךָ֮ וְעַבְדְּךָ֣ וַאֲמָתֶ֒ךָ֒ וְהַלֵּוִי֙ אֲשֶׁ֣ר בִּשְׁעָרֶ֔יךָ וְהַגֵּ֛ר

**רש"י**

ז] **וּבִשַּׁלְתָּ.** זֶהוּ צְלִי אֵשׁ, שֶׁאַף הוּא קָרוּי בִּשּׁוּל: **וּפָנִיתָ בַבֹּקֶר.** לְבָקְרוֹ שֶׁל שֵׁנִי, מְלַמֵּד שֶׁטָּעוּן לִינָה לֵיל שֶׁל מוֹצָאֵי יוֹם טוֹב:

ח] **שֵׁשֶׁת יָמִים תֹּאכַל מַצּוֹת.** וּבְמָקוֹם אַחֵר הוּא אוֹמֵר: "שִׁבְעַת יָמִים" (שמות יב, טו)! שִׁבְעָה מִן הַיָּשָׁן וְשִׁשָּׁה מִן הֶחָדָשׁ. דָּבָר אַחֵר, לִמֵּד עַל אֲכִילַת מַצָּה בַּשְּׁבִיעִי שֶׁאֵינָהּ חוֹבָה, וּמִכָּאן אַתָּה לָמֵד לְשֵׁשֶׁת יָמִים, שֶׁהֲרֵי שְׁבִיעִי בִּכְלָל הָיָה וְיָצָא מִן הַכְּלָל לְלַמֵּד שֶׁאֵין אֲכִילַת מַצָּה בּוֹ חוֹבָה אֶלָּא רְשׁוּת, וְלֹא לְלַמֵּד עַל עַצְמוֹ יָצָא אֶלָּא לְלַמֵּד עַל הַכְּלָל כֻּלּוֹ יָצָא, מָה שְּׁבִיעִי רְשׁוּת אַף כֻּלָּם רְשׁוּת, חוּץ מִלַּיְלָה הָרִאשׁוֹן שֶׁהַכָּתוּב קְבָעוֹ חוֹבָה, שֶׁנֶּאֱמַר: "בָּעֶרֶב תֹּאכְלוּ מַצֹּת" (שמות יב, יח). **עֲצֶרֶת לַה' אֱלֹהֶיךָ.** עֲצֹר עַצְמְךָ מִן הַמְּלָאכָה. דָּבָר אַחֵר, כְּנוּסִיָּא שֶׁל מַאֲכָל וּמִשְׁתֶּה, לְשׁוֹן: "נַעְצְרָה נָּא אוֹתָךְ" (שופטים יג, טו):

ט] **מֵהָחֵל חֶרְמֵשׁ בַּקָּמָה.** מִשֶּׁנִּקְצַר הָעֹמֶר שֶׁהוּא רֵאשִׁית הַקָּצִיר:

י] **מִסַּת נִדְבַת יָדְךָ.** דֵּי נִדְבַת יָדְךָ, הַכֹּל לְפִי הַבְּרָכָה הָבֵא שַׁלְמֵי שִׂמְחָה וְקַדֵּשׁ קְרוּאִים לֶאֱכֹל:

יא] **וְהַלֵּוִי וְהַגֵּר וְהַיָּתוֹם וְהָאַלְמָנָה.** אַרְבָּעָה שֶׁלִּי כְּנֶגֶד אַרְבָּעָה שֶׁלְּךָ: "בִּנְךָ וּבִתֶּךָ וְעַבְדְּךָ וַאֲמָתֶךָ", אִם אַתָּה מְשַׂמֵּחַ אֶת שֶׁלִּי אֲנִי מְשַׂמֵּחַ אֶת שֶׁלְּךָ:

**הרחבות**

**'וּבִשַּׁלְתָּ'** בספר שמות (יב,ט) נאמר כי קרבן הפסח צריך להיאכל צלוי ולא מבושל במים, ובכל זאת כאן וגם בדברי הימים (ב' לה,יג) נאמר לגביו 'בישול'. נראה שמשמעותו המורחבת של פועל זה במקרא היא התקנת מאכל בחום, לאו דווקא במים או בנוזלים (ראו נדרים מט ע"א. ואולי נקט הכתוב לשון כללית יותר כדי לכלול גם את קרבנות הבקר הנלווים עם הפסח, שנאכלים גם בבישול בנוזלים ולאו דווקא בצלייה).

**'מֵהָחֵל חרמש בקמה'** הספירה מתחילה במועד טקסי מיוחד שבו מתחיל החרמש לקצור את הקמה. בהקשר אחר נאמר שקצירת התבואה הראשונה - העומר - מתבצעת 'ממחרת השבת' (ויקרא כג,יא). ביטוי עמום זה עמד בבסיס מחלוקת שהתגלעה בימי הבית השני ואולי גם אחריהם. ההלכה קובעת כי משמעה של 'השבת' בביטוי זה שונה ממובנה הרגיל, והיא יום החג הראשון של פסח. למחרתו מובא קרבן העומר ומתחילה ספירת שבעת השבועות. (ראו מנחות סה ע"ב).

ביאור | לצאת. ז וּבִשַּׁלְתָּ, לא במים אלא הַכשר את בשר הפסח בצלייה
וְאָכַלְתָּ אותו בַּמָּקוֹם אֲשֶׁר יִבְחַר ה׳ אֱלֹהֶיךָ בּוֹ. וּפָנִיתָ בַבֹּקֶר ולא קודם
לכן וְהָלַכְתָּ לְאֹהָלֶיךָ. חכמים למדו הוראה זו כהלכה כללית לכל
מקריב קרבן במקדש, שטעון ׳לינה׳ בירושלים, כלומר שלא ישוב
לעירו מיד לאחר ההקרבה, אלא ישהה בעיר הקודש עד הבוקר
שלמחרת.[51]

ח שֵׁשֶׁת יָמִים תֹּאכַל מַצּוֹת, וּבַיּוֹם הַשְּׁבִיעִי, שאף בו תאכל מצות, תהיה
גם עֲצֶרֶת, יום עצירה או התכנסות לַה׳ אֱלֹהֶיךָ, שבה לֹא תַעֲשֶׂה
מְלָאכָה. גם אם לא תישארו בבית ה׳ כל שבעת הימים, עליכם לחוג
את היום השביעי.[52]

ט שִׁבְעָה שָׁבֻעֹת תִּסְפָּר לָךְ. מֵהָחֵל חֶרְמֵשׁ בַּקָּמָה, מזמן תחילת הקציר
תָּחֵל לִסְפֹּר שִׁבְעָה שָׁבֻעוֹת. י וְעָשִׂיתָ חַג שָׁבֻעוֹת לַה׳ אֱלֹהֶיךָ. עד כה
לא נאמר דבר על תוכן החג הזה, אלא שנקרא כך משום שהוא
חל לאחר ספירת שבעה שבועות. מִסַּת, שיעור מתנתך כפי נִדְבַת
יָדְךָ אֲשֶׁר תִּתֵּן, כַּאֲשֶׁר יְבָרֶכְךָ ה׳ אֱלֹהֶיךָ. זהו חג של תחילת הקיץ, עת
התחלת לקיטת היבול והבשלתו. אז יכול אדם לראות במה בירכו
ה׳ השנה, ולפי כמות היבול ואיכותו יביא מתנה לה׳. יא וְשָׂמַחְתָּ
לִפְנֵי ה׳ אֱלֹהֶיךָ, אַתָּה וּבִנְךָ וּבִתֶּךָ, כל משפחתך וְעַבְדְּךָ וַאֲמָתֶךָ וְהַלֵּוִי
אֲשֶׁר בִּשְׁעָרֶיךָ, שכן הלוי, שלא הייתה לו נחלה, היה ניזון מיבולם

קציר בחרמש
תמשיח קיר
קבר תבי, מצרים

העולם | חֶרְמֵשׁ שם נרדף למגל. סכין מעוקלת המשמשת בדרך כלל לקצירה, שלה ידית קצרה ולהב הנתון מצדו הפנימי של העיקול. הכלי הנקרא בפינו היום חרמש הגיע מאירופה, וכונה כך כדי להבדילו מהמגל. (ראו מצודת ציון יואל ד,יג).

וְהַיָּת֥וֹם וְהָאַלְמָנָ֖ה אֲשֶׁ֣ר בְּקִרְבֶּ֑ךָ בַּמָּק֗וֹם אֲשֶׁ֤ר
יִבְחַר֙ יְהוָ֣ה אֱלֹהֶ֔יךָ לְשַׁכֵּ֥ן שְׁמ֖וֹ שָֽׁם׃ וְזָכַרְתָּ֖ כִּי־ יב
עֶ֥בֶד הָיִ֖יתָ בְּמִצְרָ֑יִם וְשָׁמַרְתָּ֣ וְעָשִׂ֔יתָ אֶת־הַחֻקִּ֖ים
הָאֵֽלֶּה׃

מפטיר
חַ֧ג הַסֻּכֹּ֛ת תַּעֲשֶׂ֥ה לְךָ֖ שִׁבְעַ֣ת יָמִ֑ים בְּאָ֨סְפְּךָ֔ יג
מִֽגָּרְנְךָ֖ וּמִיִּקְבֶֽךָ׃ וְשָׂמַחְתָּ֖ בְּחַגֶּ֑ךָ אַתָּ֨ה וּבִנְךָ֤ וּבִתֶּ֙ךָ֙ יד
וְעַבְדְּךָ֣ וַאֲמָתֶ֔ךָ וְהַלֵּוִ֗י וְהַגֵּ֛ר וְהַיָּת֥וֹם וְהָאַלְמָנָ֖ה
אֲשֶׁ֥ר בִּשְׁעָרֶֽיךָ׃ שִׁבְעַ֣ת יָמִ֗ים תָּחֹג֙ לַיהוָ֣ה אֱלֹהֶ֔יךָ טו
בַּמָּק֖וֹם אֲשֶׁר־יִבְחַ֣ר יְהוָ֑ה כִּ֣י יְבָרֶכְךָ֞ יְהוָ֣ה אֱלֹהֶ֗יךָ
בְּכֹ֤ל תְּבוּאָֽתְךָ֙ וּבְכֹל֙ מַעֲשֵׂ֣ה יָדֶ֔יךָ וְהָיִ֖יתָ אַ֥ךְ שָׂמֵֽחַ׃
שָׁל֣וֹשׁ פְּעָמִ֣ים ׀ בַּשָּׁנָ֡ה יֵרָאֶ֨ה כָל־זְכוּרְךָ֜ אֶת־פְּנֵ֣י ׀ טז
יְהוָ֣ה אֱלֹהֶ֗יךָ בַּמָּקוֹם֙ אֲשֶׁ֣ר יִבְחָ֔ר בְּחַ֧ג הַמַּצּ֛וֹת וּבְחַ֥ג
הַשָּׁבֻע֖וֹת וּבְחַ֣ג הַסֻּכּ֑וֹת וְלֹ֧א יֵרָאֶ֛ה אֶת־פְּנֵ֥י יְהוָ֖ה
רֵיקָֽם׃ אִ֖ישׁ כְּמַתְּנַ֣ת יָד֑וֹ כְּבִרְכַּ֛ת יְהוָ֥ה אֱלֹהֶ֖יךָ אֲשֶׁ֥ר יז
נָֽתַן־לָֽךְ׃

רש"י

יב) **וְזָכַרְתָּ כִּי עֶבֶד הָיִיתָ וגו'.** עַל מְנָת כֵּן פְּדִיתִיךָ, שֶׁתִּשְׁמֹר וְתַעֲשֶׂה אֶת הַחֻקִּים הָאֵלֶּה:

יג) **בְּאָסְפְּךָ.** בִּזְמַן הָאָסִיף, שֶׁאַתָּה מַכְנִיס לַבַּיִת פֵּרוֹת הַקַּיִץ. דָּבָר אַחֵר, "בְּאָסְפְּךָ מִגָּרְנְךָ וּמִיִּקְבֶךָ", לָמַד שֶׁמְּסַכְּכִין אֶת הַסֻּכָּה בִּפְסֹלֶת גֹּרֶן וָיֶקֶב:

טו) **וְהָיִיתָ אַךְ שָׂמֵחַ.** לְפִי פְשׁוּטוֹ אֵין זֶה לְשׁוֹן צִוּוּי אֶלָּא לְשׁוֹן הַבְטָחָה. וּלְפִי תַלְמוּדוֹ לָמְדוּ מִכָּאן לְרַבּוֹת לֵילֵי יוֹם טוֹב הָאַחֲרוֹן לְשִׂמְחָה:

טז) **וְלֹא יֵרָאֶה אֶת פְּנֵי ה' רֵיקָם.** אֶלָּא הָבֵא עוֹלוֹת רְאִיָּה וְשַׁלְמֵי חֲגִיגָה:

יז) **אִישׁ כְּמַתְּנַת יָדוֹ.** מִי שֶׁיֵּשׁ לוֹ אוֹכְלִין הַרְבֵּה וּנְכָסִים מְרֻבִּים יָבִיא עוֹלוֹת מְרֻבּוֹת וּשְׁלָמִים מְרֻבִּים:

ביאור | של בעלי השדות, **וְהַגֵּר וְהַיָּתוֹם וְהָאַלְמָנָה אֲשֶׁר בְּקִרְבֶּךָ**, וכל זה נעשה **בַּמָּקוֹם אֲשֶׁר יִבְחַר ה׳ אֱלֹהֶיךָ לְשַׁכֵּן שְׁמוֹ שָׁם.**

יב **וְזָכַרְתָּ כִּי עֶבֶד הָיִיתָ בְּמִצְרָיִם.** אף על פי שתחגגו מתוך חירות ושפע, עליכם לזכור שאין זה המצב הראשוני והמובן מאליו, ולהכיר לה׳ טובה על כך. **וְשָׁמַרְתָּ וְעָשִׂיתָ אֶת הַחֻקִּים הָאֵלֶּה.**

יג **חַג הַסֻּכֹּת תַּעֲשֶׂה לְךָ** במשך **שִׁבְעַת יָמִים**, וזמנו הוא **בְּאָסְפְּךָ** את היבול **מִגָּרְנְךָ וּמִיִּקְבֶךָ**, בסוף שנת היבולים. חג הסוכות הוא חג של הודיה לה׳ על החסדים שגמל עם עמו במדבר ובארץ. יד **וְשָׂמַחְתָּ**
**בְּחַגֶּךָ** – **אַתָּה וּבִנְךָ וּבִתֶּךָ וְעַבְדְּךָ וַאֲמָתֶךָ וְהַלֵּוִי וְהַגֵּר וְהַיָּתוֹם וְהָאַלְמָנָה אֲשֶׁר בִּשְׁעָרֶיךָ**, כל האוכלים על שולחנך. טו **שִׁבְעַת יָמִים תָּחֹג לַה׳**
**אֱלֹהֶיךָ בַּמָּקוֹם אֲשֶׁר יִבְחַר ה׳, כִּי יְבָרֶכְךָ ה׳ אֱלֹהֶיךָ בְּכֹל תְּבוּאָתְךָ וּבְכֹל מַעֲשֵׂה יָדֶיךָ, וְהָיִיתָ אַךְ**, רק **שָׂמֵחַ**, בלי דאגות וטרדות.

סיכום לכל העניין: טז **שָׁלוֹשׁ פְּעָמִים בַּשָּׁנָה יֵרָאֶה כָל זְכוּרְךָ**, הזכרים שבך **אֶת פְּנֵי ה׳ אֱלֹהֶיךָ בַּמָּקוֹם אֲשֶׁר יִבְחָר ה׳**, בבית הבחירה שלו: **בְּחַג הַמַּצּוֹת וּבְחַג הַשָּׁבֻעוֹת וּבְחַג הַסֻּכּוֹת. וְלֹא יֵרָאֶה אֶת פְּנֵי ה׳ רֵיקָם**, בידיים ריקות. כשתבואו למקום ראייתו עליכם להביא אתכם מתנה כלשהי. יז **אִישׁ כְּמַתְּנַת יָדוֹ** יביא **כְּבִרְכַּת ה׳ אֱלֹהֶיךָ אֲשֶׁר נָתַן**
**לָךְ.** הנתינה אינה מוגדרת, וכל אדם יביא כרצונו.

הרחבות | ׳יֵרָאֶה׳ ישראל אינם עולים לרגל כדי לראות את פני ה׳, כלומר כדי לזכות בהתגלות. הם מתייצבים לפני ה׳ ושוהים במקום הנבחר כדי להוכיח שהם עדיין מחויבים לברית ושומרים על הקשר. מכאן גם חשיבותה של זכירת העבדות.

שפטים יד

שֹׁפְטִים וְשֹׁטְרִים תִּתֶּן־לְךָ בְּכָל־שְׁעָרֶיךָ אֲשֶׁר יְהוָה יח
אֱלֹהֶיךָ נֹתֵן לְךָ לִשְׁבָטֶיךָ וְשָׁפְטוּ אֶת־הָעָם מִשְׁפַּט־
צֶדֶק׃ לֹא־תַטֶּה מִשְׁפָּט לֹא תַכִּיר פָּנִים וְלֹא־תִקַּח יט
שֹׁחַד כִּי הַשֹּׁחַד יְעַוֵּר עֵינֵי חֲכָמִים וִיסַלֵּף דִּבְרֵי
צַדִּיקִם׃ צֶדֶק צֶדֶק תִּרְדֹּף לְמַעַן תִּחְיֶה וְיָרַשְׁתָּ אֶת־ כ
הָאָרֶץ אֲשֶׁר־יְהוָה אֱלֹהֶיךָ נֹתֵן לָךְ׃ לֹא־ כא
תִטַּע לְךָ אֲשֵׁרָה כָּל־עֵץ אֵצֶל מִזְבַּח יְהוָה אֱלֹהֶיךָ
אֲשֶׁר תַּעֲשֶׂה־לָּךְ׃ וְלֹא־תָקִים לְךָ מַצֵּבָה אֲשֶׁר כב
שָׂנֵא יְהוָה אֱלֹהֶיךָ׃ לֹא־תִזְבַּח לַיהוָה א יז

רש"י

יח) **שֹׁפְטִים וְשֹׁטְרִים.** "שֹׁפְטִים" דַּיָּנִים הַפּוֹסְקִים אֶת הַדִּין, "וְשֹׁטְרִים" הָרוֹדִין אֶת הָעָם אַחַר מִצְוָתָם, שֶׁמַּכִּין וְכוֹפְתִין בְּמַקֵּל וּבִרְצוּעָה עַד שֶׁיְּקַבֵּל עָלָיו אֶת דִּין הַשּׁוֹפֵט: **בְּכָל שְׁעָרֶיךָ.** בְּכָל עִיר וָעִיר: **לִשְׁבָטֶיךָ.** מוּסָב עַל "תִּתֶּן לְךָ": שֹׁפְטִים וְשֹׁטְרִים תִּתֶּן לְךָ לִשְׁבָטֶיךָ בְּכָל שְׁעָרֶיךָ אֲשֶׁר ה' אֱלֹהֶיךָ נֹתֵן לְךָ: **לִשְׁבָטֶיךָ.** מְלַמֵּד שֶׁמּוֹשִׁיבִין דַּיָּנִין לְכָל שֵׁבֶט וָשֵׁבֶט וּבְכָל עִיר וָעִיר: **וְשָׁפְטוּ אֶת הָעָם וְגוֹ'.** מַנֵּה דַּיָּנִין מֻמְחִים וְצַדִּיקִים לִשְׁפֹּט צֶדֶק:

יט) **לֹא תַטֶּה מִשְׁפָּט.** כְּמַשְׁמָעוֹ: **לֹא תַכִּיר פָּנִים.** אַף בִּשְׁעַת הַטְּעָנוֹת, שֶׁלֹּא יְהֵא רַךְ לָזֶה וְקָשֶׁה לָזֶה, אֶחָד עוֹמֵד וְאֶחָד יוֹשֵׁב, לְפִי שֶׁכְּשֶׁרוֹאֶה זֶה שֶׁהַדַּיָּן מְכַבֵּד אֶת חֲבֵרוֹ מִסְתַּתְּמִין טַעֲנוֹתָיו: **וְלֹא תִקַּח שֹׁחַד.** אֲפִלּוּ לִשְׁפֹּט צֶדֶק: **כִּי הַשֹּׁחַד יְעַוֵּר.** מִשֶּׁקִּבֵּל שֹׁחַד מִמֶּנּוּ, אִי אֶפְשָׁר שֶׁלֹּא יַטֶּה אֶת לִבּוֹ אֶצְלוֹ לַהֲפֹךְ בִּזְכוּתוֹ: **דִּבְרֵי צַדִּיקִם.** דְּבָרִים הַמְצֻדָּקִים, מִשְׁפְּטֵי אֱמֶת:

כ) **צֶדֶק צֶדֶק תִּרְדֹּף.** הֵלֵךְ אַחַר בֵּית דִּין יָפֶה: **לְמַעַן תִּחְיֶה וְיָרַשְׁתָּ.** כְּדַאי הוּא מִנּוּי הַדַּיָּנִין הַכְּשֵׁרִים לְהַחֲיוֹת אֶת יִשְׂרָאֵל וּלְהוֹשִׁיבָן עַל אַדְמָתָן:

כא) **לֹא תִטַּע לְךָ אֲשֵׁרָה.** לְחַיְּבוֹ עָלֶיהָ מִשְּׁעַת נְטִיעָתָהּ, וַאֲפִלּוּ לֹא עֲבָדָהּ עוֹבֵר בְּלֹא תַעֲשֶׂה עַל נְטִיעָתָהּ. וְ"לֹא תִטַּע לְךָ... כָּל עֵץ אֵצֶל מִזְבַּח" – אַזְהָרָה לְנוֹטֵעַ אִילָן וּלְבוֹנֶה בַּיִת בְּהַר הַבַּיִת:

כב) **וְלֹא תָקִים לְךָ מַצֵּבָה.** מַצֵּבָה, אֶבֶן אַחַת לְהַקְרִיב עָלֶיהָ, אֲפִלּוּ לַשָּׁמַיִם: **אֲשֶׁר שָׂנֵא.** מִזְבַּח אֲבָנִים וּמִזְבַּח אֲדָמָה צִוָּה לַעֲשׂוֹת, וְאֶת זוֹ שָׂנֵא, כִּי חֹק הָיְתָה לִכְנַעֲנִים. וְאַף עַל פִּי שֶׁהָיְתָה אֲהוּבָה לוֹ בִּימֵי הָאָבוֹת, עַכְשָׁיו שְׂנֵאָהּ, מֵאַחַר שֶׁעֲשָׂאוּהָ אֵלּוּ חֹק לַעֲבוֹדָה זָרָה:

פרק יז

א) **לֹא תִזְבַּח וְגוֹ' כָּל דָּבָר רָע.** אַזְהָרָה לִמְפַגֵּל בְּקָדָשִׁים עַל יְדֵי דִּבּוּר רָע. וְעוֹד נִדְרְשׁוּ בּוֹ שְׁאָר דְּרָשׁוֹת בִּשְׁחִיטַת קָדָשִׁים:

הרחבות

'לא תטע... ולא תקים' בניית מצבות ונטיעת עצים לזיכרון אינן טקסים מגונים כשלעצמם. אברהם נטע אשל שנועד לזיכרון בבאר-שבע (בראשית כא,לג), ויעקב בנה מצבה לה' (שם כח,יח; לה,יד). ואולם מעשים אלה

## הושבת שופטים ומשפט צדק

פרק טז פס׳ יח–כ

כדי שבמדינה יישמר החוק וישרור הצדק, על הציבור לדאוג לקיומה של מערכת אכיפה ומערכת משפטית בכל מקום, ועל השופטים מוטל להיזהר מכל הטיית דין.

ביאור | יח **שֹׁפְטִים וְשֹׁטְרִים תִּתֶּן לְךָ בְּכָל שְׁעָרֶיךָ אֲשֶׁר ה׳ אֱלֹהֶיךָ נֹתֵן לְךָ לִשְׁבָטֶיךָ.**
ישראל חייבים להעמיד שופטים ושוטרים בכל מקום שבו יֵשבו.
**וְשָׁפְטוּ אֶת הָעָם מִשְׁפַּט צֶדֶק**, שהוא תנאי הכרחי לקיומה של האומה.

ופנייה לשופטים:
יט **לֹא תַטֶּה מִשְׁפָּט**. אל תסיט את המשפט מן הצדק. **לֹא תַכִּיר פָּנִים**. אל תטה חסד לבעל דין שאתה מכירו. **וְלֹא תִקַּח שֹׁחַד, כִּי הַשֹּׁחַד יְעַוֵּר** אפילו **עֵינֵי חֲכָמִים**, והם מאבדים את שיקול הדעת. אין מדובר כאן דווקא בקבלת טובת הנאה מכוונת וישירה על מנת להגיע לתוצאות מסוימות במשפט. קבלת טובת הנאה כשלעצמה גורמת לראות את הדברים באופן אחר, וגם אם השופט רוצה לפסוק דין צדק, השוחד **יסַלֵּף**, יעוות **דִּבְרֵי צַדִּיקִם**, דברים צודקים.

כ אין די בשמירת החוק הצודק, אלא **צֶדֶק צֶדֶק תִּרְדֹּף**, יש להשתדל ולהתאמץ להשליט את הצדק, **לְמַעַן תִּחְיֶה וְיָרַשְׁתָּ אֶת הָאָרֶץ אֲשֶׁר ה׳ אֱלֹהֶיךָ נֹתֵן לָךְ**, שכן צריכה להתקיים בה מדינה מתוקנת שבה ישררו צדק ויושר.

## איסור נטיעת אשרה והקמת מצבה

פרק טז פס׳ כא–כב

מלבד האיסור למזג פולחנים זרים עם עבודת ה׳, סינקרטיזם, התורה אוסרת להשתמש בדרכי הפולחן הזרות גם אם הן מכוונות לכבודו של אלוקי ישראל.

כא **לֹא תִטַּע לְךָ אֲשֵׁרָה כָּל עֵץ** פולחני **אֵצֶל מִזְבַּח ה׳ אֱלֹהֶיךָ אֲשֶׁר תַּעֲשֶׂה לָּךְ**. אל תחלוק לה׳ כבוד באותו אופן שעובדים אלוהים
אחרים. כב וכיוצא בזה, **לֹא תָקִים לְךָ מַצֵּבָה**, אבן או מבנה גבוה
המשמש מוקד פולחן,[1] **אֲשֶׁר שָׂנֵא ה׳ אֱלֹהֶיךָ.**

הרחבות | 1 הפכו מזוהים עם עבודה זרה, ועל כן הם שנואים בעיני ה׳, ואין לעשותם ליד המזבח או להשתמש בהם לפולחן. (ראו רש״י על אתר; ספרי דברים קמו).

אֱלֹהֶיךָ שׁוֹר וָשֶׂה אֲשֶׁר יִהְיֶה בוֹ מוּם כֹּל דָּבָר רָע
כִּי תוֹעֲבַת יְהוָה אֱלֹהֶיךָ הוּא׃ כִּי־יִמָּצֵא ב
בְקִרְבְּךָ בְּאַחַד שְׁעָרֶיךָ אֲשֶׁר־יְהוָה אֱלֹהֶיךָ נֹתֵן לָךְ
אִישׁ אוֹ־אִשָּׁה אֲשֶׁר יַעֲשֶׂה אֶת־הָרַע בְּעֵינֵי יְהוָה־
אֱלֹהֶיךָ לַעֲבֹר בְּרִיתוֹ׃ וַיֵּלֶךְ וַיַּעֲבֹד אֱלֹהִים אֲחֵרִים ג
וַיִּשְׁתַּחוּ לָהֶם וְלַשֶּׁמֶשׁ ׀ אוֹ לַיָּרֵחַ אוֹ לְכָל־צְבָא
הַשָּׁמַיִם אֲשֶׁר לֹא־צִוִּיתִי׃ וְהֻגַּד־לְךָ וְשָׁמָעְתָּ וְדָרַשְׁתָּ ד
הֵיטֵב וְהִנֵּה אֱמֶת נָכוֹן הַדָּבָר נֶעֶשְׂתָה הַתּוֹעֵבָה
הַזֹּאת בְּיִשְׂרָאֵל׃ וְהוֹצֵאתָ אֶת־הָאִישׁ הַהוּא אוֹ אֶת־ ה
הָאִשָּׁה הַהִוא אֲשֶׁר עָשׂוּ אֶת־הַדָּבָר הָרַע הַזֶּה אֶל־
שְׁעָרֶיךָ אֶת־הָאִישׁ אוֹ אֶת־הָאִשָּׁה וּסְקַלְתָּם בָּאֲבָנִים
וָמֵתוּ׃ עַל־פִּי ׀ שְׁנַיִם עֵדִים אוֹ שְׁלֹשָׁה עֵדִים יוּמַת ו

רש"י

ב) לַעֲבֹר בְּרִיתוֹ. אֲשֶׁר כָּרַת ה' אִתְּכֶם שֶׁלֹּא לַעֲבֹד עֲבוֹדָה זָרָה:

ג) אֲשֶׁר לֹא צִוִּיתִי. לַעֲבֹד:

ד) נָכוֹן. מְכֻוָּן הָעֵדוּת:

ה) וְהוֹצֵאתָ אֶת הָאִישׁ הַהוּא וְגוֹ' אֶל שְׁעָרֶיךָ. הַמְתַרְגֵּם "אֶל שְׁעָרֶיךָ" – "לִתְרַע בֵּית דִּינָךְ" טוֹעֶה, שֶׁכֵּן שָׁנִינוּ: "אֶל שְׁעָרֶיךָ" זֶה שַׁעַר שֶׁעָבַד בּוֹ, אוֹ אֵינוֹ אֶלָּא שַׁעַר שֶׁנִּדּוֹן בּוֹ? נֶאֱמַר "שְׁעָרֶיךָ" לְמַטָּה וְנֶאֱמַר "שְׁעָרֶיךָ" לְמַעְלָה (לעיל פסוק ב), מָה "שְׁעָרֶיךָ" הָאָמוּר לְמַעְלָה שַׁעַר שֶׁעָבַד בּוֹ, אַף "שְׁעָרֶיךָ" הָאָמוּר לְמַטָּה שַׁעַר שֶׁעָבַד בּוֹ. וְתַרְגּוּמוֹ: "לְקִרְוָךְ":

ו) שְׁנַיִם עֵדִים אוֹ שְׁלֹשָׁה. אִם מִתְקַיֶּמֶת עֵדוּת בִּשְׁנַיִם, לָמָּה פָּרַט לְךָ שְׁלֹשָׁה? לְהַקִּישׁ שְׁלֹשָׁה לִשְׁנַיִם, מָה שְׁנַיִם עֵדוּת אַחַת, אַף שְׁלֹשָׁה עֵדוּת אַחַת, וְאֵין נַעֲשִׂין זוֹמְמִין עַד שֶׁיּוּזְמוּ כֻּלָּם:

## האיסור להקריב קרבן בעל מום

פרק יז פס׳ א

איסור נוסף הקשור לעבודת האלוקים ולמזבח.

ביאור | פרק יז א **לֹא תִזְבַּח לַה׳ אֱלֹהֶיךָ שׁוֹר וָשֶׂה**, בקר או צאן **אֲשֶׁר יִהְיֶה בוֹ מוּם**, כפי שכבר הוגדר,[2] וגם בקר או צאן שיש בו **כֹּל דָּבָר רָע**, פגמים אחרים שאינם מוגדרים כמומים אך מכערים את הבהמה או הופכים אותה לבלתי ראויה, למשל סימנים בולטים לגיל מופלג,[3] **כִּי תוֹעֲבַת ה׳ אֱלֹהֶיךָ הוּא**. המום עצמו אינו התועבה. המעשה של הקרבת בהמה כזו לפני ה׳ הוא הנתעב שכן ראוי שמתנת האדם לאלוקיו תהיה מכובדת ככל האפשר.

## דין עובד עבודה זרה

פרק יז פס׳ ב–ז

העבודה הזרה היא חטא חמור כלפי אלוקים. כדי למגרה נמסר הטיפול במי שבוגד בברית עם אלוקים בידי בית הדין.

ב **כִּי יִמָּצֵא בְקִרְבְּךָ בְּאַחַד שְׁעָרֶיךָ**, מקומות היישוב שלך **אֲשֶׁר ה׳ אֱלֹהֶיךָ נֹתֵן לָךְ, אִישׁ אוֹ אִשָּׁה אֲשֶׁר יַעֲשֶׂה אֶת הָרַע בְּעֵינֵי ה׳ אֱלֹהֶיךָ לַעֲבֹר בְּרִיתוֹ** – ג **וַיֵּלֶךְ וַיַּעֲבֹד אֱלֹהִים אֲחֵרִים וַיִּשְׁתַּחוּ לָהֶם**. עבודה זרה אינה עברה על אחת ממצוות התורה בלבד, אלא היא הפרת הברית היסודית עם אלוקים. אולי זהו פשר פועל ההליכה, המצורף תמיד לעובדי עבודה זרה בישראל, כאומר פנה והתרחק מיהדותו.[4] ומבחינה זו אין הבדל בין טיבם של האלוהים האחרים שהוא בוחר לעבוד, אם **לַשֶּׁמֶשׁ אוֹ לַיָּרֵחַ אוֹ לְכָל צְבָא הַשָּׁמַיִם אֲשֶׁר לֹא צִוִּיתִי**, ציוויתי שלא לעבדם או לכבדם. או: לא מיניתי אותם על הנהגת העולם כפי שסבורים אותם שעובדים להם.[5] ד **וְהֻגַּד לְךָ** הדבר, **וְשָׁמָעְתָּ וְדָרַשְׁתָּ**, בירורת **הֵיטֵב**. כמו בשאר עניינים המגיעים אל בית הדין, אל לך, הדיין, להסתפק בשמועה. מוטל עליך לבחון היטב את העובדות ולהוכיח את פרטיהן כדי לבסס את התביעה. **וְהִנֵּה** התברר **שֶׁאֱמֶת נָכוֹן הַדָּבָר, נֶעֶשְׂתָה הַתּוֹעֵבָה הַזֹּאת בְּיִשְׂרָאֵל**.

ה **וְהוֹצֵאתָ אֶת הָאִישׁ הַהוּא אוֹ אֶת הָאִשָּׁה הַהִוא אֲשֶׁר עָשׂוּ אֶת הַדָּבָר הָרָע הַזֶּה אֶל שְׁעָרֶיךָ, אֶת הָאִישׁ אוֹ אֶת הָאִשָּׁה**, היחידים העובדים עבודה זרה,[6] **וּסְקַלְתָּם בָּאֲבָנִים וָמֵתוּ**.[7]

כאן מופיעה הערה הנוגעת לא רק לדין הזה: ו **עַל פִּי שְׁנַיִם עֵדִים אוֹ שְׁלֹשָׁה עֵדִים יוּמַת הַמֵּת**. במשפט שבו דנים דיני נפשות הכרחי

הַמֵּ֑ת לֹ֣א יוּמַ֔ת עַל־פִּ֖י עֵ֥ד אֶחָֽד׃ יַ֣ד הָעֵדִ֞ים תִּֽהְיֶה־ ז
בּ֤וֹ בָרִאשֹׁנָה֙ לַהֲמִית֔וֹ וְיַ֥ד כָּל־הָעָ֖ם בָּאַחֲרֹנָ֑ה וּבִֽעַרְתָּ֥
הָרָ֖ע מִקִּרְבֶּֽךָ׃
כִּ֣י יִפָּלֵא֩ מִמְּךָ֨ דָבָ֜ר לַמִּשְׁפָּ֗ט בֵּֽין־דָּ֨ם ׀ לְדָ֜ם בֵּֽין־דִּ֣ין ח
לְדִ֗ין וּבֵ֥ין נֶ֙גַע֙ לָנֶ֔גַע דִּבְרֵ֥י רִיבֹ֖ת בִּשְׁעָרֶ֑יךָ וְקַמְתָּ֣
וְעָלִ֔יתָ אֶ֨ל־הַמָּק֔וֹם אֲשֶׁ֥ר יִבְחַ֛ר יהוה אֱלֹהֶ֖יךָ בּֽוֹ׃
וּבָאתָ֗ אֶל־הַכֹּהֲנִים֙ הַלְוִיִּ֔ם וְאֶ֨ל־הַשֹּׁפֵ֔ט אֲשֶׁ֥ר יִהְיֶ֖ה ט
בַּיָּמִ֣ים הָהֵ֑ם וְדָרַשְׁתָּ֙ וְהִגִּ֣ידוּ לְךָ֔ אֵ֖ת דְּבַ֥ר הַמִּשְׁפָּֽט׃

רש"י

ח) **כִּי יִפָּלֵא.** כָּל הַפְלָאָה לְשׁוֹן הַבְדָּלָה וּפְרִישָׁה, שֶׁהַדָּבָר נִבְדָּל וּמְכֻסֶּה מִמְּךָ: **בֵּין דָּם לְדָם.** בֵּין דַּם טָמֵא לְדַם טָהוֹר: **בֵּין דִּין לְדִין.** בֵּין דִּין זַכַּאי לְדִין חַיָּב: **וּבֵין נֶגַע לָנֶגַע.** בֵּין נֶגַע טָמֵא לְנֶגַע טָהוֹר: **דִּבְרֵי רִיבֹת.** שֶׁיִּהְיוּ חַכְמֵי הָעִיר חוֹלְקִים בַּדָּבָר, זֶה מְטַמֵּא וְזֶה מְטַהֵר, זֶה מְחַיֵּב וְזֶה מְזַכֶּה: **וְקַמְתָּ וְעָלִיתָ.** מְלַמֵּד שֶׁבֵּית הַמִּקְדָּשׁ גָּבוֹהַּ מִכָּל הַמְּקוֹמוֹת:

ט) **הַכֹּהֲנִים הַלְוִיִּם.** הַכֹּהֲנִים שֶׁיָּצְאוּ מִשֵּׁבֶט לֵוִי: **וְאֶל הַשֹּׁפֵט אֲשֶׁר יִהְיֶה בַּיָּמִים הָהֵם.** וַאֲפִלּוּ אֵינוֹ כִשְׁאָר שׁוֹפְטִים שֶׁהָיוּ לְפָנָיו, אַתָּה צָרִיךְ לִשְׁמֹעַ לוֹ, אֵין לְךָ אֶלָּא שׁוֹפֵט שֶׁבְּיָמֶיךָ:

ביאור

שהעדות תינתן לפחות על פי שני עדים. **לֹא יוּמַת עַל פִּי עֵד אֶחָד.** גם אם עד יחיד יכול לסייע לגרסה שסופרה על פלוני, אין די בו לחרוץ גורלו של אדם למיתה. שני עדים מעניקים לאירוע אופי אובייקטיבי, שכן אובייקטיביות כוללת יציאה מתחומו של פרט אחד, ידיעתו, תחושתו או חווייתו, אל מקומם של שניים, שהוא מהימן יותר. כמובן, כל אחד מן העדים הללו נחקר בפני עצמו ודבריו מאומתים מול דברי חברו.[8]

מעבר לחקירתם של העדים, נזכר כאן דין שיש בו גם איום מוסרי מרומז כלפיהם. ז **יַד הָעֵדִים תִּהְיֶה בּוֹ בָרִאשֹׁנָה לַהֲמִיתוֹ, וְיַד כָּל הָעָם – בָּאַחֲרֹנָה.** אף שהעדים אינם מביאים את עונש המוות לידי גמר, הם שמתחילים בביצוע פסק הדין.[9] כיוון שכך, אם העדים מעלילים על הנאשם עלילת שווא, העד עלול להירתע ברגע האחרון ולחזור בו. חובת העדים להשתתף בביצוע פסק הדין מדגישה בפניהם את מלוא האחריות שהם נושאים לעדותם. **וּבִעַרְתָּ הָרָע מִקִּרְבֶּךָ.**

## בית הדין המרכזי

פרק יז פס׳ ח–יג

לאחר שתוארה עברה חמורה שעניינה בורר ושהחוטא בה בא על עונשו, מתוארת כאן מציאות שבה אין הכרע בערכאה המקומית.

כאן גם הבסיס לכוחם של חכמי ישראל להכריע בכל השאלות ההלכתיות שיתעוררו במהלך הדורות, ולחובת הציות לסמכותם. למעשה זוהי התשתית לתורה שבעל פה.

התורה פונה אל הדיין המקומי: ח **כִּי יִפָּלֵא,** ייעלם **מִמְּךָ, דָבָר לַמִּשְׁפָּט.** אם לא תדע להכריע בעניין משפטי, בין שזה יהיה קושי להבדיל **בֵּין דָּם לְדָם,** בין דמו של אדם זכאי בדיני נפשות לאדם חייב,[10] או: בין דם טהור לדם טמא בדינים הקשורים לדם ממשי.[11] אם לא תדע להכריע **בֵּין דִּין לְדִין** בדיני ממונות, לא תדע לאיזה דין יש להשוות את המקרה שלפניך, ואם לא תדע להבחין **בֵּין נֶגַע לָנֶגַע** בנגעי הצרעת; כאשר יהיו חלוקות דעותיהם של שני דיינים או יותר, ויקשה עליהם להגיע לידי הכרעה, עלול הדבר להגיע לידי **דִּבְרֵי רִיבֹת,** ויכוח לבירור האמת[12] **בִּשְׁעָרֶיךָ,** בשערים שבהם המשפט – **וְקַמְתָּ וְעָלִיתָ אֶל הַמָּקוֹם אֲשֶׁר יִבְחַר ה׳ אֱלֹהֶיךָ בּוֹ,** שבו ישכנו יודעי התורה המומחים ביותר. ט **וּבָאתָ אֶל הַכֹּהֲנִים הַלְוִיִּם,** האמורים להתמיד בלימוד התורה ובהוראתה **וְאֶל הַשֹּׁפֵט** הגבוה ביותר, נשיא בית הדין הגדול **אֲשֶׁר יִהְיֶה בַּיָּמִים הָהֵם, וְדָרַשְׁתָּ, וְהִגִּידוּ לְךָ אֵת דְּבַר הַמִּשְׁפָּט.** שופטים אלו אמורים להיות יודעי התורה לאמתה, אך מעבר לכך, להם ניתנת

י וְעָשִׂיתָ עַל־פִּי הַדָּבָר אֲשֶׁר יַגִּידוּ לְךָ מִן־הַמָּקוֹם
הַהוּא אֲשֶׁר יִבְחַר יהוה וְשָׁמַרְתָּ לַעֲשׂוֹת כְּכֹל אֲשֶׁר
יא יוֹרוּךָ: • עַל־פִּי הַתּוֹרָה אֲשֶׁר יוֹרוּךָ וְעַל־הַמִּשְׁפָּט
אֲשֶׁר־יֹאמְרוּ לְךָ תַּעֲשֶׂה לֹא תָסוּר מִן־הַדָּבָר אֲשֶׁר־
יב יַגִּידוּ לְךָ יָמִין וּשְׂמֹאל: וְהָאִישׁ אֲשֶׁר־יַעֲשֶׂה בְזָדוֹן
לְבִלְתִּי שְׁמֹעַ אֶל־הַכֹּהֵן הָעֹמֵד לְשָׁרֶת שָׁם אֶת־יהוה
אֱלֹהֶיךָ אוֹ אֶל־הַשֹּׁפֵט וּמֵת הָאִישׁ הַהוּא וּבִעַרְתָּ
יג הָרָע מִיִּשְׂרָאֵל: וְכָל־הָעָם יִשְׁמְעוּ וְיִרָאוּ וְלֹא יְזִידוּן
יד עוֹד: • כִּי־תָבֹא אֶל־הָאָרֶץ אֲשֶׁר יהוה טו שני
אֱלֹהֶיךָ נֹתֵן לָךְ וִירִשְׁתָּהּ וְיָשַׁבְתָּה בָּהּ וְאָמַרְתָּ
טו אָשִׂימָה עָלַי מֶלֶךְ כְּכָל־הַגּוֹיִם אֲשֶׁר סְבִיבֹתָי: שׂוֹם
תָּשִׂים עָלֶיךָ מֶלֶךְ אֲשֶׁר יִבְחַר יהוה אֱלֹהֶיךָ בּוֹ מִקֶּרֶב
אַחֶיךָ תָּשִׂים עָלֶיךָ מֶלֶךְ לֹא תוּכַל לָתֵת עָלֶיךָ אִישׁ
טז נָכְרִי אֲשֶׁר לֹא־אָחִיךָ הוּא: רַק לֹא־יַרְבֶּה־לּוֹ סוּסִים

**רש"י** | יא| **יָמִין וּשְׂמֹאל.** אֲפִלּוּ אוֹמֵר לְךָ עַל יָמִין שֶׁהוּא שְׂמֹאל וְעַל שְׂמֹאל שֶׁהוּא יָמִין, וְכָל שֶׁכֵּן שֶׁאוֹמֵר לְךָ עַל יָמִין יָמִין וְעַל שְׂמֹאל שְׂמֹאל:

יג| **וְכָל הָעָם יִשְׁמְעוּ.** מִכָּאן שֶׁמַּמְתִּינִין לוֹ עַד הָרֶגֶל וּמְמִיתִין אוֹתוֹ בָּרֶגֶל:

טז| **לֹא יַרְבֶּה לּוֹ סוּסִים.** אֶלָּא כְּדֵי מֶרְכַּבְתּוֹ, שֶׁלֹּא יָשִׁיב אֶת הָעָם מִצְרַיְמָה, שֶׁהַסּוּסִים בָּאִים מִשָּׁם, כְּמָה שֶׁנֶּאֱמַר בִּשְׁלֹמֹה: "וַתַּעֲלֶה וַתֵּצֵא מֶרְכָּבָה מִמִּצְרַיִם בְּשֵׁשׁ מֵאוֹת כֶּסֶף וְסוּס בַּחֲמִשִּׁים וּמֵאָה" (מלכים א׳ י, כט):

**הרחבות** | **׳לא תסור... ימין ושמאל׳** ביטוי זה נדרש בשני אופנים שונים: עליך לציית להם גם אם יאמרו לך על ימין שהוא שמאל ועל שמאל שהוא ימין, שכן סמכות הפסיקה נתונה להם, והפסק שיגידו הוא המחייב (רש"י על אתר; ספרי דברים קנד); או: עליך לציית להם רק אם יגידו לך על ימין שהוא ימין ועל שמאל שהוא שמאל (ירושלמי הוריות א,א). ייתכן ששני הפירושים מבטאים גישות מנוגדות כלפי בית הדין. (ראו עוד הוריות ב ע"ב; בעלי התוספות על אתר).

׳איש׳ בלשון המקרא הוא אדם בעל מעמד מכובד. (ראו שמות יא,ג; במדבר יג,ג; שמואל ב׳ יז,כה). עונש זה לא יושת על ראשו של כל מי שאינו מציית לפסק

ביאור

הסמכות העליונה להחליט, והם שיכריעו במקרה הנדון. י **וְעָשִׂיתָ עַל**
**פִּי הַדָּבָר אֲשֶׁר יַגִּידוּ לְךָ, מִן הַמָּקוֹם הַהוּא אֲשֶׁר יִבְחַר ה׳. וְשָׁמַרְתָּ לַעֲשׂוֹת**
**כְּכֹל אֲשֶׁר יוֹרוּךָ** דייני בית הדין הגדול. יא **עַל פִּי הַתּוֹרָה אֲשֶׁר** אותם
דיינים **יוֹרוּךָ וְעַל הַמִּשְׁפָּט אֲשֶׁר יֹאמְרוּ לְךָ – תַּעֲשֶׂה. לֹא תָסוּר מִן הַדָּבָר**
**אֲשֶׁר יַגִּידוּ לְךָ יָמִין וּשְׂמֹאל.**

נוכח דברי הריבות והמחלוקת ראוי להדגיש שהערעור על פסק הדין
הזה חמור ביותר. יב **וְהָאִישׁ אֲשֶׁר יַעֲשֶׂה בְזָדוֹן, לְבִלְתִּי שְׁמֹעַ אֶל הַכֹּהֵן**
**הָעֹמֵד לְשָׁרֶת שָׁם אֶת ה׳ אֱלֹהֶיךָ,** הכהן הגדול[13] **אוֹ אֶל הַשֹּׁפֵט** העומד
בראש בית המשפט[14] – **וּמֵת הָאִישׁ הַהוּא. וּבִעַרְתָּ הָרָע** שבערעור
סמכותו של מרכז המערכת המשפטית **מִיִּשְׂרָאֵל.** יג **וְכָל הָעָם יִשְׁמְעוּ**
שהוא הוצא להורג משום שהמרה את פי בית הדין המרכזי, **וְיִרָאוּ**
**וְלֹא יְזִידוּן,** יָרֵעו עוד.

## המלך

פרק יז פס׳ יד–כ

בפשטות אין התורה מציבה צורת שלטון מחייבת אחת, אך אם ישראל יבקשו שלטון מרכזי – אלו הם תנאיה של התורה להקמת שלטון מלוכה.

יד **כִּי תָבֹא אֶל הָאָרֶץ אֲשֶׁר ה׳ אֱלֹהֶיךָ נֹתֵן לָךְ וִירִשְׁתָּהּ וְיָשַׁבְתָּה בָּהּ, וְאָמַרְתָּ,**
תבקש: **אָשִׂימָה,** אמנה **עָלַי מֶלֶךְ כְּכָל הַגּוֹיִם אֲשֶׁר סְבִיבֹתָי.**

טו **שׂוֹם תָּשִׂים עָלֶיךָ מֶלֶךְ אֲשֶׁר יִבְחַר ה׳ אֱלֹהֶיךָ בּוֹ** על ידי נביא. אולי נרמז
כאן שאין הוא נבחר על ידי עמו. **מִקֶּרֶב אַחֶיךָ תָּשִׂים עָלֶיךָ מֶלֶךְ. לֹא**
**תוּכַל לָתֵת עָלֶיךָ אִישׁ נָכְרִי אֲשֶׁר לֹא אָחִיךָ הוּא.** טז **רַק לֹא יַרְבֶּה לּוֹ סוּסִים.**

סוסים

הרחבות

של בית הדין הגדול, אלא מדובר דווקא באישיות גדולה, בדיין המורה לאחרים הוראה מעשית בניגוד לבית הדין הגדול. בלשון חכמים הוא קרוי ׳זקן ממרא על פי בית דין׳ (משנה סנהדרין יא,א).

**׳וכל העם ישמעו ויראו׳** כדי שהעם כולו ייווכח בדבר, ועונשו של הדיין לא יישאר בגדר שמועה בעלמא, ההלכה קובעת כי אין להמיתו מיד, אלא יש להמתין בהמתתו הפומבית עד שיבואו כל ישראל לבית ה׳ ברגל (משנה סנהדרין יא,ד).

**׳לא תוכל לתת עליך איש נכרי אשר לא אחיך הוא׳** גם בעולם העתיק וגם בעולם המודרני היו מלכים שהובאו ממדינה זרה.

וְלֹא־יָשִׁיב אֶת־הָעָם מִצְרַיְמָה לְמַעַן הַרְבּוֹת סוּס
וַיהוה אָמַר לָכֶם לֹא תֹסִפוּן לָשׁוּב בַּדֶּרֶךְ הַזֶּה עוֹד:
וְלֹא יַרְבֶּה־לּוֹ נָשִׁים וְלֹא יָסוּר לְבָבוֹ וְכֶסֶף וְזָהָב לֹא יז
יַרְבֶּה־לּוֹ מְאֹד: וְהָיָה כְשִׁבְתּוֹ עַל כִּסֵּא מַמְלַכְתּוֹ יח
וְכָתַב לוֹ אֶת־מִשְׁנֵה הַתּוֹרָה הַזֹּאת עַל־סֵפֶר מִלִּפְנֵי
הַכֹּהֲנִים הַלְוִיִּם: וְהָיְתָה עִמּוֹ וְקָרָא בוֹ כָּל־יְמֵי יט
חַיָּיו לְמַעַן יִלְמַד לְיִרְאָה אֶת־יהוה אֱלֹהָיו לִשְׁמֹר
אֶת־כָּל־דִּבְרֵי הַתּוֹרָה הַזֹּאת וְאֶת־הַחֻקִּים הָאֵלֶּה
לַעֲשֹׂתָם: לְבִלְתִּי רוּם־לְבָבוֹ מֵאֶחָיו וּלְבִלְתִּי סוּר כ
מִן־הַמִּצְוָה יָמִין וּשְׂמֹאול לְמַעַן יַאֲרִיךְ יָמִים עַל־

**רש"י**

יז] **וְלֹא יַרְבֶּה לוֹ נָשִׁים.** אֶלָּא שְׁמוֹנֶה עֶשְׂרֵה, שֶׁמָּצִינוּ שֶׁהָיוּ לוֹ לְדָוִד שֵׁשׁ נָשִׁים (שמואל ב' ג, ב-ה) וְנֶאֱמַר לוֹ: "וְאִם מְעָט וְאֹסִפָה לְּךָ כָּהֵנָּה וְכָהֵנָּה" (שם יב, ח): **וְכֶסֶף וְזָהָב לֹא יַרְבֶּה לוֹ מְאֹד.** אֶלָּא כְּדֵי לִתֵּן לָאַכְסַנְיָא:

יח] **וְהָיָה כְשִׁבְתּוֹ.** אִם עָשָׂה כֵן, כְּדַאי הוּא שֶׁתִּתְקַיֵּם מַלְכוּתוֹ: **אֶת מִשְׁנֵה הַתּוֹרָה.** שְׁתֵּי סִפְרֵי תוֹרוֹת, אַחַת שֶׁהִיא מֻנַּחַת בְּבֵית גְּנָזָיו וְאַחַת שֶׁנִּכְנֶסֶת וְיוֹצְאָה עִמּוֹ:

כ] **וּלְבִלְתִּי סוּר מִן הַמִּצְוָה.** אֲפִלּוּ מִצְוָה קַלָּה שֶׁל נָבִיא: **לְמַעַן יַאֲרִיךְ יָמִים.** מִכְּלַל הֵן אַתָּה שׁוֹמֵעַ לָאו, וְכֵן מָצִינוּ בְּשָׁאוּל שֶׁאָמַר לוֹ שְׁמוּאֵל: "שִׁבְעַת יָמִים תּוֹחֵל עַד בּוֹאִי אֵלֶיךָ" לְהַעֲלוֹת הָעֹלָה (שמואל א' י, ח), וּכְתִיב: "וַיּוֹחֶל שִׁבְעַת יָמִים" (שם יג, ח), וְלֹא שָׁמַר הַבְטָחָתוֹ לִשְׁמֹר כָּל הַיּוֹם, וְלֹא הִסְפִּיק לְהַעֲלוֹת הָעוֹלָה עַד שֶׁבָּא שְׁמוּאֵל וְאָמַר לוֹ: "נִסְכַּלְתָּ לֹא שָׁמַרְתָּ וְגוֹ' וְעַתָּה מַמְלַכְתְּךָ לֹא תָקוּם" (שם פסוקים יג-יד),

**הרחבות**

קיים יתרון מסוים בכך שהמלך איננו צומח מתוך שדרות העם. ובכל זאת התורה דורשת שהמלך יבוא מתוך עם ישראל, כדי למנוע אימוצם של יסודות תרבותיים זרים.

**'לֹא תֹסִפוּן לָשׁוּב'** בהוראה שלא לחזור למצרים אין הכוונה לאסור את עצם השהייה בארץ זו, אלא את החיים בה בקביעות ואת קיומם של יחסים הדוקים עמה. (ראו ירושלמי סנהדרין י,ח; ספר המצוות לרמב"ם לא תעשה מו; ספר החינוך תקי).

**'וְלֹא יַרְבֶּה לוֹ נָשִׁים'** מלבד קשרי האישות, נשות המלך משמשות בתרבויות שונות גם בנות לוויה וידידות קרובות. אולם היו ממלכות שבהן העם נשלט תחת 'שלטון ההרמון'. במקרים אלו הנשים הרבות הופכות גורם דומיננטי במבנה הממלכה, ודעתו של המלך מוסחת מתפקידיו אל ההתעסקות בנשותיו.

ביאור | איסור זה בא כנגד רצונו הטבעי של מלך להקים לעצמו חיל פרשים
בצבאו. בדורות הראשונים שימשו סוסים בעיקר למלחמות, ואילו
שאר בהמות שימשו לעבודה.[15] התורה מתנגדת לריבוי סוסים כאשר
אין הם נחוצים אלא להפגנת עצמה ולראווה, **וְלֹא יָשִׁיב** המלך **אֶת
הָעָם מִצְרַיְמָה לְמַעַן הַרְבּוֹת סוּס**, והרי **ה׳ אָמַר לָכֶם: "לֹא תֹסִפוּן לָשׁוּב
בַּדֶּרֶךְ הַזֶּה עוֹד"**. עד שקמה ממלכת החתים, מקום גידולם של
סוסי המלחמה היה מצרים. מלך שירבה לו סוסים יצטרך לעמוד
בקשרים קרובים עם מצרים, ואלה אינם רצויים. יז **וְלֹא יַרְבֶּה לּוֹ
נָשִׁים**. התורה ממתנת את הנטייה הידועה של מלכים לשאת נשים
רבות, לעתים לשם התפארות. **וְלֹא יָסוּר לְבָבוֹ** כתוצאה מריבוי הנשים
ומהתעסקותו בהן. **וְכֶסֶף וְזָהָב לֹא יַרְבֶּה לּוֹ מְאֹד**. אף שכל מלך זקוק
לכסף לניהול ממלכתו, ועליו לגבות מסים לשם כך, אל לו להיכנס
לענייני הכספים יותר מדי, ייתכן שהסיבה לכך היא שכמות גדולה
של אוצרות כסף וזהב עלולה להרוס את כלכלת המדינה, שכן היא
עלולה לחבל בכוח הייצור של האזרחים, ומכאן נשקפת סכנת הרס
למדינה מעבר להשפעות המוסריות של המצב על המלך עצמו,
יורשיו ומקורביו.[16]

מעבר לאיסורים המוטלים על המלך, מופנה אליו גם ציווי
חיובי: יח **וְהָיָה כְשִׁבְתּוֹ עַל כִּסֵּא מַמְלַכְתּוֹ** – **וְכָתַב לוֹ** בעצמו או
באמצעות סופר שיכתוב לשם המלך ובשליחותו[17] **אֶת מִשְׁנֵה**, עותק[18]
**הַתּוֹרָה הַזֹּאת עַל סֵפֶר מִלִּפְנֵי הַכֹּהֲנִים הַלְוִיִּם**, שהם המחזיקים את
הטפסים המקוריים של ספר התורה. יט **וְהָיְתָה** התורה **עִמּוֹ, וְקָרָא
בוֹ** – בספר התורה **כָּל יְמֵי חַיָּיו לְמַעַן יִלְמַד לְיִרְאָה אֶת ה׳ אֱלֹהָיו, לִשְׁמֹר
אֶת כָּל דִּבְרֵי הַתּוֹרָה הַזֹּאת וְאֶת הַחֻקִּים הָאֵלֶּה לַעֲשֹׂתָם.**

כ משפטי המלך האמורים מיועדים **לְבִלְתִּי רוּם**, שלא יגביה את **לְבָבוֹ
מֵאֶחָיו**, שמתוכם צמח, **וּלְבִלְתִּי סוּר מִן הַמִּצְוָה יָמִין וּשְׂמֹאול**. ההגבלות

הרחבות

**׳והיתה עמו׳** ספר התורה אינגו רק חפץ המצוי בבעלותו של המלך או העומד לשימושו, אלא הוא גם מעין סמל לשלטונו. היו שאמרו שהיה למלך טופס קטן במיוחד של ספר תורה שהיה נקשר בזרועו. (ראו סנהדרין כא ע״ב). שלא כמלכים אחרים, האוחזים בידם שרביט והעטורים כתר, הופעתו הייצוגית של מלך ישראל כוללת את ספר התורה, בין שהוא בידו, בין שהוא צמוד לגופו ובין שאחרים מוליכים אותו לפניו. (ראו משנה סנהדרין ב,ד).

**׳והיתה עמו... למען ילמד׳** המלך אינו חלק מן המערכת המשפטית שאליה התייחסה המצווה הקודמת. אין הוא עוסק בדיני הנגעים, למשל. הוא נחשב לשופט העליון בתחום המשפט האזרחי והמדיני בלבד. במקרא מתוארות פניות רבות למלך בנושאים אלו. (ראו מלכים א׳ ג,טז-כג; כ,לט-מ; מלכים ב׳ ו,כו-כט. ראו עוד ההרחבה לשמואל ב׳ יד,ד).

שלישי

מַמְלַכְתּוֹ הוּא וּבָנָיו בְּקֶרֶב יִשְׂרָאֵל׃ לֹא־ א יח
יִהְיֶה לַכֹּהֲנִים הַלְוִיִּם כָּל־שֵׁבֶט לֵוִי חֵלֶק וְנַחֲלָה עִם־
יִשְׂרָאֵל אִשֵּׁי יהוה וְנַחֲלָתוֹ יֹאכֵלוּן׃ וְנַחֲלָה לֹא־ ב
יִהְיֶה־לּוֹ בְּקֶרֶב אֶחָיו יהוה הוּא נַחֲלָתוֹ כַּאֲשֶׁר דִּבֶּר־
לוֹ׃ וְזֶה יִהְיֶה מִשְׁפַּט הַכֹּהֲנִים מֵאֵת הָעָם ג
מֵאֵת זֹבְחֵי הַזֶּבַח אִם־שׁוֹר אִם־שֶׂה וְנָתַן לַכֹּהֵן הַזְּרֹעַ
וְהַלְּחָיַיִם וְהַקֵּבָה׃ רֵאשִׁית דְּגָנְךָ תִּירֹשְׁךָ וְיִצְהָרֶךָ ד

רש"י | הָא לָמַדְתָּ שֶׁבִּשְׁבִיל מִצְוָה קַלָּה שֶׁל נָבִיא נֶעֱנַשׁ: **הוּא וּבָנָיו.** מַגִּיד שֶׁאִם בְּנוֹ הָגוּן לַמַּלְכוּת הוּא קוֹדֵם לְכָל אָדָם:

פרק יח

א-ב| **כָּל שֵׁבֶט לֵוִי.** בֵּין תְּמִימִין בֵּין בַּעֲלֵי מוּמִין: **חֵלֶק.** בַּבִּזָּה: **וְנַחֲלָה.** בָּאָרֶץ: **אִשֵּׁי ה'.** קָדְשֵׁי הַמִּקְדָּשׁ: **וְנַחֲלָתוֹ.** אֵלּוּ קָדְשֵׁי הַגְּבוּל, תְּרוּמוֹת וּמַעַשְׂרוֹת, אֲבָל "נַחֲלָה" גְּמוּרָה "לֹא יִהְיֶה לּוֹ בְּקֶרֶב אֶחָיו". וּבְסִפְרֵי דָּרְשׁוּ: "וְנַחֲלָה לֹא יִהְיֶה לּוֹ, זוֹ נַחֲלַת אֶחָד. בְּקֶרֶב אֶחָיו, זוֹ נַחֲלַת חֲמִשָּׁה". וְאֵינִי יוֹדֵעַ מַה הִיא. וְנִרְאֶה לִי שֶׁאֶרֶץ כְּנַעַן שֶׁמֵּעֵבֶר הַיַּרְדֵּן וָאֵילָךְ נִקְרֵאת אֶרֶץ חֲמִשָּׁה עֲמָמִים, וְשֶׁל סִיחוֹן וְעוֹג שְׁנֵי עֲמָמִים, אֱמוֹרִי וּכְנַעֲנִי, וְנַחֲלַת אֶחָד לְרַבּוֹת קֵינִי וּקְנִזִּי וְקַדְמוֹנִי. וְכֵן דּוֹרֵשׁ בְּפָרָשַׁת מַתָּנוֹת שֶׁנֶּאֶמְרוּ לְאַהֲרֹן: "עַל כֵּן לֹא הָיָה לְלֵוִי" וְגוֹ' (לעיל י, ט), לְהַזְהִיר עַל קֵינִי וּקְנִזִּי וְקַדְמוֹנִי: **כַּאֲשֶׁר דִּבֶּר לוֹ.** "בְּאַרְצָם לֹא תִנְחָל וְגוֹ' אֲנִי חֶלְקְךָ" (במדבר יח, כ):

ג| **מֵאֵת הָעָם.** וְלֹא מֵאֵת הַכֹּהֲנִים: **אִם שׁוֹר אִם שֶׂה.** פְּרָט לְחַיָּה: **הַזְּרֹעַ.** מִן הַפֶּרֶק שֶׁל אַרְכֻּבָּה עַד כַּף שֶׁל יָד שֶׁקּוֹרִין "אשפלדו"ן: **וְהַלְּחָיַיִם.** עִם הַלָּשׁוֹן. דּוֹרְשֵׁי רְשׁוּמוֹת הָיוּ אוֹמְרִים: 'זְרוֹעַ' תַּחַת יָד, שֶׁנֶּאֱמַר: "וַיִּקַּח רֹמַח בְּיָדוֹ" (במדבר כה, ז). 'לְחָיַיִם' תַּחַת תְּפִלָּה, שֶׁנֶּאֱמַר: "וַיַּעֲמֹד פִּינְחָס וַיְפַלֵּל" (תהלים קו, ל). 'וְהַקֵּבָה' תַּחַת "הָאִשָּׁה אֶל קֳבָתָהּ" (במדבר כה, ח):

ד| **רֵאשִׁית דְּגָנְךָ.** זוֹ תְּרוּמָה, וְלֹא פֵּרֵשׁ בָּהּ שִׁעוּר, אֲבָל רַבּוֹתֵינוּ נָתְנוּ בָּהּ שִׁעוּר: עַיִן יָפָה אֶחָד מֵאַרְבָּעִים, עַיִן רָעָה אֶחָד מִשִּׁשִּׁים, בֵּינוֹנִית אֶחָד מֵחֲמִשִּׁים. וְסָמְכוּ עַל הַמִּקְרָא שֶׁלֹּא לִפְחוֹת מֵאֶחָד מִשִּׁשִּׁים, שֶׁנֶּאֱמַר: "וְשִׁשִּׁיתֶם הָאֵיפָה מֵחֹמֶר הַשְּׂעֹרִים" (יחזקאל מה, יג), שִׁשִּׁית הָאֵיפָה

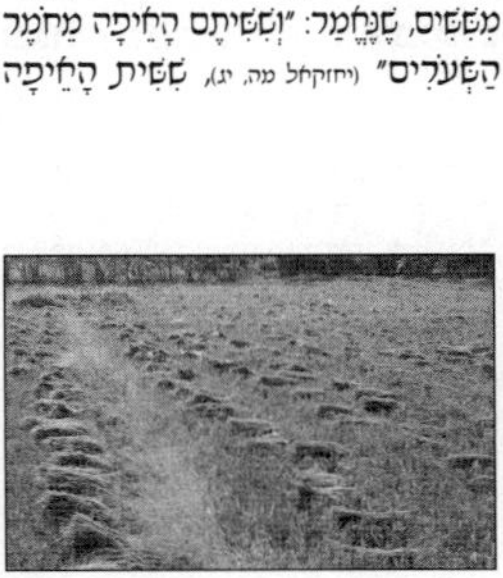

מימין: מתנות כהונה מן הבהמה

משמאל: דגן

ביאור | והמצוות החיוביות החלות על המלך אמורות לסלק גורמים שיטו אותו מדרך המצוות ולכוונו אל רצון ה׳. המלך זקוק למרכבות מלחמה, לכסף וזהב לצורכי הממלכה ולנשים, אך בכל הצרכים הללו עליו לנהוג במתינות. ספר התורה המצוי לידו יזכיר לו תמיד שכוח שלטונו נשאב מן התורה, ושהוא עצמו כפוף לחוק. שכרו של המלך הנוהג כך – **לְמַעַן יַאֲרִיךְ יָמִים עַל מַמְלַכְתּוֹ, הוּא וּבָנָיו בְּקֶרֶב יִשְׂרָאֵל**. המלוכה תעבור בירושה לצאצאיו.

## הכהנים והלויים

פרק יח פס׳ א–ח

מדיני ההנהגה האזרחית – אל ההנהגה הרוחנית.

פרק יח א **לֹא יִהְיֶה לַכֹּהֲנִים הַלְוִיִּם**, לכהנים שהם משבט לוי, ובכלל
**לְכָל שֵׁבֶט לֵוִי, חֵלֶק וְנַחֲלָה עִם יִשְׂרָאֵל**. מעמדם המיוחד כרוך בתפקידים
המוטלים עליהם ובכבוד רב, אך אינו מעניק להם ביטחון כלכלי.
**אִשֵּׁי**, מקרבנותיו של **ה׳ וְנַחֲלָתוֹ יֹאכֵלוּן**. הם יאכלו על שולחן ה׳,[19]
משיירי חלקו, אך למחייתם בלבד. ב **וְנַחֲלָה לֹא יִהְיֶה לּוֹ בְּקֶרֶב אֶחָיו**
כעובדי אדמה. **ה׳ הוּא נַחֲלָתוֹ**. הכהנים והלויים מתפרנסים מהיותם
עובדי ה׳. אמנם מותר להם לעסוק בכל מלאכה, אך אין להם
אחוזות אדמה מורשות, והם אמורים להתרכז בעניינים הקשורים
לה׳, **כַּאֲשֶׁר דִּבֶּר לוֹ**.

ג **וְזֶה יִהְיֶה מִשְׁפַּט**, הזכות המוגדרת על פי החוק של **הַכֹּהֲנִים מֵאֵת
הָעָם**. הראשונה ברשימת מתנותיהם מגיעה **מֵאֵת זֹבְחֵי הַזֶּבַח**,
ממי ששוחטים בעלי חיים לאכילה ולא לצורך קרבן, **אִם שׁוֹר אִם
שֶׂה: וְנָתַן לַכֹּהֵן הַזְּרֹעַ**, חלק מהרגל הקדמית הימנית של הבהמה[20]
**וְהַלְּחָיַיִם**, הלסת התחתונה והלשון[21] **וְהַקֵּבָה**. מתנות כהונה אלה אינן
צריכות להיאכל בקדושה, אלא הן מתנות חולין גמורות. ומתנות
נוספות: ד **רֵאשִׁית דְּגָנְךָ, תִּירֹשְׁךָ**, יינך **וְיִצְהָרֶךָ**, שמנך – בתור תרומה,

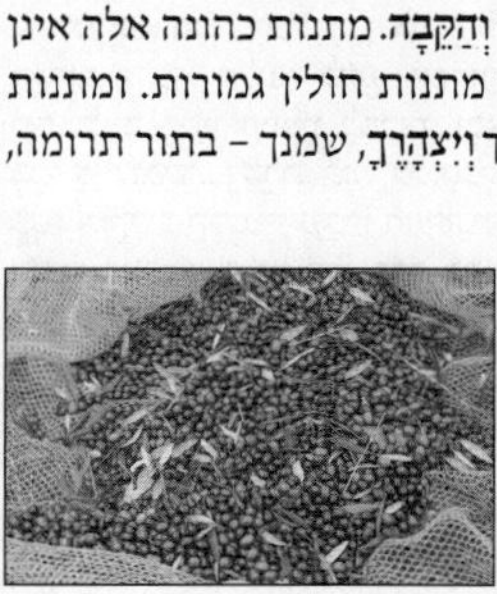

מימין: ענבי תירוש

משמאל: זיתי שמן

ה וְרֵאשִׁית גֵּז צֹאנְךָ תִּתֶּן־לּוֹ: כִּי בוֹ בָּחַר יְהוָה אֱלֹהֶיךָ
מִכָּל־שְׁבָטֶיךָ לַעֲמֹד לְשָׁרֵת בְּשֵׁם־יְהוָה הוּא וּבָנָיו
ו רביעי כָּל־הַיָּמִים: וְכִי־יָבֹא הַלֵּוִי מֵאַחַד
שְׁעָרֶיךָ מִכָּל־יִשְׂרָאֵל אֲשֶׁר־הוּא גָּר שָׁם וּבָא בְּכָל־
ז אַוַּת נַפְשׁוֹ אֶל־הַמָּקוֹם אֲשֶׁר־יִבְחַר יְהוָה: וְשֵׁרֵת
בְּשֵׁם יְהוָה אֱלֹהָיו כְּכָל־אֶחָיו הַלְוִיִּם הָעֹמְדִים שָׁם
ח לִפְנֵי יְהוָה: חֵלֶק כְּחֵלֶק יֹאכֵלוּ לְבַד מִמְכָּרָיו עַל־
ט הָאָבוֹת: כִּי אַתָּה בָּא אֶל־הָאָרֶץ אֲשֶׁר־
יְהוָה אֱלֹהֶיךָ נֹתֵן לָךְ לֹא־תִלְמַד לַעֲשׂוֹת כְּתוֹעֲבֹת
י הַגּוֹיִם הָהֵם: לֹא־יִמָּצֵא בְךָ מַעֲבִיר בְּנוֹ־וּבִתּוֹ בָּאֵשׁ

רש"י

חֲצִי סְאָה, כְּשֶׁאַתָּה נוֹתֵן חֲצִי סְאָה לְכוֹר, הֲרֵי אֶחָד מִשִּׁשִּׁים, שֶׁהַכּוֹר שְׁלֹשִׁים סְאִין: **וְרֵאשִׁית גֵּז צֹאנְךָ.** כְּשֶׁאַתָּה גּוֹזֵז צֹאנְךָ בְּכָל שָׁנָה תֵּן מִמֶּנָּה רֵאשִׁית לַכֹּהֵן, וְלֹא פֵּרֵשׁ כָּאן שִׁעוּר. וְרַבּוֹתֵינוּ נָתְנוּ בָהּ שִׁעוּר – אֶחָד מִשִּׁשִּׁים. וְכַמָּה צֹאן חַיָּבוֹת בְּרֵאשִׁית הַגֵּז? חָמֵשׁ רְחֵלוֹת, שֶׁנֶּאֱמַר: "וְחָמֵשׁ צֹאן עֲשׂוּיוֹת" (שמואל א' כה, יח):

ה **לַעֲמֹד לְשָׁרֵת.** מִכָּאן שֶׁאֵין שֵׁרוּת אֶלָּא מְעוּמָּד:

ו-ז **וְכִי יָבֹא הַלֵּוִי.** יָכוֹל בְּבֶן לֵוִי וַדַּאי הַכָּתוּב מְדַבֵּר? תַּלְמוּד לוֹמַר: "וְשֵׁרֵת", יָצְאוּ לְוִיִּם שֶׁאֵין רְאוּיִין לְשֵׁרוּת: **וּבָא בְּכָל אַוַּת נַפְשׁוֹ... וְשֵׁרֵת.** לִמֵּד עַל הַכֹּהֵן שֶׁבָּא וּמַקְרִיב קָרְבְּנוֹת נִדְבָתוֹ אוֹ חוֹבָתוֹ, וַאֲפִלּוּ בְּמִשְׁמָר שֶׁאֵינוֹ שֶׁלּוֹ. דָּבָר אַחֵר, עוֹד לִמֵּד עַל הַכֹּהֲנִים הַבָּאִים לָרֶגֶל שֶׁמַּקְרִיבִין בְּמִשְׁמָר וְעוֹבְדִין בְּקָרְבָּנוֹת הַבָּאוֹת מֵחֲמַת הָרֶגֶל, כְּגוֹן מוּסְפֵי הָרֶגֶל, וְאַף עַל פִּי שֶׁאֵין הַמִּשְׁמָר שֶׁלָּהֶם:

ח **חֵלֶק כְּחֵלֶק יֹאכֵלוּ.** מְלַמֵּד שֶׁחוֹלְקִין בָּעוֹרוֹת וּבִבְשַׂר שְׂעִירֵי חַטָּאוֹת. יָכוֹל אַף בִּדְבָרִים הַבָּאִים שֶׁלֹּא מֵחֲמַת הָרֶגֶל, כְּגוֹן תְּמִידִים וּמוּסְפֵי שַׁבָּת וּנְדָרִים וּנְדָבוֹת? תַּלְמוּד לוֹמַר: "לְבַד מִמְכָּרָיו עַל הָאָבוֹת", חוּץ מִמַּה שֶּׁמָּכְרוּ הָאָבוֹת, בִּימֵי דָּוִד וּשְׁמוּאֵל שֶׁנִּקְבְּעוּ הַמִּשְׁמָרוֹת וּמָכְרוּ זֶה לָזֶה, טֹל אַתָּה שַׁבָּתְּךָ וַאֲנִי אֶטֹּל שַׁבָּתִּי:

ט **לֹא תִלְמַד לַעֲשׂוֹת.** אֲבָל אַתָּה לָמֵד לְהָבִין וּלְהוֹרוֹת, כְּלוֹמַר לְהָבִין מַעֲשֵׂיהֶם כַּמָּה הֵם מְקֻלְקָלִין וּלְהוֹרוֹת לְבָנֶיךָ לֹא תַעֲשֶׂה כָּךְ וְכָךְ, שֶׁזֶּה הוּא חֹק הַגּוֹיִם:

י **מַעֲבִיר בְּנוֹ וּבִתּוֹ בָּאֵשׁ.** הִיא עֲבוֹדַת הַמֹּלֶךְ, עוֹשֶׂה מְדוּרוֹת אֵשׁ מִכָּאן וּמִכָּאן

הרחבות

'הלוי מאחד שעריך' גם הלויים שירתו במקדש, בשמירה, שירה וכדומה, אך בפועל הם היו רבים מכדי לשהות תמיד בתחום המקדש. הם ישבו בערים מסוימות במקומות שונים בארץ, ושם היו מקבלים מאחיהם את מתנותיהם, שעליהן הושתתה פרנסתם (במדבר לה,א-ח).

ביאור

וְרֵאשִׁית גֵּז צמר צֹאנְךָ תִּתֶּן לוֹ, כמתנות חולין,[22] ה כִּי בוֹ בָּחַר ה׳ אֱלֹהֶיךָ
מִכָּל שְׁבָטֶיךָ, ולכן עבודתו הקבועה היא לַעֲמֹד לְשָׁרֵת בְּשֵׁם ה׳, הוּא
וּבָנָיו כָּל הַיָּמִים.

ו וְכִי יָבֹא הַלֵּוִי מֵאַחַד שְׁעָרֶיךָ מִכָּל יִשְׂרָאֵל, אֲשֶׁר הוּא גָּר שָׁם, וּבָא הלוי
בְּכָל אַוַּת נַפְשׁוֹ, כאשר ירצה, אֶל הַמָּקוֹם אֲשֶׁר יִבְחַר ה׳. הוא רשאי
להתנדב לעבוד במקדש, אף לא בזמן משמרתו. ז וְשֵׁרֵת בְּשֵׁם ה׳
אֱלֹהָיו, כְּכָל אֶחָיו הַלְוִיִּם הָעֹמְדִים שָׁם לִפְנֵי ה׳ במשמרתם.

ח ובבואו לשם חֵלֶק כְּחֵלֶק יֹאכֵלוּ. הוא יזכה במנה עם המשרתים
במשמרת המאורגנת, לְבַד מִמְכָּרָיו, חוץ מן ההסכמים שהיו מעין
חוזי ממכר שנעשו עַל פִּי הָאָבוֹת של משפחות הלויים, שבהם נקבע
חלקו של כל משמר. החלוקות שבהסכמים אלו היו קבועות, ומהן
לא קיבל לוי שהגיע שלא בתורו.[23]

## איסורי כישוף ומעמד הנביא

פרק יח פס׳ ט–כב

בהתייחסו למוסדות ההנהגה הרוחנית עובר הכתוב ממעמדם של משרתי ה׳ במקדש וזכויותיהם למעמדו של הנביא, המשמש צינור התקשורת בין אלוקים ואדם. תחילה נשללות דרכי הגויים לדעת את העתיד ולשלוט בו.

ט כִּי אַתָּה בָּא אֶל הָאָרֶץ אֲשֶׁר ה׳ אֱלֹהֶיךָ נֹתֵן לָךְ – לֹא תִלְמַד לַעֲשׂוֹת
כְּתוֹעֲבֹת הַגּוֹיִם הָהֵם. כאן נחשבים תועבה מנהגים שאין בהם בהכרח
משום סגידה לאל זר או פריצות מינית, אלא מעשים שיש בהם היבט
מאגי והתכוונות לשלוט בעתיד.[24] י לֹא יִמָּצֵא בְךָ מַעֲבִיר בְּנוֹ וּבִתּוֹ בָּאֵשׁ
כטקס הכנעני שהיה משמש להקדשה או לפולחן שיבטיח הצלחה

הרחבות

׳בכל אוַּת נפשו׳ הלויים והכהנים חולקו למשמרות בימי קדם, אולי כבר בזמן משה רבנו, ולפחות בזמן דוד, על פי נבואתו של שמואל. (ראו דברי הימים א׳ כג–כו; תענית כז ע״א). בכל זאת לוי יכול היה להתנדב אף מחוץ למשמרת שנקבעה לו.

קֶסֶם קְסָמִים מְעוֹנֵן וּמְנַחֵשׁ וּמְכַשֵּׁף: וְחֹבֵר חָבֶר יא
וְשֹׁאֵל אוֹב וְיִדְּעֹנִי וְדֹרֵשׁ אֶל־הַמֵּתִים: כִּי־תוֹעֲבַת יב
יהוה כָּל־עֹשֵׂה אֵלֶּה וּבִגְלַל הַתּוֹעֵבֹת הָאֵלֶּה יהוה
אֱלֹהֶיךָ מוֹרִישׁ אוֹתָם מִפָּנֶיךָ: תָּמִים תִּהְיֶה עִם יג
חמישי יהוה אֱלֹהֶיךָ: כִּי ׀ הַגּוֹיִם הָאֵלֶּה אֲשֶׁר אַתָּה יוֹרֵשׁ יד
אוֹתָם אֶל־מְעֹנְנִים וְאֶל־קֹסְמִים יִשְׁמָעוּ וְאַתָּה לֹא
כֵן נָתַן לְךָ יהוה אֱלֹהֶיךָ: נָבִיא מִקִּרְבְּךָ מֵאַחֶיךָ טו
כָּמֹנִי יָקִים לְךָ יהוה אֱלֹהֶיךָ אֵלָיו תִּשְׁמָעוּן: כְּכֹל טז
אֲשֶׁר־שָׁאַלְתָּ מֵעִם יהוה אֱלֹהֶיךָ בְּחֹרֵב בְּיוֹם הַקָּהָל
לֵאמֹר לֹא אֹסֵף לִשְׁמֹעַ אֶת־קוֹל יהוה אֱלֹהָי וְאֶת־
הָאֵשׁ הַגְּדֹלָה הַזֹּאת לֹא־אֶרְאֶה עוֹד וְלֹא אָמוּת:

רש"י | ומעבירו בין שתיהם: **קסם קסמים.** איזהו קוסם? האוחז את מקלו ואומר: אם אלך אם לא אלך. וכן הוא אומר: "עמי בעצו ישאל ומקלו יגיד לו" (הושע ד, יב): **מעונן.** רבי עקיבא אומר: אלו נותני עונות שאומרים: עונה פלונית יפה להתחיל, וחכמים אומרים: אלו אוחזי העינים: **מנחש.** פתו נפלה מפיו, צבי הפסיקו בדרך, מקלו נפל מידו:

יא **וחבר חבר.** שמכנס נחשים ועקרבים או שאר חיות למקום אחד: **ושאל אוב.** זה מכשפות ששמו פיתום ומדבר משחיו ומעלה את המת בבית השחי שלו: **וידעני.** מכניס עצם חיה ששמה ידוע לתוך פיו, ומדבר העצם על ידי מכשפות: **ודרש אל המתים.** כגון המעלה בזכורו והנשאל בגלגלת:

יב **כל עשה אלה.** 'עושה כל אלה' לא נאמר, אלא "כל עשה אלה", אפילו אחת מהן:

יג **תמים תהיה עם ה' אלהיך.** התהלך עמו בתמימות ותצפה לו ולא תחקר אחר העתידות, אלא כל מה שיבא עליך קבל בתמימות, ואז תהיה עמו ולחלקו:

יד **לא כן נתן לך ה' אלהיך.** לשמע אל מעוננים ואל קוסמים, שהרי השרה שכינה על הנביאים ואורים ותמים:

טו **מקרבך מאחיך כמני.** כמו שאני מקרבך מאחיך, יקים לך תחתי, וכן מנביא לנביא:

הרחבות | **'ודרש אל המתים'** דוגמה מקראית לצורך הנואש בפנייה אל כוחות כאלה היא סיפור סופו של שאול. שאול המלך פנה אל בעלת האוב במצוקתו (שמואל א' כח,ג-כה). שאול חטא בכך מתוך חרדתו הגדולה לעתידו, לעתיד משפחתו ולעתיד עמו, וכך הגיע אל סופו. (ראו דברי הימים א' י,יג).

**הכישוף בכנען** לכל המנהגים הללו משותפת הדרישה לעולם הנסתר,

ביאור

עתידית,[25] קֹסֵם קְסָמִים, מְעוֹנֵן, מגלה עתידות המתייחס לעונות, כלומר לזמנים המסוגלים במיוחד למעשים מסוימים[26] או למראה העננים[27] וּמְנַחֵשׁ את העתיד על פי סימנים, כמו הקוראים בקפה בימינו. וּמְכַשֵּׁף, העוסק במעשי ידיעת הנסתר שלא בקדושה
יא וְחֹבֵר חָבֶר, מכשף באמצעות איסופם של בעלי חיים יחד וְשֹׁאֵל אוֹב, המנסה לתקשר עם המתים וְיִדְּעֹנִי, מגיד עתידות באמצעות עצמות המתים.[28] כל אלה הם מכשפים מקצועיים המשמשים מדיומים אל העולמות הנסתרים. וְדֹרֵשׁ אֶל הַמֵּתִים, שהוא איש פרטי המתפלל אל המתים כדי לבקש את עזרתם.
יב כִּי תוֹעֲבַת ה׳ כָּל עֹשֵׂה אֵלֶּה, וּבִגְלַל הַתּוֹעֵבֹת הָאֵלֶּה ה׳ אֱלֹהֶיךָ מוֹרִישׁ, משמיד אוֹתָם – את הכנענים מִפָּנֶיךָ. התועבות הללו אינן מגונות משום שהן אמונות תפלות, אלא משום שיש בהן התמסרות לכוחות של רוע, הרס ומוות.

יג אתה, לעומת זאת, תָּמִים, שלם[29] תִּהְיֶה עִם ה׳ אֱלֹהֶיךָ. גם אם מצוקותיך יעוררו אותך לבקש ביטחון ותשובה לשאלותיך, אל תחפש מענה בכוחות אחרים, באמצעות אמונות נכריות ודרכי פולחן זרים, אלא הֱיה שלם בהליכתך עם ה׳ בלבד.
יד כִּי הַגּוֹיִם הָאֵלֶּה אֲשֶׁר אַתָּה יוֹרֵשׁ אוֹתָם, אֶל מְעֹנְנִים וְאֶל קֹסְמִים יִשְׁמָעוּ, ואילו אַתָּה – לֹא כֵן נָתַן לְךָ ה׳ אֱלֹהֶיךָ, ועליך הדברים הללו אסורים.

אמנם גם המבקש להיות תמים עם ה׳ אלוקיו, המוותר על ידיעת העתיד באמצעות ניחוש, עלול לתהות כיצד להחליט על התנהגותו נוכח השינויים התדירים המתרחשים סביבו. טבעי שירצה לעדכן את דרכי חייו כאשר מנגנון החיים הנורמטיביים חדל מלספק. כך עונה התורה על צורך זה:[30]
טו נָבִיא מִקִּרְבְּךָ מֵאַחֶיךָ כָּמֹנִי, הן מצד גדולתו והן מבחינת זהותו. כפי שהכול יודעים מי אני ומהו מוצאי – משה[31] – כך יָקִים לְךָ ה׳ אֱלֹהֶיךָ אדם מתוככם – אֵלָיו תִּשְׁמָעוּן.
טז כְּכֹל אֲשֶׁר שָׁאַלְתָּ, ביקשת מֵעִם ה׳ אֱלֹהֶיךָ בְּחֹרֵב בְּיוֹם הַקָּהָל, במעמד הר סיני לֵאמֹר: ״לֹא אֹסֵף לִשְׁמֹעַ אֶת קוֹל ה׳ אֱלֹהָי, וְאֶת הָאֵשׁ הַגְּדֹלָה הַזֹּאת לֹא אֶרְאֶה עוֹד – וְלֹא אָמוּת״, שכן יראתם מן המפגש הישיר עם אלוקים

הרחבות

שאפיינה יותר את הכנענים מאשר את המצרים. דתם של המצרים הייתה מאורגנת וממוסדת יותר, ואילו הכנענים, כמקבץ עמים שהגיעו ממקומות שונים, ושתרבויותיהם ולשונותיהם היו מגוונים, האמינו באמונות ודרכי פולחן שונות. למרות שטחה הקטן של כנען האמינו בה באלילים רבים יותר מאשר במצרים הרחבה, שהייתה מאורגנת תרבותית סביב מבנה מסודר.

יז יח ויאמר יהוה אלי היטיבו אשר דברו: נביא אקים
להם מקרב אחיהם כמוך ונתתי דברי בפיו ודבר
יט אליהם את כל־אשר אצונו: והיה האיש אשר לא־
ישמע אל־דברי אשר ידבר בשמי אנכי אדרש
כ מעמו: אך הנביא אשר יזיד לדבר דבר בשמי את
אשר לא־צויתיו לדבר ואשר ידבר בשם אלהים
כא אחרים ומת הנביא ההוא: וכי תאמר בלבבך איכה
כב נדע את־הדבר אשר לא־דברו יהוה: אשר ידבר
הנביא בשם יהוה ולא־יהיה הדבר ולא יבא הוא

רש"י | כ| **אשר לא צויתיו לדבר.** אבל צויתי לחברו: **ואשר ידבר בשם אלהים אחרים.** אפילו כוון את ההלכה לאסור את האסור ולהתיר את המותר: **ומת.** בחנק. שלשה מיתתן בידי אדם: המתנבא מה שלא שמע, ומה שלא נאמר לו ונאמר לחברו, והמתנבא בשם עבודה זרה. אבל הכובש את נבואתו והעובר על דברי נביא והעובר על דברי עצמו, מיתתן בידי שמים, שנאמר: "אנכי אדרש מעמו" (לעיל פסוק יט):

כא| **וכי תאמר בלבבך.** עתידין אתם לומר, כשיבא חנניה בן עזור ומתנבא: "הנה כלי בית ה' מושבים מבבלה עתה מהרה" (ירמיה כז, טז), וירמיהו עומד וצווח על העמודים ועל הים ועל יתר הכלים שלא גלו עם יכניה: "בבלה יובאו" (שם פסוק כב) עם גלות צדקיהו:

כב| **אשר ידבר הנביא.** ויאמר: דבר זה עתיד לבוא עליכם, ותראו שלא יבוא, "הוא הדבר אשר לא דברו ה'" והרג אותו. ואם תאמר: זו במתנבא על העתידות, הרי שבא ואמר עשו כך וכך ומפי הקדוש ברוך הוא אני אומר – כבר נצטוו שאם בא להדיחך מאחת מכל המצות לא תשמע לו (דברים יג, ד), אלא אם כן מומחה הוא לך שהוא צדיק גמור, כגון אליהו בהר הכרמל שהקריב בבמה בשעת אסור הבמות כדי

הרחבות | **'וכי תאמר בלבבך'** בדרך כלל התורה ממעיטה בהצגת שאלה או תמיהה אפשרית מצד אדם כלשהו. (ראו למשל ויקרא כה,כ; לעיל ז,יז). כאן באה השאלה המתבקשת בדבר קני המידה לאמִתות הנבואה.

**זיהוי נביא האמת** הקושי לזהות את נביא האמת נובע מכך שגם נביא ה' עלול לפעול מתוך מצוקותיו ומניעיו האישיים. יתר על כן, הוא נשלח לא רק לנבא את העתיד אלא גם להוכיח את העם על חטאיו. לא פעם מלְוות תוכחותיו באיומים, אך איומיו לא תמיד יתקיימו. הרי אם יציית העם לדברי ה' שבפיו - לא יתממשו האסונות שנובאו.

סיפורו של הנביא יונה מדגים עניין זה: יונה היה רוצה שנבואתו תתקיים במלואה, ושהפורענות שעליה ניבא לאנשי נינוה אכן תתרחש, אבל תושבי נינוה האמינו בדבריו ותיקנו את מעשיהם, וכך לא התממשה נבואתו (יונה ג,א-ד,ג). חכמים אמרו שיונה ברח מלפני ה' משום שהוא חשש מהצלחת יתר, שבעקבותיה יהפכו מלותיו לאיומי סרק (ירושלמי סנהדרין

ביאור

וביקשתם שאני אתווך בינו ובינכם.[32] יז **וַיֹּאמֶר ה' אֵלָי** בתגובה
לשאלתכם: "**הֵיטִיבוּ אֲשֶׁר דִּבֵּרוּ.** יח **נָבִיא אָקִים לָהֶם מִקֶּרֶב אֲחֵיהֶם**
**כָּמוֹךָ, וְנָתַתִּי דְבָרַי בְּפִיו, וְדִבֶּר אֲלֵיהֶם אֵת כָּל אֲשֶׁר אֲצַוֶּנּוּ**". כזה יהיה
השליח שימסור לכם את דבר ה'. הוא לא יהיה אפיק התקשורת
המתמיד ביניכם לבין אלוקים, ולא יהיה חלק מרשויות השלטון
שלכם. ה' יחון איש כזה בכוח נבואי, ובאמצעותו יוכל למסור את
דבר ה' בשעת הצורך.

יט המשך דברי ה', הבוחר ומעמיד את הנביא: **וְהָיָה הָאִישׁ אֲשֶׁר לֹא**
**יִשְׁמַע אֶל דְּבָרַי אֲשֶׁר יְדַבֵּר** הנביא **בִּשְׁמִי – אָנֹכִי אֶדְרֹשׁ מֵעִמּוֹ**, אתבע
ממנו, ואעניש אותו על סירובו לציית.

לנביא סמכות רבה, ומשום כך יש להגדיר היטב את הנבואה: כ **אַךְ**
**הַנָּבִיא אֲשֶׁר יָזִיד**, יפעל בכוונת זדון **לְדַבֵּר דָּבָר בִּשְׁמִי, אֵת אֲשֶׁר לֹא**
**צִוִּיתִיו לְדַבֵּר**. הנביא המקבל את דבר ה' עלול להתפתות לומר בשם
ה' דברים שלא צווה לאמרם. אמנם הוא אמור להיות אדם מיוחד,
שכן ה' בחר בו לתפקיד נעלה זה,[33] אך הוא עלול לרצות להוסיף
הערות, הסברים או דברים אחרים מדעתו על הנבואה ששמע. כמו
לשומעיו מותר לו לנסות להבין את משמעות הנבואה, אך אסור
לו לדבר בשם ה' מה שה' לא הורה. ואפשרות גרועה מכך – **אֲשֶׁר**
**יְדַבֵּר בְּשֵׁם אֱלֹהִים אֲחֵרִים**, גם אם לא יטיף לעבודה זרה בהכרח, אם
יטען שנשלח על ידי כוח אחר – **וּמֵת**, יש להמית את **הַנָּבִיא הַהוּא**.

כא **וְכִי תֹאמַר בִּלְבָבֶךָ** כאשר יבוא נביא וידבר בשם ה': **אֵיכָה**, איך **נֵדַע**
**אֶת הַדָּבָר אֲשֶׁר לֹא דִבְּרוֹ ה'**? שלא כלויים וככהנים, שקל לזהותם,
אפשר לטעות בקלות בזיהויו של נביא האמת. אין הוא ניכר במוצאו
או בסממנים חיצוניים, אלא הוא אחד מבני העם המדבר בשם ה'.

כב **אֲשֶׁר יְדַבֵּר הַנָּבִיא בְּשֵׁם ה', וְלֹא יִהְיֶה הַדָּבָר וְלֹא יָבֹא**, יתקיים – **הוּא**

הרחבות

יא,ה). ואולם נבואה אחרת שלו - שהייתה נבואה לטובה - התקיימה במלואה (מלכים ב' יד,כה). מכאן שאימותה של נבואה יכול להתבסס רק על נבואות חיוביות הנאמרות לרבים, ורק לפיהן יהיה ברור אם הנביא חרג מסמכותו. יתר על כן, עקרונית גם נביא שבהקשרים אחרים הוא נביא אמת גדול, עלול להפר את נאמנותו לשליחותו ולשולחו (סנהדרין פט ע"א). על כן רכישת האמון המלא בנביא יכולה להתבסס רק על תקופה ניכרת שבה התגשמו כל נבואותיו הטובות, כפי שנאמר בשמואל: וַיֵּדַע כָּל יִשְׂרָאֵל מִדָּן וְעַד בְּאֵר שָׁבַע כִּי נֶאֱמָן שְׁמוּאֵל לְנָבִיא לַה' (ראו רמב"ם, הלכות יסודי התורה י,ב; הקדמת הרמב"ם לפירוש המשנה; אור השם; אברבנאל על אתר. ראו עוד הרחבות לירמיה כג,כז; כח,ט).

במקרא מצויים בעיקר דבריהם של נביאי האמת והצדק ולא של הנביאים הכוזבים. אך נזכרים גם אנשים שחטאם היה שהם דיברו מה שלא הצטוו לדבר, (ראו מלכים א' כב; ירמיה כז,יד-יח), ומהם לא נשתמרו יצירות כתובות. (ראו עוד ההרחבה לירמיה כג,כז).

הַדָּבָר אֲשֶׁר לֹא־דִבְּרוֹ יְהוָה בְּזָדוֹן דִּבְּרוֹ הַנָּבִיא
לֹא תָגוּר מִמֶּנּוּ׃ כִּי־יַכְרִית יְהוָה אֱלֹהֶיךָ א יט
אֶת־הַגּוֹיִם אֲשֶׁר יְהוָה אֱלֹהֶיךָ נֹתֵן לְךָ אֶת־אַרְצָם
וִירִשְׁתָּם וְיָשַׁבְתָּ בְעָרֵיהֶם וּבְבָתֵּיהֶם׃ שָׁלוֹשׁ עָרִים ב
תַּבְדִּיל לָךְ בְּתוֹךְ אַרְצְךָ אֲשֶׁר יְהוָה אֱלֹהֶיךָ נֹתֵן לְךָ
לְרִשְׁתָּהּ׃ תָּכִין לְךָ הַדֶּרֶךְ וְשִׁלַּשְׁתָּ אֶת־גְּבוּל אַרְצְךָ ג
אֲשֶׁר יַנְחִילְךָ יְהוָה אֱלֹהֶיךָ וְהָיָה לָנוּס שָׁמָּה כָּל־
רֹצֵחַ׃ וְזֶה דְּבַר הָרֹצֵחַ אֲשֶׁר־יָנוּס שָׁמָּה וָחָי אֲשֶׁר ד
יַכֶּה אֶת־רֵעֵהוּ בִּבְלִי־דַעַת וְהוּא לֹא־שֹׂנֵא לוֹ מִתְּמֹל
שִׁלְשֹׁם׃ וַאֲשֶׁר יָבֹא אֶת־רֵעֵהוּ בַיַּעַר לַחְטֹב עֵצִים ה
וְנִדְּחָה יָדוֹ בַגַּרְזֶן לִכְרֹת הָעֵץ וְנָשַׁל הַבַּרְזֶל מִן־הָעֵץ
וּמָצָא אֶת־רֵעֵהוּ וָמֵת הוּא יָנוּס אֶל־אַחַת הֶעָרִים־

רש"י

לִגְדֹּר חֵטְא יִשְׂרָאֵל, הַכֹּל לְפִי עֶרֶךְ שָׁעָה וּסְיָג הַפִּרְצָה, לְכָךְ נֶאֱמַר: "אֵלָיו תִּשְׁמָעוּן" (לעיל פסוק טו): **לֹא תָגוּר מִמֶּנּוּ.** לֹא תִמְנַע עַצְמְךָ מִלְּלַמֵּד עָלָיו חוֹבָה, וְלֹא תִירָא לֵעָנֵשׁ עָלָיו:

פרק יט

ג] **תָּכִין לְךָ הַדֶּרֶךְ.** 'מִקְלָט' 'מִקְלָט' הָיָה כָּתוּב עַל פָּרָשַׁת דְּרָכִים: **וְשִׁלַּשְׁתָּ אֶת גְּבוּל אַרְצְךָ.** שֶׁיְּהֵא מִתְּחִלַּת הַגְּבוּל עַד הָעִיר הָרִאשׁוֹנָה שֶׁל עִיר מִקְלָט כְּשִׁעוּר מַהֲלָךְ שֶׁיֵּשׁ מִמֶּנָּה עַד הַשְּׁנִיָּה, וְכֵן מִשְּׁנִיָּה לַשְּׁלִישִׁית, וְכֵן מִן הַשְּׁלִישִׁית עַד הַגְּבוּל הַשֵּׁנִי שֶׁל אֶרֶץ יִשְׂרָאֵל:

ה] **וְנִדְּחָה יָדוֹ.** כְּשֶׁבָּא לְהַפִּיל הַגַּרְזֶן עַל הָעֵץ, וְתַרְגּוּמוֹ: "וְתִתְמְרֵיג יְדֵיהּ", לְשׁוֹן וְנִשְׁמְטָה יָדוֹ לְהַפִּיל מַכַּת הַגַּרְזֶן עַל הָעֵץ. "כִּי שָׁמְטוּ הַבָּקָר" (שמואל ב׳ ו, ו) תִּרְגֵּם יוֹנָתָן: "אֲרֵי מַרְגּוּהִי תוֹרַיָּא": **וְנָשַׁל הַבַּרְזֶל מִן הָעֵץ.** יֵשׁ מֵרַבּוֹתֵינוּ אוֹמְרִים: נִשְׁמַט הַבַּרְזֶל מִקַּתּוֹ, וְיֵשׁ מֵהֶם אוֹמְרִים: שֶׁיִּשַּׁל הַבַּרְזֶל לַחֲתִיכָה מִן הָעֵץ הַמִּתְבַּקֵּעַ וְהִיא נִתְּזָה וְהָרְגָה:

חטיבת עצים

הַדָּבָר אֲשֶׁר לֹא דִבְּרוֹ ה'. דבר ה' האמתי צריך להיות בהיר ונקי בלי פגם, ולפיכך אם יאמר הנביא דבר שלא יתקיים - בְּזָדוֹן, ברשעות ומתוך רצון לחטוא דִּבְּרוֹ הַנָּבִיא. לֹא תָגוּר, אל תפחד מִמֶּנּוּ - מן הנביא. | ביאור

## ערי מקלט

פרק יט פס' א–יג

משה כבר קבע שלוש ערים שיקלטו את הרוצח בשגגה בעבר הירדן המזרחי.[34] ערים אלה עדיין אינן פעילות.[35] עתה הוא מצווה את באי הארץ להוסיף עליהן ערים בעבר הירדן המערבי. הלכות אלו מבטאות את הקביעה כי שלטון התורה הוא שיקבע ויעצב מחדש את מנהגי החברה הקדומים.

פרק יט א כִּי יַכְרִית ה' אֱלֹהֶיךָ אֶת הַגּוֹיִם אֲשֶׁר ה' אֱלֹהֶיךָ נֹתֵן לְךָ
אֶת אַרְצָם, וִירִשְׁתָּם וְיָשַׁבְתָּ בְעָרֵיהֶם וּבְבָתֵּיהֶם, אחרי כיבוש הארץ
והתייצבות היישוב בה, ב שָׁלוֹשׁ עָרִים תַּבְדִּיל לָךְ בְּתוֹךְ אַרְצְךָ אֲשֶׁר
ה' אֱלֹהֶיךָ נֹתֵן לְךָ לְרִשְׁתָּהּ. ג נוסף על כך, תָּכִין לְךָ הַדֶּרֶךְ. עליך לדאוג
שהדרכים אליהן יהיו ברורות וסלולות, ושלטים יכוונו אליהן.[36]
וְשִׁלַּשְׁתָּ, חַלֵּק לחלקים שווים אֶת גְּבוּל, שטח אַרְצְךָ אֲשֶׁר יַנְחִילְךָ ה'
אֱלֹהֶיךָ, כך שהמרחק מהגבול לכל אחת משלוש ערי המקלט ומעיר
אחת לחברתה יהיה דומה, וְהָיָה לָנוּס, לברוח שָׁמָּה כָּל רֹצֵחַ.

קיומן של ערי המקלט אינו מבטל את העונש על רצח אלא מגביל
אותו: ד וְזֶה דְּבַר הָרֹצֵחַ אֲשֶׁר יָנוּס שָׁמָּה וָחָי, הרוצח שעיר המקלט
תועיל לו הוא רק זה אֲשֶׁר יַכֶּה אֶת רֵעֵהוּ בִּבְלִי דַעַת, שלא מתוך כוונה
ומחשבה תחילה, וְהוּא לֹא שֹׂנֵא לוֹ מִתְּמֹל שִׁלְשֹׁם, אלא הדבר אירע
כתאונה בלבד. במקרים רבים אם הרג אדם את שנוא נפשו, גם אם
לא אירע הדבר בכוונה, אפשר להניח שההריגה לא הייתה שגגה
גמורה.[37] ה ודוגמא לתאונה כזו: אֲשֶׁר יָבֹא אֶת, עם רֵעֵהוּ בַיַּעַר לַחְטֹב
עֵצִים, וְנִדְּחָה יָדוֹ בַגַּרְזֶן, ידו תישמט מן הגרזן בבואו לִכְרֹת הָעֵץ, וְנָשַׁל,
יישמט הַבַּרְזֶל מִן קת הָעֵץ, או: כתוצאה ממכת הגרזן יינתז חלק מן
העץ הנכרת,[38] וּמָצָא החפץ שהתעופף באוויר אֶת רֵעֵהוּ, והוא נפגע
וָמֵת - הוּא - מי שגרם לכך יָנוּס אֶל אַחַת הֶעָרִים הָאֵלֶּה, וָחָי. מן הדוגמא
עולה הגדרה כללית של מי שייקלט בעיר המקלט. לא כל מי שגרם למוות בשגגה נכלל בדין זה, שהרי במקרה של תאונה שנגרמה באונס גמור או קרוב לזה אין מקום לספקות כלל. כאן מדובר רק במקרים הנמצאים על גבול הרשלנות הפושעת, שאמנם העושה אותם אינו רוצח, אך התנהגותו מצדיקה עונש.[39] רק אדם כזה צריך לנוס לעיר

ו הָאֵלֶּה וָחָי׃ פֶּן־יִרְדֹּף גֹּאֵל הַדָּם אַחֲרֵי הָרֹצֵחַ כִּי יֵחַם
לְבָבוֹ וְהִשִּׂיגוֹ כִּי־יִרְבֶּה הַדֶּרֶךְ וְהִכָּהוּ נָפֶשׁ וְלוֹ אֵין
מִשְׁפַּט־מָוֶת כִּי לֹא־שֹׂנֵא הוּא לוֹ מִתְּמוֹל שִׁלְשׁוֹם׃
ז עַל־כֵּן אָנֹכִי מְצַוְּךָ לֵאמֹר שָׁלֹשׁ עָרִים תַּבְדִּיל
ח לָךְ׃ וְאִם־יַרְחִיב יהוה אֱלֹהֶיךָ אֶת־גְּבֻלְךָ כַּאֲשֶׁר
נִשְׁבַּע לַאֲבֹתֶיךָ וְנָתַן לְךָ אֶת־כָּל־הָאָרֶץ אֲשֶׁר דִּבֶּר
ט לָתֵת לַאֲבֹתֶיךָ׃ כִּי־תִשְׁמֹר אֶת־כָּל־הַמִּצְוָה הַזֹּאת
לַעֲשֹׂתָהּ אֲשֶׁר אָנֹכִי מְצַוְּךָ הַיּוֹם לְאַהֲבָה אֶת־יהוה

רש״י | ו) פֶּן יִרְדֹּף גֹּאֵל הַדָּם. לְכָךְ אֲנִי אוֹמֵר לְהָכִין לְךָ דֶּרֶךְ וְעָרֵי מִקְלָט רַבִּים: ח) וְאִם יַרְחִיב. כַּאֲשֶׁר נִשְׁבַּע לָתֵת לָךְ אֶרֶץ קֵינִי וּקְנִזִּי וְקַדְמֹנִי (בראשית טו, יט):

גבולות הארץ המובטחת

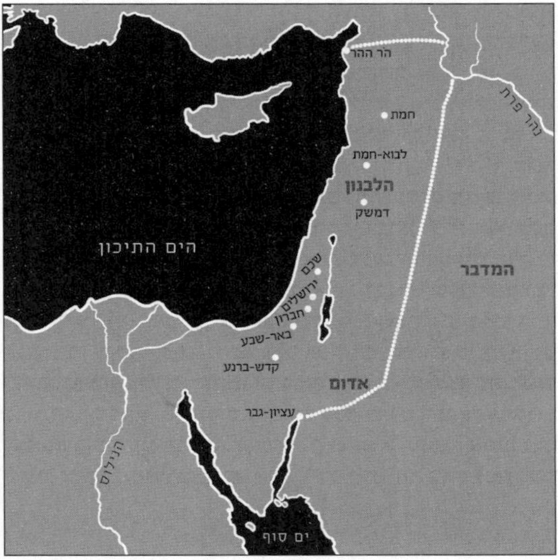

ביאור

המקלט ולשבת בה במעצר, שלעתים הוא ממושך. ו פֶּן, שמא יִרְדֹּף
גֹּאֵל הַדָּם, שהוא בדרך כלל קרוב משפחה של הנרצח אַחֲרֵי הָרֹצֵחַ,
כִּי יֵחַם לְבָבוֹ, מתוך להט נקמת הדם.[40] וְהִשִּׂיגוֹ, כִּי יִרְבֶּה הַדֶּרֶךְ. אם
הדרך תהיה ארוכה מדי, והרוצח לא יספיק לברוח אל עיר המקלט
שנקבעה, גואל הדם המשולהב ישיג אותו וְהִכָּהוּ נָפֶשׁ, יהרוג אותו.
ובמקרה זה, לוֹ – לרוצח אֵין מִשְׁפַּט מָוֶת, אין להטיל עליו עונש מוות
על הריגה זו, כִּי לֹא שֹׂנֵא הוּא – ההורג בשגגה לוֹ – לנרצח מִתְּמוֹל
שִׁלְשׁוֹם, מסיבה קודמת. ז עַל כֵּן, כדי למנוע מצב כזה אָנֹכִי מְצַוְּךָ
לֵאמֹר: שָׁלֹשׁ עָרִים תַּבְדִּיל לָךְ בפיזור מתאים ובהכוונה בולטת. גם
הרוצחים וגם גואלי הדם צריכים להיות מודעים לקיומן של ערים
אלה. גואל הדם צריך לדעת שכאשר הרוצח בערי המקלט, אסור
לו לפגוע בו, והרוצח צריך להכיר ערים אלו משום שבהן הוא מוגן
משנאתו של גואל הדם, ועם זאת, בבריחתו אל העיר אין הוא
יוצא נקי מן המעשה, אלא נכנס למסגרת החוק והמשפט ונידון
להיענש במֵעין סגר.

ח וְאִם, אמנם[41] יַרְחִיב ה' אֱלֹהֶיךָ אֶת גְּבֻלְךָ, כַּאֲשֶׁר נִשְׁבַּע לַאֲבֹתֶיךָ, מעבר
לארץ כנען במשמעותה שהוגדרה בספר במדבר,[42] בשעה שהייתה
פרובינציה מצרית, וְנָתַן לְךָ ה' אֶת כָּל הָאָרֶץ אֲשֶׁר דִּבֶּר לָתֵת לַאֲבֹתֶיךָ,
שזו נחלה גדולה הרבה יותר מגבולות יוצאי מצרים. והיא משתרעת
מנחל מצרים – הנילוס או נחל אחר – עד נהר פרת, וכוללת חלק
ניכר מן הסהרון הפורה. ט כִּי, אם וכאשר תִשְׁמֹר אֶת כָּל הַמִּצְוָה
הַזֹּאת לַעֲשֹׂתָהּ, אֲשֶׁר אָנֹכִי מְצַוְּךָ הַיּוֹם, לְאַהֲבָה אֶת ה' אֱלֹהֶיךָ וְלָלֶכֶת

הרחבות

**גאולת הדם** המצווה לייחד ערים שבהן ייקלטו רוצחים בשוגג הופיעה כבר בספר במדבר (לה,ט-כט), ובספרנו (לעיל ד,מא-מג) מסופר שמשה החל להקצות את ערי המקלט שבעבר הירדן המזרחי. החזרות המרובות (גם בספר יהושע כ-כא) על עניין זה אינן מעידות על שכיחותם של מקרי הרצח בעם, אלא הן מבטאות את העיקרון הכללי של שלטון התורה על כל צדדי החיים. התורה אינה מאמצת את מנהג גאולת הדם, שהיה רווח בתרבויות שסביבה, כמות שהוא. מנהג זה נחשב בתפיסות אחרות כעומד מחוץ לחוק. מאחורי האפשרות הזו, להתיר את גאולת הדם מתוך רגש נקמה בוער, מצויה ההנחה שיש מעשים שאינם נתונים במסגרת החוק. בשל הלהט הנלווה אל נקמת הדם מכריזה התורה שוב ושוב על הצורך בשמירת המבנה, החוק והסדר. אין היא סובלנית כלפי חוק או מנהג המצוי מחוצה לה. משום כך כונתה המדינה היהודית בפי יוספוס 'נומוקרטיה', כלומר שלטון החוק האלוהי.

**'ואם ירחיב'** אכן היו זמנים בתולדות העם שבהם התפשט השלטון הישראלי הרבה מעבר לתחומי הממשל הקבועים שלו, כגון בימי דוד ושלמה (שמואל ב' ח,ג; מלכים א' ה,ד); ירבעם השני (מלכים ב' יד,כה) ואף בימי ינאי המלך החשמונאי.

אֱלֹהֶיךָ וְלָלֶכֶת בִּדְרָכָיו כָּל־הַיָּמִים וְיָסַפְתָּ לְךָ עוֹד
י שָׁלֹשׁ עָרִים עַל הַשָּׁלֹשׁ הָאֵלֶּה׃ וְלֹא יִשָּׁפֵךְ דָּם נָקִי
בְּקֶרֶב אַרְצְךָ אֲשֶׁר יְהוָה אֱלֹהֶיךָ נֹתֵן לְךָ נַחֲלָה וְהָיָה
עָלֶיךָ דָּמִים׃
יא וְכִי־יִהְיֶה אִישׁ שֹׂנֵא לְרֵעֵהוּ וְאָרַב לוֹ וְקָם עָלָיו
יב וְהִכָּהוּ נֶפֶשׁ וָמֵת וְנָס אֶל־אַחַת הֶעָרִים הָאֵל׃ וְשָׁלְחוּ
זִקְנֵי עִירוֹ וְלָקְחוּ אֹתוֹ מִשָּׁם וְנָתְנוּ אֹתוֹ בְּיַד גֹּאֵל
יג הַדָּם וָמֵת׃ לֹא־תָחוֹס עֵינְךָ עָלָיו וּבִעַרְתָּ דַם־הַנָּקִי
ששי יד מִיִּשְׂרָאֵל וְטוֹב לָךְ׃ לֹא תַסִּיג גְּבוּל רֵעֲךָ
אֲשֶׁר גָּבְלוּ רִאשֹׁנִים בְּנַחֲלָתְךָ אֲשֶׁר תִּנְחַל בָּאָרֶץ
טו אֲשֶׁר יְהוָה אֱלֹהֶיךָ נֹתֵן לְךָ לְרִשְׁתָּהּ׃ לֹא־
יָקוּם עֵד אֶחָד בְּאִישׁ לְכָל־עָוֺן וּלְכָל־חַטָּאת בְּכָל־
חֵטְא אֲשֶׁר יֶחֱטָא עַל־פִּי ׀ שְׁנֵי עֵדִים אוֹ עַל־פִּי

רש"י

ט] **וְיָסַפְתָּ לְךָ עוֹד שָׁלֹשׁ.** הֲרֵי תֵּשַׁע: שָׁלֹשׁ שֶׁבְּעֵבֶר הַיַּרְדֵּן וְשָׁלֹשׁ שֶׁבְּאֶרֶץ כְּנַעַן וְשָׁלֹשׁ לֶעָתִיד לָבוֹא:

יא] **וְכִי יִהְיֶה אִישׁ שֹׂנֵא לְרֵעֵהוּ.** עַל יְדֵי שִׂנְאָתוֹ הוּא בָּא לִידֵי "וְאָרַב לוֹ", מִכָּאן אָמְרוּ: עָבַר אָדָם עַל מִצְוָה קַלָּה סוֹפוֹ לַעֲבֹר עַל מִצְוָה חֲמוּרָה; לְפִי שֶׁעָבַר עַל "לֹא תִשְׂנָא" (ויקרא יט, יז) סוֹפוֹ לָבֹא לִידֵי שְׁפִיכוּת דָּמִים, לְכָךְ נֶאֱמַר: "כִּי יִהְיֶה אִישׁ שֹׂנֵא לְרֵעֵהוּ" וְגוֹ', שֶׁהָיָה לוֹ לִכְתֹּב: 'וְכִי יָקוּם אִישׁ וְאָרַב לְרֵעֵהוּ וְהִכָּהוּ נָפֶשׁ':

יג] **לֹא תָחוֹס עֵינְךָ.** שֶׁלֹּא תֹאמַר: הָרִאשׁוֹן כְּבָר נֶהֱרַג, מָה אָנוּ הוֹרְגִים אֶת זֶה וְנִמְצְאוּ שְׁנֵי יִשְׂרְאֵלִים הֲרוּגִים?:

יד] **לֹא תַסִּיג גְּבוּל.** לְשׁוֹן: "נָסֹגוּ אָחוֹר" (ישעיה מב, יז; ירמיה לח, כב) כְּשֶׁמַּחֲזִיר סִימַן חֲלֻקַּת הַקַּרְקַע לְאָחוֹר לְתוֹךְ שְׂדֵה חֲבֵרוֹ לְמַעַן הַרְחִיב אֶת שֶׁלּוֹ. וַהֲלֹא כְּבָר נֶאֱמַר: "וְלֹא תִגְזֹל" (ויקרא יט, יג), מַה תַּלְמוּד לוֹמַר: "לֹא תַסִּיג"? לִמֵּד עַל הָעוֹקֵר תְּחוּם חֲבֵרוֹ שֶׁעוֹבֵר בִּשְׁנֵי לָאוִין. יָכוֹל אַף בְּחוּצָה לָאָרֶץ? תַּלְמוּד לוֹמַר: "בְּנַחֲלָתְךָ אֲשֶׁר תִּנְחַל" וְגוֹ', בָּאָרֶץ יִשְׂרָאֵל עוֹבֵר בִּשְׁנֵי לָאוִין, בְּחוּצָה לָאָרֶץ אֵינוֹ עוֹבֵר אֶלָּא מִשּׁוּם "לֹא תִגְזֹל":

טו] **עֵד אֶחָד.** זֶה בָּנָה אָב, כָּל 'עֵד' שֶׁבַּתּוֹרָה שְׁנַיִם, אֶלָּא אִם כֵּן פֵּרַט לְךָ בּוֹ 'אֶחָד': **לְכָל עָוֹן וּלְכָל חַטָּאת.** לִהְיוֹת חֲבֵרוֹ נֶעֱנָשׁ עַל עֵדוּתוֹ, לֹא עֹנֶשׁ גּוּף וְלֹא עֹנֶשׁ מָמוֹן, אֲבָל קָם הוּא לִשְׁבוּעָה. אָמַר לַחֲבֵרוֹ: תֵּן לִי מָנֶה שֶׁהִלְוִיתִיךָ, אָמַר לוֹ: אֵין לְךָ בְּיָדִי כְּלוּם, וְעֵד אֶחָד מְעִידוֹ שֶׁיֵּשׁ לוֹ, חַיָּב לִשָּׁבַע לוֹ: **עַל פִּי שְׁנֵי עֵדִים.** וְלֹא שֶׁיִּכְתְּבוּ

ביאור

בִּדְרָכָיו כָּל הַיָּמִים, בעקבות זאת הארץ תגדל, וצריך יהיה להגדיל את החסות לרוצחים – וְיָסַפְתָּ, תוסיף לְךָ עוֹד שָׁלֹשׁ עָרִים בשטחים החדשים עַל הַשָּׁלֹשׁ הָאֵלֶּה, שבעבר המערבי של הירדן, וגם על שלוש הערים שבעברו המזרחי.

י וכך לֹא יִשָּׁפֵךְ דָּם של נָקִי בְּקֶרֶב אַרְצְךָ אֲשֶׁר ה׳ אֱלֹהֶיךָ נֹתֵן לְךָ נַחֲלָה, ואם הוא יישפך – וְהָיָה עָלֶיךָ דָּמִים. האחריות לו תרבוץ על כלל העם. שפיכות דמים מטמאה את הארץ, ועל כן יש לפעול למניעתה הן מן הרוצחים הפוטנציאליים והן מן הנוקמים.

יא וְכִי יִהְיֶה אִישׁ שֹׂנֵא לְרֵעֵהוּ, וְאָרַב לוֹ וְקָם עָלָיו וְהִכָּהוּ נֶפֶשׁ, וָמֵת – וְנָס הרוצח הזה שעשה במזיד, אֶל אַחַת הֶעָרִים הָאֵל, האלה, ערי המקלט. בהן הוא יקבל חסות זמנית מטעם החוק עד להעמדתו לדין.[43] יב וְשָׁלְחוּ זִקְנֵי עִירוֹ וְלָקְחוּ אֹתוֹ מִשָּׁם למשפט – וְנָתְנוּ אֹתוֹ בְּיַד גֹּאֵל הַדָּם, הוא יעמוד מול הקרוב התובע את דינו של הנרצח – וָמֵת לאחר חריצת הדין. יג לֹא תָחוֹס עֵינְךָ עָלָיו, אל תחון את הרוצח,[44] וּבִעַרְתָּ דַם הַנָּקִי מִיִּשְׂרָאֵל, וְטוֹב לָךְ.

## איסור הסגת גבול

פרק יט פס׳ יד

ייתכן שאיסור הסגת גבול סמוך לדין ערי המקלט משום שבהן הוזכרו גבולות הארץ. היו שקישרו בין דין הרוצח בזדון לבין איסור הסגת גבול בקשר סיבתי: שמירת קווי הגבול והתחומים בין נחלתו של אדם לשכנו יכולה למנוע סכסוכים העלולים להקצין עד כדי רצח.[45]

יד לֹא תַסִּיג גְּבוּל רֵעֲךָ, אל תזיז את הגבול שבין נחלתך לנחלת זולתך אל תוך תחומו כדי להרחיב את נחלתך, אֲשֶׁר, שכן את תחומי הנחלות גָּבְלוּ, קבעו רִאשֹׁנִים בְּנַחֲלָתְךָ אֲשֶׁר תִּנְחַל בָּאָרֶץ אֲשֶׁר ה׳ אֱלֹהֶיךָ נֹתֵן לְךָ לְרִשְׁתָּהּ.

## מצוות הקשורות לעדים

פרק יט פס׳ טו–כא

לאחר שבמצוות הקודמות הובהר כי ההכרעה הבלעדית להטלת עונשים, לקביעת האסור והמותר, החובות והזכויות, מסורה בידי הרשות השופטת, יפורש דין הראיות שעל פיהן אותה רשות דנה – העדות.

טו לֹא יָקוּם עֵד אֶחָד בְּאִישׁ לְכָל עָוֹן וּלְכָל חַטָּאת, בְּכָל חֵטְא אֲשֶׁר יֶחֱטָא, שכן תמיד עולה האפשרות שעדותו של היחיד נובעת מראייתו הסובייקטיבית. על כן, עַל פִּי שְׁנֵי עֵדִים אוֹ עַל פִּי שְׁלֹשָׁה עֵדִים יָקוּם

שְׁלֹשָׁה־עֵדִים יָקוּם דָּבָר: כִּי־יָקוּם עֵד־חָמָס בְּאִישׁ טז
לַעֲנוֹת בּוֹ סָרָה: וְעָמְדוּ שְׁנֵי־הָאֲנָשִׁים אֲשֶׁר־לָהֶם יז
הָרִיב לִפְנֵי יהוה לִפְנֵי הַכֹּהֲנִים וְהַשֹּׁפְטִים אֲשֶׁר יִהְיוּ
בַּיָּמִים הָהֵם: וְדָרְשׁוּ הַשֹּׁפְטִים הֵיטֵב וְהִנֵּה עֵד־שֶׁקֶר יח
הָעֵד שֶׁקֶר עָנָה בְאָחִיו: וַעֲשִׂיתֶם לוֹ כַּאֲשֶׁר זָמַם יט
לַעֲשׂוֹת לְאָחִיו וּבִעַרְתָּ הָרָע מִקִּרְבֶּךָ: וְהַנִּשְׁאָרִים כ
יִשְׁמְעוּ וְיִרָאוּ וְלֹא־יֹסִפוּ לַעֲשׂוֹת עוֹד כַּדָּבָר הָרָע הַזֶּה
בְּקִרְבֶּךָ: וְלֹא תָחוֹס עֵינֶךָ נֶפֶשׁ בְּנֶפֶשׁ עַיִן בְּעַיִן שֵׁן כא
בְּשֵׁן יָד בְּיָד רֶגֶל בְּרָגֶל: כִּי־תֵצֵא לַמִּלְחָמָה א כ

רש"י | עֵדוּתָם בְּאִגֶּרֶת וְיִשְׁלְחוּ לְבֵית דִּין, וְלֹא שֶׁיַּעֲמֹד תֻּרְגְּמָן בֵּין הָעֵדִים וּבֵין הַדַּיָּנִים:

טז) **לַעֲנוֹת בּוֹ סָרָה.** דָּבָר שֶׁאֵינוֹ, שֶׁהוּסַר הָעֵד הַזֶּה מִכָּל הָעֵדוּת הַזֹּאת. כֵּיצַד? שֶׁאָמְרוּ לָהֶם: וַהֲלֹא עִמָּנוּ הֱיִיתֶם בְּאוֹתוֹ הַיּוֹם בְּמָקוֹם פְּלוֹנִי:

יז) **וְעָמְדוּ שְׁנֵי הָאֲנָשִׁים.** בְּעֵדִים הַכָּתוּב מְדַבֵּר, וְלִמֵּד שֶׁאֵין עֵדוּת בְּנָשִׁים, וְלִמֵּד שֶׁצְּרִיכִין לְהָעִיד עֵדוּתָן מְעוּמָד: **אֲשֶׁר לָהֶם הָרִיב.** אֵלּוּ בַּעֲלֵי הַדִּין: **לִפְנֵי ה'.** יִהְיֶה דּוֹמֶה לָהֶם כְּאִלּוּ עוֹמְדִין לִפְנֵי הַמָּקוֹם, שֶׁנֶּאֱמַר: "בְּקֶרֶב אֱלֹהִים יִשְׁפֹּט" (תהלים פב, א): **אֲשֶׁר יִהְיוּ בַּיָּמִים הָהֵם.** יִפְתָּח בְּדוֹרוֹ כִּשְׁמוּאֵל בְּדוֹרוֹ, צָרִיךְ אַתָּה לִנְהֹג בּוֹ כָּבוֹד:

יח) **וְהִנֵּה עֵד שֶׁקֶר.** כָּל מָקוֹם שֶׁנֶּאֱמַר 'עֵד' בִּשְׁנַיִם הַכָּתוּב מְדַבֵּר: **וְדָרְשׁוּ הַשֹּׁפְטִים הֵיטֵב.** עַל פִּי הַמְּזִמִּים אוֹתָם וּבוֹדְקִים וְחוֹקְרִים אֶת הַבָּאִים לַהֲזִמָּם בִּדְרִישָׁה וַחֲקִירָה:

יט) **כַּאֲשֶׁר זָמַם.** וְלֹא כַּאֲשֶׁר עָשָׂה, מִכָּאן אָמְרוּ: הָרְגוּ – אֵין נֶהֱרָגִין: **לַעֲשׂוֹת לְאָחִיו.** מַה תַּלְמוּד לוֹמַר: "לְאָחִיו"? לִמֵּד עַל זוֹמְמֵי בַּת כֹּהֵן נְשׂוּאָה שֶׁאֵינָם בִּשְׂרֵפָה אֶלָּא כְּמִיתַת הַבּוֹעֵל שֶׁהוּא בְּחֶנֶק, שֶׁנֶּאֱמַר: "בָּאֵשׁ תִּשָּׂרֵף" (ויקרא כא, ט) הִיא וְלֹא בּוֹעֲלָהּ, לְכָךְ נֶאֱמַר כָּאן: "לְאָחִיו", כַּאֲשֶׁר זָמַם לַעֲשׂוֹת לְאָחִיו וְלֹא כַּאֲשֶׁר זָמַם לַעֲשׂוֹת לַאֲחוֹתוֹ. אֲבָל בְּכָל שְׁאָר מִיתוֹת הִשְׁוָה הַכָּתוּב אִשָּׁה לְאִישׁ, וְזוֹמְמֵי אִשָּׁה נֶהֱרָגִין כְּזוֹמְמֵי אִישׁ, כְּגוֹן שֶׁהֱעִידוּהָ שֶׁהָרְגָה אֶת הַנֶּפֶשׁ, שֶׁחִלְּלָה אֶת הַשַּׁבָּת – נֶהֱרָגִין בְּמִיתָתָהּ, שֶׁלֹּא מִעֵט כָּאן אֲחוֹתוֹ אֶלָּא בְּמָקוֹם שֶׁיֵּשׁ לְקַיֵּם בָּהֶן הַזָּמָה בְּמִיתַת הַבּוֹעֵל:

כ) **יִשְׁמְעוּ וְיִרָאוּ.** מִכָּאן שֶׁצְּרִיכִין הַכְרָזָה: אִישׁ פְּלוֹנִי וּפְלוֹנִי נֶהֱרָגִין עַל שֶׁהוּזַמּוּ בְּבֵית דִּין:

כא) **עַיִן בְּעַיִן.** מָמוֹן. וְכֵן: "שֵׁן בְּשֵׁן" וְגוֹ':

פרק כ

א) **כִּי תֵצֵא לַמִּלְחָמָה.** סָמַךְ הַכָּתוּב יְצִיאַת מִלְחָמָה לְכָאן, לוֹמַר לְךָ שֶׁאֵין מְחַסֵּר

הרחבות | **'וּבִעַרְתָּ הרע מקרבך'** החזרה על ביעור הרע מדגישה שהעונשים שניתנים לחוטאים וגם השמירה על זכויותיהם אינם נובעים לא מקלות ראש ולא מרחמנות גורפת, אלא נועדו למגר את הרוע מישראל. (ראו גם לעיל יג,ו; יז,ז יב).

ביאור | **דָּבָר**. גם אם עדות של שני עדים או יותר אינה הוכחה גמורה, ואף היא דורשת עיון וחקירה, אבל יש בה כדי לציין את הוצאת העניין מן החוויה הפרטית אל התחום האובייקטיבי שבו יש מקום לבדיקה ולהשוואה.

אף על פי שעדויותיהם של שני עדים נחשבות מהימנות יש לחשוש גם למקרה הבא:
טז **כִּי יָקוּם עֵד חָמָס**, שקר, עוול ושחיתות **בְּאִישׁ, לַעֲנוֹת בּוֹ סָרָה**, להאשימו בעלילת שווא.
יז **וְעָמְדוּ שְׁנֵי הָאֲנָשִׁים אֲשֶׁר לָהֶם הָרִיב**, שני בעלי הדין – כאשר מדובר בריב בין שניים, או: שני העדים[46] **לִפְנֵי ה'**[47] – **לִפְנֵי הַכֹּהֲנִים וְהַשֹּׁפְטִים אֲשֶׁר יִהְיוּ בַּיָּמִים הָהֵם**.
יח **וְדָרְשׁוּ**, יחקרו **הַשֹּׁפְטִים הֵיטֵב** את העדים כדי לחשוף את השגגות, את השקרים ואת עלילות השווא. אם בעקבות חקירתם הם מגלים – **וְהִנֵּה עֵד שֶׁקֶר הָעֵד, שֶׁקֶר עָנָה בְאָחִיו**. ואולם שקר כזה אינו עניין של מה בכך; זוהי עדות מאשימה, שאילו התקבלה היה חף מפשע נענש בגופו, בממונו או אפילו בחייו.

יט משום כך – **וַעֲשִׂיתֶם לוֹ כַּאֲשֶׁר**, כמו **שֶׁזָּמַם לַעֲשׂוֹת לְאָחִיו**. במקרה זו יואשם העד בניסיון להזיק לרעהו. האשמה כזו איננה מצויה בחוק התורה הכללי, העוסק בדרך כלל בנזקים שהוזקו בפועל. **וּבִעַרְתָּ הָרָע מִקִּרְבֶּךָ**.
כ **וְהַנִּשְׁאָרִים יִשְׁמְעוּ וְיִרָאוּ, וְלֹא יֹסִפוּ לַעֲשׂוֹת עוֹד כַּדָּבָר הָרָע הַזֶּה בְּקִרְבֶּךָ**. הידיעה שעד שקר נענש בחומרה על ניסיונו לפגוע בזולתו תטיל אימה על הכול. כך יבינו שיש להתייחס אל מתן עדות בזהירות, בדייקנות ובכובד ראש.
כא ובאשר לעונשי העד הזומם, אף שלכאורה לא הזיק בפועל, **לֹא תָחוֹס עֵינֶךָ**, שהרי תכנן להזיק נזק ממשי. אם רצה בעדותו לגרום להריגת **נֶפֶשׁ** – **בְּנֶפֶשׁ**, ישלם בנפשו. **עַיִן** – **בְּעַיִן**. אם העיד על אדם שעיוור את חברו – יוטלו על העד תשלומי חבלת עין שזמם לחייב בהם את אחיו; **שֵׁן** – **בְּשֵׁן**; **יָד** – **בְּיָד**; **רֶגֶל** – **בְּרָגֶל**. כל מזימת פגיעה תשולם כגמולה הראוי לה.[48] כשם שהעולם עומד על השלום, כך הוא עומד על הדין. ניקוי העולם מן הרע יאפשר לו להתקיים לאורך ימים.

## דינים הקשורים למלחמה

### פרק כ

היחידה העוסקת בדיני המלחמה בישראל פותחת בהכנות הנעשות לפני הקרב ובמי שפטורים מן היציאה אליו; המשכה מתייחס להתנהלות המלחמה עצמה; והיא חותמת ביחס הראוי אל העצים בעת מצור.

פרק כ א **כִּי תֵצֵא לַמִּלְחָמָה עַל אֹיְבֶךָ, וְרָאִיתָ סוּס וָרֶכֶב**, סוסים ורכבי

עַל־אֹיְבֶךָ וְרָאִיתָ סוּס וָרֶכֶב עַם רַב מִמְּךָ לֹא תִירָא
מֵהֶם כִּי־יהוה אֱלֹהֶיךָ עִמָּךְ הַמַּעַלְךָ מֵאֶרֶץ מִצְרָיִם:
וְהָיָה כְּקָרָבְכֶם אֶל־הַמִּלְחָמָה וְנִגַּשׁ הַכֹּהֵן וְדִבֶּר ב
אֶל־הָעָם: וְאָמַר אֲלֵהֶם שְׁמַע יִשְׂרָאֵל אַתֶּם קְרֵבִים ג
הַיּוֹם לַמִּלְחָמָה עַל־אֹיְבֵיכֶם אַל־יֵרַךְ לְבַבְכֶם אַל־
תִּירְאוּ וְאַל־תַּחְפְּזוּ וְאַל־תַּעַרְצוּ מִפְּנֵיהֶם: כִּי יהוה ד
אֱלֹהֵיכֶם הַהֹלֵךְ עִמָּכֶם לְהִלָּחֵם לָכֶם עִם־אֹיְבֵיכֶם
לְהוֹשִׁיעַ אֶתְכֶם: וְדִבְּרוּ הַשֹּׁטְרִים אֶל־הָעָם לֵאמֹר ה
מִי־הָאִישׁ אֲשֶׁר בָּנָה בַיִת־חָדָשׁ וְלֹא חֲנָכוֹ יֵלֵךְ וְיָשֹׁב

רש"י | חָבֵר יוֹצֵא לַמִּלְחָמָה. דָּבָר אַחֵר, לוֹמַר לְךָ, אִם עָשִׂיתָ מִשְׁפָּט צֶדֶק תִּהְיֶה מֻבְטָח שֶׁאִם תֵּצֵא לַמִּלְחָמָה אַתָּה נוֹצֵחַ, וְכֵן דָּוִד הוּא אוֹמֵר: "עָשִׂיתִי מִשְׁפָּט וָצֶדֶק בַּל תַּנִּיחֵנִי לְעֹשְׁקָי" (תהלים קיט, קכא). עַל אֹיְבֶךָ. יִהְיוּ בְּעֵינֶיךָ כְּאוֹיְבִים, אַל תְּרַחֵם עֲלֵיהֶם כִּי לֹא יְרַחֲמוּ עָלֶיךָ: סוּס וָרֶכֶב. בְּעֵינַי כֻּלָּם כְּסוּס אֶחָד, וְכֵן הוּא אוֹמֵר: "וְהִכִּיתָ אֶת מִדְיָן כְּאִישׁ אֶחָד" (שופטים ו, טז), וְכֵן הוּא אוֹמֵר: "כִּי בָא סוּס פַּרְעֹה" (שמות טו, יט). עַם רַב מִמְּךָ. בְּעֵינֶיךָ הוּא רַב אֲבָל בְּעֵינַי אֵינוֹ רַב:

ב) בְּקָרָבְכֶם אֶל הַמִּלְחָמָה. סָמוּךְ לְצֵאתְכֶם מִן הַסְּפָר, מִגְּבוּל אַרְצְכֶם: וְנִגַּשׁ הַכֹּהֵן. הַמָּשׁוּחַ לְכָךְ, וְהוּא הַנִּקְרָא 'מְשׁוּחַ מִלְחָמָה': וְדִבֶּר אֶל הָעָם. בִּלְשׁוֹן הַקֹּדֶשׁ:

ג) שְׁמַע יִשְׂרָאֵל. אֲפִלּוּ אֵין בָּכֶם זְכוּת אֶלָּא קְרִיאַת שְׁמַע בִּלְבַד, כְּדַאי אַתֶּם שֶׁיּוֹשִׁיעַ אֶתְכֶם: עַל אֹיְבֵיכֶם. אֵין אֵלּוּ אַחֵיכֶם, שֶׁאִם תִּפְּלוּ בְּיָדָם אֵינָם מְרַחֲמִים עֲלֵיכֶם, אֵין זוֹ כְּמִלְחֶמֶת יְהוּדָה עִם יִשְׂרָאֵל, שֶׁנֶּאֱמַר: "וַיָּקֻמוּ הָאֲנָשִׁים אֲשֶׁר נִקְּבוּ בְשֵׁמוֹת וַיַּחֲזִיקוּ בַשִּׁבְיָה וְכָל מַעֲרֻמֵּיהֶם הִלְבִּישׁוּ מִן הַשָּׁלָל וַיַּלְבִּשׁוּם וַיַּנְעִלוּם וַיַּאֲכִלוּם וַיַּשְׁקוּם וַיְסֻכוּם וַיְנַהֲלוּם בַּחֲמֹרִים לְכָל כּוֹשֵׁל וַיְבִיאוּם יְרֵחוֹ עִיר הַתְּמָרִים אֵצֶל אֲחֵיהֶם וַיָּשׁוּבוּ שֹׁמְרוֹן" (דברי הימים ב' כח, טו), אֲבָל "עַל אֹיְבֵיכֶם" אַתֶּם הוֹלְכִים, לְפִיכָךְ הִתְחַזְּקוּ לַמִּלְחָמָה: אַל יֵרַךְ לְבַבְכֶם אַל תִּירְאוּ וְאַל תַּחְפְּזוּ וְאַל תַּעַרְצוּ. אַרְבַּע אַזְהָרוֹת, כְּנֶגֶד אַרְבָּעָה דְּבָרִים שֶׁמַּלְכֵי הָאֻמּוֹת עוֹשִׂין: מַגִּיפִין בִּתְרֵיסֵיהֶם כְּדֵי לְהַקִּישָׁן זֶה לָזֶה כְּדֵי לְהַשְׁמִיעַ קוֹל שֶׁיַּחְפְּזוּ אֵלּוּ שֶׁכְּנֶגְדָּן וְיָנוּסוּ, וְרוֹמְסִים בְּסוּסֵיהֶם וּמַצְהִילִין אוֹתָם לְהַשְׁמִיעַ קוֹל שַׁעֲטַת פַּרְסוֹת סוּסֵיהֶם, וְצוֹוְחִין בְּקוֹלָם, וְתוֹקְעִין בַּשּׁוֹפָרוֹת וּמִינֵי מַשְׁמִיעֵי קוֹל. "אַל יֵרַךְ לְבַבְכֶם", מִצַּהֲלַת סוּסִים. "אַל תִּירְאוּ", מֵהַגָּפַת הַתְּרִיסִין. "וְאַל תַּחְפְּזוּ", מִקּוֹל הַקְּרָנוֹת. "וְאַל תַּעַרְצוּ", מִקּוֹל הַצְּוָחָה:

ד) כִּי ה' אֱלֹהֵיכֶם וְגוֹ'. הֵם בָּאִים בְּנִצְחוֹנוֹ שֶׁל בָּשָׂר וָדָם וְאַתֶּם בָּאִים בְּנִצְחוֹנוֹ שֶׁל מָקוֹם. פְּלִשְׁתִּים בָּאוּ בְּנִצְחוֹנוֹ שֶׁל גָּלְיָת, מֶה הָיָה סוֹפוֹ? נָפַל וְנָפְלוּ עִמּוֹ: הַהֹלֵךְ עִמָּכֶם. זֶה מַחֲנֵה הָאָרוֹן:

ה) וְלֹא חֲנָכוֹ. וְלֹא דָּר בּוֹ. 'חִנּוּךְ' לְשׁוֹן

ביאור

מלחמה, מחנה מאורגן, **עַם רַב** יותר **מִמְּךָ – לֹא תִירָא מֵהֶם, כִּי ה' אֱלֹהֶיךָ**
**עִמָּךְ**, שהוא **הַמַּעַלְךָ מֵאֶרֶץ מִצְרָיִם**. הואיל וכבר עשה אותות ומופתים
רבים והרס את אויביך, בְּטח בו שימשיך לעזור לך.

ב **וְהָיָה כְּקָרָבְכֶם אֶל הַמִּלְחָמָה**, לשדה הקרב, **וְנִגַּשׁ הַכֹּהֵן**, כהן מכובד
במיוחד שהתמנה לצורך ההכנות למלחמה בלבד ונקרא כהן משוח
מלחמה,[49] **וְדִבֶּר אֶל הָעָם.** ג **וְאָמַר אֲלֵהֶם: שְׁמַע, יִשְׂרָאֵל!** הקשיבו! **אַתֶּם**
**קְרֵבִים הַיּוֹם לַמִּלְחָמָה עַל אֹיְבֵיכֶם. אַל יֵרַךְ לְבַבְכֶם**, תפחדו, **אַל תִּירְאוּ**
**וְאַל תַּחְפְּזוּ**, תהיו בהולים, **וְאַל תַּעַרְצוּ**, תישברו **מִפְּנֵיהֶם**. ד **כִּי ה'**
**אֱלֹהֵיכֶם הַהֹלֵךְ עִמָּכֶם לְהִלָּחֵם לָכֶם עִם אֹיְבֵיכֶם, לְהוֹשִׁיעַ אֶתְכֶם.**

לאחר שהכהן מכריז שה' אלוקיהם שורה בקרב החיילים, דואגים
השוטרים הצבאיים לשפר את מערך הכוחות של העם באמצעות
קריאה למי שעלולים להחליש, לשוב לבתיהם: ה **וְדִבְּרוּ הַשֹּׁטְרִים**
**אֶל הָעָם לֵאמֹר: מִי הָאִישׁ אֲשֶׁר בָּנָה בַיִת חָדָשׁ וְלֹא חֲנָכוֹ**, חידש אותו,

סוּס וָרֶכֶב

פרט מתוך ארמון שלמנאסר השלישי

הרחבות

**'כי תצא למלחמה... על איביך'** נראה כי אין מדובר כאן במלחמה על קיום העם או במלחמת הגנה, אלא ב'מלחמת רשות', כלומר במערכה יזומה שנועדה לכיבושים ולהתחזקות, (ראו סוטה מד ע"ב), כמו חלק מן המלחמות שערכו דוד ושאול. משום כך תמוה הסיפור שיהודה המכבי אִפשר לחייליו לבחור אם להצטרף לקרב לפי הטקס שיפורט להלן, במלחמתו שללא ספק הייתה בגדר 'מלחמת מצווה' (מקבים א,ג). אולי הדבר מעיד על הבנת פסוקינו כמדברים במלחמת מצווה, אך מסתבר יותר שיהודה החמיר על עצמו לפנים משורת הדין.

**השוטרים** ייתכן שהשוטרים הנזכרים כאן אינם מי שאחראים על שמירת הסדר הציבורי בפועל, כמו השוטרים בימינו, אלא שהיו אלו בעלי משרה רמה יותר – הממונים על המשטר בכללו, כתפקידו של constable בכמה מדינות, שמשמעותו המקורית היא השר הגדול העומד לפני המלך והממונה על אכיפת החוק. כך עולה גם מתיאור השוטר היחיד שנזכר במקרא בשמו (דברי הימים ב' כו,יא).

ו לְבֵיתוֹ פֶּן־יָמוּת בַּמִּלְחָמָה וְאִישׁ אַחֵר יַחְנְכֶנּוּ: וּמִי־
הָאִישׁ אֲשֶׁר נָטַע כֶּרֶם וְלֹא חִלְּלוֹ יֵלֵךְ וְיָשֹׁב לְבֵיתוֹ
ז פֶּן־יָמוּת בַּמִּלְחָמָה וְאִישׁ אַחֵר יְחַלְּלֶנּוּ: וּמִי־הָאִישׁ
אֲשֶׁר אֵרַשׂ אִשָּׁה וְלֹא לְקָחָהּ יֵלֵךְ וְיָשֹׁב לְבֵיתוֹ פֶּן־
ח יָמוּת בַּמִּלְחָמָה וְאִישׁ אַחֵר יִקָּחֶנָּה: וְיָסְפוּ הַשֹּׁטְרִים
לְדַבֵּר אֶל־הָעָם וְאָמְרוּ מִי־הָאִישׁ הַיָּרֵא וְרַךְ הַלֵּבָב
יֵלֵךְ וְיָשֹׁב לְבֵיתוֹ וְלֹא יִמַּס אֶת־לְבַב אֶחָיו כִּלְבָבוֹ:
ט וְהָיָה כְּכַלֹּת הַשֹּׁטְרִים לְדַבֵּר אֶל־הָעָם וּפָקְדוּ שָׂרֵי
י צְבָאוֹת בְּרֹאשׁ הָעָם: טז כִּי־תִקְרַב אֶל־ שביעי
יא עִיר לְהִלָּחֵם עָלֶיהָ וְקָרָאתָ אֵלֶיהָ לְשָׁלוֹם: וְהָיָה אִם־
שָׁלוֹם תַּעַנְךָ וּפָתְחָה לָךְ וְהָיָה כָּל־הָעָם הַנִּמְצָא־בָהּ

רש״י

הַתְחָלָה: וְאִישׁ אַחֵר יַחְנְכֶנּוּ. וְדָבָר שֶׁל עָגְמַת נֶפֶשׁ הוּא זֶה:

ו) וְלֹא חִלְּלוֹ. לֹא פְּדָאוֹ בַּשָּׁנָה הָרְבִיעִית, שֶׁהַפֵּרוֹת טְעוּנִין לְאָכְלָן בִּירוּשָׁלַיִם, אוֹ לְחַלְּלָן בְּדָמִים וְלֶאֱכֹל הַדָּמִים בִּירוּשָׁלַיִם:

ז-ח) וְיָסְפוּ הַשֹּׁטְרִים. לָמָּה נֶאֱמַר כָּאן "וְיָסְפוּ"? מוֹסִיפִין זֶה עַל דִּבְרֵי הַכֹּהֵן, כֹּהֵן מְדַבֵּר וּמַשְׁמִיעַ מִן "שְׁמַע יִשְׂרָאֵל" עַד "לְהוֹשִׁיעַ אֶתְכֶם", וּ"מִי הָאִישׁ" וְשֵׁנִי וּשְׁלִישִׁי כֹּהֵן מְדַבֵּר וְשׁוֹטֵר מַשְׁמִיעַ, וְזֶה שׁוֹטֵר מְדַבֵּר וְשׁוֹטֵר מַשְׁמִיעַ: הַיָּרֵא וְרַךְ הַלֵּבָב. רַבִּי עֲקִיבָא אוֹמֵר: כְּמַשְׁמָעוֹ, שֶׁאֵינוֹ יָכוֹל לַעֲמֹד בְּקִשְׁרֵי הַמִּלְחָמָה וְלִרְאוֹת חֶרֶב שְׁלוּפָה. רַבִּי יוֹסֵי הַגְּלִילִי אוֹמֵר: הַיָּרֵא מֵעֲבֵרוֹת שֶׁבְּיָדוֹ, וּלְכָךְ תָּלְתָה לוֹ תּוֹרָה לַחֲזֹר עַל בַּיִת וְכֶרֶם וְאִשָּׁה, לְכַסּוֹת עַל הַחוֹזְרִים בִּשְׁבִיל עֲבֵרוֹת שֶׁבְּיָדָם, שֶׁלֹּא יָבִינוּ שֶׁהֵם בַּעֲלֵי עֲבֵרָה, וְהָרוֹאֵהוּ חוֹזֵר, אוֹמֵר: שֶׁמָּא בָּנָה בַּיִת אוֹ נָטַע כֶּרֶם אוֹ אֵרַשׂ אִשָּׁה: פֶּן יָמוּת בַּמִּלְחָמָה. יָשׁוּב פֶּן יָמוּת, שֶׁאִם לֹא יִשְׁמַע לְדִבְרֵי הַכֹּהֵן כְּדַאי הוּא שֶׁיָּמוּת:

ט) שָׂרֵי צְבָאוֹת. שֶׁמַּעֲמִידִין זְקָפִין מִלִּפְנֵיהֶם וּמִלְּאַחֲרֵיהֶם וְכַשִּׁילִים שֶׁל בַּרְזֶל בִּידֵיהֶם, וְכָל מִי שֶׁרוֹצֶה לַחֲזֹר הָרְשׁוּת בְּיָדוֹ לְקַפֵּחַ אֶת שׁוֹקָיו. 'זְקָפִין' – בְּנֵי אָדָם עוֹמְדִין בִּקְצֵה הַמַּעֲרָכָה לִזְקֹף אֶת הַנּוֹפְלִים וּלְחַזְּקָם בִּדְבָרִים, שׁוּבוּ אֶל הַמִּלְחָמָה וְלֹא תָנוּסוּ, שֶׁתְּחִלַּת נְפִילָה נִיסָה:

י) כִּי תִקְרַב אֶל עִיר. בְּמִלְחֶמֶת הָרְשׁוּת הַכָּתוּב מְדַבֵּר, כְּמוֹ שֶׁמְּפֹרָשׁ בָּעִנְיָן: "כֵּן תַּעֲשֶׂה לְכָל הֶעָרִים הָרְחֹקֹת" וְגוֹ' (להלן פסוק טו):

יא) כָּל הָעָם הַנִּמְצָא בָהּ. אֲפִלּוּ אַתָּה מוֹצֵא בָהּ מִשִּׁבְעָה עֲמָמִין שֶׁנִּצְטַוֵּיתָ

ביאור

התחיל להשתמש בו – **יֵלֵךְ וְיָשֹׁב לְבֵיתוֹ, פֶּן יָמוּת בַּמִּלְחָמָה, וְאִישׁ אַחֵר יַחְנְכֶנּוּ.** חייל הטרוד במחשבה שאולי לא יזכה לחזור לבית שטרם החל להשתמש בו, לא יתַפקד היטב בשדה הקרב.
ו **וּמִי הָאִישׁ אֲשֶׁר נָטַע כֶּרֶם וְלֹא חִלְּלוֹ.** בשנים הראשונות לנטיעת כרם פֵּרותיו קודש לה'. רק בשנה הרביעית הענבים נעשים חולין ומותרים בהנאה. מי שטרם חגג את האפשרות ליהנות מפרות כרמו – **יֵלֵךְ וְיָשֹׁב לְבֵיתוֹ, פֶּן יָמוּת בַּמִּלְחָמָה וְאִישׁ אַחֵר יְחַלְּלֶנּוּ.** זו הייתה חגיגה חשובה,[50] וכאשר אדם נטע כרם ולא הגיע לגמר שמחתו ממנו, טרדתו עלולה לעכבו מלהילחם כראוי.
ז וכיוצא בזה, **מִי הָאִישׁ אֲשֶׁר אֵרַשׂ,** אירס **אִשָּׁה וְלֹא לְקָחָהּ,** נשאה – **יֵלֵךְ וְיָשֹׁב לְבֵיתוֹ, פֶּן יָמוּת בַּמִּלְחָמָה וְאִישׁ אַחֵר יִקָּחֶנָּה.**

ח **וְיָסְפוּ הַשֹּׁטְרִים לְדַבֵּר אֶל הָעָם, וְאָמְרוּ: מִי הָאִישׁ הַיָּרֵא וְרַךְ הַלֵּבָב,** מי שאין בו גבורה, והרתיעה מן המלחמה גוברת עליו – **יֵלֵךְ וְיָשֹׁב לְבֵיתוֹ, וְלֹא יִמַּס אֶת לְבַב אֶחָיו כִּלְבָבוֹ.** חיילים שאינם רוצים להילחם, יהיו הראשונים שיברחו או שיתחמקו נוכח אתגרים קשים, והם עלולים להחליש את חבריהם.

ט **וְהָיָה כְּכַלֹּת,** אחרי שסיימו **הַשֹּׁטְרִים לְדַבֵּר אֶל הָעָם,** ונותרת קבוצת לוחמים מבוררת ובעלת מוטיבציה, **וּפָקְדוּ שָׂרֵי צְבָאוֹת בְּרֹאשׁ הָעָם,** שכן צבא ישראל הורכב בעיקר מאנשי מילואים, ואף הדרג הפיקודי מונה במהלך ההכנות למלחמה.[51]

י **כִּי תִקְרַב אֶל עִיר לְהִלָּחֵם עָלֶיהָ,** ראשית כול – **וְקָרָאתָ אֵלֶיהָ לְשָׁלוֹם,** הצע לתושביה הסכם שלום.

יא **וְהָיָה אִם שָׁלוֹם תַּעַנְךָ** ותסכים להצעתך, **וּפָתְחָה לָךְ** את שעריה, תעשה עמה שלום, אם כי אין זה שלום בין שווים – **וְהָיָה כָּל הָעָם**

הרחבות

**'אשר ארש אשה'** כאן מובא דינו של מי שהתארס. להלן (כד,ה) ייאמר במפורש שאדם שכבר נשא אשה פטור לחלוטין מהשירות הצבאי במשך שנת הנישואין הראשונה. אין הוא יוצא כלל למערכה, אלא נָקִי יִהְיֶה לְבֵיתוֹ שָׁנָה אֶחָת וְשִׂמַּח אֶת אִשְׁתּוֹ.

**'וְיָסְפוּ הַשֹּׁטְרִים לְדַבֵּר'** אף שנראה ששחרורם של רכי הלב מן המערכה הוא שלב נוסף בנאום השוטרים, לפי מסורת חכמים, כל קריאות הפטור נאמרו יחד. לא להרבה פחדנים יש די אומץ כדי לעמוד במסדר שבו נוכח כל הצבא ולצאת מן השורות בהצהרה שהם חוזרים לבתיהם מחמת הפחד. נוח להם יותר להצטרף ללא בושת פנים אל האנשים שבנו בית, נטעו כרם או אירסו אשה (סוטה מד ע"א).

**'כי תקרב אל עיר להלחם עליה'** מפס' טו להלן עולה כי מתוארת כאן תקיפת עיר מחוץ לגבולות הארץ, כחלק ממלחמת רשות. (ראו ספרי דברים קצט; רש"י על אתר). אולם היו מסורות שאפילו מלחמות המצווה שנערכו לשם כיבוש ארץ כנען נפתחו בקריאה לשלום, ורק אחרי שלא נענו בשלום פתחו בקרב. (ראו ירושלמי שביעית ו,א; רמב"ם וראב"ד, הלכות מלכים ו,ד-ה; רמב"ן על אתר. ראו עוד בהפניות מיהושע ט,ו).

יב יִהְיוּ לְךָ לָמַס וַעֲבָדוּךָ׃ וְאִם־לֹא תַשְׁלִים עִמָּךְ וְעָשְׂתָה
יג עִמְּךָ מִלְחָמָה וְצַרְתָּ עָלֶיהָ׃ וּנְתָנָהּ יְהוָה אֱלֹהֶיךָ
יד בְּיָדֶךָ וְהִכִּיתָ אֶת־כָּל־זְכוּרָהּ לְפִי־חָרֶב׃ רַק הַנָּשִׁים
וְהַטַּף וְהַבְּהֵמָה וְכֹל אֲשֶׁר יִהְיֶה בָעִיר כָּל־שְׁלָלָהּ
תָּבֹז לָךְ וְאָכַלְתָּ אֶת־שְׁלַל אֹיְבֶיךָ אֲשֶׁר נָתַן יְהוָה
טו אֱלֹהֶיךָ לָךְ׃ כֵּן תַּעֲשֶׂה לְכָל־הֶעָרִים הָרְחֹקֹת מִמְּךָ
טז מְאֹד אֲשֶׁר לֹא־מֵעָרֵי הַגּוֹיִם־הָאֵלֶּה הֵנָּה׃ רַק מֵעָרֵי
הָעַמִּים הָאֵלֶּה אֲשֶׁר יְהוָה אֱלֹהֶיךָ נֹתֵן לְךָ נַחֲלָה
יז לֹא תְחַיֶּה כָּל־נְשָׁמָה׃ כִּי־הַחֲרֵם תַּחֲרִימֵם הַחִתִּי
וְהָאֱמֹרִי הַכְּנַעֲנִי וְהַפְּרִזִּי הַחִוִּי וְהַיְבוּסִי כַּאֲשֶׁר צִוְּךָ
יח יְהוָה אֱלֹהֶיךָ׃ לְמַעַן אֲשֶׁר לֹא־יְלַמְּדוּ אֶתְכֶם לַעֲשׂוֹת
כְּכֹל תּוֹעֲבֹתָם אֲשֶׁר עָשׂוּ לֵאלֹהֵיהֶם וַחֲטָאתֶם
יט לַיהוָה אֱלֹהֵיכֶם׃ כִּי־תָצוּר אֶל־עִיר יָמִים
רַבִּים לְהִלָּחֵם עָלֶיהָ לְתָפְשָׂהּ לֹא־תַשְׁחִית אֶת־עֵצָהּ

רש"י | לְהַחֲרִימָם, אַתָּה רַשַּׁאי לְקַיְּמָם: לָמַס וַעֲבָדוּךָ. עַד שֶׁיְּקַבְּלוּ עֲלֵיהֶם מִסִּים וְשִׁעְבּוּד:

יב) וְאִם לֹא תַשְׁלִים עִמָּךְ וְעָשְׂתָה עִמְּךָ מִלְחָמָה. הַכָּתוּב מְבַשֶּׂרְךָ שֶׁאִם לֹא תַשְׁלִים עִמָּךְ, סוֹפָהּ לְהִלָּחֵם בְּךָ אִם תַּנִּיחֶנָּה וְתֵלֵךְ: וְצַרְתָּ עָלֶיהָ. אַף לְהַרְעִיבָהּ וּלְהַצְמִיאָהּ וּלְהֲמִיתָהּ מִיתַת תַּחֲלוּאִים:

יג) וּנְתָנָהּ ה' אֱלֹהֶיךָ בְּיָדֶךָ. אִם עָשִׂיתָ כָּל הָאָמוּר בָּעִנְיָן, סוֹף שֶׁה' נוֹתְנָהּ בְּיָדְךָ:

יד) וְהַטַּף. אַף טַף שֶׁל זְכָרִים, וּמָה אֲנִי מְקַיֵּם: "וְהִכִּיתָ אֶת כָּל זְכוּרָהּ"? בַּגְּדוֹלִים:

יז) כַּאֲשֶׁר צִוְּךָ. לְרַבּוֹת אֶת הַגִּרְגָּשִׁי:

יח) לְמַעַן אֲשֶׁר לֹא יְלַמְּדוּ. הָא אִם עָשׂוּ תְשׁוּבָה וּמִתְגַּיְּרִין, אַתָּה רַשַּׁאי לְקַבְּלָם:

יט) יָמִים. שְׁנַיִם: רַבִּים. שְׁלֹשָׁה. מִכָּאן אָמְרוּ: אֵין צָרִין עַל עֲיָרוֹת שֶׁל גּוֹיִם פָּחוֹת מִשְּׁלֹשָׁה יָמִים קֹדֶם לַשַּׁבָּת. וְלִמֵּד שֶׁפּוֹתֵחַ

ביאור | **הַנִּמְצָא בָהּ יִהְיוּ לְךָ לָמַס וַעֲבָדוּךָ.** העיר תהפוך לאזור כבוש תחת
סמכותו של שלטון ישראל.

יב **וְאִם לֹא תַשְׁלִים עִמָּךְ וְעָשְׂתָה עִמְּךָ מִלְחָמָה – וְצַרְתָּ עָלֶיהָ,** תבנה
עליה מצור, יג וכאשר **נְתָנָהּ ה׳ אֱלֹהֶיךָ בְּיָדֶךָ – וְהִכִּיתָ אֶת כָּל זְכוּרָהּ**
**לְפִי חָרֶב.** את כל יושביה הגברים אתה רשאי להרוג בחרב, שכן הם
האויבים. יד **רַק הַנָּשִׁים וְהַטַּף,** הילדים הקטנים **וְהַבְּהֵמָה וְכֹל אֲשֶׁר**
**יִהְיֶה בָעִיר, כָּל שְׁלָלָהּ – תָּבֹז לָךְ.** הנשים והטף ייחשבו לשלל העיר ולא
לאויביך, ולכן אפשר לקחתם בשבי. **וְאָכַלְתָּ אֶת שְׁלַל אֹיְבֶיךָ אֲשֶׁר נָתַן**
**ה׳ אֱלֹהֶיךָ לָךְ.** טו **כֵּן תַּעֲשֶׂה לְכָל הֶעָרִים הָרְחֹקֹת מִמְּךָ מְאֹד, אֲשֶׁר לֹא**
**מֵעָרֵי הַגּוֹיִם הָאֵלֶּה,** שבתחומי הארץ שלנגדך **הֵנָּה,** הן. טז **רַק מֵעָרֵי**
**הָעַמִּים הָאֵלֶּה אֲשֶׁר ה׳ אֱלֹהֶיךָ נֹתֵן לְךָ נַחֲלָה, לֹא תְחַיֶּה כָּל נְשָׁמָה.** דין
ערי כנען חמור יותר מדינן של הערים הרחוקות. אם עיר רחוקה
תשלים אתך לפי תנאיך, היא תישאר על מקומה, ודבר לא ישתנה
בה, וגם אם היא תסרב לקבל את תנאיך ותתקיף אותה – ייהרגו
רק הזכרים שבה. יז **כִּי הַחֲרֵם תַּחֲרִימֵם,** עליך להרוס את הערים
האלה ולהשמיד את כל תושביהן מן העמים **הַחִתִּי וְהָאֱמֹרִי, הַכְּנַעֲנִי**
**וְהַפְּרִזִּי, הַחִוִּי וְהַיְבוּסִי, כַּאֲשֶׁר צִוְּךָ ה׳ אֱלֹהֶיךָ.** הטעם להכרתת יושבי
הערים הללו איננו גזעני או לאומי. במקום אחר מופיע נימוק
ביטחוני – החשש שבני נכר שיישארו כאן יהוו מכשול ואיום על
חייהם של ישראל.[52] כאן ניתן טעם אחר: יח **לְמַעַן אֲשֶׁר לֹא יְלַמְּדוּ**
**אֶתְכֶם לַעֲשׂוֹת כְּכֹל תּוֹעֲבֹתָם אֲשֶׁר עָשׂוּ לֵאלֹהֵיהֶם – וַחֲטָאתֶם לַה׳**
**אֱלֹהֵיכֶם.** תרבויותיהם ודתותיהם עלולות להשפיע עליכם.

יט **כִּי תָצוּר אֶל עִיר יָמִים רַבִּים לְהִלָּחֵם עָלֶיהָ לְתָפְשָׂהּ.** ייתכן שתרצה
לכרות את העצים שסביב העיר הנצורה כדי לקחתם כשלל, לצורך
בניית חומה ודייק או כדי למנוע מאנשיה להיזון מפֵּרותיהם, לברוח
מן העיר בחסותם ולהצטייד בחוץ. ובכל זאת – **לֹא תַשְׁחִית אֶת עֵצָהּ,**

עצים כרותים
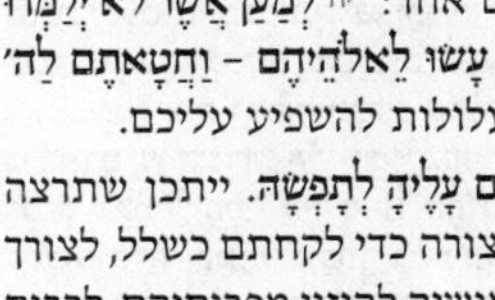

הרחבות | **'כִּי תָצוּר'** דין זה מורה כי למרות המציאות הכאוטית השוררת בזמן מלחמה, גם אז לא הכול מותר. איסור השחתת עצי הפרי בעת המצור מזכיר לאדם שגם בשעה של אלימות ואנדרלמוסיה עליו להיזהר מקלקול ומהשחתתה לחינם.

לִנְדֹּחַ עָלָיו גַּרְזֶן כִּי מִמֶּנּוּ תֹאכֵל וְאֹתוֹ לֹא תִכְרֹת
כִּי הָאָדָם עֵץ הַשָּׂדֶה לָבֹא מִפָּנֶיךָ בַּמָּצוֹר: רַק עֵץ כ
אֲשֶׁר־תֵּדַע כִּי לֹא־עֵץ מַאֲכָל הוּא אֹתוֹ תַשְׁחִית
וְכָרָתָּ וּבָנִיתָ מָצוֹר עַל־הָעִיר אֲשֶׁר־הִוא עֹשָׂה עִמְּךָ
מִלְחָמָה עַד רִדְתָּהּ:

כִּי־יִמָּצֵא חָלָל בָּאֲדָמָה אֲשֶׁר יְהוָה אֱלֹהֶיךָ נֹתֵן א כא
לְךָ לְרִשְׁתָּהּ נֹפֵל בַּשָּׂדֶה לֹא נוֹדַע מִי הִכָּהוּ: וְיָצְאוּ ב
זְקֵנֶיךָ וְשֹׁפְטֶיךָ וּמָדְדוּ אֶל־הֶעָרִים אֲשֶׁר סְבִיבֹת
הֶחָלָל: וְהָיָה הָעִיר הַקְּרֹבָה אֶל־הֶחָלָל וְלָקְחוּ זִקְנֵי ג
הָעִיר הַהִוא עֶגְלַת בָּקָר אֲשֶׁר לֹא־עֻבַּד בָּהּ אֲשֶׁר
לֹא־מָשְׁכָה בְּעֹל: וְהוֹרִדוּ זִקְנֵי הָעִיר הַהִוא אֶת־ ד
הָעֶגְלָה אֶל־נַחַל אֵיתָן אֲשֶׁר לֹא־יֵעָבֵד בּוֹ וְלֹא יִזָּרֵעַ

רש"י | בְּשָׁלֹשׁ שָׁנִים אוֹ שְׁלֹשָׁה יָמִים, וְכֵן הוּא אוֹמֵר: "וַיֵּשֶׁב דָּוִד בְּצִקְלָג יָמִים שְׁנָיִם" (שמואל ב' א, א), וּבְמִלְחֶמֶת הָרְשׁוּת הַכָּתוּב מְדַבֵּר: כִּי הָאָדָם עֵץ הַשָּׂדֶה. הֲרֵי "כִּי" מְשַׁמֵּשׁ בִּלְשׁוֹן 'דִּלְמָא', שֶׁמָּא הָאָדָם עֵץ הַשָּׂדֶה לְהִכָּנֵס בְּתוֹךְ הַמָּצוֹר מִפָּנֶיךָ לְהִתְיַסֵּר בְּיִסּוּרֵי רָעָב וְצָמָא כְּאַנְשֵׁי הָעִיר? לָמָּה תַשְׁחִיתֶנּוּ?

כ עַד רִדְתָּהּ. לְשׁוֹן רִדּוּי, שֶׁתְּהֵא כְּפוּפָה לְךָ:

פרק כא

ב וְיָצְאוּ זְקֵנֶיךָ. סַנְהֶדְרֵי גְּדוֹלָה: וּמָדְדוּ. מִמָּקוֹם שֶׁהֶחָלָל שׁוֹכֵב: אֶל הֶעָרִים אֲשֶׁר סְבִיבֹת הֶחָלָל. לְכָל צַד, לֵידַע אֵיזוֹ קְרוֹבָה:

ד אֶל נַחַל אֵיתָן. קָשֶׁה, שֶׁלֹּא נֶעֱבַד:

הרחבות | **'כי האדם עץ השדה לבֹא מפניך במצור'** מכאן עולה חובה כללית לשמור על הטבע, ולא להשמיד דברים שלא לצורך. (ראו בבא קמא צא ע"ב).

**'ומדדו אל הערים אשר סביבת החלל'** טקס מדידת המרחקים נועד לזעזע את כל ערי הסביבה. לפי מסורת חכמים, המדידה נעשתה גם כאשר ידוע בבהירות מהי

ביאור
עצי המאכל שמסביבה לִנְדֹּחַ, להכות עָלָיו בַּגַּרְזֶן, כִּי מִמֶּנּוּ – מהעץ הגדל באזור תֹאכֵל, וְלכן אֹתוֹ לֹא תִכְרֹת, כִּי הָאָדָם עֵץ הַשָּׂדֶה לָבֹא מִפָּנֶיךָ בַּמָּצוֹר?! וכי עץ השדה הוא כאדם, שאתה נלחם בו?[53] הרי יש לכוון את המלחמה נגד בני אדם ולא נגד הטבע. כ רַק עֵץ אֲשֶׁר תֵּדַע כִּי לֹא עֵץ מַאֲכָל הוּא – אֹתוֹ תַשְׁחִית וְכָרָתָּ. לפעמים קשה לדעת אם עץ מסוים נושא פרי שפרותיו כבר נשרו ממנו או טרם צמחו, או שהוא עץ סרק. לכן מודגש כאן שמותר לכרות רק עצים שידוע בוודאות שאינם עצי מאכל. וּבָנִיתָ מעצי הסרק מָצוֹר עַל הָעִיר אֲשֶׁר הִוא עֹשָׂה עִמְּךָ מִלְחָמָה, עַד רִדְתָּהּ, הכנעתה,[54] או: ירידתה ונפילתה.[55]

## עגלה ערופה

פרק כא פס׳ א–ט

לאחר דינים הקשורים למלחמת הציבור, מתואר כאן דינו של הרוג בנסיבות פרטיות. מצווה זו מלמדת כי אסור לציבור להסיר את אחריותו ממי שנהרג בנסיבות כאלה, אף אם אין פרטיהן ידועות לו כלל.

פרק כא א כִּי יִמָּצֵא חָלָל, אדם שניכר שנרצח בָּאֲדָמָה אֲשֶׁר ה׳ אֱלֹהֶיךָ נֹתֵן לְךָ לְרִשְׁתָּהּ, נֹפֵל בַּשָּׂדֶה, וְלֹא נוֹדַע מִי הִכָּהוּ. איש איננו יודע מה אירע ומיהו החלל.

עצם גופתו של הרוג הנמצאת בארץ היא שערורייה מבישה ונחשבת עוון וכתם. ב אשר על כן – וְיָצְאוּ זְקֵנֶיךָ וְשֹׁפְטֶיךָ, מנהיגי העם הגדולים, חכמי הסנהדרין הגדולה,[56] וּמָדְדוּ את המרחק מן החלל אֶל הֶעָרִים אֲשֶׁר סְבִיבֹת הֶחָלָל. ג וְהָיָה הָעִיר הַקְּרֹבָה ביותר אֶל הֶחָלָל, שכמובן לא הוכח שהוא נהרג דווקא על ידי אנשיה, אך מניחים שיש לו סיכוי רב יותר לקשר עם אנשי העיר הקרובה מאשר לאנשי מקום אחר. לכן – וְלָקְחוּ זִקְנֵי הָעִיר הַהִוא, ראשי העיר המסוימת הזאת עֶגְלַת בָּקָר צעירה, בשנתה הראשונה או גם השנייה.[57] אֲשֶׁר לֹא עֻבַּד בָּהּ, שלא עבדו בה מעולם, אֲשֶׁר לֹא מָשְׁכָה בְּעֹל לשם חרישה או עבודות אחרות. זוהי עגלה רכה למדי, כי על העגלים הגדולים יותר היו מניחים עול, ולוּ כדי להרגילם בקבלתו.[58] ד וְהוֹרִדוּ זִקְנֵי הָעִיר הַהִוא אֶת הָעֶגְלָה אֶל נַחַל, עמק אֵיתָן, קשה וטרשי,[59] או: נחל זורם בחוזק[60] אֲשֶׁר לֹא יֵעָבֵד בּוֹ, יעובד, וְלֹא יִזָּרֵעַ, מפני שהוא תלול

הרחבות
העיר הקרובה ביותר (סוטה מה ע"א). המדידה לא נועדה רק לצורך זיהויה של העיר הקרובה; בטקסיותה היא ביטאה את התפיסה שכל תושבי האזור קשורים למקרה, ואת ערכו הרב של כל אדם, אפילו הוא נווד אלמוני.

ה וְעָרְפוּ־שָׁם אֶת־הָעֶגְלָה בַּנָּחַל׃ וְנִגְּשׁוּ הַכֹּהֲנִים בְּנֵי
לֵוִי כִּי בָם בָּחַר יְהוָה אֱלֹהֶיךָ לְשָׁרְתוֹ וּלְבָרֵךְ בְּשֵׁם
ו יְהוָה וְעַל־פִּיהֶם יִהְיֶה כָּל־רִיב וְכָל־נָגַע׃ וְכֹל זִקְנֵי
הָעִיר הַהִוא הַקְּרֹבִים אֶל־הֶחָלָל יִרְחֲצוּ אֶת־יְדֵיהֶם
ז עַל־הָעֶגְלָה הָעֲרוּפָה בַנָּחַל׃ וְעָנוּ וְאָמְרוּ יָדֵינוּ לֹא מפטיר
ח שפכה אֶת־הַדָּם הַזֶּה וְעֵינֵינוּ לֹא רָאוּ׃ כַּפֵּר לְעַמְּךָ שָׁפְכוּ
יִשְׂרָאֵל אֲשֶׁר־פָּדִיתָ יְהוָה וְאַל־תִּתֵּן דָּם נָקִי בְּקֶרֶב
ט עַמְּךָ יִשְׂרָאֵל וְנִכַּפֵּר לָהֶם הַדָּם׃ וְאַתָּה תְּבַעֵר הַדָּם
הַנָּקִי מִקִּרְבֶּךָ כִּי־תַעֲשֶׂה הַיָּשָׁר בְּעֵינֵי יְהוָה׃

רש"י

**וְעָרְפוּ.** קוֹצֵץ עָרְפָּהּ בְּקוֹפִיץ. אָמַר הַקָּדוֹשׁ בָּרוּךְ הוּא: תָּבֹא עֶגְלָה בַּת שְׁנָתָהּ שֶׁלֹּא עָשְׂתָה פֵּרוֹת, וְתֵעָרֵף בְּמָקוֹם שֶׁאֵינוֹ עוֹשֶׂה פֵּרוֹת, לְכַפֵּר עַל הֲרִיגָתוֹ שֶׁל זֶה שֶׁלֹּא הִנִּיחוּהוּ לַעֲשׂוֹת פֵּרוֹת:

ז **יָדֵינוּ לֹא שָׁפְכוּ.** וְכִי עָלְתָה עַל לֵב שֶׁזִּקְנֵי בֵית דִּין שׁוֹפְכֵי דָמִים הֵם? אֶלָּא לֹא רְאִינוּהוּ וּפְטַרְנוּהוּ בְּלֹא מְזוֹנוֹת וּבְלֹא לְוָיָה:

ח הַכֹּהֲנִים אוֹמְרִים: **כַּפֵּר לְעַמְּךָ יִשְׂרָאֵל:** **וְנִכַּפֵּר לָהֶם הַדָּם.** הַכָּתוּב מְבַשְּׂרָם, שֶׁמִּשֶּׁעָשׂוּ כֵּן יְכֻפַּר לָהֶם הֶעָוֹן:

ט **וְאַתָּה תְּבַעֵר.** מַגִּיד שֶׁאִם נִמְצָא הַהוֹרֵג אַחַר שֶׁנִּתְעָרְפָה הָעֶגְלָה, הֲרֵי זֶה יֵהָרֵג, וְהוּא "הַיָּשָׁר בְּעֵינֵי ה'":

ביאור

ומסולע או שוטף. אף על פי שהוא קרוב לאזור מיושב, הוא עצמו שומם. **וְעָרְפוּ שָׁם אֶת הָעֶגְלָה**, יחתכו את ראשה מן העורף, שלא כשחיטה הנעשית בצוואר, **בַּנָּחַל**. פרטי הטקס מסמלים את ההרוג: האדמה שאינה מצמיחה דבר; העגלה הצעירה שלא הביאה עדיין ולדות ואף לא נעשתה על ידיה שום עבודה; עריפתה – שהיא מהופכת לשחיטה המאפשרת את אכילת הבהמה; הכול יורד לטמיון כחייו של החלל שנקטעו.[61] ה **וְנִגְּשׁוּ הַכֹּהֲנִים בְּנֵי לֵוִי, כִּי בָם בָּחַר ה' אֱלֹהֶיךָ לְשָׁרְתוֹ וּלְבָרֵךְ בְּשֵׁם ה'**, ובמקרים רבים **עַל פִּיהֶם יִהְיֶה כָּל רִיב וְכָל נָגַע**. ואף הם ישתתפו עם זקני העיר במהלך הטקס. ו **וְכֹל זִקְנֵי הָעִיר הַהִוא**, שנמצא שהם **הַקְּרֹבִים אֶל הֶחָלָל, יִרְחֲצוּ אֶת יְדֵיהֶם עַל הָעֶגְלָה הָעֲרוּפָה בַנָּחַל.** ז **וְעָנוּ וְאָמְרוּ: "יָדֵינוּ לֹא שָׁפְכוּ אֶת הַדָּם הַזֶּה, וְעֵינֵינוּ לֹא רָאוּ.** הן ברחיצת ידינו הן במלותינו אנו מצהירים כנציגי עירנו שידינו נקיות משפיכת הדם, לא עשינו דבר הקשור לרצח הזה אפילו באופן סביל,[62] ואיננו יודעים מיהו האשם. מכאן עולה שאם חושדים באדם מסוים, אין מקיימים את טקס המדידה והעריפה, אלא מעמידים את האשם לדין. ח **כַּפֵּר לְעַמְּךָ יִשְׂרָאֵל אֲשֶׁר פָּדִיתָ, ה', וְאַל תִּתֵּן דָּם נָקִי**, הרובץ כקללה על הארץ **בְּקֶרֶב עַמְּךָ יִשְׂרָאֵל**, שהרי כבר נאמר: לָאָרֶץ לֹא יְכֻפַּר לַדָּם אֲשֶׁר שֻׁפַּךְ בָּהּ כִּי אִם בְּדַם שֹׁפְכוֹ.[63] כיוון שאיננו יודעים מיהו האשם, אנו מבקשים ממך, ה', לכפר על שפיכת הדם אף שהרוצח לא בא על עונשו". **וְנִכַּפֵּר**, ויתכפר **לָהֶם הַדָּם**.

כאמור, טקס זה בא לכפר רק כאשר אין כל ידע על הרצח והרוצח, אך אין בו טיהור הרוצח ואין בו כדי לפטור את החברה מחקירת הפרשה. אדרבא, מאחוריו עומדת אחריותה של החברה אפילו כלפי מקרים נעלמים כאלה ובקשת סליחה עד שיבוא העניין על תיקונו. נוסף על כך, טקס המדידה והעריפה על ידי זקני הסנהדרין בוודאי מעורר פרסום ומודעות גבוהים. כך הפרטים העלומים עתידים להתבהר, והמאורע ישאיר את רישומו בעם. בכל מקרה שהחברה יכולה לברר את האמת ולהעניש את הפושע הדבר מוטל עליה[64] –

ט **וְאַתָּה תְּבַעֵר הַדָּם הַנָּקִי מִקִּרְבֶּךָ, כִּי תַעֲשֶׂה הַיָּשָׁר בְּעֵינֵי ה'.**

הרחבות

**'על פיהם יהיה כל ריב וכל נגע'** עוד בימי קדם, כאשר לימוד התורה לא היה מוסדר רשמית, לכהנים הייתה מורשת למדנית, ומורשת זו נמשכה לאורך הדורות. (ראו עוד לעיל יז,ט יח; יט,יז; להלן לא,ח; לג,י; ירמיה יח,יח; יחזקאל ז,כו; כב,כו; מלאכי ב,ז; דברי הימים ב' יט,ח).

## כי תצא

כִּי־תֵצֵא לַמִּלְחָמָה עַל־אֹיְבֶיךָ וּנְתָנוֹ יְהֹוָה אֱלֹהֶיךָ י
בְּיָדֶךָ וְשָׁבִיתָ שִׁבְיוֹ: וְרָאִיתָ בַּשִּׁבְיָה אֵשֶׁת יְפַת־ יא
תֹּאַר וְחָשַׁקְתָּ בָהּ וְלָקַחְתָּ לְךָ לְאִשָּׁה: וַהֲבֵאתָהּ יב
אֶל־תּוֹךְ בֵּיתֶךָ וְגִלְּחָה אֶת־רֹאשָׁהּ וְעָשְׂתָה אֶת־
צִפָּרְנֶיהָ: וְהֵסִירָה אֶת־שִׂמְלַת שִׁבְיָהּ מֵעָלֶיהָ וְיָשְׁבָה יג
בְּבֵיתֶךָ וּבָכְתָה אֶת־אָבִיהָ וְאֶת־אִמָּהּ יֶרַח יָמִים
וְאַחַר כֵּן תָּבוֹא אֵלֶיהָ וּבְעַלְתָּהּ וְהָיְתָה לְךָ לְאִשָּׁה:
וְהָיָה אִם־לֹא חָפַצְתָּ בָּהּ וְשִׁלַּחְתָּהּ לְנַפְשָׁהּ וּמָכֹר יד
לֹא־תִמְכְּרֶנָּה בַּכָּסֶף לֹא־תִתְעַמֵּר בָּהּ תַּחַת אֲשֶׁר

**רש"י**

י] **כִּי תֵצֵא לַמִּלְחָמָה.** בְּמִלְחֶמֶת הָרְשׁוּת הַכָּתוּב מְדַבֵּר, שֶׁבְּמִלְחֶמֶת אֶרֶץ יִשְׂרָאֵל אֵין לוֹמַר "וְשָׁבִיתָ שִׁבְיוֹ", שֶׁהֲרֵי כְּבָר נֶאֱמַר: "לֹא תְחַיֶּה כָּל נְשָׁמָה" (לעיל כ, טז): **וְשָׁבִיתָ שִׁבְיוֹ.** לְרַבּוֹת כְּנַעֲנִים שֶׁבְּתוֹכָהּ, וְאַף עַל פִּי שֶׁהֵן מִשִּׁבְעָה אֻמּוֹת:

יא] **וְלָקַחְתָּ לְךָ לְאִשָּׁה.** לֹא דִבְּרָה תוֹרָה אֶלָּא כְּנֶגֶד יֵצֶר הָרָע, שֶׁאִם אֵין הַקָּדוֹשׁ בָּרוּךְ הוּא מַתִּירָהּ יִשָּׂאֶנָּה בְּאִסּוּר, אֲבָל אִם נְשָׂאָהּ סוֹפוֹ לִהְיוֹת שׂוֹנְאָהּ, שֶׁנֶּאֱמַר אַחֲרָיו: "כִּי תִהְיֶיןָ לְאִישׁ" וְגוֹ' (להלן פסוק טו), וְסוֹפוֹ לְהוֹלִיד מִמֶּנָּה בֵּן סוֹרֵר וּמוֹרֶה (להלן פסוק יח), לְכָךְ נִסְמְכוּ פָּרָשִׁיּוֹת הַלָּלוּ: **אֵשֶׁת.** אֲפִלּוּ אֵשֶׁת אִישׁ:

יב] **וְעָשְׂתָה אֶת צִפָּרְנֶיהָ.** תְּגַדְּלֵם כְּדֵי שֶׁתִּתְנַוֵּל:

יג] **וְהֵסִירָה אֶת שִׂמְלַת שִׁבְיָהּ.** לְפִי שֶׁהֵם נָאִים, שֶׁהַגּוֹיִם הָאֲרוּרִים בְּנוֹתֵיהֶם מִתְקַשְּׁטוֹת בַּמִּלְחָמָה בִּשְׁבִיל לְהַזְנוֹת אֲחֵרִים עִמָּהֶם: **וְיָשְׁבָה בְּבֵיתֶךָ.** בַּבַּיִת שֶׁמִּשְׁתַּמֵּשׁ בּוֹ. נִכְנָס וְנִתְקָל בָּהּ, יוֹצֵא וְנִתְקָל בָּהּ, רוֹאֶה בִּבְכִיָּתָהּ רוֹאֶה בְּנִוּוּלָהּ, כְּדֵי שֶׁתִּתְגַּנֶּה עָלָיו: **וּבָכְתָה אֶת אָבִיהָ.** כָּל כָּךְ לָמָּה? כְּדֵי שֶׁתְּהֵא בַּת יִשְׂרָאֵל שְׂמֵחָה וְזוֹ עֲצֵבָה, בַּת יִשְׂרָאֵל מִתְקַשֶּׁטֶת וְזוֹ מִתְנַוֶּלֶת:

יד] **וְהָיָה אִם לֹא חָפַצְתָּ בָּהּ.** הַכָּתוּב מְבַשֶּׂרְךָ שֶׁסּוֹפְךָ לִשְׂנֹאתָהּ: **לֹא תִתְעַמֵּר בָּהּ.** לֹא תִשְׁתַּמֵּשׁ בָּהּ, בִּלְשׁוֹן פַּרְסִי קוֹרִין

# אשת יפת תואר

פרק כא פס׳ י–יד

פרשה זו עוסקת במקרה אישי בתוך הקשר של מלחמה. התורה מכירה ביצרים הנוטים לצאת מגדרם בזמן מלחמה, זמן של תוהו ושל התפרצות אלימות, אך מבקשת לרסנם.

ביאור

י **כִּי תֵצֵא לַמִּלְחָמָה**, מלחמת רשות אך לא במלחמה על כיבוש
הארץ שנצטוו בה לא תְחַיֶּה כָּל נְשָׁמָה,[1] **עַל אֹיְבֶיךָ, וּנְתָנוֹ ה׳ אֱלֹהֶיךָ**
**בְּיָדֶךָ**, וכנהוג **שָׁבִיתָ שִׁבְיוֹ**. בעבר רוב השבויים היו נמכרים לעבדות,
מלבד יוצאי דופן, שהיו נפדים. יא **וְרָאִיתָ בַּשִּׁבְיָה אֵשֶׁת יְפַת תֹּאַר.**
**וְחָשַׁקְתָּ בָהּ וְלָקַחְתָּ לְךָ לְאִשָּׁה.** אך על מנת שהיא תיעשה אשתך יש
לקיים הליך מיוחד. אין אלו נישואין רגילים, כי בהיותה שבויה אין
ההחלטה תלויה בה כלל. עם זאת, גם בהליך הזה ניכרת התחשבות
באשה.

יב **וַהֲבֵאתָהּ אֶל תּוֹךְ בֵּיתֶךָ, וְגִלְּחָה אֶת רֹאשָׁהּ וְעָשְׂתָה אֶת צִפָּרְנֶיהָ.** היו
שפירשו: תגדלן, ויש אומרים: תקצצן. נראה שלדעת כולם עשייה זו
היא אות לאבלות ולניוול.[2] ייתכן שאם נהגו במקומה לגדל ציפורניים
ליופי – עליה לקצצן, ואם נהגו במקומה לקצוץ ציפורניה, עליה
לגדלן. יג **וְהֵסִירָה אֶת שִׂמְלַת שִׁבְיָהּ**, שאולי הייתה מפוארת, שהרי
נחטפה מביתה, **מֵעָלֶיהָ, וְיָשְׁבָה בְּבֵיתֶךָ, וּבָכְתָה אֶת אָבִיהָ וְאֶת אִמָּהּ**
**יֶרַח**, חודש **יָמִים**, היא תתאבל עליהם, שכן מן הסתם נלקחה מבית
שאת שאר יושביו הרגו החיילים. אמנם ייתכן שהייתה נשואה
באותה עת,[3] אך בין כך ובין כך כל הקשרים שהיו לה מופרים, והיא
מתאבלת על עברה.[4] ורק **אַחַר כֵּן – תָּבוֹא אֵלֶיהָ וּבְעַלְתָּהּ**, אבל לא
בתקופת אבלותה. לא ראוי ולא הגון שבעת אבלה ובכייתה אתה
תשחק עמה,[5] **וְהָיְתָה לְךָ לְאִשָּׁה.** בעקבות מהלך זה – גילוח הראש,
עשיית הציפורניים, הסרת שמלתה ובכייה הממושך – ייתכן שיופיה
הועם בעיניך. אם בכל זאת אתה רוצה בה, היא נעשית אשתך
בפועל.

יד **וְהָיָה אִם** בגלל המראה החדש שלה או מסיבה אחרת **לֹא חָפַצְתָּ
בָּהּ – וְשִׁלַּחְתָּהּ לְנַפְשָׁהּ**, עליך לשחררה, **וּמָכֹר לֹא תִמְכְּרֶנָּה בַּכָּסֶף**, אף על
פי שהיא שבויה ומעמדה הוא מעמד שפחה. **לֹא תִתְעַמֵּר**, תשתמש,
או: תתעלל[6] **בָּהּ, תַּחַת אֲשֶׁר עִנִּיתָהּ.** רגשית היא כבר יצאה מגדר
שבויית חרב המיועדת להיות שפחה, שכן כשלקחת אותה נטעת
בה מעין הבטחה לעתיד אחר. על כן, אם תחליט שאינך מעוניין
בה, אין לך זכות מוסרית להסב לה סבל נוסף, ואתה חייב לשחררה.

עִנִּיתָהּ: ◦ כִּי־תִהְיֶיןָ לְאִישׁ שְׁתֵּי נָשִׁים טו
הָאַחַת אֲהוּבָה וְהָאַחַת שְׂנוּאָה וְיָלְדוּ־לוֹ בָנִים
הָאֲהוּבָה וְהַשְּׂנוּאָה וְהָיָה הַבֵּן הַבְּכֹר לַשְּׂנִיאָה:
וְהָיָה בְּיוֹם הַנְחִילוֹ אֶת־בָּנָיו אֵת אֲשֶׁר־יִהְיֶה לוֹ לֹא טז
יוּכַל לְבַכֵּר אֶת־בֶּן־הָאֲהוּבָה עַל־פְּנֵי בֶן־הַשְּׂנוּאָה
הַבְּכֹר: כִּי אֶת־הַבְּכֹר בֶּן־הַשְּׂנוּאָה יַכִּיר לָתֶת לוֹ יז
פִּי שְׁנַיִם בְּכֹל אֲשֶׁר־יִמָּצֵא לוֹ כִּי־הוּא רֵאשִׁית אֹנוֹ
לוֹ מִשְׁפַּט הַבְּכֹרָה: ◦ כִּי־יִהְיֶה לְאִישׁ בֵּן יח
סוֹרֵר וּמוֹרֶה אֵינֶנּוּ שֹׁמֵעַ בְּקוֹל אָבִיו וּבְקוֹל אִמּוֹ
וְיִסְּרוּ אֹתוֹ וְלֹא יִשְׁמַע אֲלֵיהֶם: וְתָפְשׂוּ בוֹ אָבִיו יט
וְאִמּוֹ וְהוֹצִיאוּ אֹתוֹ אֶל־זִקְנֵי עִירוֹ וְאֶל־שַׁעַר מְקֹמוֹ:

**רש"י** | לַעֲבְדוּת וְשִׁמּוּשׁ 'עִימְרָאָה'. מִיסוֹדוֹ שֶׁל רַבִּי מֹשֶׁה הַדַּרְשָׁן לָמַדְתִּי כֵּן:

יז) **פִּי שְׁנַיִם.** כְּנֶגֶד שְׁנֵי אַחִים: **בְּכֹל אֲשֶׁר יִמָּצֵא לוֹ.** מִכָּאן שֶׁאֵין הַבְּכוֹר נוֹטֵל פִּי שְׁנַיִם בָּרָאוּי לָבֹא לְאַחַר מִיתַת הָאָב כְּבַמֻּחְזָק:

יח) **סוֹרֵר.** סָר מִן הַדֶּרֶךְ: **וּמוֹרֶה.** מְסָרֵב בְּדִבְרֵי אָבִיו, לְשׁוֹן "מַמְרִים" (לעיל ט, ז): **וְיִסְּרוּ אֹתוֹ.** מַתְרִין בּוֹ בִּפְנֵי שְׁלֹשָׁה וּמַלְקִין אוֹתוֹ. בֵּן סוֹרֵר וּמוֹרֶה אֵינוֹ חַיָּב עַד שֶׁיִּגְנֹב וְיֹאכַל תַּרְטֵימַר בָּשָׂר וְיִשְׁתֶּה חֲצִי לֹג יַיִן, שֶׁנֶּאֱמַר: "זוֹלֵל וְסֹבֵא" (להלן פסוק כ), וְנֶאֱמַר: "אַל תְּהִי בְסֹבְאֵי יָיִן בְּזֹלְלֵי בָשָׂר לָמוֹ" (משלי כג, כ). וּבֵן סוֹרֵר וּמוֹרֶה נֶהֱרָג עַל שֵׁם סוֹפוֹ, הִגִּיעָה תּוֹרָה לְסוֹף דַּעְתּוֹ, סוֹף שֶׁמְּכַלֶּה מָמוֹן אָבִיו וּמְבַקֵּשׁ לִמּוּדוֹ וְאֵינוֹ מוֹצֵא, וְעוֹמֵד בְּפָרָשַׁת דְּרָכִים וּמְלַסְטֵם אֶת הַבְּרִיּוֹת; אָמְרָה תּוֹרָה, יָמוּת זַכַּאי וְאַל יָמוּת חַיָּב:

**הרחבות** | **'לתת לו פי שנים'** לא ברור אם החוק הרואה בבכור את היורש העיקרי, היה קיים קודם למשפט התורה, אבל הוא רווח במערכות משפטיות רבות מאוחרות לו. (ראו עוד ההרחבה לבראשית כה,לד).

**'כי הוא ראשית אֹנו'** משפט הבכורה אינו תלוי ברצונו של המוריש. האב יכול לייעץ לבניו לגבי הנחלה, אבל הנחלה אינה שלו לחלוטין. זכות הירושה של הבן נובעת מכך שזוהי נחלת אבות. בפועל אמנם אפשר – משפטית – לעקוף חוק זה, אם מעבירים את הנחלה כמתנה ולא כירושה, אך במסגרת דיני הירושה אין האב יכול למנוע מבנו הבכור לקבל פי שניים. (ראו בבא בתרא קכו ע"ב).

**בן סורר ומורה לא היה ולא עתיד להיות** פרטים שונים בהלכה זו הובנו על ידי חכמים באופן מילולי, ובכך הפכו תנאי

## בן האהובה ובן השנואה

פרק כא פס' טו–יז

היו שדרשו את סמיכות העניינים בין דין השבויה לירושת הבנים כקשר נסיבתי: כשחייל נשוי מביא אל ביתו שבויה יפת תואר, עלולה להתפתח מערכת יחסים מורכבת בין שתי נשיו, ובה תועדף אשה אחת על צרתה.[7]

ביאור

טו **כִּי תִהְיֶיןָ לְאִישׁ שְׁתֵּי נָשִׁים, הָאַחַת אֲהוּבָה וְהָאַחַת שְׂנוּאָה** יחסית,
כלומר אינה אהובה, שאם לא כן היה מגרשה, **וְיָלְדוּ לוֹ בָנִים – הָאֲהוּבָה**
**וְהַשְּׂנוּאָה, וְהָיָה הַבֵּן הַבְּכֹר לַשְּׂנִיאָה**, לשנואה.

טז **וְהָיָה בְּיוֹם הַנְחִילוֹ אֶת בָּנָיו אֵת אֲשֶׁר יִהְיֶה לוֹ**, כאשר האב יצווה
להוריש את רכושו לבניו, **לֹא יוּכַל לְבַכֵּר**, להעדיף **אֶת בֶּן הָאֲהוּבָה**
שאיננו בכור **עַל פְּנֵי בֶן הַשְּׂנוּאָה הַבְּכֹר.** יז **כִּי אֶת הַבְּכֹר בֶּן הַשְּׂנוּאָה יַכִּיר,**
יאשר, יודיע[8] **לָתֶת לוֹ פִּי שְׁנַיִם בְּכֹל אֲשֶׁר יִמָּצֵא לוֹ.** לפי חוק התורה,
הבן הבכור הוא היורש העיקרי, והוא מקבל חלק כפול בירושה
מכל בן אחר, **כִּי הוּא רֵאשִׁית אֹנוֹ**, הוא הצאצא הראשון שלו, ולכן
**לוֹ מִשְׁפַּט הַבְּכֹרָה.**

## בן סורר ומורה

פרק כא פס' יח–כא

הכיוון הדרשני שראה בדין הירושה של בן השנואה הבכור השתלשלות מלקיחתה של אשה יפה מן השבי, ממשיך ודורש את פרשת בן סורר ומורה באופן דומה: במשפחה שבה יש מבנה משפחתי סבוך המכיל יחסי שנאה והעדפה בין הגבר לנשיו, עלול להיוולד בן סורר ומורה. התורה מציגה כאן תיאור קיצוני מאוד של הורים המחליטים להביא את בנם לפני זקני העיר כדי לפתוח בתהליך שבסופו צפוי לו עונש מוות.[9]

יח **כִּי יִהְיֶה לְאִישׁ בֵּן סוֹרֵר**, שאינו מקבל מרות **וּמוֹרֶה**, מורד, **אֵינֶנּוּ שֹׁמֵעַ**
**בְּקוֹל אָבִיו וּבְקוֹל אִמּוֹ**, והוא יבצע עברות רבות עד שיתחייב מלקות,
**וְיִסְּרוּ אֹתוֹ**, והוריו יענישו אותו במלקות לפי החוק. ובכל זאת הוא
**לֹא יִשְׁמַע אֲלֵיהֶם.** יט **וְתָפְשׂוּ בוֹ אָבִיו וְאִמּוֹ וְהוֹצִיאוּ אֹתוֹ אֶל זִקְנֵי עִירוֹ,**
חכמי בית הדין **וְאֶל שַׁעַר**, מקום המשפט **שבִמְקֹמוֹ.** כ **וְאָמְרוּ אֶל זִקְנֵי**

הרחבות

גם גילו של הבן הוגדר הגדרה צרה מאוד על ידי חכמים – בין גיל שלוש–עשרה לגיל שלוש–עשרה וחצי בערך, כלומר בגיל שעדיין הוריו יכולים לקחתו אל הזקנים, ובכל זאת הוא כבר אחראי למעשיו ונידון ללא קשר להוריו (סנהדרין סח ע"ב). חכמים ראו בדין בן סורר ומורה פרשה היפותטית שיש ללמוד ממנה ולדרוש בה, אך אין הכרח שמלותיה יגיעו לידי מימוש כלשהו.

קיומה כה קשים למילוי, עד שהיו חכמים שאמרו שמעולם לא היה מקרה שענה עליהם (סנהדרין עא ע"א). כך למשל, מן האזכור החוזר של האב ושל האם למדו שבן שמרד באחד בהם בלבד לא ייכלל בדין זה, ושבן שהובא רק על ידי אחד ההורים לפני זקני העיר לפתיחת התהליך שאמור להסתיים בהריגתו, אף הוא לא ייענש בעונש הנקוב, וכן אם אין ההורים מדברים ב'קול אחד' (אֵינֶנּוּ שֹׁמֵעַ בְּקֹלֵנוּ).

וְאָמְרוּ אֶל־זִקְנֵי עִירוֹ בְּנֵנוּ זֶה סוֹרֵר וּמֹרֶה אֵינֶנּוּ כ
שֹׁמֵעַ בְּקֹלֵנוּ זוֹלֵל וְסֹבֵא׃ וּרְגָמֻהוּ כָּל־אַנְשֵׁי עִירוֹ כא
בָאֲבָנִים וָמֵת וּבִעַרְתָּ הָרָע מִקִּרְבֶּךָ וְכָל־יִשְׂרָאֵל
שני יִשְׁמְעוּ וְיִרָאוּ׃ וְכִי־יִהְיֶה בְאִישׁ חֵטְא כב
מִשְׁפַּט־מָוֶת וְהוּמָת וְתָלִיתָ אֹתוֹ עַל־עֵץ׃ לֹא־תָלִין כג
נִבְלָתוֹ עַל־הָעֵץ כִּי־קָבוֹר תִּקְבְּרֶנּוּ בַּיּוֹם הַהוּא כִּי־
קִלְלַת אֱלֹהִים תָּלוּי וְלֹא תְטַמֵּא אֶת־אַדְמָתְךָ אֲשֶׁר
יְהוָה אֱלֹהֶיךָ נֹתֵן לְךָ נַחֲלָה׃ לֹא־תִרְאֶה א כב
אֶת־שׁוֹר אָחִיךָ אוֹ אֶת־שֵׂיוֹ נִדָּחִים וְהִתְעַלַּמְתָּ מֵהֶם

רש"י

כא| **וְכָל יִשְׂרָאֵל יִשְׁמְעוּ וְיִרָאוּ.** מִכָּאן שֶׁצָּרִיךְ הַכְרָזָה בְּבֵית דִּין: פְּלוֹנִי נִסְקָל עַל שֶׁהָיָה בֵּן סוֹרֵר וּמוֹרֶה:

כב| **וְכִי יִהְיֶה בְאִישׁ חֵטְא מִשְׁפַּט מָוֶת.** סְמִיכוּת הַפָּרָשִׁיּוֹת מַגִּיד שֶׁאִם חָסִים עָלָיו אָבִיו וְאִמּוֹ, סוֹף שֶׁיֵּצֵא לְתַרְבּוּת רָעָה וְיַעֲבֹר עֲבֵרוֹת וְיִתְחַיֵּב מִיתָה בְּבֵית דִּין: **וְתָלִיתָ אֹתוֹ עַל עֵץ.** רַבּוֹתֵינוּ אָמְרוּ: כָּל הַנִּסְקָלִין נִתְלִין, שֶׁנֶּאֱמַר: "כִּי קִלְלַת אֱלֹהִים תָּלוּי", וְהַמְבָרֵךְ ה' בִּסְקִילָה:

כג| **כִּי קִלְלַת אֱלֹהִים תָּלוּי.** זִלְזוּלוֹ שֶׁל מֶלֶךְ הוּא, שֶׁאָדָם עָשׂוּי בִּדְמוּת דְּיוֹקָנוֹ וְיִשְׂרָאֵל הֵם בָּנָיו. מָשָׁל לִשְׁנֵי אַחִים תְּאוֹמִים שֶׁהָיוּ דּוֹמִים זֶה לָזֶה, אֶחָד נַעֲשָׂה מֶלֶךְ וְאֶחָד נִתְפַּס לְלִסְטִיּוּת וְנִתְלָה, כָּל הָרוֹאֶה אוֹתוֹ אוֹמֵר: הַמֶּלֶךְ תָּלוּי. כָּל 'קְלָלָה' שֶׁבַּמִּקְרָא לְשׁוֹן הָקֵל וְזִלְזוּל, כְּמוֹ: "וְהוּא קִלְלַנִי קְלָלָה נִמְרֶצֶת" (מלכים א' ב, ח):

פרק כב

א| **וְהִתְעַלַּמְתָּ.** כּוֹבֵשׁ עַיִן כְּאִלּוּ אֵינוֹ רוֹאֵהוּ: **לֹא תִרְאֶה... וְהִתְעַלַּמְתָּ.** לֹא תִרְאֶה אוֹתוֹ שֶׁתִּתְעַלֵּם מִמֶּנּוּ, זֶהוּ פְּשׁוּטוֹ. וְרַבּוֹתֵינוּ דָּרְשׁוּ: פְּעָמִים שֶׁאַתָּה מִתְעַלֵּם וְכוּ':

הרחבות

'זולל וסבא' לפי ההגדרות של חז"ל, כדי שיחול עליו דין בן סורר ומורה עליו לגנוב כסף מהוריו ולהשתמש בו לזלילה וסביאה. חז"ל הגדירו את הזלילה והסביאה באמות מידה חמורות ומדויקות. (ראו סנהדרין עא ע"א).

'חֵטא משפט מָוֶת והומת ותלית אֹתו על עץ' לא כל האנשים שנענשו בעונשי מוות נתלו על עץ. לפי דעה אחת, נתלו אלו שהתחייבו בסקילה – הנחשבת לעונש חמור ביותר, ואחרים אמרו שהתלייה בוצעה רק במקרים מיוחדים

ביאור | עִירוֹ: בְּנֵנוּ זֶה שאנו מחזיקים בו סוֹרֵר וּמֹרֶה – אֵינֶנּוּ שֹׁמֵעַ בְּקֹלֵנוּ ואף זוֹלֵל וְסֹבֵא, התנהגותו מחפירה.

כא וּרְגָמֻהוּ כָּל אַנְשֵׁי עִירוֹ בָאֲבָנִים – וָמֵת, וּבִעַרְתָּ הָרָע מִקִּרְבֶּךָ, אין לו תקנה. כשניכר שהוא מושחת לחלוטין, הוא נדון למוות. וְכָל יִשְׂרָאֵל יִשְׁמְעוּ וְיִרָאוּ. דין זה בא להרתיע ולעצב תפיסת משמעות חדה ובהירה, אף שהמעשים שעושה הבן בהווה כשלעצמם אינם מחייבים עונש מוות.[10]

## דין התלוי

פרק כא פס׳ כב–כג

גם מיקומה של פרשה זו כאן נדרש על ידי חכמים בהסבר נסיבתי: אם לא יענישו את הבן הסורר והמורה בעודו ילד, הוא עלול לפשוע עד כדי כך שיגיע לתלייה.[11]

כב וְכִי יִהְיֶה בְאִישׁ חֵטְא מִשְׁפַּט מָוֶת בעקבות חטאו, וְהוּמָת, וְתָלִיתָ אֹתוֹ עַל עֵץ, לאחר שכבר הומת, שכן בחוק התורה התלייה אינה אמצעי להמתה – כג לֹא תָלִין נִבְלָתוֹ, אל תשאיר את גופתו בלילה עַל הָעֵץ, כִּי אם קָבוֹר תִּקְבְּרֶנּוּ בַּיּוֹם הַהוּא – ביום שבו נתלה, כִּי קִלְלַת, ביזיון לֵאלֹהִים – תָּלוּי. מציאותו של אדם תלוי מבזה את יוצרו, שכן האדם עשוי בצלם אלוקים.[12] כיוון שכך, דין זה אינו חל רק על אנשים מבני ישראל, וגם אם מזדמן לתלות גוי על עץ – יש לקברו באותו יום.[13] וְלֹא תְטַמֵּא בהשארת מת תלוי על עץ אֶת אַדְמָתְךָ אֲשֶׁר ה׳ אֱלֹהֶיךָ נֹתֵן לְךָ נַחֲלָה.

## השבת אבדה

פרק כב פס׳ א–ג

המצווה להשיב את מה שאיבד זולתך, בין שאתה מכיר אותו ובין שאינך מכיר אותו, היא מעשה של יושר וצדק שיש בו כדי לפתח רגישות לאחר ולרכושו, ולטפח אחריות הדדית ואחווה.

פרק כב א לֹא תִרְאֶה אֶת שׁוֹר אָחִיךָ, בן עמך אוֹ אֶת שֵׂיוֹ נִדָּחִים, תועים בדרך, הולכים לבדם מחוץ למקומם, וְהִתְעַלַּמְתָּ מֵהֶם. אל תאמר

הרחבות | **׳כי קללת אלהים תלוי׳** אם מצוות עגלה ערופה באה לעורר רגישות כלפי חיי הפרט במקרה של חלל חף מפשע, הרי מצווה זו מדגישה אפילו את כבודו של מי שנתחייב מיתה בדין. גם אם אדם נמצא אשם בפשעים חמורים, החובה להתחשב ומזעזעים במיוחד מבין חייבי הסקילה. חכמים קבעו שאת אלו שנענשו בתלייה היו תולים על עץ סמוך לשקיעת החמה, ומיד מורידים את גופתם וקוברים אותה. (ראו סנהדרין מה ע״ב – מו ע״א).

הָשֵׁב תְּשִׁיבֵם לְאָחִיךָ: וְאִם־לֹא קָרוֹב אָחִיךָ אֵלֶיךָ ב
וְלֹא יְדַעְתּוֹ וַאֲסַפְתּוֹ אֶל־תּוֹךְ בֵּיתֶךָ וְהָיָה עִמְּךָ עַד
דְּרֹשׁ אָחִיךָ אֹתוֹ וַהֲשֵׁבֹתוֹ לוֹ: וְכֵן תַּעֲשֶׂה לַחֲמֹרוֹ ג
וְכֵן תַּעֲשֶׂה לְשִׂמְלָתוֹ וְכֵן תַּעֲשֶׂה לְכָל־אֲבֵדַת
אָחִיךָ אֲשֶׁר־תֹּאבַד מִמֶּנּוּ וּמְצָאתָהּ לֹא תוּכַל
לְהִתְעַלֵּם: לֹא־תִרְאֶה אֶת־חֲמוֹר אָחִיךָ ד
אוֹ שׁוֹרוֹ נֹפְלִים בַּדֶּרֶךְ וְהִתְעַלַּמְתָּ מֵהֶם הָקֵם תָּקִים
עִמּוֹ: לֹא־יִהְיֶה כְלִי־גֶבֶר עַל־אִשָּׁה וְלֹא־ ה

**רש"י** | ב] **עַד דְּרֹשׁ אָחִיךָ.** וְכִי תַּעֲלֶה עַל דַּעְתְּךָ שֶׁיִּתְּנֶנּוּ לוֹ קֹדֶם שֶׁיִּדְרְשֶׁהוּ? אֶלָּא דָּרְשֵׁהוּ שֶׁלֹּא יְהֵא רַמַּאי: **וַהֲשֵׁבֹתוֹ לוֹ.** שֶׁתְּהֵא בּוֹ הֲשָׁבָה, שֶׁלֹּא יֹאכַל בְּבֵיתְךָ כְּדֵי דָּמָיו וְתִתְבָּעֵם מִמֶּנּוּ. מִכָּאן אָמְרוּ: כָּל דָּבָר שֶׁעוֹשֶׂה וְאוֹכֵל יַעֲשֶׂה וְיֹאכַל, וְשֶׁאֵינוֹ עוֹשֶׂה וְאוֹכֵל יִמָּכֵר:

ג] **לֹא תוּכַל לְהִתְעַלֵּם.** לִכְבֹּשׁ עֵינְךָ כְּאִלּוּ אֵינְךָ רוֹאֶה אוֹתוֹ:

ד] **הָקֵם תָּקִים.** זוֹ טְעִינָה, לְהַטְעִין מַשּׂאוֹי שֶׁנָּפַל מֵעָלָיו: **עִמּוֹ.** עִם בְּעָלָיו, אֲבָל אִם הָלַךְ וְיָשַׁב לוֹ וְאָמַר לוֹ: הוֹאִיל וְעָלֶיךָ מִצְוָה, אִם רָצִיתָ לִטְעֹן טְעֹן, פָּטוּר:

ה] **לֹא יִהְיֶה כְּלִי גֶבֶר עַל אִשָּׁה.** שֶׁתְּהֵא

**הרחבות** | בצלם אלוקים שבו עומדת בעינה. דין זה מצטרף למערכת הדינים שניכרות בה הן רגישות ועדינות הן תביעות נוקשות.

**'עד דרש אחיך אתו'** במקומות יישוב קטנים עוברות ידיעות על מציאה כזאת מפה לאוזן, אך במקומות גדולים יותר נהגו במשך הדורות להודיע ברבים שפלוני מצא שור, שה או כל אבדה אחרת. עם זאת, לא כל זר שיטען שהחפץ שייך לו – יקבל אותו מיד. מחשש לטעות או לרמייה בודקים אם טענת בעלותו על האבדה נכונה. אם ייתן סימני זיהוי – האבדה תושב לו. לאור זאת, מצוות השבת אבדה והאזהרה מהתעלמות ממנה, מוגבלת למקרים שבהם אפשר להחזיר את האבדה לבעליה על פי

ביאור

לעצמך שאין הם שלך, ולכן אין הם מעניינך, אלא **הָשֵׁב תְּשִׁיבֵם**,
החזר אותם **לְאָחִיךָ**. ב ייתכן שבעלי הבהמה מתגוררים קרוב או
עובדים בשדה הסמוך, ואתה תכיר אותם ואולי אף את בהמותיהם.
יתרה מזו, אפשר שסימנו את בעלי החיים כדי לזהותם. במקרים
כאלה אין קושי להחזיר את בעל החיים לבעליו. ואולם, **אִם לֹא קָרוֹב
אָחִיךָ אֵלֶיךָ וְלֹא יְדַעְתּוֹ**. אינך מכיר אותו. ברור לך שזו אבדה, אבל
אינך יודע מי הם בעליה – **וַאֲסַפְתּוֹ** – את השור או את השה **אֶל תּוֹךְ
בֵּיתֶךָ, וְהָיָה עִמְּךָ עַד דְּרֹשׁ אָחִיךָ אֹתוֹ**, עד שהמאבד יחפש את רכושו
ויגיע אליך, ואז – **וַהֲשֵׁבֹתוֹ לוֹ**. הלכה זו אינה חלה רק על בהמות
טהורות, כגון שור או שה – ג **וְכֵן תַּעֲשֶׂה לַחֲמֹרוֹ**, שאף הוא עלול
לתעות בדרך, **וְכֵן תַּעֲשֶׂה לְשִׂמְלָתוֹ**, לבגד אבוד, כלומר גם לאבדה
שאינה נעה בכוחות עצמה, **וְכֵן תַּעֲשֶׂה לְכָל אֲבֵדַת אָחִיךָ אֲשֶׁר תֹּאבַד
מִמֶּנּוּ וּמְצָאתָהּ – לֹא תוּכַל**, אסור לך **לְהִתְעַלֵּם**, ואתה חייב לקחתה
על מנת להחזירה לבעליה.

## עזרה לבהמת הזולת

פרק כב פס׳ ד

אף מצווה זו קשורה לדרישה שלא להתעלם מצרכיו של הזולת.

ד **לֹא תִרְאֶה אֶת חֲמוֹר אָחִיךָ אוֹ שׁוֹרוֹ נֹפְלִים בַּדֶּרֶךְ וְהִתְעַלַּמְתָּ מֵהֶם**, אסור
לך להשאירם נופלים תחת משאם ולהתעלם מהם, אלא **הָקֵם תָּקִים
עִמּוֹ**. עליך לעזור לבעלים להקים את בהמתו.

## הבחנה בין בגדי הגבר ובגדי האשה

פרק כב פס׳ ה

בצד המצוות המדגישות מעורבות של הפרט בחיי זולתו, ישנן מצוות המדגישות הבחנות שונות בחברה. ערבוב התלבושות של הגבר והאשה נאסר, כדי שלא להגיע לכלל יחסים חריגים בין המינים. תערובות וטשטושים אינם רצויים.

ה **לֹא יִהְיֶה כְלִי**, מלבוש או אביזר המיוחד **לְגֶבֶר עַל אִשָּׁה**. וכן **לֹא יִלְבַּשׁ**

הרחבות

סימנים וכדומה, ואינה כוללת אבדה שאין בה סימן, שהרי אין סיכוי סביר שתוחזר לבעליה והוא מתייאש מהסיכוי שהאבדה תוחזר לו. (ראו בבא מציעא פרק שני).

**׳נֹפלים בדרך׳** לרוב מדובר בבהמה טעונה שנפלה מכובד המשא שעליה או מפני חולשה. הבעלים נמצא בקרבתה, מן הסתם, אך קשה לו להקים בעל חיים טעון. גם אם לא נפגעה הבהמה בנפילתה, וגם אם אין לה קשיי הליכה – לאחר נפילתה היא תתקשה לשוב ולהתרומם, והיא עלולה להתעקש להישאר במקומה אף לאחר שיפרקו ממנה את משאה. על כן חשובה עזרתך.

**׳כלי גבר, שמלת אשה׳** לפי הרמב״ם, חילופי

יִלְבַּשׁ גֶּבֶר שִׂמְלַת אִשָּׁה כִּי תוֹעֲבַת יְהוָה אֱלֹהֶיךָ
כָּל־עֹשֵׂה אֵלֶּה׃
יז כִּי יִקָּרֵא קַן־צִפּוֹר ׀ לְפָנֶיךָ בַּדֶּרֶךְ בְּכָל־עֵץ ׀ אוֹ ו
עַל־הָאָרֶץ אֶפְרֹחִים אוֹ בֵיצִים וְהָאֵם רֹבֶצֶת עַל־
הָאֶפְרֹחִים אוֹ עַל־הַבֵּיצִים לֹא־תִקַּח הָאֵם עַל־
הַבָּנִים׃ שַׁלֵּחַ תְּשַׁלַּח אֶת־הָאֵם וְאֶת־הַבָּנִים תִּקַּח־ ז
שלישי לָךְ לְמַעַן יִיטַב לָךְ וְהַאֲרַכְתָּ יָמִים׃ כִּי ח
תִבְנֶה בַּיִת חָדָשׁ וְעָשִׂיתָ מַעֲקֶה לְגַגֶּךָ וְלֹא־תָשִׂים

רש"י | דּוֹמָה לְאִשָּׁה, כְּדֵי שֶׁתֵּלֵךְ בֵּין הָאֲנָשִׁים, שֶׁאֵין זֶה אֶלָּא לְשֵׁם נִאוּף: וְלֹא יִלְבַּשׁ גֶּבֶר שִׂמְלַת אִשָּׁה. לֵילֵךְ לֵישֵׁב בֵּין הַנָּשִׁים. דָּבָר אַחֵר, שֶׁלֹּא יָסִיר שְׂעַר הָעֶרְוָה וּשְׂעַר שֶׁל בֵּית הַשֶּׁחִי: כִּי תוֹעֲבַת. לֹא אָסְרָה תּוֹרָה אֶלָּא לְבוּשׁ הַמֵּבִיא לִידֵי תּוֹעֵבָה:

ו] כִּי יִקָּרֵא. פְּרָט לִמְזֻמָּן: לֹא תִקַּח הָאֵם. בְּעוֹדָהּ עַל בָּנֶיהָ:

ז] לְמַעַן יִיטַב לָךְ וְגוֹ'. אִם מִצְוָה קַלָּה שֶׁאֵין בָּהּ חֶסְרוֹן כִּיס אָמְרָה תּוֹרָה: "לְמַעַן יִיטַב לָךְ וְהַאֲרַכְתָּ יָמִים", קַל וָחֹמֶר לְמַתַּן שְׂכָרָן שֶׁל מִצְוֹת חֲמוּרוֹת:

ח] כִּי תִבְנֶה בַּיִת חָדָשׁ. אִם קִיַּמְתָּ מִצְוַת שִׁלּוּחַ הַקַּן, סוֹפְךָ לִבְנוֹת בַּיִת חָדָשׁ וּתְקַיֵּם מִצְוַת מַעֲקֶה, שֶׁמִּצְוָה גּוֹרֶרֶת מִצְוָה (אבות ד, ב), וְתַגִּיעַ לְכֶרֶם וְשָׂדֶה וְלִבְגָדִים נָאִים; לְכָךְ נִסְמְכוּ פָּרָשִׁיּוֹת הַלָּלוּ: מַעֲקֶה. גָּדֵר סָבִיב. וְאוּנְקְלוֹס תִּרְגֵּם: "תְּיָקָא", כְּגוֹן תִּיק שֶׁמִּשְׁתַּמֵּר מַה שֶּׁבְּתוֹכוֹ:

קן ציפור ובו ביצים

הרחבות | הלבוש נשאו משמעות בטקסי עבודה זרה. (ראו ספר המצוות לרמב"ם לא תעשה לט). מכל מקום, אין ספק שיש להם גם הקשר מיני. האיסור מתייחס לא רק להחלפה של בגדים, אלא גם לענידת תכשיטים של בני המין השני, ואולי אף לאימוץ דרכי ההתנהגות שלו (אונקלוס ויונתן פס' ה) ולחיקוי של תסרוקותיו. (ראו למשל מכות כ ע"ב). לפי הפשט, לא נאסרת כאן לבישת בגדים שהם משותפים לגברים ולנשים בשווה. אף אין מניעה שגבר ישתמש בחפץ השייך לאשה, או להיפך, אלא אם הוא אביזר המיוחד באופן מובהק למין השני. (ראו נזיר נט ע"א). יצוין כי הכתוב דיבר באופן כללי, ובפועל הגדרותיהם של 'כלי גבר' ו'שמלת אשה' משתנות

ביאור | **גֶּבֶר שִׂמְלַת אִשָּׁה**. אסור לנשים ללבוש לבוש גברים, ולגברים ללבוש בגדי נשים, **כִּי תוֹעֲבַת ה' אֱלֹהֶיךָ כָּל עֹשֵׂה אֵלֶּה**. בחריגות אלה מנורמות הלבוש כרוכה משמעות מינית של פריצת גדרות במפורש או ברמז.

## שילוח הקן

פרק כב פס' ו–ז

מצווה זו – שלפי המסורת היא 'פרשה פתוחה', כלומר מתחילה שורה חדשה בספר התורה – פותחת סדרת מצוות שרובן קשורות לכינון בית, ומקצתן – לשמירת תיקונו של עולם ועולם הטבע בכלל. במצוות שילוח הקן נדרש האדם לכבד את האימהות הטבועה בעולם.[14]

ו **כִּי יִקָּרֵא**, יזדמן **קַן צִפּוֹר לְפָנֶיךָ בַּדֶּרֶךְ בְּכָל עֵץ אוֹ עַל הָאָרֶץ**, ובקן תמצא
**אֶפְרֹחִים אוֹ בֵיצִים, וְהָאֵם רֹבֶצֶת עַל הָאֶפְרֹחִים אוֹ עַל הַבֵּיצִים**, אם אתה
מעוניין בהם – **לֹא תִקַּח** את **הָאֵם** כאשר היא **עַל הַבָּנִים**. האינסטינקט
של האם יכול לגרום לה להישאר קרובה לקן, גם כאשר היא רואה
שמתקרבים אליו. היא מסתכנת כדי לגונן על גוזליה, וכך אפשר
לתפוס אותה בקלות. ז אם תרצה באפרוחים או בביצים – **שַׁלֵּחַ**
**תְּשַׁלַּח אֶת הָאֵם**, ואז **אֶת הַבָּנִים תִּקַּח לָךְ, לְמַעַן יִיטַב לָךְ וְהַאֲרַכְתָּ יָמִים**.
ההימנעות מלנצל את דבקותה של האם בקן גוזליה היא ביטוי של כבוד לחיים ולאמהות. על כן ה' ישלם לך כגמולך, ויעניק לך שנים ארוכות שבהן ייטב לך.

## בניית מעקה

פרק כב פס' ח

ממצווה הקשורה לדרך – אל מצוות הבית. גם כאן, כמו בשילוח הקן, מאחורי האזהרה עומד הרעיון שיש לדאוג לכך שתיקון עולם ויישובו לא יביאו עמם קלקול והשחתה.

ח **כִּי תִבְנֶה בַּיִת חָדָשׁ – וְעָשִׂיתָ מַעֲקֶה לְגַגֶּךָ**. הגגות בימי קדם היו שטוחים והם שימשו לישיבה, לשינה ולהילוך.[15] **וְלֹא תָשִׂים דָּמִים**,

הרחבות | מזמן לזמן ומחברה לחברה. יש שדברים שנחשבו מיוחדים לאשה או לגבר, הופכים משותפים, או להיפך.

**'והאם רֹבצת'** מצוי יותר שהנקבה היא הדוגרת. בהלכה נדונה השאלה אם הדין מותנה בנוכחותה של הנקבה, משום שקיימים מיני ציפורים שבהם הזכר וגם הנקבה דוגרים על הביצים. (ראו חולין קמ ע"ב).

**'מעקה לגגך'** חכמים אמרו שאפילו בגגו השטוח של בית המקדש יש לעשות מעקה (ספרי דברים רכט). וגם הרחיבו את האזהרה וְלֹא תָשִׂים דָּמִים בְּבֵיתֶךָ – לכל מה שעלול לסכן את הזולת, כגון להשהות

דָּמִים֙ בְּבֵיתֶ֔ךָ כִּֽי־יִפֹּ֥ל הַנֹּפֵ֖ל מִמֶּֽנּוּ׃ לֹֽא־תִזְרַ֥ע כַּרְמְךָ֖ ט
כִּלְאָ֑יִם פֶּן־תִּקְדַּ֗שׁ הַֽמְלֵאָ֤ה הַזֶּ֙רַע֙ אֲשֶׁ֣ר תִּזְרָ֔ע
וּתְבוּאַ֖ת הַכָּֽרֶם׃ לֹֽא־תַחֲרֹ֥שׁ בְּשֽׁוֹר־ י
וּבַחֲמֹ֖ר יַחְדָּֽו׃ לֹ֤א תִלְבַּשׁ֙ שַֽׁעַטְנֵ֔ז צֶ֥מֶר וּפִשְׁתִּ֖ים יא
יַחְדָּֽו׃ גְּדִלִ֖ים תַּעֲשֶׂה־לָּ֑ךְ עַל־אַרְבַּ֛ע יב
כַּנְפ֥וֹת כְּסוּתְךָ֖ אֲשֶׁ֥ר תְּכַסֶּה־בָּֽהּ׃ כִּֽי־ יג

רש"י

כִּי יִפֹּל הַנֹּפֵל. רָאוּי זֶה לִפֹּל, וְאַף עַל פִּי כֵן לֹא תִתְגַּלְגֵּל מִיתָתוֹ עַל יָדְךָ, שֶׁמְּגַלְגְּלִין חוֹבָה עַל יְדֵי חַיָּב:

ט] כִּלְאָיִם. חִטָּה וּשְׂעוֹרָה וְחַרְצָן בְּמַפֹּלֶת יָד: פֶּן תִּקְדַּשׁ. כְּתַרְגּוּמוֹ: "תִּסְתָּאַב", כָּל דָּבָר הַנִּתְעָב עַל הָאָדָם, בֵּין לְשֶׁבַח כְּגוֹן הֶקְדֵּשׁ, בֵּין לִגְנַאי כְּגוֹן אִסּוּר, נוֹפֵל בּוֹ לְשׁוֹן קִדּוּשׁ, כְּמוֹ: "אַל תִּגַּשׁ בִּי כִּי קְדַשְׁתִּיךָ" (ישעיה סה, ה):

י] לֹא תַחֲרֹשׁ בְּשׁוֹר וּבַחֲמֹר. הוּא הַדִּין לְכָל שְׁנֵי מִינִים שֶׁבָּעוֹלָם, וְהוּא הַדִּין לְהַנְהִיגָם יַחַד קְשׁוּרִים זוּגִים בְּהוֹלָכַת שׁוּם מַשָּׂא:

יא] שַׁעַטְנֵז. לְשׁוֹן עֵרוּב, וְרַבּוֹתֵינוּ דָּרְשׁוּ: שׁוּעַ טָווּי וְנוּז:

יב] גְּדִלִים תַּעֲשֶׂה לָּךְ. אַף מִן הַכִּלְאַיִם, לְכָךְ סְמָכָן הַכָּתוּב:

מימין: כרם זרוע כלאיים

משמאל: חרישה בשור וחמור

**הרחבות**

סולם רעוע בבית או לגדל כלב רע. (ראו בבא קמא טו ע"ב).

**שעטנז** מלה סתומה זו נדרשה כמעין ראשי תבות (ירושלמי כלאים ט,ה). אולם נראה שמקורה זר, ופירושה הוא תערובת. אין הסבר מספק מדוע אסור לערבב דווקא בין צמר ופשתים. זוהי אחת מגזרות התורה.

**שעטנז וציצית** באותם זמנים אנשים

ביאור | תגרום לשפך דם בְּבֵיתֶךָ, כִּי, אם יִפֹּל הַנֹּפֵל מִמֶּנּוּ. המעקה ישמור מנפילה מסוכנת מן הגג.

## כלאיים ושעטנז

פרק כב פס׳ ט–יא

שלושת הדינים הבאים קשורים לשמירת ההפרדה בין סוגים – בגידולי הכרם, בבהמות העבודה ובחוטי הבגד. מבחינה זו אפשר לקשור איסורים אלו לאיסור המוטל על הגבר ללבוש בגד אשה ולהיפך, שהובא לעיל.[16]

ט לֹא תִזְרַע כַּרְמְךָ כִּלְאָיִם, אסור לזרוע בכרם הגפנים זרעי דגן, פֶּן,
שמא תִּקְדַּשׁ, תטמא בלשון נקייה, תתערב,[17] או: תיפסל, תתקלקל[18]
הַמְלֵאָה, כלומר הַזֶּרַע אֲשֶׁר תִּזְרָע וּתְבוּאַת הַכָּרֶם, ענביו. כלומר, אין
לזרוע בכרם זרעים, ולא זו בלבד – אם נזרעו, אסור לאכול גם
אותם וגם את פֵּרות הגפן, ואסור להפיק מהם כל תועלת שהיא.[19]

איסור נוסף הדומה לכלאיים: י לֹא תַחֲרֹשׁ בְּשׁוֹר וּבַחֲמֹר יַחְדָּו. אף
על פי שמותר לחרוש בכל אחד מהם בנפרד, אסור ששניהם יחד
ימשכו מחרשה, עגלה או כל דבר אחר. כיוון שאינם שווים בכוחם,
עלול צירופם להכביד על שניהם.[20]

יא לֹא תִלְבַּשׁ שַׁעַטְנֵז, אריג מעורבב, שיש בו צֶמֶר וּפִשְׁתִּים ארוגים או
מחוברים אליו יַחְדָּו.

## ציצית

פרק כב פס׳ יב

את הדין הבא קשרו חכמים לקודמו באופן הבא: איסור תערובת צמר ופשתים חל בכל בגד חוץ מאשר בבגד המתואר כאן.

יב גְּדִלִים, ציציות, קווצות חוטים תַּעֲשֶׂה לָּךְ עַל אַרְבַּע כַּנְפוֹת, פינות
כְּסוּתְךָ, בגדך אֲשֶׁר תְּכַסֶּה, תתכסה בָּהּ.

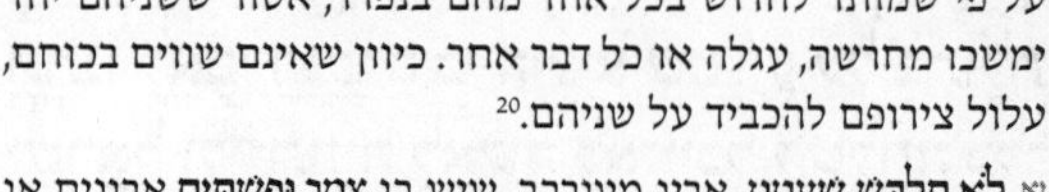

גדיל ציצית על כנף הבגד

הרחבות | התעטפו ביריעה מרובעת. התורה מצווה לקשור בפינותיה גדילים. כל קווצה צריכה לכלול בתוכה פתיל צמר צבוע בתכלת. (ראו במדבר טו,לח). מכיוון שפתיל התכלת היה עשוי צמר, אפשר שתהיה תערובת צמר ופשתים בגדילים עצמם – אם שאר הגדילים עשויים פשתן, ואפשר שיהיה שעטנז בין הגדילים לבין הכסות – אם היא עשויה פשתן. למרות זאת, צורות אלה של שעטנז מותרות, מפני שמצוות ציצית איננה בכלל

יִקַּח אִישׁ אִשָּׁה וּבָא אֵלֶיהָ וּשְׂנֵאָהּ: וְשָׂם לָהּ עֲלִילֹת יד
דְּבָרִים וְהוֹצִא עָלֶיהָ שֵׁם רָע וְאָמַר אֶת־הָאִשָּׁה
הַזֹּאת לָקַחְתִּי וָאֶקְרַב אֵלֶיהָ וְלֹא־מָצָאתִי לָהּ
בְּתוּלִים: וְלָקַח אֲבִי הַנַּעֲרָ וְאִמָּהּ וְהוֹצִיאוּ אֶת־ טו
בְּתוּלֵי הַנַּעֲרָ אֶל־זִקְנֵי הָעִיר הַשָּׁעְרָה: וְאָמַר אֲבִי טז
הַנַּעֲרָ אֶל־הַזְּקֵנִים אֶת־בִּתִּי נָתַתִּי לָאִישׁ הַזֶּה לְאִשָּׁה
וַיִּשְׂנָאֶהָ: וְהִנֵּה־הוּא שָׂם עֲלִילֹת דְּבָרִים לֵאמֹר לֹא־ יז
מָצָאתִי לְבִתְּךָ בְּתוּלִים וְאֵלֶּה בְּתוּלֵי בִתִּי וּפָרְשׂוּ
הַשִּׂמְלָה לִפְנֵי זִקְנֵי הָעִיר: וְלָקְחוּ זִקְנֵי הָעִיר־הַהִוא יח
אֶת־הָאִישׁ וְיִסְּרוּ אֹתוֹ: וְעָנְשׁוּ אֹתוֹ מֵאָה כֶסֶף יט
וְנָתְנוּ לַאֲבִי הַנַּעֲרָה כִּי הוֹצִיא שֵׁם רָע עַל בְּתוּלַת
יִשְׂרָאֵל וְלוֹ־תִהְיֶה לְאִשָּׁה לֹא־יוּכַל לְשַׁלְּחָהּ כָּל־
יָמָיו: וְאִם־אֱמֶת הָיָה הַדָּבָר הַזֶּה לֹא־ כ

רש"י

יג-יד] **וּבָא אֵלֶיהָ וּשְׂנֵאָהּ.** סוֹפוֹ: "וְשָׂם לָהּ עֲלִילֹת דְּבָרִים", עֲבֵרָה גּוֹרֶרֶת עֲבֵרָה (אבות ד, ב), עָבַר עַל "לֹא תִשְׂנָא" (ויקרא יט, יז), סוֹפוֹ לָבֹא לִידֵי לָשׁוֹן הָרָע: **אֶת הָאִשָּׁה הַזֹּאת.** מִכָּאן שֶׁאֵין אוֹמֵר דָּבָר אֶלָּא בִּפְנֵי בַּעַל דִּין:

טו] **אֲבִי הַנַּעֲרָה וְאִמָּהּ.** מִי שֶׁגִּדְּלוּ גִּדּוּלִים הָרָעִים יִתְבַּזּוּ עָלֶיהָ:

טז] **וְאָמַר אֲבִי הַנַּעֲרָה.** מְלַמֵּד שֶׁאֵין רְשׁוּת לָאִשָּׁה לְדַבֵּר בִּפְנֵי הָאִישׁ:

יז] **וּפָרְשׂוּ הַשִּׂמְלָה.** הֲרֵי זֶה מָשָׁל, מְחַוְּרִין הַדְּבָרִים כַּשִּׂמְלָה:

יח] **וְיִסְּרוּ אֹתוֹ.** מַלְקוּת:

כ] **וְאִם אֱמֶת הָיָה הַדָּבָר.** בְּעֵדִים וְהַתְרָאָה שֶׁזִּנְּתָה לְאַחַר אֵרוּסִין:

**הרחבות**

האיסור. (ראו יונתן ורש"י על אתר; נזיר נח ע"א).

**'הוציא שם רע'** עקרונית, גבר שנשא אשה בתור בתולה ומצא שאיננה בתולה – יוכל לגרשה. נראה שהאדם שבו מדובר כאן לא היה רוצה להתגרש, אלא מבקש לפגוע באשתו ולהזיק לה מתוך שנאה. משום כך, במסורת חכמים התפרשה טענתו כעדות ממשית על ניאוף עם גבר זר לאחר

# דינים הקשורים לאישות ולנישואין

פרק כב פס׳ יג – פרק כג פס׳ ט

מקבץ זה נפתח במגוון דינים הקשורים בעיקר למעמדה האישי של האשה ולזיקותיה
המשפטיות כלפי הגברים הקרובים אליה – בעלה, ארוסה, בועלה ואביה.

ביאור

יג **כִּי יִקַּח**, יישא **אִישׁ אִשָּׁה וּבָא אֵלֶיהָ וּשְׂנֵאָהּ** מכל סיבה שהיא. יד ומכיוון
שאינו רוצה לגרשה בלבד אלא להתנכל אליה, ואולי גם מנסה
להיפטר מהתחייבויות ממוניות שהתחייב לה אם יגרשנה – **שָׂם
לָהּ**, מעליל עליה **עֲלִילֹת דְּבָרִים. וְהוֹצִא עָלֶיהָ שֵׁם רָע**. הוא מפרסם
עליה דברים שאינם נכונים. **וְאָמַר: אֶת הָאִשָּׁה הַזֹּאת לָקַחְתִּי, וָאֶקְרַב
אֵלֶיהָ**, ואף על פי שהיא הייתה אמורה להיות בתולה – **לֹא מָצָאתִי
לָהּ בְּתוּלִים**. כלומר היא קיימה יחסים עם גבר אחר.

טענתו של האיש תגיע לבית המשפט. אמנם אי אפשר לבדוק את
הדבר בשלמות, אך קיימות הוכחות נסיבתיות שהייתה זו עלילת
שקר. טו **וְלָקַח אֲבִי הַנַּעֲרָ וְאִמָּהּ, וְהוֹצִיאוּ אֶת בְּתוּלֵי הַנַּעֲרָ**, הסדין
שעליו התרחשה הבעילה הראשונה **אֶל זִקְנֵי הָעִיר הַשָּׁעְרָה**, אל שער
העיר, מקום בית הדין. אם הייתה בתולה – נותרו על הסדין סימני
דם.[21] בתקופות מסוימות היו מייעדים מלכתחילה לזוגות צעירים
סדין שישמש כעד על בתולי הכלה. במקרה שלפנינו הסדין אמנם
משמש בפועל ראיה משפטית. טז **וְאָמַר אֲבִי הַנַּעֲרָ אֶל הַזְּקֵנִים: אֶת
בִּתִּי נָתַתִּי לָאִישׁ הַזֶּה לְאִשָּׁה וַיִּשְׂנָאֶהָ. יז וְהִנֵּה הוּא שָׂם עֲלִילֹת דְּבָרִים
לֵאמֹר "לֹא מָצָאתִי לְבִתְּךָ בְּתוּלִים"** – והרי **אֵלֶּה בְּתוּלֵי בִתִּי. וּפָרְשׂוּ
הַשִּׂמְלָה לִפְנֵי זִקְנֵי הָעִיר** – יח **וְלָקְחוּ זִקְנֵי הָעִיר הַהִוא אֶת הָאִישׁ וְיִסְּרוּ
אֹתוֹ**, ילקו אותו.[22] יט נוסף על כך – **וְעָנְשׁוּ אֹתוֹ מֵאָה כֶסֶף**, כפליים
מהסכום שניתן בדרך כלל כמוהר לנישואין,[23] **וְנָתְנוּ לַאֲבִי הַנַּעֲרָה** בתור
פיצויים, **כִּי הוֹצִיא שֵׁם רָע עַל בְּתוּלַת יִשְׂרָאֵל**. יתר על כן – **וְלוֹ תִהְיֶה
לְאִשָּׁה, לֹא יוּכַל לְשַׁלְּחָהּ כָּל יָמָיו**. את האשה שרצה לסכן ולהיפטר
ממנה בדרך מגונה, לא יוכל לגרשה ביזמתו. היא רשאית לעמוד על
כך שיישאר עמה כל חייו או לדרוש ממנו להתגרש.[24]

המעשה הקודם עוסק בעלילה בדויה, אך אפשר שיקרה
אחרת: כ **וְאִם אֱמֶת הָיָה הַדָּבָר הַזֶּה – לֹא נִמְצְאוּ בְתוּלִים לַנַּעֲרָ**,

הרחבות

אירוסיה, הנחשב כעברה פלילית של גילוי עריות. לפי הפסוקים הבאים, אם תורשע בחטא כבד זה, היא תחויב במוות בסקילה, ואולי זוהי מטרתו של הבעל השונא. לפי המסורת ההלכתית, אין די בהוכחת בתוליה באמצעות הסדין; ההורים צריכים להוכיח שהיא בתולה באמצעות עדויות אחרות שישללו את העדות שהביא הבעל. כך מקבלת פרשה זו אופי משפטי מוגדר. (ראו רש"י פס׳ יז כ; כתובות מו ע"א).

נִמְצְאוּ בְתוּלִים לַנַּעֲרָ׃ וְהוֹצִיאוּ אֶת־הַנַּעֲרָ אֶל־ כא
פֶּתַח בֵּית־אָבִיהָ וּסְקָלוּהָ אַנְשֵׁי עִירָהּ בָּאֲבָנִים
וָמֵתָה כִּי־עָשְׂתָה נְבָלָה בְּיִשְׂרָאֵל לִזְנוֹת בֵּית אָבִיהָ
וּבִעַרְתָּ הָרָע מִקִּרְבֶּךָ׃ כִּי־יִמָּצֵא אִישׁ כב
שֹׁכֵב ׀ עִם־אִשָּׁה בְעֻלַת־בַּעַל וּמֵתוּ גַּם־שְׁנֵיהֶם
הָאִישׁ הַשֹּׁכֵב עִם־הָאִשָּׁה וְהָאִשָּׁה וּבִעַרְתָּ הָרָע
מִיִּשְׂרָאֵל׃ כִּי יִהְיֶה נַעֲרָ בְתוּלָה מְאֹרָשָׂה כג
לְאִישׁ וּמְצָאָהּ אִישׁ בָּעִיר וְשָׁכַב עִמָּהּ׃ וְהוֹצֵאתֶם כד
אֶת־שְׁנֵיהֶם אֶל־שַׁעַר ׀ הָעִיר הַהִוא וּסְקַלְתֶּם אֹתָם
בָּאֲבָנִים וָמֵתוּ אֶת־הַנַּעֲרָ עַל־דְּבַר אֲשֶׁר לֹא־צָעֲקָה
בָעִיר וְאֶת־הָאִישׁ עַל־דְּבַר אֲשֶׁר־עִנָּה אֶת־אֵשֶׁת
רֵעֵהוּ וּבִעַרְתָּ הָרָע מִקִּרְבֶּךָ׃ וְאִם־בַּשָּׂדֶה כה

רש"י

כא] אֶל פֶּתַח בֵּית אָבִיהָ. רְאוּ גִּדּוּלִים שֶׁגִּדַּלְתֶּם. לִזְנוֹת בֵּית אָבִיהָ. כְּמוֹ בְּבֵית אָבִיהָ. אַנְשֵׁי עִירָהּ. בְּמַעֲמַד כָּל אַנְשֵׁי עִירָהּ:

כב] וּמֵתוּ גַּם שְׁנֵיהֶם. לְהוֹצִיא מַעֲשֶׂה חִדּוּדִים שֶׁאֵין הָאִשָּׁה נֶהֱנֵית מֵהֶם. גַּם. לְרַבּוֹת הַבָּאִים מֵאַחֲרֵיהֶם. דָּבָר אַחֵר, "גַּם שְׁנֵיהֶם", לְרַבּוֹת אֶת הַוָּלָד, שֶׁאִם הָיְתָה מְעֻבֶּרֶת אֵין מַמְתִּינִין לָהּ עַד שֶׁתֵּלֵד:

כג] וּמְצָאָהּ אִישׁ בָּעִיר. לְפִיכָךְ "שָׁכַב עִמָּהּ", פִּרְצָה קוֹרְאָה לַגַּנָּב, הָא אִלּוּ יָשְׁבָה בְּבֵיתָהּ לֹא אֵרַע לָהּ:

הרחבות

**מאורסת** שלא כמקובל בלשון ימינו, בלשון המקרא ובלשון חכמים 'מאורשה' או 'מאורסת' היא אשה שהתקדשה לאיש ועדיין אינה מתגוררת אתו. בעבר היה פרק זמן ניכר בין הקידושין-אירוסין לחתונה. בפרק זה עלולה הצעירה המאורסת לעשות כאוות נפשה, בהיותה בין שתי רשויות, של אביה ושל בעלה, אף שלאמתו של דבר מעמדה הוא מעמד אשת איש לכל דבר. לכן עונש הניאוף עם נערה מאורסה חמור אף יותר מאשר עם אשה נשואה: סקילה לעומת 'מיתה' סתם.

**'על דְּבַר אשר לא צעקה בעיר'** כמובן בפועל קורה שנערה נאנסת בעיר ואין היא יכולה

ביאור | והוכח שהיא אכן בגדה אחרי שהתארסה, כלומר בתקופה שבין הקידושין לנישואין.[25] כא וְהוֹצִיאוּ אֶת הַנַּעֲרָה אֶל פֶּתַח בֵּית אָבִיהָ וּסְקָלוּהָ אַנְשֵׁי עִירָהּ בָּאֲבָנִים וָמֵתָה. עליהם לסקול אותה ליד פתח בית אביה, כִּי עָשְׂתָה נְבָלָה בְּיִשְׂרָאֵל לִזְנוֹת בֵּית אָבִיהָ. קיום יחסים עם גבר זר בתקופת האירוסין, לאחר שהנערה התקדשה לאיש אף שעדיין לא נכנסה לביתו, הוא מעשה חמור של בגידה בבעל שיש בו גם ביזיון לבית אביה. וּבִעַרְתָּ הָרָע מִקִּרְבֶּךָ בטקס מיוחד ומרתיע. רוב הנידונים לסקילה מקבלים את עונשם במקום המיועד לכך, מחוץ למחנה,[26] ואילו נערה זו נסקלת ליד הבית, כדי שייזכר המעשה לדראון המשפחה לדורות.[27]

דומה לכך ניאוף עם אשת איש: כב כִּי יִמָּצֵא אִישׁ שֹׁכֵב עִם אִשָּׁה בְעֻלַת בַּעַל, נשואה – וּמֵתוּ גַּם שְׁנֵיהֶם. מעשה זה הוא גילוי עריות שדינו מיתה ולכן נידונים שניהם – הָאִישׁ הַשֹּׁכֵב עִם הָאִשָּׁה וְהָאִשָּׁה, מפני ששניהם עשו את המעשה מרצון ובשותפות, וּבִעַרְתָּ הָרָע מִיִּשְׂרָאֵל.

ועם מאורסת: כג כִּי יִהְיֶה נַעֲרָה בְתוּלָה מְאֹרָשָׂה, מקודשת לְאִישׁ, ועדיין לא נישאה לו, וּמְצָאָהּ אִישׁ אחר בָּעִיר וְשָׁכַב עִמָּהּ, והדבר יתגלה. כד וְהוֹצֵאתֶם אֶת שְׁנֵיהֶם למשפט, אֶל שַׁעַר, מקום מושב בית דין הָעִיר הַהִוא, וּסְקַלְתֶּם אֹתָם בָּאֲבָנִים וָמֵתוּ. מן הסתם הנערה תטען שהיא נאנסה, אבל טענת האונס לא תתקבל שכן מניחים שהיא שיתפה פעולה: אֶת הַנַּעֲרָה יענישו עַל דְּבַר אֲשֶׁר לֹא צָעֲקָה בָעִיר. אילו צעקה בעיר, היו שומעים אותה ובאים לעזרתה. העובדה שלא צעקה במקום שצעקתה הייתה מזעיקה עזרה, מוכיחה ששיתפה פעולה. וְאֶת הָאִישׁ מענישים עַל דְּבַר אֲשֶׁר עִנָּה, תקף, אם כי בהסכמה, שהרי הייתה יכולה לצעוק ולא צעקה.[28] פירוש אחר: השפיל, פגם בכשרותה,[29] אֶת אֵשֶׁת רֵעֵהוּ הארוסה לאיש, שנחשבת כאשתו[30] וּבִעַרְתָּ הָרָע מִקִּרְבֶּךָ.

כה ואולם אִם בַּשָּׂדֶה, במקום מרוחק מיישוב, שבו אין לה דרך

הרחבות | לצעוק או שאין משמעות לצעקותיה משום שהיא כלואה במרתף סגור שאיש אינו שומע את המתרחש בו, או בחצר מבודדת של בית. מן הפסוקים הללו נלמד להלכה שכאשר נראה המעשה, ואין ידוע לעדים אם היה באונס או ברצון, הרי שבמקום שאנשים מצויים, כלומר כשאפשר לשמוע את הצועק, יש להניח ששיתפה פעולה עם התוקף, אף אם לא יזמה את המעשה, שהרי לא ביטאה את התנגדותה בכל כוחה ולא צעקה לעזרה; אך במקום שאין עוברים ושבים העשויים לשמוע את צעקותיה, מניחים שגם אם לא צעקה היא אנוסה, עד שיתברר אחרת. (ראו רמב"ן וחזקוני).

יִמְצָא הָאִישׁ אֶת־הַנַּעֲרָ הַמְאֹרָשָׂה וְהֶחֱזִיק־בָּהּ
הָאִישׁ וְשָׁכַב עִמָּהּ וּמֵת הָאִישׁ אֲשֶׁר־שָׁכַב עִמָּהּ
כו לְבַדּוֹ: וְלַנַּעֲרָ לֹא־תַעֲשֶׂה דָבָר אֵין לַנַּעֲרָ חֵטְא מָוֶת
כִּי כַּאֲשֶׁר יָקוּם אִישׁ עַל־רֵעֵהוּ וּרְצָחוֹ נֶפֶשׁ כֵּן הַדָּבָר
כז הַזֶּה: כִּי בַשָּׂדֶה מְצָאָהּ צָעֲקָה הַנַּעֲרָ הַמְאֹרָשָׂה וְאֵין
כח מוֹשִׁיעַ לָהּ: כִּי־יִמְצָא אִישׁ נַעֲרָ בְתוּלָה
אֲשֶׁר לֹא־אֹרָשָׂה וּתְפָשָׂהּ וְשָׁכַב עִמָּהּ וְנִמְצָאוּ:
כט וְנָתַן הָאִישׁ הַשֹּׁכֵב עִמָּהּ לַאֲבִי הַנַּעֲרָ חֲמִשִּׁים כָּסֶף
וְלוֹ־תִהְיֶה לְאִשָּׁה תַּחַת אֲשֶׁר עִנָּהּ לֹא־יוּכַל שַׁלְּחָהּ
כג א כָּל־יָמָיו: לֹא־יִקַּח אִישׁ אֶת־אֵשֶׁת אָבִיו
ב וְלֹא יְגַלֶּה כְּנַף אָבִיו: לֹא־יָבֹא פְצוּעַ־דַּכָּה
ג וּכְרוּת שָׁפְכָה בִּקְהַל יְהוָה: לֹא־יָבֹא

רש"י

כו| כִּי כַּאֲשֶׁר יָקוּם וְגוֹ'. לְפִי פְּשׁוּטוֹ זֶהוּ מַשְׁמָעוֹ: כִּי אֲנוּסָה הִיא וּבְחָזְקָה עָמַד עָלֶיהָ, כְּאָדָם הָעוֹמֵד עַל חֲבֵרוֹ לְהָרְגוֹ. וְרַבּוֹתֵינוּ דָּרְשׁוּ בוֹ (פסחים כה ע"ב ועוד): הֲרֵי זֶה בָּא לְלַמֵּד וְנִמְצָא לָמֵד וְכוּ':

פרק כג

א| לֹא יִקַּח. אֵין לוֹ בָּהּ לִקּוּחִין, וְאֵין קִדּוּשִׁין תּוֹפְסִין בָּהּ: וְלֹא יְגַלֶּה כְּנַף אָבִיו. שׁוֹמֶרֶת יָבָם שֶׁל אָבִיו הָרְאוּיָה לְאָבִיו. וַהֲרֵי כְּבָר הֻזְהַר עָלֶיהָ מִשּׁוּם "עֶרְוַת אֲחִי אָבִיךָ" (ויקרא יח, יד)? אֶלָּא לַעֲבֹר עָלָיו בִּשְׁנֵי לָאוִין, וְלִסְמֹךְ לָהּ: "לֹא יָבֹא מַמְזֵר" (להלן פסוק ג), לְלַמֵּד שֶׁאֵין מַמְזֵר אֶלָּא מֵחַיָּבֵי כְרֵתוֹת, וְקַל וָחֹמֶר מֵחַיָּבֵי מִיתוֹת בֵּית דִּין, שֶׁאֵין בַּעֲרָיוֹת מִיתַת בֵּית דִּין שֶׁאֵין בָּהּ כָּרֵת:

ב| פְּצוּעַ דַּכָּה. שֶׁנִּפְצְעוּ אוֹ שֶׁנִּדְכְּאוּ בֵּיצִים שֶׁלּוֹ: וּכְרוּת שָׁפְכָה. שֶׁנִּכְרַת הַגִּיד וְשׁוּב אֵינוֹ יוֹרֶה קִלּוּחַ זֶרַע, אֶלָּא שׁוֹפֵךְ וְשׁוֹתֵת וְאֵינוֹ מוֹלִיד:

הרחבות

'כאשר יקום איש על רעהו ורצחו' פטור הנאנסת מעונש הוא המקור לכל תפיסת גדרי האנוס לעבור עברה בהלכה (בבא קמא כח ע"ב). הדברים מראים כי אדם שנאנס לעשות דבר אסור – לא ייחשב לו כלל המעשה האסור, וכאילו לא הוא עשהו אלא אחרים עשו אותו בו.

'לא יוכל שַׁלְּחָהּ כל ימיו' גם במקרה זה, כמו ב'מוציא שם רע', הנערה או אביה יכולים לסרב לחתן זה, ואז הוא יחויב בקנס הכספי בלבד. (ראו כתובות לט ע"ב). האיסור החל עליו לגרשה בא להרתיעו מלבעול בחורה ולהתעלם מהמשך חייה. דין זה משמעותי במיוחד במקרים שבהם האונס הוא אדם בעל כוח פיזי, כלכלי או חברתי, והוא עלול לבחור לאנוס בחורה מסכנה, שמאחוריה לא עומדת

ביאור
להתגונן, יִמְצָא הָאִישׁ אֶת הַנַּעֲרָה הַמְאֹרָשָׂה, וְהֶחֱזִיק בָּהּ הָאִישׁ
וְשָׁכַב עִמָּהּ – וּמֵת הָאִישׁ אֲשֶׁר שָׁכַב עִמָּהּ לְבַדּוֹ, משום שבא על
אשת איש – עברה שעונשה מוות. כו וְאילו לַנַּעֲרָה לֹא תַעֲשֶׂה דָבָר,
שכן אֵין לַנַּעֲרָה חֵטְא מָוֶת של גילוי עריות, שהרי נאנסה. כִּי כַּאֲשֶׁר
יָקוּם אִישׁ עַל רֵעֵהוּ וּרְצָחוֹ נֶפֶשׁ – כֵּן הַדָּבָר הַזֶּה. הנאנסת לא יכלה
להתנגד כמו הנרצח, ולכן אין לטעון שהיה לה חלק בעברה, כז כִּי
בַשָּׂדֶה מְצָאָהּ האנס; צָעֲקָה הַנַּעֲרָה הַמְאֹרָשָׂה, מן הסתם, וְאֵין מוֹשִׁיעַ
לָהּ.

בכל המקרים הקודמים – כולל בתולה מאורסת – חל על האשה
דין של אשה נשואה, והמעשים המתוארים נתפסו כעברה על
הדיבר החמור 'לא תנאף', שעונשו מוות.[31] כח לעומתם, כִּי יִמְצָא
אִישׁ נַעֲרָה בְתוּלָה אֲשֶׁר לֹא אֹרָשָׂה, וּתְפָשָׂהּ בכוח, יאנוס אותה[32]
וְשָׁכַב עִמָּהּ וְנִמְצָאוּ. כט כיוון שהנערה היא רווקה, מי ששוכב
אתה אינו מתחייב בעונש מוות אלא וְנָתַן הָאִישׁ הַשֹּׁכֵב עִמָּהּ לַאֲבִי
הַנַּעֲרָה חֲמִשִּׁים כָּסֶף, בערך סכום המוהר הקבוע שהיו נותנים לאב
בעבור הנישואין. מאחר שהתנהג אתה כאשתו, עליו לשלם את
התשלום המקובל ומלבד העונש הממוני לוֹ תִהְיֶה לְאִשָּׁה תַּחַת אֲשֶׁר,
כי עִנָּהּ, אנס אותה, לֹא יוּכַל שַׁלְּחָהּ, לגרש אותה בניגוד לרצונה[33] כָּל
יָמָיו.

כאן מתחילה סדרת דינים הקשורה למגבלות נישואין: פרק כג א לֹא
יִקַּח אִישׁ אֶת אֵשֶׁת אָבִיו, גם אחרי מות אביו או אחרי גירושיו, וְלֹא
יְגַלֶּה את כְּנַף, שולי בגדו של אָבִיו, לא יגלה את ערוותו.

ב לֹא יָבֹא פְצוּעַ דַּכָּה, מי שאשכיו נפצעו וּכְרוּת שָׁפְכָה, מי שאבר מינו
נכרת או נפגע באופן חמור[34] בִּקְהַל ה'. אסור לו לשאת בת ישראל.

הרחבות

תמיכתה של משפחה חזקה. בחורה כזאת זכאית להישאר אתו כל זמן שתרצה בכך.

**'אשת אביו'** בין חכמי המשנה היו שפירשו דין זה כאיסור על כל אשה שהיה לאביו מגע מיני כלשהו אתה – בין באופן רשמי ובין באופן לא רשמי, בין ברצון ובין באונס. להלכה נפסק שהאיסור חל רק על אשה שהייתה נשואה לאביו – גם אם לזמן קצר בלבד. (ראו יבמות צז ע"א), לעומת זאת, מקרים אחרים שבהם נושא אדם אשה שהייתה לה זיקה מינית לאביו, אינם נחשבים גילוי עריות, אך יש בהם ביזוי כבוד האב.

**'פְּצוּעַ דכה וּכְרוּת שָׁפְכָה'** אין באיסור זה משום שיפוט אישי או מוסרי כלפי

מַמְזֵר בִּקְהַל יְהוָה גַּם דּוֹר עֲשִׂירִי לֹא־יָבֹא לוֹ בִּקְהַל
יְהוָה׃ לֹא־יָבֹא עַמּוֹנִי וּמוֹאָבִי בִּקְהַל ד
יְהוָה גַּם דּוֹר עֲשִׂירִי לֹא־יָבֹא לָהֶם בִּקְהַל יְהוָה עַד־
עוֹלָם׃ עַל־דְּבַר אֲשֶׁר לֹא־קִדְּמוּ אֶתְכֶם בַּלֶּחֶם ה
וּבַמַּיִם בַּדֶּרֶךְ בְּצֵאתְכֶם מִמִּצְרָיִם וַאֲשֶׁר שָׂכַר עָלֶיךָ
אֶת־בִּלְעָם בֶּן־בְּעוֹר מִפְּתוֹר אֲרַם נַהֲרַיִם לְקַלְלֶךָּ׃
וְלֹא־אָבָה יְהוָה אֱלֹהֶיךָ לִשְׁמֹעַ אֶל־בִּלְעָם וַיַּהֲפֹךְ ו
יְהוָה אֱלֹהֶיךָ לְּךָ אֶת־הַקְּלָלָה לִבְרָכָה כִּי אֲהֵבְךָ
יְהוָה אֱלֹהֶיךָ׃ לֹא־תִדְרֹשׁ שְׁלֹמָם וְטֹבָתָם כָּל־יָמֶיךָ ז
רביעי לְעוֹלָם׃ לֹא־תְתַעֵב אֲדֹמִי כִּי אָחִיךָ ח

**רש"י**

ג| **לֹא יָבֹא מַמְזֵר בִּקְהַל ה'.** לֹא יִשָּׂא יִשְׂרְאֵלִית:

ד| **לֹא יָבֹא עַמּוֹנִי.** לֹא יִשָּׂא יִשְׂרְאֵלִית:

ה| **עַל דְּבַר.** עַל הָעֵצָה שֶׁיָּעֲצוּ אֶתְכֶם לְהַחֲטִיאֲכֶם כִּדְכְתִיב "בִּדְבַר בִּלְעָם" (במדבר לא, טז): **בַּדֶּרֶךְ.** כְּשֶׁהֱיִיתֶם בְּטֵרוּף:

ז| **לֹא תִדְרֹשׁ שְׁלֹמָם.** מִכְּלַל שֶׁנֶּאֱמַר: "עִמְּךָ יֵשֵׁב בְּקִרְבְּךָ" (להלן פסוק יז), יָכוֹל אַף זֶה כֵּן? תַּלְמוּד לוֹמַר: "לֹא תִדְרֹשׁ שְׁלֹמָם":

ח-ט| **לֹא תְתַעֵב אֲדֹמִי.** לְגַמְרֵי, וְאַף עַל פִּי שֶׁרָאוּי לְךָ לְתַעֲבוֹ, שֶׁיָּצָא בַּחֶרֶב לִקְרָאתְךָ:

**הרחבות**

פצוע הדכה וכרות השפכה. אדם זה רשאי לשאת אשה שאינה נכללת בהגדרה המצומצמת של 'קהל ה'', בית ישראל, כמו גיורת (יבמות עו ע"א). בתורה שבעל פה דנו בשאלה מי בדיוק נכלל בקבוצה זו, ומסקנת ההלכה היא שרק הפצוע באופן מלאכותי נאסר, כגון על ידי פעולת אדם או בעל חיים, בעקבות דקירת קוץ או שאר תאונות, ולא במומים שמלידה או מחמת חולי. (ראו שם עט ע"ב).

'ממזר' מלה זו מופיעה רק פעם נוספת אחת במקרא (זכריה ט,ו), וגם שם משמעותה אינה ברורה. נראה שהיא קשורה בזרות ובמוזרות, כמי שמקורו זר, או שאביו ואמו 'זרים' זה לזה. (ראו ראב"ע על אתר; יבמות עו ע"ב). יש אפוא להזדקק להגדרתו ההלכתית של הממזר – מי שנולד מתוך יחסים אסורים שעונשם כרת וכיוצא בזה, חוץ מאשר בן הנידה, שהוא איסור הכרוך בזמן הזיווג ולא בזהות ההורים, ואינו נחשב לממזר. (ראו יבמות מד ע"א – מה ע"א; שם מט).

הממזר אינו אשם במעמדו. כאדם פרטי הוא עשוי להיות כליל המעלות. רק באשמת הוריו נאסר עליו לבוא בקהל ה'. על אף מעמדו הוא מיוחס משפטית לאביו – אם ברור מיהו האב – ויש לו זכות לירשו. חכמים קבעו שאף על פי שהכהן הגדול עומד בראש סולם הייחוס של עם ישראל ואילו הממזר נמצא בתחתיתו, יש לכבד ממזר תלמיד חכם יותר מאשר כהן

ביאור | ג **לֹא יָבֹא מַמְזֵר**, ילד שנולד מאיסורי ביאה חמורים, בין על ידי
ניאוף – צאצא של אשת איש שלא מבעלה, ובין על ידי גילוי עריות
במשפחה, **בִּקְהַל ה'**. אסור לו לשאת את בת ישראל הכשרה. ויתרה
מזו, **גַּם דּוֹר עֲשִׂירִי**, כלומר לעולם[35] **לֹא יָבֹא לוֹ בִּקְהַל ה'**. לממזר לא
תהיה תקנה אף פעם. אמנם הוא אינו מוֹצָא מכלל ישראל לכל
עניין אחר, אך רק בדרכים מסוימות יוכל לשאת לו אשה, כגון
אשה ממזרת.[36]

מגבלות הנישואין הבאות קשורות לזיכרון הקולקטיבי של עם
ישראל: ד **לֹא יָבֹא עַמּוֹנִי וּמוֹאָבִי בִּקְהַל ה'. גַּם דּוֹר עֲשִׂירִי לֹא יָבֹא
לָהֶם בִּקְהַל ה'**, וכאן מפרש הכתוב עצמו ואומר שמשמעו – **עַד
עוֹלָם**, ה **עַל דְּבַר אֲשֶׁר לֹא קִדְּמוּ אֶתְכֶם בַּלֶּחֶם וּבַמַּיִם בַּדֶּרֶךְ בְּצֵאתְכֶם
מִמִּצְרָיִם**. העמונים והמואבים לא שיתפו פעולה עם ישראל. הם לא
הגישו לישראל אפילו סיוע אנושי פשוט ונמנעו מכל מגע עמם.[37]
ועוד – **אֲשֶׁר שָׂכַר עָלֶיךָ אֶת בִּלְעָם בֶּן בְּעוֹר מִפְּתוֹר אֲרַם נַהֲרַיִם לְקַלְלֶךָּ**.
זה היה כלי הנשק החזק ביותר שיכלו להשיג כנגדכם. ו **וְ**אולם, **לֹא
אָבָה**, רצה **ה' אֱלֹהֶיךָ לִשְׁמֹעַ אֶל** קללות **בִּלְעָם, וַיַּהֲפֹךְ ה' אֱלֹהֶיךָ לְּךָ אֶת
הַקְּלָלָה לִבְרָכָה**. על אף רצונו ומאמציו לקלל יצאו מפיו דברי ברכה
מפליגים לכבוד ישראל,[38] **כִּי אֲהֵבְךָ ה' אֱלֹהֶיךָ**, אבל אין הדבר גורע
מאשמתם של העמונים ושל המואבים. ז בגלל רצונם של מואב
ועמון להתרחק מישראל ולפגוע בהם במזימותיהם השפלות, **לֹא
תִדְרֹשׁ שְׁלֹמָם וְטֹבָתָם כָּל יָמֶיךָ לְעוֹלָם**. אין להם תקנה, ואף לא ראוי
לעזור להם.

ח מנגד, **לֹא תְתַעֵב** לגמרי **אֲדֹמִי, כִּי אָחִיךָ הוּא**. מבחינה משפחתית

---

הרחבות | גדול עם הארץ. (ראו יבמות כב; הוריות יג ע"א).

**'עמוני' ולא עמונית, 'מואבי' ולא מואבית** מסורת חכמים, הנראית גם מפשטות המקראות, אומרת שהאיסור על חיתון עם עמוני ומואבי מתייחס לגברים בעמון ובמואב דווקא. שלא כבממזר, ושלא כמו במצרים ובאדומים שיוזכרו בהמשך, שדיניהם חלים (לדעת חכמים, אך לא לדעת רבי שמעון) הן על איש הן על אשה, הדין על העמונים והמואבים אינו חל על בנותיהם. כך דרשו חכמים: "'עמוני' – ולא עמונית; 'מואבי' – ולא מואבית" (יבמות עו ע"ב – עז ע"א). כבר ממגילת רות עולה שדוד מלך ישראל היה צאצא של אשה מואבייה (רות ד,יז); כמו כן, רחבעם נכדו היה בנה של נעמה העמונית (מלכים א' יד,כא). אפילו בשושלת המפוארת של מלכי יהודה, שבה טמונה גם הבטחה לעתיד, מצויות מואבייה ועמונית.

**גרים אדומיים** מבין האדומים ידועים גרים שקצתם נתגיירו שלא מרצונם – כמו בכפייתו של יוחנן הורקנוס, אבל רבים מהם נשארו חלק מעם ישראל והזדהו עמו לחלוטין, אף שכונו 'אדומים' על שם מוצאם. מסופר כי בימי המרד הגדול נלחמו גרים אדומיים בחירוף נפש למען שמירת המקדש. (ראו יוסף בן מתתיהו, קדמוניות, יג 257–258; מלחמות היהודים ה,ו).

הוּא לֹא־תְתַעֵב מִצְרִי כִּי־גֵר הָיִיתָ בְאַרְצוֹ׃ בָּנִים ט
אֲשֶׁר־יִוָּלְדוּ לָהֶם דּוֹר שְׁלִישִׁי יָבֹא לָהֶם בִּקְהַל
יח יְהוָה׃ כִּי־תֵצֵא מַחֲנֶה עַל־אֹיְבֶיךָ וְנִשְׁמַרְתָּ י
מִכֹּל דָּבָר רָע׃ כִּי־יִהְיֶה בְךָ אִישׁ אֲשֶׁר לֹא־יִהְיֶה יא
טָהוֹר מִקְּרֵה־לָיְלָה וְיָצָא אֶל־מִחוּץ לַמַּחֲנֶה לֹא יָבֹא
אֶל־תּוֹךְ הַמַּחֲנֶה׃ וְהָיָה לִפְנוֹת־עֶרֶב יִרְחַץ בַּמָּיִם יב
וּכְבֹא הַשֶּׁמֶשׁ יָבֹא אֶל־תּוֹךְ הַמַּחֲנֶה׃ וְיָד תִּהְיֶה יג
לְךָ מִחוּץ לַמַּחֲנֶה וְיָצָאתָ שָּׁמָּה חוּץ׃ וְיָתֵד תִּהְיֶה יד

רש"י | **לֹא תְתַעֵב מִצְרִי.** מִכֹּל וָכֹל, אַף עַל פִּי שֶׁזָּרְקוּ זְכוּרֵיכֶם לַיְאוֹר, מַה טַּעַם? שֶׁהָיוּ לָכֶם אַכְסַנְיָא בִּשְׁעַת הַדְּחָק, לְפִיכָךְ: **בָּנִים אֲשֶׁר יִוָּלְדוּ לָהֶם דּוֹר שְׁלִישִׁי וְגוֹ'.** וּשְׁאָר אֻמּוֹת מֻתָּרִין מִיָּד. הָא לָמַדְתָּ שֶׁהַמַּחֲטִיא לָאָדָם קָשֶׁה לוֹ מִן הַהוֹרְגוֹ, שֶׁהַהוֹרְגוֹ הוֹרְגוֹ בָּעוֹלָם הַזֶּה, וְהַמַּחֲטִיאוֹ מוֹצִיאוֹ מִן הָעוֹלָם הַזֶּה וּמִן הָעוֹלָם הַבָּא. לְפִיכָךְ אֱדוֹם שֶׁקִּדְּמָם בַּחֶרֶב לֹא נִתְעַב, וְכֵן מִצְרִיִּים שֶׁטִּבְּעוּם, וְאֵלּוּ שֶׁהֶחֱטִיאוּם נִתְעֲבוּ:

י] **כִּי תֵצֵא מַחֲנֶה וְגוֹ' וְנִשְׁמַרְתָּ.** שֶׁהַשָּׂטָן מְקַטְרֵג בִּשְׁעַת הַסַּכָּנָה:

יא] **מִקְּרֵה לָיְלָה.** דִּבֶּר הַכָּתוּב בַּהֹוֶה: **וְיָצָא אֶל מִחוּץ לַמַּחֲנֶה.** זוֹ מִצְוַת עֲשֵׂה: **לֹא יָבֹא אֶל תּוֹךְ הַמַּחֲנֶה.** זוֹ מִצְוַת לֹא תַעֲשֶׂה. וְאָסוּר לִכָּנֵס לְמַחֲנֵה לְוִיָּה וְכָל שֶׁכֵּן לְמַחֲנֵה שְׁכִינָה:

יב] **וְהָיָה לִפְנוֹת עֶרֶב.** סָמוּךְ לְהַעֲרֵב שִׁמְשׁוֹ יִטְבֹּל, שֶׁאֵינוֹ טָהוֹר בְּלֹא הַעֲרֵב הַשֶּׁמֶשׁ:

יג] **וְיָד תִּהְיֶה לְךָ.** כְּתַרְגּוּמוֹ, כְּמוֹ: "אִישׁ עַל יָדוֹ" (במדבר ב, יז): **מִחוּץ לַמַּחֲנֶה.** חוּץ לֶעָנָן:

ביאור | האדומים הם העם הקרוב ביותר לישראל.[39] העמונים והמואבים הם בניו של לוט שקרבתו הגנאולוגית עמנו רחוקה יותר מאשר אדום: לוט היה בן אחי אברהם, ואילו אדום, הוא עשו, היה אחיו של יעקב ובנם של יצחק ורבקה. כמו כן, **לֹא תְתַעֵב מִצְרִי**, אך מסיבה אחרת – **כִּי גֵר הָיִיתָ בְאַרְצוֹ**. אף על פי שהמצרים שיעבדו את ישראל שנים רבות, הם מתחילה אירחו אותנו בארצם והיטיבו עמנו,[40] ועל כך עם ישראל יכול להכיר להם טובה. כשם שעליך לזכור את התנהגותם של העמונים והמואבים, כך עליך לזכור לנצח את היחס המעורב של המצרים. ט כתוצאה מכך, **בָּנִים אֲשֶׁר יִוָּלְדוּ לָהֶם**, למצרים ולאדומים – **דּוֹר שְׁלִישִׁי יָבֹא לָהֶם בִּקְהַל ה׳**. לפי ההלכה, רק נכדי הגרים יוכלו להיכלל בעם ישראל על ידי נישואין.

## דינים הקשורים לקדושת המחנה

פרק כג פס׳ י–טו

איסורי החיתון שהוזכרו קודם, הם חלק מן השמירה על קדושת העם. מכיוון אחר מעצבים שני הדינים שלפנינו את קדושתו של מחנה ישראל: הדין הראשון מתייחס לטומאה, ואילו השני מורה על חשיבות שמירת הנקיות והכבוד במחנה. שניהם קשורים בקדושה הנגזרת מנוכחותו של ה׳ בקרב מחנה ישראל.

י **כִּי תֵצֵא מַחֲנֶה עַל אֹיְבֶיךָ – וְנִשְׁמַרְתָּ מִכֹּל דָּבָר רָע**. בהקשרים צבאיים ומלחמתיים נוטים אנשים לירידה רוחנית ומוסרית, לשחרור מעצורים ולפריצת נורמות התנהגות. על כן דווקא שם נצרכת שמירת הטהרה והקדושה. יא אחד הדברים שיכולים לקרות הוא – **כִּי יִהְיֶה בְךָ**, בתוך המחנה **אִישׁ אֲשֶׁר לֹא יִהְיֶה טָהוֹר** מחמת **מִקְּרֵה לָיְלָה**, קרי, פליטת זרע בלתי מכוונת העלולה להתרחש בלילה במיוחד אצל צעירים – **וְיָצָא אֶל מִחוּץ לַמַּחֲנֶה**, כשיתעורר ויגלה את הדבר. **לֹא יָבֹא אֶל תּוֹךְ הַמַּחֲנֶה**. יב **וְהָיָה לִפְנוֹת עֶרֶב** באותו יום **יִרְחַץ**, יטבול **בַּמָּיִם**, **וּכְבֹא הַשֶּׁמֶשׁ**, כשיגיע הלילה **יָבֹא אֶל תּוֹךְ הַמַּחֲנֶה**. טומאת קרי היא טומאת יום אחד. כיוון שכך, לאחר שהטמא טבל והגיע הלילה – מיד הוא נטהר. חכמים פירשו שמכיוון שארון הקודש היה מתלווה אל מחנה הצבא, על הטמא בקרי לילה לצאת מהמקום, וכן לדורות – במקום הארון (׳מחנה שכינה׳) ומסביבו (׳מחנה לוויה׳) אסור לטמא כזה להימצא, אבל מ׳מחנה ישראל׳ אין הוא צריך לצאת.[41]

דין נוסף הקשור לניקיון המחנה וקדושתו: יג **וְיָד**, מקום מוגדר[42] **תִּהְיֶה לְךָ מִחוּץ לַמַּחֲנֶה, וְיָצָאתָ שָׁמָּה חוּץ**. מחוץ למחנה ייקבע מקום

לְךָ֖ עַל־אֲזֵנֶ֑ךָ וְהָיָה֙ בְּשִׁבְתְּךָ֣ ח֔וּץ וְחָפַרְתָּ֣ה בָ֔הּ
וְשַׁבְתָּ֖ וְכִסִּ֥יתָ אֶת־צֵאָתֶֽךָ׃ כִּי֩ יְהוָ֨ה אֱלֹהֶ֜יךָ מִתְהַלֵּ֣ךְ ׀ טו
בְּקֶ֣רֶב מַחֲנֶ֗ךָ לְהַצִּֽילְךָ֙ וְלָתֵ֤ת אֹיְבֶ֙יךָ֙ לְפָנֶ֔יךָ וְהָיָ֥ה
מַחֲנֶ֖יךָ קָד֑וֹשׁ וְלֹֽא־יִרְאֶ֥ה בְךָ֙ עֶרְוַ֣ת דָּבָ֔ר וְשָׁ֖ב
מֵאַחֲרֶֽיךָ׃ לֹא־תַסְגִּ֥יר עֶ֖בֶד אֶל־אֲדֹנָ֑יו טז
אֲשֶׁר־יִנָּצֵ֥ל אֵלֶ֖יךָ מֵעִ֥ם אֲדֹנָֽיו׃ עִמְּךָ֞ יֵשֵׁ֣ב בְּקִרְבְּךָ֗ יז
בַּמָּק֧וֹם אֲשֶׁר־יִבְחַ֛ר בְּאַחַ֥ד שְׁעָרֶ֖יךָ בַּטּ֣וֹב ל֑וֹ לֹ֖א
תּוֹנֶֽנּוּ׃ לֹא־תִהְיֶ֥ה קְדֵשָׁ֖ה מִבְּנ֣וֹת יִשְׂרָאֵ֑ל יח
וְלֹא־יִהְיֶ֥ה קָדֵ֖שׁ מִבְּנֵ֥י יִשְׂרָאֵֽל׃ לֹא־תָבִיא֩ אֶתְנַ֨ן זוֹנָ֜ה יט
וּמְחִ֣יר כֶּ֗לֶב בֵּ֛ית יְהוָ֥ה אֱלֹהֶ֖יךָ לְכָל־נֶ֑דֶר כִּ֧י תוֹעֲבַ֛ת

**רש"י**

יד| **עַל אֲזֵנֶךָ.** לְבַד מִשְּׁאָר כְּלֵי תַּשְׁמִישְׁךָ: **אֲזֵנֶךָ.** כְּמוֹ כְּלֵי זַיִן:

טו| **וְלֹא יִרְאֶה בְךָ.** הַקָּדוֹשׁ בָּרוּךְ הוּא, "עֶרְוַת דָּבָר":

טז| **לֹא תַסְגִּיר עֶבֶד.** כְּתַרְגּוּמוֹ. דָּבָר אַחֵר, אֲפִלּוּ עֶבֶד כְּנַעֲנִי שֶׁל יִשְׂרָאֵל שֶׁבָּרַח מִחוּצָה לָאָרֶץ לְאֶרֶץ יִשְׂרָאֵל:

יח| **לֹא תִהְיֶה קְדֵשָׁה.** מֻפְקֶרֶת, מְקֻדֶּשֶׁת וּמְזֻמֶּנֶת לִזְנוּת: **וְלֹא יִהְיֶה קָדֵשׁ.** מְזֻמָּן לְמִשְׁכַּב זָכוּר. וְאוּנְקְלוֹס תִּרְגֵּם: "לָא תְהֵי אִתְּתָא מִבְּנָת יִשְׂרָאֵל לִגְבַר עֶבֶד", שֶׁאַף זוֹ מֻפְקֶרֶת לִבְעִילַת זְנוּת הִיא, מֵאַחַר שֶׁאֵין קִדּוּשִׁין תּוֹפְסִין לוֹ בָּהּ, שֶׁהֲרֵי הֻקְּשׁוּ לַחֲמוֹר, שֶׁנֶּאֱמַר: "שְׁבוּ לָכֶם פֹּה עִם הַחֲמוֹר" (בראשית כב, ה), עַם הַדּוֹמֶה לַחֲמוֹר, "וְלָא יִסַּב גַּבְרָא מִבְּנֵי יִשְׂרָאֵל אִתְּתָא אַמְתָא", שֶׁאַף הוּא נַעֲשָׂה קָדֵשׁ עַל יָדָהּ, שֶׁכָּל בְּעִילוֹתָיו בְּעִילוֹת זְנוּת שֶׁאֵין קִדּוּשִׁין תּוֹפְסִין לוֹ בָּהּ:

יט| **אֶתְנַן זוֹנָה.** נָתַן לָהּ טָלֶה בְּאֶתְנַנָּהּ, פָּסוּל לְהַקְרָבָה: **וּמְחִיר כֶּלֶב.** הֶחֱלִיף שֶׂה בְּכֶלֶב: **גַּם שְׁנֵיהֶם.** לְרַבּוֹת שִׁנּוּיֵיהֶם, כְּגוֹן חִטִּים וַעֲשָׂאָן סֹלֶת:

**הרחבות**

**הסגרת עבד** לפי ההלכה, על השלטונות לדאוג לשחרורו של העבד שברח מאדוניו לארץ ישראל, ולשם כך יוטל על האדון להוציאו לחופשי באופן רשמי בשטר-שחרור; ומנגד, על העבד מוטל לכתוב שטר-חוב לאדונו על שוויו. (ראו רמב"ם, הלכות עבדים ח,י; יורה דעה רסז, פה).

ביאור | מסוים לעשיית צרכים. יד ויתרה מזו, יָתֵד תִּהְיֶה לְךָ עַל אֲזֵנֶךָ, נלווה לכלי הזיין שלך – חרב, רומח וכיוצא בהם.[43] וְהָיָה בְּשִׁבְתְּךָ חוּץ לעשות את צרכיך, וְחָפַרְתָּה בור קטן באדמה בָהּ – ביתד שבה תצטייד, וְשַׁבְתָּ אחרי שגמרת וְכִסִּיתָ אֶת צֵאָתֶךָ, צואתך.

טו והטעם לכל דיני המלחמה הללו – כִּי ה' אֱלֹהֶיךָ מִתְהַלֵּךְ בְּקֶרֶב מַחֲנֶךָ, לְהַצִּילְךָ וְלָתֵת אֹיְבֶיךָ ניגפים לְפָנֶיךָ. מחנה ישראל נלחם בשמו של ה' השוכן בתוכו, ועל כן – וְהָיָה מַחֲנֶיךָ קָדוֹשׁ, וְלֹא, כדי שלא יִרְאֶה בְךָ ה' עֶרְוַת דָּבָר, דבר מגונה כלשהו – וְשָׁב מֵאַחֲרֶיךָ, והדבר יגרום לו להסתלק ממך.[44]

## איסור הסגרת עבד

פרק כג פס' טז–יז

ארצך צריכה לקלוט עבדים נמלטים ולתת להם חסות. אף שאין הדבר מפורש, נראה שהרקע למצווה זו הוא העובדה שישראל עצמם היו עבדים.

טז **לֹא תַסְגִּיר עֶבֶד** כנעני הבורח אל ארצך **אֶל אֲדֹנָיו**, בין שאדוניו
מישראל ובין שאינו מישראל,[45] **אֲשֶׁר יִנָּצֵל אֵלֶיךָ מֵעִם אֲדֹנָיו**, גם אם
יהיו לאדון תביעות על עבדו. יז **עִמְּךָ יֵשֵׁב בְּקִרְבְּךָ**, בתוך ישראל,
**בַּמָּקוֹם אֲשֶׁר יִבְחַר בְּאַחַד שְׁעָרֶיךָ**, בַּמקום שהוא **טוֹב לוֹ**, **לֹא תּוֹנֶנּוּ**. אל
תפגע בו, ואל תסב לו כאב.

## איסורים הקשורים לזנות

פרק כג פס' יח–יט

ייתכן שהרקע לאיסור הראשון הוא הזנות שהייתה מעורבת במקדשי עבודה זרה רבים בכנען. האיסור השני מתייחס להבאת מתנות שיש בהן צד ביזוי לבית ה'.

יח **לֹא תִהְיֶה קְדֵשָׁה**, אשה העוסקת בזנות, ובמיוחד זנות פולחנית,[46] **מִבְּנוֹת יִשְׂרָאֵל, וְלֹא יִהְיֶה קָדֵשׁ**, גבר הממלא תפקיד דומה – בין בשביל נשים ובין למשכב זכר – **מִבְּנֵי יִשְׂרָאֵל**.

יט **לֹא תָבִיא אֶתְנַן**, מתנה שהתקבלה כתשלום לזונה, וכן **מְחִיר** שקיבלת בעד **כֶּלֶב** אל **בֵּית ה' אֱלֹהֶיךָ לְכָל נֶדֶר**, כמילוי התחייבות שקיבלת על עצמך כאשר נדרת לבית ה', **כִּי תוֹעֲבַת ה' אֱלֹהֶיךָ גַּם**

הרחבות | 'קְדֵשָׁה', 'קָדֵשׁ' משמעותם המדויקת של עיסוקים אלה אינה ברורה, מפני שכמעט בטלו מן העולם. היו שהבינו כי מדובר כאן בזנות מקצועית, שלא כסוטה או כזונה, המתייחסות לרוב לסטייה מקרית, (ראו רש"י ובכור שור פס' יח). עם זאת, גזירתם של כינויים אלו מן השורש ק,ד,ש עשויה לרמז שיש במעשיהם היבט פולחני.

יְהוָה אֱלֹהֶיךָ גַּם־שְׁנֵיהֶם׃ לֹא־תַשִּׁיךְ כ
לְאָחִיךָ נֶשֶׁךְ כֶּסֶף נֶשֶׁךְ אֹכֶל נֶשֶׁךְ כָּל־דָּבָר אֲשֶׁר
יִשָּׁךְ׃ לַנָּכְרִי תַשִּׁיךְ וּלְאָחִיךָ לֹא תַשִּׁיךְ לְמַעַן יְבָרֶכְךָ כא
יְהוָה אֱלֹהֶיךָ בְּכֹל מִשְׁלַח יָדֶךָ עַל־הָאָרֶץ אֲשֶׁר־
יט אַתָּה בָא־שָׁמָּה לְרִשְׁתָּהּ׃ כִּי־תִדֹּר נֶדֶר כב
לַיהוָה אֱלֹהֶיךָ לֹא תְאַחֵר לְשַׁלְּמוֹ כִּי־דָרֹשׁ יִדְרְשֶׁנּוּ
יְהוָה אֱלֹהֶיךָ מֵעִמָּךְ וְהָיָה בְךָ חֵטְא׃ וְכִי תֶחְדַּל כג
לִנְדֹּר לֹא־יִהְיֶה בְךָ חֵטְא׃ מוֹצָא שְׂפָתֶיךָ תִּשְׁמֹר כד
וְעָשִׂיתָ כַּאֲשֶׁר נָדַרְתָּ לַיהוָה אֱלֹהֶיךָ נְדָבָה אֲשֶׁר

**רש"י** | כ) **לֹא תַשִּׁיךְ.** אַזְהָרָה לַלֹּוֶה שֶׁלֹּא יִתֵּן רִבִּית לַמַּלְוֶה, וְאַזְהָרָה לַמַּלְוֶה – "אֶת כַּסְפְּךָ לֹא תִתֵּן לוֹ בְּנֶשֶׁךְ" (ויקרא כה, לז).

כא) **לַנָּכְרִי תַשִּׁיךְ.** וְלֹא לְאָחִיךָ, לָאו הַבָּא מִכְּלַל עֲשֵׂה – עֲשֵׂה, לַעֲבֹר עָלָיו בִּשְׁנֵי לָאוִין וַעֲשֵׂה.

כב) **לֹא תְאַחֵר לְשַׁלְּמוֹ.** שְׁלֹשָׁה רְגָלִים, וּלְמָדוּהוּ רַבּוֹתֵינוּ מִן הַמִּקְרָא.

כד) **מוֹצָא שְׂפָתֶיךָ תִּשְׁמֹר.** לִתֵּן עֲשֵׂה עַל לֹא תַעֲשֶׂה.

**הרחבות** | (ראו ההרחבה לבראשית כח,לא). הלשון מבחינה ביניהם לבין 'קדושה' ו'קדוש' כדי להדגיש את הגנאי שבמעשה, הנחשב כהפוך מן הקודש. תופעה זו של עיוות השם מתוך כוונה דומה קיימת גם בשמות אלילים. (ראו במדבר לב,לח ורש"י שם; עבודה זרה מו ע"א).

**'לא תשיך לאחיך' 'לנכרי תשיך'** העובדה שמותר להלוות בריבית למי שאינו יהודי, מלמדת שאין התורה רואה בכך מעשה שאינו הגון, שכן אפשר לראות בכסף המולווה בריבית מעין השכרת חפצים הנושאת רווחים, או השקעה בעסקיו של אחר. כאשר בעל הרכוש משקיע

ביאור | שְׁנֵיהֶם. אתנן הזונה ומחיר הכלב בזויים בעיני ה'. לפיכך אל תביאם למקדשו.[47]

## איסור ריבית

פרק כג פס' כ–כא

לקיחת ריבית נאסרת כאן רק ביחסים הממוניים בין אנשים בתוך עם ישראל. מכאן שהיא כשלעצמה אינה נתפסת כמעשה בלתי מוסרי.

כ **לֹא תַשִּׁיךְ**, תלווה בריבית[48] **לְאָחִיךָ**, בן עמך **נֶשֶׁךְ כֶּסֶף** שהולווה, **נֶשֶׁךְ אֹכֶל** או **נֶשֶׁךְ כָּל דָּבָר אֲשֶׁר יִשָּׁךְ**, כל שווה כסף. הריבית, או סוג מסוים שלה, מכונה נשך,[49] משום שבאמצעותה המלווה נושך ממה שאינו שייך לו. כא **לַנָּכְרִי תַשִּׁיךְ**, מותר לך ללוות ולהלוות בריבית, אבל **לְאָחִיךָ**, לבן ישראל, **לֹא תַשִּׁיךְ, לְמַעַן יְבָרֶכְךָ ה' אֱלֹהֶיךָ בְּכֹל מִשְׁלַח יָדֶךָ עַל הָאָרֶץ אֲשֶׁר אַתָּה בָא שָׁמָּה לְרִשְׁתָּהּ.**

## נדר

פרק כג פס' כב–כד

כב **כִּי תִדֹּר נֶדֶר** להביא לבית ה' **אֱלֹהֶיךָ – לֹא תְאַחֵר לְשַׁלְּמוֹ.** שלם אותו בזמן קצוב. חכמים דנו על משך זמן זה, ומסקנת ההלכה היא שהוא מחזור של שלושה רגלים. עם זאת, מצווה לשלם את הנדר כבר ברגל הראשון שלאחריו.[50] **כִּי** אם תאחר לשלם את התחייבותך, בסופו של דבר **דָּרֹשׁ יִדְרְשֶׁנּוּ ה' אֱלֹהֶיךָ מֵעִמָּךְ, וְהָיָה בְךָ חֵטְא**, חיסרון או פגם. כג **וְכִי תֶחְדַּל**, אם תימנע **מִלִּנְדֹּר – לֹא יִהְיֶה בְךָ חֵטְא.** אינך חייב לנדור. אין חטא בכך שהמקדש לא קיבל ממך כסף. החטא הוא באי-עמידה בדיבור ובעיכוב התשלום המובטח. כד על כן, **מוֹצָא שְׂפָתֶיךָ תִּשְׁמֹר וְעָשִׂיתָ כַּאֲשֶׁר**, כפי **שֶׁנָּדַרְתָּ לַה' אֱלֹהֶיךָ, נְדָבָה**, מרצונך הטוב **אֲשֶׁר דִּבַּרְתָּ בְּפִיךָ.**

הרחבות | עם זאת, לפי חלק מהמפרשים, המלים 'לנכרי תשיך' מורות שמותר לשלם לנכרי ריבית אם לווים ממנו. (ראו יונתן, רש"י וספורנו). לפי דעות אלה, אל לך לשלם ריבית לאחיך משום שאסור לו לקבל ריבית, אבל אין מניעה, וממילא חלה חובה, שתשלם לנכרי את הריבית שנקבעה עמו.

אותו בעסקי הזולת, ראוי שהוא יזכה בחלק מן הרווחים. האיסור שלא להשיך לבני ישראל דווקא, נובע מתפיסת העם כמשפחה אחת, ובתוך המשפחה אין נוהגים כך. הרי הורים אינם רושמים מה נתנו לילדיהם לאכול כדי לגבות בעתיד את השקעתם בתוספת ריבית.

חמישי דִּבַּרְתָּ בְּפִיךָ: כִּי תָבֹא בְּכֶרֶם רֵעֶךָ כה
וְאָכַלְתָּ עֲנָבִים כְּנַפְשְׁךָ שָׂבְעֶךָ וְאֶל־כֶּלְיְךָ לֹא
תִתֵּן: כִּי תָבֹא בְּקָמַת רֵעֶךָ וְקָטַפְתָּ כו
מְלִילֹת בְּיָדֶךָ וְחֶרְמֵשׁ לֹא תָנִיף עַל קָמַת
רֵעֶךָ: כִּי־יִקַּח אִישׁ אִשָּׁה וּבְעָלָהּ וְהָיָה א כד
אִם־לֹא תִמְצָא־חֵן בְּעֵינָיו כִּי־מָצָא בָהּ עֶרְוַת
דָּבָר וְכָתַב לָהּ סֵפֶר כְּרִיתֻת וְנָתַן בְּיָדָהּ וְשִׁלְּחָהּ
מִבֵּיתוֹ: וְיָצְאָה מִבֵּיתוֹ וְהָלְכָה וְהָיְתָה לְאִישׁ־אַחֵר: ב
וּשְׂנֵאָהּ הָאִישׁ הָאַחֲרוֹן וְכָתַב לָהּ סֵפֶר כְּרִיתֻת ג

רש״י

כה) **כִּי תָבֹא בְּכֶרֶם רֵעֶךָ.** בְּפוֹעֵל הַכָּתוּב מְדַבֵּר: **וְאֶל כֶּלְיְךָ לֹא תִתֵּן.** מִכָּאן שֶׁלֹּא דִּבְּרָה תוֹרָה אֶלָּא בִּשְׁעַת הַבָּצִיר, בִּזְמַן שֶׁאַתָּה נוֹתֵן לְכֵלָיו שֶׁל בַּעַל הַבַּיִת, אֲבָל אִם בָּא לַעֲדֹר וּלְקַשְׁקֵשׁ אֵינוֹ אוֹכֵל: **כְּנַפְשְׁךָ.** כַּמָּה שֶׁתִּרְצֶה: **שָׂבְעֶךָ.** וְלֹא אֲכִילָה גַּסָּה:

כו) **כִּי תָבֹא בְּקָמַת רֵעֶךָ.** אַף זוֹ בְּפוֹעֵל הַכָּתוּב מְדַבֵּר:

פרק כד

א) **כִּי מָצָא בָהּ עֶרְוַת דָּבָר.** מִצְוָה עָלָיו לְגָרְשָׁהּ שֶׁלֹּא תִמְצָא חֵן בְּעֵינָיו:

ב) **לְאִישׁ אַחֵר.** אֵין זֶה בֶּן זוּגוֹ שֶׁל רִאשׁוֹן, הוּא הוֹצִיא רְשָׁעָה מִתּוֹךְ בֵּיתוֹ וְזֶה הִכְנִיסָהּ:

ג) **וּשְׂנֵאָהּ הָאִישׁ הָאַחֲרוֹן.** הַכָּתוּב מְבַשְּׂרוֹ שֶׁסּוֹפוֹ לִשְׂנֹאתָהּ, וְאִם לָאו – קוֹבַרְתּוֹ, שֶׁנֶּאֱמַר: ״אוֹ כִי יָמוּת״:

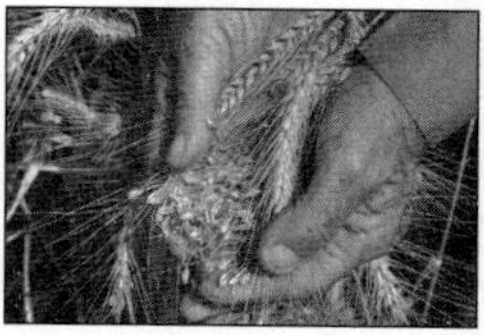

מימין: בציר כרם ענבים המאה ה-15 לפנה״ס קבר נחת, מצרים

משמאל: מלילות

הרחבות

**׳כי מצא בה ערות דבר׳** התַּנאים דנו בשאלה מהי עילה מוצדקת לגירושין. כיוון שהגירושין הם מעשה חד-צדדי לגמרי, אומר אחד החכמים שהגבר יכול לגרש את אשתו אף משום שהיא לא בישלה כראוי. (ראו גטין צ ע״א). לפי דעה אחרת, העילה לגירושין צריכה להיות דבר ערווה, כלומר שהגבר טוען שהיא מיודדת מדי עם אנשים שאינם לרוחו, או שהוא חושד בה במעשים אסורים בתחום זה, אלא שאין בידו הוכחות. הואיל והביטוי וְהָיְתָה לְאִישׁ אַחֵר מופיע כמה פעמים בהקשר שלילי (ראו ההפניות משופטים יא,ב) – היו שראו בכך רמז לנחיתותו

## אכילה מן הכרם ומן השדה

פרק כג פס׳ כה–כו

כשם שאסור לבעל השדה לחסום את השור שבו הוא דש בעת העבודה,[51] ועליו לתת לו לאכול מתבואת השדה שבו הוא עובד, כך אין מונעים מן האדם העובד בכרם ובשדה ליהנות מתנובתם. אולם עליו לזכור כי אין הוא הבעלים אלא פועל שכיר, ועל כן הנאתו מן הפֵּרות והתבואה מוגבלת.

ביאור | כה **כִּי תָבֹא בְּכֶרֶם רֵעֶךָ** כפועל – **וְאָכַלְתָּ**, מותר לך לאכול **עֲנָבִים כְּנַפְשְׁךָ** כפי אוות נפשך עד **שָׂבְעֶךָ**, ואולם **אֶל כֶּלְיְךָ לֹא תִתֵּן**, אסור לך לשים. כו וכמו כן, **כִּי תָבֹא בְּקָמַת**, שדה התבואה של **רֵעֶךָ** כדי לעבוד – **וְקָטַפְתָּ מְלִילֹת**, שיבולים בשלות **בְּיָדֶךָ**, ואולם **חֶרְמֵשׁ לֹא תָנִיף עַל קָמַת רֵעֶךָ**. אינך רשאי לקצור לעצמך באמצעות כלי.

אמנם אחד מהתַּנאים פירש מקרא זה כמתייחס לכל אדם הבא אל כרם רעהו ושדותיו, כפשוטו, אך שאר החכמים חלקו עליו ופירשו אותו כפונה אל הפועל העובד באותו כרם, שבידו כלי–איסוף או חרמש, ולא אל כל עובר אורח. אלו הטבות המגיעות לפועל בשכר עבודתו,[52] אך הן מוגבלות למה שאפשר ללקוט בשדה בלי לאגור ולהביא הביתה.

## איסור השבת גרושה לבעלה הראשון לאחר נישואיה לגבר אחר

פרק כד פס׳ א–ג

כאן נאסר על אדם לשוב ולשאת את גרושתו, לאחר שהייתה נשואה לגבר אחר בינתיים. בני הזוג יכולים להינשא מחדש לאחר גירושיהם רק אם האשה לא נישאה לגבר אחר בינתיים. זהו אחד המקומות הבודדים בתורה שבהם נזכרת האפשרות של גירושין. כאן משמיעה התורה שקשר הנישואין אינו קשר תמידי בהכרח וניתן להפרדה על ידי מסמך – ׳גט׳ בלשון חכמים.

פרק כד א **כִּי יִקַּח**, יארס **אִישׁ אִשָּׁה וּבְעָלָהּ, וְהָיָה אִם** לאחר מכן **לֹא תִמְצָא חֵן בְּעֵינָיו, כִּי מָצָא בָהּ עֶרְוַת דָּבָר**, משום שמצא בה דבר שהיה פגום בעיניו, או: משום שראה בה התנהגות בלתי מוסרית – אמנם לא התנהגות המחייבת אותו לגרשה – ובכל זאת החליט להיפרד ממנה, **וְכָתַב לָהּ סֵפֶר כְּרִיתֻת**, מסמך ניתוק, גט, **וְנָתַן** אותו **בְּיָדָהּ, וְשִׁלְּחָהּ מִבֵּיתוֹ**. ב **וְיָצְאָה מִבֵּיתוֹ, וְהָלְכָה וְהָיְתָה**, ונישאה **לְאִישׁ אַחֵר**. ג **וּשְׂנֵאָהּ הָאִישׁ הָאַחֲרוֹן**, גם האיש השני לא אהב אותה, **וְכָתַב לָהּ סֵפֶר כְּרִיתֻת**

הרחבות | **׳ספר כריתֻת׳** אמנם זהו המקום היחידי בתורה שבו נזכר מסמך הגירושין, אך לא נאמר כאן דבר על תוכנו. נראה כי התורה מניחה את קיומו של נוהג שרווח בזמנה לגירוש אשה, ועל כן לא ראתה לנכון לתארו. רק בדיון ההלכתי, המאוחר יותר, ניסחו את פרטיו.

של הגבר שנשאהּ, שהרי בחר באשה שנאמנותה מוטלת בספק. (ראו סוטה ו ע״א). שלא כמו בדין הסוטה שבספר במדבר (ה,יא–לא), שאף הוא עוסק בבעל החושד באשתו, כאן מדובר בגבר שמעוניין לגרש את אשתו ואינו רוצה לנסות להסיר את החשדות ולשקם את הזוגיות.

וְנָתַן בְּיָדָהּ וְשִׁלְּחָהּ מִבֵּיתוֹ אוֹ כִי יָמוּת הָאִישׁ
ד הָאַחֲרוֹן אֲשֶׁר־לְקָחָהּ לוֹ לְאִשָּׁה: לֹא־יוּכַל בַּעְלָהּ
הָרִאשׁוֹן אֲשֶׁר־שִׁלְּחָהּ לָשׁוּב לְקַחְתָּהּ לִהְיוֹת
לוֹ לְאִשָּׁה אַחֲרֵי אֲשֶׁר הֻטַּמָּאָה כִּי־תוֹעֵבָה הִוא
לִפְנֵי יְהוָה וְלֹא תַחֲטִיא אֶת־הָאָרֶץ אֲשֶׁר יְהוָה
ה אֱלֹהֶיךָ נֹתֵן לְךָ נַחֲלָה: כִּי־יִקַּח אִישׁ אִשָּׁה ששי
חֲדָשָׁה לֹא יֵצֵא בַּצָּבָא וְלֹא־יַעֲבֹר עָלָיו לְכָל־
דָּבָר נָקִי יִהְיֶה לְבֵיתוֹ שָׁנָה אֶחָת וְשִׂמַּח אֶת־
ו אִשְׁתּוֹ אֲשֶׁר־לָקָח: לֹא־יַחֲבֹל רֵחַיִם וָרָכֶב כִּי־נֶפֶשׁ

רש"י

ד| **אַחֲרֵי אֲשֶׁר הֻטַּמָּאָה.** לְרַבּוֹת סוֹטָה שֶׁנִּסְתְּרָה:

ה| **אִשָּׁה חֲדָשָׁה.** שֶׁהִיא חֲדָשָׁה לוֹ, וַאֲפִלּוּ אַלְמָנָה, פְּרָט לְמַחֲזִיר גְּרוּשָׁתוֹ: **וְלֹא יַעֲבֹר עָלָיו.** דְּבַר הַצָּבָא: **לְכָל דָּבָר.** שֶׁהוּא צֹרֶךְ הַצָּבָא, לֹא לְסַפֵּק מַיִם וּמָזוֹן וְלֹא לְתַקֵּן דְּרָכִים. אֲבָל הַחוֹזְרִים מֵעוֹרְכֵי הַמִּלְחָמָה עַל פִּי כֹהֵן, כְּגוֹן בָּנָה בַיִת וְלֹא חֲנָכוֹ אוֹ אֵרַשׂ אִשָּׁה וְלֹא לְקָחָהּ, מַסְפִּיקִין מַיִם וּמָזוֹן וּמְתַקְּנִין אֶת הַדְּרָכִים: **יִהְיֶה לְבֵיתוֹ.** אַף בִּשְׁבִיל בֵּיתוֹ, אִם בָּנָה בַיִת וַחֲנָכוֹ וְאִם נָטַע כֶּרֶם וְחִלְּלוֹ, אֵינוֹ זָז מִבֵּיתוֹ בִּשְׁבִיל צָרְכֵי הַמִּלְחָמָה: **לְבֵיתוֹ.** זֶה בֵּיתוֹ: **יִהְיֶה.** לְרַבּוֹת אֶת כַּרְמוֹ: **וְשִׂמַּח.** יְשַׂמַּח אֶת אִשְׁתּוֹ, וְתַרְגּוּמוֹ: "וְיַחְדֵּי יָת אִתְּתֵיהּ", וְהַמְתַרְגֵּם: 'וְיֶחְדֵּי עִם אִתְּתֵיהּ' טוֹעֶה הוּא, שֶׁאֵין זֶה תַּרְגּוּם שֶׁל 'וְשִׂמַּח' אֶלָּא שֶׁל 'וְשָׂמַח':

ו| **רֵחַיִם.** הִיא הַתַּחְתּוֹנָה: **וָרָכֶב.** הִיא הָעֶלְיוֹנָה: **לֹא יַחֲבֹל.** אִם בָּא לְמַשְׁכְּנוֹ

רחיים

**הרחבות** | **'אחרי אשר הֻטַּמָּאָה'** אין זו כמובן טומאה ממשית, שהרי נישואיה השניים היו חוקיים. יתרה מזו, לפי ההלכה, אם לא התחתנה ממש אלא רק קיימה קשר מיני מזדמן עם גבר אחר לאחר גירושיה – היה מותר לה לחזור לבעלה הראשון (יבמות נו ע"ב). מכאן שהאיסור לחזור אל הבעל הראשון אינו נובע ממעשה בלתי

ביאור | וְנָתַן בְּיָדָהּ, וְשִׁלְּחָהּ מִבֵּיתוֹ, אוֹ, לחלופין, כִּי יָמוּת הָאִישׁ הָאַחֲרוֹן אֲשֶׁר לְקָחָהּ לוֹ לְאִשָּׁה – ד לֹא יוּכַל בַּעְלָהּ הָרִאשׁוֹן אֲשֶׁר שִׁלְּחָהּ לָשׁוּב לְקַחְתָּהּ, לִהְיוֹת לוֹ לְאִשָּׁה, אף על פי שהיא פנויה להינשא לאחר.[53] אחרי שנישאה לאחר, אסור לבעל הראשון לחזור ולשאתה לאשה, אַחֲרֵי אֲשֶׁר הֻטַּמָּאָה, מש'נטמאה', כלומר משנאסרה בקידושי השני על אחרים כאשת איש, נאסר חידוש הקשר עם הבעל הראשון לצמיתות[54] כִּי תוֹעֵבָה הוּא לִפְנֵי ה', שכן אילו היה מותר לשוב אל הזוגיות הראשונה, לאחר שהאשה נישאה לאחר, הייתה מתאפשרת פריצות מינית והחלפת זוגות במעטה פורמלי חוקי.[55] וְכך לֹא תַחֲטִיא אֶת הָאָרֶץ אֲשֶׁר ה' אֱלֹהֶיךָ נֹתֵן לְךָ נַחֲלָה.

## איסור יציאה לצבא בשנת הנישואין הראשונה

פרק כד פס' ה

גם האיסור הבא קשור לנישואין, לשמירת תקינותם ולקירוב לבבות בני הזוג. על האיש מוטלת החובה לדאוג לאושר הנישואין, ובמשך השנה הראשונה לנישואים הוא מתמסר לכינון ביתו גם במחיר הימנעות מתשלום כל חובותיו לחברה.

ה כִּי יִקַּח אִישׁ אִשָּׁה חֲדָשָׁה, אשה שמעולם לא נישאה,[56] או: אשה שהיא חדשה עבורו[57] – לֹא יֵצֵא לשרת בַּצָּבָא לסכן את נפשו במלחמה וְאף לֹא יַעֲבֹר עָלָיו לְכָל דָּבָר, כל מלאכה לשם סיפוק צורכי הצבא, כולל עבודות העורף שהתבצעו על ידי אלו שאינם כשירים להילחם או מי ששבו משדה הקרב מן הסיבות שנמנו לעיל.[58] נָקִי, פנוי מכל עול והתחייבות כלפי המדינה יִהְיֶה לְבֵיתוֹ, לאשתו שָׁנָה אֶחָת, וְשִׂמַּח אֶת אִשְׁתּוֹ אֲשֶׁר לָקָח.

## משכונות אסורים

פרק כד פס' ו

גם הלכה זו מדגישה את חשיבות השמירה על הבית ועל שלומו. אין למשכן כלי אוכל נפש, אף על פי שלפי שורת הדין זו זכות מוצדקת.

ו לֹא יַחֲבֹל, אסור לבעל חוב לקחת כעירבון רֵחַיִם, מתקן לטחינת החיטה המורכב משתי אבנים. כאן מדובר באבן התחתונה, הָשֶּׁכֶב, וכן הָרָכֶב, האבן העליונה.[59] אסור למלווה לקחתן כִּי נֶפֶשׁ הוּא חֹבֵל.

הרחבות | ראוי, אלא מזיקתה הרשמית לגבר אחר.

'לֹא יֵצֵא בַצָּבָא' היתר זה מתייחס למלחמה שיזמו מנהיגי ישראל כדי להתקיף עמים אחרים, ולא ל'מלחמת חובה' – מלחמת הגנה או מלחמת חרום אחרת. (ראו משנה סוטה ח,ז).

ז הוּא חֹבֵל׃ כִּֽי־יִמָּצֵא אִישׁ גֹּנֵב נֶפֶשׁ מֵאֶחָיו
מִבְּנֵי יִשְׂרָאֵל וְהִתְעַמֶּר־בּוֹ וּמְכָרוֹ וּמֵת הַגַּנָּב הַהוּא
ח וּבִֽעַרְתָּ הָרָע מִקִּרְבֶּֽךָ׃ הִשָּׁמֶר בְּנֶֽגַע־
הַצָּרַעַת לִשְׁמֹר מְאֹד וְלַעֲשׂוֹת כְּכֹל אֲשֶׁר־יוֹרוּ
אֶתְכֶם הַכֹּהֲנִים הַלְוִיִּם כַּאֲשֶׁר צִוִּיתִם תִּשְׁמְרוּ
ט לַעֲשֽׂוֹת׃ זָכוֹר אֵת אֲשֶׁר־עָשָׂה יְהוָה אֱלֹהֶיךָ לְמִרְיָם
י בַּדֶּרֶךְ בְּצֵאתְכֶם מִמִּצְרָֽיִם׃ כִּֽי־תַשֶּׁה

**רש"י** | עַל חוֹבוֹ בְּבֵית דִּין, לֹא יְמַשְׁכְּנֶנּוּ בִּדְבָרִים שֶׁעוֹשִׂים בָּהֶן אֹכֶל נֶפֶשׁ:

ז| **כִּי יִמָּצֵא.** בְּעֵדִים וְהַתְרָאָה, וְכֵן כָּל 'יִמָּצֵא' שֶׁבַּתּוֹרָה: **וְהִתְעַמֶּר בּוֹ.** אֵינוֹ חַיָּב עַד שֶׁיִּשְׁתַּמֵּשׁ בּוֹ:

ח| **הִשָּׁמֶר בְּנֶגַע הַצָּרַעַת.** שֶׁלֹּא תִּתְלֹשׁ סִימָנֵי טֻמְאָה וְלֹא תָּקֹץ אֶת הַבַּהֶרֶת: **כְּכֹל אֲשֶׁר יוֹרוּ אֶתְכֶם.** אִם לְהַסְגִּיר, אִם לְהַחְלִיט, אִם לְטַהֵר:

ט| **זָכוֹר אֵת אֲשֶׁר עָשָׂה ה' אֱלֹהֶיךָ לְמִרְיָם.** אִם בָּאתָ לְהִזָּהֵר שֶׁלֹּא תִּלְקֶה בְּצָרַעַת, אַל תְּסַפֵּר לָשׁוֹן הָרָע, זְכוֹר הֶעָשׂוּי לְמִרְיָם שֶׁדִּבְּרָה בְּאָחִיהָ וְלָקְתָה בִּנְגָעִים:

**הרחבות** | **'איש גֹנב נפש'** לפי המסורת, איסור 'לא תגנֹב' שנאמר בעשרת הדיברות, מתייחס דווקא לגנבה מסוג זה – גנבת אדם (סנהדרין פו ע"א). לפי כללי ההלכה, "אין עונשין אלא אם כן מזהירים", כלומר כל עונש המוזכר בתורה, בהכרח שתפורש לגביו גם אזהרה. אם כן, בעשרת הדיברות מפורשת אזהרתו של גונב נפש, וכאן נאמר עונשו.

**'הִשמר בנגע הצרעת' 'זָכור את אשר עשה... לְמרים'** בדרך הדרש פורשה אזהרה זו כך: נגע הצרעת נחשב עונש על התנהגות שאינה נאותה. מרים נענשה בצרעת

ביאור | בלקיחת כלי הטחינה המשמשים להכנת פת הלחם, הוא נוטל מהאנשים את חייהם.

## גנבת אדם

פרק כד פס׳ ז

במצווה הקודמת נאמר על הלוקח כלי חיוני להכנת מזון כמשכון: כִּי נֶפֶשׁ הוּא חֹבֵל, בהשאלה ובלשון גוזמה, ואילו כאן מדובר בפגיעה ממשית וישירה בחרותו ובכבודו של הזולת.

ז **כִּי יִמָּצֵא אִישׁ גֹּנֵב נֶפֶשׁ מֵאֶחָיו מִבְּנֵי יִשְׂרָאֵל, וְהִתְעַמֶּר בּוֹ**, ישעבד אותו, ינצל אותו, יתעלל בו או יעשה בו מעשה שאינו הגון,[60] **וּמְכָרוֹ** אחר כך לאחר – **וּמֵת הַגַּנָּב הַהוּא**, עליך להמיתו, **וּבִעַרְתָּ הָרָע מִקִּרְבֶּךָ**.

## צרעת

פרק כד פס׳ ח–ט

כבר התבאר בספר ויקרא יג כי הצרעת המוזכרת בתורה היא מעין איתות משמים על ליקוי התנהגותי, ולכן היא אינה נמסרת לידיו של רופא עור אלא מסורה לאנשי הקודש, הכהנים. גם הציווי המופיע כאן – שלא להסיר את הצרעת מן הגוף – מאשש קביעה זו. על פי האמור בספר ויקרא, עונשו של המצורע הוא בידודו מן החברה. עליו לשבת מחוץ למחנה עד שיסתלק ממנו הנגע מאליו. אך טבעי הוא שהלוקה בצרעת ירצה לסלק את הנגע כדי לשוב לביתו ולחרותו, ועל כך באה האזהרה השוללת מימושו של רצון זה. הדבר יכול להתקשר לדין הקודם בדרך זו: כשם שאסור באיסור חמור לשלול את חרותו של אדם בן חורין, כך אסור לו לאדם לקחת את חרותו ואת תנועתו החופשית לידיו, כאשר חוק התורה מחייבו בידוד.

ח **הִשָּׁמֶר**, היזהר **בְּנֶגַע הַצָּרַעַת לִשְׁמֹר מְאֹד** את כל הדינים ששייכים לעניין **וְלַעֲשׂוֹת. כְּכֹל אֲשֶׁר יוֹרוּ אֶתְכֶם הַכֹּהֲנִים הַלְוִיִּם כַּאֲשֶׁר צִוִּיתִם** באופן מפורש[61] – **תִּשְׁמְרוּ לַעֲשׂוֹת**. הכהנים הם שנצטוו בכך, ועליכם לציית לדבריהם.

ט וכתוספת לאזהרה זו: **זָכוֹר אֵת אֲשֶׁר עָשָׂה ה׳ אֱלֹהֶיךָ לְמִרְיָם** הנביאה, אחותו של משה רבנו, **בַּדֶּרֶךְ בְּצֵאתְכֶם מִמִּצְרָיִם**. מרים לקתה בצרעת ונשארה בהסגר במשך שבוע.[62] אמנם העם חלק לה כבוד גדול והמתין לה במקומו עד שנרפאה, אך מעמדה לא פטר אותה מן הצרעת ומן ההסגר.

הרחבות | על דיבור שאינו מכבד כלפי משה. עליך להישמר אפוא בנגע הצרעת ובמה שגורם לו, מפני שהוא עלול להופיע גם אצל אנשים מכובדים. (ראו יונתן ורש״י פס׳ ט). היו שאמרו שמופת זה הופיע בעיקר רק בבשרם של אנשים בעלי מדרגה או מעמד, כאות למעשים שאינם תקינים, כמו שאירע במעשה מרים. (ראו עוד במבוא העניין לויקרא יג). ייתכן שאזהרת השמירה בנגע הצרעת מדגישה שלא לשאת פני איש מפני חשיבותו. גם את האדם הגדול ביותר שהתנגע יש להסגיר ולשלחו מחוץ למחנה. (ראו ר״י בכור שור).

בְרֵעֲךָ מַשַּׁאת מְאוּמָה לֹא־תָבֹא אֶל־בֵּיתוֹ לַעֲבֹט
עֲבֹטוֹ: בַּחוּץ תַּעֲמֹד וְהָאִישׁ אֲשֶׁר אַתָּה נֹשֶׁה בוֹ יא
יוֹצִיא אֵלֶיךָ אֶת־הָעֲבוֹט הַחוּצָה: וְאִם־אִישׁ עָנִי הוּא יב
לֹא תִשְׁכַּב בַּעֲבֹטוֹ: הָשֵׁב תָּשִׁיב לוֹ אֶת־הָעֲבוֹט יג
כְּבוֹא הַשֶּׁמֶשׁ וְשָׁכַב בְּשַׂלְמָתוֹ וּבֵרְכֶךָּ וּלְךָ תִּהְיֶה
שביעי צְדָקָה לִפְנֵי יְהוָה אֱלֹהֶיךָ: לֹא־תַעֲשֹׁק יד
שָׂכִיר עָנִי וְאֶבְיוֹן מֵאַחֶיךָ אוֹ מִגֵּרְךָ אֲשֶׁר בְּאַרְצְךָ
בִּשְׁעָרֶיךָ: בְּיוֹמוֹ תִתֵּן שְׂכָרוֹ וְלֹא־תָבוֹא עָלָיו הַשֶּׁמֶשׁ טו
כִּי עָנִי הוּא וְאֵלָיו הוּא נֹשֵׂא אֶת־נַפְשׁוֹ וְלֹא־יִקְרָא

רש״י

י] **כִּי תַשֶּׁה בְרֵעֲךָ.** תָּחוֹב בַּחֲבֵרְךָ: **מַשַּׁאת מְאוּמָה.** חוֹב שֶׁל כְּלוּם:

יב] **לֹא תִשְׁכַּב בַּעֲבֹטוֹ.** לֹא תִשְׁכַּב וַעֲבוֹטוֹ אֶצְלְךָ:

יג] **כְּבוֹא הַשֶּׁמֶשׁ.** אִם כְּסוּת לַיְלָה הוּא, וְאִם כְּסוּת יוֹם הַחֲזִירֵהוּ בַּבֹּקֶר, וּכְבָר כָּתוּב בִּ׳וְאֵלֶּה הַמִּשְׁפָּטִים׳: ״עַד בֹּא הַשֶּׁמֶשׁ תְּשִׁיבֶנּוּ לוֹ״ (שמות כב, כה), כָּל הַיּוֹם תְּשִׁיבֶנּוּ לוֹ וּכְבֹא הַשֶּׁמֶשׁ תִּקָּחֶנּוּ: **וּבֵרְכֶךָּ.** וְאִם אֵינוֹ מְבָרֶכְךָ, מִכָּל מָקוֹם ״וּלְךָ תִּהְיֶה צְדָקָה״:

יד] **לֹא תַעֲשֹׁק שָׂכִיר.** וַהֲלֹא כְּבָר כָּתוּב? אֶלָּא לַעֲבֹר עַל הָאֶבְיוֹן בִּשְׁנֵי לָאוִין: ׳לֹא תַעֲשֹׁק שְׂכַר שָׂכִיר שֶׁהוּא עָנִי וְאֶבְיוֹן׳, וְעַל הֶעָשִׁיר כְּבָר הֻזְהַר: ״לֹא תַעֲשֹׁק אֶת רֵעֲךָ״ (ויקרא יט, יג): **אֶבְיוֹן.** הַתָּאֵב לְכָל דָּבָר: **מִגֵּרְךָ.** זֶה גֵּר צֶדֶק: **בִּשְׁעָרֶיךָ.** זֶה גֵּר תּוֹשָׁב הָאוֹכֵל נְבֵלוֹת: **אֲשֶׁר בְּאַרְצְךָ.** לְרַבּוֹת שְׂכַר בְּהֵמָה וְכֵלִים:

טו] **וְאֵלָיו הוּא נֹשֵׂא אֶת נַפְשׁוֹ.** אֶל הַשָּׂכָר הַזֶּה הוּא נוֹשֵׂא אֶת נַפְשׁוֹ לָמוּת, עָלָה

## מצוות הקשורות למשכונות

פרק כד פס׳ י–יג

מצוות התורה להתחשב במצבו של בעל המשכון, הופכת את לקיחת המשכון במקרים רבים מפעולה שיש בה כפייה ממשית למעשה סמלי כמעט.

ביאור

י **כִּי תַשֶּׁה בְרֵעֲךָ**, תתבע מחברך **מַשַּׁאת מְאוּמָה**, הלוואה או חוב
כלשהו. כאשר חברך חייב לך כסף, ותרצה לגבות את חובו – **לֹא**
**תָבֹא**, תיכנס **אֶל בֵּיתוֹ לַעֲבֹט**, למשכן ממנו את **עֲבֹטוֹ**, המשכון שייתן
לך כדי להבטיח את תשלום החוב. יא **בַּחוּץ תַּעֲמֹד, וְהָאִישׁ אֲשֶׁר**
**אַתָּה נֹשֶׁה בוֹ יוֹצִיא אֵלֶיךָ אֶת הַעֲבוֹט הַחוּצָה**. מותר לך לדרוש משכון
ששוויו כערך הכסף המגיע לך, אך עליך להיות רגיש לכבודו ולא
לפלוש לביתו, שכן בחדירה לרשותו ובבחירת המשכון הנחשק מבין
חפציו יש משום השפלתו של בעל החוב.

יב **וְאִם אִישׁ עָנִי הוּא** הלווה, והוא יכול לתת בתור משכון רק בגד
עליון, המשמש אותו כנראה גם בתור מצע או שמיכה – **לֹא תִשְׁכַּב**
**בַּעֲבֹטוֹ**. מותר לך להשתמש בו, אך אינך רשאי לשכב לישון כל עוד
העירבון אצלך.[63] יג אלא **הָשֵׁב תָּשִׁיב לוֹ אֶת הַעֲבוֹט כְּבוֹא**, עם שקיעת
**הַשֶּׁמֶשׁ. וְשָׁכַב בְּשַׂלְמָתוֹ**, בבגדו – **וּבֵרֲכֶךָּ** העני על החזרת בגדו, שהרי
כעת יש לו במה לישון, ומעבר לברכתו של העני, **לְךָ תִּהְיֶה**, תיחשב
גם **צְדָקָה לִפְנֵי ה׳ אֱלֹהֶיךָ**.

## שכרו של עני

פרק כד פס׳ יד–טו

גם המצווה הזאת עוסקת בעני, אך בהקשר אחר.

יד **לֹא תַעֲשֹׁק שָׂכִיר עָנִי וְאֶבְיוֹן מֵאַחֶיךָ**, מעמך. אין לעשוק כל שכיר,
אבל התורה מדברת במציאות שבה רוב השכירים היו עניים, שכן
על פי רוב אדם עבד את האדמה שנחל מאבותיו. מי שלא הייתה
לו קרקע, מי שלא הייתה לו אפשרות לעבד את אדמתו מחוסר
אמצעים וכדומה – הוא שהיה שכיר, ולרוב היה דחוק כלכלית. **אוֹ**
פועל שכיר **מִגֵּרְךָ אֲשֶׁר בְּאַרְצְךָ בִּשְׁעָרֶיךָ**, שאף לו אין נחלה משלו.
השכיר תלוי במעבידו. התורה מבקשת אפוא למנוע מן המעביד לנצל
את מעמדו. טו יתר על כן, **בְּיוֹמוֹ**, עד סוף יממת העבודה שלו **תִתֵּן**
**שְׂכָרוֹ, וְלֹא תָבוֹא עָלָיו הַשֶּׁמֶשׁ**. התשלום צריך להגיע לידו לפני שהשמש
תשקע **כִּי עָנִי הוּא, וְאֵלָיו** – אל השכר **הוּא נֹשֵׂא אֶת נַפְשׁוֹ**, מצפה. אם

עָלֶיךָ אֶל־יהוה וְהָיָה בְךָ חֵטְא׃ לֹא־ טו
יוּמְתוּ אָבוֹת עַל־בָּנִים וּבָנִים לֹא־יוּמְתוּ עַל־אָבוֹת
אִישׁ בְּחֶטְאוֹ יוּמָתוּ׃ לֹא תַטֶּה מִשְׁפַּט גֵּר יז
יָתוֹם וְלֹא תַחֲבֹל בֶּגֶד אַלְמָנָה׃ וְזָכַרְתָּ כִּי עֶבֶד הָיִיתָ יח
בְּמִצְרַיִם וַיִּפְדְּךָ יהוה אֱלֹהֶיךָ מִשָּׁם עַל־כֵּן אָנֹכִי
כ מְצַוְּךָ לַעֲשׂוֹת אֶת־הַדָּבָר הַזֶּה׃ כִּי יט

**רש"י** | כַּכֶּבֶשׂ וְנִתְלָה בָּאִילָן: **וְהָיָה בְךָ חֵטְא.** מִכָּל מָקוֹם, אֶלָּא שֶׁמְּמַהֲרִין לִפָּרַע עַל יְדֵי הַקּוֹרֵא:

טו **לֹא יוּמְתוּ אָבוֹת עַל בָּנִים.** בְּעֵדוּת בָּנִים. וְאִם תֹּאמַר בַּעֲוֹן בָּנִים, כְּבָר אָמוּר: "אִישׁ בְּחֶטְאוֹ יוּמָתוּ". אֲבָל מִי שֶׁאֵינוֹ אִישׁ מֵת בַּעֲוֹן אָבִיו, וְהַקְּטַנִּים מֵתִים בַּעֲוֹן אֲבוֹתָם בִּידֵי שָׁמַיִם:

יז **לֹא תַטֶּה מִשְׁפַּט גֵּר יָתוֹם.** וְעַל הֶעָשִׁיר כְּבָר הִזְהִיר: "לֹא תַטֶּה מִשְׁפָּט" (לעיל טז, יט), וְשָׁנָה בֶּעָנִי לַעֲבֹר עָלָיו בִּשְׁנֵי לָאוִין, לְפִי שֶׁנָּקֵל לְהַטּוֹת מִשְׁפַּט עָנִי יוֹתֵר מִשֶּׁל עָשִׁיר, לְכָךְ הִזְהִיר וְשָׁנָה עָלָיו: **וְלֹא תַחֲבֹל.** שֶׁלֹּא בִּשְׁעַת הַלְוָאָה:

יח **וְזָכַרְתָּ.** עַל מְנַת כֵּן פְּדִיתִיךָ, לִשְׁמֹר חֻקּוֹתַי אֲפִלּוּ יֵשׁ חִסָּרוֹן כִּיס בַּדָּבָר:

**הרחבות** | **'לא יומתו אבות על בנים'** במלכים (ב' יד, ה–ו) הובן פסוק זה כמדבר באיסור להעניש את בניו של החוטא. שם מדובר באמציהו מלך יהודה שהרג את העבדים שהרגו את אביו: וְאֶת בְּנֵי הַמַּכִּים לֹא הֵמִית, כַּכָּתוּב בְּסֵפֶר תּוֹרַת מֹשֶׁה אֲשֶׁר צִוָּה ה' לֵאמֹר לֹא יוּמְתוּ אָבוֹת עַל בָּנִים וּבָנִים לֹא יוּמְתוּ עַל אָבוֹת כִּי אִם אִישׁ בְּחֶטְאוֹ יוּמָת. בהלכה התפרש הפסוק גם באופן אחר: אין להמית את האבות או להעניש אותם על פי עדותם של הבנים, וכן אין עדות האבות מתקבלת להענשת בניהם. ובהכללה – קרוב משפחה פסול להעיד על קרובו. שלא במערכות חוקים אחרות, שבהן מתחשבים בעדות קרובים באופן מוחלש, כאן החוק שולל תוקף

ביאור | משכורתו היומית היא כספו היחיד, בה הוא יקנה את מזונו. **וְלֹא יִקְרָא עָלֶיךָ אֶל ה׳.** אם לא תשלם לו באותו יום, גם אם רצית לדחות את המשכורת לעת אחרת, וגם אם עשית זאת בשגגה – הוא עלול להתפלל כנגדך, מפני שגרמת לו ייסורים – **וְהָיָה**, ויימצא **בְךָ חֵטְא.**

## ענישה אישית

פרק כד פס׳ טז

מצווה זו פונה אל הרשות המשפטית ואל הממסד המדיני והחברתי. כמו במצוות הקודמות והבאות, גם כאן מדובר באנשים אומללים ונחותים חברתית. כאן מתייחס הכתוב לבניהם של הפושעים.

טז **לֹא יוּמְתוּ אָבוֹת עַל**, בגלל חטאיהם של **בָּנִים, וּבָנִים לֹא יוּמְתוּ עַל**, בגלל חטאיהם של **אָבוֹת.** אין להעניש אנשים בעוון קרובי משפחתם,[64] וכל **אִישׁ** רק **בְּ**של **חֶטְאוֹ** שלו **יוּמָתוּ.**

## מצוות הקשורות לחסרי ישע

פרק כד פס׳ יז–יח

הזיכרון שעם ישראל היה משועבד במצרים צריך ללוות את האדם מישראל ולכונן את התנהגותו מול חסרי הישע בכל מקום.

יז **לֹא תַטֶּה מִשְׁפַּט** של **גֵּר** ושל **יָתוֹם**, ששניהם נטולי הגנה, ולכן קל לפגוע בהם. מעבר לערכי הצדק הכלליים, התורה דורשת מן השופט זהירות יתרה בבואו לחרוץ דין הקשור לחלשים.

**וְ**כיוצא בזה, **לֹא תַחֲבֹל**, תיקח משכון שהוא **בֶּגֶד אַלְמָנָה.** בכך שונה האלמנה משאר אנשים, שכן לעיל נאמר שמותר לקחת משכון מכל אדם.

יח **וְזָכַרְתָּ כִּי עֶבֶד הָיִיתָ בְּמִצְרַיִם וַיִּפְדְּךָ**, הושיע אותך **ה׳ אֱלֹהֶיךָ מִשָּׁם. עַל כֵּן אָנֹכִי מְצַוְּךָ לַעֲשׂוֹת אֶת הַדָּבָר הַזֶּה.** כמי שהתעללו בכם, עליכם לדאוג לזכויותיהם של סובלים אחרים.

הרחבות | מעדות קרובי משפחה. (ראו יונתן ורש״י על אתר; סנהדרין כז ע״ב וחידושי הר״ן שם).

**׳לא תחבֹל בגד אלמנה׳** האלמנה נתפסת כאן כאשה ענייה ונזקקת. לפי אחת הדעות, האיסור לחבול את בגדה כרוך גם בחובה שנזכרה לעיל (פס׳ יב–יג), להשיב מדי יום את בגדו של העני שנלקח כמשכון. אם הנושה יגיע אל האלמנה מדי ערב ובוקר, עלול לצאת עליה שם רע. על כן טוען אחד התַּנאים שאת בגדהּ של אלמנה עשירה אפשר לחבול. (ראו יונתן על אתר; בבא מציעא קטו ע״א).

תִקְצֹר קְצִירְךָ בְשָׂדֶךָ וְשָׁכַחְתָּ עֹמֶר בַּשָּׂדֶה לֹא תָשׁוּב
לְקַחְתּוֹ לַגֵּר לַיָּתוֹם וְלָאַלְמָנָה יִהְיֶה לְמַעַן יְבָרֶכְךָ
יְהוָה אֱלֹהֶיךָ בְּכֹל מַעֲשֵׂה יָדֶיךָ׃ כִּי כ
תַחְבֹּט זֵיתְךָ לֹא תְפַאֵר אַחֲרֶיךָ לַגֵּר לַיָּתוֹם וְלָאַלְמָנָה
יִהְיֶה׃ כִּי תִבְצֹר כַּרְמְךָ לֹא תְעוֹלֵל אַחֲרֶיךָ לַגֵּר כא
לַיָּתוֹם וְלָאַלְמָנָה יִהְיֶה׃ וְזָכַרְתָּ כִּי־עֶבֶד הָיִיתָ בְּאֶרֶץ כב
מִצְרָיִם עַל־כֵּן אָנֹכִי מְצַוְּךָ לַעֲשׂוֹת אֶת־הַדָּבָר

רש"י

יט] **וְשָׁכַחְתָּ עֹמֶר.** וְלֹא גָּדִישׁ, מִכָּאן אָמְרוּ: עֹמֶר שֶׁיֵּשׁ בּוֹ סָאתַיִם וּשְׁכָחוֹ אֵינוֹ שִׁכְחָה (פאה ו, ו): **בַּשָּׂדֶה.** לְרַבּוֹת שִׁכְחַת קָמָה שֶׁשָּׁכַח מִקְצָתָהּ מִלִּקְצֹר: **לֹא תָשׁוּב לְקַחְתּוֹ.** מִכָּאן אָמְרוּ: שֶׁלְּאַחֲרָיו שִׁכְחָה, שֶׁלְּפָנָיו אֵינוֹ שִׁכְחָה, שֶׁאֵינוֹ בְּבַל תָּשׁוּב (פאה ו, ד): **לְמַעַן יְבָרֶכְךָ.** וְאַף עַל פִּי שֶׁבָּאת לְיָדוֹ שֶׁלֹּא בְּמִתְכַּוֵּן, קַל וָחֹמֶר לָעוֹשֶׂה בְּמִתְכַּוֵּן. אֱמֹר מֵעַתָּה, נָפְלָה סֶלַע מִיָּדוֹ וּמְצָאָהּ עָנִי וְנִתְפַּרְנֵס בָּהּ, הֲרֵי הוּא מִתְבָּרֵךְ עָלֶיהָ:

כ] **לֹא תְפַאֵר.** לֹא תִטֹּל תִּפְאַרְתּוֹ מִמֶּנּוּ, מִכָּאן שֶׁמַּנִּיחִין פֵּאָה בָּאִילָן: **אַחֲרֶיךָ.** זוֹ שִׁכְחָה:

כא] **לֹא תְעוֹלֵל.** מָצָאתָ בָּהּ עוֹלֶלֶת, לֹא תִקָּחֶנָּה. וְאֵיזוֹ הִיא עוֹלֶלֶת? כָּל שֶׁאֵין לָהּ לֹא כָּתֵף וְלֹא נָטֵף. יֵשׁ לָהּ אֶחָד מֵהֶם, הֲרֵי הִיא לְבַעַל הַבַּיִת. וְרָאִיתִי בְּתַלְמוּד יְרוּשַׁלְמִי (פאה ז, ד): אֵי זוֹ הִיא כָּתֵף? פְּסִיגִין זֶה עַל גַּב זֶה. נָטֵף – אֵלּוּ הַתְּלוּיוֹת בַּשִּׁדְרָה וְיוֹרְדוֹת:

עומרי חיטה בשדה

מימין: חביטת זיתים
משמאל: עוללת בכרם

ביאור | שלושת הדינים הבאים מתקיימים מחוץ לבית - בשדה, במטע ובכרם, ואף הם קשורים לנטייה קלה מקו היושר של הזכויות המשפטיות והקנייניות המוחלטות:

יט **כִּי**, כאשר **תִקְצֹר קְצִירְךָ בְשָׂדֶךָ וְשָׁכַחְתָּ עֹמֶר**, צרור שיבולים קשורות **בַּשָּׂדֶה**. בדרך כלל, הקוצרים קושרים את השיבולים הקצורות באחת השיבולים או בחבל, ומשאירים את עומר השיבולים בשדה, ובסוף היום אוספים את כל העומרים. יש שהאיסוף נעשה בשעה מאוחרת, הקוצרים ממהרים לשוב ואולי מתחיל להחשיך, וכך נשכח עומר בשדה. אם אתה, בעל השדה, נזכרת לאחר זמן בעומר השכוח - **לֹא תָשׁוּב לְקַחְתּוֹ, לַגֵּר לַיָּתוֹם וְלָאַלְמָנָה יִהְיֶה** מה ששכחת. מכיוון ששכחת - ותר על שלך למען הנזקקים. **לְמַעַן יְבָרֶכְךָ ה' אֱלֹהֶיךָ בְּכֹל מַעֲשֵׂה יָדֶיךָ**. מצווה זו מקוימת שלא מתוך כוונה. הרי משמים נגרמה לך שכחה זו. אם אינך להוט לקחת לעצמך את מה ששכחת, אלא משאיר את העומר שנשכח ממך לטובת החלשים - תבוא עליך ברכה, שאף היא חלה על דברים הסמויים מן העין.[65] אם לא תדקדק במה שמגיע לו, גם משמים יתנהגו עמך בעין טובה, וישפיעו עליך ברכה.

דין דומה: כ **כִּי**, כאשר **תַחְבֹּט זֵיתְךָ**, להפיל את הפֵּרות מהעץ, **לֹא תְפַאֵר**, תחפש את הזיתים שאולי נשארו על העץ בין הפֹּארות, ענפי הזית **אַחֲרֶיךָ**. אולי כמה זיתים הסתבכו בעלים או בענפים ולא נשרו; לחלופין אולי מקצתם לא הבשילו לגמרי בשעת חבטת העץ - גם הפרי הזה **לַגֵּר לַיָּתוֹם וְלָאַלְמָנָה יִהְיֶה**. גם כאן אתה נדרש לוותר על השיירים הקטנים שיש לך זכות חוקית עליהם, ולתת אותם לנזקקים.

כא כיוצא בזה: **כִּי תִבְצֹר כַּרְמְךָ** - **לֹא תְעוֹלֵל**, תאסוף את העוללות, הענבים שלא הגיעו לצורת אשכול, אלא צמחו כבודדים על העץ, **אַחֲרֶיךָ** - אחרי הבציר, אלא **לַגֵּר לַיָּתוֹם וְלָאַלְמָנָה יִהְיֶה**.

כב ושוב - **וְזָכַרְתָּ כִּי עֶבֶד הָיִיתָ בְּאֶרֶץ מִצְרָיִם**. אתה מכיר את מצבו הנואש של מי שאין לו דבר, ועד כמה ישמחו אותו מציאות כאלה. **עַל כֵּן אָנֹכִי מְצַוְּךָ לַעֲשׂוֹת אֶת הַדָּבָר הַזֶּה**. תוכל להבין ולקיים את המצווה הזאת מתוך מה שעבר עליך.

העולם | **כִּי תַחְבֹּט זֵיתְךָ** מכיוון שהזיתים הם פֵּרות קטנים, ובכל עץ זיתים רבים מאוד, אין לוקטים כל זית לעצמו אלא חובטים ומכים את העצים במקלות, וכך נופלים פרותיהם.

כה הַזֶּה׃ כִּֽי־יִהְיֶה רִיב בֵּין אֲנָשִׁים וְנִגְּשׁוּ אֶל־ א
הַמִּשְׁפָּט וּשְׁפָטוּם וְהִצְדִּיקוּ אֶת־הַצַּדִּיק וְהִרְשִׁיעוּ
אֶת־הָרָשָׁע׃ וְהָיָה אִם־בִּן הַכּוֹת הָרָשָׁע וְהִפִּילוֹ הַשֹּׁפֵט ב
וְהִכָּהוּ לְפָנָיו כְּדֵי רִשְׁעָתוֹ בְּמִסְפָּר׃ אַרְבָּעִים יַכֶּנּוּ לֹא ג
יֹסִיף פֶּן־יֹסִיף לְהַכֹּתוֹ עַל־אֵלֶּה מַכָּה רַבָּה וְנִקְלָה
אָחִיךָ לְעֵינֶיךָ׃ לֹא־תַחְסֹם שׁוֹר בְּדִישׁוֹ׃ כִּי־ ד ה

רש"י | פרק כה

א| **כִּי יִהְיֶה רִיב.** סוֹפָם לִהְיוֹת נִגָּשִׁים אֶל הַמִּשְׁפָּט. אֱמֹר מֵעַתָּה, אֵין שָׁלוֹם יוֹצֵא מִתּוֹךְ מְרִיבָה; מִי גָּרַם לְלוֹט לִפְרֹשׁ מִן הַצַּדִּיק? הֱוֵי אוֹמֵר זוֹ מְרִיבָה: **וְהִרְשִׁיעוּ אֶת הָרָשָׁע.** יָכוֹל כָּל הַמִּתְחַיְּבִין בַּדִּין לוֹקִין? תַּלְמוּד לוֹמַר: "וְהָיָה אִם בִּן הַכּוֹת הָרָשָׁע" (להלן פסוק ב), פְּעָמִים לוֹקֶה וּפְעָמִים אֵינוֹ לוֹקֶה. וּמִי הוּא הַלּוֹקֶה? לְמֵד מִן הָעִנְיָן: "לֹא תַחְסֹם שׁוֹר בְּדִישׁוֹ" (להלן פסוק ד), לָאו שֶׁלֹּא נִתַּק לַעֲשֵׂה:

ב| **וְהִפִּילוֹ הַשֹּׁפֵט.** מְלַמֵּד שֶׁאֵין מַלְקִין אוֹתוֹ לֹא עוֹמֵד וְלֹא יוֹשֵׁב אֶלָּא מֻטֶּה: **לְפָנָיו כְּדֵי רִשְׁעָתוֹ.** וּלְאַחֲרָיו כְּדֵי שְׁתַּיִם, מִכָּאן אָמְרוּ: מַלְקִין אוֹתוֹ שְׁתֵּי יָדוֹת מִלְּאַחֲרָיו וּשְׁלִישׁ מִלְּפָנָיו: **בְּמִסְפָּר.** וְאֵינוֹ נָקוּד 'בַּמִּסְפָּר', לְמֵד שֶׁהוּא דָּבוּק, לוֹמַר בְּמִסְפַּר אַרְבָּעִים וְלֹא אַרְבָּעִים שְׁלֵמִים, אֶלָּא מִנְיָן שֶׁהוּא סוֹכֵם וּמַשְׁלִים לְאַרְבָּעִים, וְהֵן אַרְבָּעִים חָסֵר אַחַת:

ג| **לֹא יֹסִיף.** מִכָּאן אַזְהָרָה לַמַּכֶּה אֶת חֲבֵרוֹ: **וְנִקְלָה אָחִיךָ.** כָּל הַיּוֹם קוֹרְאֵהוּ 'רָשָׁע', וּמִשֶּׁלָּקָה קוֹרְאֵהוּ 'אָחִיךָ':

ד| **לֹא תַחְסֹם שׁוֹר.** דִּבֶּר הַכָּתוּב בַּהֹוֶה, וְהוּא הַדִּין לְכָל בְּהֵמָה חַיָּה וָעוֹף וּלְכָל מְלָאכָה שֶׁהִיא בְּדָבָר מַאֲכָל. אִם כֵּן לָמָּה נֶאֱמַר "שׁוֹר"? לְהוֹצִיא אֶת הָאָדָם: **בְּדִישׁוֹ.** יָכוֹל יַחְסְמֶנּוּ מִבַּחוּץ? תַּלְמוּד לוֹמַר: "לֹא

הרחבות |

**'והפילו השפט והכהו לפניו'** ביטוי זה רומז כי השופטים הם הקובעים את מספר המלקות בכל מקרה. (ראו ראב"ע). לפי מסורת ישראל, קיים מספר בסיסי של מלקות לנידונים - ארבעים מלקות פחות אחת. מכיוון שעונש המלקות לא נועד להמית את האיש שהורשע אלא לייסרו באופן ניכר, בודקים אותו מראש על ידי מומחה שיקבע כמה מלקות מתוך המכסָה כולה הוא יכול לשאת. (ראו מכות כב; אור החיים על אתר).

**'במספר ארבעים יכֶּנּו לא יסיף'** חכמים קראו את הפסוקים כאילו הם צמודים זה לזה, ופירשו את הביטוי 'במספר ארבעים' כמתייחס למספר הסמוך לארבעים, כלומר שלושים ותשע מלקות. (ראו רש"י פס' ב; מכות כב). מכיוון שהמספר ארבעים מצוין כאן כמספר מקסימלי, שאם עוברים אותו - האשמה נופלת על המלקה - הרחיקו חכמים את המלקה מן העברה והפחיתו מראש ממניין ארבעים המלקות. לפי המסורת, היו מחלקים את המלקות, ומלקים שליש מהן בחלקו הקדמי של הגוף, ושני שלישים - בחלקו האחורי. (ראו מכות כב ע"א - כג ע"א; ספר החינוך תקצה).

**הכאת הזולת** מפסוק זה נלמד גם האיסור להכות כל אדם מישראל בנסיבות אחרות. אם לשמש בית הדין, הסר לפקודת השופט, אסור להכות מעבר למה שכָּלול במספר המכות המפורש שציווה עליו השופט - קל וחומר שלכל אדם שאינו בא להעניש על עברה, אסור להכות את חברו. (ראו רש"י כה,ג; כתובות לג ע"א).

## מלקות

פרק כה פס׳ א–ג

ממצוות הקשורות לרווחתם של חסרי ישע בשל מצבם הכלכלי–חברתי – אל מצווה שיש בה התחשבות במצבו של עבריין שמלקים אותו בדין, וזהירות בכבודו.

ביאור | פרק כה א **כִּי יִהְיֶה רִיב בֵּין אֲנָשִׁים, וְנִגְּשׁוּ אֶל הַמִּשְׁפָּט וּשְׁפָטוּם** הן
במשפט האזרחי הן בהקשר פלילי, **וְהִצְדִּיקוּ** הדיינים **אֶת הַצַּדִּיק**,
הזכאי בדין זה **וְהִרְשִׁיעוּ אֶת הָרָשָׁע**, מי שהורשע בדין. ב **וְהָיָה אִם בִּן**
**הַכּוֹת**, בן מכות, חייב מלקות **הָרָשָׁע**, אם יתברר שהרשע לא רק עשה
עוול לחברו אלא עשה גם חטאים שעליהם ראוי להלקותו – **וְהִפִּילוֹ**,
יטה[66] אותו **הַשֹּׁפֵט, וְהִכָּהוּ לְפָנָיו כְּדֵי רִשְׁעָתוֹ בְּמִסְפָּר**. מספר המלקות
לא יהיה קבוע, אלא הוא ייענש כפי יכולתו לשאת את המכות
המספיקים לרשעתו.[67] ועוד, אם הורשע בכמה עברות הוא יוכה
על כל איסור ועל כל סעיף בפני עצמו.[68] ג **אַרְבָּעִים יַכֶּנּוּ, לֹא יֹסִיף**.
אין מלקים את הנידון על עברה אחת יותר מארבעים מלקות, **פֶּן**,
שכן אם **יֹסִיף לְהַכֹּתוֹ עַל אֵלֶּה מַכָּה רַבָּה – וְנִקְלָה**, יתבזה[69] **אָחִיךָ לְעֵינֶיךָ**.
כל מכה רבה מעבר למגיע לו ממיטה על אחיך קלון. או: אם מתוך
כאב יאבד את השליטה בסוגריו לעיני הנוכחים, הוא יגיע לידי קלון,
והרי עונשו מלקות בלבד ולא בושת פנים.[70]

## איסור חסימת שור בעבודתו

פרק כה פס׳ ד

חכמים דרשו את סמיכותו של עניין זה למצווה המתייחסת למלקות כרמז לטיבם של האיסורים שחייבים עליהם מלקות – מצוות ׳לא תעשה׳ שאדם עובר עליהן במעשה ולא במחדל. מגדר זה הוצאו עברות התלויות בדיבור, עברות שיש להן אפשרות תיקון למשל השבת הגזלה ואזהרות כוללניות, בהיותן שונות מאיסור חסימת השור בדישו וקלות ממנו.[71]

ד **לֹא תַחְסֹם שׁוֹר** מלאכול את התבואה **בְּדִישׁוֹ**, כאשר השור דש.
באופן טבעי השור העובד בעבודה זו מעוניין לאכול מן התבואה

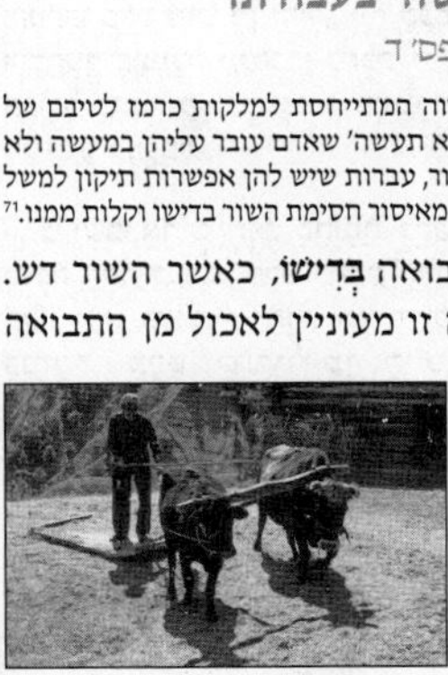

שוורים בעת הדיש

העולם | **דַּיִשׁ** דריסת השור על ערמת התבואה, לרוב באמצעות מוֹרָגֵי הבקר, טבלאות עץ בעלות בליטות, לשם הפרדת התבן והמוץ מן הגרעין.

יֵשְׁבוּ אַחִים יַחְדָּו וּמֵת אַחַד מֵהֶם וּבֵן אֵין־לוֹ
לֹא־תִהְיֶה אֵשֶׁת־הַמֵּת הַחוּצָה לְאִישׁ זָר יְבָמָהּ
ו יָבֹא עָלֶיהָ וּלְקָחָהּ לוֹ לְאִשָּׁה וְיִבְּמָהּ: וְהָיָה הַבְּכוֹר
אֲשֶׁר תֵּלֵד יָקוּם עַל־שֵׁם אָחִיו הַמֵּת וְלֹא־יִמָּחֶה
ז שְׁמוֹ מִיִּשְׂרָאֵל: וְאִם־לֹא יַחְפֹּץ הָאִישׁ לָקַחַת אֶת־
יְבִמְתּוֹ וְעָלְתָה יְבִמְתּוֹ הַשַּׁעְרָה אֶל־הַזְּקֵנִים וְאָמְרָה
מֵאֵן יְבָמִי לְהָקִים לְאָחִיו שֵׁם בְּיִשְׂרָאֵל לֹא אָבָה
ח יַבְּמִי: וְקָרְאוּ־לוֹ זִקְנֵי־עִירוֹ וְדִבְּרוּ אֵלָיו וְעָמַד
ט וְאָמַר לֹא חָפַצְתִּי לְקַחְתָּהּ: וְנִגְּשָׁה יְבִמְתּוֹ אֵלָיו
לְעֵינֵי הַזְּקֵנִים וְחָלְצָה נַעֲלוֹ מֵעַל רַגְלוֹ וְיָרְקָה בְּפָנָיו

רש"י תַּחְסֹם שׁוֹר", מִכָּל מָקוֹם. וְלָמָּה נֶאֱמַר 'דַּיִשׁ'? לוֹמַר לְךָ מַה 'דַּיִשׁ' מְיֻחָד, דָּבָר שֶׁלֹּא נִגְמְרָה מְלַאכְתּוֹ וְגִדּוּלוֹ מִן הָאָרֶץ, אַף כָּל כַּיּוֹצֵא בּוֹ, יָצָא הַחוֹלֵב וְהַמְגַבֵּן וְהַמְחַבֵּץ שֶׁאֵין גִּדּוּלוֹ מִן הָאָרֶץ, יָצָא הַלָּשׁ וְהַמְקַטֵּף שֶׁנִּגְמְרָה מְלַאכְתּוֹ לְחַלָּה, יָצָא הַבּוֹדֵל בִּתְמָרִים וּבִגְרוֹגָרוֹת שֶׁנִּגְמְרָה מְלַאכְתָּן לְמַעֲשֵׂר:

ה **כִּי יֵשְׁבוּ אַחִים יַחְדָּו.** שֶׁהָיְתָה לָהֶם יְשִׁיבָה אַחַת בָּעוֹלָם, פְּרָט לְאֵשֶׁת אָחִיו שֶׁלֹּא הָיָה בְּעוֹלָמוֹ: **יַחְדָּו.** הַמְיֻחָדִים בְּנַחֲלָה, פְּרָט לְאָחִיו מִן הָאֵם: **וּבֵן אֵין לוֹ.** עַיֵּן עָלָיו, בֵּן אוֹ בַּת אוֹ בֶּן הַבֵּן אוֹ בֶּן הַבַּת אוֹ בַּת הַבֵּן אוֹ בַּת הַבַּת:

ו **וְהָיָה הַבְּכוֹר.** גְּדוֹל הָאַחִים הוּא מְיַבֵּם אוֹתָהּ: **אֲשֶׁר תֵּלֵד.** פְּרָט לְאַיְלוֹנִית שֶׁאֵינָהּ יוֹלֶדֶת: **יָקוּם עַל שֵׁם אָחִיו.** זֶה שֶׁיִּיבֵּם אֶת אִשְׁתּוֹ יִטֹּל נַחֲלַת הַמֵּת בְּנִכְסֵי אָבִיו: **וְלֹא יִמָּחֶה שְׁמוֹ.** פְּרָט לְאֵשֶׁת סָרִיס שֶׁשְּׁמוֹ מָחוּי:

ז **הַשַּׁעְרָה.** כְּתַרְגּוּמוֹ: "לִתְרַע בֵּית דִּינָא":

ח **וְעָמַד.** בַּעֲמִידָה: **וְאָמַר.** בִּלְשׁוֹן הַקֹּדֶשׁ, וְאַף הִיא דְּבָרֶיהָ בִּלְשׁוֹן הַקֹּדֶשׁ:

ט **וְיָרְקָה בְּפָנָיו.** עַל גַּבֵּי קַרְקַע:

שלפניו. מלבד איסור צער בעלי חיים שבדבר, לבעלי הבהמה הדשה | ביאור
בשדה תבואה מוענקת זכות ממונית בהנאה מן התבואה שבשדה. וממילא מי שעובר על הציווי הזה צריך לשלם את שווי אכילתה.[72]

## דיני ייבום

פרק כה פס׳ ה-י

הייבום נהג בישראל עוד בתקופה הקדומה וכן בתרבויות רבות. צורת הייבום בתורה נועדה לצמצם את המנהג ולייחדו. אם בעמים אחרים או קודם מתן תורה הוטלה חובת הייבום על כל הקרובים, חוק התורה הגביל את המצווה לאחים בלבד.[73] כיוצא בזה, כיוון שמטרת המצווה היא הולדת ילדים שימשיכו את שם המת, אם האיש או האשה אינם מסוגלים מטבעם ללדת – לא תחול עליה החובה.[74]

ה **כִּי יֵשְׁבוּ אַחִים**, בני אב אחד[75] **יַחְדָּו**. חכמים הבינו כי ׳יחדו׳ הוא ציון
של זמן, שמשמעו יהיו חיים באותו זמן; ולפיכך אם נולד אח לאחר
מיתתו של אחיו, לא יחול עליו גדר ייבום. **וּמֵת אַחַד מֵהֶם, וּבֵן אֵין לוֹ**
במותו – **לֹא תִהְיֶה אֵשֶׁת הַמֵּת הַחוּצָה**, מחוץ לתחום המשפחה הזו,
להינשא **לְאִישׁ זָר**, שאיננו שייך למשפחה, אלא **יְבָמָהּ**, אחי בעלה,
גיסהּ **יָבֹא עָלֶיהָ** ובכך **לְקָחָהּ לוֹ לְאִשָּׁה וְיִבְּמָהּ**. הפעולה נקראת על שם
מימוש הקשר עם היבם, או: בנישואיו עמה יסיר את יחסי היבמות-
הגיסות ביניהם, והרי היא אשתו לכל דבר ועניין.[76] ו **וְהָיָה הַבְּכוֹר**
**אֲשֶׁר תֵּלֵד** אותה אשה, **יָקוּם עַל שֵׁם אָחִיו הַמֵּת**. לא פירשו הוראה זו
כפשוטה – קריאת הילד בשמו של הנפטר ממש – אלא כהתייחסות
אל הבכור כאילו היה בנו ולא כבן אביו הביולוגי,[77] כדי **שֶׁלֹּא יִמָּחֶה**
**שְׁמוֹ מִיִּשְׂרָאֵל**, כי לאדם שהתחיל להקים משפחה ומת בלא ילדים
אין המשך, וכאילו שמו נמחק. משום כך מצווה היבם לשאת את
אלמנת אחיו, ולהשתדל להוליד ממנה ילד.

ז **וְאִם לֹא יַחְפֹּץ הָאִישׁ לָקַחַת אֶת יְבִמְתּוֹ, וְעָלְתָה יְבִמְתּוֹ הַשַּׁעְרָה**, אל השער, מקום מושבו של בית הדין, **אֶל הַזְּקֵנִים**, השופטים, **וְאָמְרָה** בפניהם: **מֵאֵן**, סירב **יְבָמִי לְהָקִים לְאָחִיו שֵׁם בְּיִשְׂרָאֵל – לֹא אָבָה**, רצה **יַבְּמִי**.

ח **וְקָרְאוּ לוֹ זִקְנֵי עִירוֹ וְדִבְּרוּ אֵלָיו**. הם ייעצו לו לפי הנסיבות המתאימות לו. יש שישדלו אותו לייבם, ויש שנישואיו עם היבמה עלולים להיות מורכבים, למשל אם יש פערי גיל גדולים ביניהם. במקרים כאלה הזקנים ייעצו לו שלא לשאת אותה.[78] **וְעָמַד וְאָמַר: לֹא חָפַצְתִּי לְקַחְתָּהּ**.

ט **וְנִגְּשָׁה יְבִמְתּוֹ אֵלָיו לְעֵינֵי הַזְּקֵנִים, וְחָלְצָה נַעֲלוֹ מֵעַל רַגְלוֹ, וְיָרְקָה בְּפָנָיו**,

וְעָנְתָה וְאָמְרָה כָּכָה יֵעָשֶׂה לָאִישׁ אֲשֶׁר לֹא־יִבְנֶה
אֶת־בֵּית אָחִיו: וְנִקְרָא שְׁמוֹ בְּיִשְׂרָאֵל בֵּית חֲלוּץ י
הַנָּעַל: כִּי־יִנָּצוּ אֲנָשִׁים יַחְדָּו אִישׁ וְאָחִיו יא
וְקָרְבָה אֵשֶׁת הָאֶחָד לְהַצִּיל אֶת־אִישָׁהּ מִיַּד מַכֵּהוּ
וְשָׁלְחָה יָדָהּ וְהֶחֱזִיקָה בִּמְבֻשָׁיו: וְקַצֹּתָה אֶת־כַּפָּהּ יב
לֹא תָחוֹס עֵינֶךָ: לֹא־יִהְיֶה לְךָ בְּכִיסְךָ אֶבֶן יג
וָאָבֶן גְּדוֹלָה וּקְטַנָּה: לֹא־יִהְיֶה לְךָ בְּבֵיתְךָ אֵיפָה יד

רש"י | **אֲשֶׁר לֹא יִבְנֶה.** מִכָּאן לְמִי שֶׁחָלַץ שֶׁלֹּא יַחְזֹר וִייַבֵּם, דְּלָא כְּתִיב 'אֲשֶׁר לֹא בָנָה' אֶלָּא "אֲשֶׁר לֹא יִבְנֶה", כֵּיוָן שֶׁלֹּא בָנָה שׁוּב לֹא יִבְנֶה:

י] **וְנִקְרָא שְׁמוֹ וְגוֹ'.** מִצְוָה עַל כָּל הָעוֹמְדִים שָׁם לוֹמַר: "חֲלוּץ הַנָּעַל":

יא] **כִּי יִנָּצוּ אֲנָשִׁים.** סוֹפָן לָבֹא לִידֵי מַכּוֹת, כְּמוֹ שֶׁנֶּאֱמַר: "מִיַּד מַכֵּהוּ", אֵין שָׁלוֹם יוֹצֵא מִתַּחַת יְדֵי מַצּוּת:

יב] **וְקַצֹּתָה אֶת כַּפָּהּ.** מָמוֹן דְּמֵי בָשְׁתּוֹ, הַכֹּל לְפִי הַמְבַיֵּשׁ וְהַמִּתְבַּיֵּשׁ. אוֹ אֵינוֹ אֶלָּא יָדָהּ מַמָּשׁ? נֶאֱמַר כָּאן "לֹא תָחוֹס", וְנֶאֱמַר לְהַלָּן בְּעֵדִים זוֹמְמִין "לֹא תָחוֹס" (לעיל יט, כא), מַה לְּהַלָּן מָמוֹן, אַף כָּאן מָמוֹן:

יג] **גְּדוֹלָה וּקְטַנָּה.** גְּדוֹלָה שֶׁמַּכְחֶשֶׁת אֶת הַקְּטַנָּה, שֶׁלֹּא יְהֵא נוֹטֵל בַּגְּדוֹלָה וּמַחֲזִיר בַּקְּטַנָּה: **לֹא יִהְיֶה לְךָ.** אִם עָשִׂיתָ כֵּן, לֹא יִהְיֶה לְךָ כְּלוּם: **אֶבֶן וָאָבֶן.** מִשְׁקָלוֹת:

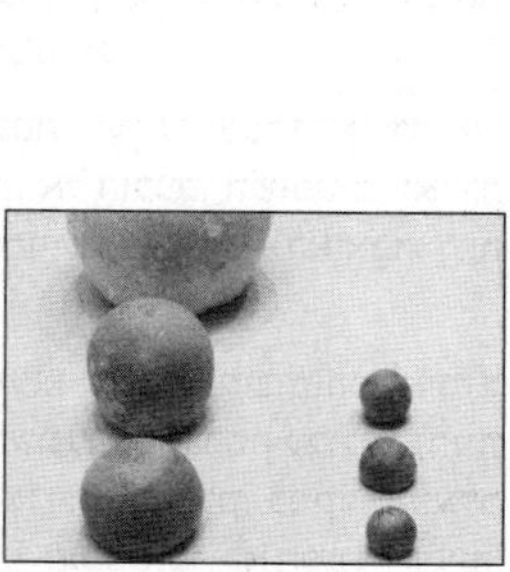
אבני שקילה

**העולם** | **אֵיפָה** מידת נפח קדומה ששיעורה, לפי המידה הרווחת יותר, כ-24 ליטר. משערים שמקור שמה בשם המצרי 'אפת', שעניינו ספירה.

ביאור | לפניו, מולו על הקרקע ולא על פניו[79] **וְעָנְתָה וְאָמְרָה: כָּכָה**, באופן המבזה הזה **יֵעָשֶׂה לָאִישׁ אֲשֶׁר לֹא יִבְנֶה אֶת בֵּית אָחִיו.** י **וְנִקְרָא שְׁמוֹ** של הבית הזה **בְּיִשְׂרָאֵל: בֵּית חֲלוּץ הַנָּעַל.** מעשה זה בא לגנות את המסרב לגמול חסד עם אחיו המת. אבל אפשר גם להבינו כמעשה של כפרה ותיקון, שימנע עונש ממי שלא הקים את שמו של המת, שכן במקרים מסוימים בית הדין מייעצים לו שלא לייבם, אף שהוא היה רוצה לעשות זאת.[80]

## אשה המחזיקה במבושי גבר

פרק כה פס' יא-יב

במקומות אחרים פורשו דיני התשלומים למי שחובל בחברו – תשלומי נזק, השבתה מעבודה, ריפוי וצער.[81] כאן מדובר על זכות נוספת של הנפגע.

יא **כִּי יִנָּצוּ**, יתקוטטו **אֲנָשִׁים יַחְדָּו, אִישׁ וְאָחִיו**, ושניהם יאחזו זה בזה כך שלא יהיה אפשר להפריד ביניהם, **וְקָרְבָה** אליהם **אֵשֶׁת** האיש **הָאֶחָד לְהַצִּיל אֶת אִישָׁהּ מִיַּד מַכֵּהוּ**, משום שנראה לה שהשני עלול להכריע אותו, והיא תעשה את מה שביכולתה לעשות: **וְשָׁלְחָה יָדָהּ וְהֶחֱזִיקָה בִּמְבֻשָׁיו** של הגבר האחר כדי להכאיב לו, ובכך לגרום לו להרפות את אחיזתו בבעלה. יב בשל הסכנה והבושה שבדבר – **וְקַצֹּתָה**, קצוץ **אֶת כַּפָּהּ**, כף היד שנגעה בו כך. **לֹא תָחוֹס עֵינֶךָ**. אל תרחם עליה. הכתוב הזה התפרש על ידי חכמים בשתי משמעויות: האחד, במשמעות מילולית, כדין המוטל על הנוכח בשעת מעשה. יש להציל את נפש האיש העלולה להסתכן על ידי האשה ובעלה גם במחיר פגיעה גופנית באשה כדי לנטרל את אחיזתה.[82] והשני, במשמעות סמלית – תשלום ממון שיוטל עליה לאחר מעשה, כמו באמור בפרשת החובל בחברו יָד תַּחַת יָד[83] – ממון. לפי פירוש זה, המצווה מוטלת על הדיין, ומכאן נלמדים 'תשלומי בושת', המוטלים על מי שמבייש את חברו בהכאה או במעשה אחר בגופו.[84]

## משקלות וצדק

פרק כה פס' יג-טז

מטרת המצווה הבאה היא מניעת רמאות בשימוש במשקולות ובמידות.

יג **לֹא יִהְיֶה לְךָ בְּכִיסְךָ אֶבֶן וָאָבֶן, גְּדוֹלָה וּקְטַנָּה**, אבן גדולה, שתשמש

הרחבות | **'וענתה ואמרה: ככה יעשה לאיש...'** לפי המסורת, עליה לומר הביטויים הללו בדיוק ובלשון הקודש. (ראו סוטה לב ע"א).

וְאֵיפָה גְּדוֹלָה וּקְטַנָּה: אֶבֶן שְׁלֵמָה וָצֶדֶק יִהְיֶה־לָּךְ טו
אֵיפָה שְׁלֵמָה וָצֶדֶק יִהְיֶה־לָּךְ לְמַעַן יַאֲרִיכוּ יָמֶיךָ עַל
טז הָאֲדָמָה אֲשֶׁר־יְהוָה אֱלֹהֶיךָ נֹתֵן לָךְ: כִּי תוֹעֲבַת
יְהוָה אֱלֹהֶיךָ כָּל־עֹשֵׂה אֵלֶּה כֹּל עֹשֵׂה עָוֶל:
מפטיר יז זָכוֹר אֵת אֲשֶׁר־עָשָׂה לְךָ עֲמָלֵק בַּדֶּרֶךְ בְּצֵאתְכֶם
יח מִמִּצְרָיִם: אֲשֶׁר קָרְךָ בַּדֶּרֶךְ וַיְזַנֵּב בְּךָ כָּל־הַנֶּחֱשָׁלִים
יט אַחֲרֶיךָ וְאַתָּה עָיֵף וְיָגֵעַ וְלֹא יָרֵא אֱלֹהִים: וְהָיָה
בְּהָנִיחַ יְהוָה אֱלֹהֶיךָ ׀ לְךָ מִכָּל־אֹיְבֶיךָ מִסָּבִיב בָּאָרֶץ
אֲשֶׁר־יְהוָה אֱלֹהֶיךָ נֹתֵן לְךָ נַחֲלָה לְרִשְׁתָּהּ תִּמְחֶה
אֶת־זֵכֶר עֲמָלֵק מִתַּחַת הַשָּׁמָיִם לֹא תִּשְׁכָּח:

**רש"י**

טו] **אֶבֶן שְׁלֵמָה וָצֶדֶק יִהְיֶה לָּךְ.** אִם עָשִׂיתָ כֵּן, יִהְיֶה לְךָ הַרְבֵּה:

יז] **זָכוֹר אֵת אֲשֶׁר עָשָׂה לְךָ.** אִם שִׁקַּרְתָּ בְּמִדּוֹת וּבְמִשְׁקָלוֹת, הֱוֵי דּוֹאֵג מִגֵּרוּי הָאוֹיֵב, שֶׁנֶּאֱמַר: "מֹאזְנֵי מִרְמָה תּוֹעֲבַת ה'" וּכְתִיב בַּתְרֵיהּ: "בָּא זָדוֹן וַיָּבֹא קָלוֹן" (משלי יא, א-ב):

יח] **אֲשֶׁר קָרְךָ בַּדֶּרֶךְ.** לְשׁוֹן מִקְרֶה. דָּבָר אַחֵר, לְשׁוֹן קֶרִי וְטֻמְאָה, שֶׁהָיָה מְטַמְּאָן בְּמִשְׁכַּב זָכוּר. דָּבָר אַחֵר, לְשׁוֹן קֹר וָחֹם, צִנְּנְךָ וְהִפְשִׁירְךָ מֵרְתִיחָתְךָ, שֶׁהָיוּ הָאֻמּוֹת יְרֵאִים לְהִלָּחֵם בָּכֶם, וּבָא זֶה וְהִתְחִיל וְהֶרְאָה מָקוֹם לַאֲחֵרִים. מָשָׁל לְאַמְבַּטִּי רוֹתַחַת שֶׁאֵין כָּל בְּרִיָּה יְכוֹלָה לֵירֵד בְּתוֹכָהּ, בָּא בֶּן בְּלִיַּעַל אֶחָד קָפַץ וְיָרַד לְתוֹכָהּ, אַף עַל פִּי שֶׁנִּכְוָה, הֵקֵרָהּ אוֹתָהּ בִּפְנֵי אֲחֵרִים: **וַיְזַנֵּב בְּךָ.** מַכַּת זָנָב, חוֹתֵךְ מִילוֹת וְזוֹרֵק כְּלַפֵּי מַעְלָה: **כָּל הַנֶּחֱשָׁלִים אַחֲרֶיךָ.** חַסְרֵי כֹּחַ מֵחֲמַת חֶטְאָם, שֶׁהָיָה הֶעָנָן פּוֹלְטָן: **וְאַתָּה עָיֵף וְיָגֵעַ.** 'עָיֵף' בַּצָּמָא, דִּכְתִיב: "וַיִּצְמָא שָׁם הָעָם לַמַּיִם" (שמות יז, ג), וּכְתִיב אַחֲרָיו: "וַיָּבֹא עֲמָלֵק" (שם פסוק ח): **וְיָגֵעַ.** בַּדֶּרֶךְ: **וְלֹא יָרֵא.** עֲמָלֵק, "אֱלֹהִים" מִלְּהָרַע לְךָ:

יט] **תִּמְחֶה אֶת זֵכֶר עֲמָלֵק.** "מֵאִישׁ עַד אִשָּׁה מֵעוֹלֵל וְעַד יוֹנֵק מִשּׁוֹר וְעַד שֶׂה" (שמואל א' טו, ג), שֶׁלֹּא יְהֵא שֵׁם עֲמָלֵק נִזְכָּר אֲפִלּוּ עַל הַבְּהֵמָה, לוֹמַר, בְּהֵמָה זוֹ מִשֶּׁל עֲמָלֵק הָיְתָה:

**הרחבות**

**'אשר קרך בדרך ויזנב בך'** מאחורי תקיפת עמלק את ישראל לא עמד שום אינטרס מובן. התנכלותם של המצרים לבני ישראל נבעה מהחשש מפניהם. אף חששותיהם של עמים אחרים מישראל נבעו מסיבות מציאותיות. עמלק לא חי במסלול הליכתם של ישראל, ואף לא התגורר בארץ שבה הם עתידים להתיישב. על כן לא עמד מאחורי מלחמה זו הרצון למנוע מתקפה עתידית באמצעות הרתעת ישראל. לכל היותר היה זה מסע שוד של שבט נודד, ואפילו מניע זה מפוקפק, משום שמן הסתם לא ידעו מה יש ביד ישראל.

ביאור | אותך בעת קנייה, ואבן קטנה שתשמש אותך בעת מכירה, כדי לגנוב את ההפרש בין המידה שתציע למידה האמתית. יד כיוצא בזה, **לֹא יִהְיֶה לְךָ בְּבֵיתְךָ אֵיפָה וְאֵיפָה**, שני כלים למדידת נפח, **גְּדוֹלָה וּקְטַנָּה**, איפה גדולה שתשמש לקנייה, וקטנה למכירה. גם אם אין בכוונתך לרמות, אל לך להחזיק ברשותך שתי מידות שונות למטרה כלשהי,[85] שכן עצם החזקתן עלולה לפתותך לנהוג שלא ביושר. טו במקום מידות אלו – **אֶבֶן שְׁלֵמָה וָצֶדֶק**, וצודקת, והוגנת **יִהְיֶה לָּךְ. אֵיפָה שְׁלֵמָה וָצֶדֶק**, וצודקת **יִהְיֶה לָּךְ, לְמַעַן יַאֲרִיכוּ יָמֶיךָ עַל הָאֲדָמָה אֲשֶׁר ה׳ אֱלֹהֶיךָ נֹתֵן לָךְ**, טז **כִּי** הצדק אינו עניין חברתי גרידא, אלא **תוֹעֲבַת ה׳ אֱלֹהֶיךָ כָּל עֹשֵׂה אֵלֶּה, כֹּל עֹשֵׂה עָוֶל**.

## זכירת עמלק ומחייתו

פרק כה פס׳ יז–יט

עמלק היה נכדו של עשו.[86] אמנם ישראל הוזהרו שלא להציק לצאצאיו של עשו,[87] אך עמלק יוצא מן הכלל. מחמת שנאתם הבלתי רציונלית של בני עמלק לישראל לא רק הותר להילחם בהם, אלא ישראל צֻוו להרגם, ולזכור לנֶצח את החובה למחות את זכרם מן העולם.

יז **זָכוֹר אֵת אֲשֶׁר עָשָׂה לְךָ עֲמָלֵק בַּדֶּרֶךְ בְּצֵאתְכֶם מִמִּצְרָיִם**, יח עמלק היה עם קטן, ולא ערך מלחמת חרמה כנגד ישראל אלא[88] – **אֲשֶׁר קָרְךָ**, פגש בך **בַּדֶּרֶךְ, וַיְזַנֵּב**, תקף מאחור **בְּךָ** את **כָּל הַנֶּחֱשָׁלִים**, החלשים ההולכים לאט ובקושי **אַחֲרֶיךָ, וְאַתָּה**, עם ישראל, היית באותו זמן **עָיֵף וְיָגֵעַ** משנות הגלות והשעבוד במצרים ומן ההליכה במדבר **וְלֹא** היית אז **יָרֵא אֱלֹהִים**, ולכן נהרגו במלחמה כל נחשלי העם.[89] או: ועמלק אינו ירא אלוקים.[90] יט מכיוון שעמלק עשה זאת ביזמתו ומתוך רשעות לשמה, ללא שום התגרות של ישראל ובלי סיבה וטעם – **וְהָיָה בְּהָנִיחַ ה׳ אֱלֹהֶיךָ לְךָ מִכָּל אֹיְבֶיךָ מִסָּבִיב בָּאָרֶץ אֲשֶׁר ה׳ אֱלֹהֶיךָ נֹתֵן לְךָ נַחֲלָה לְרִשְׁתָּהּ**, כשתבואו לארצכם ותשכנו בה במנוחה, **תִּמְחֶה אֶת זֵכֶר עֲמָלֵק מִתַּחַת הַשָּׁמָיִם**, בכל מקום שהוא נמצא. **לֹא תִּשְׁכָּח**, כדי שלא יאיים עליך שנית, וגם כדי להתנקם בו, משום שהיה האויב הראשון ששנאתו לישראל הייתה אידיאולוגית.

הרחבות | עמלק התקיף את ישראל לא לשם השמדתם – שהרי היו רבים מדי – אלא כדי להרחיקם או לפגוע בהם ותו לא. הוא פעל מתוך שנאה שרירותית – שנאה לשמה. משום כך מבטא זכרונו של עמלק בתודעת העם את עצם ההתנגדות והעוינות כלפי ישראל באשר הם, כאב טיפוס לאנטישמיות שבכל הדורות, שגם אם בזמנים מסוימים אפשר לתלותה בתואנות מסוימות, בעיקרה היא עומדת על שנאה עקרונית למהות ישראל.

כי תבוא כא וְהָיָה כִּי־תָבוֹא אֶל־הָאָרֶץ אֲשֶׁר יְהוָה אֱלֹהֶיךָ נֹתֵן א כו
לְךָ נַחֲלָה וִירִשְׁתָּהּ וְיָשַׁבְתָּ בָּהּ׃ וְלָקַחְתָּ מֵרֵאשִׁית ׀ ב
כָּל־פְּרִי הָאֲדָמָה אֲשֶׁר תָּבִיא מֵאַרְצְךָ אֲשֶׁר יְהוָה
אֱלֹהֶיךָ נֹתֵן לָךְ וְשַׂמְתָּ בַטֶּנֶא וְהָלַכְתָּ אֶל־הַמָּקוֹם
אֲשֶׁר יִבְחַר יְהוָה אֱלֹהֶיךָ לְשַׁכֵּן שְׁמוֹ שָׁם׃ וּבָאתָ אֶל־ ג
הַכֹּהֵן אֲשֶׁר יִהְיֶה בַּיָּמִים הָהֵם וְאָמַרְתָּ אֵלָיו הִגַּדְתִּי
הַיּוֹם לַיהוָה אֱלֹהֶיךָ כִּי־בָאתִי אֶל־הָאָרֶץ אֲשֶׁר נִשְׁבַּע
יְהוָה לַאֲבֹתֵינוּ לָתֶת לָנוּ׃ · וְלָקַח הַכֹּהֵן הַטֶּנֶא מִיָּדֶךָ ד
וְהִנִּיחוֹ לִפְנֵי מִזְבַּח יְהוָה אֱלֹהֶיךָ׃ וְעָנִיתָ וְאָמַרְתָּ ה
לִפְנֵי ׀ יְהוָה אֱלֹהֶיךָ אֲרַמִּי אֹבֵד אָבִי וַיֵּרֶד מִצְרַיְמָה

רש"י | פרק כו

א] **וְהָיָה כִּי תָבוֹא. וִירִשְׁתָּהּ וְיָשַׁבְתָּ בָּהּ.** מַגִּיד שֶׁלֹּא נִתְחַיְּבוּ בְּבִכּוּרִים עַד שֶׁכָּבְשׁוּ אֶת הָאָרֶץ וְחִלְּקוּהָ:

ב] **מֵרֵאשִׁית.** וְלֹא כָּל רֵאשִׁית, שֶׁאֵין כָּל הַפֵּרוֹת חַיָּבִין בְּבִכּוּרִים אֶלָּא שִׁבְעַת הַמִּינִין בִּלְבַד, נֶאֱמַר כָּאן "אֶרֶץ" וְנֶאֱמַר לְהַלָּן "אֶרֶץ חִטָּה וּשְׂעֹרָה" וְגוֹ' (לעיל ח, ח), מַה לְּהַלָּן מִשִּׁבְעַת הַמִּינִים שֶׁנִּשְׁתַּבְּחָה בָּהֶן אֶרֶץ יִשְׂרָאֵל, אַף כָּאן שֶׁבַח אֶרֶץ יִשְׂרָאֵל. "זֵית שֶׁמֶן", זַיִת אֲגוּרִי שֶׁשַּׁמְנוֹ אָגוּר בְּתוֹכוֹ. "וּדְבָשׁ", הוּא דְּבַשׁ תְּמָרִים: **מֵרֵאשִׁית.** אָדָם יוֹרֵד לְתוֹךְ שָׂדֵהוּ וְרוֹאֶה תְּאֵנָה שֶׁבִּכְּרָה, כּוֹרֵךְ עָלֶיהָ גֶּמִי לְסִימָן, וְאוֹמֵר: 'הֲרֵי זוֹ בִּכּוּרִים':

ג] **אֲשֶׁר יִהְיֶה בַּיָּמִים הָהֵם.** אֵין לְךָ אֶלָּא כֹּהֵן שֶׁבְּיָמֶיךָ, כְּמוֹ שֶׁהוּא: **וְאָמַרְתָּ אֵלָיו.** שֶׁאֵינְךָ כְּפוּי טוֹבָה: **הִגַּדְתִּי הַיּוֹם.** פַּעַם אַחַת בַּשָּׁנָה וְלֹא שְׁתֵּי פְעָמִים:

ד] **וְלָקַח הַכֹּהֵן הַטֶּנֶא מִיָּדֶךָ.** לְהָנִיף אוֹתוֹ, כֹּהֵן מַנִּיחַ יָדוֹ תַּחַת יַד הַבְּעָלִים וּמֵנִיף:

ה] **וְעָנִיתָ.** לְשׁוֹן הֲרָמַת קוֹל: **אֲרַמִּי אֹבֵד אָבִי.** מַזְכִּיר חַסְדֵי הַמָּקוֹם: "אֲרַמִּי אֹבֵד אָבִי", לָבָן בִּקֵּשׁ לַעֲקֹר אֶת הַכֹּל כְּשֶׁרָדַף אַחַר יַעֲקֹב, וּבִשְׁבִיל שֶׁחָשַׁב לַעֲשׂוֹת, חָשַׁב לוֹ הַמָּקוֹם כְּאִלּוּ עָשָׂה, שֶׁאֻמּוֹת הָעוֹלָם חוֹשֵׁב לָהֶם הַקָּדוֹשׁ בָּרוּךְ הוּא מַחֲשָׁבָה כְּמַעֲשֶׂה: **וַיֵּרֶד מִצְרַיְמָה.** וְעוֹד

**הרחבות** | **ביכורים** המקרא אינו מפרש מאילו פֵּרות הובאו הביכורים. לפי המסורת, הם הובאו רק משבעת המינים שהתברכה בהם ארץ ישראל. פרות אחרים אפשר לצרף לביכורים, אך אין הם עיקר המצווה. (ראו משנה ביכורים א,ג; ג,ט; רש"י נחמיה י,לו; חדושי הר"ן חולין קכ,ב). אף שיעור הביכורים אינו מפורט בכתוב, וחכמים אמרו שכל אדם מתנדב כפי רצונו (משנה פאה א,א). ההלכה קובעת כי מביאים ביכורים מחג השבועות – יום הביכורים – שבו הובאו ביכורי החיטה

## שתי מצוות הקשורות למתנות היבול ולדיבור

פרק כו פס׳ א–יט

שתי המצוות תלויות בהגעה אל הארץ. ביסוד המצווה הראשונה, הבאת הביכורים, עומדת ההכרה בטוב הארץ ובתנובתה החקלאית. האדם מישראל מְצֻוֶּה להביא לפני ה׳ את ראשית היבול שמצמיחה לו הארץ בכל שנה. את תודתו על הפֵּרות החדשים הוא מבטא גם במלים המשחזרות את הטובה שגמל ה׳ עם עמו עד שהגיע הלום. המצווה השנייה היא וידוי מעשרות – הצהרה על כך שמצוות המעשרות הושלמו כדין הנאמרת במקדש.

לאחר שתי האמירות החגיגיות הללו מופיעים פסוקי חתימה, ובכך מסתיים נאום המצוות של משה רבנו.

ביאור

פרק כו א **וְהָיָה כִּי תָבוֹא אֶל הָאָרֶץ אֲשֶׁר ה׳ אֱלֹהֶיךָ נֹתֵן לְךָ נַחֲלָה, וִירִשְׁתָּהּ**
**וְיָשַׁבְתָּ בָּהּ**, לאחר שנות כיבוש הארץ וההתנחלות בה,[1] ב **וְלָקַחְתָּ**
**מֵרֵאשִׁית כָּל פְּרִי הָאֲדָמָה אֲשֶׁר תָּבִיא מֵאַרְצְךָ אֲשֶׁר ה׳ אֱלֹהֶיךָ נֹתֵן לָךְ**.
אלו הם הפרות הראשונים המופרשים לפני כל מתנות הכהנים והלויים. **וְשַׂמְתָּ** אותם **בַטֶּנֶא**, סל רחב ושטוח **וְהָלַכְתָּ אֶל הַמָּקוֹם אֲשֶׁר יִבְחַר ה׳ אֱלֹהֶיךָ לְשַׁכֵּן שְׁמוֹ שָׁם**, אל בית המקדש שבירושלים, ולפני שיוקם – אל המשכן ששכן במקומות אחרים.[2]

ג **וּבָאתָ אֶל הַכֹּהֵן אֲשֶׁר יִהְיֶה בַּיָּמִים הָהֵם**, כל כהן שיהיה,[3] **וְאָמַרְתָּ אֵלָיו** בהכרזה טקסית: **הִגַּדְתִּי הַיּוֹם לַה׳ אֱלֹהֶיךָ כִּי בָאתִי אֶל הָאָרֶץ אֲשֶׁר נִשְׁבַּע ה׳ לַאֲבֹתֵינוּ לָתֶת לָנוּ**, וזה פריה.

ד **וְלָקַח הַכֹּהֵן הַטֶּנֶא מִיָּדֶךָ, וְהִנִּיחוֹ לִפְנֵי מִזְבַּח ה׳ אֱלֹהֶיךָ**. פרות הביכורים אינם קרבן המוקטר במזבח, ולכן הם מונחים ליד המזבח, ושם יתקיים טקס הנפת הטנא.[4]

ה **וְעָנִיתָ וְאָמַרְתָּ** בנוסח מוגדר **לִפְנֵי ה׳ אֱלֹהֶיךָ: אֲרַמִּי אֹבֵד**, נודד[5] היה **אָבִי**, הקדום, יעקב. יעקב נשא בנות ארמיות וחי מחוץ למולדתו

ביכורי פֵּרות

הרחבות

החדשה כקרבן, עד סוף חג הסוכות לכתחילה, ובדיעבד עד חנוכה (משנה ביכורים א,ג ו).

אף על פי שאפשר לקיים את המצווה באופן פרטי, במשנה (ביכורים ג,ב–ד) מתוארת הבאת הביכורים הציבורית בימי הבית השני: בני העיר או המחוז היו עולים יחדיו לירושלים במעמד טקסי ודרמטי שכלל קישוטים ונגינה רבה.

**׳ועְנית ואמרת׳** הנוסח שצריך אדם לומר בהביאו את יבולו למקדש, ובו תמצות

וַיָּגָר שָׁם בִּמְתֵי מְעָט וַיְהִי־שָׁם לְגוֹי גָּדוֹל עָצוּם וָרָב׃
ו וַיָּרֵעוּ אֹתָנוּ הַמִּצְרִים וַיְעַנּוּנוּ וַיִּתְּנוּ עָלֵינוּ עֲבֹדָה
ז קָשָׁה׃ וַנִּצְעַק אֶל־יהוה אֱלֹהֵי אֲבֹתֵינוּ וַיִּשְׁמַע יהוה
אֶת־קֹלֵנוּ וַיַּרְא אֶת־עָנְיֵנוּ וְאֶת־עֲמָלֵנוּ וְאֶת־לַחֲצֵנוּ׃
ח וַיּוֹצִאֵנוּ יהוה מִמִּצְרַיִם בְּיָד חֲזָקָה וּבִזְרֹעַ נְטוּיָה
ט וּבְמֹרָא גָּדֹל וּבְאֹתוֹת וּבְמֹפְתִים׃ וַיְבִאֵנוּ אֶל־הַמָּקוֹם
הַזֶּה וַיִּתֶּן־לָנוּ אֶת־הָאָרֶץ הַזֹּאת אֶרֶץ זָבַת חָלָב
י וּדְבָשׁ׃ וְעַתָּה הִנֵּה הֵבֵאתִי אֶת־רֵאשִׁית פְּרִי הָאֲדָמָה
אֲשֶׁר־נָתַתָּה לִּי יהוה וְהִנַּחְתּוֹ לִפְנֵי יהוה אֱלֹהֶיךָ
יא וְהִשְׁתַּחֲוִיתָ לִפְנֵי יהוה אֱלֹהֶיךָ׃ וְשָׂמַחְתָּ בְכָל־הַטּוֹב
אֲשֶׁר נָתַן־לְךָ יהוה אֱלֹהֶיךָ וּלְבֵיתֶךָ אַתָּה וְהַלֵּוִי וְהַגֵּר
יב אֲשֶׁר בְּקִרְבֶּךָ׃ · כִּי תְכַלֶּה לַעְשֵׂר אֶת־כָּל־ שני
מַעְשַׂר תְּבוּאָתְךָ בַּשָּׁנָה הַשְּׁלִישִׁת שְׁנַת הַמַּעֲשֵׂר

רש"י

אחרים באו לכלותנו, שאחרי זאת ירד יעקב למצרים: במתי מעט. כשבעים נפש:

ט) אל המקום הזה. זה בית המקדש: ויתן לנו את הארץ. כמשמעו:

י) והנחתו. מגיד שנוטלו אחר הנפת הכהן, ואוחזו בידו כשהוא קורא, וחוזר ומניף:

יא) ושמחת בכל הטוב. מכאן אמרו: אין קורין מקרא בכורים אלא בזמן שמחה, מעצרת ועד החג, שאדם מלקט תבואתו ופרותיו ויינו ושמנו; אבל מן החג ואילך מביא ואינו קורא: אתה והלוי. אף הלוי חייב בבכורים אם נטעו בתוך עריהם: והגר אשר בקרבך. מביא ואינו קורא, שאינו יכול לומר "לאבותינו":

יב) כי תכלה לעשר את כל מעשר תבואתך בשנה השלישית. כשתגמור להפריש מעשר של שנה השלישית, קבע זמן הבעור והודוי בערב הפסח של שנה הרביעית, שנאמר: "מקצה שלש שנים תוציא" וגו' (לעיל יד, כח), נאמר כאן: "מקץ" ונאמר להלן: "מקץ שבע שנים" (להלן לא, י) לענין הקהל, מה להלן רגל, אף כאן רגל. אי מה להלן חג הסכות אף כאן חג הסכות? תלמוד לומר: "כי תכלה לעשר" מעשרות של שנה השלישית, רגל שהמעשרות כלין בו וזהו פסח, שהרבה אילנות יש שנלקטין אחר הסכות, נמצאו מעשרות של שלישית כלין בפסח של רביעית, וכל מי ששהה מעשרותיו הצריכו הכתוב לבערו מן הבית: שנת המעשר. שנה שאין נוהג בה אלא מעשר

ביאור

בקרב משפחה ארמית.[6] לחלופין, היו שדרשו 'ארמי' לבן הארמי
שביקש לאבד את אבי, יעקב.[7] וַיֵּרֶד יעקב מִצְרַיְמָה וַיָּגָר שָׁם בִּמְתֵי מְעָט,
הוא הגיע למצרים כשמשפחתו כללה מעט אנשים – שבעים נפש
בלבד, וַיְהִי שָׁם במשך השנים שישבו בניו במצרים לְגוֹי גָּדוֹל, עָצוּם
וָרָב. ו וַיָּרֵעוּ אֹתָנוּ, לנו הַמִּצְרִים וַיְעַנּוּנוּ, וַיִּתְּנוּ עָלֵינוּ עֲבֹדָה קָשָׁה. ז וַנִּצְעַק
אֶל ה' אֱלֹהֵי אֲבֹתֵינוּ, וַיִּשְׁמַע ה' אֶת קֹלֵנוּ, וַיַּרְא אֶת עָנְיֵנוּ, עד היכן
הגיע סבלנו,[8] וְאֶת עֲמָלֵנוּ, העבודות היזומות שהטילו עלינו רק על
מנת להציק לנו. וְאֶת לַחֲצֵנוּ, מצוקותינו. ח וַיּוֹצִאֵנוּ ה' מִמִּצְרַיִם בְּיָד
חֲזָקָה וּבִזְרֹעַ נְטוּיָה וּבְמֹרָא גָּדֹל, באופן שהטיל יראה רבה וּבְאֹתוֹת
וּבְמֹפְתִים. ט וַיְבִאֵנוּ אֶל הַמָּקוֹם הַזֶּה – ארץ ישראל, וַיִּתֶּן לָנוּ אֶת הָאָרֶץ
הַזֹּאת, שהיא אֶרֶץ זָבַת חָלָב וּדְבָשׁ. י וְעַתָּה, כיוון שעשית עם אבותינו
את כל החסד הזה, אני בא כעת להודות לך – הִנֵּה הֵבֵאתִי אֶת רֵאשִׁית
פְּרִי הָאֲדָמָה אֲשֶׁר נָתַתָּה לִּי ה'.

וְהִנַּחְתּוֹ לִפְנֵי ה' אֱלֹהֶיךָ, לפני המזבח, וְהִשְׁתַּחֲוִיתָ לִפְנֵי ה'
אֱלֹהֶיךָ. יא וְשָׂמַחְתָּ בְכָל הַטּוֹב אֲשֶׁר נָתַן לְךָ ה' אֱלֹהֶיךָ וּלְבֵיתֶךָ,
ולמשפחתך, אַתָּה וְהַלֵּוִי וְהַגֵּר אֲשֶׁר בְּקִרְבֶּךָ. נצל את ההזדמנות שהגעת
אל המקדש, והישאר שם לשמוח לפני ה' עם כל סובביך התלויים
בך.

יב כִּי תְכַלֶּה, תסיים לַעְשֵׂר אֶת כָּל מַעְשַׂר תְּבוּאָתְךָ בַּשָּׁנָה הַשְּׁלִישִׁת
למחזור שנות המעשר המתחיל לאחר השמיטה,[9] שְׁנַת הַמַּעֲשֵׂר.
כאמור למעלה,[10] בכל שנה שלישית משש השנים שבין שמיטה

הרחבות

הירידה למצרים והיציאה ממנה עד הגעתם אל הארץ, נקרא בלשון חכמים 'מקרא ביכורים' (משנה סוטה ז,ב). כמו אמירות טקסיות אחרות היו צריכים לאמרו במדויק. לשם כך מונה במקדש אדם שתפקידו היה להקריאו, ובעל הפֵּרות היה חוזר אחריו. הקראה זו התבצעה גם כשהמביא לא נזקק לה, כדי שמי שאינם יודעים לקרוא לא יתביישו. (ראו משנה ביכורים ג,ז).

'בשנה השלישִת שנת המעשר' שנת השמיטה נחשבת שנת אפס במחזור המסתיים בשמיטה, ולפיו נקבעים המעשרות המופרשים. בכל שנה ניתן מעשר ללויים בקביעות, והוא הנקרא מעשר ראשון (במדבר יח,כא–כד). על גביו מופרש בשנה הראשונה, השנייה, הרביעית והחמישית מעשר שני, שאינו ניתן לאחרים אך מצווה להביאו לירושלים ולאכלו שם בטהרה ובשמחה. בשנה השלישית והשישית מחליף מעשר עני את מעשר שני. (ראו לעיל יד,כב–כט, רש"י על אתר וראש השנה יב ע"ב).

וְנָתַתָּה לַלֵּוִי לַגֵּר לַיָּתוֹם וְלָאַלְמָנָה וְאָכְלוּ בִשְׁעָרֶיךָ
וְשָׂבֵעוּ׃ וְאָמַרְתָּ לִפְנֵי יְהוָה אֱלֹהֶיךָ בִּעַרְתִּי הַקֹּדֶשׁ יג
מִן־הַבַּיִת וְגַם נְתַתִּיו לַלֵּוִי וְלַגֵּר לַיָּתוֹם וְלָאַלְמָנָה
כְּכָל־מִצְוָתְךָ אֲשֶׁר צִוִּיתָנִי לֹא־עָבַרְתִּי מִמִּצְוֺתֶיךָ וְלֹא
שָׁכָחְתִּי׃ לֹא־אָכַלְתִּי בְאֹנִי מִמֶּנּוּ וְלֹא־בִעַרְתִּי מִמֶּנּוּ יד
בְּטָמֵא וְלֹא־נָתַתִּי מִמֶּנּוּ לְמֵת שָׁמַעְתִּי בְּקוֹל יְהוָה
אֱלֹהָי עָשִׂיתִי כְּכֹל אֲשֶׁר צִוִּיתָנִי׃ הַשְׁקִיפָה מִמְּעוֹן טו
קָדְשְׁךָ מִן־הַשָּׁמַיִם וּבָרֵךְ אֶת־עַמְּךָ אֶת־יִשְׂרָאֵל וְאֵת

רש"י | אֶחָד מִשְּׁנֵי מַעַשְׂרוֹת שֶׁנָּהֲגוּ בִּשְׁתֵּי שָׁנִים שֶׁלְּפָנֶיהָ, שֶׁשָּׁנָה רִאשׁוֹנָה שֶׁל שְׁמִטָּה נוֹהֵג בָּהּ מַעֲשֵׂר רִאשׁוֹן, כְּמוֹ שֶׁנֶּאֱמַר: "כִּי תִקְחוּ מֵאֵת בְּנֵי יִשְׂרָאֵל אֶת הַמַּעֲשֵׂר" (במדבר יח, כו), וּמַעֲשֵׂר שֵׁנִי, שֶׁנֶּאֱמַר: "וְאָכַלְתָּ לִפְנֵי ה' אֱלֹהֶיךָ... מַעְשַׂר דְּגָנְךָ תִּירֹשְׁךָ וְיִצְהָרֶךָ" (לעיל יד, כג), הֲרֵי שְׁתֵּי מַעַשְׂרוֹת; וּבָא וְלִמֶּדְךָ כָּאן בַּשָּׁנָה הַשְּׁלִישִׁית, שֶׁאֵין נוֹהֵג מֵאוֹתָן שְׁתֵּי מַעַשְׂרוֹת אֶלָּא הָאֶחָד, וְאֵי זֶה? זֶה מַעֲשֵׂר רִאשׁוֹן, וְתַחַת מַעֲשֵׂר שֵׁנִי יִתֵּן מַעְשַׂר עָנִי, שֶׁנֶּאֱמַר כָּאן: "וְנָתַתָּה לַלֵּוִי" אֶת אֲשֶׁר לוֹ, הֲרֵי מַעֲשֵׂר רִאשׁוֹן, "לַגֵּר לַיָּתוֹם וְלָאַלְמָנָה" זֶה מַעְשַׂר עָנִי: **וְאָכְלוּ בִשְׁעָרֶיךָ וְשָׂבֵעוּ.** תֵּן לָהֶם כְּדֵי שָׂבְעָן. מִכָּאן אָמְרוּ: אֵין פּוֹחֲתִין לֶעָנִי בַּגֹּרֶן פָּחוֹת מֵחֲצִי קַב חִטִּים וְכוּ':

יג | **וְאָמַרְתָּ לִפְנֵי ה' אֱלֹהֶיךָ.** הִתְוַדֵּה שֶׁנָּתַתָּ מַעַשְׂרוֹתֶיךָ: **בִּעַרְתִּי הַקֹּדֶשׁ מִן הַבַּיִת.** זֶה מַעֲשֵׂר שֵׁנִי וְנֶטַע רְבָעִי, וְלִמֶּדְךָ שֶׁאִם שִׁהָה מַעַשְׂרוֹתָיו שֶׁל שְׁתֵּי שָׁנִים וְלֹא הֶעֱלָם לִירוּשָׁלַיִם, שֶׁצָּרִיךְ לְהַעֲלוֹתָם עַכְשָׁיו: **וְגַם נְתַתִּיו לַלֵּוִי.** זֶה מַעֲשֵׂר רִאשׁוֹן: **וְגַם.** לְרַבּוֹת תְּרוּמוֹת וּבִכּוּרִים: **וְלַגֵּר לַיָּתוֹם וְלָאַלְמָנָה.** זֶה מַעְשַׂר עָנִי: **כְּכָל מִצְוָתְךָ.** נְתַתִּים כְּסִדְרָן, לֹא הִקְדַּמְתִּי תְּרוּמָה לְבִכּוּרִים וְלֹא מַעֲשֵׂר לִתְרוּמָה וְלֹא שֵׁנִי לָרִאשׁוֹן, שֶׁהַתְּרוּמָה קְרוּיָה "רֵאשִׁית" (לעיל יח, ד), שֶׁהִיא רִאשׁוֹנָה מִשֶּׁנַּעֲשָׂה דָּגָן, וּכְתִיב: "מְלֵאָתְךָ וְדִמְעֲךָ לֹא תְאַחֵר" (שמות כב, כח), לֹא תְשַׁנֶּה אֶת הַסֵּדֶר: **לֹא עָבַרְתִּי מִמִּצְוֹתֶיךָ.** לֹא הִפְרַשְׁתִּי מִמִּין עַל שֶׁאֵינוֹ מִינוֹ, וּמִן הֶחָדָשׁ עַל הַיָּשָׁן: **וְלֹא שָׁכָחְתִּי.** מִלְּבָרֶכְךָ עַל הַפְרָשַׁת מַעַשְׂרוֹת:

יד | **לֹא אָכַלְתִּי בְאֹנִי מִמֶּנּוּ.** מִכָּאן שֶׁאָסוּר לְאוֹנֵן: **וְלֹא בִעַרְתִּי מִמֶּנּוּ בְּטָמֵא.** בֵּין שֶׁאֲנִי טָמֵא וְהוּא טָהוֹר בֵּין שֶׁאֲנִי טָהוֹר וְהוּא טָמֵא. וְהֵיכָן הֻזְהַר עַל כָּךְ? "לֹא תוּכַל לֶאֱכֹל בִּשְׁעָרֶיךָ" (לעיל יב, יז) – זוֹ אֲכִילַת טֻמְאָה, כְּמוֹ שֶׁנֶּאֱמַר בִּפְסוּלֵי הַמֻּקְדָּשִׁין: "בִּשְׁעָרֶיךָ תֹּאכְלֶנּוּ הַטָּמֵא וְהַטָּהוֹר" וְגוֹ' (לעיל טו, כב), אֲבָל זֶה לֹא תוּכַל לֶאֱכֹל דֶּרֶךְ אֲכִילַת שְׁעָרֶיךָ הָאָמוּר בְּמָקוֹם אַחֵר: **וְלֹא נָתַתִּי מִמֶּנּוּ לְמֵת.** לַעֲשׂוֹת לוֹ אָרוֹן וְתַכְרִיכִין: **שָׁמַעְתִּי בְּקוֹל ה' אֱלֹהָי.** הֲבִיאוֹתִיו לְבֵית הַבְּחִירָה: **עָשִׂיתִי כְּכֹל אֲשֶׁר צִוִּיתָנִי.** שָׂמַחְתִּי וְשִׂמַּחְתִּי בּוֹ:

טו | **הַשְׁקִיפָה מִמְּעוֹן קָדְשְׁךָ.** עָשִׂינוּ מַה שֶּׁגָּזַרְתָּ עָלֵינוּ, עֲשֵׂה אַתָּה מַה שֶּׁעָלֶיךָ לַעֲשׂוֹת, שֶׁאָמַרְתָּ: "אִם בְּחֻקֹּתַי תֵּלֵכוּ...

ביאור | לשמיטה, מפרישים מעשר לעניים. שנה זו היא 'שְׁנַת הַמַּעֲשֵׂר'. **וְנָתַתָּה** אותו **לַלֵּוִי, לַגֵּר, לַיָּתוֹם וְלָאַלְמָנָה**, לכל הנזקקים שאין להם אחוזת נחלה ולבני השכבות הנמוכות בחברה, **וְאָכְלוּ בִשְׁעָרֶיךָ**, בכל מקום ולא רק ליד המקדש **וְשָׂבֵעוּ**.

יג ככלות יבול המעשר הזה, דהיינו לקראת סוף חג הפסח של השנה הרביעית והשביעית, שאז בוודאי הבשילו פֵּרות האילן שחנטו בשנה השלישית והשישית, וקוימה כל מצוותם – **וְאָמַרְתָּ לִפְנֵי ה' אֱלֹהֶיךָ** במקדש, את ההצהרה הבאה: **בִּעַרְתִּי**, פיניתי **אֶת הַקֹּדֶשׁ**, מה שהוקדש לנתינה **מִן הַבַּיִת, וְגַם נְתַתִּיו לַלֵּוִי וְלַגֵּר, לַיָּתוֹם וְלָאַלְמָנָה, כְּכָל מִצְוָתְךָ אֲשֶׁר צִוִּיתָנִי**. כל חלק נתתי למי שזכאי לקבלו. **לֹא עָבַרְתִּי מִמִּצְוֹתֶיךָ וְלֹא שָׁכָחְתִּי** לקיים את כל הנתינות כראוי ובסדר הנכון.[11] יד עשיתי כדין: **לֹא אָכַלְתִּי בְאֹנִי**, באבלותי **מִמֶּנּוּ, וְלֹא בִעַרְתִּי מִמֶּנּוּ בְּטָמֵא**, לא כיליתי אותו באופן שיטמא, **וְלֹא נָתַתִּי מִמֶּנּוּ**, מתמורתו הממונית לקניית תכריכים או ארון קבורה **לְמֵת**. אמירה זו בכללותה מתייחסת למעשרות של שלוש השנים, שנהג בהם כדין. אולם בפסוק הזה מדובר במעשר הנקרא בפי חכמים 'מעשר שני', שבעל היבול מעלה אותו לירושלים ואוכלו שם בטהרה, הוא והנלווים אליו.[12] ובכללו של דבר, **שָׁמַעְתִּי בְּקוֹל ה' אֱלֹהָי, עָשִׂיתִי כְּכֹל אֲשֶׁר צִוִּיתָנִי**. מובן מאליו, אם אין האדם יכול לומר את הדברים ככתבם בכנות, כגון שאכל באנינות – אינו מתוודה. טו מן ההצהרה הוא עובר לתפילה: **הַשְׁקִיפָה**, הבט לארצך **מִמְּעוֹן קָדְשְׁךָ מִן הַשָּׁמַיִם, וּבָרֵךְ אֶת עַמְּךָ, אֶת**

הָאֲדָמָה אֲשֶׁר נָתַתָּה לָנוּ כַּאֲשֶׁר נִשְׁבַּעְתָּ לַאֲבֹתֵינוּ
שלישי אֶרֶץ זָבַת חָלָב וּדְבָשׁ׃ טו הַיּוֹם הַזֶּה יהוה
אֱלֹהֶיךָ מְצַוְּךָ לַעֲשׂוֹת אֶת־הַחֻקִּים הָאֵלֶּה וְאֶת־
הַמִּשְׁפָּטִים וְשָׁמַרְתָּ וְעָשִׂיתָ אוֹתָם בְּכָל־לְבָבְךָ
וּבְכָל־נַפְשֶׁךָ׃ יז אֶת־יהוה הֶאֱמַרְתָּ הַיּוֹם לִהְיוֹת לְךָ
לֵאלֹהִים וְלָלֶכֶת בִּדְרָכָיו וְלִשְׁמֹר חֻקָּיו וּמִצְוֹתָיו
וּמִשְׁפָּטָיו וְלִשְׁמֹעַ בְּקֹלוֹ׃ יח וַיהוה הֶאֱמִירְךָ הַיּוֹם
לִהְיוֹת לוֹ לְעַם סְגֻלָּה כַּאֲשֶׁר דִּבֶּר־לָךְ וְלִשְׁמֹר כָּל־
מִצְוֹתָיו׃ יט וּלְתִתְּךָ עֶלְיוֹן עַל כָּל־הַגּוֹיִם אֲשֶׁר עָשָׂה
לִתְהִלָּה וּלְשֵׁם וּלְתִפְאָרֶת וְלִהְיֹתְךָ עַם־קָדֹשׁ לַיהוה
אֱלֹהֶיךָ כַּאֲשֶׁר דִּבֵּר׃

רביעי כז א וַיְצַו מֹשֶׁה וְזִקְנֵי יִשְׂרָאֵל אֶת־הָעָם לֵאמֹר שָׁמֹר

**רש"י** "וְנָתַתִּי גִשְׁמֵיכֶם בְּעִתָּם" (ויקרא כו, ג-ד): אֲשֶׁר נָתַתָּה לָנוּ כַּאֲשֶׁר נִשְׁבַּעְתָּ לַאֲבֹתֵינוּ. לָתֵת לָנוּ וְקִיַּמְתָּ, "אֶרֶץ זָבַת חָלָב וּדְבָשׁ":

טו **הַיּוֹם הַזֶּה ה' אֱלֹהֶיךָ מְצַוְּךָ.** בְּכָל יוֹם יִהְיוּ בְעֵינֶיךָ חֲדָשִׁים כְּאִלּוּ בוֹ בַיּוֹם נִצְטַוֵּיתָ עֲלֵיהֶם: **וְשָׁמַרְתָּ וְעָשִׂיתָ אוֹתָם.** בַּת קוֹל מְבָרַכְתּוֹ: הֵבֵאתָ בִּכּוּרִים הַיּוֹם, תִּשְׁנֶה לַשָּׁנָה הַבָּאָה:

יז-יח **הֶאֱמַרְתָּ, הֶאֱמִירְךָ.** אֵין לָהֶם עֵד בַּמִּקְרָא, וְלִי נִרְאֶה שֶׁהֵם לְשׁוֹן הַמְשָׁכָה וְהַבְדָּלָה, הִבְדַּלְתּוֹ מֵאֱלֹהֵי הַנֵּכָר "לִהְיוֹת לְךָ לֵאלֹהִים", וְהוּא הִפְרִישְׁךָ אֵלָיו מֵעַמֵּי הָאָרֶץ "לִהְיוֹת לוֹ לְעַם סְגֻלָּה". לְשׁוֹן תִּפְאֶרֶת, כְּמוֹ: "יִתְאַמְּרוּ כָּל פֹּעֲלֵי אָוֶן" (תהלים צד, ד):

יח **כַּאֲשֶׁר דִּבֶּר לָךְ.** "וִהְיִיתֶם לִי סְגֻלָּה" (שמות יט, ה):

יט **וְלִהְיֹתְךָ עַם קָדֹשׁ וְגוֹ' כַּאֲשֶׁר דִּבֵּר.** "וִהְיִיתֶם לִי קְדֹשִׁים" (ויקרא כ, כו):

פרק כז

א **שָׁמֹר אֶת כָּל הַמִּצְוָה.** לְשׁוֹן הֹוֶה, גרדנ"ט בְּלַעַז:

**הרחבות** **'וה' האמירך... ולשמור כל מצותיו'** בכך שה' מַפנה את מצוותיו דווקא אליך, הוא מעניק לך מתנה ורוממות, כדרך שאומרים בברכת המצוות: 'קידשנו במצוותיו וציוונו', וכן בקידוש לשלושה רגלים – 'בחר בנו מכל עם... וקידשנו במצוותיו'. וכן מברכים ברכת 'שהחיינו וקיימנו והגיענו לזמן הזה' בזמן קיומה של כל מצווה הבאה לפרקים, כאדם המודה על בית חדש או כלים חדשים.

ביאור | יִשְׂרָאֵל עושי רצונך, וְאֵת הָאֲדָמָה אֲשֶׁר נָתַתָּה לָנוּ כַּאֲשֶׁר נִשְׁבַּעְתָּ לַאֲבֹתֵינוּ, אֶרֶץ זָבַת חָלָב וּדְבָשׁ.

אמנם המתנות הללו ניתנות לבשר ודם – שכן את הביכורים אוכלים הכהנים, והמעשרות מתחלקים לנזקקים – אך בהן האדם מקיים את מצוות ה'. מעבר לתמיכה הסוציאלית יש למצוות אלה ולאלו שקדמו להן ערך בהיותן חלק מעבודת ה': טז הַיּוֹם הַזֶּה ה' אֱלֹהֶיךָ מְצַוְּךָ לַעֲשׂוֹת אֶת הַחֻקִּים הָאֵלֶּה, המצוות שאינך יכול להבין, וְאֶת הַמִּשְׁפָּטִים המתקבלים על הדעת, וְשָׁמַרְתָּ וְעָשִׂיתָ אוֹתָם בְּכָל לְבָבְךָ וּבְכָל נַפְשֶׁךָ. הקפד שכל מצווה תיעשה בזמנה המתאים, במקומה הראוי, בשיעור הקבוע ובהתמסרות מלאה. יז גם קיומן של המצוות ה'חברתיות' אינו נובע מטוב לבך בלבד. תקיים אותן משום שאֶת ה' הֶאֱמַרְתָּ, כיבדת ונישאת הַיּוֹם. בבחירתך בו הגבהת אותו בעולם,[13] או: המלכת אותו,[14] לִהְיוֹת לְךָ לֵאלֹהִים. החלטת שהוא יהיה אלוקיך, והדבר מחייב אותך לָלֶכֶת בִּדְרָכָיו וְלִשְׁמֹר חֻקָּיו וּמִצְוֹתָיו וּמִשְׁפָּטָיו וְלִשְׁמֹעַ בְּקֹלוֹ. יח וגם ה' מצדו הֶאֱמִירְךָ הַיּוֹם. כשם שאתה מגדל אותו, כך הוא מגדל אותך. היחס הוא דו-צדדי. כשם שאתה עובד רק אותו ומייחד אותו, כך הוא בוחר רק בך לִהְיוֹת לוֹ לְעַם סְגֻלָּה, מיוחד כַּאֲשֶׁר דִּבֶּר לָךְ, כאמור בספר שמות,[15] וְלִשְׁמֹר כָּל מִצְוֹתָיו, ה' רומם אותך בכך שבחר בך כשומר את תורתו, יט וּלְתִתְּךָ עֶלְיוֹן עַל כָּל הַגּוֹיִם אֲשֶׁר עָשָׂה, כדי שתהיה לִתְהִלָּה וּלְשֵׁם וּלְתִפְאָרֶת, וְלִהְיֹתְךָ, וכדי שתהיה עַם קָדֹשׁ לַה' אֱלֹהֶיךָ כַּאֲשֶׁר דִּבֵּר, כאמור שם.[16]

# מעמד הברכה והקללה

## פרק כז

באירוע חד-פעמי שיתקיים עם הגעת העם לארצו, תחודש הברית עם ה'. מעמד זה יכלול הקרבת קרבנות וסעודת מצווה שבה יציין כל העם את מחויבותו לשמירת המצוות. בטקס מיוחד יגלו כל שבטי ישראל את דעתם השלילית על מי שאינם נוהגים כראוי ומסתירים זאת מעיני הציבור, ואת דעתם החיובית על מי שנוהג גם בחשאי כראוי. בפועל התקיים הטקס רק לאחר כיבוש יריחו.[17]

פרק כז א וַיְצַו מֹשֶׁה וְזִקְנֵי יִשְׂרָאֵל. האחריות למצווה תימסר ליהושע, אך בגלל ההבטים הארגוניים שלה גם הזקנים שאתו יהיו מעורבים בה, וכנראה אף בפועל יהיו ממונים על שבטיהם. אֶת הָעָם

ב אֶת־כָּל־הַמִּצְוָה אֲשֶׁר אָנֹכִי מְצַוֶּה אֶתְכֶם הַיּוֹם: וְהָיָה
בַּיּוֹם אֲשֶׁר תַּעַבְרוּ אֶת־הַיַּרְדֵּן אֶל־הָאָרֶץ אֲשֶׁר־
יְהוָה אֱלֹהֶיךָ נֹתֵן לָךְ וַהֲקֵמֹתָ לְךָ אֲבָנִים גְּדֹלוֹת
ג וְשַׂדְתָּ אֹתָם בַּשִּׂיד: וְכָתַבְתָּ עֲלֵיהֶן אֶת־כָּל־דִּבְרֵי
הַתּוֹרָה הַזֹּאת בְּעָבְרֶךָ לְמַעַן אֲשֶׁר תָּבֹא אֶל־הָאָרֶץ
אֲשֶׁר־יְהוָה אֱלֹהֶיךָ ׀ נֹתֵן לְךָ אֶרֶץ זָבַת חָלָב וּדְבַשׁ
ד כַּאֲשֶׁר דִּבֶּר יְהוָה אֱלֹהֵי־אֲבֹתֶיךָ לָךְ: וְהָיָה בְּעָבְרְכֶם
אֶת־הַיַּרְדֵּן תָּקִימוּ אֶת־הָאֲבָנִים הָאֵלֶּה אֲשֶׁר אָנֹכִי
מְצַוֶּה אֶתְכֶם הַיּוֹם בְּהַר עֵיבָל וְשַׂדְתָּ אוֹתָם בַּשִּׂיד:
ה וּבָנִיתָ שָּׁם מִזְבֵּחַ לַיהוָה אֱלֹהֶיךָ מִזְבַּח אֲבָנִים לֹא־
ו תָנִיף עֲלֵיהֶם בַּרְזֶל: אֲבָנִים שְׁלֵמוֹת תִּבְנֶה אֶת־
מִזְבַּח יְהוָה אֱלֹהֶיךָ וְהַעֲלִיתָ עָלָיו עוֹלֹת לַיהוָה
ז אֱלֹהֶיךָ: וְזָבַחְתָּ שְׁלָמִים וְאָכַלְתָּ שָּׁם וְשָׂמַחְתָּ לִפְנֵי
ח יְהוָה אֱלֹהֶיךָ: וְכָתַבְתָּ עַל־הָאֲבָנִים אֶת־כָּל־דִּבְרֵי
ט הַתּוֹרָה הַזֹּאת בַּאֵר הֵיטֵב: וַיְדַבֵּר מֹשֶׁה
י וְהַכֹּהֲנִים הַלְוִיִּם אֶל־כָּל־יִשְׂרָאֵל לֵאמֹר הַסְכֵּת ׀
וּשְׁמַע יִשְׂרָאֵל הַיּוֹם הַזֶּה נִהְיֵיתָ לְעָם לַיהוָה אֱלֹהֶיךָ:

**רש״י** ב| **וַהֲקֵמֹתָ לְךָ.** בַּיַּרְדֵּן, וְאַחַר כָּךְ תּוֹצִיאוּ מִשָּׁם אֲחֵרוֹת וְתִבְנוּ מֵהֶן מִזְבֵּחַ בְּהַר עֵיבָל. נִמְצֵאתָ אַתָּה אוֹמֵר, שְׁלֹשָׁה מִינֵי אֲבָנִים הָיוּ: שְׁתֵּים עֶשְׂרֵה בַּיַּרְדֵּן, וּכְנֶגְדָּן בַּגִּלְגָּל, וּכְנֶגְדָּן בְּהַר עֵיבָל, כִּדְאִיתָא בְּמַסֶּכֶת סוֹטָה (דף לה ע״ב):

ח| **בַּאֵר הֵיטֵב.** בְּשִׁבְעִים לָשׁוֹן:

ט| **הַסְכֵּת.** כְּתַרְגּוּמוֹ: **הַיּוֹם הַזֶּה נִהְיֵיתָ**

**הרחבות** ׳וְשַׂדְתָּ... וכתבת... ושַׂדְתָּ׳ לפי הפשט, האבנים נצבעו בסיד לשם יצירת מצע כתיבה נוח. אך היו שלמדו מן החזרה שבפסוקים שאת הסיד יש לתת על גבי הכתב כדי לשמר אותו. לפי דעה זו, כדי לקרוא את הכתוב היה צריך לקלף את הסיד שכיסה אותן. (סוטה לה ע״ב. וראו שו״ת רשב״ץ נג).

׳בַּאֵר הֵיטֵב׳ היו שפירשו שהתורה נכתבה עם פירושיה. לפי דרשות אחרות, נכתבו דברי התורה בשבעים לשון, כלומר בכל

ביאור

לֵאמֹר: שָׁמֹר אֶת כׇּל הַמִּצְוָה, מכלול המצוות אֲשֶׁר אָנֹכִי מְצַוֶּה אֶתְכֶם
הַיּוֹם.

ב וְהָיָה בַּיּוֹם אֲשֶׁר תַּעַבְרוּ אֶת הַיַּרְדֵּן אֶל הָאָרֶץ אֲשֶׁר ה׳ אֱלֹהֶיךָ נֹתֵן
לָךְ – וַהֲקֵמֹתָ לְךָ אֲבָנִים גְּדֹלוֹת וְשַׂדְתָּ, תסייד אֹתָם בַּשִּׂיד, בסיד כדי
להפכן לחלקות וראויות לכתיבה. ג וְכָתַבְתָּ עֲלֵיהֶן אֶת כׇּל דִּבְרֵי הַתּוֹרָה
הַזֹּאת בְּעׇבְרֶךָ את הירדן לְמַעַן אֲשֶׁר תָּבֹא אֶל הָאָרֶץ אֲשֶׁר ה׳ אֱלֹהֶיךָ
נֹתֵן לְךָ – אֶרֶץ זָבַת חָלָב וּדְבַשׁ, כַּאֲשֶׁר דִּבֶּר ה׳ אֱלֹהֵי אֲבֹתֶיךָ לָךְ. ד וְהָיָה
בְּעׇבְרְכֶם אֶת הַיַּרְדֵּן תָּקִימוּ אֶת הָאֲבָנִים הָאֵלֶּה אֲשֶׁר אָנֹכִי מְצַוֶּה אֶתְכֶם
הַיּוֹם בְּהַר עֵיבָל, וְשַׂדְתָּ אוֹתָם בַּשִּׂיד. ה וּבָנִיתָ שָּׁם מִזְבֵּחַ לַה׳ אֱלֹהֶיךָ,
מִזְבַּח אֲבָנִים. לֹא תָנִיף עֲלֵיהֶם בַּרְזֶל. ו אֲבָנִים שְׁלֵמוֹת תִּבְנֶה אֶת מִזְבַּח
ה׳ אֱלֹהֶיךָ, שכן נאסר לסתת את האבנים בברזל בבנייתו של כל
מזבח.[18] וְהַעֲלִיתָ עָלָיו עוֹלֹת לַה׳ אֱלֹהֶיךָ. ז נוסף על כך, וְזָבַחְתָּ שְׁלָמִים
וְאָכַלְתָּ אותם שָּׁם, וְשָׂמַחְתָּ בסעודת המצווה הציבורית הזאת לִפְנֵי ה׳
אֱלֹהֶיךָ. ח וְכָתַבְתָּ עַל הָאֲבָנִים אֶת כׇּל דִּבְרֵי הַתּוֹרָה הַזֹּאת, שעד עתה
היו כתובים בלוחות הברית ובספר התורה בַּאֵר הֵיטֵב, באופן שיהיו
גלויים לכול, קריאים ומבוארים.

ט וַיְדַבֵּר מֹשֶׁה וְהַכֹּהֲנִים הַלְוִיִּם אֶל כׇּל יִשְׂרָאֵל לֵאמֹר: הַסְכֵּת, הקשב
וּשְׁמַע, יִשְׂרָאֵל! הַיּוֹם הַזֶּה נִהְיֵיתָ לְעָם לַה׳ אֱלֹהֶיךָ. י ועל כן נדרש ממך –

שרידי מזבח בהר עיבל מהמאה ה-13 לפנה״ס (המזבח שבנה יהושע?)

הרחבות

השפות. (ראו יונתן ורש״י פס׳ ח; סוטה לב ע״א). אולם אין הדבר מסתבר כפשוטו, שכן אפילו כדי לכתוב רק את דברי התורה עצמם יש צורך באבנים גדולות מאוד, ואילו נכתב עליהן גם ביאורה – היו נדרשים סלעים עצומים. (ראו רמב״ן פס׳ ג). אכן, היו שאמרו שלא כל המסופר בתורה מתחילה ועד סוף נכתב על האבנים, אלא רק רשימת המצוות, מעין ספר מצוות הפתוח בפני כול (ראב״ע פס׳ א בשם רס״ג).

וְשָׁמַעְתָּ֙ בְּק֖וֹל יְהוָ֣ה אֱלֹהֶ֑יךָ וְעָשִׂ֤יתָ אֶת־מִצְוֺתָו֙ י

חמישי וְאֶת־חֻקָּ֔יו אֲשֶׁ֛ר אָנֹכִ֥י מְצַוְּךָ֖ הַיּֽוֹם׃ וַיְצַ֤ו יא

מֹשֶׁה֙ אֶת־הָעָ֔ם בַּיּ֥וֹם הַה֖וּא לֵאמֹֽר׃ אֵ֠לֶּה יַֽעַמְד֞וּ יב

לְבָרֵ֤ךְ אֶת־הָעָם֙ עַל־הַ֣ר גְּרִזִּ֔ים בְּעָבְרְכֶ֖ם אֶת־

הַיַּרְדֵּ֑ן שִׁמְעוֹן֙ וְלֵוִ֣י וִֽיהוּדָ֔ה וְיִשָּׂשכָ֖ר וְיוֹסֵ֥ף וּבִנְיָמִֽן׃

וְאֵ֛לֶּה יַֽעַמְד֥וּ עַל־הַקְּלָלָ֖ה בְּהַ֣ר עֵיבָ֑ל רְאוּבֵן֙ יג

גָּ֣ד וְאָשֵׁ֔ר וּזְבוּלֻ֖ן דָּ֥ן וְנַפְתָּלִֽי׃ וְעָנ֣וּ הַלְוִיִּ֗ם וְאָמְר֛וּ יד

אֶל־כָּל־אִ֥ישׁ יִשְׂרָאֵ֖ל ק֥וֹל רָֽם׃ אָר֣וּר טו

הָאִ֡ישׁ אֲשֶׁ֣ר יַעֲשֶׂה֩ פֶ֨סֶל וּמַסֵּכָ֜ה תּוֹעֲבַ֣ת יְהוָ֗ה

מַעֲשֵׂ֛ה יְדֵ֥י חָרָ֖שׁ וְשָׂ֣ם בַּסָּ֑תֶר וְעָנ֧וּ כָל־הָעָ֛ם וְאָמְר֖וּ

אָמֵֽן׃ אָר֗וּר מַקְלֶ֛ה אָבִ֖יו וְאִמּ֑וֹ וְאָמַ֥ר טז

רש"י | **לְעָם.** בְּכָל יוֹם יִהְיוּ בְּעֵינֶיךָ כְּאִלּוּ הַיּוֹם בָּאתָ עִמּוֹ בִּבְרִית:

יב | **לְבָרֵךְ אֶת הָעָם.** כִּדְאִיתָא בְּמַסֶּכֶת סוֹטָה (לו ע"ב): שִׁשָּׁה שְׁבָטִים עָלוּ לְרֹאשׁ הַר גְּרִזִּים וְשִׁשָּׁה לְרֹאשׁ הַר עֵיבָל, וְהַכֹּהֲנִים וְהַלְוִיִּם וְהָאָרוֹן לְמַטָּה בָּאֶמְצַע. הָפְכוּ לְוִיִּם פְּנֵיהֶם כְּלַפֵּי הַר גְּרִזִּים וּפָתְחוּ בִּבְרָכָה: 'בָּרוּךְ הָאִישׁ אֲשֶׁר לֹא יַעֲשֶׂה פֶסֶל וּמַסֵּכָה' וְגוֹ', וְאֵלּוּ וָאֵלּוּ עוֹנִין אָמֵן. חָזְרוּ וְהָפְכוּ פְּנֵיהֶם לְהַר עֵיבָל וּפָתְחוּ בִּקְלָלָה, וְאוֹמְרִים: "אָרוּר הָאִישׁ אֲשֶׁר יַעֲשֶׂה פֶסֶל" וְגוֹ', וְכֵן כֻּלָּם עַד "אָרוּר אֲשֶׁר לֹא יָקִים":

טו | **מַקְלֶה אָבִיו.** מְזַלְזֵל, לְשׁוֹן: "וְנִקְלָה אָחִיךָ" (לעיל כה, ג):

הרחבות | **'לברך את העם'** בפירוט דברי הלויים לעם לא נזכרות ברכות. מסתבר שכנגד כל אחד מדברי הקללה שנאמרו כאן נאמר גם נוסח של ברכה. לאחר אמירת כל קללה, שנפתחה במלים "ארור האיש אשר..." פנו הלויים להר הברכה ואמרו את היפוכה של הקללה, שנפתחה במלים "ברוך האיש אשר לא..." (סוטה לב ע"א). הזכרת לשונות הקללה בלבד, ללא לשונות הברכה, חריגה במקרא, וכנראה באה כדי לקצר. כמעט כל הדברים הנזכרים פה הם מצוות לא תעשה, ולכן ניסוחם כברכה מורכב יותר. כנגד 'ארור מסיג גבול רעהו', למשל, אמרו: 'ברוך האיש אשר לא יסיג גבול רעהו' וכיוצא בזה – וזוהי לשון מסורבלת יותר. מכיוון שלשון הקללה פשוטה יותר, אותה נקטו הכתובים.

ביאור

**וְשָׁמַעְתָּ בְּקוֹל ה׳ אֱלֹהֶיךָ, וְעָשִׂיתָ אֶת מִצְוֺתָו וְאֶת חֻקָּיו אֲשֶׁר אָנֹכִי מְצַוְּךָ**
**הַיּוֹם.** זוהי ברית הנכרתת עם כל ישראל עכשיו, קודם הכניסה לארץ,
ואת אותה ברית יחזרו ויקבלו ישראל מחדש לאחר שייכנסו לארץ.

יא **וַיְצַו מֹשֶׁה אֶת הָעָם בַּיּוֹם הַהוּא לֵאמֹר:** יב שבטים **אֵלֶּה יַעַמְדוּ לְבָרֵךְ**
**אֶת הָעָם עַל הַר גְּרִזִים בְּעָבְרְכֶם אֶת הַיַּרְדֵּן: שִׁמְעוֹן וְלֵוִי וִיהוּדָה וְיִשָּׂשכָר**
**וְיוֹסֵף וּבִנְיָמִן.** ייתכן שהשבטים שעל הברכה לעם היו מיוחסים
יותר - בני לאה עם יוסף ובנימין.[19] יג **וְאֵלֶּה יַעַמְדוּ עַל**, בעניין, או:
בשביל **הַקְּלָלָה בְּהַר עֵיבָל: רְאוּבֵן, גָּד וְאָשֵׁר וּזְבוּלֻן, דָּן וְנַפְתָּלִי.** יד **וְעָנוּ**
**הַלְוִיִּם**, אותם שיעמדו בין שני ההרים **וְאָמְרוּ אֶל כָּל אִישׁ יִשְׂרָאֵל** את
כל דברי הברכה והקללה **קוֹל רָם**. כשהלויים יאמרו את דברי הברכה,
הם יפנו לכיוון הר גרִזים והשבטים העומדים עליו, וכשהם יאמרו את
דברי הקללה, הם יפנו לכיוון הר עיבל והשבטים העומדים עליו.[20]
לפי דעה אחרת, גם הלויים עמדו על ההרים, וכך דברי הברכה
והקללה נאמרו מפי העומדים על ההרים עצמם.[21]

אחת-עשרה העברות שעליהן יבואו הקללות אינן החמורות ביותר.
אף אין הן כוללות מצוות מרכזיות כגון אלה שהופיעו בעשרת
הדיברות. ברשימה זו נכללים מעשים הנעשים בסתר ובהיחבא.
מכיוון שהעוברים עליהן מניחים שמעשיהם לא יתגלו, עליהם
להישבע עליהם כאן בפומבי.[22] טו **״אָרוּר הָאִישׁ אֲשֶׁר יַעֲשֶׂה פֶסֶל**
**וּמַסֵּכָה, תּוֹעֲבַת ה׳**, שיהיו **מַעֲשֵׂה יְדֵי חָרָשׁ - וְשָׂם בַּסָּתֶר״**. כאמור,
המוקד כאן אינו עצם האיסור לעשות פסל ומסכה, אלא העבודה
הזרה הנסתרת. אם יש בישראל עובדי עבודה זרה בגלוי, חובה על
בתי הדין לבער אותם מקרב העדה, אבל אם עושה הפסל מחביאו
בביתו - איש אינו יודע על כך, ולכן נדרשת השבועה. לשמע הקללה
הזאת - **וְעָנוּ כָל הָעָם** העומדים על הקללה והעומדים על הברכה
**וְאָמְרוּ: ״אָמֵן״**. ובכך נשבעו שלא לעשות זאת.

טז **״אָרוּר מַקְלֶה**, מבזה את **אָבִיו וְאִמּוֹ״**. המבזה את הוריו לא יפרסם
מעשיו, ומן הסתם הוריו לא בקלות יספרו על כך, בוודאי אם הם
זקוקים לו או תלויים בו. על כן יישאר הדבר בגדר סוד במשפחה.
בכלל זה גם מקרי ביזיון שאפילו ההורים אינם יודעים עליהם, כגון
התחמקותו של הבן מלכבדם בתואנות שווא וברמייה.[23]

**הרי עיבל וגרִזים** ראו לעיל יא,כט.

הרחבות

יז כָּל־הָעָ֖ם אָמֵֽן׃ אָר֕וּר מַסִּ֖יג גְּב֣וּל רֵעֵ֑הוּ
יח וְאָמַ֥ר כָּל־הָעָ֖ם אָמֵֽן׃ אָר֕וּר מַשְׁגֶּ֥ה עִוֵּ֖ר
יט בַּדָּ֑רֶךְ וְאָמַ֥ר כָּל־הָעָ֖ם אָמֵֽן׃ אָר֗וּר מַטֶּ֛ה
מִשְׁפַּ֥ט גֵּר־יָת֖וֹם וְאַלְמָנָ֑ה וְאָמַ֥ר כָּל־הָעָ֖ם אָמֵֽן׃
כ אָר֗וּר שֹׁכֵב֙ עִם־אֵ֣שֶׁת אָבִ֔יו כִּ֥י גִלָּ֖ה כְּנַ֣ף אָבִ֑יו וְאָמַ֥ר
כא כָּל־הָעָ֖ם אָמֵֽן׃ אָר֕וּר שֹׁכֵ֖ב עִם־כָּל־
כב בְּהֵמָ֑ה וְאָמַ֥ר כָּל־הָעָ֖ם אָמֵֽן׃ אָר֗וּר שֹׁכֵב֙
עִם־אֲחֹת֔וֹ בַּת־אָבִ֖יו א֣וֹ בַת־אִמּ֑וֹ וְאָמַ֥ר כָּל־הָעָ֖ם
כג אָמֵֽן׃ אָר֕וּר שֹׁכֵ֖ב עִם־חֹתַנְתּ֑וֹ וְאָמַ֥ר כָּל־

רש״י | יז) מַסִּיג גְּבוּל. מַחֲזִירוֹ לַאֲחוֹרָיו וְגוֹנֵב אֶת הַקַּרְקַע, לְשׁוֹן: ״וְהֻסַּג אָחוֹר״ (ישעיה נט, יד): יח) מַשְׁגֶּה עִוֵּר. הַסּוּמָא בְּדָבָר וּמַשִּׁיאוֹ עֵצָה רָעָה:

ביאור

**וְאָמַר כָּל הָעָם: "אָמֵן".**

יז **"אָרוּר מַסִּיג**, מזיז את **גְּבוּל רֵעֵהוּ** מעבר לתחומו אל תוך תחום חברו". מכיוון שהרחבת נחלתו על חשבון נחלת הזולת נעשית בערמה, הדבר נעשה בסתר ומתוך הנחה שהשכן לא ישים לב. איסור זה הורחב לכל חדירה לרשותו של אדם אחר או לתחום סמכותו, הנעשית בסתר וברמייה.[24] **וְאָמַר כָּל הָעָם: "אָמֵן".**

יח **"אָרוּר מַשְׁגֶּה**, מטעה **עִוֵּר בַּדָּרֶךְ"**. קללה זו דומה לאיסור 'לפני עִוֵּר לא תיתן מכשול'.[25] באופן מוכלל חלה קללה זו על מי שמטעה אחרים, גם אם אינם עיוורים אלא חסר להם מידע נחוץ, ובעקבות עצתו הרעה הם מגיעים להכרעה שגויה.[26]

במצב כזה הנפגע אינו מודע לכך שהולך שולל, והאחריות כולה מוטלת על המטעה. ומכאן הצורך בשבועה הציבורית – **וְאָמַר כָּל הָעָם: "אָמֵן".**

יט **"אָרוּר מַטֶּה מִשְׁפַּט גֵּר, יָתוֹם וְאַלְמָנָה"**. הגר, היתום והאלמנה לא תמיד ידעו אם הטו את משפטם: לא תמיד הגר מכיר את מנהגי המקום וחוקיו; היתום הוא קטן וחסר ניסיון, והאלמנה שהורגלה לחיות בחסות בעלה, אינה מודעת תמיד לנהלים ולמשפטים. משום כך קל לשופטים להטות את דינם מבלי שהדבר ייוודע.[27]

**וְאָמַר כָּל הָעָם: "אָמֵן".**

כיוצא באלה, העברות הפרטיות הנוגעות לעריות, שהמבנה החברתי שומר אותן נסתרות מעין הציבור: כ **"אָרוּר שֹׁכֵב עִם אֵשֶׁת אָבִיו**, האשה שאביו נשא, גם אם אביו מת בינתיים.[28] האשה חיה לבדה בבית בעלה המת, ובנו הגדול מתעלל בה, ולה אין אפשרות למחות, או ששניהם מעוניינים בקרבתם. **כִּי גִלָּה כְּנַף**, ביזה את ערוות **אָבִיו"**.

**וְאָמַר כָּל הָעָם: "אָמֵן".**

כא **"אָרוּר שֹׁכֵב עִם כָּל בְּהֵמָה"**. גם העובר עברה זו אינו מדווח על הדבר, והבהמה אינה יכולה למחות.[29]

**וְאָמַר כָּל הָעָם: "אָמֵן".**

כב **"אָרוּר שֹׁכֵב עִם אֲחֹתוֹ, בַּת אָבִיו אוֹ בַת אִמּוֹ"**. כשהנפגעת היא אחות קטנה המעשה עלול לנבוע מסמכותו ומכוחו של האח הגדול, ומכך שהקרבן מנועה מלמחות ומלפרסם את המעשה. על כן הדבר אינו ידוע לאחרים, לעתים במשך שנים רבות.[30]

**וְאָמַר כָּל הָעָם: "אָמֵן".**

כג **"אָרוּר שֹׁכֵב עִם חֹתַנְתּוֹ"**, בין שהיא נשואה ובין שאיננה. באיסור

כד הָעָם אָמֵן: אָרוּר מַכֵּה רֵעֵהוּ בַּסָּתֶר וְאָמַר
כה כָּל־הָעָם אָמֵן: אָרוּר לֹקֵחַ שֹׁחַד לְהַכּוֹת
כו נֶפֶשׁ דַּם נָקִי וְאָמַר כָּל־הָעָם אָמֵן: אָרוּר
אֲשֶׁר לֹא־יָקִים אֶת־דִּבְרֵי הַתּוֹרָה־הַזֹּאת לַעֲשׂוֹת
אוֹתָם וְאָמַר כָּל־הָעָם אָמֵן:

כח א כב וְהָיָה אִם־שָׁמוֹעַ תִּשְׁמַע בְּקוֹל יְהוָה אֱלֹהֶיךָ לִשְׁמֹר
לַעֲשׂוֹת אֶת־כָּל־מִצְוֹתָיו אֲשֶׁר אָנֹכִי מְצַוְּךָ הַיּוֹם
ב וּנְתָנְךָ יְהוָה אֱלֹהֶיךָ עֶלְיוֹן עַל כָּל־גּוֹיֵי הָאָרֶץ: וּבָאוּ
עָלֶיךָ כָּל־הַבְּרָכוֹת הָאֵלֶּה וְהִשִּׂיגֻךָ כִּי תִשְׁמַע בְּקוֹל

רש"י | כד) **מַכֵּה רֵעֵהוּ בַּסָּתֶר.** עַל לָשׁוֹן הָרָע הוּא אוֹמֵר. רָאִיתִי בִּיסוֹדוֹ שֶׁל רַבִּי מֹשֶׁה הַדַּרְשָׁן: אַחַד עָשָׂר אֲרוּרִים יֵשׁ כָּאן, כְּנֶגֶד אַחַד עָשָׂר שְׁבָטִים, וּכְנֶגֶד שִׁמְעוֹן לֹא כָּתַב אָרוּר, לְפִי שֶׁלֹּא הָיָה בְּלִבּוֹ לְבָרְכוֹ לִפְנֵי מוֹתוֹ כְּשֶׁבֵּרַךְ שְׁאָר הַשְּׁבָטִים, לְכָךְ לֹא רָצָה לְקַלְּלוֹ:

כו) **אֲשֶׁר לֹא יָקִים.** כָּאן כָּלַל אֶת כָּל הַתּוֹרָה כֻּלָּהּ, וְקִבְּלוּהָ עֲלֵיהֶם בְּאָלָה וּבִשְׁבוּעָה:

ביאור | חמור זה[31] יש גם קלון. לעתים קרבת המשפחה מן הסוג הזה אינה קרובה מספיק כדי להרתיע, אבל היא קרובה דיה שתיווצר אינטימיות, ויימנע פרסום גדול.
**וְאָמַר כָּל הָעָם: "אָמֵן".**
כד **"אָרוּר מַכֵּה רֵעֵהוּ בַּסָּתֶר"**, בהתנפלות בחסות החשכה, או במקרה שהנפגע עטוף ומכוסה ואינו יכול לדעת מי הכהו. משמעות הפסוק הורחבה והיא כוללת גם מכות שאינן פיזיות, כמו השמצתו של חבר בלא ידיעתו.[32]
**וְאָמַר כָּל הָעָם: "אָמֵן".**
כה **"אָרוּר לֹקֵחַ שֹׁחַד לְהַכּוֹת נֶפֶשׁ דָּם נָקִי"**. הן נותן השוחד הן המקבל אותו אינם נוהגים לספר שעשו זאת. שופט שלקח תחילה שוחד לגבי דיני ממונות קטנים בלבד, עלול לסטות מן היושר גם לגבי נחלות גדולות, ובסופו של דבר הוא עלול להיסחף בעקבות השוחד ואף להביא למותו של אדם.
**וְאָמַר כָּל הָעָם: "אָמֵן".**
כו ולבסוף קללה כללית: **"אָרוּר אֲשֶׁר לֹא יָקִים אֶת דִּבְרֵי הַתּוֹרָה הַזֹּאת,** לא יעשה ככל יכולתו על מנת שדברי התורה הזאת - הכתובה לפניכם על האבנים בהר הזה[33] - יעמדו על מקומם, **לַעֲשׂוֹת אוֹתָם"**.
**וְאָמַר כָּל הָעָם: "אָמֵן"**. בכך התחייבו כל ישראל במעמד פומבי אחד, שכל אחד מהם יפעל בדרכו שלו על מנת שדברי התורה יתממשו.[34]

# הברכות והקללות בערבות מואב

## פרק כח

משה מפרט באוזני באי הארץ בערבות מואב את הברכות שבהן יזכו מי שישמרו את מצוות ה' ואת הקללות שיבואו על ראשיהם של מי שיַמרו את דברי ה'. תחילה מופיעות הברכות, ולאחריהן רשימה ארוכה ומפורטת הרבה יותר של הקללות. הברכות מעטות מן הקללות משום שהברכה הבסיסית היא שאדם יהיה בריא ובטוח וצרכיו יהיו מסופקים לו. לעומת זאת, המחלות והצרות העלולות להפר את רווחתו ושלומו הן מגוונות.

פרק כח א **וְהָיָה אִם שָׁמוֹעַ תִּשְׁמַע בְּקוֹל ה' אֱלֹהֶיךָ, לִשְׁמֹר לַעֲשׂוֹת אֶת**
**כָּל מִצְוֹתָיו אֲשֶׁר אָנֹכִי מְצַוְּךָ הַיּוֹם** - יבואו עליך כל הטובות: **וּנְתָנְךָ ה'**
**אֱלֹהֶיךָ עֶלְיוֹן עַל כָּל גּוֹיֵי הָאָרֶץ**. מעמדך באומות יהיה גבוה. ב **וּבָאוּ**
**עָלֶיךָ כָּל הַבְּרָכוֹת הָאֵלֶּה וְהִשִּׂיגֻךָ**, הן ירדפו אחריך, גם כאשר לא
תשקוד להשיגן[35] **כִּי, אִם תִשְׁמַע בְּקוֹל ה' אֱלֹהֶיךָ.**

ג יְהוָה אֱלֹהֶיךָ: בָּרוּךְ אַתָּה בָּעִיר וּבָרוּךְ אַתָּה בַּשָּׂדֶה:
ד בָּרוּךְ פְּרִי־בִטְנְךָ וּפְרִי אַדְמָתְךָ וּפְרִי בְהֶמְתֶּךָ שְׁגַר
ה אֲלָפֶיךָ וְעַשְׁתְּרוֹת צֹאנֶךָ: בָּרוּךְ טַנְאֲךָ וּמִשְׁאַרְתֶּךָ:
ו ז בָּרוּךְ אַתָּה בְּבֹאֶךָ וּבָרוּךְ אַתָּה בְּצֵאתֶךָ: יִתֵּן יְהוָה ששי
אֶת־אֹיְבֶיךָ הַקָּמִים עָלֶיךָ נִגָּפִים לְפָנֶיךָ בְּדֶרֶךְ אֶחָד
ח יֵצְאוּ אֵלֶיךָ וּבְשִׁבְעָה דְרָכִים יָנוּסוּ לְפָנֶיךָ: יְצַו יְהוָה
אִתְּךָ אֶת־הַבְּרָכָה בַּאֲסָמֶיךָ וּבְכֹל מִשְׁלַח יָדֶךָ וּבֵרַכְךָ
ט בָּאָרֶץ אֲשֶׁר־יְהוָה אֱלֹהֶיךָ נֹתֵן לָךְ: יְקִימְךָ יְהוָה לוֹ
לְעַם קָדוֹשׁ כַּאֲשֶׁר נִשְׁבַּע־לָךְ כִּי תִשְׁמֹר אֶת־מִצְוֺת
י יְהוָה אֱלֹהֶיךָ וְהָלַכְתָּ בִּדְרָכָיו: וְרָאוּ כָּל־עַמֵּי הָאָרֶץ
יא כִּי שֵׁם יְהוָה נִקְרָא עָלֶיךָ וְיָרְאוּ מִמֶּךָּ: וְהוֹתִרְךָ יְהוָה
לְטוֹבָה בִּפְרִי בִטְנְךָ וּבִפְרִי בְהֶמְתְּךָ וּבִפְרִי אַדְמָתֶךָ
עַל הָאֲדָמָה אֲשֶׁר נִשְׁבַּע יְהוָה לַאֲבֹתֶיךָ לָתֶת לָךְ:
יב יִפְתַּח יְהוָה ׀ לְךָ אֶת־אוֹצָרוֹ הַטּוֹב אֶת־הַשָּׁמַיִם
לָתֵת מְטַר־אַרְצְךָ בְּעִתּוֹ וּלְבָרֵךְ אֵת כָּל־מַעֲשֵׂה
יג יָדֶךָ וְהִלְוִיתָ גּוֹיִם רַבִּים וְאַתָּה לֹא תִלְוֶה: וּנְתָנְךָ
יְהוָה לְרֹאשׁ וְלֹא לְזָנָב וְהָיִיתָ רַק לְמַעְלָה וְלֹא תִהְיֶה

רש"י | פרק כח

ד| שְׁגַר אֲלָפֶיךָ. וַלְדוֹת בְּקָרְךָ שֶׁהַבְּהֵמָה מְשַׁגֶּרֶת מִמֵּעֶיהָ: וְעַשְׁתְּרוֹת צֹאנֶךָ. כְּתַרְגּוּמוֹ. וְרַבּוֹתֵינוּ אָמְרוּ: לָמָּה נִקְרָא שְׁמָן 'עַשְׁתָּרוֹת'? שֶׁמַּעֲשִׁירוֹת אֶת בַּעֲלֵיהֶן וּמַחֲזִיקוֹת אוֹתָן, כְּעַשְׁתָּרוֹת הַלָּלוּ שֶׁהֵן סְלָעִים חֲזָקִים:

ה| בָּרוּךְ טַנְאֲךָ. פֵּרוֹתֶיךָ. דָּבָר אַחֵר, "טַנְאֲךָ", דָּבָר לַח שֶׁאַתָּה מְסַנֵּן בְּסַלִּים: וּמִשְׁאַרְתֶּךָ. דָּבָר יָבֵשׁ שֶׁנִּשְׁאָר בַּכְּלִי וְאֵינוֹ זָב:

ו| בָּרוּךְ אַתָּה בְּבֹאֶךָ וּבָרוּךְ אַתָּה בְּצֵאתֶךָ. שֶׁתְּהֵא יְצִיאָתְךָ מִן הָעוֹלָם בְּלֹא חֵטְא כְּבִיאָתְךָ לָעוֹלָם:

ז| וּבְשִׁבְעָה דְרָכִים יָנוּסוּ לְפָנֶיךָ. כֵּן דֶּרֶךְ הַנִּבְהָלִים לִבְרֹחַ לִהְיוֹת מִתְפַּזְּרִין לְכָל צַד:

ביאור

ג בָּרוּךְ אַתָּה בָּעִיר, במקום היישוב, וּבָרוּךְ אַתָּה בַּשָּׂדֶה, במקום העבודה.

ד בָּרוּךְ פְּרִי בִטְנְךָ, ילדיך וּפְרִי אַדְמָתְךָ וּפְרִי בְהֶמְתֶּךָ, שְׁגַר, ולדות אֲלָפֶיךָ,
בקרך[36] וְעַשְׁתְּרוֹת, בני צֹאנֶךָ.

ה בָּרוּךְ טַנְאֲךָ, הסל שבו אתה נושא את התוצרת החקלאית שמניב
שדך, וּמִשְׁאַרְתֶּךָ, כלי לישת הבצק שלך.[37] תמצא ברכה בתכולתם
של כליך.

ו בָּרוּךְ אַתָּה בְּבֹאֶךָ וּבָרוּךְ אַתָּה בְּצֵאתֶךָ.

ז יִתֵּן ה׳ אֶת אֹיְבֶיךָ הַקָּמִים עָלֶיךָ נִגָּפִים, מוכים לְפָנֶיךָ, כך שבְּדֶרֶךְ אֶחָד
יֵצְאוּ אֵלֶיךָ כפי שנוהגים לצאת למלחמה, ואולם בְשִׁבְעָה דְרָכִים יָנוּסוּ
לְפָנֶיךָ. כאשר צבא מפסיד במערכה, כל חייל בורח בכיוון אחר.

ח יְצַו ה׳ אִתְּךָ אֶת הַבְּרָכָה בַּאֲסָמֶיךָ וּבְכֹל מִשְׁלַח יָדֶךָ, בכל שאר הדברים
שאתם עוסקים בהם, וּבֵרַכְךָ בָּאָרֶץ אֲשֶׁר ה׳ אֱלֹהֶיךָ נֹתֵן לָךְ.

ט מעבר לכך, יְקִימְךָ ה׳ לוֹ לְעַם קָדוֹשׁ כַּאֲשֶׁר נִשְׁבַּע לָךְ, כִּי, כאשר תִשְׁמֹר
אֶת מִצְוֹת ה׳ אֱלֹהֶיךָ וְהָלַכְתָּ בִּדְרָכָיו. י וְרָאוּ אז כָּל עַמֵּי הָאָרֶץ כִּי שֵׁם ה׳
נִקְרָא עָלֶיךָ, שכן תזכיר את שמו ותכבד אותו, וְיָרְאוּ העמים מִמֶּךָּ,
ולא יתגרו בך כלל.

יא וְהוֹתִרְךָ ה׳ לְטוֹבָה, הוא ייתן לך טובה מרובה, יותר מהצפוי
והמבוקש – בִּפְרִי בִטְנְךָ וּבִפְרִי בְהֶמְתְּךָ וּבִפְרִי אַדְמָתֶךָ עַל הָאֲדָמָה אֲשֶׁר
נִשְׁבַּע ה׳ לַאֲבֹתֶיךָ לָתֶת לָךְ. יב יִפְתַּח ה׳ לְךָ אֶת אוֹצָרוֹ הַטּוֹב, אֶת הַשָּׁמַיִם,
לָתֵת לך משם מְטַר אַרְצְךָ בְּעִתּוֹ וּלְבָרֵךְ אֵת כָּל מַעֲשֵׂה יָדֶךָ. ובשל השפע
הזה – וְהִלְוִיתָ גּוֹיִם רַבִּים, הם יזדקקו לך, וְאולם אַתָּה לֹא תִלְוֶה. לא
תזדקק לאחרים. יג וּנְתָנְךָ ה׳ לְרֹאשׁ וְלֹא לְזָנָב. בכל עניין תהיה אתה
המנהיג, ולא תובל אחרי אחרים. וְהָיִיתָ רַק לְמַעְלָה וְלֹא תִהְיֶה לְמָטָּה,

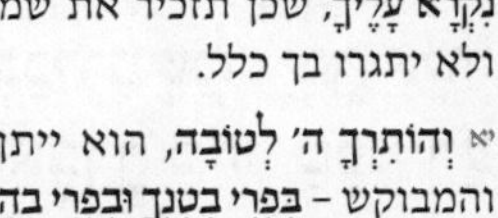

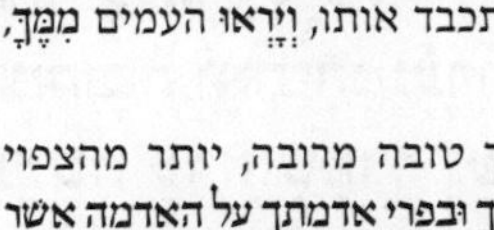

מימין: טנא

משמאל: משארת חרס האלף השני לפנה"ס הגליל

לְמָ֑טָּה כִּֽי־תִשְׁמַ֞ע אֶל־מִצְוֺ֣ת ׀ יְהוָ֣ה אֱלֹהֶ֗יךָ אֲשֶׁ֨ר
אָנֹכִ֧י מְצַוְּךָ֛ הַיּ֖וֹם לִשְׁמֹ֥ר וְלַעֲשֽׂוֹת׃ וְלֹ֣א תָס֗וּר מִכָּל־ יד
הַדְּבָרִ֗ים אֲשֶׁ֨ר אָנֹכִ֜י מְצַוֶּ֥ה אֶתְכֶ֛ם הַיּ֖וֹם יָמִ֣ין וּשְׂמֹ֑אול
לָלֶ֗כֶת אַחֲרֵ֛י אֱלֹהִ֥ים אֲחֵרִ֖ים לְעָבְדָֽם׃
וְהָיָ֗ה אִם־לֹ֤א תִשְׁמַע֙ בְּקוֹל֙ יְהוָ֣ה אֱלֹהֶ֔יךָ לִשְׁמֹ֤ר טו
לַעֲשׂוֹת֙ אֶת־כָּל־מִצְוֺתָ֣יו וְחֻקֹּתָ֔יו אֲשֶׁ֛ר אָנֹכִ֥י מְצַוְּךָ֖
הַיּ֑וֹם וּבָ֧אוּ עָלֶ֛יךָ כָּל־הַקְּלָל֥וֹת הָאֵ֖לֶּה וְהִשִּׂיגֽוּךָ׃ אָר֥וּר טז
אַתָּ֖ה בָּעִ֑יר וְאָר֥וּר אַתָּ֖ה בַּשָּׂדֶֽה׃ אָר֥וּר טַנְאֲךָ֖ יז
וּמִשְׁאַרְתֶּֽךָ׃ אָר֥וּר פְּרִֽי־בִטְנְךָ֖ וּפְרִ֣י אַדְמָתֶ֑ךָ שְׁגַ֥ר יח
אֲלָפֶ֖יךָ וְעַשְׁתְּרֹ֥ת צֹאנֶֽךָ׃ אָר֥וּר אַתָּ֖ה בְּבֹאֶ֑ךָ וְאָר֥וּר יט
אַתָּ֖ה בְּצֵאתֶֽךָ׃ יְשַׁלַּ֣ח יְהוָ֣ה ׀ בְּ֠ךָ אֶת־הַמְּאֵרָ֣ה אֶת־ כ
הַמְּהוּמָה֮ וְאֶת־הַמִּגְעֶ֒רֶת֒ בְּכָל־מִשְׁלַ֥ח יָדְךָ֖ אֲשֶׁ֣ר
תַּעֲשֶׂ֑ה עַ֣ד הִשָּֽׁמֶדְךָ֩ וְעַד־אֲבָדְךָ֙ מַהֵ֔ר מִפְּנֵ֛י רֹ֥עַ
מַעֲלָלֶ֖יךָ אֲשֶׁ֥ר עֲזַבְתָּֽנִי׃ יַדְבֵּ֧ק יְהוָ֛ה בְּךָ֖ אֶת־הַדָּ֑בֶר עַ֚ד כא
כַּלֹּת֣וֹ אֹתְךָ֔ מֵעַל֙ הָאֲדָמָ֔ה אֲשֶׁר־אַתָּ֥ה בָא־שָׁ֖מָּה
לְרִשְׁתָּֽהּ׃ יַכְּכָ֣ה יְ֠הוָה בַּשַּׁחֶ֨פֶת וּבַקַּדַּ֜חַת וּבַדַּלֶּ֗קֶת כב
וּבַֽחַרְחֻר֙ וּבַחֶ֔רֶב וּבַשִּׁדָּפ֖וֹן וּבַיֵּרָק֑וֹן וּרְדָפ֖וּךָ עַ֥ד אָבְדֶֽךָ׃

רש"י | כ] הַמְּאֵרָה. חֶסְרוֹן, כְּמוֹ "צָרַעַת מַמְאֶרֶת" (ויקרא יג, נא): הַמְּהוּמָה. שִׁגּוּשׁ, קוֹל בֶּהָלוֹת:

כב] בַּשַּׁחֶפֶת. שֶׁבְּשָׂרוֹ נִשְׁחָף וְנָפוּחַ: וּבַקַּדַּחַת. לְשׁוֹן: "כִּי אֵשׁ קָדְחָה בְאַפִּי" (להלן לב, כב), וְהוּא אֵשׁ שֶׁל חוֹלִים, מלוו"י בְּלַעַז, שֶׁהִיא חַמָּה מְאֹד: וּבַדַּלֶּקֶת. חַמָּה יוֹתֵר מִקַּדַּחַת, וּמִינֵי חֳלָאִים הֵם: וּבַחַרְחֻר. חֹלִי הַמְחַמְּמוֹ תּוֹךְ הַגּוּף וְצָמֵא תָּמִיד לַמַּיִם, וּבְלַעַז אישטרדימנ"ט, לְשׁוֹן: "וְעַצְמִי חָרָה מִנִּי חֹרֶב" (איוב ל, ל), "נָחַר מַפֻּחַ מֵאֵשׁ" (ירמיה ו, כט): וּבַחֶרֶב. יָבִיא עָלֶיךָ גְּיָסוֹת: וּבַשִּׁדָּפוֹן וּבַיֵּרָקוֹן. מַכַּת תְּבוּאָה שֶׁבַּשָּׂדוֹת: שִׁדָּפוֹן. רוּחַ קָדִים, השלי"ד בְּלַעַז: יֵרָקוֹן. יֹבֶשׁ, וּפְנֵי הַתְּבוּאָה מַכְסִיפִין וְנֶהְפָּכִין לְיֵרָקוֹן, קרו"ח בְּלַעַז: עַד אָבְדֶךָ. תַּרְגּוּם: "עַד דְּתֵיבַד", כְּלוֹמַר עַד אַבֵּד אוֹתְךָ, שֶׁתִּכְלֶה מֵאֵלֶיךָ:

ביאור | וכל זאת – כִּי תִשְׁמַע אֶל מִצְוֹת ה׳ אֱלֹהֶיךָ אֲשֶׁר אָנֹכִי מְצַוְּךָ הַיּוֹם לִשְׁמֹר
וְלַעֲשׂוֹת אותן. יד וְלֹא תָסוּר מִכָּל הַדְּבָרִים אֲשֶׁר אָנֹכִי מְצַוֶּה אֶתְכֶם הַיּוֹם
יָמִין וּשְׂמֹאול, ועיקרו של הציווי הוא שלא לָלֶכֶת אַחֲרֵי אֱלֹהִים אֲחֵרִים
לְעָבְדָם. עד כאן דברי הברכה.

טו וְהָיָה אִם לֹא תִשְׁמַע בְּקוֹל ה׳ אֱלֹהֶיךָ לִשְׁמֹר לַעֲשׂוֹת אֶת כָּל מִצְוֹתָיו
וְחֻקֹּתָיו אֲשֶׁר אָנֹכִי מְצַוְּךָ הַיּוֹם – וּבָאוּ עָלֶיךָ כָּל הַקְּלָלוֹת הָאֵלֶּה וְהִשִּׂיגוּךָ:
יש מן הקללות העומדות במפורש כנגד הברכות שהוזכרו: טז אָרוּר
אַתָּה בָּעִיר וְאָרוּר אַתָּה בַּשָּׂדֶה.

יז אָרוּר טַנְאֲךָ וּמִשְׁאַרְתֶּךָ.

יח אָרוּר פְּרִי בִטְנְךָ וּפְרִי אַדְמָתֶךָ, שְׁגַר אֲלָפֶיךָ וְעַשְׁתְּרֹת צֹאנֶךָ.

יט אָרוּר אַתָּה בְּבֹאֶךָ וְאָרוּר אַתָּה בְּצֵאתֶךָ.

כ יְשַׁלַּח ה׳ בְּךָ אֶת הַמְּאֵרָה, הקללה, אֶת הַמְּהוּמָה, בלבול, בהלה
ואי-סדר וְאֶת הַמִּגְעֶרֶת, תהליך של היחסרות והתמעטות;[38] הכול
יגערו בך;[39] או: תחושה של גערה, רגשות אשמה[40] בְּכָל מִשְׁלַח יָדְךָ
אֲשֶׁר תַּעֲשֶׂה, עַד הִשָּׁמֶדְךָ וְעַד אֲבָדְךָ מַהֵר מִפְּנֵי רֹעַ מַעֲלָלֶיךָ שעשית
כַּאֲשֶׁר עֲזַבְתָּנִי.

כא יַדְבֵּק ה׳ בְּךָ אֶת הַדָּבֶר, מגפה מדבקת, עַד כַּלֹּתוֹ אֹתְךָ מֵעַל הָאֲדָמָה
אֲשֶׁר אַתָּה בָא שָׁמָּה לְרִשְׁתָּהּ. כב יַכְּכָה ה׳ בַּשַּׁחֶפֶת, וּבַקַּדַּחַת, מחלת
חום וּבַדַּלֶּקֶת, מחלת חום מקומית וּבַחַרְחֻר, מחלה הקשורה ביובש
ובנפילה בַחֶרֶב. או: חורב, יובש[41] וּבַשִּׁדָּפוֹן, אבדן נפח ומשקל של
תבואה או גוף חי, וּבַיֵּרָקוֹן, מחלה הקשורה לקלקול התבואה,[42] ואולי
היא מחלה באדם. וּרְדָפוּךָ כל אלה עַד אָבְדֶךָ.

העולם | שַׁחֶפֶת אינה המחלה הזיהומית המדבקת והקטלנית הפוגעת בעיקר בריאות, הנקראת כך היום (Tuberculosis). חז״ל מפרשים שהלוקה בה מאבד את בשרו, מרזה וסובל מחום ודיכאון (ספרא בחוקותי ב,ב). לפי רש״י ורמב״ם זוהי מחלה הגורמת להתייבשות העור ולשינוי צורתו. רש״ר הירש מציע כי שם המחלה נגזר משורש ש,ח,ף קרוב ל-ס,ח,ב ול-ס,ח,ף, והוא רומז לחולשה ותשישות. (דומה לו בערבית קדומה – סע׳יף ضعيفة).

חַרְחֻר אם מחלה זו נגזרת מהשורש ח,ר,ר, ייתכן שהיא קשורה ביובש וחום (רד״ק, ספר השורשים; ראב״ע), אך יש הטוענים שהיא אונומטופאית, וצלילה משקף מחלה הפוגעת בדרכי הנשימה וגורמת חרחור, כגון דלקת ריאות ואסתמה.

יֵרָקוֹן התואר ׳ירוק׳ במקרא סימן גם את הצבע הצהוב (וכן באכדית ובלשון חכמים. ראו שבת קלד ע״א; חולין מז ע״ב; ילקוט שמעוני אסתר תתרנג). נראה שירקון היא מחלת הצהבת באדם או פגיעה בתבואה שבשדות המצהיבה אותה.

כג וְהָיוּ שָׁמֶיךָ אֲשֶׁר עַל־רֹאשְׁךָ נְחֹשֶׁת וְהָאָרֶץ אֲשֶׁר־
כד תַּחְתֶּיךָ בַּרְזֶל: יִתֵּן יְהוָה אֶת־מְטַר אַרְצְךָ אָבָק וְעָפָר
כה מִן־הַשָּׁמַיִם יֵרֵד עָלֶיךָ עַד הִשָּׁמְדָךְ: יִתֶּנְךָ יְהוָה ׀ נִגָּף
לִפְנֵי אֹיְבֶיךָ בְּדֶרֶךְ אֶחָד תֵּצֵא אֵלָיו וּבְשִׁבְעָה דְרָכִים
תָּנוּס לְפָנָיו וְהָיִיתָ לְזַעֲוָה לְכֹל מַמְלְכוֹת הָאָרֶץ:
כו וְהָיְתָה נִבְלָתְךָ לְמַאֲכָל לְכָל־עוֹף הַשָּׁמַיִם וּלְבֶהֱמַת
כז הָאָרֶץ וְאֵין מַחֲרִיד: יַכְּכָה יְהוָה בִּשְׁחִין מִצְרַיִם
וּבַטְּחוֹרִים ובעפלים וּבַגָּרָב וּבֶחָרֶס אֲשֶׁר לֹא־תוּכַל לְהֵרָפֵא:

רש"י | כג| **וְהָיוּ שָׁמֶיךָ אֲשֶׁר עַל רֹאשְׁךָ נְחֹשֶׁת.** קְלָלוֹת הַלָּלוּ מֹשֶׁה מִפִּי עַצְמוֹ אֲמָרָן, וְשֶׁבְּתוֹרַת כֹּהֲנִים מִפִּי הַקָּדוֹשׁ בָּרוּךְ הוּא אֲמָרָן כְּמַשְׁמָעָן: "וְאִם לֹא תִשְׁמְעוּ לִי" (ויקרא כו, יד), "וְאִם תֵּלְכוּ עִמִּי קֶרִי" (שם פסוק כא), וְכָאן הוּא אוֹמֵר: "בְּקוֹל ה' אֱלֹהֶיךָ" (לעיל פסוק טו), "יַדְבֵּק ה' בְּךָ" (לעיל פסוק כא), "יַכְּכָה ה'" (לעיל פסוק כב). הֵקֵל מֹשֶׁה בִּקְלָלוֹתָיו לְאָמְרָן בִּלְשׁוֹן יָחִיד, וְגַם כֵּן בִּקְלָלָה זוֹ הֵקֵל, שֶׁבָּרִאשׁוֹנוֹת הוּא אוֹמֵר: "אֶת שְׁמֵיכֶם כַּבַּרְזֶל וְאֶת אַרְצְכֶם כַּנְּחֻשָׁה" (ויקרא כו, יט), שֶׁלֹּא יִהְיוּ הַשָּׁמַיִם מְזִיעִין כְּדֶרֶךְ שֶׁאֵין הַבַּרְזֶל מֵזִיעַ, וּמִתּוֹךְ כָּךְ יְהֵא חֹרֶב בָּעוֹלָם, וְהָאָרֶץ תְּהֵא מְזִיעָה כְּדֶרֶךְ שֶׁהַנְּחֹשֶׁת מֵזִיעַ, וְהִיא מְרַקֶּבֶת פֵּרוֹתֶיהָ. וְכָאן הוּא אוֹמֵר: שָׁמֶיךָ נְחֹשֶׁת וְאַרְצְךָ בַּרְזֶל, שֶׁיִּהְיוּ שָׁמַיִם מְזִיעִין, אַף עַל פִּי שֶׁלֹּא יָרִיקוּ מָטָר, מִכָּל מָקוֹם לֹא יִהְיֶה חֹרֶב שֶׁל אֲבַדּוֹן בָּעוֹלָם, וְהָאָרֶץ לֹא תִּהְיֶה מְזִיעָה כְּדֶרֶךְ שֶׁאֵין הַבַּרְזֶל מֵזִיעַ, וְאֵין הַפֵּרוֹת מַרְקִיבִין. וּמִכָּל מָקוֹם קְלָלָה הִיא, בֵּין שֶׁהִיא כַּנְּחֹשֶׁת בֵּין שֶׁהִיא כַּבַּרְזֶל לֹא תוֹצִיא פֵּרוֹת, וְכֵן הַשָּׁמַיִם לֹא יָרִיקוּ מָטָר:

כד| **מְטַר אַרְצְךָ אָבָק וְעָפָר.** זִיקָא דְּבָתַר מִטְרָא, מָטָר יוֹרֵד וְלֹא כָּל צָרְכּוֹ וְאֵין בּוֹ כְּדֵי לְהַרְבִּיץ אֶת הֶעָפָר, וְהָרוּחַ בָּאָה וּמַעֲלָה אֶת הָאָבָק וּמְכַסֶּה אֶת עֵשֶׂב הַזְּרָעִים שֶׁהֵן לַחִים מִן הַמַּיִם וְנִדְבָּק בָּהֶם, וְנַעֲשֶׂה טִיט וּמִתְיַבֵּשׁ וּמַרְקִיבָן:

כה| **לְזַעֲוָה.** לְאֵימָה וּלְזִיעַ, שֶׁיָּזוּעוּ כָּל שׁוֹמְעֵי מַכּוֹתֶיךָ מִמְּךָ, וְיֹאמְרוּ: אוֹי לָנוּ שֶׁלֹּא יָבֹא עָלֵינוּ כְּדֶרֶךְ שֶׁבָּא עַל אֵלּוּ:

כז| **בִּשְׁחִין מִצְרַיִם.** רַע הָיָה מְאֹד, לַח מִבִּפְנִים וְיָבֵשׁ מִבַּחוּץ, כִּדְאִיתָא בִּבְכוֹרוֹת (דף מא ע"א): **גָּרָב.** שְׁחִין לַח: **חָרֶס.** שְׁחִין יָבֵשׁ כַּחֶרֶס:

הרחבות | **טחֹרים או עפלים** בתורה כתובה המלה עפלים, אך יש לקרוא טחורים. תופעה זו של פער בין הכתוב לנקרא מכונה 'כתיב וקרי'. נראה שהסיבה לחילוף זה ושכמותו קשורה לכך שהמלה הכתובה נחשבה כה מגונה, שאין לבטאה וראוי להחליפה במלה מכובדת יותר. (ראו מלכים ב' ו,כה; יח,כז; מגילה כה ע"ב; מורה נבוכים ח"ג ח). 'עופל' הוא לשון גובה ובליטה. וייתכן שזהו כינוי מהופך למחלה שבתחתית הגוף, הנקראת בלשון חכמים 'תחתוניות', או על שם בליטת כלי הדם וניפוחם. (ראו רד"ק ואברבנאל שמואל א' ה,ו).

ביאור

כג וְהָיוּ שָׁמֶיךָ אֲשֶׁר עַל רֹאשְׁךָ אטומים כמו נְחֹשֶׁת, ולא ימטירו גשם,
וְהָאָרֶץ אֲשֶׁר תַּחְתֶּיךָ תהיה יבשה ולא פורייה כַּבַּרְזֶל. כד יִתֵּן ה' אֶת
מְטַר אַרְצְךָ, במקום שירד גשם מפרה בארץ, תנשוב רוח ועמה אָבָק
וְעָפָר, מִן הַשָּׁמַיִם יֵרֵד עָלֶיךָ עַד הִשָּׁמְדָךְ.

כה יִתֶּנְךָ ה' נִגָּף לִפְנֵי אֹיְבֶיךָ. בְּדֶרֶךְ אֶחָד תֵּצֵא אֵלָיו וּבְשִׁבְעָה דְרָכִים תָּנוּס לְפָנָיו – ההיפך הגמור ממה שנאמר קודם לכן. וְהָיִיתָ לְזַעֲוָה, לזוועה, לדגם מאיים ולסיוט לְכֹל מַמְלְכוֹת הָאָרֶץ.

כו וְהָיְתָה נִבְלָתְךָ לְמַאֲכָל לְכָל עוֹף הַשָּׁמַיִם וּלְבֶהֱמַת הָאָרֶץ, וְאֵין מַחֲרִיד. איש לא יפריע לבעלי החיים ולעופות לאכול את גוויותיכם.

כז יַכְּכָה, יכך ה' בִּשְׁחִין – מחלת עור הכוללת תפרחות וגירוד בעור שבה הוכתה מִצְרַיִם,[43] וּבַטְּחוֹרִים, פצעים ומחלות סביב פי הטבעת וּבַגָּרָב וּבֶחָרֶס, מחלות עור הגורמות פצעים ובושה, אֲשֶׁר לֹא תוּכַל לְהֵרָפֵא.

העולם

**שְׁחִין** משמעות השורש ש,ח,ן ברוב הלשונות השמיות קשורה לחום. במחקר זיהו את השחין עם מספר מחלות עור הגורמות תחושת חום וגרד קשה, כמו האורטיקריה (Urticaria), המכונה היום חרלת או סרפדת, ומופיעה כפריחה.

**גָּרָב** על פי ויקרא (כא,כ) זהו אחד המומים הפוסלים כהנים מעבודת המקדש. לפי חז"ל (ראו ספרא ורש"י שם; בכורות מא ע"א) הגרב קרוב אל החרס כי הלוקה בו מתגרד בחרס. (ראו איוב ב,ח). על פי האטימולוגיה של המלה בשפות השמיות משערים כי זוהי מחלת העור גרדת (Scabies), והיו שזיהו אותה עם עור מחוספס (Pellagra) הנגרם מהיעדר ויטמינים.

**חֶרֶס** לפי רש"י זהו סוג של שחין. ייתכן שעורו של האדם הלוקה בה מתבקע ונסדק ככלי חרס, ומבקיעים אלו יוצאים דם והפרשות אחרות.

כח כט יַכְּכָה יְהוָה בְּשִׁגָּעוֹן וּבְעִוָּרוֹן וּבְתִמְהוֹן לֵבָב: וְהָיִיתָ
מְמַשֵּׁשׁ בַּצׇּהֳרַיִם כַּאֲשֶׁר יְמַשֵּׁשׁ הָעִוֵּר בָּאֲפֵלָה וְלֹא
תַצְלִיחַ אֶת־דְּרָכֶיךָ וְהָיִיתָ אַךְ עָשׁוּק וְגָזוּל כׇּל־הַיָּמִים
ל וְאֵין מוֹשִׁיעַ: אִשָּׁה תְאָרֵשׂ וְאִישׁ אַחֵר ישגלנה בַּיִת (יִשְׁכָּבֶנָּה)
לא תִּבְנֶה וְלֹא־תֵשֵׁב בּוֹ כֶּרֶם תִּטַּע וְלֹא תְחַלְּלֶנּוּ: שׁוֹרְךָ
טָבוּחַ לְעֵינֶיךָ וְלֹא תֹאכַל מִמֶּנּוּ חֲמֹרְךָ גָּזוּל מִלְּפָנֶיךָ
וְלֹא יָשׁוּב לָךְ צֹאנְךָ נְתֻנוֹת לְאֹיְבֶיךָ וְאֵין לְךָ מוֹשִׁיעַ:
לב בָּנֶיךָ וּבְנֹתֶיךָ נְתֻנִים לְעַם אַחֵר וְעֵינֶיךָ רֹאוֹת וְכָלוֹת
לג אֲלֵיהֶם כׇּל־הַיּוֹם וְאֵין לְאֵל יָדֶךָ: פְּרִי אַדְמָתְךָ וְכׇל־
יְגִיעֲךָ יֹאכַל עַם אֲשֶׁר לֹא־יָדָעְתָּ וְהָיִיתָ רַק עָשׁוּק
לד וְרָצוּץ כׇּל־הַיָּמִים: וְהָיִיתָ מְשֻׁגָּע מִמַּרְאֵה עֵינֶיךָ אֲשֶׁר
לה תִּרְאֶה: יַכְּכָה יְהוָה בִּשְׁחִין רָע עַל־הַבִּרְכַּיִם וְעַל־
הַשֹּׁקַיִם אֲשֶׁר לֹא־תוּכַל לְהֵרָפֵא מִכַּף רַגְלְךָ וְעַד
לו קׇדְקֳדֶךָ: יוֹלֵךְ יְהוָה אֹתְךָ וְאֶת־מַלְכְּךָ אֲשֶׁר תָּקִים
עָלֶיךָ אֶל־גּוֹי אֲשֶׁר לֹא־יָדַעְתָּ אַתָּה וַאֲבֹתֶיךָ וְעָבַדְתָּ
לז שָׁם אֱלֹהִים אֲחֵרִים עֵץ וָאָבֶן: וְהָיִיתָ לְשַׁמָּה לְמָשָׁל
לח וְלִשְׁנִינָה בְּכֹל הָעַמִּים אֲשֶׁר־יְנַהֶגְךָ יְהוָה שָׁמָּה: זֶרַע

רש"י כח) וּבְתִמְהוֹן לֵבָב. אוֹטֶם הַלֵּב, אשטורדישו"ן בְּלַעַז:

כט) עָשׁוּק. בְּכׇל מַעֲשֶׂיךָ יְהִי עִרְעֵר:

ל) יִשְׁגָּלֶנָּה. לְשׁוֹן שֵׁגַל, פִּילֶגֶשׁ, וְהַכָּתוּב כִּנָּהוּ לְשֶׁבַח "יִשְׁכָּבֶנָּה", וְתִקּוּן סוֹפְרִים הוּא זֶה: תְּחַלְּלֶנּוּ. בַּשָּׁנָה הָרְבִיעִית לֶאֱכֹל פִּרְיוֹ:

לב) וְכָלוֹת אֲלֵיהֶם. מְצַפּוֹת אֲלֵיהֶם שֶׁיָּשׁוּבוּ וְאֵינָם שָׁבִים. כׇּל תּוֹחֶלֶת שֶׁאֵינָהּ בָּאָה קְרוּיָה כִּלְיוֹן עֵינַיִם:

לז) לְשַׁמָּה. אשטורדישו"ן, כׇּל הָרוֹאֶה אוֹתְךָ יִשֹּׁם עָלֶיךָ: לְמָשָׁל. כְּשֶׁתָּבֹא מַכָּה רָעָה עַל אָדָם יֹאמְרוּ: זוֹ דּוֹמָה לְמַכַּת פְּלוֹנִי: וְלִשְׁנִינָה. לְשׁוֹן "וְשִׁנַּנְתָּם" (לעיל ו, ז), יְדַבְּרוּ בְךָ, וְכֵן תַּרְגּוּמוֹ: "וּלְשׁוֹעִי", לְשׁוֹן סִפּוּר, "יִשְׁתָּעוּן":

ביאור

כח יַכְּכָה ה׳ בְּשִׁגָּעוֹן וּבְעִוָּרוֹן וּבְתִמְהוֹן לֵבָב, בטשטוש המחשבה
והרצון. כט ובעקבות זאת – וְהָיִיתָ מְמַשֵּׁשׁ בַּצָּהֳרַיִם כַּאֲשֶׁר יְמַשֵּׁשׁ
הַעִוֵּר בָּאֲפֵלָה, לא תדעו את הדרך ותאבדו את הכיוון, וְלֹא תַצְלִיחַ
אֶת דְּרָכֶיךָ. וְהָיִיתָ אַךְ, רק עָשׁוּק וְגָזוּל כָּל הַיָּמִים. מכיוון שלא תוכל
להתנגד, תפסיד בכול ותאבד הכול, וְאֵין מוֹשִׁיעַ.

ל אִשָּׁה תְאָרֵשׂ – וְאִישׁ אַחֵר יִשְׁכָּבֶנָּה; בַּיִת תִּבְנֶה – וְאולם לֹא תֵשֵׁב בּוֹ;
כֶּרֶם תִּטַּע – וְלֹא תְחַלְּלֶנּוּ, תפדה, תנהג בו כחולין לאכלו לאחר שלוש
שנים ראשונות שהפירות אסורים.[44] לא שׁוֹרְךָ טָבוּחַ לְעֵינֶיךָ, לאחר
שהתכוננת לאכלו – וְלֹא תֹאכַל מִמֶּנּוּ. חֲמֹרְךָ גָּזוּל מִלְּפָנֶיךָ, גוזל החמור
לא יניח אותו לאחר זמן, וְעל כן לֹא יָשׁוּב מאליו לָךְ, אליך. צֹאנְךָ
נְתֻנוֹת לְאֹיְבֶיךָ, וְאֵין לְךָ מוֹשִׁיעַ. לב בָּנֶיךָ וּבְנֹתֶיךָ נְתֻנִים לְעַם אַחֵר בשבי,
בשעבוד או אפילו שכירים במקומות רחוקים וזרים, וְעֵינֶיךָ רֹאוֹת
בהתרחקותם וְכָלוֹת, מצפות אֲלֵיהֶם כָּל הַיּוֹם, וְאֵין לְאֵל יָדֶךָ לעשות
דבר. לג פְּרִי אַדְמָתְךָ וְכָל יְגִיעֲךָ יֹאכַל עַם אֲשֶׁר לֹא יָדָעְתָּ. עם זר יערוך
פשיטות שוד וייקח את כל פֵּרות הארץ, ואתה תישאר בלא כלום.
וְהָיִיתָ רַק עָשׁוּק וְרָצוּץ כָּל הַיָּמִים מאויבים שיבואו מן החוץ וייהנו מכל
אשר לך, ומצרות פנימיות. לד כשתראה שהכול פועל נגדך בכל
כיוון, בכל דרך ובכל אופן – וְהָיִיתָ מְשֻׁגָּע מִמַּרְאֵה עֵינֶיךָ אֲשֶׁר תִּרְאֶה.

לה יַכְּכָה ה׳ בִּשְׁחִין רָע עַל הַבִּרְכַּיִם וְעַל הַשֹּׁקַיִם אֲשֶׁר לֹא תוּכַל לְהֵרָפֵא,
מִכַּף רַגְלְךָ וְעַד קָדְקֳדֶךָ, ראשך.

לו יוֹלֵךְ ה׳ אֹתְךָ וְאֶת מַלְכְּךָ אֲשֶׁר תָּקִים עָלֶיךָ אֶל גּוֹי אֲשֶׁר לֹא יָדַעְתָּ
אַתָּה וַאֲבֹתֶיךָ, וְעָבַדְתָּ שָּׁם אֱלֹהִים אֲחֵרִים – עֵץ וָאָבֶן. בגלות תהיו
כפופים מכל הבחינות למשעבדיכם, והתפיסה האלילית תשלוט
בחייכם.[45] לז וְהָיִיתָ לְשַׁמָּה, להשתוממות, לְמָשָׁל וְלִשְׁנִינָה בְּכֹל הָעַמִּים
אֲשֶׁר יְנַהֶגְךָ ה׳ שָׁמָּה. שמך יהפוך לכינוי גנאי. כל הרוצה לדבר על

רַב תּוֹצִיא הַשָּׂדֶה וּמְעַט תֶּאֱסֹף כִּי יַחְסְלֶנּוּ הָאַרְבֶּה׃
לט כְּרָמִים תִּטַּע וְעָבָדְתָּ וְיַיִן לֹא־תִשְׁתֶּה וְלֹא תֶאֱגֹר כִּי
מ תֹאכְלֶנּוּ הַתֹּלָעַת׃ זֵיתִים יִהְיוּ לְךָ בְּכָל־גְּבוּלֶךָ וְשֶׁמֶן
מא לֹא תָסוּךְ כִּי יִשַּׁל זֵיתֶךָ׃ בָּנִים וּבָנוֹת תּוֹלִיד וְלֹא־יִהְיוּ
מב לָךְ כִּי יֵלְכוּ בַּשֶּׁבִי׃ כָּל־עֵצְךָ וּפְרִי אַדְמָתֶךָ יְיָרֵשׁ
מג הַצְּלָצַל׃ הַגֵּר אֲשֶׁר בְּקִרְבְּךָ יַעֲלֶה עָלֶיךָ מַעְלָה
מד מָּעְלָה וְאַתָּה תֵרֵד מַטָּה מָּטָּה׃ הוּא יַלְוְךָ וְאַתָּה לֹא
מה תַלְוֶנּוּ הוּא יִהְיֶה לְרֹאשׁ וְאַתָּה תִּהְיֶה לְזָנָב׃ וּבָאוּ
עָלֶיךָ כָּל־הַקְּלָלוֹת הָאֵלֶּה וּרְדָפוּךָ וְהִשִּׂיגוּךָ עַד
הִשָּׁמְדָךְ כִּי־לֹא שָׁמַעְתָּ בְּקוֹל יְהוָה אֱלֹהֶיךָ לִשְׁמֹר
מו מִצְוֺתָיו וְחֻקֹּתָיו אֲשֶׁר צִוָּךְ׃ וְהָיוּ בְךָ לְאוֹת וּלְמוֹפֵת
מז וּבְזַרְעֲךָ עַד־עוֹלָם׃ תַּחַת אֲשֶׁר לֹא־עָבַדְתָּ אֶת־יְהוָה
מח אֱלֹהֶיךָ בְּשִׂמְחָה וּבְטוּב לֵבָב מֵרֹב כֹּל׃ וְעָבַדְתָּ אֶת־
אֹיְבֶיךָ אֲשֶׁר יְשַׁלְּחֶנּוּ יְהוָה בָּךְ בְּרָעָב וּבְצָמָא וּבְעֵירֹם
וּבְחֹסֶר כֹּל וְנָתַן עֹל בַּרְזֶל עַל־צַוָּארֶךָ עַד הִשְׁמִידוֹ
מט אֹתָךְ׃ יִשָּׂא יְהוָה עָלֶיךָ גּוֹי מֵרָחֹק מִקְצֵה הָאָרֶץ
נ כַּאֲשֶׁר יִדְאֶה הַנָּשֶׁר גּוֹי אֲשֶׁר לֹא־תִשְׁמַע לְשֹׁנוֹ׃ גּוֹי
עַז פָּנִים אֲשֶׁר לֹא־יִשָּׂא פָנִים לְזָקֵן וְנַעַר לֹא יָחֹן׃

רש"י

לח) יַחְסְלֶנּוּ. יְכַלֶּנּוּ, וְעַל שֵׁם כָּךְ נִקְרָא 'חָסִיל', שֶׁמְּכַלֶּה אֶת הַכֹּל:

מ) כִּי יִשַּׁל. יַשִּׁיר פֵּרוֹתָיו, לְשׁוֹן: "וְנָשַׁל הַבַּרְזֶל" (לעיל יט, ה):

מב) יְיָרֵשׁ הַצְּלָצַל. יַעֲשֶׂנּוּ הָאַרְבֶּה רָשׁ מִן הַפְּרִי: יְיָרֵשׁ. יַעֲנִי: הַצְּלָצַל. מִין אַרְבֶּה. וְאִי אֶפְשָׁר לְפָרֵשׁ 'יְיָרֵשׁ' לְשׁוֹן יְרֻשָּׁה, שֶׁאִם כֵּן הָיָה לוֹ לִכְתֹּב 'יִירַשׁ'; וְלֹא לְשׁוֹן הוֹרָשָׁה וְגֵרוּשִׁין, שֶׁאִם כֵּן הָיָה לוֹ לִכְתֹּב 'יוֹרִישׁ':

מז) מֵרֹב כֹּל. בְּעוֹד שֶׁהָיָה לְךָ כָּל טוּב:

מט) כַּאֲשֶׁר יִדְאֶה הַנָּשֶׁר. פִּתְאֹם, וְדֶרֶךְ מְנַצַּחַת וְיֵקַלּוּ סוּסָיו: לֹא תִשְׁמַע לְשֹׁנוֹ. שֶׁלֹּא תַכִּיר לְשׁוֹנוֹ. וְכֵן: "תִּשְׁמַע חֲלוֹם לִפְתֹּר אֹתוֹ" (בראשית מא, טו), וְכֵן: "כִּי שֹׁמֵעַ יוֹסֵף" (שם מב, כג), אנטנדר"א בְּלַעַז:

ביאור | התרחשויות כושלות ומצבים קטנים ועלובים – ישווה אותם
למוצאות אותך.

לח זֶרַע רַב תּוֹצִיא אֶל הַשָּׂדֶה בשעת הזריעה, אבל מְעַט תֶּאֱסֹף מן
השדה, כִּי יַחְסְלֶנּוּ, יכלה אותו הָאַרְבֶּה. לט כְּרָמִים תִּטַּע וְעָבָדְתָּ בהם,
ולבסוף יַיִן לֹא תִשְׁתֶּה וְלֹא תֶאֱגֹר, כִּי תֹאכְלֶנּוּ – את ענביו תאכל
הַתֹּלָעַת. מ עצי זֵיתִים יִהְיוּ לְךָ בְּכָל גְּבוּלֶךָ, וְשֶׁמֶן מן הזיתים לֹא תָסוּךְ, כִּי
יִשַּׁל זֵיתֶךָ. הזיתים יפלו לארץ לפני שיבשילו, ולא תוכל להפיק מהם
דבר. מא בָּנִים וּבָנוֹת תּוֹלִיד, והם לֹא יִהְיוּ לָךְ, כִּי יֵלְכוּ בַּשֶּׁבִי. מב כָּל עֵצְךָ
וּפְרִי אַדְמָתֶךָ יְיָרֵשׁ, ישמיד, ייקח או ירוקן הַצְּלָצַל, זחלים מזיקים,[46]
או: מחנה האויב המצלצל ומרעיש בהגיעו.[47]

מג הַגֵּר, הזר אֲשֶׁר גָּר בְּקִרְבְּךָ יַעֲלֶה עָלֶיךָ מַעְלָה מָּעְלָה, וְאַתָּה תֵרֵד מַטָּה
מָּטָּה. מד הוּא – הגר, יַלְוְךָ, ואילו אַתָּה לֹא תַלְוֶנּוּ. הוּא יִהְיֶה לְרֹאשׁ,
וְאַתָּה תִּהְיֶה לְזָנָב.

מה וּבָאוּ עָלֶיךָ כָּל הַקְּלָלוֹת הָאֵלֶּה וּרְדָפוּךָ וְהִשִּׂיגוּךָ עַד הִשָּׁמְדָךְ, כִּי לֹא
שָׁמַעְתָּ בְּקוֹל ה' אֱלֹהֶיךָ לִשְׁמֹר מִצְוֹתָיו וְחֻקֹּתָיו אֲשֶׁר צִוָּךְ. מו וְהָיוּ בְךָ כל
המכות הללו לְאוֹת וּלְמוֹפֵת, לציון ולדגם קללה. או: לסימן המלמד
על מעשיך הרעים,[48] וּבְזַרְעֲךָ עַד עוֹלָם.

מז תַּחַת אֲשֶׁר לֹא עָבַדְתָּ אֶת ה' אֱלֹהֶיךָ, כשיכולת לעשות זאת,
בְּשִׂמְחָה וּבְטוּב לֵבָב מֵרֹב כֹּל – מח וְעָבַדְתָּ אֶת אֹיְבֶיךָ אֲשֶׁר יְשַׁלְּחֶנּוּ
ה' בָּךְ באופן הפוך – בְּרָעָב וּבְצָמָא וּבְעֵירֹם וּבְחֹסֶר כֹּל. וְנָתַן האויב
עֹל בַּרְזֶל עַל צַוָּארֶךָ, ישעבד אותך עַד הִשְׁמִידוֹ אֹתָךְ.

מט יִשָּׂא ה' עָלֶיךָ גּוֹי מֵרָחֹק מִקְצֵה הָאָרֶץ בהפתעה – כַּאֲשֶׁר יִדְאֶה
הַנָּשֶׁר. הנשר מגיע מגובה רב וממרחקים עצומים, כך שאין רואים
את התקרבותו. גּוֹי אֲשֶׁר לֹא תִשְׁמַע, תבין את לְשֹׁנוֹ. מכיוון שהגיע
מרחוק, לא תהיה לך כל תקשורת אתו. נ גּוֹי עַז פָּנִים אֲשֶׁר לֹא יִשָּׂא

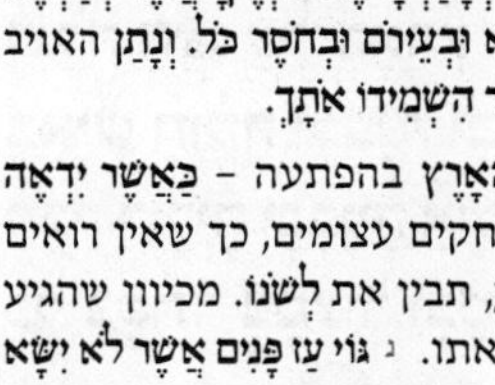
נשר דואה

הרחבות | 'בשמחה ובטוב לבב' היו שהסבירו שחלק מהעונש מגיע על כך שגם כאשר עבדו את ה' – לא עשו זאת בשמחה (בשם האריז"ל. ראו שערי קדושה ב,ד).

וְאָכַל פְּרִי בְהֶמְתְּךָ וּפְרִי־אַדְמָתְךָ עַד הִשָּׁמְדָךְ אֲשֶׁר נא
לֹא־יַשְׁאִיר לְךָ דָּגָן תִּירוֹשׁ וְיִצְהָר שְׁגַר אֲלָפֶיךָ
וְעַשְׁתְּרֹת צֹאנֶךָ עַד הַאֲבִידוֹ אֹתָךְ׃ וְהֵצַר לְךָ בְּכָל־ נב
שְׁעָרֶיךָ עַד רֶדֶת חֹמֹתֶיךָ הַגְּבֹהֹת וְהַבְּצֻרוֹת אֲשֶׁר
אַתָּה בֹּטֵחַ בָּהֵן בְּכָל־אַרְצֶךָ וְהֵצַר לְךָ בְּכָל־שְׁעָרֶיךָ
בְּכָל־אַרְצְךָ אֲשֶׁר נָתַן יְהוָה אֱלֹהֶיךָ לָךְ׃ וְאָכַלְתָּ נג
פְרִי־בִטְנְךָ בְּשַׂר בָּנֶיךָ וּבְנֹתֶיךָ אֲשֶׁר נָתַן־לְךָ יְהוָה
אֱלֹהֶיךָ בְּמָצוֹר וּבְמָצוֹק אֲשֶׁר־יָצִיק לְךָ אֹיְבֶךָ׃
הָאִישׁ הָרַךְ בְּךָ וְהֶעָנֹג מְאֹד תֵּרַע עֵינוֹ בְאָחִיו נד
וּבְאֵשֶׁת חֵיקוֹ וּבְיֶתֶר בָּנָיו אֲשֶׁר יוֹתִיר׃ מִתֵּת ׀ לְאַחַד נה
מֵהֶם מִבְּשַׂר בָּנָיו אֲשֶׁר יֹאכֵל מִבְּלִי הִשְׁאִיר־לוֹ
כֹּל בְּמָצוֹר וּבְמָצוֹק אֲשֶׁר יָצִיק לְךָ אֹיִבְךָ בְּכָל־
שְׁעָרֶיךָ׃ הָרַכָּה בְךָ וְהָעֲנֻגָּה אֲשֶׁר לֹא־נִסְּתָה כַף־ נו
רַגְלָהּ הַצֵּג עַל־הָאָרֶץ מֵהִתְעַנֵּג וּמֵרֹךְ תֵּרַע עֵינָהּ
בְּאִישׁ חֵיקָהּ וּבִבְנָהּ וּבְבִתָּהּ׃ וּבְשִׁלְיָתָהּ הַיּוֹצֵת ׀ נז
מִבֵּין רַגְלֶיהָ וּבְבָנֶיהָ אֲשֶׁר תֵּלֵד כִּי־תֹאכְלֵם בְּחֹסֶר־
כֹּל בַּסָּתֶר בְּמָצוֹר וּבְמָצוֹק אֲשֶׁר יָצִיק לְךָ אֹיִבְךָ

רש"י | נב) **עַד רֶדֶת חֹמֹתֶיךָ.** לְשׁוֹן רִדּוּי וְכִבּוּשׁ:

נג) **וְאָכַלְתָּ... בְּשַׂר בָּנֶיךָ... בְּמָצוֹר.** מֵחֲמַת שֶׁיִּהְיוּ צָרִים עַל הָעִיר וְיִהְיֶה שָׁם "מָצוֹק", עָקַת רְעָבוֹן:

נד) **הָרַךְ בְּךָ.** הָרַחְמָנִי וְרַךְ הַלֵּבָב עַל בָּנָיו, תֵּרַע עֵינוֹ בָּהֶם לְהַעֲלִים עֵינוֹ מֵהֶם, מִתֵּת לְאַחַד מֵהֶם מִבְּשַׂר חַיֵּיהֶם אֲשֶׁר יֹאכֵל. **וּבְיֶתֶר בָּנָיו אֲשֶׁר יוֹתִיר.** מִן הַשְּׁחוּטִין שֶׁיִּשְׁחַט לְמַאֲכָלוֹ, תִּהְיֶה עֵינוֹ רָעָה וְצָרָה בָּהֶם מִלִּתֵּן לָהֶם מִבְּשַׂר הַנִּשְׁחָטִין:

נו) **תֵּרַע עֵינָהּ בְּאִישׁ חֵיקָהּ וּבִבְנָהּ וּבְבִתָּהּ.** הַגְּדוֹלִים:

נז) **וּבְשִׁלְיָתָהּ.** בָּנֶיהָ הַקְּטַנִּים, בְּכֻלָּן תִּהְיֶה עֵינָהּ צָרָה כְּשֶׁתֹּאכַל אֶת הָאֶחָד מִלָּתֵת לְאַחֵר חֶלְקָהּ מִן הַבָּשָׂר: **וּבְבָנֶיהָ אֲשֶׁר תֵּלֵד.** תֵּרַע עֵינָהּ לְשָׁחֳטָם וּלְאָכְלָם בְּחֹסֶר כֹּל בַּסָּתֶר:

ביאור | פָּנִים לְזָקֵן וְנַעַר לֹא יָחֹן, ירחם. הוא לא יחוס על איש. נא וְאָכַל אֶת
פְּרִי בְהֶמְתְּךָ וּפְרִי אַדְמָתְךָ עַד הִשָּׁמְדָךְ, אֲשֶׁר לֹא יַשְׁאִיר לְךָ דָּגָן, תִּירוֹשׁ, יין
וְיִצְהָר, שמן, שְׁגַר אֲלָפֶיךָ וְעַשְׁתְּרֹת צֹאנֶךָ, עַד הַאֲבִידוֹ אֹתָךְ. גם אם לא
יעשה זאת לשם ההרס והפגיעה דווקא, כיוון שלא יתכוון להתיישב
בארץ שכבש, הוא ינצל אותה בלא כל מחשבה על טובתה ולא
יותיר בה דבר על מקומו. נב וְהֵצַר, יציק,[49] או: יבנה מצור לְךָ בְּכָל
שְׁעָרֶיךָ, עַד רֶדֶת, שייבקעו ויישברו חֹמֹתֶיךָ הַגְּבֹהֹת וְהַבְּצֻרוֹת אֲשֶׁר אַתָּה
בֹּטֵחַ בָּהֵן בְּכָל אַרְצֶךָ במלחמה. כך תיווכח שהערים החזקות שעליהן
סמכת אינן מבטיחות את שלומך. וְהֵצַר לְךָ בְּכָל שְׁעָרֶיךָ בְּכָל אַרְצְךָ
אֲשֶׁר נָתַן ה׳ אֱלֹהֶיךָ לָךְ. נג וְאָכַלְתָּ פְרִי בִטְנְךָ – בְּשַׂר בָּנֶיךָ וּבְנֹתֶיךָ אֲשֶׁר
נָתַן לְךָ ה׳ אֱלֹהֶיךָ, בְּמָצוֹר וּבְמָצוֹק, ובמצוקה אֲשֶׁר יָצִיק לְךָ אֹיְבֶךָ. הרעב
בעיר הנצורה יהיה כה חמור, שתאכל את בשר ילדיך. וכדוגמה
לזוועה – בשעת הרעב הכבד: נד הָאִישׁ הָרַךְ, רך הלב והמפונק בְּךָ
וְהֶעָנֹג מְאֹד, תֵּרַע עֵינוֹ בְאָחִיו ואפילו בְּאֵשֶׁת חֵיקוֹ, באשתו וּבְיֶתֶר בָּנָיו
אֲשֶׁר יוֹתִיר, נה מִתֵּת לְאַחַד מֵהֶם מִבְּשַׂר בָּנָיו אֲשֶׁר יֹאכֵל. הוא ירצה
לאכול את בשר ילדיו שלו, ולא זו בלבד אלא גם יסרב לתת ממנו
לקרובים אליו ביותר ואפילו לבניו הנותרים, מִבְּלִי הִשְׁאִיר לוֹ כֹּל,
משום שלא יישאר לו דבר. הרעב יהיה כה קשה, שהוא יגבר על
האהבה ועל היחסים הקרובים ביותר. כל דמותך תימחק לחלוטין
בְּמָצוֹר וּבְמָצוֹק אֲשֶׁר יָצִיק לְךָ אֹיִבְךָ בְּכָל שְׁעָרֶיךָ. נו וכיוצא בזה, הָרַכָּה
בְךָ וְהָעֲנֻגָּה אֲשֶׁר לֹא נִסְּתָה כַף רַגְלָהּ הַצֵּג, שמעולם לא הלכה יחפה עַל
הָאָרֶץ מֵהִתְעַנֵּג וּמֵרֹךְ, מרוב פינוק ועידון, תֵּרַע עֵינָהּ בְּאִישׁ חֵיקָהּ וּבִבְנָהּ
וּבְבִתָּהּ נז וּבְשִׁלְיָתָהּ הַיּוֹצֵת, היוצאת מִבֵּין רַגְלֶיהָ, בוולדותיה – וּבְבָנֶיהָ
אֲשֶׁר תֵּלֵד, כִּי תֹאכְלֵם בְּחֹסֶר כֹּל בַּסָּתֶר. היא תחטוף לעצמה בהיחבא
את בניה כדי לאכלם בְּמָצוֹר וּבְמָצוֹק אֲשֶׁר יָצִיק לְךָ אֹיִבְךָ בִּשְׁעָרֶיךָ.

בִּשְׁעָרֶיךָ: אִם־לֹא תִשְׁמֹר לַעֲשׂוֹת אֶת־כָּל־דִּבְרֵי נח
הַתּוֹרָה הַזֹּאת הַכְּתֻבִים בַּסֵּפֶר הַזֶּה לְיִרְאָה אֶת־
הַשֵּׁם הַנִּכְבָּד וְהַנּוֹרָא הַזֶּה אֵת יהוָה אֱלֹהֶיךָ: וְהִפְלָא נט
יהוָה אֶת־מַכֹּתְךָ וְאֵת מַכּוֹת זַרְעֶךָ מַכּוֹת גְּדֹלֹת
וְנֶאֱמָנוֹת וָחֳלָיִם רָעִים וְנֶאֱמָנִים: וְהֵשִׁיב בְּךָ אֵת כָּל־ ס
מַדְוֵה מִצְרַיִם אֲשֶׁר יָגֹרְתָּ מִפְּנֵיהֶם וְדָבְקוּ בָּךְ: גַּם סא
כָּל־חֳלִי וְכָל־מַכָּה אֲשֶׁר לֹא כָתוּב בְּסֵפֶר הַתּוֹרָה
הַזֹּאת יַעְלֵם יהוָה עָלֶיךָ עַד הִשָּׁמְדָךְ: וְנִשְׁאַרְתֶּם סב
בִּמְתֵי מְעָט תַּחַת אֲשֶׁר הֱיִיתֶם כְּכוֹכְבֵי הַשָּׁמַיִם
לָרֹב כִּי־לֹא שָׁמַעְתָּ בְּקוֹל יהוָה אֱלֹהֶיךָ: וְהָיָה סג
כַּאֲשֶׁר־שָׂשׂ יהוָה עֲלֵיכֶם לְהֵיטִיב אֶתְכֶם וּלְהַרְבּוֹת
אֶתְכֶם כֵּן יָשִׂישׂ יהוָה עֲלֵיכֶם לְהַאֲבִיד אֶתְכֶם
וּלְהַשְׁמִיד אֶתְכֶם וְנִסַּחְתֶּם מֵעַל הָאֲדָמָה אֲשֶׁר־
אַתָּה בָא־שָׁמָּה לְרִשְׁתָּהּ: וֶהֱפִיצְךָ יהוָה בְּכָל־ סד
הָעַמִּים מִקְצֵה הָאָרֶץ וְעַד־קְצֵה הָאָרֶץ וְעָבַדְתָּ שָּׁם
אֱלֹהִים אֲחֵרִים אֲשֶׁר לֹא־יָדַעְתָּ אַתָּה וַאֲבֹתֶיךָ עֵץ

רש"י | נט) וְהִפְלָא ה' אֶת מַכֹּתְךָ. מֻפְלָאוֹת וּמֻבְדָּלוֹת מִשְּׁאָר מַכּוֹת: וְנֶאֱמָנוֹת. לְיַסֶּרְךָ לְקַיֵּם שְׁלִיחוּתָן:

ס) אֲשֶׁר יָגֹרְתָּ מִפְּנֵיהֶם. מִפְּנֵי הַמַּכּוֹת. כְּשֶׁהָיוּ יִשְׂרָאֵל רוֹאִים מַכּוֹת מְשֻׁנּוֹת הַבָּאוֹת עַל מִצְרַיִם, הָיוּ יְרֵאִים מֵהֶם שֶׁלֹּא יָבוֹאוּ גַּם עֲלֵיהֶם. תֵּדַע, שֶׁכֵּן כָּתוּב: "אִם שָׁמוֹעַ תִּשְׁמַע וְגוֹ' כָּל הַמַּחֲלָה אֲשֶׁר שַׂמְתִּי בְמִצְרַיִם לֹא אָשִׂים עָלֶיךָ" (שמות טו,
כו) אֵין מְגוּרִין אֶת הָאָדָם אֶלָּא מִדָּבָר שֶׁהוּא יָגוֹר מִמֶּנּוּ:

סא) יַעְלֵם. לְשׁוֹן עֲלִיָּה:

סב) וְנִשְׁאַרְתֶּם בִּמְתֵי מְעַט תַּחַת וְגוֹ'. מוּעָטִין חִלּוּף מְרֻבִּין:

סג) כֵּן יָשִׂישׂ ה'. אֶת אוֹיְבֵיכֶם "עֲלֵיכֶם, לְהַאֲבִיד" וְגוֹ': וְנִסַּחְתֶּם. לְשׁוֹן עֲקִירָה, וְכֵן: "בֵּית גֵּאִים יִסַּח ה'" (משלי טו, כה):

סד) וְעָבַדְתָּ שָּׁם אֱלֹהִים אֲחֵרִים. כְּתַרְגּוּמוֹ,

ביאור | המצור יהיה כה מחריד, שאנשים יגיעו לידי אכילת בני אדם, בניהם שלהם – מעשה השובר את כל גבולותיה של חברה אנושית.

נח וכל זאת, **אִם לֹא תִשְׁמֹר לַעֲשׂוֹת אֶת כָּל דִּבְרֵי הַתּוֹרָה הַזֹּאת הַכְּתֻבִים בַּסֵּפֶר הַזֶּה, לְיִרְאָה אֶת הַשֵּׁם הַנִּכְבָּד וְהַנּוֹרָא הַזֶּה – אֵת ה׳ אֱלֹהֶיךָ.**
נט **וְהִפְלָא**, יגדיל וירבה **ה׳ אֶת מַכֹּתְךָ וְאֵת מַכּוֹת זַרְעֶךָ, מַכּוֹת גְּדֹלֹת וְנֶאֱמָנוֹת**, ונמרצות, או: ארוכות ויציבות **וָחֳלָיִם**, מחלות **רָעִים וְנֶאֱמָנִים.**
ס **וְהֵשִׁיב בְּךָ אֵת כָּל מַדְוֵה**, המחלות והפגעים של **מִצְרַיִם אֲשֶׁר יָגֹרְתָּ**, פחדת **מִפְּנֵיהֶם**, כאשר ראיתם אותם מקרוב. והנה הם יבואו **וְדָבְקוּ בָּךְ.**
סא יתרה מזו, **גַּם כָּל חֳלִי וְכָל מַכָּה אֲשֶׁר לֹא כָתוּב בְּסֵפֶר הַתּוֹרָה הַזֹּאת – יַעְלֵם ה׳ עָלֶיךָ עַד הִשָּׁמְדָךְ.** רשימת הצרות והמחלות המובאת כאן תתרחב למחלות נוספות וכן למכות הקשורות בביזיון והשפלה, שאינן מפורשות כאן.[50]
סב **וְנִשְׁאַרְתֶּם בִּמְתֵי מְעָט**, מספר מועט של אנשים יחסית להיסטוריה הארוכה של העם, **תַּחַת אֲשֶׁר**, במקום **שֶׁהֱיִיתֶם כְּכוֹכְבֵי הַשָּׁמַיִם לָרֹב**. הייתם עם גדול, והריבוי הטבעי היה אמור להפוך אתכם לעם עצום. **כִּי לֹא שָׁמַעְתָּ בְּקוֹל ה׳ אֱלֹהֶיךָ.**

סג **וְהָיָה כַּאֲשֶׁר**, כמו **שָׂשׂ**, שמח **ה׳ עֲלֵיכֶם לְהֵיטִיב אֶתְכֶם וּלְהַרְבּוֹת אֶתְכֶם** כשהלכתם בדרכיו ועשיתם את רצונו, **כֵּן**, כך **יָשִׂישׂ ה׳ עֲלֵיכֶם לְהַאֲבִיד אֶתְכֶם וּלְהַשְׁמִיד אֶתְכֶם, וְנִסַּחְתֶּם**, תיהדפו ותסולקו **מֵעַל הָאֲדָמָה אֲשֶׁר אַתָּה בָא שָׁמָּה לְרִשְׁתָּהּ.**

סד ובהמשך – **וֶהֱפִיצְךָ ה׳ בְּכָל הָעַמִּים מִקְצֵה הָאָרֶץ וְעַד קְצֵה הָאָרֶץ.** לא תֻּגלו יחדיו למקום אחד, אלא תתפזרו בגלויות בכל העולם. **וְעָבַדְתָּ שָּׁם** לעובדי[51] **אֱלֹהִים אֲחֵרִים אֲשֶׁר לֹא יָדַעְתָּ אַתָּה וַאֲבֹתֶיךָ,**

סה וָאָבֶן: וּבַגּוֹיִם הָהֵם לֹא תַרְגִּיעַ וְלֹא־יִהְיֶה מָנוֹחַ לְכַף־
רַגְלֶךָ וְנָתַן יְהֹוָה לְךָ שָׁם לֵב רַגָּז וְכִלְיוֹן עֵינַיִם וְדַאֲבוֹן
סו נָפֶשׁ: וְהָיוּ חַיֶּיךָ תְּלֻאִים לְךָ מִנֶּגֶד וּפָחַדְתָּ לַיְלָה וְיוֹמָם
סז וְלֹא תַאֲמִין בְּחַיֶּיךָ: בַּבֹּקֶר תֹּאמַר מִי־יִתֵּן עֶרֶב
וּבָעֶרֶב תֹּאמַר מִי־יִתֵּן בֹּקֶר מִפַּחַד לְבָבְךָ אֲשֶׁר תִּפְחָד
סח וּמִמַּרְאֵה עֵינֶיךָ אֲשֶׁר תִּרְאֶה: וֶהֱשִׁיבְךָ יְהֹוָה ׀ מִצְרַיִם
בָּאֳנִיּוֹת בַּדֶּרֶךְ אֲשֶׁר אָמַרְתִּי לְךָ לֹא־תֹסִיף עוֹד
לִרְאֹתָהּ וְהִתְמַכַּרְתֶּם שָׁם לְאֹיְבֶיךָ לַעֲבָדִים וְלִשְׁפָחוֹת
סט וְאֵין קֹנֶה: אֵלֶּה דִבְרֵי הַבְּרִית אֲשֶׁר־צִוָּה
יְהֹוָה אֶת־מֹשֶׁה לִכְרֹת אֶת־בְּנֵי יִשְׂרָאֵל בְּאֶרֶץ מוֹאָב
מִלְּבַד הַבְּרִית אֲשֶׁר־כָּרַת אִתָּם בְּחֹרֵב:

שביעי כט א וַיִּקְרָא מֹשֶׁה אֶל־כׇּל־יִשְׂרָאֵל וַיֹּאמֶר אֲלֵהֶם אַתֶּם
רְאִיתֶם אֵת כׇּל־אֲשֶׁר עָשָׂה יְהֹוָה לְעֵינֵיכֶם בְּאֶרֶץ
ב מִצְרַיִם לְפַרְעֹה וּלְכׇל־עֲבָדָיו וּלְכׇל־אַרְצוֹ: הַמַּסּוֹת

רש"י | לֹא עֲבוֹדַת אֱלָהוּת מַמָּשׁ, אֶלָּא מַעֲלִים מַס וְגֻלְגָּלִיּוֹת לִכְמָרֵי עֲבוֹדָה זָרָה:

סה) לֹא תַרְגִּיעַ. לֹא תָנוּחַ, כְּמוֹ: "וְזֹאת הַמַּרְגֵּעָה" (ישעיה כח, יב): לֵב רַגָּז. לֵב חָרֵד, כְּתַרְגּוּמוֹ: "דָּחִיל", כְּמוֹ: "שְׁאוֹל מִתַּחַת רָגְזָה לְךָ" (שם יד, ט), "שָׁמְעוּ עַמִּים יִרְגָּזוּן" (שמות טו, יד), "מוֹסְדוֹת הַשָּׁמַיִם יִרְגָּזוּ" (שמואל ב' כב, ח): וְכִלְיוֹן עֵינַיִם. מְצַפֶּה לִישׁוּעָה וְלֹא תָבֹא:

סו) חַיֶּיךָ תְּלֻאִים לְךָ. עַל הַסָּפֵק. כָּל סָפֵק קָרוּי 'תָּלוּי', שֶׁמָּא אָמוּת הַיּוֹם בַּחֶרֶב הַבָּאָה עָלֵינוּ. וְרַבּוֹתֵינוּ דָּרְשׁוּ: זֶה הַלּוֹקֵחַ תְּבוּאָה מִן הַשּׁוּק: וְלֹא תַאֲמִין בְּחַיֶּיךָ. זֶה הַסּוֹמֵךְ עַל הַפַּלְטֵר:

סז) בַּבֹּקֶר תֹּאמַר מִי יִתֵּן. וְהָיָה עֶרֶב שֶׁל אֶמֶשׁ: וּבָעֶרֶב תֹּאמַר מִי יִתֵּן בֹּקֶר. שֶׁל שַׁחֲרִית, שֶׁהַצָּרוֹת מִתְחַזְּקוֹת תָּמִיד, וְכָל שָׁעָה מְרֻבָּה קִלְלָתָהּ מִשֶּׁלְּפָנֶיהָ:

סח) בָּאֳנִיּוֹת. בִּסְפִינוֹת בַּשִּׁבְיָה: וְהִתְמַכַּרְתֶּם שָׁם לְאֹיְבֶיךָ. אַתֶּם מְבַקְשִׁים לִהְיוֹת נִמְכָּרִים לָהֶם "לַעֲבָדִים": וְאֵין קֹנֶה. כִּי יִגְזְרוּ עָלֶיךָ הֶרֶג וְכִלָּיוֹן: וְהִתְמַכַּרְתֶּם. בְּלַעַ"ז איפורוונדרי"ן בו"ש. וְלֹא יִתָּכֵן לְפָרֵשׁ "וְהִתְמַכַּרְתֶּם" בִּלְשׁוֹן וְנִמְכַּרְתֶּם עַל יְדֵי מוֹכְרִים אֲחֵרִים:

סט) לִכְרֹת אֶת בְּנֵי יִשְׂרָאֵל. שֶׁיְּקַבְּלוּ עֲלֵיהֶם הַתּוֹרָה בְּאָלָה וּבִשְׁבוּעָה: מִלְּבַד הַבְּרִית. קְלָלוֹת שֶׁבְּתוֹרַת כֹּהֲנִים שֶׁנֶּאֶמְרוּ בְּסִינַי:

ביאור | שאפילו לא תוכל לחקותם[52] – עֵץ וָאָבֶן. סה וּבַגּוֹיִם הָהֵם לֹא תַרְגִּיעַ.
כיוון שתהיו מפוזרים בגלויות לא תוכלו לשבת בנחת, וְלֹא יִהְיֶה
מָנוֹחַ, מנוחה לְכַף רַגְלֶךָ. וְנָתַן ה׳ לְךָ גם שָׁם לֵב רַגָּז, רוגז ודואג וְכִלְיוֹן
עֵינַיִם, תשוקה וגעגוע למצב שונה וְדַאֲבוֹן, צער נָפֶשׁ. סו וְהָיוּ חַיֶּיךָ
תְּלֻאִים, תלויים לְךָ מִנֶּגֶד. תרגיש ערעור עמוק, כאילו חייך תלויים
בדבר העלול להתמוטט בכל רגע. וּפָחַדְתָּ לַיְלָה וְיוֹמָם וְלֹא תַאֲמִין
בְּחַיֶּיךָ. סז בַּבֹּקֶר תֹּאמַר: ״מִי יִתֵּן, הלוואי שיגיע כבר עֶרֶב״, כי היום
קשה מדי. וּבָעֶרֶב תֹּאמַר: ״מִי יִתֵּן בֹּקֶר״, מפני מִפַּחַד לְבָבְךָ אֲשֶׁר תִּפְחָד
וּמִמַּרְאֵה עֵינֶיךָ אֲשֶׁר תִּרְאֶה. סח וֶהֱשִׁיבְךָ ה׳ לְמִצְרַיִם בָּאֳנִיּוֹת בַּדֶּרֶךְ אֲשֶׁר
אָמַרְתִּי לְךָ: ״לֹא תֹסִיף עוֹד לִרְאֹתָהּ״.[53] וְהִתְמַכַּרְתֶּם, אפילו כשתנסו
למכור את עצמכם שָׁם לְאֹיְבֶיךָ לַעֲבָדִים וְלִשְׁפָחוֹת כדי לשמור על
חייכם – וְאֵין קֹנֶה, איש לא ירצה לקנותכם. כל ערככם יאבד. ייתכן
שזוהי הקללה החריפה ביותר.

סט אֵלֶּה דִבְרֵי הַבְּרִית אֲשֶׁר צִוָּה ה׳ אֶת מֹשֶׁה לִכְרֹת אֶת בְּנֵי יִשְׂרָאֵל בְּאֶרֶץ
מוֹאָב, מִלְּבַד הַבְּרִית אֲשֶׁר כָּרַת אִתָּם בְּחֹרֵב.

# מעמד הברית בערבות מואב

## פרק כט

הברכות שהובטחו בעניין הקודם למי שיעמוד בתנאי הברית, והקללות שירבצו על מי שלא יציית להם – כולן ממוקדות בעתיד. בעניין שלפנינו מפנה משה את שומעיו אל ההווה ואל זיכרונות העבר שהם נושאים עמם ממצרים ועד הנה.

העניין מסתיים בהצהרה של משה שהבאים בברית אחראים כלפי המעשים הגלויים הנעשים ביניהם ולא כלפי מעשים הנעשים בחשאי. אמירה זו מהדהדת למצווה לקלל ולברך את עושי המעשים בסתר במעמד הפומבי שייערך על הר גרזים והר עיבל, שעליה נצטוו ישראל לעיל.[54]

פרק כט א וַיִּקְרָא מֹשֶׁה אֶל כָּל יִשְׂרָאֵל, וַיֹּאמֶר אֲלֵהֶם: אַתֶּם רְאִיתֶם
אֵת כָּל אֲשֶׁר עָשָׂה ה׳ לְעֵינֵיכֶם בְּאֶרֶץ מִצְרַיִם לְפַרְעֹה וּלְכָל עֲבָדָיו
וּלְכָל אַרְצוֹ. יש ביניכם מי שראו ועדיין זוכרים את יציאת מצרים

הַגְּדֹלֹת אֲשֶׁר רָאוּ עֵינֶיךָ הָאֹתֹת וְהַמֹּפְתִים הַגְּדֹלִים
ג הָהֵם׃ וְלֹא־נָתַן יְהוָה לָכֶם לֵב לָדַעַת וְעֵינַיִם לִרְאוֹת
ד וְאָזְנַיִם לִשְׁמֹעַ עַד הַיּוֹם הַזֶּה׃ וָאוֹלֵךְ אֶתְכֶם אַרְבָּעִים
שָׁנָה בַּמִּדְבָּר לֹא־בָלוּ שַׂלְמֹתֵיכֶם מֵעֲלֵיכֶם וְנַעַלְךָ
ה לֹא־בָלְתָה מֵעַל רַגְלֶךָ׃ לֶחֶם לֹא אֲכַלְתֶּם וְיַיִן וְשֵׁכָר
לֹא שְׁתִיתֶם לְמַעַן תֵּדְעוּ כִּי אֲנִי יְהוָה אֱלֹהֵיכֶם׃
מפטיר ו וַתָּבֹאוּ אֶל־הַמָּקוֹם הַזֶּה וַיֵּצֵא סִיחֹן מֶלֶךְ־חֶשְׁבּוֹן
וְעוֹג מֶלֶךְ־הַבָּשָׁן לִקְרָאתֵנוּ לַמִּלְחָמָה וַנַּכֵּם׃
ז וַנִּקַּח אֶת־אַרְצָם וַנִּתְּנָהּ לְנַחֲלָה לָרְאוּבֵנִי וְלַגָּדִי
ח וְלַחֲצִי שֵׁבֶט הַמְנַשִּׁי׃ וּשְׁמַרְתֶּם אֶת־דִּבְרֵי הַבְּרִית
הַזֹּאת וַעֲשִׂיתֶם אֹתָם לְמַעַן תַּשְׂכִּילוּ אֵת כָּל־אֲשֶׁר
תַּעֲשׂוּן׃

נצבים כג ט אַתֶּם נִצָּבִים הַיּוֹם כֻּלְּכֶם לִפְנֵי יְהוָה אֱלֹהֵיכֶם
רָאשֵׁיכֶם שִׁבְטֵיכֶם זִקְנֵיכֶם וְשֹׁטְרֵיכֶם כֹּל אִישׁ

**רש"י** | פרק כט

ג-ח) **וְלֹא נָתַן ה' לָכֶם לֵב לָדַעַת.** לְהַכִּיר אֶת חַסְדֵי הַקָּדוֹשׁ בָּרוּךְ הוּא וּלְהִדָּבֵק בּוֹ: **עַד הַיּוֹם הַזֶּה.** שָׁמַעְתִּי שֶׁאוֹתוֹ הַיּוֹם שֶׁנָּתַן מֹשֶׁה סֵפֶר הַתּוֹרָה לִבְנֵי לֵוִי, כְּמוֹ שֶׁכָּתוּב: "וַיִּתְּנָהּ אֶל הַכֹּהֲנִים בְּנֵי לֵוִי" (להלן לא, ט), בָּאוּ כָּל יִשְׂרָאֵל לִפְנֵי מֹשֶׁה וְאָמְרוּ לוֹ: מֹשֶׁה רַבֵּנוּ, אַף אָנוּ עָמַדְנוּ בְּסִינַי וְנִתְּנָה לָנוּ, וּמָה אַתָּה מַשְׁלִיט אֶת בְּנֵי שִׁבְטְךָ עָלֶיהָ, וְיֹאמְרוּ לָנוּ יוֹם מָחָר, לֹא לָכֶם נִתְּנָה! וְשָׂמַח מֹשֶׁה עַל הַדָּבָר, וְעַל זֹאת אָמַר לָהֶם: "הַיּוֹם הַזֶּה נִהְיֵיתָ לְעָם" (לעיל כז, ט) וְגוֹ', הַיּוֹם הַזֶּה הֵבַנְתִּי שֶׁאַתֶּם דְּבֵקִים וַחֲפֵצִים בַּמָּקוֹם: **וַתָּבֹאוּ אֶל הַמָּקוֹם הַזֶּה.** עַתָּה אַתֶּם רוֹאִים עַצְמְכֶם בִּגְדֻלָּה וְכָבוֹד, אַל תִּבְעֲטוּ בַּמָּקוֹם וְאַל יָרוּם לְבַבְכֶם, "וּשְׁמַרְתֶּם אֶת דִּבְרֵי הַבְּרִית הַזֹּאת" וְגוֹ' (להלן פסוק ח). דָּבָר אַחֵר, "וְלֹא נָתַן ה' לָכֶם לֵב לָדַעַת", שֶׁאֵין אָדָם עוֹמֵד עַל סוֹף דַּעְתּוֹ שֶׁל רַבּוֹ וְחָכְמַת מִשְׁנָתוֹ עַד אַרְבָּעִים שָׁנָה, וּלְפִיכָךְ לֹא הִקְפִּיד עֲלֵיכֶם הַמָּקוֹם "עַד הַיּוֹם הַזֶּה", אֲבָל מִכָּאן וְאֵילָךְ יַקְפִּיד, וּלְפִיכָךְ: "וּשְׁמַרְתֶּם אֶת דִּבְרֵי הַבְּרִית הַזֹּאת" וְגוֹ':

ט) **אַתֶּם נִצָּבִים הַיּוֹם.** מְלַמֵּד שֶׁכִּנְּסָם מֹשֶׁה לִפְנֵי הַקָּדוֹשׁ בָּרוּךְ הוּא בְּיוֹם מוֹתוֹ לְהַכְנִיסָם בַּבְּרִית: **רָאשֵׁיכֶם שִׁבְטֵיכֶם.** רָאשֵׁיכֶם לְשִׁבְטֵיכֶם: **זִקְנֵיכֶם וְשֹׁטְרֵיכֶם.** הֶחָשׁוּב חָשׁוּב קוֹדֵם, וְאַחַר כָּךְ "כֹּל אִישׁ יִשְׂרָאֵל":

ביאור

ומאורעותיה.[55] ב **הַמַּסּוֹת**, הנסים,[56] או: הניסיונות **הַגְּדֹלֹת אֲשֶׁר רָאוּ**
**עֵינֶיךָ, הָאֹתֹת וְהַמֹּפְתִים הַגְּדֹלִים הָהֵם.** ג וְאף על פי שראיתם מראות
אלו, **לֹא נָתַן ה׳ לָכֶם לֵב לָדַעַת וְעֵינַיִם לִרְאוֹת וְאָזְנַיִם לִשְׁמֹעַ**, לא הפנמתם
את הדברים **עַד הַיּוֹם הַזֶּה**. אנסה אפוא להזכיר לכם את האירועים
שהתרחשו, כדי שתשימו לבכם אל חסדי ה׳: ד **וָאוֹלֵךְ אֶתְכֶם אַרְבָּעִים**
**שָׁנָה בַּמִּדְבָּר** – **לֹא בָלוּ שַׂלְמֹתֵיכֶם**, בגדיכם **מֵעֲלֵיכֶם, וְנַעַלְךָ לֹא בָלְתָה**
**מֵעַל רַגְלֶךָ** בדרך נס. ה **לֶחֶם לֹא אֲכַלְתֶּם, וְיַיִן וְשֵׁכָר לֹא שְׁתִיתֶם**, וכל
זאת **לְמַעַן תֵּדְעוּ כִּי אֲנִי ה׳ אֱלֹהֵיכֶם**, היכול לקיים אתכם גם בלא
מצרכי מזון בסיסיים אלו, על המן הנסי בלבד. ו **וַתָּבֹאוּ אֶל הַמָּקוֹם**
**הַזֶּה, וַיֵּצֵא סִיחֹן מֶלֶךְ חֶשְׁבּוֹן וְעוֹג מֶלֶךְ הַבָּשָׁן לִקְרָאתֵנוּ לַמִּלְחָמָה** – **וַנַּכֵּם**
בדרך נס, אף שלא הייתם מוכנים למלחמה. ז **וַנִּקַּח אֶת אַרְצָם**
**וַנִּתְּנָהּ לְנַחֲלָה לָראוּבֵנִי וְלַגָּדִי וְלַחֲצִי שֵׁבֶט הַמְנַשִּׁי.** את החסדים הללו
שגמל עמנו ה׳ בעת האחרונה ראיתם במו עיניכם. לכן לא תוכלו
להתעלם מכוחו. ח **וּשְׁמַרְתֶּם אֶת דִּבְרֵי הַבְּרִית הַזֹּאת וַעֲשִׂיתֶם אֹתָם,**
**לְמַעַן תַּשְׂכִּילוּ**, תצליחו **אֵת כָּל אֲשֶׁר תַּעֲשׂוּן.**

פרשת נצבים

ט **אַתֶּם נִצָּבִים הַיּוֹם כֻּלְּכֶם לִפְנֵי ה׳ אֱלֹהֵיכֶם.** ובשל חשיבותו של המעמד
נוכחים בו **רָאשֵׁיכֶם**, מנהיגיכם, **שִׁבְטֵיכֶם**, בני השבטים,[1] **זִקְנֵיכֶם**

יִשְׂרָאֵל׃ טַפְּכֶם נְשֵׁיכֶם וְגֵרְךָ אֲשֶׁר בְּקֶרֶב מַחֲנֶיךָ י
מֵחֹטֵב עֵצֶיךָ עַד שֹׁאֵב מֵימֶיךָ׃ לְעָבְרְךָ בִּבְרִית יְהוָה יא
אֱלֹהֶיךָ וּבְאָלָתוֹ אֲשֶׁר יְהוָה אֱלֹהֶיךָ כֹּרֵת עִמְּךָ הַיּוֹם׃
שני ◂ לְמַעַן הָקִים־אֹתְךָ הַיּוֹם ׀ לוֹ לְעָם וְהוּא יִהְיֶה־לְּךָ יב
לֵאלֹהִים כַּאֲשֶׁר דִּבֶּר־לָךְ וְכַאֲשֶׁר נִשְׁבַּע לַאֲבֹתֶיךָ
לְאַבְרָהָם לְיִצְחָק וּלְיַעֲקֹב׃ וְלֹא אִתְּכֶם לְבַדְּכֶם יג
אָנֹכִי כֹּרֵת אֶת־הַבְּרִית הַזֹּאת וְאֶת־הָאָלָה הַזֹּאת׃
כִּי אֶת־אֲשֶׁר יֶשְׁנוֹ פֹּה עִמָּנוּ עֹמֵד הַיּוֹם לִפְנֵי יְהוָה יד
שלישי אֱלֹהֵינוּ וְאֵת אֲשֶׁר אֵינֶנּוּ פֹּה עִמָּנוּ הַיּוֹם׃ ◂ כִּי־אַתֶּם טו
יְדַעְתֶּם אֵת אֲשֶׁר־יָשַׁבְנוּ בְּאֶרֶץ מִצְרָיִם וְאֵת אֲשֶׁר־

רש״י

י | **מֵחֹטֵב עֵצֶיךָ.** מְלַמֵּד שֶׁבָּאוּ כְּנַעֲנִיִּים לְהִתְגַּיֵּר בִּימֵי מֹשֶׁה כְּדֶרֶךְ שֶׁבָּאוּ גִּבְעוֹנִים בִּימֵי יְהוֹשֻׁעַ, וְזֶהוּ הָאָמוּר בַּגִּבְעוֹנִים: "וַיַּעֲשׂוּ גַם הֵמָּה בְּעָרְמָה" (יהושע ט, ד), וּנְתָנָם מֹשֶׁה חוֹטְבֵי עֵצִים וְשׁוֹאֲבֵי מַיִם:

יא | **לְעָבְרְךָ בִּבְרִית.** דֶּרֶךְ הַעֲבָרָה; כָּךְ הָיוּ כּוֹרְתִים בְּרִית: עוֹשִׂין מְחִצָּה מִכָּאן וּמְחִצָּה מִכָּאן וְעוֹבְרִים בֵּינְתַיִם, כְּמוֹ שֶׁנֶּאֱמַר: "הָעֵגֶל אֲשֶׁר כָּרְתוּ לִשְׁנַיִם וַיַּעַבְרוּ בֵּין בְּתָרָיו" (ירמיה לד, יח): **לְעָבְרְךָ.** לִהְיוֹתְךָ עוֹבֵר בַּבְּרִית, וְלֹא יִתָּכֵן לְפָרְשׁוֹ 'לְהַעֲבִירְךָ', אֶלָּא כְּמוֹ: "לַעֲשֹׂתְכֶם אֹתָם" (לעיל ד, יד):

יב | **לְמַעַן הָקִים אֹתְךָ הַיּוֹם לוֹ לְעָם.** כָּל כָּךְ הוּא נִכְנָס לִטֹרַח לְמַעַן קַיֵּם אוֹתְךָ לְפָנָיו לְעָם: **וְהוּא יִהְיֶה לְּךָ לֵאלֹהִים.** לְפִי שֶׁ"דִּבֶּר לָךְ וְנִשְׁבַּע לַאֲבוֹתֶיךָ" שֶׁלֹּא לְהַחֲלִיף אֶת זַרְעָם בְּאֻמָּה אַחֶרֶת, לְכָךְ הוּא אוֹסֵר אֶתְכֶם בִּשְׁבוּעוֹת הַלָּלוּ שֶׁלֹּא תַּקְנִיטוּהוּ, אַחַר שֶׁהוּא אֵינוֹ יָכוֹל לְהִבָּדֵל מִכֶּם. עַד כָּאן פֵּרַשְׁתִּי לְפִי פְּשׁוּטָהּ שֶׁל פָּרָשָׁה.

וּמִדְרַשׁ אַגָּדָה: לָמָּה נִסְמְכָה פָּרָשַׁת "אַתֶּם נִצָּבִים" לַקְּלָלוֹת? לְפִי שֶׁשָּׁמְעוּ יִשְׂרָאֵל מֵאָה קְלָלוֹת חָסֵר שְׁתַּיִם, חוּץ מֵאַרְבָּעִים וְתֵשַׁע שֶׁבְּתוֹרַת כֹּהֲנִים, הוֹרִיקוּ פְנֵיהֶם וְאָמְרוּ: מִי יוּכַל לַעֲמֹד בְּאֵלּוּ? הִתְחִיל מֹשֶׁה לְפַיְּסָם: "אַתֶּם נִצָּבִים הַיּוֹם", הַרְבֵּה הִכְעַסְתֶּם לַמָּקוֹם וְלֹא עָשָׂה אֶתְכֶם כְּלָיָה, וַהֲרֵי אַתֶּם קַיָּמִים לְפָנָיו "הַיּוֹם", כַּיּוֹם הַזֶּה שֶׁהוּא קַיָּם וְהוּא מַאֲפִיל וּמֵאִיר, כָּךְ הֵאִיר לָכֶם וְכָךְ עָתִיד לְהָאִיר לָכֶם, וְהַקְּלָלוֹת וְהַיִּסּוּרִין מְקַיְּמִין אֶתְכֶם וּמַצִּיבִין אֶתְכֶם לְפָנָיו. וְאַף הַפָּרָשָׁה שֶׁלְּמַעְלָה מִזּוֹ פִּיּוּסִין הֵם: "אַתֶּם רְאִיתֶם אֵת כָּל אֲשֶׁר עָשָׂה" וְגוֹ' (לעיל פסוק א). דָּבָר אַחֵר, "אַתֶּם נִצָּבִים", לְפִי שֶׁהָיוּ יִשְׂרָאֵל יוֹצְאִין מִפַּרְנָס לְפַרְנָס, מִמֹּשֶׁה לִיהוֹשֻׁעַ, לְפִיכָךְ עָשָׂה אוֹתָם מַצֵּבָה לְזָרְזָם, וְכֵן עָשָׂה יְהוֹשֻׁעַ (יהושע כד, א), וְכֵן שְׁמוּאֵל: "הִתְיַצְּבוּ וְאִשָּׁפְטָה אִתְּכֶם" (שמואל א' יב, ז), כְּשֶׁיָּצְאוּ מִיָּדוֹ וְנִכְנְסוּ לְיָדוֹ שֶׁל שָׁאוּל:

יד | **וְאֵת אֲשֶׁר אֵינֶנּוּ פֹּה.** וְאַף עִם דּוֹרוֹת הָעֲתִידִים לִהְיוֹת:

טו-יז | **כִּי אַתֶּם יְדַעְתֶּם וְגוֹ' וַתִּרְאוּ אֶת שִׁקּוּצֵיהֶם.** לְפִי שֶׁרְאִיתֶם הָאֻמּוֹת עוֹבְדֵי עֲבוֹדָה זָרָה, וְשֶׁמָּא הִשִּׂיא לֵב אֶחָד מִכֶּם

ביאור | הממונים עליכם וְשֹׁטְרֵיכֶם – כֹּל אִישׁ יִשְׂרָאֵל. י טַפְּכֶם, ילדיכם נְשֵׁיכֶם
וְגֵרְךָ אֲשֶׁר בְּקֶרֶב מַחֲנֶיךָ – מֵחֹטֵב עֵצֶיךָ עַד שֹׁאֵב מֵימֶיךָ. יא לְעָבְרְךָ, כדי
שתעבור בִּבְרִית ה׳ אֱלֹהֶיךָ וּבְאָלָתוֹ, ובשבועתו, הכוללת עמה עונש
למי שיעבור עליה,[2] אֲשֶׁר ה׳ אֱלֹהֶיךָ כֹּרֵת עִמְּךָ הַיּוֹם. יב שני צדדים
בברית הזו – לְמַעַן הָקִים אֹתְךָ הַיּוֹם לוֹ לְעָם, וְהוּא יִהְיֶה לְּךָ לֵאלֹהִים.
זהו קשר של חיבור ושל ייחוד הדדיים, כַּאֲשֶׁר, כפי שדִּבֶּר לָךְ וְכַאֲשֶׁר
נִשְׁבַּע לַאֲבֹתֶיךָ, לְאַבְרָהָם לְיִצְחָק וּלְיַעֲקֹב. השבועה לאבות תימשך
עתה בשבועה לבנים. יג ואולם לֹא אִתְּכֶם לְבַדְּכֶם אָנֹכִי כֹּרֵת אֶת
הַבְּרִית הַזֹּאת וְאֶת הָאָלָה הַזֹּאת, יד כִּי הן אֶת, עם אֲשֶׁר יֶשְׁנוֹ פֹּה עִמָּנוּ
עֹמֵד הַיּוֹם לִפְנֵי ה׳ אֱלֹהֵינוּ, כל הקהל הנוכח במעמד, וְהן אֵת אֲשֶׁר
אֵינֶנּוּ פֹּה עִמָּנוּ הַיּוֹם, כל אלה שלא יכלו להגיע למקום ההתכנסות
באותה שעה. או: הגרים העתידים להתווסף עליכם ובני כל הדורות
הבאים.[3]

טו כִּי אַתֶּם יְדַעְתֶּם אֵת אֲשֶׁר יָשַׁבְנוּ בְּאֶרֶץ מִצְרָיִם, וְאֵת אֲשֶׁר עָבַרְנוּ בְּקֶרֶב

הרחבות | ׳וגרך אשר בקרב מחניך מחֹטב עציך עד שֹׁאב מימיך׳ ייתכן שהגרים היו אנשים שברחו מכנען, הסתפחו לעם ישראל, נכנסו אל תוך המחנה ונחשבו חלק מכלל ישראל, אלא שקיבלו מעמד נחות בישראל. (ראו רש״י; יבמות עט ע״א).

טז עָבָרְנוּ בְּקֶרֶב הַגּוֹיִם אֲשֶׁר עֲבַרְתֶּם: וַתִּרְאוּ אֶת־
שִׁקּוּצֵיהֶם וְאֵת גִּלֻּלֵיהֶם עֵץ וָאֶבֶן כֶּסֶף וְזָהָב אֲשֶׁר
יז עִמָּהֶם: פֶּן־יֵשׁ בָּכֶם אִישׁ אוֹ־אִשָּׁה אוֹ מִשְׁפָּחָה
אוֹ־שֵׁבֶט אֲשֶׁר לְבָבוֹ פֹנֶה הַיּוֹם מֵעִם יְהוָה אֱלֹהֵינוּ
לָלֶכֶת לַעֲבֹד אֶת־אֱלֹהֵי הַגּוֹיִם הָהֵם פֶּן־יֵשׁ בָּכֶם
יח שֹׁרֶשׁ פֹּרֶה רֹאשׁ וְלַעֲנָה: וְהָיָה בְּשָׁמְעוֹ אֶת־דִּבְרֵי
הָאָלָה הַזֹּאת וְהִתְבָּרֵךְ בִּלְבָבוֹ לֵאמֹר שָׁלוֹם יִהְיֶה־
לִּי כִּי בִּשְׁרִרוּת לִבִּי אֵלֵךְ לְמַעַן סְפוֹת הָרָוָה אֶת־
יט הַצְּמֵאָה: לֹא־יֹאבֶה יְהוָה סְלֹחַ לוֹ כִּי אָז יֶעְשַׁן אַף־

**רש״י** | אוֹתָן לָלֶכֶת אַחֲרֵיהֶם: **פֶּן יֵשׁ בָּכֶם וְגוֹ׳.** לְפִיכָךְ אֲנִי צָרִיךְ לְהַשְׁבִּיעֲכֶם:

טז | **וַתִּרְאוּ אֶת שִׁקּוּצֵיהֶם.** עַל שֵׁם שֶׁהֵם מְאוּסִים כַּשְּׁקָצִים: **גִּלֻּלֵיהֶם.** מַסְרִיחִים וּמְאוּסִין כַּגָּלָל: **עֵץ וָאֶבֶן.** אוֹתָן שֶׁל עֵצִים וְשֶׁל אֲבָנִים רְאִיתֶם בַּגָּלוּי, לְפִי שֶׁאֵין הַגּוֹי יָרֵא שֶׁמָּא יִגָּנְבוּ, אֲבָל שֶׁל כֶּסֶף וְזָהָב, ״עִמָּהֶם״ בְּחַדְרֵי מַשְׂכִּיתָם הֵם, לְפִי שֶׁהֵם יְרֵאִים שֶׁמָּא יִגָּנְבוּ:

יז | **פֶּן יֵשׁ בָּכֶם.** שֶׁמָּא יֵשׁ בָּכֶם: **אֲשֶׁר לְבָבוֹ פֹנֶה הַיּוֹם.** מִלְּקַבֵּל עָלָיו הַבְּרִית: **שֹׁרֶשׁ פֹּרֶה רֹאשׁ וְלַעֲנָה.** שֹׁרֶשׁ מְגַדֵּל עֵשֶׂב מַר, כְּגִידִין שֶׁהֵם מָרִים, כְּלוֹמַר, מַפְרֶה וּמַרְבֶּה רֶשַׁע בְּקִרְבְּכֶם:

יח | **וְהִתְבָּרֵךְ בִּלְבָבוֹ.** לְשׁוֹן בְּרָכָה, יַחְשֹׁב בִּלְבּוֹ בִּרְכַּת שָׁלוֹם לְעַצְמוֹ לֵאמֹר, לֹא יְבוֹאוּנִי קְלָלוֹת הַלָּלוּ, אַךְ ״שָׁלוֹם יִהְיֶה לִי״: **וְהִתְבָּרֵךְ.** בינדיר״א ש״י בְּלַעַז, כְּמוֹ: ״וְהִתְגַּלָּח״ (ויקרא יג, לג), ״וְהִתְפַּלֵּל״ (מלכים א׳ ח, מב): **בִּשְׁרִרוּת לִבִּי אֵלֵךְ.** בְּמַרְאִית לִבִּי, כְּמוֹ ״אֲשׁוּרֶנּוּ וְלֹא קָרוֹב״ (במדבר כד, יז), כְּלוֹמַר, מַה שֶּׁלִּבִּי רוֹאֶה לַעֲשׂוֹת: **לְמַעַן סְפוֹת הָרָוָה.** לְמַעַן שֶׁאוֹסִיף לוֹ פֻּרְעָנוּת עַל מַה שֶּׁעָשָׂה עַד הֵנָּה בְּשׁוֹגֵג וְהָיִיתִי מַעֲבִיר עֲלֵיהֶם, וְגוֹרֵם עַתָּה שֶׁאֲצָרְפֵם עִם הַמֵּזִיד וְאֶפָּרַע מִמֶּנּוּ הַכֹּל. וְכֵן תִּרְגֵּם אוּנְקְלוֹס: ״בְּדִיל לְאוֹסָפָא לֵיהּ חֲטָאֵי שָׁלוּתָא עַל זְדָנוּתָא״, שֶׁאוֹסִיף אֲנִי לוֹ הַשְּׁגָגוֹת עַל הַזְּדוֹנוֹת: **הָרָוָה.** שׁוֹגֵג, שֶׁהוּא עוֹשֶׂה כְּאָדָם שִׁכּוֹר, שֶׁלֹּא מִדַּעַת: **הַצְּמֵאָה.** שֶׁהוּא עוֹשֶׂה מִדַּעַת וּבְתַאֲוָה:

יט | **יֶעְשַׁן אַף ה׳.** עַל יְדֵי כַּעַס, הַגּוּף מִתְחַמֵּם וְהֶעָשָׁן יוֹצֵא מִן הָאַף, וְכֵן: ״עָלָה עָשָׁן בְּאַפּוֹ״ (שמואל ב׳ כב, ט), וְאַף עַל פִּי שֶׁאֵין זוֹ לִפְנֵי הַמָּקוֹם, הַכָּתוּב מַשְׁמִיעַ

**העולם** | **רֹאשׁ וְלַעֲנָה** צמחים מרים ואולי רעילים הרומזים גם לרוע (ירמיה ט,יד; כג,טו; עמוס ה,ז; ו,ה; איכה ג,טו).
את הראש מקובל לזהות עם רוש עקד (שם מדעי: Conium maculatum), צמח רעיל ביותר שבאמצעותו נהגו להוציא להורג נידונים למוות ביוון העתיקה. זהו צמח עשבוני סוככי שגובהו 1.5 מ׳, פרחיו לבנים, על גבעולו נקודות שחורות, והוא גדל בצדי דרכים. יש המזהים את הראש עם שני צמחים נוספים: הפרג (שם מדעי: Papaver somniferum) שמפרותיו הדומים לראש

ביאור | **הַגּוֹיִם אֲשֶׁר עֲבַרְתֶּם,** טז בכל המקומות שהגעתם אליהם יכולתם
לעמוד על התנהגותם של הגויים – **וַתִּרְאוּ אֶת שִׁקּוּצֵיהֶם וְאֵת גִּלֻּלֵיהֶם,**
כינויי גנאי לאליליהם המאוסים,[4] העשויים **עֵץ וָאֶבֶן, כֶּסֶף וְזָהָב אֲשֶׁר**
**עִמָּהֶם.** יז **פֶּן,** שמא **יֵשׁ בָּכֶם אִישׁ אוֹ אִשָּׁה אוֹ מִשְׁפָּחָה אוֹ שֵׁבֶט אֲשֶׁר**
אחרי שראה את האלילים והתרשם מהם, **לְבָבוֹ פֹנֶה הַיּוֹם, מֵעִם ה'**
**אֱלֹהֵינוּ, לָלֶכֶת לַעֲבֹד אֶת אֱלֹהֵי הַגּוֹיִם הָהֵם; פֶּן יֵשׁ בָּכֶם שֹׁרֶשׁ פֹּרֶה רֹאשׁ**
**וְלַעֲנָה,** צמחים מרים ואולי רעילים שקשה לזהותם כשהם מצויים
בתוך כמות גדולה של תבואה. בגלוי אין עתה אלילות בישראל,
אך אולי בהשפעת הגויים שעברתם ביניהם מצוי ביניכם שורש מר
כזה שטרם צמח, והוא עלול לפרות ולפרוץ החוצה מאוחר יותר.
אותו אדם אינו מפרסם את דעתו ברבים. יח **וְהָיָה בְּשָׁמְעוֹ אֶת דִּבְרֵי**
**הָאָלָה,** הקללה **הַזֹּאת,** שאשמיע לפניכם עתה – **וְהִתְבָּרֵךְ,** הוא יברך
את עצמו **בִּלְבָבוֹ לֵאמֹר: "שָׁלוֹם יִהְיֶה לִּי.** הדברים הללו לא יחולו עלי.
אני אהיה שלֵו ומאושר **כִּי בִּשְׁרִרוּת לִבִּי,** לפי חשקי ורצונותי **אֵלֵךְ".**
**לְמַעַן סְפוֹת,** וכך תתווסף **הָרָוָה,** הרוויה **אֶת,** אל **הַצְּמֵאָה.** מי שלא
זכו להכיר בגדולת ה' משום שנולדו לתרבויות רחוקות, נחשבים
כצמאים וחסרים. לא כנגדם טוען משה. הוא פונה אל ישראל, שה'
ליווה אותם במשך שנים ודורות, שהם בגדר רוויים. מדוע ילמד
הרווה ממעשיו ומחייו של הצמא?! חבל שיושפע ממעשיו רק משום
שעבר בקרבתו.[5]

יט **לֹא יֹאבֶה,** ירצה **ה' לִסְלֹחַ לוֹ,** דווקא מפני שנכח בקרב הנשבעים,
והוא מנסה לגנוב דעת עליונה. **כִּי אָז יֶעְשַׁן אַף ה' וְקִנְאָתוֹ,** ה' ישלח

מימין: רוש עקד ('ראש'?)

משמאל: שיבא ('לענה'?)

העולם | מפיקים אופיום. או: השיכרון הזהוב (שם מדעי: Hyoscyamus aureus) המכיל רעל חריף.

את הלענה מזהים עם הצמח המכונה בערבית שיבא, (אחד המינים של הצמח ששמו המדעי הוא Artemisia), שתפוצתו בארץ מרובה. גובהו ורוחבו של השיח 1.5 מ', ופרחיו צהובים.

לחלופין, ייתכן שהשמות לענה וראש אינם מיוחדים למין מסוים אלא הם כינוי לצמחים שונים בעלי תכונות אלו.

יְהוָה וְקִנְאָתוֹ בָּאִישׁ הַהוּא וְרָבְצָה בּוֹ כָּל־הָאָלָה
הַכְּתוּבָה בַּסֵּפֶר הַזֶּה וּמָחָה יְהוָה אֶת־שְׁמוֹ מִתַּחַת
הַשָּׁמָיִם׃ וְהִבְדִּילוֹ יְהוָה לְרָעָה מִכֹּל שִׁבְטֵי יִשְׂרָאֵל כ
כְּכֹל אָלוֹת הַבְּרִית הַכְּתוּבָה בְּסֵפֶר הַתּוֹרָה הַזֶּה׃
וְאָמַר הַדּוֹר הָאַחֲרוֹן בְּנֵיכֶם אֲשֶׁר יָקוּמוּ מֵאַחֲרֵיכֶם כא
וְהַנָּכְרִי אֲשֶׁר יָבֹא מֵאֶרֶץ רְחוֹקָה וְרָאוּ אֶת־מַכּוֹת
הָאָרֶץ הַהִוא וְאֶת־תַּחֲלֻאֶיהָ אֲשֶׁר־חִלָּה יְהוָה
בָּהּ׃ גָּפְרִית וָמֶלַח שְׂרֵפָה כָל־אַרְצָהּ לֹא תִזָּרַע כב
וְלֹא תַצְמִחַ וְלֹא־יַעֲלֶה בָהּ כָּל־עֵשֶׂב כְּמַהְפֵּכַת
סְדֹם וַעֲמֹרָה אַדְמָה וצביים אֲשֶׁר הָפַךְ יְהוָה בְּאַפּוֹ [וּצְבוֹיִם]
וּבַחֲמָתוֹ׃ וְאָמְרוּ כָּל־הַגּוֹיִם עַל־מֶה עָשָׂה יְהוָה כָּכָה כג
לָאָרֶץ הַזֹּאת מֶה חֳרִי הָאַף הַגָּדוֹל הַזֶּה׃ וְאָמְרוּ עַל כד
אֲשֶׁר עָזְבוּ אֶת־בְּרִית יְהוָה אֱלֹהֵי אֲבֹתָם אֲשֶׁר כָּרַת
עִמָּם בְּהוֹצִיאוֹ אֹתָם מֵאֶרֶץ מִצְרָיִם׃ וַיֵּלְכוּ וַיַּעַבְדוּ כה
אֱלֹהִים אֲחֵרִים וַיִּשְׁתַּחֲווּ לָהֶם אֱלֹהִים אֲשֶׁר לֹא־
יְדָעוּם וְלֹא חָלַק לָהֶם׃ וַיִּחַר־אַף יְהוָה בָּאָרֶץ הַהִוא כו

רש"י | אֶת הָאֹזֶן כְּדֶרֶךְ שֶׁהִיא רְגִילָה וִיכוֹלָה לִשְׁמֹעַ, כְּפִי דֶּרֶךְ הֶעָשָׁן: וְקִנְאָתוֹ. לְשׁוֹן חֵמָה, אנפרטמינ"ט, אֲחִיזַת לְבִישַׁת נְקָמָה, וְאֵינוֹ מַעֲבִיר עַל הַמִּדָּה:

כ) **הַכְּתוּבָה בְּסֵפֶר הַתּוֹרָה הַזֶּה.** וּלְמַעְלָה הוּא אוֹמֵר: בְּסֵפֶר הַתּוֹרָה הַזֹּאת, גַּם כָּל חֳלִי וְכָל מַכָּה וְגוֹ' (לעיל כח, סא), "הַזֹּאת" לְשׁוֹן נְקֵבָה, מוּסָב עַל "הַתּוֹרָה", "הַזֶּה" לְשׁוֹן זָכָר, מוּסָב עַל הַסֵּפֶר, וְעַל יְדֵי פִּסּוּק הַטְּעָמִים הֵן נֶחְלָקִין לִשְׁתֵּי לְשׁוֹנוֹת. בְּפָרָשַׁת קְלָלוֹת הַטִּפְּחָא נְתוּנָה תַּחַת "בַּסֵּפֶר", וְ"הַתּוֹרָה הַזֹּאת" דְּבוּקִים זֶה לָזֶה, לְכָךְ אָמַר "הַזֹּאת", וְכָאן הַטִּפְּחָא נְתוּנָה תַּחַת "הַתּוֹרָה", נִמְצָא "סֵפֶר הַתּוֹרָה" דְּבוּקִים זֶה לָזֶה, לְפִיכָךְ לְשׁוֹן זָכָר נוֹפֵל אַחֲרָיו, שֶׁהַלָּשׁוֹן נוֹפֵל עַל הַסֵּפֶר:

כה) **לֹא יְדָעוּם.** לֹא יָדְעוּ בָּהֶם גְּבוּרַת אֱלָהוּת: **וְלֹא חָלַק לָהֶם.** לֹא נְתָנָם לְחֶלְקָם. וְאוּנְקְלוֹס תִּרְגֵּם: "וְלָא אוֹטִיבָא לְהוֹן", לֹא הֵיטִיבוּ לָהֶם שׁוּם טוֹבָה, וּלְשׁוֹן

ביאור | את זעמו וקנאתו בָּאִישׁ הַהוּא, וְרָבְצָה בּוֹ כָּל הָאָלָה הַכְּתוּבָה בַּסֵּפֶר הַזֶּה, וּמָחָה ה׳ אֶת שְׁמוֹ מִתַּחַת הַשָּׁמָיִם. לא יישאר ממנו זכר. כ ואם מדובר במשפחה או בחבורה גדולה יותר – וְהִבְדִּילוֹ ה׳ לְרָעָה מִכֹּל שִׁבְטֵי יִשְׂרָאֵל, כְּכֹל אָלוֹת הַבְּרִית הַכְּתוּבָה בְּסֵפֶר הַתּוֹרָה הַזֶּה.

כיוון שתקבלו עליכם את הברית – כא וְאָמַר הַדּוֹר הָאַחֲרוֹן, דורות מאוחרים, בְּנֵיכֶם אֲשֶׁר יָקוּמוּ מֵאַחֲרֵיכֶם או הַנָּכְרִי אֲשֶׁר יָבֹא מֵאֶרֶץ רְחוֹקָה לארץ, וְרָאוּ אֶת מַכּוֹת הָאָרֶץ הַהִוא וְאֶת תַּחֲלֻאֶיהָ אֲשֶׁר חִלָּה, הכה ה׳ בָּהּ – כב האדמה תהיה זרויה גָּפְרִית וָמֶלַח, שְׂרֵפָה כָל אַרְצָהּ. לֹא תִזָּרַע וְלֹא תַצְמִחַ, וְלֹא יַעֲלֶה בָהּ כָּל עֵשֶׂב, שהרי האדמה תהיה חולה ומרה, והיא תיראה כְּמַהְפֵּכַת סְדֹם וַעֲמֹרָה, אַדְמָה וּצְבוֹיִם, ערי כיכר הירדן אֲשֶׁר הָפַךְ ה׳ בְּאַפּוֹ וּבַחֲמָתוֹ, בכעסו על רשעותן.[6] כג וְאָמְרוּ כָּל הַגּוֹיִם שמסביב: "עַל מֶה עָשָׂה ה׳ כָּכָה לָאָרֶץ הַזֹּאת? על שום מֶה חֳרִי הָאַף, הכעס הַגָּדוֹל הַזֶּה?"

כד וְאָמְרוּ מי שיענו להם, או השואלים יענו לעצמם: "עַל אֲשֶׁר עָזְבוּ אֶת בְּרִית ה׳ אֱלֹהֵי אֲבֹתָם אֲשֶׁר כָּרַת עִמָּם בְּהוֹצִיאוֹ אֹתָם מֵאֶרֶץ מִצְרָיִם. כה וַיֵּלְכוּ וַיַּעַבְדוּ אֱלֹהִים אֲחֵרִים וַיִּשְׁתַּחֲווּ לָהֶם, אֱלֹהִים אֲשֶׁר לֹא יְדָעוּם, אלוהי כנען היו חדשים בעבורם, וְלֹא חָלַק לָהֶם. עצם העיסוק בעבודה זרה אינה חלקם של ישראל, אלא של אומות העולם.[7] כו אשר על כן – וַיִּחַר אַף ה׳ בָּאָרֶץ הַהִוא, לְהָבִיא עָלֶיהָ אֶת



נטיפי מלח בסדום

לְהָבִ֤יא עָלֶ֙יהָ֙ אֶת־כׇּל־הַקְּלָלָ֔ה הַכְּתוּבָ֖ה בַּסֵּ֥פֶר הַזֶּֽה׃
וַיִּתְּשֵׁ֤ם יְהֹוָה֙ מֵעַ֣ל אַדְמָתָ֔ם בְּאַ֥ף וּבְחֵמָ֖ה וּבְקֶ֣צֶף כז
גָּד֑וֹל וַיַּשְׁלִכֵ֛ם אֶל־אֶ֥רֶץ אַחֶ֖רֶת כַּיּ֥וֹם הַזֶּֽה׃ הַנִּ֨סְתָּרֹ֔ת כח
לַיהֹוָ֖ה אֱלֹהֵ֑ינוּ וְהַנִּגְלֹ֞ת לָ֤נוּ וּלְבָנֵ֙ינוּ֙ עַד־עוֹלָ֔ם לַעֲשׂ֕וֹת
רביעי /שני/ אֶת־כׇּל־דִּבְרֵ֖י הַתּוֹרָ֥ה הַזֹּֽאת׃ וְהָיָה֩ כִֽי־ א ל
יָבֹ֨אוּ עָלֶ֜יךָ כׇּל־הַדְּבָרִ֣ים הָאֵ֗לֶּה הַבְּרָכָה֙ וְהַקְּלָלָ֔ה
אֲשֶׁ֥ר נָתַ֖תִּי לְפָנֶ֑יךָ וַהֲשֵׁבֹתָ֙ אֶל־לְבָבֶ֔ךָ בְּכׇל־הַגּוֹיִ֕ם
אֲשֶׁ֧ר הִדִּיחֲךָ֛ יְהֹוָ֥ה אֱלֹהֶ֖יךָ שָֽׁמָּה׃ וְשַׁבְתָּ֞ עַד־יְהֹוָ֣ה ב
אֱלֹהֶ֗יךָ וְשָׁמַעְתָּ֣ בְקֹל֔וֹ כְּכֹ֛ל אֲשֶׁר־אָנֹכִ֥י מְצַוְּךָ֖ הַיּ֑וֹם
אַתָּ֣ה וּבָנֶ֔יךָ בְּכׇל־לְבָבְךָ֖ וּבְכׇל־נַפְשֶֽׁךָ׃ וְשָׁ֨ב יְהֹוָ֧ה ג
אֱלֹהֶ֛יךָ אֶת־שְׁבוּתְךָ֖ וְרִחֲמֶ֑ךָ וְשָׁ֗ב וְקִבֶּצְךָ֙ מִכׇּל־
הָֽעַמִּ֔ים אֲשֶׁ֧ר הֱפִֽיצְךָ֛ יְהֹוָ֥ה אֱלֹהֶ֖יךָ שָֽׁמָּה׃ אִם־ ד

רש"י

"לֹא חָלַק", אוֹתוֹ אֱלוֹהַּ שֶׁבָּחֲרוּ לָהֶם לֹא חָלַק לָהֶם שׁוּם נַחֲלָה וְשׁוּם חֵלֶק:

כז) **וַיִּתְּשֵׁם ה'.** כְּתַרְגּוּמוֹ "וְטַלְטֵלִנּוּן", וְכֵן: "הִנְנִי נֹתְשָׁם מֵעַל אַדְמָתָם" (ירמיה יב, יד):

כח) **הַנִּסְתָּרֹת לַה' אֱלֹהֵינוּ.** וְאִם תֹּאמְרוּ, מַה בְּיָדֵנוּ לַעֲשׂוֹת? אַתָּה מַעֲנִישׁ אֶת הָרַבִּים עַל הִרְהוּרֵי הַיָּחִיד, שֶׁנֶּאֱמַר: "פֶּן יֵשׁ בָּכֶם אִישׁ" וְגוֹ' (לעיל פסוק יז) וְאַחַר כָּךְ: "וְרָאוּ אֶת מַכּוֹת הָאָרֶץ הַהִוא" (לעיל פסוק כא), וַהֲלֹא אֵין אָדָם יוֹדֵעַ טְמוּנוֹתָיו שֶׁל חֲבֵרוֹ? אֵין אֲנִי מַעֲנִישׁ אֶתְכֶם עַל "הַנִּסְתָּרֹת", שֶׁהֵן "לַה' אֱלֹהֵינוּ" וְהוּא יִפָּרַע מֵאוֹתוֹ יָחִיד, אֲבָל "הַנִּגְלֹת לָנוּ וּלְבָנֵינוּ" לְבַעֵר הָרָע מִקִּרְבֵּנוּ, וְאִם לֹא נַעֲשֶׂה דִין בָּהֶם יֵעָנְשׁוּ הָרַבִּים. נָקוּד עַל "לָנוּ" וְעַל "לְבָנֵינוּ" וְעַל ע' שֶׁבְּ"עַד", לִדְרֹשׁ שֶׁאַף עַל הַנִּגְלוֹת לֹא עָנַשׁ אֶת הָרַבִּים עַד שֶׁעָבְרוּ אֶת הַיַּרְדֵּן, מִשֶּׁקִּבְּלוּ עֲלֵיהֶם אֶת הַשְּׁבוּעָה בְּהַר גְּרִזִּים וּבְהַר עֵיבָל וְנַעֲשׂוּ עֲרֵבִים זֶה לָזֶה:

פרק ל

ג) **וְשָׁב ה' אֱלֹהֶיךָ אֶת שְׁבוּתְךָ.** הָיָה לוֹ לִכְתֹּב: 'וְהֵשִׁיב אֶת שְׁבוּתְךָ', רַבּוֹתֵינוּ לָמְדוּ מִכָּאן כִּבְיָכוֹל שֶׁהַשְּׁכִינָה שְׁרוּיָה עִם יִשְׂרָאֵל בְּצָרַת גָּלוּתָם, וּכְשֶׁנִּגְאָלִין הִכְתִּיב גְּאֻלָּה לְעַצְמוֹ שֶׁהוּא יָשׁוּב עִמָּהֶם. וְעוֹד יֵשׁ לוֹמַר שֶׁגָּדוֹל יוֹם קִבּוּץ גָּלֻיּוֹת וּבְקֹשִׁי, כְּאִלּוּ הוּא עַצְמוֹ צָרִיךְ לִהְיוֹת אוֹחֵז בְּיָדָיו מַמָּשׁ אִישׁ אִישׁ מִמְּקוֹמוֹ, כְּעִנְיָן שֶׁנֶּאֱמַר: "וְאַתֶּם תְּלֻקְּטוּ לְאַחַד אֶחָד בְּנֵי יִשְׂרָאֵל" (ישעיה כז, יב), וְאַף בְּגָלֻיּוֹת שְׁאָר הָאֻמּוֹת מָצִינוּ כֵן: "וְשַׁבְתִּי אֶת שְׁבוּת מִצְרַיִם" (יחזקאל כט, יד):

ביאור | כָּל הַקְּלָלָה הַכְּתוּבָה בַּסֵּפֶר הַזֶּה. כז וַיִּתְּשֵׁם, הגלה אותם ה׳ מֵעַל אַדְמָתָם בְּאַף וּבְחֵמָה וּבְקֶצֶף גָּדוֹל, וַיַּשְׁלִכֵם אֶל אֶרֶץ אַחֶרֶת כַּיּוֹם הַזֶּה".

וכאן משה מוסיף הבהרה על האחריות ההדדית שבברית: כח הַנִּסְתָּרֹת מעינינו ידועות רק לַה׳ אֱלֹהֵינוּ. איננו יודעים על מי שעובד עבודה זרה בחשאי. אלו מסורים לידיעתו של אלוקים ולענישתו, ועליהם לא תחול אלת הברית הציבורית. ולעומת זאת, הַנִּגְלֹת, החטאים המפורסמים – לָנוּ וּלְבָנֵינוּ עַד עוֹלָם, עלינו מוטל לבער אותם,[8] שכן כולנו מתחייבים לַעֲשׂוֹת אֶת כָּל דִּבְרֵי הַתּוֹרָה הַזֹּאת.

# התשובה

## פרק ל פס׳ א–י

בעניינים הקודמים הוצגה הברית באופן נוקשה למדי. מי שישמור את מצוות ה׳ – יזכה בברכתו, ומי שיסרב להישמע למשפטיו – יקולל וצרות רבות ורעות יפקדו את חייו. בעניין הבא ירוכך הטון: גם מי שחטא – בין שהוא יחיד ובין שהוא ציבור – יכול לשוב מחטאו. גם מי שרוחק והוגלה – יכול לשוב מן הגולה.

מתואר כאן תהליך הדדי של שיבה ותשובה בין אלוקים והאדם, המתבטא בשרשורו של השורש ש,ו,ב בגופים ובבניינים שונים ובמגוון משמעויות לאורך העניין כולו. זוהי הפעם הראשונה שבה מופיע באופן מפורש העיקרון המרכזי של התשובה. עצמתה החיונית של התשובה עומדת כנגד תפיסות פטליסטיות וכנגד ייאוש.

פרק ל א וְהָיָה כִי יָבֹאוּ עָלֶיךָ כָּל הַדְּבָרִים הָאֵלֶּה – הַבְּרָכָה וְהַקְּלָלָה אֲשֶׁר נָתַתִּי לְפָנֶיךָ,[9] וַהֲשֵׁבֹתָ אֶל לְבָבֶךָ, תענה לעצמך, תתן דעתך למצבך ותערוך את חשבון נפשך וקורותיך כאשר תשב בְּבָבֶל, בין כל הַגּוֹיִם אֲשֶׁר הִדִּיחֲךָ, הרחיקך ה׳ אֱלֹהֶיךָ שָׁמָּה.

ב ומתוך כך – וְשַׁבְתָּ, תבוא שוב עַד ה׳ אֱלֹהֶיךָ וְשָׁמַעְתָּ בְקֹלוֹ כְּכֹל אֲשֶׁר אָנֹכִי מְצַוְּךָ הַיּוֹם, אַתָּה וּבָנֶיךָ, בְּכָל לְבָבְךָ וּבְכָל נַפְשֶׁךָ.

ג בעקבות זאת – וְשָׁב, ישיב ה׳ אֱלֹהֶיךָ אֶת שְׁבוּתְךָ, יניח לך בשיבתך אל מצבך הראשון, אל עצמך. או: יחזיר אותך מן השבי.[10] וְרִחֲמֶךָ, וְשָׁב וְקִבֶּצְךָ, יאסוף אותך שוב, לאחר שכבר השיבך מגלות מצרים, מִכָּל הָעַמִּים אֲשֶׁר הֱפִיצְךָ ה׳ אֱלֹהֶיךָ שָׁמָּה. כשגלו ישראל למצרים, חיו כולם במקום אחד. בעתיד יהיו ישראל נפוצים בארצות רבות

הרחבות | 'והשבֹת אל לבבך... ושבת' ייתכן שהפועל 'והשבֹת' משמעו מענה. מול הגלות הקשה והארוכה תחשוב מחדש על ערכי חייך, תבדוק מה עיקר ומה טפל, ותענה לעצמך תשובות חדשות. ומתוך כך תשוב אל ה׳.

יִהְיֶ֥ה נִֽדַּחֲךָ֖ בִּקְצֵ֣ה הַשָּׁמָ֑יִם מִשָּׁם֙ יְקַבֶּצְךָ֙ יְהוָ֣ה
ה אֱלֹהֶ֔יךָ וּמִשָּׁ֖ם יִקָּחֶֽךָ׃ וֶהֱבִיאֲךָ֞ יְהוָ֣ה אֱלֹהֶ֗יךָ אֶל־
הָאָ֛רֶץ אֲשֶׁר־יָרְשׁ֥וּ אֲבֹתֶ֖יךָ וִֽירִשְׁתָּ֑הּ וְהֵיטִֽבְךָ֥ וְהִרְבְּךָ֖
ו מֵאֲבֹתֶֽיךָ׃ וּמָ֨ל יְהוָ֧ה אֱלֹהֶ֛יךָ אֶת־לְבָבְךָ֖ וְאֶת־
לְבַ֣ב זַרְעֶ֑ךָ לְאַהֲבָ֞ה אֶת־יְהוָ֧ה אֱלֹהֶ֛יךָ בְּכָל־לְבָבְךָ֥
חמישי /שלישי/ ז וּבְכָל־נַפְשְׁךָ֖ לְמַ֥עַן חַיֶּֽיךָ׃ וְנָתַן֙ יְהוָ֣ה אֱלֹהֶ֔יךָ אֵ֚ת
כָּל־הָאָל֣וֹת הָאֵ֔לֶּה עַל־אֹיְבֶ֥יךָ וְעַל־שֹׂנְאֶ֖יךָ אֲשֶׁ֥ר
ח רְדָפֽוּךָ׃ וְאַתָּ֣ה תָשׁ֔וּב וְשָׁמַעְתָּ֖ בְּק֣וֹל יְהוָ֑ה וְעָשִׂ֙יתָ֙
ט אֶת־כָּל־מִצְוֺתָ֔יו אֲשֶׁ֛ר אָנֹכִ֥י מְצַוְּךָ֖ הַיּֽוֹם׃ וְהוֹתִֽירְךָ֩
יְהוָ֨ה אֱלֹהֶ֜יךָ בְּכֹ֣ל ׀ מַעֲשֵׂ֣ה יָדֶ֗ךָ בִּפְרִ֨י בִטְנְךָ֜ וּבִפְרִ֧י
בְהֶמְתְּךָ֛ וּבִפְרִ֥י אַדְמָתְךָ֖ לְטֹבָ֑ה כִּ֣י ׀ יָשׁ֣וּב יְהוָ֗ה לָשׂ֤וּשׂ
י עָלֶ֙יךָ֙ לְט֔וֹב כַּאֲשֶׁר־שָׂ֖שׂ עַל־אֲבֹתֶֽיךָ׃ כִּ֣י תִשְׁמַ֗ע
בְּקוֹל֙ יְהוָ֣ה אֱלֹהֶ֔יךָ לִשְׁמֹ֤ר מִצְוֺתָיו֙ וְחֻקֹּתָ֔יו הַכְּתוּבָ֕ה
בְּסֵ֥פֶר הַתּוֹרָ֖ה הַזֶּ֑ה כִּ֤י תָשׁוּב֙ אֶל־יְהוָ֣ה אֱלֹהֶ֔יךָ בְּכָל־
ששי כד יא לְבָבְךָ֖ וּבְכָל־נַפְשֶֽׁךָ׃ כִּ֚י הַמִּצְוָ֣ה הַזֹּ֔את
אֲשֶׁ֛ר אָנֹכִ֥י מְצַוְּךָ֖ הַיּ֑וֹם לֹֽא־נִפְלֵ֥את הִוא֙ מִמְּךָ֔ וְלֹ֥א־
יב רְחֹקָ֖ה הִֽוא׃ לֹ֥א בַשָּׁמַ֖יִם הִ֑וא לֵאמֹ֗ר מִ֣י יַעֲלֶה־לָּ֤נוּ
יג הַשָּׁמַ֙יְמָה֙ וְיִקָּחֶ֣הָ לָּ֔נוּ וְיַשְׁמִעֵ֥נוּ אֹתָ֖הּ וְנַעֲשֶֽׂנָּה׃ וְלֹ֥א־

רש"י | יא) לֹא נִפְלֵאת הִוא מִמְּךָ. לֹא מְכֻסָּה הִיא מִמְּךָ, כְּמוֹ שֶׁנֶּאֱמַר: "כִּי יִפָּלֵא" (לעיל יז, ח) – "חֲרֵי יִתְכַּסֵּי", "וַתֵּרֶד פְּלָאִים" (איכה א, ט) וַתֵּרֶד בְּמַטְמוֹנִיּוֹת, מְכֻסָּה חֲבוּשָׁה בְּטָמוֹן:

יב) לֹא בַשָּׁמַיִם הִוא. שֶׁאִלּוּ הָיְתָה

ורחוקות. ד ובכל זאת – גם אִם יִהְיֶה נִדַּחֲךָ, בן עמך המורחק בִּקְצֵה | ביאור
הַשָּׁמָיִם – מִשָּׁם יְקַבֶּצְךָ ה' אֱלֹהֶיךָ וּמִשָּׁם יִקָּחֶךָ. הוא ידאג לכל אחד
ואחד. ה וֶהֱבִיאֲךָ ה' אֱלֹהֶיךָ שוב אֶל הָאָרֶץ אֲשֶׁר יָרְשׁוּ אֲבֹתֶיךָ וִירִשְׁתָּהּ,
וְהֵיטִבְךָ וְהִרְבְּךָ מֵאֲבֹתֶיךָ. מצבך יהיה טוב יותר ממצב אבותיך, ומספרך
יהיה גדול ממספרם. ו וּמָל ה' אֱלֹהֶיךָ אֶת לְבָבְךָ וְאֶת לְבַב זַרְעֶךָ.
לעתיד לבוא ה' הוא שיסיר מלבך את הכיסוי האוטם אותו,[11] והוא
שישפיע על הלב הגלוי לְאַהֲבָה אֶת ה' אֱלֹהֶיךָ בְּכָל לְבָבְךָ וּבְכָל נַפְשְׁךָ
לְמַעַן חַיֶּיךָ. אז תראה בְּיחס אליו לא רק את הכפיפות למשימה
ולחובה, אלא את משמעות חייך. ז וְנָתַן ה' אֱלֹהֶיךָ אֵת כָּל הָאָלוֹת,
הקללות הָאֵלֶּה, שהשמעתי באוזניך – עַל אֹיְבֶיךָ וְעַל שֹׂנְאֶיךָ אֲשֶׁר
רְדָפוּךָ כשהיית בגולה ובמצוק.

ח וְאַתָּה תָשׁוּב, תחזור אל ה' וְשָׁמַעְתָּ. או: תחזור לשמוע בְּקוֹל ה'
וְעָשִׂיתָ אֶת כָּל מִצְוֹתָיו אֲשֶׁר אָנֹכִי מְצַוְּךָ הַיּוֹם.

ט וְהוֹתִירְךָ, ייתן לך יתרון, יוסיף לך ה' אֱלֹהֶיךָ בְּכֹל מַעֲשֵׂה יָדֶךָ: בִּפְרִי
בִטְנְךָ, צאצאיך וּבִפְרִי, ולדות בְהֶמְתְּךָ וּבִפְרִי אַדְמָתְךָ לְטֹבָה, כִּי יָשׁוּב
ה' לָשׂוּשׂ, ה' ישמח שוב[12] עָלֶיךָ לְטוֹב, כשייטיב לך, כַּאֲשֶׁר שָׂשׂ עַל
אֲבֹתֶיךָ, כשהם נהגו כראוי.

י וכל זאת, כִּי תִשְׁמַע בְּקוֹל ה' אֱלֹהֶיךָ, לִשְׁמֹר מִצְוֹתָיו וְחֻקֹּתָיו, אותה
המצווה והחוקה הַכְּתוּבָה בְּסֵפֶר הַתּוֹרָה הַזֶּה, כִּי תָשׁוּב אֶל ה' אֱלֹהֶיךָ
בְּכָל לְבָבְךָ וּבְכָל נַפְשֶׁךָ.

# הבחירה במצוות

פרק ל פס' יא–כ

בעניין זה באים דברי סיכום כלליים הקשורים לברית. בהמשך לרעיון התשובה, שהיא פתח תקווה לפרט ולעם להתקרב אל אלוקים גם לאחר שרחקו ממנו, מודגשת פה נגישותן של המצוות לכל אדם, ומכאן – האחריות המוטלת עליו לבחור בטוב ובחיים.

יא כִּי הַמִּצְוָה הַזֹּאת אֲשֶׁר אָנֹכִי מְצַוְּךָ הַיּוֹם, כל המצוות,[13] לֹא נִפְלֵאת,
מוזרה או בלתי אפשרית הִוא מִמְּךָ, וְלֹא רְחֹקָה הִוא. יב לֹא בַשָּׁמַיִם
הִוא, שכן אילו הייתה בשמים, היינו יכולים לֵאמֹר: מִי יַעֲלֶה לָּנוּ
הַשָּׁמַיְמָה וְיִקָּחֶהָ לָּנוּ, וְיַשְׁמִעֵנוּ אֹתָהּ – וְנַעֲשֶׂנָּה. עקרונית היינו רוצים
בתורה, אך היא מופשטת ונשגבת מדי. אילו הורידו אותה אלינו,
היינו מקיימים את מצוותיה. כלפי זה אומר משה שהוא כבר עשה

מֵעֵבֶר לַיָּם הִוא לֵאמֹר מִי יַעֲבָר־לָנוּ אֶל־עֵבֶר הַיָּם
וְיִקָּחֶהָ לָּנוּ וְיַשְׁמִעֵנוּ אֹתָהּ וְנַעֲשֶׂנָּה׃ כִּי־קָרוֹב אֵלֶיךָ יד
הַדָּבָר מְאֹד בְּפִיךָ וּבִלְבָבְךָ לַעֲשֹׂתוֹ׃ רְאֵה טו
שביעי ומפטיר /רביעי/
נָתַתִּי לְפָנֶיךָ הַיּוֹם אֶת־הַחַיִּים וְאֶת־הַטּוֹב וְאֶת־
הַמָּוֶת וְאֶת־הָרָע׃ אֲשֶׁר אָנֹכִי מְצַוְּךָ הַיּוֹם לְאַהֲבָה טז
אֶת־יהוה אֱלֹהֶיךָ לָלֶכֶת בִּדְרָכָיו וְלִשְׁמֹר מִצְוֹתָיו
וְחֻקֹּתָיו וּמִשְׁפָּטָיו וְחָיִיתָ וְרָבִיתָ וּבֵרַכְךָ יהוה אֱלֹהֶיךָ
בָּאָרֶץ אֲשֶׁר־אַתָּה בָא־שָׁמָּה לְרִשְׁתָּהּ׃ וְאִם־יִפְנֶה יז
לְבָבְךָ וְלֹא תִשְׁמָע וְנִדַּחְתָּ וְהִשְׁתַּחֲוִיתָ לֵאלֹהִים
אֲחֵרִים וַעֲבַדְתָּם׃ הִגַּדְתִּי לָכֶם הַיּוֹם כִּי אָבֹד תֹּאבֵדוּן יח
לֹא־תַאֲרִיכֻן יָמִים עַל־הָאֲדָמָה אֲשֶׁר אַתָּה עֹבֵר
אֶת־הַיַּרְדֵּן לָבוֹא שָׁמָּה לְרִשְׁתָּהּ׃ הַעִדֹתִי בָכֶם הַיּוֹם יט
אֶת־הַשָּׁמַיִם וְאֶת־הָאָרֶץ הַחַיִּים וְהַמָּוֶת נָתַתִּי לְפָנֶיךָ

רש"י

בַּשָּׁמַיִם, הָיִיתָ צָרִיךְ לַעֲלוֹת אַחֲרֶיהָ וְלִלְמְדָהּ:

יד) **כִּי קָרוֹב אֵלֶיךָ.** הַתּוֹרָה נִתְּנָה לָכֶם בִּכְתָב וּבְעַל פֶּה:

טו) **אֶת הַחַיִּים וְאֶת הַטּוֹב.** זֶה תָּלוּי בָּזֶה, אִם תַּעֲשֶׂה טוֹב הֲרֵי לְךָ חַיִּים, וְאִם תַּעֲשֶׂה רָע הֲרֵי לְךָ הַמָּוֶת, וְהַכָּתוּב מְפָרֵשׁ וְהוֹלֵךְ הֵיאַךְ:

טז) **אֲשֶׁר אָנֹכִי מְצַוְּךָ הַיּוֹם לְאַהֲבָה.** הֲרֵי הַטּוֹב, וּבוֹ תָּלוּי "וְחָיִיתָ וְרָבִיתָ", הֲרֵי הַחַיִּים:

יז) **וְאִם יִפְנֶה לְבָבְךָ.** הֲרֵי הָרָע:

יח) **כִּי אָבֹד תֹּאבֵדוּן.** הֲרֵי הַמָּוֶת:

יט) **הַעִדֹתִי בָכֶם הַיּוֹם אֶת הַשָּׁמַיִם וְאֶת הָאָרֶץ.** שֶׁהֵם קַיָּמִים לְעוֹלָם, וְכַאֲשֶׁר תִּקְרֶה אֶתְכֶם הָרָעָה יִהְיוּ עֵדִים שֶׁאֲנִי הִתְרֵיתִי בָּכֶם בְּכָל זֹאת. דָּבָר אַחֵר, "הַעִדֹתִי בָכֶם הַיּוֹם אֶת הַשָּׁמַיִם" וְגוֹ', אָמַר לָהֶם הַקָּדוֹשׁ בָּרוּךְ הוּא לְיִשְׂרָאֵל: הִסְתַּכְּלוּ בַּשָּׁמַיִם שֶׁבָּרָאתִי לְשַׁמֵּשׁ אֶתְכֶם, שֶׁמָּא שִׁנּוּ אֶת מִדָּתָם? שֶׁמָּא לֹא עָלָה גַּלְגַּל חַמָּה מִן הַמִּזְרָח וְהֵאִיר לְכָל הָעוֹלָם, כָּעִנְיָן שֶׁנֶּאֱמַר: "וְזָרַח הַשֶּׁמֶשׁ וּבָא הַשָּׁמֶשׁ" (קהלת א, ה)? הִסְתַּכְּלוּ בָּאָרֶץ שֶׁבָּרָאתִי לְשַׁמֵּשׁ אֶתְכֶם, שֶׁמָּא שִׁנְּתָה מִדָּתָהּ? שֶׁמָּא זְרַעְתֶּם אוֹתָהּ וְלֹא צָמְחָה, אוֹ שֶׁמָּא זְרַעְתֶּם חִטִּים וְהֶעֶלְתָה שְׂעוֹרִים? וּמָה אֵלּוּ שֶׁנַּעֲשׂוּ לֹא לְשָׂכָר וְלֹא לְהֶפְסֵד, אִם זוֹכִין אֵין מְקַבְּלִין שָׂכָר וְאִם חוֹטְאִין אֵין מְקַבְּלִין פֻּרְעָנוּת – לֹא שִׁנּוּ אֶת מִדָּתָם, אַתֶּם שֶׁאִם זְכִיתֶם תְּקַבְּלוּ שָׂכָר וְאִם חֲטָאתֶם תְּקַבְּלוּ פֻּרְעָנוּת, עַל אַחַת כַּמָּה וְכַמָּה:

ביאור

זאת, והתורה עתה בידי העם. יג וְלֹא מֵעֵבֶר לַיָּם, במקום רחוק הִוא,
שכן אילו הייתה במרחקים, היינו יכולים לֵאמֹר: מִי יַעֲבָר לָנוּ אֶל עֵבֶר
הַיָּם וְיִקָּחֶהָ לָּנוּ, וְיַשְׁמִעֵנוּ אֹתָהּ – וְנַעֲשֶׂנָּה. אם היא תהיה קצת קרובה
יותר לעולמנו, נוכל לקיימה. יד הטענות שהתורה גבוהה או רחוקה
מדי אינן נכונות, כִּי קָרוֹב אֵלֶיךָ הַדָּבָר – דברי התורה וקיומם מְאֹד,
בְּפִיךָ, לדבר בהם וּבִלְבָבְךָ, להבין אותם לַעֲשֹׂתוֹ. אנו יכולים לממשם
בפועל.

טו רְאֵה נָתַתִּי לְפָנֶיךָ הַיּוֹם בתורה ובברית אֶת הַחַיִּים וְאֶת הַטּוֹב, מצד
אחד, וְאֶת הַמָּוֶת וְאֶת הָרָע, מצד שני. החיים צמודים לטוב, ואילו
המוות צמוד לרע. טז אֲשֶׁר אָנֹכִי מְצַוְּךָ הַיּוֹם לְאַהֲבָה אֶת ה׳ אֱלֹהֶיךָ,
לָלֶכֶת בִּדְרָכָיו וְלִשְׁמֹר מִצְוֺתָיו וְחֻקֹּתָיו וּמִשְׁפָּטָיו. בחירה בכך תביא
עמה חיים וטובה – וְחָיִיתָ וְרָבִיתָ, וּבֵרַכְךָ ה׳ אֱלֹהֶיךָ בָּאָרֶץ אֲשֶׁר אַתָּה
בָא שָׁמָּה לְרִשְׁתָּהּ.

יז וְאִם יִפְנֶה לְבָבְךָ וְלֹא תִשְׁמָע לדברים הללו, וְנִדַּחְתָּ, תרחק ותסטה
מן הדרך הישרה, וְהִשְׁתַּחֲוִיתָ לֵאלֹהִים אֲחֵרִים וַעֲבַדְתָּם – יח הִגַּדְתִּי
לָכֶם הַיּוֹם כִּי אָבֹד תֹּאבֵדוּן מן העולם. אין חייכם חיים אקראיים,
המסתכמים בנוכחות גופנית ובהתרבות פיזית. לקיומכם יש
משמעות וייעוד, שאם תפנו אליהם עורף – לֹא תַאֲרִיכֻן יָמִים עַל
הָאֲדָמָה אֲשֶׁר אַתָּה עֹבֵר אֶת הַיַּרְדֵּן לָבוֹא שָׁמָּה לְרִשְׁתָּהּ, אלא תִּגלו
ממנה.

משה חוזר על האמור לשם הדגשה, אך הפעם ייתכן שהוא אומר
אותם בנעימה של בקשה: יט הַעִדֹתִי בָכֶם הַיּוֹם אֶת הַשָּׁמַיִם וְאֶת הָאָרֶץ:
הַחַיִּים וְהַמָּוֶת נָתַתִּי לְפָנֶיךָ, הַבְּרָכָה וְהַקְּלָלָה – וּבָחַרְתָּ, כדאי שתבחר

הרחבות

**'את השמים ואת הארץ'** ישראל נשארים בחיים, אך משה עומד למות. על כן בהשביעו את ישראל הוא בוחר בשמים ובארץ כעדים נצחיים שידאגו לקיום השבועה. משה יעיד עליו את השמים ואת הארץ גם בפתיחת שירת האזינו (להלן לב,א), וכן יעשה הנביא ישעיהו (א,ב).

הַבְּרָכָ֖ה וְהַקְּלָלָ֑ה וּבָֽחַרְתָּ֙ בַּֽחַיִּ֔ים לְמַ֥עַן תִּחְיֶ֖ה אַתָּ֥ה
וְזַרְעֶֽךָ׃ לְאַהֲבָה֙ אֶת־יְהוָ֣ה אֱלֹהֶ֔יךָ לִשְׁמֹ֥עַ בְּקֹל֖וֹ כ
וּלְדָבְקָה־ב֑וֹ כִּ֣י ה֤וּא חַיֶּ֙יךָ֙ וְאֹ֣רֶךְ יָמֶ֔יךָ לָשֶׁ֣בֶת עַל־
הָאֲדָמָ֗ה אֲשֶׁר֩ נִשְׁבַּ֨ע יְהוָ֧ה לַאֲבֹתֶ֛יךָ לְאַבְרָהָ֛ם
לְיִצְחָ֥ק וּֽלְיַעֲקֹ֖ב לָתֵ֥ת לָהֶֽם׃

וילך

לא וַיֵּ֖לֶךְ מֹשֶׁ֑ה וַיְדַבֵּ֛ר אֶת־הַדְּבָרִ֥ים הָאֵ֖לֶּה אֶל־כָּל־ א
יִשְׂרָאֵֽל׃ וַיֹּ֣אמֶר אֲלֵהֶ֗ם בֶּן־מֵאָה֩ וְעֶשְׂרִ֨ים שָׁנָ֤ה ב
אָנֹכִי֙ הַיּ֔וֹם לֹא־אוּכַ֥ל ע֖וֹד לָצֵ֣את וְלָב֑וֹא וַֽיהוָה֙
אָמַ֣ר אֵלַ֔י לֹ֥א תַעֲבֹ֖ר אֶת־הַיַּרְדֵּ֥ן הַזֶּֽה׃ יְהוָ֨ה אֱלֹהֶ֜יךָ ג
ה֣וּא ׀ עֹבֵ֣ר לְפָנֶ֗יךָ הֽוּא־יַשְׁמִ֞יד אֶת־הַגּוֹיִ֥ם הָאֵ֛לֶּה

רש"י | **וּבָחַרְתָּ בַּחַיִּים.** אֲנִי מוֹרֶה לָכֶם שֶׁתִּבְחֲרוּ בְּחֵלֶק הַחַיִּים, כְּאָדָם הָאוֹמֵר לִבְנוֹ, בְּרֹר לְךָ חֵלֶק יָפֶה בְּנַחֲלָתִי, וּמַעֲמִידוֹ עַל חֵלֶק הַיָּפֶה וְאוֹמֵר לוֹ: אֶת זֶה בְּרֹר לְךָ. וְעַל זֶה נֶאֱמַר: "ה' מְנָת חֶלְקִי וְכוֹסִי אַתָּה תּוֹמִיךְ גּוֹרָלִי" (תהלים טז, ה), הִנַּחְתָּ יָדִי עַל גּוֹרָל הַטּוֹב, לוֹמַר, אֶת זֶה קַח לְךָ:

פרק לא

ב **לֹא אוּכַל עוֹד לָצֵאת וְלָבוֹא.** יָכוֹל שֶׁתָּשַׁשׁ כֹּחוֹ? תַּלְמוּד לוֹמַר: "לֹא כָהֲתָה עֵינוֹ וְלֹא נָס לֵחֹה" (להלן לד, ז), אֶלָּא מַהוּ "לֹא אוּכַל"? אֵינִי רַשַּׁאי, שֶׁנִּטְּלָה מִמֶּנִּי הָרְשׁוּת וְנִתְּנָה לִיהוֹשֻׁעַ: **וַה' אָמַר אֵלַי.** זֶהוּ פֵּרוּשׁ "לֹא אוּכַל עוֹד לָצֵאת וְלָבוֹא", לְפִי שֶׁה' אָמַר אֵלַי: **אָנֹכִי הַיּוֹם.** הַיּוֹם מָלְאוּ יָמַי וּשְׁנוֹתַי, בְּיוֹם זֶה נוֹלַדְתִּי וּבְיוֹם זֶה אָמוּת. דָּבָר אַחֵר, "לָצֵאת וְלָבוֹא" בְּדִבְרֵי תוֹרָה, מְלַמֵּד שֶׁנִּסְתַּתְּמוּ מִמֶּנּוּ מָסוֹרוֹת וּמַעְיְנוֹת הַחָכְמָה:

בַּחַיִּים, לְמַעַן תִּחְיֶה אַתָּה וְזַרְעֶךָ. החיים, הטובה והברכה הם כולם מערך אחד, המנוגד למוות, הרעה והקללה. כל האפשרויות פרושות לפניכם, ואני ממליץ בפניכם לבחור במערך החיובי.[14] כ הבחירה בחיים היא לְאַהֲבָה אֶת ה׳ אֱלֹהֶיךָ, לִשְׁמֹעַ בְּקֹלוֹ וּלְדָבְקָה בוֹ, כִּי הוּא חַיֶּיךָ וְאֹרֶךְ יָמֶיךָ לָשֶׁבֶת עַל הָאֲדָמָה אֲשֶׁר נִשְׁבַּע ה׳ לַאֲבֹתֶיךָ לְאַבְרָהָם לְיִצְחָק וּלְיַעֲקֹב לָתֵת לָהֶם. התנהגותכם ויחסכם לאלוקים הם שיקבעו אם תאריכו ימים ותחיו חיים משמעותיים וארוכים בארץ. | ביאור

פרשת וילך

# ציוויים אחרונים לקראת פרדת משה

## פרק לא

משה מסיים את תפקידו עלי אדמות. ביום מותו יאמר לישראל דברי פרדה שמקצתם יתייחסו לזמן הקרוב, ומקצתם יתקיימו לאחר זמן. קודם פטירתו יבקש לעודד את ישראל, שהרי היה בעבורם הכול, והסתלקותו תותיר בעם חלל ריק. הרי לא קם בישראל כמשה לא רק מבחינת אישיותו, אלא גם מבחינת מגוון תפקידי ההנהגה שהחזיק בידיו: הוא היה המנהיג הדתי, איש האלוקים, מוסר התורה ומורה המשפט, המנהיג האזרחי, מפקד הצבא והממונה על המקדש ועל הכהנים. משה מעוניין לעשות ככל יכולתו כדי שהחלל שייפער עם פטירתו לא ייאש את העם. ולכן הוא מנחם את ישראל ומחזקם לגבי המשך דרכם באופן נמרץ ביותר.

מתחילת ספר דברים ועד כאן משה משאיר אחריו הוראות לעם, אך הוא יודע שההוראות לא יישמרו במלואן. בנבואתו הוא רואה שיבואו זמנים שהעם יעזוב בהם את ה׳ ויפר בריתו, ושהדבר אינו בשליטתו. בבהירות הוא מודיע לעם את מה שעתיד לקרות, ומזהירו מפני הבאות הן בפרוזה הן בשירה שישמיע באוזניו בעניין הבא. את השירה שבה יתוארו בקצרה העליות, הנפילות, המכות והגאולה של ישראל, משה מבקש לשים בפיהם של ישראל כדי שהיא תלווה אותם בדרכם הארוכה והנפתלת, ותשמר בהם את הזיכרון ואת האמונה.

פרק לא א וַיֵּלֶךְ מֹשֶׁה וַיְדַבֵּר אֶת הַדְּבָרִים הָאֵלֶּה, שנזכרו לעיל[1] אֶל כָּל
יִשְׂרָאֵל. ב וַיֹּאמֶר אֲלֵהֶם עוד: בֶּן מֵאָה וְעֶשְׂרִים שָׁנָה אָנֹכִי הַיּוֹם. ייתכן שבאותו יום ממש, יום פטירתו, מלאו לו מאה ועשרים.[2] לֹא אוּכַל עוֹד לָצֵאת וְלָבוֹא, להנהיג את העם, לצאת לפניהם למלחמה ולעסוק בכל צורכיהם באופן מסודר.[3] ואולם הסיבה לכך איננה חלישות, תשישות או זקנה,[4] אלא ה׳ אָמַר אֵלַי: ״לֹא תַעֲבֹר אֶת הַיַּרְדֵּן הַזֶּה״. אתם פונים לעבור את הירדן, ואילו עלי נאסרה הכניסה לארץ.[5]

משה פותח בדברי הרגעה: ג אמנם אני נשאר כאן, אבל ה׳ אֱלֹהֶיךָ הוּא עֹבֵר לְפָנֶיךָ, כפי שהיה בזמני. הוּא יַשְׁמִיד אֶת הַגּוֹיִם הָאֵלֶּה – שבעברו

מִלְּפָנֶיךָ וִירִשְׁתָּם יְהוֹשֻׁעַ הוּא עֹבֵר לְפָנֶיךָ כַּאֲשֶׁר
שני ד דִּבֶּר יְהוָה׃ ◦ וְעָשָׂה יְהוָה לָהֶם כַּאֲשֶׁר עָשָׂה לְסִיחוֹן
וּלְעוֹג מַלְכֵי הָאֱמֹרִי וּלְאַרְצָם אֲשֶׁר הִשְׁמִיד אֹתָם׃
ה וּנְתָנָם יְהוָה לִפְנֵיכֶם וַעֲשִׂיתֶם לָהֶם כְּכָל־הַמִּצְוָה
ו אֲשֶׁר צִוִּיתִי אֶתְכֶם׃ חִזְקוּ וְאִמְצוּ אַל־תִּירְאוּ וְאַל־
תַּעַרְצוּ מִפְּנֵיהֶם כִּי ׀ יְהוָה אֱלֹהֶיךָ הוּא הַהֹלֵךְ עִמָּךְ
שלישי /חמישי/ ז לֹא יַרְפְּךָ וְלֹא יַעַזְבֶךָּ׃ ◦ וַיִּקְרָא מֹשֶׁה
לִיהוֹשֻׁעַ וַיֹּאמֶר אֵלָיו לְעֵינֵי כָל־יִשְׂרָאֵל חֲזַק וֶאֱמָץ
כִּי אַתָּה תָּבוֹא אֶת־הָעָם הַזֶּה אֶל־הָאָרֶץ אֲשֶׁר
נִשְׁבַּע יְהוָה לַאֲבֹתָם לָתֵת לָהֶם וְאַתָּה תַּנְחִילֶנָּה
ח אוֹתָם׃ וַיהוָה הוּא ׀ הַהֹלֵךְ לְפָנֶיךָ הוּא יִהְיֶה עִמָּךְ
ט לֹא יַרְפְּךָ וְלֹא יַעַזְבֶךָּ לֹא תִירָא וְלֹא תֵחָת׃ וַיִּכְתֹּב
מֹשֶׁה אֶת־הַתּוֹרָה הַזֹּאת וַיִּתְּנָהּ אֶל־הַכֹּהֲנִים בְּנֵי
לֵוִי הַנֹּשְׂאִים אֶת־אֲרוֹן בְּרִית יְהוָה וְאֶל־כָּל־זִקְנֵי
רביעי י יִשְׂרָאֵל׃ וַיְצַו מֹשֶׁה אוֹתָם לֵאמֹר מִקֵּץ ׀ שֶׁבַע שָׁנִים

רש"י

ו לֹא יַרְפְּךָ. לֹא יִתֵּן לְךָ רִפְיוֹן לִהְיוֹת נֶעֱזָב מִמֶּנּוּ:

ז כִּי אַתָּה תָּבוֹא אֶת הָעָם הַזֶּה. כְּתַרְגּוּמוֹ: "אֲרֵי אַתְּ תֵּיעוֹל עִם עַמָּא הָדֵין". מֹשֶׁה אָמַר לוֹ לִיהוֹשֻׁעַ: זְקֵנִים שֶׁבַּדּוֹר עִמָּהֶם, הַכֹּל לְפִי דַּעְתָּן וַעֲצָתָן. אֲבָל הַקָּדוֹשׁ בָּרוּךְ הוּא אָמַר לִיהוֹשֻׁעַ: "כִּי אַתָּה תָּבִיא אֶת בְּנֵי יִשְׂרָאֵל אֶל הָאָרֶץ אֲשֶׁר נִשְׁבַּעְתִּי לָהֶם" (לְהַלָּן פסוק כג), "תָּבִיא" עַל כָּרְחָם, הַכֹּל תָּלוּי בְּךָ, טוֹל מַקֵּל וְהַךְ עַל קָדְקֳדָן, דַּבָּר אֶחָד לַדּוֹר וְלֹא שְׁנֵי דַבָּרִים לַדּוֹר:

י מִקֵּץ שֶׁבַע שָׁנִים. בַּשָּׁנָה רִאשׁוֹנָה שֶׁל שְׁמִטָּה, הַשְּׁמִינִית. וְלָמָּה קוֹרֵא אוֹתָהּ "שְׁנַת הַשְּׁמִטָּה"? שֶׁעֲדַיִן שְׁבִיעִית נוֹהֶגֶת בָּהּ, בְּקָצִיר שֶׁל שְׁבִיעִית הַיּוֹצֵא לְמוֹצָאֵי שְׁבִיעִית:

הרחבות

'ועשה ה' להם כאשר עשה לסיחון ולעוג' שלא כעמי עבר הירדן המזרחי, מן הכנענים שבעבר הירדן המערבי נותרו בסופו של דבר אזורים ויישובים שלא נכבשו ולא פונו. חלק מהתושבים נשארו במקומם במשך דורות רבים והתערבו ביהודים. ועל כך הזהירו והוכיחו את ישראל לא פעם, על שלא השלימו את יעדם. (ראו יהושע כג,יג; שופטים פרקים ב–ג).

ביאור | המערבי של הירדן **מִלְּפָנֶיךָ וִירִשְׁתָּם**. נוסף להנהגה העליונה, הבלתי-נראית, יש לכם גם מנהיג מוחשי ונראה – **יְהוֹשֻׁעַ הוּא עֹבֵר לְפָנֶיךָ כַּאֲשֶׁר דִּבֶּר ה׳**. זהו המנהיג שה׳ בחר בו. ד **וְעָשָׂה ה׳ לָהֶם** – לאותם גויים **כַּאֲשֶׁר עָשָׂה לְסִיחוֹן וּלְעוֹג מַלְכֵי הָאֱמֹרִי** התקיפים **וּלְאַרְצָם, אֲשֶׁר הִשְׁמִיד אֹתָם**, כפי שאתם זוכרים מן החודשים האחרונים. ה **וּנְתָנָם** – את יושבי כנען **ה׳ לִפְנֵיכֶם, וַעֲשִׂיתֶם לָהֶם כְּכָל הַמִּצְוָה אֲשֶׁר צִוִּיתִי אֶתְכֶם**, לבער אותם מן המקום. ו **חִזְקוּ וְאִמְצוּ! אַל תִּירְאוּ וְאַל תַּעַרְצוּ**, תישברו,[6] תפחדו **מִפְּנֵיהֶם, כִּי ה׳ אֱלֹהֶיךָ הוּא הַהֹלֵךְ עִמָּךְ**, והוא **לֹא יַרְפְּךָ**, יסלק אחיזתו ממך **וְלֹא יַעַזְבֶךָּ**.

ז **וַיִּקְרָא מֹשֶׁה לִיהוֹשֻׁעַ**. יהושע היה צמוד למשה תמיד, ובוודאי שהה עמו בימים אלה, אבל משה קרא לו לבוא באופן טקסי, והעמידו לפניו. **וַיֹּאמֶר אֵלָיו לְעֵינֵי כָל יִשְׂרָאֵל: חֲזַק וֶאֱמָץ!** הֱיה חזק ואמיץ![7] **כִּי אַתָּה תָּבוֹא אֶת**, עם **הָעָם הַזֶּה אֶל הָאָרֶץ אֲשֶׁר נִשְׁבַּע ה׳ לַאֲבֹתָם לָתֵת לָהֶם, וְאַתָּה תַּנְחִילֶנָּה** אותם. ח **וַה׳ הוּא הַהֹלֵךְ לְפָנֶיךָ – הוּא יִהְיֶה עִמָּךְ, לֹא יַרְפְּךָ וְלֹא יַעַזְבֶךָּ**, ולכן – **לֹא תִירָא וְלֹא תֵחָת**. בחזרה הפומבית על הדברים פעם אחר פעם משה מעניק ליהושע לא רק את הסמכות הפורמלית למשול על העם אלא גם את העצמה ואת הכוח.

ט **וַיִּכְתֹּב מֹשֶׁה אֶת הַתּוֹרָה הַזֹּאת** – שבידינו, **וַיִּתְּנָהּ אֶל הַכֹּהֲנִים בְּנֵי לֵוִי הַנֹּשְׂאִים אֶת אֲרוֹן בְּרִית ה׳ וְאֶל כָּל זִקְנֵי יִשְׂרָאֵל**. את העותק הזה של ספר התורה יעתיקו לאחר מכן, והוא יישאר מונח בצד לוחות הברית.

כאן נאמרת מצוות הציבור האחרונה שבתורה: י **וַיְצַו מֹשֶׁה אוֹתָם** – את בני לוי ואת כל זקני ישראל **לֵאמֹר: מִקֵּץ**, אחרי כל **שֶׁבַע**

הרחבות | **׳ויכתב משה את התורה הזאת ויתנה אל הכהנים׳** ידוע שספר תורה אחד היה מונח תמיד ליד ארון הברית. ספר זה שכונה גם ׳ספר העֲזָרה׳, שימש טופס המקור לכל שאר הספרים. ייתכן שזה היה הספר שנכתב בעצם כתב ידו של משה רבנו. (ראו מדרש תנאים דברים יז,יח; בבא בתרא יד ע״ב).

יא בְּמוֹעֵד שְׁנַת הַשְּׁמִטָּה בְּחַג הַסֻּכּוֹת: בְּבוֹא כָל־
יִשְׂרָאֵל לֵרָאוֹת אֶת־פְּנֵי יְהוָה אֱלֹהֶיךָ בַּמָּקוֹם אֲשֶׁר
יִבְחָר תִּקְרָא אֶת־הַתּוֹרָה הַזֹּאת נֶגֶד כָּל־יִשְׂרָאֵל
יב בְּאָזְנֵיהֶם: הַקְהֵל אֶת־הָעָם הָאֲנָשִׁים וְהַנָּשִׁים וְהַטַּף
וְגֵרְךָ אֲשֶׁר בִּשְׁעָרֶיךָ לְמַעַן יִשְׁמְעוּ וּלְמַעַן יִלְמְדוּ
וְיָרְאוּ אֶת־יְהוָה אֱלֹהֵיכֶם וְשָׁמְרוּ לַעֲשׂוֹת אֶת־כָּל־
יג דִּבְרֵי הַתּוֹרָה הַזֹּאת: וּבְנֵיהֶם אֲשֶׁר לֹא־יָדְעוּ יִשְׁמְעוּ
וְלָמְדוּ לְיִרְאָה אֶת־יְהוָה אֱלֹהֵיכֶם כָּל־הַיָּמִים אֲשֶׁר
אַתֶּם חַיִּים עַל־הָאֲדָמָה אֲשֶׁר אַתֶּם עֹבְרִים אֶת־
הַיַּרְדֵּן שָׁמָּה לְרִשְׁתָּהּ:

חמישי /ששי/ כה יד וַיֹּאמֶר יְהוָה אֶל־מֹשֶׁה הֵן קָרְבוּ יָמֶיךָ לָמוּת קְרָא
אֶת־יְהוֹשֻׁעַ וְהִתְיַצְּבוּ בְּאֹהֶל מוֹעֵד וַאֲצַוֶּנּוּ וַיֵּלֶךְ מֹשֶׁה
טו וִיהוֹשֻׁעַ וַיִּתְיַצְּבוּ בְּאֹהֶל מוֹעֵד: וַיֵּרָא יְהוָה בָּאֹהֶל
בְּעַמּוּד עָנָן וַיַּעֲמֹד עַמּוּד הֶעָנָן עַל־פֶּתַח הָאֹהֶל:
טז וַיֹּאמֶר יְהוָה אֶל־מֹשֶׁה הִנְּךָ שֹׁכֵב עִם־אֲבֹתֶיךָ וְקָם
הָעָם הַזֶּה וְזָנָה ׀ אַחֲרֵי ׀ אֱלֹהֵי נֵכַר־הָאָרֶץ אֲשֶׁר
הוּא בָא־שָׁמָּה בְּקִרְבּוֹ וַעֲזָבַנִי וְהֵפֵר אֶת־בְּרִיתִי אֲשֶׁר

רש"י | יא) **תִּקְרָא אֶת הַתּוֹרָה הַזֹּאת.** הַמֶּלֶךְ הָיָה קוֹרֵא מִתְּחִלַּת 'אֵלֶּה הַדְּבָרִים', כִּדְאִיתָא בְּמַסֶּכֶת סוֹטָה (דף מא ע"א), עַל בִּימָה שֶׁל עֵץ שֶׁהָיוּ עוֹשִׂין בָּעֲזָרָה:
יב) **הָאֲנָשִׁים.** לִלְמֹד: **וְהַנָּשִׁים.** לִשְׁמֹעַ: **וְהַטַּף.** לָמָּה בָּאִים? לִתֵּן שָׂכָר לִמְבִיאֵיהֶם:
יד) **וַאֲצַוֶּנּוּ.** וַאֲזָרְזֶנּוּ:
טז) **נֵכַר הָאָרֶץ.** גּוֹיֵי הָאָרֶץ:

הרחבות | מצוות הקהל התקיימה עד סוף ימי הבית השני. לפי המסורת, מלך ישראל, או המנהיג העליון ביותר, הוא שמקריא את התורה לאוזני כל ישראל במקום מיוחד שמכינים לו לצורך זה. הוא אינו עושה זאת בתור גדול החכמים אלא כמלך וכאדם המכובד ביותר בעם. על העלייה לרגל נצטוו הזכרים הבוגרים בלבד, ובכל זאת היו בין העולים משפחות שלמות רבות. ואולם כאן הציווי פונה במפורש

ביאור

שָׁנִים בְּמֹעֵד שְׁנַת הַשְּׁמִטָּה, בְּחַג הַסֻּכּוֹת, בחג הסוכות שבמוצאי שנת
השמיטה,[8] יא בְּבוֹא כָל יִשְׂרָאֵל לֵרָאוֹת, להיראות אֶת פְּנֵי ה׳ אֱלֹהֶיךָ
בַּמָּקוֹם אֲשֶׁר יִבְחָר, תִּקְרָא, יהושע,[9] אֶת הַתּוֹרָה הַזֹּאת נֶגֶד, מול כָּל יִשְׂרָאֵל
בְּאָזְנֵיהֶם, קריאה ברורה ומובנת.[10] יב מלבד הקריאה עצמה – הַקְהֵל,
כנס אֶת הָעָם, את הָאֲנָשִׁים וְהַנָּשִׁים וְהַטַּף וְגֵרְךָ אֲשֶׁר בִּשְׁעָרֶיךָ, לְמַעַן
יִשְׁמְעוּ וּלְמַעַן יִלְמְדוּ וְיָרְאוּ אֶת ה׳ אֱלֹהֵיכֶם, וְשָׁמְרוּ לַעֲשׂוֹת אֶת כָּל דִּבְרֵי
הַתּוֹרָה הַזֹּאת. יהיו מן האנשים שישמעו ויהיו שגם ילמדו. יג מטרתה
של ההקראה הפומבית היא שמירת משמרת התורה והנחלתה
מדור לדור – וּבְנֵיהֶם אֲשֶׁר לֹא יָדְעוּ דבר יִשְׁמְעוּ וְלָמְדוּ לְיִרְאָה אֶת ה׳
אֱלֹהֵיכֶם, כָּל הַיָּמִים אֲשֶׁר אַתֶּם חַיִּים עַל הָאֲדָמָה אֲשֶׁר אַתֶּם עֹבְרִים אֶת
הַיַּרְדֵּן שָׁמָּה לְרִשְׁתָּהּ.

יד וַיֹּאמֶר ה׳ אֶל מֹשֶׁה: הֵן קָרְבוּ יָמֶיךָ, הגיעה שעתך לָמוּת. קְרָא אֶת יְהוֹשֻׁעַ, וְהִתְיַצְּבוּ, עמדו שניכם בְּאֹהֶל מוֹעֵד, במשכן ושם אֲצַוֶּנּוּ, אמנה אותו לתפקידו החדש.

וַיֵּלֶךְ מֹשֶׁה וִיהוֹשֻׁעַ, וַיִּתְיַצְּבוּ בְּאֹהֶל מוֹעֵד. משה רבנו דיבר אל ה׳ פנים בפנים בכל עת ונכנס לדבר עמו באוהל מועד. הפעם הוא לקח אתו גם את יהושע. הליכתם המשותפת אל אוהל מועד הייתה מעשה טקסי ופומבי. יש להניח שגם אלה שלא נתבקשו להסתכל הציצו לראות מה מתרחש.

טו וַיֵּרָא ה׳ בָּאֹהֶל בְּעַמּוּד עָנָן, וַיַּעֲמֹד עַמּוּד הֶעָנָן עַל פֶּתַח הָאֹהֶל.

טז וַיֹּאמֶר ה׳ אֶל מֹשֶׁה: הִנְּךָ שֹׁכֵב עִם אֲבֹתֶיךָ, אתה עומד למות. דע
מה יקרה אחרי חייך – וְקָם הָעָם הַזֶּה וְזָנָה אַחֲרֵי אֱלֹהֵי בני[11] הַנֵּכָר של
הָאָרֶץ אֲשֶׁר הוּא בָא שָׁמָּה בְּקִרְבּוֹ – בקרב נכר הארץ,[12] וַעֲזָבַנִי וְהֵפֵר

הרחבות

'וקם העם הזה וזנה אחרי אלהי נֵכר הארץ' אמנם בידי האנשים הפרטיים יש בחירה חופשית, אבל העם בכללו לא יחזיק מעמד זמן רב בשמירת התורה ומצוותיה. (ראו רמב"ם, הלכות תשובה

אל כל שדרות העם ואף אל הגרים הזרים היושבים בארץ. יש במעמדו של קורא התורה וריבוי המשתתפים במעמד ביטוי לכך שהעם כולו מקבל על עצמו את עול התורה. (ראו סוטה מא ע"א).

כָּרַ֖תִּי אִתּֽוֹ׃ וְחָרָ֣ה אַפִּ֣י ב֣וֹ בַיּוֹם־הַ֠הוּא וַעֲזַבְתִּ֞ים יז
וְהִסְתַּרְתִּ֨י פָנַ֤י מֵהֶם֙ וְהָיָ֣ה לֶאֱכֹ֔ל וּמְצָאֻ֛הוּ רָע֥וֹת רַבּ֖וֹת
וְצָר֑וֹת וְאָמַר֙ בַּיּ֣וֹם הַה֔וּא הֲלֹ֗א עַ֣ל כִּי־אֵ֤ין אֱלֹהַי֙
בְּקִרְבִּ֔י מְצָא֖וּנִי הָרָע֥וֹת הָאֵֽלֶּה׃ וְאָנֹכִ֗י הַסְתֵּ֨ר אַסְתִּ֤יר יח
פָּנַי֙ בַּיּ֣וֹם הַה֔וּא עַ֥ל כָּל־הָרָעָ֖ה אֲשֶׁ֣ר עָשָׂ֑ה כִּ֣י פָנָ֔ה
אֶל־אֱלֹהִ֖ים אֲחֵרִֽים׃ וְעַתָּ֗ה כִּתְב֤וּ לָכֶם֙ אֶת־הַשִּׁירָ֣ה יט
הַזֹּ֔את וְלַמְּדָ֥הּ אֶת־בְּנֵֽי־יִשְׂרָאֵ֖ל שִׂימָ֣הּ בְּפִיהֶ֑ם לְמַ֨עַן
כ תִּֽהְיֶה־לִּ֜י הַשִּׁירָ֥ה הַזֹּ֛את לְעֵ֖ד בִּבְנֵ֥י יִשְׂרָאֵֽל׃ כִּֽי־ ששי /שביעי/
אֲבִיאֶ֜נּוּ אֶל־הָאֲדָמָ֣ה ׀ אֲשֶׁר־נִשְׁבַּ֣עְתִּי לַאֲבֹתָ֗יו זָבַ֤ת
חָלָב֙ וּדְבַ֔שׁ וְאָכַ֥ל וְשָׂבַ֖ע וְדָשֵׁ֑ן וּפָנָ֞ה אֶל־אֱלֹהִ֤ים
כא אֲחֵרִים֙ וַעֲבָד֔וּם וְנִ֣אֲצ֔וּנִי וְהֵפֵ֖ר אֶת־בְּרִיתִֽי׃ וְהָיָה֩
כִֽי־תִמְצֶ֨אןָ אֹת֜וֹ רָע֣וֹת רַבּוֹת֮ וְצָרוֹת֒ וְעָנְתָ֞ה הַשִּׁירָ֨ה
הַזֹּ֤את לְפָנָיו֙ לְעֵ֔ד כִּ֛י לֹ֥א תִשָּׁכַ֖ח מִפִּ֣י זַרְע֑וֹ כִּ֧י יָדַ֣עְתִּי
אֶת־יִצְר֗וֹ אֲשֶׁ֨ר ה֤וּא עֹשֶׂה֙ הַיּ֔וֹם בְּטֶ֣רֶם אֲבִיאֶ֔נּוּ

**רש"י**

יז) **וְהִסְתַּרְתִּי פָּנַי.** כְּמוֹ שֶׁאֵינִי רוֹאֶה בְּצָרָתָם:

יט) **אֶת הַשִּׁירָה הַזֹּאת.** "הַאֲזִינוּ הַשָּׁמַיִם" עַד "וְכִפֶּר אַדְמָתוֹ עַמּוֹ" (להלן לב, א-מג):

כ) **וְנִאֲצוּנִי.** וְהִכְעִיסוּנִי, וְכֵן כָּל 'נִאוּץ' לְשׁוֹן כַּעַס:

כא) **וְעָנְתָה הַשִּׁירָה הַזֹּאת לְפָנָיו לְעֵד.** שֶׁהִתְרֵיתִי בּוֹ בְּתוֹכָהּ עַל כָּל הַמּוֹצְאוֹת אוֹתוֹ: **כִּי לֹא תִשָּׁכַח מִפִּי זַרְעוֹ.** הֲרֵי זוֹ

**הרחבות**

ו,ח). כידוע, תהליך הפנמת התורה בעם ישראל ארך מאות שנים. אמנם פעמים רבות הכריזו ישראל שהם מקבלים על עצמם את התורה ואת כל מצוותיה, אבל מפעם לפעם הם נטו ללכת אחרי הגויים. בארץ הם באו במגע חברתי עם תושבי הארץ והושפעו מפולחניהם ומאמונותיהם. ה' מודיע למשה שהעם עתיד לעזוב את הברית – לא רק את קיום מצוות ה' אלא גם את האמונה בייחודו (לעיל ד,לה).

**'רעות רבות וצרות'** חכמים דרשו ביטוי זה על סמך משמעותה האחרת של המלה 'צרות' – שתי נשים הנשואות לאיש אחד ושונאות זו את זו. (ראו במדבר רבה יב,ב; חגיגה ה ע"א). ישנן רעות רבות שבאות מכיוון אחד, אבל לפעמים הרעות באות מכיוונים מנוגדים, ואי אפשר לטפל בהן בבת אחת. מצב כזה גורם מבוכה, ייאוש ותחושת חוסר מוצא.

ביאור

אֶת בְּרִיתִי אֲשֶׁר כָּרַתִּי אִתּוֹ. יז וְחָרָה אַפִּי בוֹ, אכעס עליו בַיּוֹם הַהוּא
וַעֲזַבְתִּים וְהִסְתַּרְתִּי פָנַי מֵהֶם – וְהָיָה העם הזה לֶאֱכֹל, למאכל. הכול יהיו
שולטים ונוגשים בו ומכלים אותו. וּמְצָאֻהוּ רָעוֹת רַבּוֹת וְצָרוֹת. וְאָמַר
העם בַּיּוֹם הַהוּא: "הֲלֹא עַל כִּי אֵין אֱלֹהַי בְּקִרְבִּי מְצָאוּנִי הָרָעוֹת הָאֵלֶּה".
הרעות אינן מקריות, אלא הן באות כעונש על עזיבת ה'. יח וְאָנֹכִי
הַסְתֵּר אַסְתִּיר פָּנַי בַּיּוֹם הַהוּא, בעתיד שאינו מוגדר כאן, עַל כָּל הָרָעָה
אֲשֶׁר עָשָׂה, כִּי פָנָה אֶל אֱלֹהִים אֲחֵרִים.

יט וְעַתָּה, מכיוון שכך יקרה, כִּתְבוּ לָכֶם אֶת הַשִּׁירָה הַזֹּאת – שתופיע
להלן, הנקראת 'שירת האזינו' על שם מלת פתיחתה, וְלַמְּדָהּ אֶת בְּנֵי
יִשְׂרָאֵל, שִׂימָהּ, ערוך אותה בְּפִיהֶם. עליהם לכתוב את השירה וגם
ללמוד את תוכנה כך שידעו לשיר אותה בפיהם. לְמַעַן תִּהְיֶה לִּי הַשִּׁירָה
הַזֹּאת לְעֵד בִּבְנֵי יִשְׂרָאֵל. שירה זו תתאר בצורה פיוטית ובקיצור גדול
את עליית ישראל, חטאיהם, מכותיהם וגאולתם. צורתם השירית של
הדברים באה לסייע לעם לדורותיו לזכור את תוכנה. כ כִּי אֲבִיאֶנּוּ
אֶל הָאֲדָמָה אֲשֶׁר נִשְׁבַּעְתִּי לַאֲבֹתָיו, שהיא זָבַת חָלָב וּדְבַשׁ, וְאָכַל שם
וְשָׂבַע וְדָשֵׁן, מצבו הכלכלי יהיה טוב, וּפָנָה אֶל אֱלֹהִים אֲחֵרִים וַעֲבָדוּם,
וְנִאֲצוּנִי, יקלו בי ראש ויזניחו אותי, וְהֵפֵר אֶת בְּרִיתִי. כא וְהָיָה כִּי
תִמְצֶאןָ אֹתוֹ רָעוֹת רַבּוֹת וְצָרוֹת – וְעָנְתָה הַשִּׁירָה הַזֹּאת לְפָנָיו לְעֵד, כִּי
השירה לֹא תִשָּׁכַח מִפִּי זַרְעוֹ, כִּי יָדַעְתִּי אֶת יִצְרוֹ, אֲשֶׁר, מתוך מה שהוא
עֹשֶׂה הַיּוֹם, בְּטֶרֶם אֲבִיאֶנּוּ אֶל הָאָרֶץ אֲשֶׁר נִשְׁבָּעְתִּי.
בינתיים עליכם ללמוד לשיר את השירה הזו. ייתכן שעכשיו לא תבינו
את תוכנה, אבל ככל שהזמן יחלוף היא תדבר אל לבכם יותר. אם
תזכרו אותה, היא תורה לכם את דרככם כשתזדקקו לה.

הרחבות

**'הסתר אסתיר פני'** לא אעזוב אותם, אך ידמה להם כאילו אינני משגיח עליהם עוד. במציאות זו ישראל ירגישו כאילו הם נטושים, ויתרוצצו מבוהלים משום שלא ירגישו בנוכחותי, אבל לאמתו של דבר אצפה בהם, כמו הורה ה'נעלם' מבנו הקטן ומשגיח בו מרחוק.

**'ואכל ושבע ודשן ופנה אל אלהים אחרים'** הדרישה להתייחס אל ה' איננה קלה מפני שהוא איננו מוחשי וניכר לעין. כל סוגי האלילים והעבודות הזרות – הן אלוהי האשורים והבבלים מן העת העתיקה, הן אלו מהמאה ה-16, ה-18 או מהמאה ה-21 – מוחשיים הרבה יותר. לכן צפוי שעם ישראל יעזוב את ה' ויפר את הברית עמו.

אֶל־הָאָ֖רֶץ אֲשֶׁ֥ר נִשְׁבָּֽעְתִּי׃ וַיִּכְתֹּ֥ב מֹשֶׁ֛ה אֶת־ כב
הַשִּׁירָ֥ה הַזֹּ֖את בַּיּ֣וֹם הַה֑וּא וַֽיְלַמְּדָ֖הּ אֶת־בְּנֵ֥י יִשְׂרָאֵֽל׃
וַיְצַ֞ו אֶת־יְהוֹשֻׁ֣עַ בִּן־נ֗וּן וַיֹּאמֶר֮ חֲזַ֣ק וֶאֱמָץ֒ כִּ֣י אַתָּ֗ה כג
תָּבִיא֙ אֶת־בְּנֵ֣י יִשְׂרָאֵ֔ל אֶל־הָאָ֖רֶץ אֲשֶׁר־נִשְׁבַּ֣עְתִּי
לָהֶ֑ם וְאָנֹכִ֖י אֶהְיֶ֥ה עִמָּֽךְ׃ וַיְהִ֣י ׀ כְּכַלּ֣וֹת מֹשֶׁ֗ה לִכְתֹּ֛ב כד
שביעי אֶת־דִּבְרֵ֥י הַתּוֹרָֽה־הַזֹּ֖את עַל־סֵ֑פֶר עַ֖ד תֻּמָּֽם׃ וַיְצַ֣ו כה
מֹשֶׁ֗ה אֶת־הַלְוִיִּ֔ם נֹשְׂאֵ֛י אֲר֥וֹן בְּרִית־יְהוָ֖ה לֵאמֹֽר׃
לָקֹ֗חַ אֵ֣ת סֵ֤פֶר הַתּוֹרָה֙ הַזֶּ֔ה וְשַׂמְתֶּ֣ם אֹת֔וֹ מִצַּ֛ד כו
אֲר֥וֹן בְּרִית־יְהוָ֖ה אֱלֹהֵיכֶ֑ם וְהָֽיָה־שָׁ֥ם בְּךָ֖ לְעֵֽד׃ כִּ֣י כז
אָנֹכִ֤י יָדַ֙עְתִּי֙ אֶת־מֶרְיְךָ֔ וְאֶֽת־עָרְפְּךָ֖ הַקָּשֶׁ֑ה הֵ֣ן
בְּעוֹדֶ֩נִּי֩ חַ֨י עִמָּכֶ֜ם הַיּ֗וֹם מַמְרִ֤ים הֱיִתֶם֙ עִם־יְהוָ֔ה
מפטיר וְאַ֖ף כִּי־אַחֲרֵ֥י מוֹתִֽי׃ הַקְהִ֣ילוּ אֵלַ֔י אֶת־כָּל־זִקְנֵ֥י כח
שִׁבְטֵיכֶ֖ם וְשֹׁטְרֵיכֶ֑ם וַאֲדַבְּרָ֣ה בְאָזְנֵיהֶ֗ם אֵ֚ת הַדְּבָרִ֣ים
הָאֵ֔לֶּה וְאָעִ֣ידָה בָּ֔ם אֶת־הַשָּׁמַ֖יִם וְאֶת־הָאָֽרֶץ׃ כִּ֣י כט

רש״י | הַבְטָחָה לְיִשְׂרָאֵל שֶׁאֵין תּוֹרָה מִשְׁתַּכַּחַת מִזַּרְעָם לְגַמְרֵי:

כג) וַיְצַו אֶת יְהוֹשֻׁעַ בִּן נוּן. מוּסָב לְמַעְלָה כְּלַפֵּי שְׁכִינָה, כְּמוֹ שֶׁמְּפֹרָשׁ: "אֶל הָאָרֶץ אֲשֶׁר נִשְׁבַּעְתִּי לָהֶם":

כו) לָקֹחַ. כְּמוֹ: זָכוֹר, שָׁמוֹר, הָלוֹךְ: מִצַּד אֲרוֹן בְּרִית ה׳. נֶחְלְקוּ בּוֹ חַכְמֵי יִשְׂרָאֵל בְּבָבָא בַּתְרָא (דף יד ע״ב), יֵשׁ מֵהֶם אוֹמְרִים: דַּף הָיָה בּוֹלֵט מִן הָאָרוֹן מִבַּחוּץ וְשָׁם הָיָה מֻנָּח, וְיֵשׁ אוֹמְרִים: מִצַּד הַלּוּחוֹת הָיָה מֻנָּח בְּתוֹךְ הָאָרוֹן:

כח) הַקְהִילוּ אֵלַי. וְלֹא תָּקְעוּ אוֹתוֹ הַיּוֹם בַּחֲצוֹצְרוֹת לְהַקְהִיל אֶת הַקָּהָל, לְפִי שֶׁנֶּאֱמַר: "עֲשֵׂה לְךָ" (במדבר י, ב), וְלֹא הִשְׁלִיט יְהוֹשֻׁעַ עֲלֵיהֶם. וְאַף בְּחַיָּיו נִגְנְזוּ קֹדֶם יוֹם מוֹתוֹ, לְקַיֵּם מַה שֶּׁנֶּאֱמַר: "וְאֵין שִׁלְטוֹן בְּיוֹם הַמָּוֶת" (קהלת ח, ח): וְאָעִידָה בָּם אֶת הַשָּׁמַיִם וְאֶת הָאָרֶץ. וְאִם תֹּאמַר, הֲרֵי

הרחבות | **'ויצו את יהושע'** חכמים אמרו שמשה לא שמע את דברי ה׳ ליהושע. אולי הוא הרגיש שכבר הגיע זמנו של המנהיג החדש. (ראו דברים רבה ט,ט).

**'כְּכַלּוֹת משה לכתֹב את דברי התורה הזאת על ספר עד תֻּמָּם'** חכמים דנו בשאלות עד היכן כתב משה את ספר התורה – עד המלים עד תֻּמָּם? עד סוף שירת האזינו? ומה דינם של

כב וַיִּכְתֹּב מֹשֶׁה אֶת הַשִּׁירָה הַזֹּאת בַּיּוֹם הַהוּא, וַיְלַמְּדָהּ אֶת בְּנֵי יִשְׂרָאֵל. | ביאור
השירה נכתבה וגם נלמדה על פה – אולי במנגינה מיוחדת שכבר
אינה מוכרת.

כג וַיְצַו ה׳ אֶת יְהוֹשֻׁעַ בִּן נוּן פעם נוספת, וַיֹּאמֶר: חֲזַק וֶאֱמָץ![13] כִּי אַתָּה
תָּבִיא אֶת בְּנֵי יִשְׂרָאֵל אֶל הָאָרֶץ אֲשֶׁר נִשְׁבַּעְתִּי לָהֶם, וְאָנֹכִי אֶהְיֶה עִמָּךְ,
וכך תצליח לכבשה.

כד וַיְהִי כְּכַלּוֹת מֹשֶׁה לִכְתֹּב אֶת דִּבְרֵי הַתּוֹרָה הַזֹּאת עַל סֵפֶר עַד תֻּמָּם,
עד סיומם, בשלמות. כה וַיְצַו מֹשֶׁה אֶת הַלְוִיִּם, נֹשְׂאֵי אֲרוֹן בְּרִית
ה׳, לֵאמֹר: כו לָקֹחַ, קחו אֵת סֵפֶר הַתּוֹרָה הַזֶּה וְשַׂמְתֶּם אֹתוֹ מִצַּד
אֲרוֹן בְּרִית ה׳ אֱלֹהֵיכֶם, סמוך ללוחות הברית,[14] וְהָיָה הספר שָׁם בְּךָ
לְעֵד.

ועתה מוסיף משה לדבר אל העם: כז כִּי אָנֹכִי יָדַעְתִּי אֶת מֶרְיְךָ,
מרדנותך וְאֶת עָרְפְּךָ הַקָּשֶׁה, עקשותך. הֵן, הרי אותי כולכם מכירים,
מתייראים מפני ויודעים את עברי, ואף על פי כן, בְּעוֹדֶנִּי חַי עִמָּכֶם
הַיּוֹם – מַמְרִים הֱיִתֶם עִם ה׳. גם היום אינכם מצייתים לדבר ה׳ שבפי,
וְאַף כִּי, על אחת כמה וכמה אַחֲרֵי מוֹתִי. כבר עתה ניכרת ממעשיכם
נטייתכם להתרחק מה׳; ובוודאי בתקופות רגועות לא תעמדו
בפני הפיתוי הגדול ביותר שיש לעם ישראל בכל הדורות – הפיתוי
לנורמליות סביבתית, שפירושה המעשי הוא עזיבת ה׳. מוטב שתכינו
את עצמכם מראש לימים אחרים. כח הַקְהִילוּ אֵלַי אֶת כָּל זִקְנֵי
שִׁבְטֵיכֶם וְשֹׁטְרֵיכֶם, וַאֲדַבְּרָה בְאָזְנֵיהֶם אֵת הַדְּבָרִים הָאֵלֶּה, וְאָעִידָה
בָּם אֶת הַשָּׁמַיִם וְאֶת הָאָרֶץ. עליהם לשמוע את הדברים שייאמרו

הרחבות | הפסוקים האחרונים בתורה, שבהם מסופר על מותו של משה? ומה אירע אחרי מותו? רוב חכמי ישראל סברו שהתורה כולה ניתנה בשלמות, אבל פסוקיה האחרונים לא היו כתובים באופן ברור דיו, והבהירות נוספה רק לאחר מכן. (ראו רמב"ן פס' כד; רש"י דברים לד,ה; בבא בתרא טו ע"א).

יָדַעְתִּי אַחֲרֵי מוֹתִי כִּי־הַשְׁחֵת תַּשְׁחִתוּן וְסַרְתֶּם מִן־
הַדֶּרֶךְ אֲשֶׁר צִוִּיתִי אֶתְכֶם וְקָרָאת אֶתְכֶם הָרָעָה
בְּאַחֲרִית הַיָּמִים כִּי־תַעֲשׂוּ אֶת־הָרַע בְּעֵינֵי יהוה
לְהַכְעִיסוֹ בְּמַעֲשֵׂה יְדֵיכֶם: וַיְדַבֵּר מֹשֶׁה בְּאָזְנֵי כָּל־קְהַל ל
יִשְׂרָאֵל אֶת־דִּבְרֵי הַשִּׁירָה הַזֹּאת עַד תֻּמָּם:

האזינו כו הַאֲזִינוּ הַשָּׁמַיִם וַאֲדַבֵּרָה וְתִשְׁמַע הָאָרֶץ אִמְרֵי־פִי: א לב
יַעֲרֹף כַּמָּטָר לִקְחִי תִּזַּל כַּטַּל אִמְרָתִי ב
כִּשְׂעִירִם עֲלֵי־דֶשֶׁא וְכִרְבִיבִים עֲלֵי־עֵשֶׂב:

רש"י | כְּבָר הֵעִיד לְמַעְלָה: "הַעִדֹתִי בָכֶם הַיּוֹם" וְגוֹ' (לעיל ל, יט)? לְיִשְׂרָאֵל אָמַר אֲבָל לַשָּׁמַיִם וְלָאָרֶץ לֹא אָמַר, וְעַכְשָׁיו בָּא לוֹמַר: "הַאֲזִינוּ הַשָּׁמַיִם" וְגוֹ' (להלן לב, א):

כט] אַחֲרֵי מוֹתִי כִּי הַשְׁחֵת תַּשְׁחִתוּן. וַהֲרֵי כָּל יְמוֹת יְהוֹשֻׁעַ לֹא הִשְׁחִיתוּ, שֶׁנֶּאֱמַר: "וַיַּעַבְדוּ הָעָם אֶת ה' כֹּל יְמֵי יְהוֹשֻׁעַ" (שופטים ב, ז)? מִכָּאן שֶׁתַּלְמִידוֹ שֶׁל אָדָם חָבִיב עָלָיו כְּגוּפוֹ, כָּל זְמַן שֶׁיְּהוֹשֻׁעַ חַי הָיָה נִרְאֶה לְמֹשֶׁה כְּאִלּוּ הוּא חַי:

פרק לב

א] הַאֲזִינוּ הַשָּׁמַיִם. שֶׁאֲנִי מַתְרֶה בָּהֶם בְּיִשְׂרָאֵל, וְתִהְיוּ עֵדִים בַּדָּבָר, שֶׁכָּךְ אָמַרְתִּי לָהֶם שֶׁאַתֶּם תִּהְיוּ עֵדִים, וְכֵן "וְתִשְׁמַע הָאָרֶץ". וְלָמָּה הֵעִיד בָּהֶם שָׁמַיִם וָאָרֶץ? אָמַר מֹשֶׁה: אֲנִי בָּשָׂר וָדָם, לְמָחָר אֲנִי מֵת, אִם יֹאמְרוּ יִשְׂרָאֵל לֹא קִבַּלְנוּ עָלֵינוּ הַבְּרִית, מִי בָּא וּמַכְחִישָׁם? לְפִיכָךְ הֵעִיד בָּהֶם שָׁמַיִם וָאָרֶץ, עֵדִים שֶׁהֵם קַיָּמִים לְעוֹלָם. וְעוֹד, שֶׁאִם יִזְכּוּ יָבוֹאוּ הָעֵדִים וְיִתְּנוּ שְׂכָרָם, "הַגֶּפֶן תִּתֵּן פִּרְיָהּ וְהָאָרֶץ תִּתֵּן אֶת יְבוּלָהּ וְהַשָּׁמַיִם יִתְּנוּ טַלָּם" (זכריה ח, יב), וְאִם יִתְחַיְּבוּ תִּהְיֶה בָּהֶם יַד הָעֵדִים תְּחִלָּה, "וְעָצַר אֶת הַשָּׁמַיִם וְלֹא יִהְיֶה מָטָר וְהָאֲדָמָה לֹא תִתֵּן אֶת יְבוּלָהּ", וְאַחַר כָּךְ: "וַאֲבַדְתֶּם מְהֵרָה" (לעיל יא, יז) עַל יְדֵי הָאֻמּוֹת:

ב] יַעֲרֹף כַּמָּטָר לִקְחִי. זוֹ הִיא הָעֵדוּת שֶׁתָּעִידוּ, שֶׁאֲנִי אוֹמֵר בִּפְנֵיכֶם: תּוֹרָה שֶׁנָּתַתִּי לְיִשְׂרָאֵל שֶׁהִיא חַיִּים לָעוֹלָם, כַּמָּטָר הַזֶּה שֶׁהוּא חַיִּים לָעוֹלָם, כַּאֲשֶׁר יַעַרְפוּ הַשָּׁמַיִם טַל וּמָטָר: יַעֲרֹף. לְשׁוֹן יַטִּיף, וְכֵן: "יַעַרְפוּ טָל" (להלן לג, כח), "יִרְעֲפוּן דָּשֶׁן" (תהלים סה, יב): תִּזַּל כַּטַּל. שֶׁהַכֹּל שְׂמֵחִים בּוֹ, לְפִי שֶׁהַמָּטָר יֵשׁ בּוֹ עֲגָבִים, כְּגוֹן הוֹלְכֵי דְּרָכִים וּמִי שֶׁהָיָה בּוֹרוֹ מָלֵא יַיִן: כִּשְׂעִירִם. לְשׁוֹן "רוּחַ סְעָרָה", כְּתַרְגּוּמוֹ: "כְּרוּחֵי מִטְרָא", מָה הָרוּחוֹת הַלָּלוּ מְחַזְּקִין אֶת הָעֲשָׂבִים וּמְגַדְּלִין אוֹתָם, אַף דִּבְרֵי תּוֹרָה מְחַזְּקִין אֶת לוֹמְדֵיהֶן וּמְגַדְּלִין אוֹתָן: וְכִרְבִיבִים. טִפֵּי מָטָר, וְנִרְאֶה לִי, עַל שֵׁם שֶׁיּוֹרֶה כַּחֵץ נִקְרָא 'רָבִיב', כְּמָה דְאַתְּ אָמַר: "רֹבֶה קַשָּׁת" (בראשית כא, כ): דֶּשֶׁא. אֶרְבְּרִי"ן, עֲטִיפַת הָאָרֶץ מְכֻסָּה בְּיֶרֶק: עֵשֶׂב. קֶלַח אֶחָד קָרוּי 'עֵשֶׂב', וְכָל מִין וּמִין לְעַצְמוֹ קָרוּי 'עֵשֶׂב':

הרחבות | **שעירים ורביבים** ייתכן שהשעירים והרביבים הם מיני עננים. אולי העננים הכהים יותר נקראים 'שעירים', מפני שצבעם מזכיר את גון שעירי העִזים; ואילו 'רביבים' – ואולי גם רבבה – קשורים לכבשים, (ראו תהלים קמד,יג. וכך גם בשפה הערבית), ומורים על

ביאור | בפני השמים והארץ, העדים העומדים לעולם. כט כִּי יָדַעְתִּי שֶׁאַחֲרֵי
מוֹתִי כִּי הַשְׁחֵת תַּשְׁחִתוּן, וְסַרְתֶּם מִן הַדֶּרֶךְ אֲשֶׁר צִוִּיתִי אֶתְכֶם, וְקָרָאת
אֶתְכֶם, תקרה לכם הָרָעָה בְּאַחֲרִית הַיָּמִים, בתקופה מאוחרת,[15] כִּי
תַעֲשׂוּ אֶת הָרַע בְּעֵינֵי ה' לְהַכְעִיסוֹ בְּמַעֲשֵׂה יְדֵיכֶם.
ל וַיְדַבֵּר מֹשֶׁה בְּאָזְנֵי כָּל קְהַל יִשְׂרָאֵל אֶת דִּבְרֵי הַשִּׁירָה הַזֹּאת עַד תֻּמָּם,
סיומם.

פרשת האזינו

# שירת 'האזינו' ודברי הסיכום שבעקבותיה

פרק לב, פס' א–מז

השירה שמשה כתב על פי ה', ואותה צווה ללמד, תושמע באוזני העם מפיותיהם של משה ויהושע. לשירה קצב מסוים, ורבים בה הפסוקים הבנויים משתי צלעות מקבילות. לשונה הגבוהה והפיוטית קשה להבנה, אך במרכזה האמירה שגם אם ישראל ינהגו בטיפשות ויעזבו את ה', הוא לעולם לא יעזוב אותם משום שכל הצוררים אותם הם אויביו וצריו של ה'. על כן הוא ינקום את נקמתו מאִתם. לבסוף יבואו כל הגויים וישירו שירי תהילה לעם ה' הנגאל.

לאחר השירה משה אומר לישראל דברי סיכום קצרים בעניינה ובעניין התורה.

מעין הקדמה: פרק לב א הַאֲזִינוּ הַשָּׁמַיִם וַאֲדַבֵּרָה, וְתִשְׁמַע הָאָרֶץ אִמְרֵי
פִי. משה פונה אל השמים והארץ להקשיב ולהיות עדים לדבריו.
אין זו הפעם הראשונה שמשה בוחר בהם כעדים שכן הם קיימים
בכל מקום ובכל זמן.[1] מעמדו הרם מאפשר לו להורות להם להקשיב
לו. ב יַעֲרֹף, ייזל, ייטוף כַּמָּטָר לִקְחִי, ובהקבלה – תִּזַּל כַּטַּל אִמְרָתִי.
הלקח קשור לדיבורים קשים ומייסרים יותר, שיוטחו בעם כגשמי
זעף, ואילו האמרה נינוחה ולוחשת כמו טל. כִּשְׂעִירִם, גשמים, אולי
גשמי סערה, עֲלֵי דֶשֶׁא וְכִרְבִיבִים, טיפות עֲלֵי עֵשֶׂב. אני עומד לקרוא

אגלי טל

הרחבות | עזים וקלים, כדימוי לדיבורים קשים ואכזריים, מחד גיסא, ונוחים ונעימים, מאידך גיסא. ענני צמר קלים. לפי פירוש זה, הקבלה זו חוזרת לדימוי הטל והמטר שבתחילת הפסוק, משום ששם מדובר בסוגי משקעים

כִּ֛י שֵׁ֥ם יְהֹוָ֖ה אֶקְרָ֑א		הָב֥וּ גֹ֖דֶל לֵאלֹהֵֽינוּ׃ ג
הַצּוּר֙ תָּמִ֣ים פָּעֳל֔וֹ		כִּ֥י כָל־דְּרָכָ֖יו מִשְׁפָּ֑ט ד
אֵ֤ל אֱמוּנָה֙ וְאֵ֣ין עָ֔וֶל		צַדִּ֥יק וְיָשָׁ֖ר הֽוּא׃
שִׁחֵ֥ת ל֛וֹ לֹ֖א בָּנָ֣יו מוּמָ֑ם		דּ֥וֹר עִקֵּ֖שׁ וּפְתַלְתֹּֽל׃ ה
הַ לְיְהֹוָה֙ תִּגְמְלוּ־זֹ֔את		עַ֥ם נָבָ֖ל וְלֹ֣א חָכָ֑ם ו
הֲלוֹא־הוּא֙ אָבִ֣יךָ קָּנֶ֔ךָ		ה֥וּא עָשְׂךָ֖ וַֽיְכֹנְנֶֽךָ׃
שני זְכֹר֙ יְמ֣וֹת עוֹלָ֔ם		בִּ֖ינוּ שְׁנ֣וֹת דֹּר־וָדֹ֑ר ז
שְׁאַ֤ל אָבִ֙יךָ֙ וְיַגֵּ֔דְךָ		זְקֵנֶ֖יךָ וְיֹ֥אמְרוּ לָֽךְ׃

רש"י

ג] **כִּי שֵׁם ה' אֶקְרָא.** הֲרֵי 'כִּי' מְשַׁמֵּשׁ בִּלְשׁוֹן 'כַּאֲשֶׁר', כְּמוֹ: "כִּי תָבֹאוּ אֶל הָאָרֶץ", כְּשֶׁאֶקְרָא וְאַזְכִּיר שֵׁם ה', אַתֶּם "הָבוּ גֹדֶל לֵאלֹהֵינוּ" וּבָרְכוּ שְׁמוֹ. מִכָּאן שֶׁעוֹנִין: "בָּרוּךְ שֵׁם כְּבוֹד מַלְכוּתוֹ" אַחַר בְּרָכָה שֶׁבַּמִּקְדָּשׁ:

ד] **הַצּוּר תָּמִים פָּעֳלוֹ.** אַף עַל פִּי שֶׁהוּא חָזָק, כְּשֶׁמֵּבִיא פֻּרְעָנוּת עַל עוֹבְרֵי רְצוֹנוֹ, לֹא בְּשֶׁטֶף הוּא מֵבִיא כִּי אִם בְּדִין, כִּי "תָּמִים פָּעֳלוֹ": **אֵל אֱמוּנָה.** לְשַׁלֵּם לַצַּדִּיקִים צִדְקָתָם לָעוֹלָם הַבָּא, וְאַף עַל פִּי שֶׁמְּאַחֵר אֶת תַּגְמוּלָם, סוֹפוֹ לְאַמֵּן אֶת דְּבָרָיו: **וְאֵין עָוֶל.** אַף לָרְשָׁעִים מְשַׁלֵּם שְׂכַר צִדְקָתָם בָּעוֹלָם הַזֶּה: **צַדִּיק וְיָשָׁר הוּא.** הַכֹּל מַצְדִּיקִים עֲלֵיהֶם אֶת דִּינוֹ, וְכָךְ רָאוּי וְיָשָׁר לָהֶם. "צַדִּיק" מִפִּי הַבְּרִיּוֹת "וְיָשָׁר הוּא", וְרָאוּי לְהַצְדִּיקוֹ:

ה] **שִׁחֵת לוֹ וגו'.** כְּתַרְגּוּמוֹ: "חַבִּילוּ לְהוֹן לָא לֵיהּ": **בָּנָיו מוּמָם.** בָּנָיו הָיוּ, וְהַשְׁחָתָה שֶׁהִשְׁחִיתוּ הִיא מוּמָם: **בָּנָיו מוּמָם.** מוּמָם שֶׁל בָּנָיו הָיָה וְלֹא מוּמוֹ: **דּוֹר עִקֵּשׁ.** עָקוּם וּמְעֻקָּל, כְּמוֹ: "וְאֵת כָּל הַיְשָׁרָה יְעַקֵּשׁוּ" (מיכה ג, ט), וּבִלְשׁוֹן מִשְׁנָה: "אַלְדָּה שֶׁשִּׁנֶּיהָ עֲקוּמוֹת וַעֲקוּשׁוֹת" (ראה חולין נו ע"א): **וּפְתַלְתֹּל.** אנטורטליי"ן, כַּפְּתִיל הַזֶּה שֶׁגּוֹדְלִין אוֹתוֹ וּמַקִּיפִין אוֹתוֹ סְבִיבוֹת הַגְּדִיל: **פְּתַלְתֹּל.** מִן הַתֵּיבוֹת הַכְּפוּלוֹת כְּמוֹ 'יְרַקְרַק' (ויקרא יג, מט), 'אֲדַמְדָּם' (שם), 'סְחַרְחַר' (תהלים לח, יא), 'סְגַלְגַּל' (תרגום, מלכים א' ז, כג):

ו] **הַלַה' תִּגְמְלוּ זֹאת.** לְשׁוֹן תֵּמַהּ, וְכִי לְפָנָיו אַתֶּם מַעֲצִיבִין, שֶׁיֵּשׁ בְּיָדוֹ לִפָּרַע מִכֶּם וְשֶׁהֵיטִיב לָכֶם בְּכָל הַטּוֹבוֹת?: **עַם נָבָל.** שֶׁשָּׁכְחוּ אֶת הֶעָשׂוּי לָהֶם: **וְלֹא חָכָם.** לְהָבִין אֶת הַנּוֹלָדוֹת שֶׁיֵּשׁ בְּיָדוֹ לְהֵיטִיב וּלְהָרַע: **הֲלוֹא הוּא אָבִיךָ קָנֶךָ.** שֶׁקְּנָאֲךָ, שֶׁקִּנֶּנְךָ בְּקַן הַסְּלָעִים וּבְאֶרֶץ חֲזָקָה, שֶׁתִּקֶּנְךָ בְּכָל מִינֵי תַּקָּנָה: **הוּא עָשְׂךָ.** אֻמָּה בָּאֻמּוֹת: **וַיְכֹנְנֶךָ.** אַחֲרֵי כֵן בְּכָל מִינֵי בָּסִיס וְכַן, מִכֶּם כֹּהֲנִים מִכֶּם נְבִיאִים וּמִכֶּם מְלָכִים, כְּרַךְ שֶׁהַכֹּל תָּלוּי בּוֹ:

ז] **זְכֹר יְמוֹת עוֹלָם.** מֶה עָשָׂה בָּרִאשׁוֹנִים שֶׁהִכְעִיסוּ לְפָנָיו: **בִּינוּ שְׁנוֹת דֹּר וָדֹר.** דּוֹר אֱנוֹשׁ שֶׁהֵצִיף עֲלֵיהֶם מֵי אוֹקְיָנוֹס, וְדוֹר הַמַּבּוּל שֶׁשְּׁטָפָם. דָּבָר אַחֵר, לֹא נְתַתֶּם לְבַבְכֶם עַל שֶׁעָבַר, "בִּינוּ שְׁנוֹת דֹּר וָדֹר" לְהַכִּיר לְהַבָּא, שֶׁיֵּשׁ בְּיָדוֹ לְהֵיטִיב לָכֶם וּלְהַנְחִיל לָכֶם יְמוֹת הַמָּשִׁיחַ וְהָעוֹלָם הַבָּא: **שְׁאַל אָבִיךָ.** אֵלּוּ הַנְּבִיאִים שֶׁנִּקְרְאוּ אָבוֹת, כְּמוֹ שֶׁנֶּאֱמַר בְּאֵלִיָּהוּ: "אָבִי אָבִי רֶכֶב יִשְׂרָאֵל" (מלכים ב' ב, יב): **זְקֵנֶיךָ.** אֵלּוּ הַחֲכָמִים: **וְיֹאמְרוּ לָךְ.** הָרִאשׁוֹנוֹת:

ביאור | בשם ה' ולדבר עליו. ג כִּי, כאשר שֵׁם ה' אֶקְרָא – הָבוּ, תנו אתם גֹדֶל, כבוד לֵאלֹהֵינוּ. קריאתי בשם ה' מחייבת אתכם, השומעים, לחלוק לו כבוד ושבח.

לגופם של דברים: ד הַצּוּר, כינוי לאלוקים המסמל חוזק או גם מקור – תָּמִים פָּעֳלוֹ, מעשהו שלם, כִּי כָל דְּרָכָיו, הנהגותיו מִשְׁפָּט, הגינות ויושר. הוא אֵל אֱמוּנָה, נאמן וְאֵין עמו עָוֶל. צַדִּיק וְיָשָׁר הוּא. מלבד חוזקו, אדירותו ושלמות מעשיו, כל דרכיו מושתתות על נאמנות וצדק, גם אם בעיני אנוש לא כל המאורעות נראים כך. ה על כן שִׁחֵת, ההשחתה לוֹ לֹא, איננה שלו או בשבילו, אלא בָּנָיו מוּמָם, היא המום של בניו.[2] התופעות השליליות בעולם אינן נובעות מכך שה' עושה רעות, אלא משום שילדיו הם דּוֹר עִקֵּשׁ, לא ישר וּפְתַלְתֹּל, מעוקל, מתפתל ומתחזק כדי להצדיק את עיקשותו.[3] ו הַ‍לַה' תִּגְמְלוּ זֹאת במעשיכם הרעים, עַם נָבָל, שפל וגס[4] וְלֹא חָכָם?! הלוא אינכם פוגעים אלא בעצמכם. ההשחתה בעולם אינה אלא תגובה על מעשיהם של בני אדם. הֲלוֹא הוּא אָבִיךָ קָּנֶךָ, קונך, שפדה אותך ממצרים,[5] הוּא עָשְׂךָ וַיְכֹנְנֶךָ, ביסס אותך.

משה מזכיר לישראל את חסדי ה' מאז עשהו לעם: ז זְכֹר יְמוֹת עוֹלָם, ימי קדם, בִּינוּ, התבוננו במאורעות שְׁנוֹת דֹּר וָדֹר, הדורות הראשונים. שְׁאַל את אָבִיךָ – וְיַגֵּדְךָ, את זְקֵנֶיךָ – וְיֹאמְרוּ לָךְ. משה יאמר עתה דברים הידועים לשומעיו, אבל השירה הזו לא נועדה רק לזמנם אלא לדורות רבים. בעוד זמן רב, כאשר לא כל הדברים ייזכרו, יהא עליכם לשאול

בְּהַנְחֵל עֶלְיוֹן גּוֹיִם בְּהַפְרִידוֹ בְּנֵי אָדָם ח
יַצֵּב גְּבֻלֹת עַמִּים לְמִסְפַּר בְּנֵי יִשְׂרָאֵל׃
כִּי חֵלֶק יְהוָה עַמּוֹ יַעֲקֹב חֶבֶל נַחֲלָתוֹ׃ ט
יִמְצָאֵהוּ בְּאֶרֶץ מִדְבָּר וּבְתֹהוּ יְלֵל יְשִׁמֹן י
יְסֹבְבֶנְהוּ יְבוֹנְנֵהוּ יִצְּרֶנְהוּ כְּאִישׁוֹן עֵינוֹ׃
כְּנֶשֶׁר יָעִיר קִנּוֹ עַל־גּוֹזָלָיו יְרַחֵף יא

רש"י

ח] **בְּהַנְחֵל עֶלְיוֹן גּוֹיִם.** כְּשֶׁהִנְחִיל הַקָּדוֹשׁ בָּרוּךְ הוּא לְמַכְעִיסָיו אֶת חֵלֶק נַחֲלָתָן, הֱצִיפָם וּשְׁטָפָם: **בְּהַפְרִידוֹ בְּנֵי אָדָם.** כְּשֶׁהֵפִיץ דּוֹר הַפַּלָּגָה הָיָה בְּיָדוֹ לְהַעֲבִירָם מִן הָעוֹלָם, וְלֹא עָשָׂה כֵּן, אֶלָּא "יַצֵּב גְּבֻלֹת עַמִּים", קִיְּמָם וְלֹא אִבְּדָם: **לְמִסְפַּר בְּנֵי יִשְׂרָאֵל.** בִּשְׁבִיל מִסְפַּר בְּנֵי יִשְׂרָאֵל שֶׁעֲתִידִין לָצֵאת מִבְּנֵי שֵׁם, וּלְמִסְפַּר שִׁבְעִים נֶפֶשׁ שֶׁל בְּנֵי יִשְׂרָאֵל שֶׁיָּרְדוּ לְמִצְרַיִם הִצִּיב "גְּבֻלֹת עַמִּים" שִׁבְעִים לָשׁוֹן:

ט] **כִּי חֵלֶק ה' עַמּוֹ.** לָמָּה כָּל זֹאת? לְפִי שֶׁהָיָה חֶלְקוֹ כָּבוּשׁ בֵּינֵיהֶם וְעָתִיד לָצֵאת. וּמִי הוּא חֶלְקוֹ? "עַמּוֹ". וּמִי הוּא עַמּוֹ? "יַעֲקֹב חֶבֶל נַחֲלָתוֹ", וְהוּא הַשְּׁלִישִׁי בָּאָבוֹת, הַמְשֻׁלָּשׁ בְּשָׁלֹשׁ זְכֻיּוֹת, זְכוּת אֲבִי אָבִיו וּזְכוּת אָבִיו וּזְכוּתוֹ, הֲרֵי שָׁלֹשׁ, כַּחֶבֶל הַזֶּה שֶׁהוּא עָשׂוּי בִּשְׁלֹשָׁה גְּדִילִים; וְהוּא וּבָנָיו הָיוּ לוֹ לְנַחֲלָה, וְלֹא יִשְׁמָעֵאל בֶּן אַבְרָהָם וְלֹא עֵשָׂו בְּנוֹ שֶׁל יִצְחָק:

י] **יִמְצָאֵהוּ בְּאֶרֶץ מִדְבָּר.** אוֹתָם מָצָא לוֹ נֶאֱמָנִים בְּאֶרֶץ הַמִּדְבָּר, שֶׁקִּבְּלוּ תּוֹרָתוֹ וּמַלְכוּתוֹ וְעֻלּוֹ, מַה שֶּׁלֹּא עָשׂוּ יִשְׁמָעֵאל וְעֵשָׂו, שֶׁנֶּאֱמַר: "וְזָרַח מִשֵּׂעִיר לָמוֹ הוֹפִיעַ מֵהַר פָּארָן" (להלן לג, ב): **וּבְתֹהוּ יְלֵל יְשִׁמֹן.** אֶרֶץ צִיָּה וּשְׁמָמָה, מְקוֹם יִלְלַת תַּנִּים וּבְנוֹת יַעֲנָה, אַף שָׁם נִמְשְׁכוּ אַחַר הָאֱמוּנָה, וְלֹא אָמְרוּ לְמֹשֶׁה הֵיאַךְ נֵצֵא לַמִּדְבָּרוֹת מְקוֹם צִיָּה וְשִׁמָּמוֹן, כְּעִנְיָן שֶׁנֶּאֱמַר: "לֶכְתֵּךְ אַחֲרַי בַּמִּדְבָּר" (ירמיה ב, ב): **יְסֹבְבֶנְהוּ.** שָׁם סִבְּבָם וְהִקִּיפָם בַּעֲנָנִים, וְסִבְּבָם בִּדְגָלִים לְאַרְבַּע רוּחוֹת, וְסִבְּבָן בְּתַחְתִּית הָהָר שֶׁכְּפָאוֹ עֲלֵיהֶם כְּגִיגִית: **יְבוֹנְנֵהוּ.** שָׁם בְּתוֹרָה וּבִינָה: **יִצְּרֶנְהוּ.** מִנָּחָשׁ שָׂרָף וְעַקְרָב וּמִן הָאֻמּוֹת: **כְּאִישׁוֹן עֵינוֹ.** הוּא הַשָּׁחוֹר שֶׁבָּעַיִן שֶׁהַמָּאוֹר יוֹצֵא הֵימֶנּוּ. וְאוּנְקְלוֹס תִּרְגֵּם: "יִמְצָאֵהוּ" – יַסְפִּיקֵהוּ כָּל צָרְכּוֹ בַּמִּדְבָּר, כְּמוֹ: "וּמָצָא לָהֶם" (במדבר יא, כב), "לֹא יִמָּצֵא לָנוּ הָהָר" (יהושע יז, טז). "יְסֹבְבֶנְהוּ" – "אַשְׁרִינוּן סְחוֹר סְחוֹר לִשְׁכִינְתֵּיהּ", אֹהֶל מוֹעֵד בָּאֶמְצַע וְאַרְבָּעָה דְּגָלִים לְאַרְבַּע רוּחוֹת:

יא] **כְּנֶשֶׁר יָעִיר קִנּוֹ.** נִהֲגָם בְּרַחֲמִים וּבְחֶמְלָה כַּנֶּשֶׁר הַזֶּה רַחְמָנִי עַל בָּנָיו, וְאֵינוֹ נִכְנָס לְקִנּוֹ פִּתְאוֹם עַד שֶׁהוּא מְקַשְׁקֵשׁ וּמְטָרֵף עַל בָּנָיו בִּכְנָפָיו בֵּין אִילָן לְאִילָן בֵּין שׂוֹכָה לַחֲבֶרְתָּהּ, כְּדֵי שֶׁיֵּעוֹרוּ בָּנָיו וְיֵהֵא בָהֶן כֹּחַ לְקַבְּלוֹ: **יָעִיר קִנּוֹ.** יְעוֹרֵר בָּנָיו: **עַל גּוֹזָלָיו יְרַחֵף.** אֵינוֹ מַכְבִּיד עַצְמוֹ עֲלֵיהֶם אֶלָּא מְחוֹפֵף, נוֹגֵעַ וְאֵינוֹ נוֹגֵעַ, אַף הַקָּדוֹשׁ בָּרוּךְ הוּא "שַׁדַּי לֹא מְצָאנֻהוּ שַׂגִּיא כֹחַ" (איוב לז, כג), כְּשֶׁבָּא לִתֵּן תּוֹרָה לֹא נִגְלָה עֲלֵיהֶם מֵרוּחַ אַחַת אֶלָּא מֵאַרְבַּע רוּחוֹת, שֶׁנֶּאֱמַר: "ה' מִסִּינַי בָּא וְזָרַח מִשֵּׂעִיר לָמוֹ, הוֹפִיעַ מֵהַר פָּארָן" (להלן לג, ב), "אֱלוֹהַּ מִתֵּימָן

ביאור

את ההורים ואת הזקנים שיספרו לכם: ח **בְּהַנְחֵל**, כשהנחיל **עֶלְיוֹן**,
אלוקים את הארצות והתכונות **לגּוֹיִם**, עמים, **בְּהַפְרִידוֹ בְּנֵי אָדָם**,
בזמן שהפריד את האנושות לשבטים ולאומות, **יַצֵּב**, הציב **גְּבֻלֹת**
**עַמִּים**, וסך כל העמים הללו הוא **לְמִסְפַּר בְּנֵי יִשְׂרָאֵל**. על פי הרשימה
המפורטת בספר בראשית,[6] מספר העמים בעולם הוא שבעים, וזה
גם מספר הנפשות שהיו במשפחת יעקב בבואם למצרים.[7] ט **כִּי**
**חֵלֶק ה' – עַמּוֹ, יַעֲקֹב** הוא **חֶבֶל**, חלק **נַחֲלָתוֹ**, העם המיוחד לו. י וכך
ה' **יִמְצָאֵהוּ בְּאֶרֶץ מִדְבָּר**. אמנם ה' הוא שהוליך את העם למדבר,
אבל במדבר הוא גם מצא אותו כחלקו ונחלתו,[8] **וּבְתֹהוּ**, במקום ריק
שאין בו אלא **יְלֵל יְשִׁמֹן**, יללת השממה. **יְסֹבְבֶנְהוּ**, הגן על עמו מסביב,
**יְבוֹנְנֵהוּ**, לימד אותו בינה, **יִצְּרֶנְהוּ**, שמר אותו וחס עליו **כְּ**מי ששומר
על **אִישׁוֹן עֵינוֹ**, החלק הרואה שבעין. זהו דימוי לשמירה החשובה,
הצמודה, הטבעית והמשמעותית ביותר. יא **כְּנֶשֶׁר יָעִיר**, המעורר את
**קִנּוֹ**, אפרוחיו, **עַל גּוֹזָלָיו יְרַחֵף**. מפני גודלו אין הוא נוחת על גוזליו
ורובץ עליהם, אלא מעופף סביבם, וכשהוא מגיע אל הקן הוא נמצא

יִפְרֹשׂ כְּנָפָיו יִקָּחֵהוּ יִשָּׂאֵהוּ עַל־אֶבְרָתוֹ׃

יְהוָה בָּדָד יַנְחֶנּוּ וְאֵין עִמּוֹ אֵל נֵכָר׃ יב

בָּמֳתֵי שלישי יַרְכִּבֵהוּ עַל־בָּמוֹתֵי אָרֶץ וַיֹּאכַל תְּנוּבֹת שָׂדָי יג

וַיֵּנִקֵהוּ דְבַשׁ מִסֶּלַע וְשֶׁמֶן מֵחַלְמִישׁ צוּר׃

חֶמְאַת בָּקָר וַחֲלֵב צֹאן עִם־חֵלֶב כָּרִים יד

וְאֵילִים בְּנֵי־בָשָׁן וְעַתּוּדִים עִם־חֵלֶב כִּלְיוֹת חִטָּה

רש"י | יָבֹא" (חבקוק ג, ג) זוֹ רוּחַ רְבִיעִית: **יִפְרֹשׂ כְּנָפָיו יִקָּחֵהוּ.** כְּשֶׁבָּא לִטְּלָן מִמָּקוֹם לְמָקוֹם אֵינוֹ נוֹטְלָן בְּרַגְלָיו כִּשְׁאָר עוֹפוֹת, לְפִי שֶׁשְּׁאָר עוֹפוֹת יְרֵאִים מִן הַנֶּשֶׁר שֶׁהוּא מַגְבִּיהַּ לָעוּף וּפוֹרֵחַ עֲלֵיהֶם, לְפִיכָךְ נוֹשְׂאָן בְּרַגְלָיו מִפְּנֵי הַנֶּשֶׁר, אֲבָל הַנֶּשֶׁר אֵינוֹ יָרֵא אֶלָּא מִן הַחֵץ, לְפִיכָךְ נוֹשְׂאָן עַל כְּנָפָיו, אוֹמֵר: מוּטָב שֶׁיִּכָּנֵס הַחֵץ בִּי וְלֹא יִכָּנֵס בְּבָנַי. אַף הַקָּדוֹשׁ בָּרוּךְ הוּא, "וָאֶשָּׂא אֶתְכֶם עַל כַּנְפֵי נְשָׁרִים" (שמות יט, ד), כְּשֶׁנָּסְעוּ מִצְרַיִם אַחֲרֵיהֶם וְהִשִּׂיגוּם עַל הַיָּם הָיוּ זוֹרְקִים בָּהֶם חִצִּים וְאַבְנֵי בַּלִּסְטְרָאוֹת, מִיָּד – "וַיִּסַּע מַלְאַךְ הָאֱלֹהִים וְגוֹ' וַיָּבֹא בֵּין מַחֲנֵה מִצְרַיִם" וְגוֹ' (שם יד, יט-כ):

יב] **ה' בָּדָד יַנְחֶנּוּ.** ה' בָּדָד וָבֶטַח נְהָגָם בַּמִּדְבָּר: **וְאֵין עִמּוֹ אֵל נֵכָר.** לֹא הָיָה כֹּחַ בְּאֶחָד מִכָּל אֱלֹהֵי הַגּוֹיִם לְהַרְאוֹת כֹּחוֹ וּלְהִלָּחֵם עִמָּהֶם. וְרַבּוֹתֵינוּ דְּרָשׁוּהוּ עַל הֶעָתִיד, וְכֵן תִּרְגֵּם אוּנְקְלוֹס. וַאֲנִי אוֹמֵר, דִּבְרֵי תוֹכָחָה הֵם לְהָעִיד הַשָּׁמַיִם וְהָאָרֶץ שֶׁתְּהֵא הַשִּׁירָה לְעֵד שֶׁסּוֹפָן לִבְגֹּד, וְלֹא יִזְכְּרוּ הָרִאשׁוֹנוֹת שֶׁעָשָׂה לָהֶם וְלֹא הַנּוֹלָדוֹת שֶׁהוּא עָתִיד לַעֲשׂוֹת לָהֶם. לְפִיכָךְ צָרִיךְ לְיַשֵּׁב הַדָּבָר לְכָאן וּלְכָאן, וְכָל הָעִנְיָן מוּסָב עַל "זְכֹר יְמוֹת עוֹלָם בִּינוּ שְׁנוֹת דֹּר וָדֹר" (לעיל פסוק ז), כֵּן עָשָׂה לָהֶם וְכֵן עָתִיד לַעֲשׂוֹת, כָּל זֶה הָיָה לָהֶם לִזְכֹּר:

יג-יד] **יַרְכִּבֵהוּ עַל בָּמֳתֵי אָרֶץ.** כָּל הַמִּקְרָא כְּתַרְגּוּמוֹ: **יַרְכִּבֵהוּ.** עַל שֵׁם שֶׁאֶרֶץ יִשְׂרָאֵל גְּבוֹהָה מִכָּל הָאֲרָצוֹת: **וַיֹּאכַל תְּנוּבֹת שָׂדָי.** אֵלּוּ פֵּרוֹת אֶרֶץ יִשְׂרָאֵל שֶׁקַּלִּים לָנוּב וּלְהִתְבַּשֵּׁל מִכָּל פֵּרוֹת הָאֲרָצוֹת: **וַיֵּנִקֵהוּ דְבַשׁ מִסֶּלַע.** מַעֲשֶׂה בְּאֶחָד שֶׁאָמַר לִבְנוֹ בְּסִיכְנִי: הָבֵא לִי קְצִיעוֹת מִן הֶחָבִית, הָלַךְ וּמָצָא הַדְּבַשׁ צָף עַל פִּיהָ, אָמַר לוֹ: זוֹ שֶׁל דְּבַשׁ הִיא, אָמַר לוֹ: הַשְׁקַע יָדְךָ לְתוֹכָהּ וְאַתָּה מַעֲלֶה קְצִיעוֹת מִתּוֹכָהּ: **וְשֶׁמֶן מֵחַלְמִישׁ צוּר.** אֵלּוּ זֵיתִים שֶׁל גּוּשׁ חָלָב: **חֶמְאַת בָּקָר וַחֲלֵב צֹאן.** זֶה הָיָה בִּימֵי שְׁלֹמֹה, שֶׁנֶּאֱמַר: "עֲשָׂרָה בָקָר בְּרִאִים וְעֶשְׂרִים בָּקָר רְעִי וּמֵאָה צֹאן" (מלכים א' ה, ג): **עִם חֵלֶב כָּרִים.** זֶה הָיָה בִּימֵי עֲשֶׂרֶת הַשְּׁבָטִים, שֶׁנֶּאֱמַר: "וְאֹכְלִים כָּרִים מִצֹּאן" (עמוס ו, ד): **עִם חֵלֶב כִּלְיוֹת חִטָּה.** זֶה הָיָה בִּימֵי שְׁלֹמֹה, שֶׁנֶּאֱמַר: "וַיְהִי לֶחֶם שְׁלֹמֹה" וְגוֹ' (מלכים א' ה, ב): **וְדַם עֵנָב תִּשְׁתֶּה חָמֶר.** בִּימֵי עֲשֶׂרֶת הַשְּׁבָטִים, "הַשֹּׁתִים בְּמִזְרְקֵי יַיִן" (עמוס ו, ו): **בָּמֳתֵי אָרֶץ.** לְשׁוֹן גֹּבַהּ: **שָׂדָי.** לְשׁוֹן שָׂדֶה: **חַלְמִישׁ צוּר.** תָּקְפּוֹ וְחָזְקוֹ שֶׁל סֶלַע. כְּשֶׁאֵינוֹ דָּבוּק לַתֵּבָה שֶׁלְּאַחֲרָיו נָקוּד 'חַלָּמִישׁ' (לעיל ח, טו) וּכְשֶׁהוּא דָּבוּק נָקוּד 'חַלְמִישׁ': **חֶמְאַת בָּקָר.** הוּא שֻׁמַּן הַנִּלְקָט עַל גַּבֵּי חָלָב: **וַחֲלֵב צֹאן.** חָלָב שֶׁל צֹאן, וּכְשֶׁהוּא דָּבוּק נָקוּד 'חֲלֵב', כְּמוֹ: "בַּחֲלֵב אִמּוֹ" (לעיל יד, כא): **כָּרִים.** כְּבָשִׂים: **וְאֵילִים.** כְּמַשְׁמָעוֹ: **בְּנֵי בָשָׁן.** שְׁמֵנִים הָיוּ: **כִּלְיוֹת חִטָּה.** חִטִּים שְׁמֵנִים כְּחֵלֶב כְּלָיוֹת

ביאור

לידם ומעליהם. הוא נמנע מלשבת בתוך הקן במלוא כובדו. **יִפְרֹשׂ**
**כְּנָפָיו יִקָּחֵהוּ** – את קנו, כלומר את גוזליו, **יִשָּׂאֵהוּ עַל אֶבְרָתוֹ**, כנפו.
כך נשא אלוקים את ישראל במדבר.[9] יב **ה' בָּדָד יַנְחֶנּוּ**. הוא מנהיג
את ישראל כשהם לבדם, בבטחה ובלא הזדקקות לאחרים.[10] או:
הוא לבדו נוטלם ומובילם בדרכם,[11] **וְאֵין עִמּוֹ אֵל נֵכָר**. יג **יַרְכִּבֵהוּ עַל**
**בָּמֳתֵי**, מרומי **אָרֶץ**, **וַיֹּאכַל** ישראל **תְּנוּבֹת שָׂדָי**, 'תנובות השדה' שבמדבר
היו המן, המים והשליו. **וַיֵּנִקֵהוּ דְבַשׁ**, מיני מתיקה **מִסֶּלַע**, **וְשֶׁמֶן** שהוא
מוציא כביכול **מֵחַלְמִישׁ צוּר**, אבן קשה. יד הם קיבלו גם **חֶמְאַת בָּקָר**
**וַחֲלֵב צֹאן עִם**, נוסף **לחֵלֶב**, שומן של **כָּרִים**, כבשים גדולים **וְאֵילִים בְּנֵי**
**בָשָׁן**, מקום דשן שמגדל בעלי חיים וצמחים משובחים,[12] **וְעַתּוּדִים**,
תיישים **עִם חֵלֶב כִּלְיוֹת חִטָּה**, חיטים גדולות ומובחרות, שגרגריהן

מימין: תיש ('עתוד')

משמאל: כליות חיטה

וְדַם־עֵנָב תִּשְׁתֶּה־חָמֶר׃ וַיִּשְׁמַן יְשֻׁרוּן וַיִּבְעָט טו
שָׁמַנְתָּ עָבִיתָ כָּשִׂיתָ וַיִּטֹּשׁ אֱלוֹהַ עָשָׂהוּ
וַיְנַבֵּל צוּר יְשֻׁעָתוֹ׃ יַקְנִאֻהוּ בְּזָרִים טז
בְּתוֹעֵבֹת יַכְעִיסֻהוּ׃ יִזְבְּחוּ לַשֵּׁדִים לֹא אֱלֹהַ יז
אֱלֹהִים לֹא יְדָעוּם חֲדָשִׁים מִקָּרֹב בָּאוּ
לֹא שְׂעָרוּם אֲבֹתֵיכֶם׃ צוּר יְלָדְךָ תֶּשִׁי יח
רביעי וַתִּשְׁכַּח אֵל מְחֹלְלֶךָ׃ וַיַּרְא יְהוָה וַיִּנְאָץ יט
מִכַּעַס בָּנָיו וּבְנֹתָיו׃ וַיֹּאמֶר אַסְתִּירָה פָנַי מֵהֶם כ
אֶרְאֶה מָה אַחֲרִיתָם כִּי דוֹר תַּהְפֻּכֹת הֵמָּה

רש"י

וְגַפִּין כְּכוּלְיָא: **וְדַם עֵנָב.** הָיִיתָ שׁוֹתֶה טוֹב וְטוֹעֵם יַיִן חָשׁוּב: **חָמֶר.** יַיִן בִּלְשׁוֹן אֲרַמִּי: חֲמַר. אֵין זֶה שֵׁם דָּבָר אֶלָּא לְשׁוֹן מַשְׁבָּח בְּטַעַם, וויינ"ש בְּלַעַז. וְעוֹד יֵשׁ לְפָרֵשׁ שְׁנֵי מִקְרָאוֹת הַלָּלוּ אַחַר תַּרְגּוּם שֶׁל אוּנְקְלוֹס: "אַשְׁרִינוּן עַל תָּקְפֵי אַרְעָא" וְגוֹ':

טו) **עָבִיתָ.** לְשׁוֹן עֳבִי: **כָּשִׂיתָ.** כְּמוֹ 'כָּסִיתָ', לְשׁוֹן: "כִּי כִסָּה פָנָיו בְּחֶלְבּוֹ" (איוב טו, כז), כְּאָדָם שֶׁשָּׁמֵן מִבִּפְנִים וּכְסָלָיו נִכְפָּלִים מִבַּחוּץ, וְכֵן הוּא אוֹמֵר: "וַיַּעַשׂ פִּימָה עֲלֵי כָסֶל" (שם): **כָּשִׂיתָ.** יֵשׁ לְשׁוֹן קַל בִּלְשׁוֹן כִּסּוּי, כְּמוֹ: "וְכֹסֶה קָלוֹן עָרוּם" (משלי יב, טז), וְאִם כָּתַב 'כִּשִּׂיתָ' דָּגוּשׁ, הָיָה נִשְׁמַע כִּסִּיתָ אֶת אֲחֵרִים: **וַיְנַבֵּל צוּר יְשֻׁעָתוֹ.** גִּנָּהוּ וּבִזָּהוּ, כְּמוֹ שֶׁנֶּאֱמַר: "אֲחֹרֵיהֶם אֶל הֵיכַל ה'" וְגוֹ' (יחזקאל ח, טז), אֵין לְךָ נִבּוּל גָּדוֹל מִזֶּה:

טז) **יַקְנִאֻהוּ.** הִבְעִירוּ חֲמָתוֹ וְקִנְאָתוֹ: **בְּתוֹעֵבֹת.** בְּמַעֲשִׂים תְּעוּבִים, כְּגוֹן מִשְׁכַּב זָכוּר וּכְשָׁפִים שֶׁנֶּאֱמַר בָּהֶם 'תּוֹעֵבָה':

יז) **לֹא אֱלֹהַ.** כְּתַרְגּוּמוֹ: "דְּלֵית בְּהוֹן צְרוֹךְ", אִלּוּ הָיָה בָּהֶם צֹרֶךְ לֹא הָיְתָה קִנְאָה כְּפוּלָה כְּמוֹ עַכְשָׁיו: **חֲדָשִׁים מִקָּרֹב בָּאוּ.** אֲפִלּוּ הָאֻמּוֹת לֹא הָיוּ רְגִילִים בָּהֶם, גּוֹי שֶׁהָיָה רוֹאֶה אוֹתָם הָיָה אוֹמֵר: זֶה צֶלֶם יְהוּדִי: **לֹא שְׂעָרוּם אֲבֹתֵיכֶם.** לֹא יָרְאוּ מֵהֶם, לֹא עָמְדָה שַׂעֲרָתָם מִפְּנֵיהֶם, דֶּרֶךְ שַׂעֲרוֹת הָאָדָם לַעֲמֹד מֵחֲמַת יִרְאָה. כָּךְ נִדְרָשׁ בְּסִפְרֵי. וְיֵשׁ לְפָרֵשׁ עוֹד, "שְׂעָרוּם" לְשׁוֹן: "וּשְׂעִירִים יְרַקְּדוּ שָׁם" (ישעיה יג, כא), שְׂעִירִים הֵם שֵׁדִים, לֹא עָשׂוּ אֲבוֹתֵיכֶם שְׂעִירִים הַלָּלוּ:

יח) **תֶּשִׁי.** תִּשְׁכַּח. וְרַבּוֹתֵינוּ אָמְרוּ, כְּשֶׁבָּא לְהֵיטִיב לָכֶם אַתֶּם מַכְעִיסִין לְפָנָיו וּמַתִּישִׁים כֹּחוֹ מִלְּהֵיטִיב לָכֶם: **אֵל מְחֹלְלֶךָ.** מוֹצִיאֲךָ מֵרֶחֶם, לְשׁוֹן: "יְחֹלֵל אַיָּלוֹת" (איוב לט, א), "חִיל כַּיּוֹלֵדָה" (ירמיה ו, כד):

כ) **מָה אַחֲרִיתָם.** מַה תַּעֲלֶה בָהֶם בְּסוֹפָם: **כִּי דוֹר תַּהְפֻּכֹת הֵמָּה.** מְהַפְּכִין רְצוֹנִי

ביאור | מזכירים כליות בגלל החריץ החוצה אותן, **וְדַם עֵנָב**, ויין, שראשיתו במיץ הענבים, אשר **תִּשְׁתֶּה** אותו **כחָמֶר**, משקה משכר.

טו אולם מרוב עושר, הנאה ואפשרויות - **וַיִּשְׁמַן יְשֻׁרוּן**, ישראל[13] - **וַיִּבְעָט**, מאס, דחה וזלזל באלוקיו. **שָׁמַנְתָּ, עָבִיתָ, כָּשִׂיתָ**, התכסית בשכבת חֵלב נוספת, **וַיִּטֹּשׁ**, ישורון עזב את **הָאֱלוֹהַּ עָשָׂהוּ**, יצרו, **וַיְנַבֵּל**, ביזה, התייחס כאל דבר שנבל, שפג תוקפו, אל **צוּר**, סלע, תעצומות **יְשֻׁעָתוֹ**. טז בני ישראל **יַקְנִאֻהוּ**, יכעיסו את צורם ויגרמו לו לקנא להם **בְּ**עבודת אלוהים[14] **זָרִים**, **בְּתוֹעֵבֹת**, בדברים מאוסים **יַכְעִיסֻהוּ**. יז מי שחוטאים בעבודה זרה אינם עובדים רק לאלים, אלא **יִזְבְּחוּ** אפילו **לַשֵּׁדִים**, שגם לדעת הזובחים להם **לֹא אֱלֹהַּ** הם, ובכל זאת עובדים להם מתוך רצון למצוא חן בעיניהם. הם יעבדו בהשפעת הגויים שסביבם **לֵאלֹהִים לֹא יְדָעוּם**, שלא הכירו, **חֲדָשִׁים מִקָּרֹב בָּאוּ**, **לֹא שְׂעָרוּם**, לא עסקו בהם,[15] לא יָראו,[16] או: לא עלה על לב[17] **אֲבֹתֵיכֶם**. יח ולעומת זאת את **הצוּר** שֶׁ**יְלָדְךָ** - **תֶּשִׁי**, נשיתָ, שכחת, **וַתִּשְׁכַּח אֵל מְחֹלְלֶךָ**, שחולל ויצר אותך.

יט **וַיַּרְא ה'** - **וַיִּנְאָץ**, קצף **מִכַּעַס** שגרמו **בָּנָיו וּבְנֹתָיו** בפולחנם לזרים. כ **וַיֹּאמֶר ה': אַסְתִּירָה פָנַי מֵהֶם**. לא אתגלה להם. אעמוד מנגד ואסלק מהם את השגחתי הקרובה. **אֶרְאֶה מָה אַחֲרִיתָם**. מכיוון שה' יודע את הצפוי להם, אין זו אלא אמירה רטורית, שמשמעה הוא: הרי ברור שבלא השגחתי והתערבותי הם לא יתקיימו. **כִּי**

בָּנִ֖ים לֹא־אֵ֥מֻן בָּֽם׃ הֵ֚ם קִנְא֣וּנִי בְלֹא־אֵ֔ל כא
כִּעֲס֖וּנִי בְּהַבְלֵיהֶ֑ם וַאֲנִי֙ אַקְנִיאֵ֣ם בְּלֹא־עָ֔ם
בְּג֥וֹי נָבָ֖ל אַכְעִיסֵֽם׃ כִּי־אֵשׁ֙ קָדְחָ֣ה בְאַפִּ֔י כב
וַתִּיקַ֖ד עַד־שְׁא֣וֹל תַּחְתִּ֑ית וַתֹּ֤אכַל אֶ֙רֶץ֙ וִיבֻלָ֔הּ
וַתְּלַהֵ֖ט מוֹסְדֵ֥י הָרִֽים׃ אַסְפֶּ֥ה עָלֵ֖ימוֹ רָע֑וֹת כג
חִצַּ֖י אֲכַלֶּה־בָּֽם׃ מְזֵ֥י רָעָ֛ב וּלְחֻ֥מֵי רֶ֖שֶׁף כד
וְקֶ֣טֶב מְרִירִ֑י וְשֶׁן־בְּהֵמֹת֙ אֲשַׁלַּח־בָּ֔ם
עִם־חֲמַ֖ת זֹחֲלֵ֥י עָפָֽר׃ מִחוּץ֙ תְּשַׁכֶּל־חֶ֔רֶב כה
וּמֵחֲדָרִ֖ים אֵימָ֑ה גַּם־בָּחוּר֙ גַּם־בְּתוּלָ֔ה

רש"י

לְכַעַס: **לֹא אֵמֻן בָּם.** אֵין גִּדּוּלַי נִכָּרִים בָּהֶם, כִּי הוֹרֵיתִים דֶּרֶךְ טוֹבָה וְסָרוּ מִמֶּנָּה: **אֵמֻן.** לְשׁוֹן: "וַיְהִי אֹמֵן" (אסתר ב, ז), נודרטור"א בְּלַעַז. דָּבָר אַחֵר, "אֵמֻן", לְשׁוֹן אֱמוּנָה, כְּתַרְגּוּמוֹ, אָמְרוּ בְּסִינַי: "נַעֲשֶׂה וְנִשְׁמָע" (שמות כד, ז), וּלְשָׁעָה קַלָּה בִּטְּלוּ הַבְטָחָתָם וְעָשׂוּ הָעֵגֶל:

כא) **קִנְאוּנִי.** הִבְעִירוּ חֲמָתִי: **בְּלֹא אֵל.** בְּדָבָר שֶׁאֵינוֹ אֱלוֹהַּ: **בְּלֹא עָם.** בְּאֻמָּה שֶׁאֵין לָהּ שֵׁם, שֶׁנֶּאֱמַר: "הֵן אֶרֶץ כַּשְׂדִּים זֶה הָעָם לֹא הָיָה" (ישעיה כג, יג); בְּעֵשָׂו הוּא אוֹמֵר: "בָּזוּי אַתָּה מְאֹד" (עובדיה א, ב): **בְּגוֹי נָבָל אַכְעִיסֵם.** אֵלּוּ הַמִּינִין, וְכֵן הוּא אוֹמֵר: "אָמַר נָבָל בְּלִבּוֹ אֵין אֱלֹהִים" (תהלים יד, א):

כב) **קָדְחָה.** בָּעֲרָה: **וַתִּיקַד.** בָּכֶם עַד הַיְסוֹד: **וַתֹּאכַל.** אַרְצְכֶם וִיבוּלָהּ: **וַתְּלַהֵט.** אֶת יְרוּשָׁלַיִם הַמְיֻסֶּדֶת עַל הֶהָרִים, שֶׁנֶּאֱמַר: "יְרוּשָׁלַיִם הָרִים סָבִיב לָהּ" (תהלים קכה, ב):

כג) **אַסְפֶּה עָלֵימוֹ רָעוֹת.** אַחְבִּיר רָעָה עַל רָעָה, לְשׁוֹן: "סְפוּ שָׁנָה עַל שָׁנָה" (ישעיה כט, א), "סְפוֹת הָרָוָה" (לעיל כט, יח), "עֹלוֹתֵיכֶם סְפוּ עַל זִבְחֵיכֶם" (ירמיה ז, כא). דָּבָר אַחֵר, "אַסְפֶּה", אֲכַלֶּה, כְּמוֹ: "פֶּן תִּסָּפֶה" (בראשית יט, טו): **חִצַּי אֲכַלֶּה בָּם.** כָּל חִצַּי אַשְׁלִים בָּהֶם, וּקְלָלָה זוֹ לְפִי הַפֻּרְעָנוּת לִבְרָכָה הִיא, חִצַּי כָּלִים וְהֵם אֵינָם כָּלִים:

כד) **מְזֵי רָעָב.** אוּנְקְלוֹס תִּרְגֵּם: "נְפִיחֵי כְפַן" וְאֵין לִי עֵד מוֹכִיחַ עָלָיו. וּמִשְּׁמוֹ שֶׁל רַבִּי יְהוּדָה הַדַּרְשָׁן מִטּוּלוּזָא שָׁמַעְתִּי, שְׂעִירֵי רָעָב, אָדָם כָּחוּשׁ מְגַדֵּל שֵׂעָר עַל בְּשָׂרוֹ. 'מְזֵי' לְשׁוֹן אֲרַמִּי שֵׂעָר, מַזְיָא, "דַּהֲוָה מְהַפֵּךְ בְּמַזְיֵהּ" (מגילה דף יח ע"א): **וּלְחֻמֵי רֶשֶׁף.** הַשֵּׁדִים נִלְחֲמוּ בָּהֶם, שֶׁנֶּאֱמַר: "וּבְנֵי רֶשֶׁף יַגְבִּיהוּ עוּף" (איוב ה, ז), וְהֵם שֵׁדִים: **וְקֶטֶב מְרִירִי.** וּכְרִיתוּת שֵׁד שֶׁשְּׁמוֹ מְרִירִי: **קֶטֶב.** כְּרִיתָה, כְּמוֹ: "אֱהִי קָטָבְךָ שְׁאוֹל" (הושע יג, יד): **וְשֶׁן בְּהֵמוֹת.** מַעֲשֶׂה הָיָה וְהָיוּ הָרְחֵלוֹת נוֹשְׁכוֹת וּמְמִיתוֹת: **חֲמַת זֹחֲלֵי עָפָר.** אֶרֶס נְחָשִׁים הַמְהַלְּכִים בִּגְחוֹנָם עַל הֶעָפָר כְּמַיִם הַזּוֹחֲלִים עַל הָאָרֶץ. 'זְחִילָה' לְשׁוֹן מְרוּצַת הַמַּיִם עַל הֶעָפָר, וְכֵן כָּל מְרוּצַת דָּבָר הַמְשַׁפְשֵׁף עַל הֶעָפָר וְהוֹלֵךְ:

כה) **מִחוּץ תְּשַׁכֶּל חֶרֶב.** מִחוּץ לָעִיר תְּשַׁכְּלֵם חֶרֶב גְּיָסוֹת: **וּמֵחֲדָרִים אֵימָה.**

ביאור

**דוֹר תַּהְפֻּכֹת**, הפכפך **הֵמָּה, בָּנִים לֹא**, שאין **אֵמֻן בָּם.** כא **הֵם קִנְאוּנִי**,
הכעיסו אותי, עוררו את קנאתי **ב**הליכה אחרי **לֹא אֵל**, דבר שאין בו
ממש, ולא בעבודה בעלת משקל וערך, **כִּעֲסוּנִי בְּהַבְלֵיהֶם.** העבודה
הזרה קשורה באמונות תפלות, בסגולות ובמזלות. ובאותו אופן
**אֲנִי אַקְנִיאֵם בְּלֹא עָם**, באויב שאינו עם ממש, **בְּגוֹי נָבָל**, בתערובות
של עמים שפלים **אַכְעִיסֵם.** כב **כִּי אֵשׁ קָדְחָה בְאַפִּי**, ביטוי ציורי
לכעס גדול, **וַתִּיקַד**, והאש תבער **עַד שְׁאוֹל תַּחְתִּית**, מעמקי התהום,
**וַתֹּאכַל אֶרֶץ וִיבֻלָהּ, וַתְּלַהֵט מוֹסְדֵי**, יסודות **הָרִים.** אש זעמי תזעזע
את העולם כולו. כג **אַסְפֶּה**, אוסיף **עָלֵימוֹ**, עליהם **רָעוֹת** מלבד אלה
שכבר נאמרו. **חִצַּי**, כלי הענישה **אֲכַלֶּה בָּם.** הם יֵרָו בחצים רבים כל
כך, עד שהחצים יכלו. כד בניו ובנותיו יהיו **מְזֵי**, מצוצים וסחוטים
**מָרָעָב, וּלְחֻמֵי**, אכולי **רֶשֶׁף**, מזיקים, **וְקֶטֶב מְרִירִי**, רוח רעה,[18] או: מגפה
קשה ורעה,[19] וגם **שֶׁן בְּהֵמֹת אֲשַׁלַּח בָּם עִם חֲמַת**, זעמם של **זֹחֲלֵי עָפָר.**
הם ייפגעו לא רק מהכשת נחשים, אלא אפילו מנשיכת בהמות
הבית.[20] לכאורה זה נראה עונש קל יותר, אבל דווקא פגיעות כאלה
עלולות לגרום להם לאבד תקווה משום שיחושו שהם ניזוקים מכל
כיוון. כה **מִחוּץ** לבתים **תְּשַׁכֶּל**, תשמיד, תעשה את קרובי המשפחה
שכולים, **חֶרֶב, וּמֵחֲדָרִים**, ומהמקומות הנסתרים תבוא **אֵימָה, גַּם**

יוֹנֵק עִם־אִישׁ שֵׂיבָה׃　　　אָמַרְתִּי אַפְאֵיהֶם כו
אַשְׁבִּיתָה מֵאֱנוֹשׁ זִכְרָם׃　　　לוּלֵי כַּעַס אוֹיֵב אָגוּר כז
פֶּן־יְנַכְּרוּ צָרֵימוֹ　　　פֶּן־יֹאמְרוּ יָדֵנוּ רָמָה
וְלֹא יְהוָה פָּעַל כָּל־זֹאת׃　　　כִּי־גוֹי אֹבַד עֵצוֹת הֵמָּה כח
חמישי　וְאֵין בָּהֶם תְּבוּנָה׃　　　לוּ חָכְמוּ יַשְׂכִּילוּ זֹאת כט
יָבִינוּ לְאַחֲרִיתָם׃　　　אֵיכָה יִרְדֹּף אֶחָד אֶלֶף ל
וּשְׁנַיִם יָנִיסוּ רְבָבָה　　　אִם־לֹא כִּי־צוּרָם מְכָרָם
וַיהוָה הִסְגִּירָם׃　　　כִּי לֹא כְצוּרֵנוּ צוּרָם לא
וְאֹיְבֵינוּ פְּלִילִים׃　　　כִּי־מִגֶּפֶן סְדֹם גַּפְנָם לב

רש"י | כשבורח ונמלט מן החרב חדרי לבו נקופים עליו מחמת אימה והוא מת והולך בה. דבר אחר, "ומחדרים אימה", בבית תהיה אימת דבר, כמה שנאמר: "כי עלה מות בחלונינו" (ירמיה ט, כ), וכן תרגם אונקלוס. דבר אחר, "מחוץ תשכל חרב" על מה שעשו בחוצות, שנאמר: "ומספר חצות ירושלם שמתם מזבחות לבשת" (שם יא, יג). "ומחדרים אימה" על מה שעשו בחדרי חדרים, שנאמר: "אשר זקני בית ישראל עשים בחשך איש בחדרי משכיתו" (יחזקאל ח, יב):

כו] **אמרתי אפאיהם.** אמרתי בלבי אפאה אותם. ויש לפרש "אפאיהם" אשיתם פאה, להשליכם מעלי הפקר, ודגמתו מצינו בעזרא: "ותתן להם ממלכות ועממים ותחלקם לפאה" (נחמיה ט, כב), להפקר, וכן חברו מנחם. ויש פותרים אותו כתרגומו: "יחול רגזי עליהון", ולא יתכן, שאם כן היה לו לכתב 'אאפיהם', אחת לשמוש ואחת ליסוד, כמו: "אאזרך" (ישעיה מה, ה) "אאמצכם במו פי" (איוב טז, ה), והאל"ף התיכונה אינה ראויה בו כלל. ואונקלוס תרגם אחר לשון הברייתא השנויה בספרי (ספרי) החולקת תבה זו לשלש תבות: 'אמרתי אף אי הם', אמרתי באפי אתנם כאלו אינם, שיאמרו רואיהם עליהם איה הם:

כז-כט] **לולי כעס אויב אגור.** אם לא שכעס האויב כנוס עליהם להשחית, ואם יוכל להם וישחיתם יתלה הגדלה בו ובאלהיו ולא יתלה הגדלה בי, וזהו שנאמר: "פן ינכרו צרימו", ינכרו הדבר לתלות גבורתי בנכרי שאין הגדלה שלו, "פן יאמרו ידנו רמה" וגו'. כי אותו גוי "אבד עצות המה ואין בהם תבונה", שאלו היו חכמים "ישכילו זאת... איכה ירדף" וגו': **יבינו לאחריתם.** יתנו לב להתבונן לסוף פרענותם של ישראל:

ל] **איכה ירדף אחד.** ממנו, אלף מישראל: **אם לא כי צורם מכרם וה' הסגירם.** מכרם ומסרם בידנו, דליבריי"ר בלע"ז:

לא] **כי לא כצורנו צורם.** כל זה היה להם לאויבים להבין שהשם הסגירם ולא להם ולאלהיהם הנצחון, שהרי עד הנה לא יוכלו כלום אלהיהם כנגד צורנו, כי לא כסלענו סלעם. כל 'צור' שבמקרא לשון סלע: **ואיבינו פלילים.** ועכשיו אויבינו

ביאור | **בָּחוּר גַּם בְּתוּלָה, יוֹנֵק עִם אִישׁ שֵׂיבָה**. הכול ייענשו ויסבלו. כו **אָמַרְתִּי**:
**אַפְאֵיהֶם**, אפקירם, אפזרם לקצוות כמו פאה,[21] או: אדקור אותם.
**אַשְׁבִּיתָה**, אכלה **מֵאֱנוֹשׁ**, מבין אנשים את **זִכְרָם**.

כז ואכן הייתי משבית את זכרם של ישראל מפני כפיות הטובה,
הבגידות והנאצות שלהם, **לוּלֵי**, אילו לא **מִכַּעַס הָאוֹיֵב אָגוּר**, הייתי
חושש,[22] או: אילו לא היה כעסו **כָּנוּס**,[23] או: אילו האויב שאני
רוצה להתגרות בו ולהילחם בו לא היה כועס, הייתי נוהג אחרת.[24]
אולם כיוון שהאויב וכעסו קיימים, אני חושש **פֶּן יְנַכְּרוּ**, יתנכרו
**צָרֵימוֹ**, אויביו של ישראל לכך שאני הוא הפועל. **פֶּן יֹאמְרוּ: יָדֵנוּ רָמָה**,
תקיפה, וכוחנו הוא שהביא על ישראל את הפורענויות, **וְלֹא ה' פָּעַל
כָּל זֹאת**. כח **כִּי** אותו אויב, **גוֹי אֹבַד עֵצוֹת**, חסר דעת **הֵמָּה** – אנשיו,
**וְאֵין בָּהֶם תְּבוּנָה**, לדעת שלא עלו לגדולה בזכות עצמם אלא משום
שישראל היו מעורבים במאורעות. כט **לוּ חָכְמוּ** אותם אויבים, והיו
מתבוננים מראש במצב – **יַשְׂכִּילוּ זֹאת, יָבִינוּ לְאַחֲרִיתָם**, היו מבינים
את סופם של המאורעות, או של עצמם, שכן היו נוכחים לדעת
שניצחונותיהם באים שלא בדרך הטבע, ל והיו אומרים: "**אֵיכָה יִרְדֹּף
אֶחָד** משלנו **אֶלֶף** מישראל, **וּשְׁנַיִם יָנִיסוּ רְבָבָה**?! איך ישראל נופלים
תשושים וחסרי יכולת מול כוחות מעטים משלנו, **אִם לֹא כִּי צוּרָם**,
סלע מבטחם, אלוהיהם הוא **שְׁמְכָרָם**, מסרם, **וַה' הִסְגִּירָם** בידינו.
הניצחון לא בא מכוחנו אלא משום שה' מעניש את עמו". לא **כִּי**
לאמתו של דבר, ישראל, **לֹא כְצוּרֵנוּ צוּרָם**. הרי צורם של האויבים
אינו חזק כצורנו, ואף על פי כן – **וְאֹיְבֵינוּ** הם **פְּלִילִים**, השופטים
והמענישים אותנו.[25] לב **כִּי מִגֶּפֶן סְדֹם** המושחתת **גַּפְנָם** של אויבינו,

הרחבות | **'ואיבינו פלילים'** ישראל אינם יכולים להוכיח את צדקתם בדין אל מול הגויים גם מפני שהם אינם נידונים כשווים. בעיה זו עתיקה כימי עם ישראל. בתקופות שונות ישראל היו צריכים להתווכח ולהוכיח את עמדתם, כאשר הצד המתנגד להם שימש גם שופט – מצב שלא הותיר סיכויים רבים שישראל יצאו וידם על העליונה.

וּמִשַּׁדְמֹת עֲמֹרָה עֲנָבֵמוֹ עִנְּבֵי־רוֹשׁ
אַשְׁכְּלֹת מְרֹרֹת לָמוֹ׃ חֲמַת תַּנִּינִם יֵינָם לג
וְרֹאשׁ פְּתָנִים אַכְזָר׃ הֲלֹא־הוּא כָּמֻס עִמָּדִי לד
חָתוּם בְּאוֹצְרֹתָי׃ לִי נָקָם וְשִׁלֵּם לה
לְעֵת תָּמוּט רַגְלָם כִּי קָרוֹב יוֹם אֵידָם
וְחָשׁ עֲתִדֹת לָמוֹ׃ כִּי־יָדִין יהוה עַמּוֹ לו

רש"י | שׁוֹפְטִים אוֹתָנוּ, הֲרֵי שֶׁאוֹיְבֵינוּ מְכָרָנוּ לָהֶם:

לב) **כִּי מִגֶּפֶן סְדֹם גַּפְנָם.** מוּסָב לְמַעְלָה, אָמַרְתִּי בְּלִבִּי אַפְאֵיהֶם וְאַשְׁבִּית זִכְרָם, לְפִי שֶׁמַּעֲשֵׂיהֶם מַעֲשֵׂה סְדוֹם וַעֲמוֹרָה: **שַׁדְמֹת.** שְׂדֵה תְבוּאָה, כְּמוֹ: "וּשְׁדֵמוֹת לֹא עָשָׂה אֹכֶל" (חבקוק ג, יז), "בְּשַׁדְמוֹת קִדְרוֹן" (מלכים ב' כג, ד): **עִנְּבֵי רוֹשׁ.** עֵשֶׂב מַר: **אַשְׁכְּלֹת מְרֹרֹת לָמוֹ.** מַשְׁקֶה מַר רָאוּי לָהֶם, לְפִי מַעֲשֵׂיהֶם פֻּרְעָנוּתָם. וְכֵן תִּרְגֵּם אוּנְקְלוֹס: "וְתוּשְׁלְמַת עוֹבָדֵיהוֹן כְּמְרָרוּתְהוֹן":

לג) **חֲמַת תַּנִּינִם יֵינָם.** כְּתַרְגּוּמוֹ: "הָא כִּמְרַת תַּנִּינַיָּא כָּס פֻּרְעָנוּתְהוֹן", הִנֵּה כִּמְרִירַת נְחָשִׁים כּוֹס מִשְׁתֵּה פֻּרְעָנוּתָם: **וְרֹאשׁ פְּתָנִים אַכְזָר.** כּוֹסָם, שֶׁהוּא אַכְזָר לְנֹשֶׁךְ – אוֹיֵב אַכְזָרִי יָבֹא וְיִפָּרַע מֵהֶם:

לד) **הֲלֹא הוּא כָּמֻס עִמָּדִי.** כְּתַרְגּוּמוֹ, כִּסְבוּרִים הֵם שֶׁשָּׁכַחְתִּי מַעֲשֵׂיהֶם, כֻּלָּם גְּנוּזִים וּשְׁמוּרִים לְפָנַי: **הֲלֹא הוּא.** פְּרִי גַּפְנָם וּתְבוּאַת שַׁדְמוֹתָם "כָּמֻס עִמָּדִי":

לה) **לִי נָקָם וְשִׁלֵּם.** עִמִּי נָכוֹן וּמְזֻמָּן פֻּרְעָנוּת נָקָם, וִישַׁלֵּם לָהֶם כְּמַעֲשֵׂיהֶם, הַנָּקָם יְשַׁלֵּם לָהֶם גְּמוּלָם. וְיֵשׁ מְפָרְשִׁים "וְשִׁלֵּם" שֵׁם דָּבָר, כְּמוֹ 'וְשִׁלּוּם', וְהוּא מִגִּזְרַת: "וְהַדִּבֵּר אֵין בָּהֶם" (ירמיה ה, יג), כְּמוֹ 'וְהַדִּבּוּר'. וְאֵימָתַי אֲשַׁלֵּם לָהֶם? "לְעֵת תָּמוּט רַגְלָם", כְּשֶׁיִּתַּמּוּ זְכוּת אֲבוֹתָם שֶׁהֵם סְמוּכִים עָלָיו: **כִּי קָרוֹב יוֹם אֵידָם.** מִשֶּׁאֶרְצֶה לְהָבִיא עֲלֵיהֶם יוֹם אֵידָם, קָרוֹב וּמְזֻמָּן לְפָנַי לְהָבִיא עַל יְדֵי שְׁלוּחִים הַרְבֵּה: **וְחָשׁ עֲתִדֹת לָמוֹ.** וּמַהֵר יָבֹאוּ הָעֲתִידוֹת לָהֶם: **וְחָשׁ.** כְּמוֹ "יְמַהֵר יָחִישָׁה" (ישעיה ה, יט).

עַד כָּאן הֵעִיד עֲלֵיהֶם מֹשֶׁה דִּבְרֵי תוֹכָחָה לִהְיוֹת הַשִּׁירָה הַזֹּאת לְעֵד, כְּשֶׁתָּבוֹא עֲלֵיהֶם הַפֻּרְעָנוּת יֵדְעוּ שֶׁאֲנִי הוֹדַעְתִּים מֵרֹאשׁ. מִכָּאן וְאֵילַךְ הֵעִיד עֲלֵיהֶם דִּבְרֵי תַנְחוּמִין שֶׁיָּבֹאוּ עֲלֵיהֶם כִּכְלוֹת הַפֻּרְעָנוּת, כְּכֹל אֲשֶׁר אָמַר לְמַעְלָה: "וְהָיָה כִּי יָבֹאוּ עָלֶיךָ... הַבְּרָכָה וְהַקְּלָלָה וְגוֹ' וְשָׁב ה' אֱלֹהֶיךָ אֶת שְׁבוּתְךָ" וְגוֹ' (לעיל ל, א-ג):

לו) **כִּי יָדִין ה' עַמּוֹ.** כְּשֶׁיִּשְׁפֹּט אוֹתָם בְּיִסּוּרִין הַלָּלוּ הָאֲמוּרִים עֲלֵיהֶם, כְּמוֹ: "כִּי בָם יָדִין עַמִּים" (איוב לו, לא), יְיַסֵּר עַמִּים. 'כִּי' זֶה אֵינוֹ מְשַׁמֵּשׁ בִּלְשׁוֹן 'דְּהָא' לָתֵת טַעַם לִדְבָרִים שֶׁל מַעְלָה, אֶלָּא לְשׁוֹן תְּחִלַּת דִּבּוּר, כְּמוֹ: "כִּי תָבֹאוּ אֶל הָאָרֶץ" (ויקרא כה, ב), כְּשֶׁיָּבֹאוּ עֲלֵיהֶם מִשְׁפָּטִים הַלָּלוּ וְיִתְנַחֵם הַקָּדוֹשׁ בָּרוּךְ הוּא עַל עֲבָדָיו

הרחבות | 'הלֹא הוא כמֻס עמדי' הניסיונות להסביר את גורלו של ישראל בהסברים כלכליים, פילוסופיים ואחרים הם חסרי תוחלת. פִּשרה המהותי של האנטישמיות אינו מובן לאיש. אלה הם סודותיו של אלוקים.

ביאור

והרוחניות שלהם צומחת מִשַּׁדְמֹת, משדות העיר עֲמֹרָה. מקור
מחשבותיהם ומעשיהם בערים הרעות והחטאות סדום ועמורה.
עֲנָבֵמוֹ, ענבי הגפנים הללו הם עִנְּבֵי רוֹשׁ, רעל, אַשְׁכְּלֹת מְרֹרֹת, ארסיים
לָמוֹ, להם. לג חֲמַת, ארס תַּנִּינִם, נחשים[26] הוא יֵינָם, וְרֹאשׁ, רעל, או:
גולגולת פְּתָנִים, נחש אַכְזָר. את עצמת האכזריות ואת כמויות הארס
שיחווה עם ישראל במשך כל שנות גלותו אין לבטא אפילו במלים
הקשות של השירה הזו. לד גם פשרן אינו ידוע – הֲלֹא הוּא כָּמֻס,
חבוי ושמור עִמָּדִי, חָתוּם בְּאוֹצְרֹתָי. הגויים שינהגו באכזריות לא
יראו זאת, ואף ישראל המיוסרים לא יהיו פקוחים מספיק לראות
ולהבין. כך יישאר הדבר כסוד נסתר. לה לִי נָקָם וְשִׁלֵּם, התשלום.
אותם אוציא אל הפועל לְעֵת תָּמוּט, תזדעזע רַגְלָם של הגויים, כאשר
תגיע השעה שהרוע שלהם ימוטט אותם, כִּי אז יהיה קָרוֹב יוֹם אֵידָם,
מפלתם, וְחָשׁ, וימהרו הָעֲתִדֹת לָמוֹ, אליהם.
לו כִּי, כאשר יָדִין ה' את עַמּוֹ, לאחר שיסתיר פניו מהם, וְעַל הנעשה

מימין: סולנום שעיר ('ענבי רוש'?)

משמאל: פתן שחור

**העולם**

**עִנְּבֵי רוֹשׁ** יש המזהים אותם עם סולנום שעיר (שם מדעי: Solanum villosum), צמח רעיל עשבוני, חד-שנתי לרוב, בעל ענבים צהובים או אדומים, שגובהו 60 ס"מ. צומחת בבתי גידול עשירים בחנקן: מעזבות ואשפתות, גינות וצדי דרכים וגם בשדות שלחין.

וְעַל־עֲבָדָיו יִתְנֶחָם כִּי יִרְאֶה כִּי־אָזְלַת יָד
וְאֶפֶס עָצוּר וְעָזוּב: וְאָמַר אֵי אֱלֹהֵימוֹ לז
צוּר חָסָיוּ בוֹ: אֲשֶׁר חֵלֶב זְבָחֵימוֹ יֹאכֵלוּ לח
יִשְׁתּוּ יֵין נְסִיכָם יָקוּמוּ וְיַעְזְרֻכֶם
יְהִי עֲלֵיכֶם סִתְרָה: רְאוּ ׀ עַתָּה כִּי אֲנִי אֲנִי הוּא לט
וְאֵין אֱלֹהִים עִמָּדִי אֲנִי אָמִית וַאֲחַיֶּה
מָחַצְתִּי וַאֲנִי אֶרְפָּא וְאֵין מִיָּדִי מַצִּיל:
ששי כִּי־אֶשָּׂא אֶל־שָׁמַיִם יָדִי וְאָמַרְתִּי חַי אָנֹכִי לְעֹלָם: מ
אִם־שַׁנּוֹתִי בְּרַק חַרְבִּי וְתֹאחֵז בְּמִשְׁפָּט יָדִי מא
אָשִׁיב נָקָם לְצָרָי וְלִמְשַׂנְאַי אֲשַׁלֵּם:

רש"י | לָשׁוּב וּלְרַחֵם עֲלֵיהֶם: **יִתְנֶחָם.** לְשׁוֹן הֶפֵּךְ מַחֲשָׁבָה, לְהֵיטִיב אוֹ לְהָרַע. כְּשֶׁיִּתְרָאֶה כִּי אָזְלַת יַד הָאוֹיֵב הוֹלֶכֶת וַחֲזָקָה עֲלֵיהֶם, וְ"אֶפֶס" בָּהֶם "עָצוּר וְעָזוּב": **עָצוּר.** נוֹשַׁע עַל יְדֵי עוֹצֵר וּמוֹשֵׁל שֶׁיַּעֲצֹר בָּהֶם: **עָזוּב.** עַל יְדֵי עוֹזֵב. 'עוֹצֵר' הוּא הַמּוֹשֵׁל הָעוֹצֵר בָּעָם שֶׁלֹּא יֵלְכוּ מְפֻזָּרִים בְּצֵאתָם לַצָּבָא עַל הָאוֹיֵב: **עָצוּר.** הוּא הַנּוֹשָׁע בְּמַעֲצוֹר הַמּוֹשֵׁל: **עָזוּב.** מְחֻזָּק, כְּמוֹ: "וַיַּעַזְבוּ יְרוּשָׁלַיִם עַד הַחוֹמָה" (נחמיה ג, ח), "אֵיךְ לֹא עֻזְּבָה עִיר תְּהִלָּת" (ירמיה מט, כה): **עָצוּר.** מייטני"ר: **עָזוּב.** איפורצאו"ר בְּלַעַז:

לז] **וְאָמַר.** הַקָּדוֹשׁ בָּרוּךְ הוּא עֲלֵיהֶם: "אֵי אֱלֹהֵימוֹ" עֲבוֹדָה זָרָה שֶׁעָבְדוּ: **צוּר חָסָיוּ בוֹ.** הַסֶּלַע שֶׁהָיוּ מִתְכַּסִּין בּוֹ מִפְּנֵי הַחַמָּה וְהַצִּנָּה, כְּלוֹמַר שֶׁהָיוּ בְּטוּחִין בּוֹ לְהָגֵן עֲלֵיהֶם מִן הָרָעָה:

לח] **אֲשֶׁר חֵלֶב זְבָחֵימוֹ.** הָיוּ אוֹתָן אֱלֹהוֹת אוֹכְלִים, שֶׁהָיוּ מַקְרִיבִים לִפְנֵיהֶם, וְשׁוֹתִין "יֵין נְסִיכָם": **יְהִי עֲלֵיכֶם סִתְרָה.** אוֹתוֹ הַצּוּר יִהְיֶה לָכֶם מַחֲסֶה וּמִסְתּוֹר:

לט] **רְאוּ עַתָּה.** הָבִינוּ מִן הַפֻּרְעָנוּת שֶׁהֵבֵאתִי עֲלֵיכֶם וְאֵין לָכֶם מוֹשִׁיעַ, וּמִן הַתְּשׁוּעָה שֶׁאוֹשִׁיעֲכֶם וְאֵין מוֹחֶה בְּיָדִי: **אֲנִי אֲנִי הוּא.** אֲנִי לְהַשְׁפִּיל וַאֲנִי לְהָרִים: **וְאֵין אֱלֹהִים עִמָּדִי.** עוֹמֵד כְּנֶגְדִּי לִמְחוֹת. עִמָּדִי. דֻּגְמָתִי וְכָמוֹנִי: **וְאֵין מִיָּדִי מַצִּיל.** הַפּוֹשְׁעִים בִּי:

מ] **כִּי אֶשָּׂא אֶל שָׁמַיִם יָדִי.** כִּי בַּחֲרוֹן אַפִּי אֶשָּׂא יָדִי אֶל עַצְמִי בִּשְׁבוּעָה: **וְאָמַרְתִּי חַי אָנֹכִי.** לְשׁוֹן שְׁבוּעָה הוּא, אֲנִי נִשְׁבָּע 'חַי אָנִי':

מא] **אִם שַׁנּוֹתִי בְּרַק חַרְבִּי.** אִם אֲשַׁנֵּן אֶת לַהַב חַרְבִּי, כְּמוֹ: לְמַעַן הֱיוֹת לָהּ בָּרָק, פלאנדו"ר: **וְתֹאחֵז בְּמִשְׁפָּט יָדִי.** לְהַנִּיחַ מִדַּת רַחֲמִים בְּאוֹיְבַי שֶׁהֵרֵעוּ לָכֶם, "אֲשֶׁר אֲנִי קָצַפְתִּי מְעָט וְהֵמָּה עָזְרוּ לְרָעָה" (זכריה א, טו), וְתֹאחֵז יָדִי אֶת מִדַּת הַמִּשְׁפָּט לְהַחֲזִיק בָּהּ וּלְנַקֵּם נָקָם: **אָשִׁיב נָקָם וְגוֹ'.**

ביאור

בַּעֲבָדָיו יִתְנֶחָם, יתחרט, כביכול. ההכאות שספגו עקב ההתנכרות
והעזיבה יגדשו את הסאה, כִּי יִרְאֶה כִּי אָזְלַת יָד, הלך כוחם, וְאֶפֶס,
אין עָצוּר, מי שמוגן על ידי השליט[27] וְעָזוּב, מי שמחוזק.[28] לז וְאָמַר
ה׳,[29] ואולי גם ישראל עצמו:[30] אֵי, היכן אֱלֹהֵימוֹ, האלים שהאמינו
בהם, צוּר חָסָיוּ בוֹ, המשגב שבו הם בטחו?! לח אלו אֲשֶׁר את חֵלֶב,
שומן זְבָחֵימוֹ, זבחיהם יֹאכֵלוּ, ויִשְׁתּוּ את יֵין נְסִיכָם, היין שהם
מנסכים לאלוהיהם – עכשיו יָקוּמוּ וְיַעְזְרֻכֶם, יְהִי, יהיו עֲלֵיכֶם סִתְרָה,
מחסה. לט רְאוּ עַתָּה, בזמן הגאולה, לאחר שייווכחו הכול כי אין
ממשות בכל אלה שחסו בצלם, כִּי אֲנִי אֲנִי הוּא, וְאֵין אֱלֹהִים עִמָּדִי.
אֲנִי זה שאָמִית וַאֲחַיֶּה לפי רצוני, מָחַצְתִּי, אכה וארוצץ וַאֲנִי גם אֶרְפָּא,
וְאֵין מִיָּדִי מַצִּיל. הכול נתון בידי. מ כִּי, כאשר אֶשָּׂא אֶל שָׁמַיִם יָדִי
בשבועה[31] וְאָמַרְתִּי: חַי אָנֹכִי לְעֹלָם. כשבני אדם נשבעים, הם אומרים:
׳חי ה׳׳,[32] ואילו ה׳ נשבע בעצמו, כביכול. מא אִם, כאשר שַׁנּוֹתִי,
אשנן[33] את בְּרַק חַרְבִּי, כשתצא מנדנה, וְתֹאחֵז בְּמִשְׁפָּט, בעשיית
הדין יָדִי, אז אָשִׁיב נָקָם לְצָרָי וְלִמְשַׂנְאַי אֲשַׁלֵּם. הנקם והשילם ישובו
על אויבי ישראל משום שהם צָרַי ושונאַי.[34] אכן, עם ישראל נענש על
חטאיו, אבל שונאיו אינם רודפים אותו בגללם, אלא להיפך, דווקא
הקשר של ישראל אל ה׳ ודווקא רצונם לקרוא בשמו ולייצגו בעולם
הם שמביאים את האויבים להתנכל לישראל. האויבים פוגעים
אפוא בישראל משום שהם שונאים את אלוקי ישראל. מב או–אז

מב אַשְׁכִּיר חִצַּי מִדָּם וְחַרְבִּי תֹּאכַל בָּשָׂר
מִדַּם חָלָל וְשִׁבְיָה מֵרֹאשׁ פַּרְעוֹת אוֹיֵב:

רש"י | לָמְדוּ רַבּוֹתֵינוּ בְּאַגָּדָה מִתּוֹךְ לְשׁוֹן הַמִּקְרָא שֶׁאָמַר: "וְתֹאחֵז בְּמִשְׁפָּט יָדִי" – לֹא כְּמִדַּת בָּשָׂר וָדָם מִדַּת הַקָּדוֹשׁ בָּרוּךְ הוּא, מִדַּת בָּשָׂר וָדָם זוֹרֵק חֵץ וְאֵינוֹ יָכוֹל לַהֲשִׁיבוֹ, וְהַקָּדוֹשׁ בָּרוּךְ הוּא זוֹרֵק חִצָּיו וְיֵשׁ בְּיָדוֹ לַהֲשִׁיבָם כְּאִלּוּ אוֹחֲזָן בְּיָדוֹ, שֶׁהֲרֵי בָּרָק הוּא חִצּוֹ, שֶׁנֶּאֱמַר כָּאן: "בְּרַק חַרְבִּי וְתֹאחֵז בְּמִשְׁפָּט יָדִי", וְהַמִּשְׁפָּט הַזֶּה לְשׁוֹן פֻּרְעָנוּת הוּא, בְּלַעַז יוּשְׁטִיצְ"א:

מב| **אַשְׁכִּיר חִצַּי מִדָּם.** הָאוֹיֵב: **וְחַרְבִּי תֹּאכַל.** בְּשָׂרָם: **מִדַּם חָלָל וְשִׁבְיָה.** זֹאת תִּהְיֶה לָהֶם מֵעֲוֹן דַּם חַלְלֵי יִשְׂרָאֵל וְשִׁבְיָה שֶׁשָּׁבוּ מֵהֶם: **מֵרֹאשׁ פַּרְעוֹת אוֹיֵב.** מִפֶּשַׁע תְּחִלַּת פִּרְעוֹת הָאוֹיֵב, כִּי כְּשֶׁהַקָּדוֹשׁ בָּרוּךְ הוּא נִפְרָע מִן הָאֻמּוֹת פּוֹקֵד עֲלֵיהֶם עֲוֹנָם וַעֲוֹנוֹת אֲבוֹתֵיהֶם מֵרֵאשִׁית פִּרְצָה שֶׁפָּרְצוּ בְּיִשְׂרָאֵל:

מג| **הַרְנִינוּ גוֹיִם עַמּוֹ.** לְאוֹתוֹ הַזְּמַן יְשַׁבְּחוּ הָאֻמּוֹת אֶת יִשְׂרָאֵל, רְאוּ מַה שִּׁבְחָהּ שֶׁל אֻמָּה זוֹ שֶׁדָּבְקוּ בְּהַקָּדוֹשׁ בָּרוּךְ הוּא בְּכָל הַתְּלָאוֹת שֶׁעָבְרוּ עֲלֵיהֶם וְלֹא עֲזָבוּהוּ, יוֹדְעִים הָיוּ בְּטוּבוֹ וּבְשִׁבְחוֹ: **כִּי דַם עֲבָדָיו יִקּוֹם.** שְׁפִיכוּת דְּמֵיהֶם, כְּמַשְׁמָעוֹ: **וְנָקָם יָשִׁיב לְצָרָיו.** עַל הַגָּזֶל וְעַל הֶחָמָס, כְּעִנְיָן שֶׁנֶּאֱמַר: "מִצְרַיִם לִשְׁמָמָה תִהְיֶה וֶאֱדוֹם לְמִדְבַּר שְׁמָמָה תִּהְיֶה, מֵחֲמַס בְּנֵי יְהוּדָה" (יואל ד, יט), וְאוֹמֵר: "מֵחֲמַס אָחִיךָ יַעֲקֹב" וְגוֹ' (עובדיה א, י): **וְכִפֶּר אַדְמָתוֹ עַמּוֹ.** וִיפַיֵּס אַדְמָתוֹ וְעַמּוֹ עַל הַצָּרוֹת שֶׁעָבְרוּ עֲלֵיהֶם וְשֶׁעָשָׂה לָהֶם הָאוֹיֵב: **וְכִפֶּר.** לְשׁוֹן רִצּוּי וּפִיּוּס, כְּמוֹ: "אֲכַפְּרָה פָנָיו" – "אֲנִיחִנֵּיהּ לְרֻגְזֵיהּ" (בראשית לב, כ; אונקלוס שם): **וְכִפֶּר אַדְמָתוֹ.** וּמַה הִיא אַדְמָתוֹ? – "עַמּוֹ", כְּשֶׁעַמּוֹ מִתְנַחֲמִים אַרְצוֹ מִתְנַחֶמֶת, וְכֵן הוּא אוֹמֵר: "רָצִיתָ ה' אַרְצֶךָ" (תהלים פה, ב), בַּמֶּה רָצִיתָ אַרְצֶךָ? "שַׁבְתָּ שְׁבוּת יַעֲקֹב" (שם).

בִּשְׁנַיִם אֲחֵרִים הִיא נִדְרֶשֶׁת בְּסִפְרֵי וְנֶחְלְקוּ בָהּ רַבִּי יְהוּדָה וְרַבִּי נְחֶמְיָה. רַבִּי יְהוּדָה דּוֹרֵשׁ כֻּלָּהּ כְּנֶגֶד יִשְׂרָאֵל, וְרַבִּי נְחֶמְיָה דּוֹרֵשׁ אֶת כֻּלָּהּ כְּנֶגֶד הָאֻמּוֹת. רַבִּי יְהוּדָה דּוֹרְשָׁהּ כְּלַפֵּי יִשְׂרָאֵל: **אָמַרְתִּי אַפְאֵיהֶם.** (לעיל פסוק כו) כְּמוֹ שֶׁפֵּרַשְׁתִּי, עַד "וְלֹא ה' פָּעַל כָּל זֹאת" (לעיל פסוק כז): **כִּי גוֹי אֹבַד עֵצוֹת הֵמָּה.** (לעיל פסוק כח) אִבְּדוּ תּוֹרָתִי שֶׁהִיא לָהֶם עֵצָה נְכוֹנָה: **וְאֵין בָּהֶם תְּבוּנָה.** לְהִתְבּוֹנֵן "אֵיכָה יִרְדֹּף אֶחָד" מִן הָאֻמּוֹת "אֶלֶף" מֵהֶם, "אִם לֹא כִּי צוּרָם מְכָרָם" (לעיל פסוק ל). "כִּי לֹא כְצוּרֵנוּ צוּרָם" (לעיל פסוק לא), הַכֹּל כְּמוֹ שֶׁפֵּרַשְׁתִּי עַד תַּכְלִית.

וְרַבִּי נְחֶמְיָה דּוֹרְשָׁהּ כְּלַפֵּי הָאֻמּוֹת: **כִּי גוֹי אֹבַד עֵצוֹת הֵמָּה.** כְּמוֹ שֶׁפֵּרַשְׁתִּי תְּחִלָּה, עַד "וְאֹיְבֵינוּ פְּלִילִים" (לעיל פסוק לא):

לב| **כִּי מִגֶּפֶן סְדֹם גַּפְנָם.** שֶׁל אֻמּוֹת: **וּמִשַּׁדְמֹת עֲמֹרָה וְגוֹ'.** וְלֹא יָשִׂימוּ לִבָּם לִתְלוֹת הַגְּדֻלָּה בִּי: **עֲנָבֵמוֹ עִנְּבֵי רוֹשׁ.** הוּא שֶׁאָמַר: "לוּלֵי כַּעַס אוֹיֵב אָגוּר" (לעיל פסוק כז) עַל יִשְׂרָאֵל לְהַרְעִילָם וּלְהַמְרִידָם, לְפִיכָךְ: "אַשְׁכְּלֹת מְרֹרֹת לָמוֹ" לְהַלְעִיט אוֹתָם עַל מַה שֶּׁעָשׂוּ לְבָנַי:

לג| **חֲמַת תַּנִּינִם יֵינָם.** מוּכָן לְהַשְׁקוֹתָם עַל מַה שֶּׁעוֹשִׂין לָהֶם:

לד| **כָּמֻס עִמָּדִי.** אוֹתוֹ הַכּוֹס, שֶׁנֶּאֱמַר: "כִּי כוֹס בְּיַד ה'" וְגוֹ' (תהלים עה, ט):

לה| **לְעֵת תָּמוּט רַגְלָם.** כְּעִנְיָן שֶׁנֶּאֱמַר "תִּרְמְסֶנָּה רָגֶל" (ישעיה כו, ו):

לו| **כִּי יָדִין ה' עַמּוֹ.** כְּלָשׁוֹן זֶה מְשַׁמֵּשׁ "כִּי יָדִין" בִּלְשׁוֹן 'דְּהָא', וְאֵין "יָדִין" לְשׁוֹן יִסּוּרִין, אֶלָּא כְּמוֹ כִּי יָרִיב אֶת רִיבָם מִיַּד עוֹשְׁקֵיהֶם, "כִּי יִרְאֶה כִּי אָזְלַת יָד" וְגוֹ':

ביאור | אַשְׁכִּיר, אהפוך לשיכורים, כביכול, את חִצַּי מִבליעת דָּם, המדומה
ליין,[35] וְאז חַרְבִּי תֹּאכַל בָּשָׂר, חצי יהיו שיכורים מִדַּם חָלָל, הרוגים
וְשִׁבְיָה, שבויים, מֵרֹאשׁ פַּרְעוֹת, מהומות הָאוֹיֵב. מג כאשר ה' יביא

הַרְנִינוּ גוֹיִם עַמּוֹ כִּי דַם־עֲבָדָיו יִקּוֹם מג
וְנָקָם יָשִׁיב לְצָרָיו וְכִפֶּר אַדְמָתוֹ עַמּוֹ׃

שביעי וַיָּבֹא מֹשֶׁה וַיְדַבֵּר אֶת־כָּל־דִּבְרֵי הַשִּׁירָה־הַזֹּאת מד
בְּאָזְנֵי הָעָם הוּא וְהוֹשֵׁעַ בִּן־נוּן׃ וַיְכַל מֹשֶׁה לְדַבֵּר מה
אֶת־כָּל־הַדְּבָרִים הָאֵלֶּה אֶל־כָּל־יִשְׂרָאֵל׃ וַיֹּאמֶר מו
אֲלֵהֶם שִׂימוּ לְבַבְכֶם לְכָל־הַדְּבָרִים אֲשֶׁר אָנֹכִי
מֵעִיד בָּכֶם הַיּוֹם אֲשֶׁר תְּצַוֻּם אֶת־בְּנֵיכֶם לִשְׁמֹר
לַעֲשׂוֹת אֶת־כָּל־דִּבְרֵי הַתּוֹרָה הַזֹּאת׃ כִּי לֹא־דָבָר מז

רש"י

לז) **וְאָמַר אֵי אֱלֹהֵימוֹ.** וְהָאוֹיֵב יֹאמַר: "אֵי אֱלֹהֵימוֹ" שֶׁל יִשְׂרָאֵל, כְּמוֹ שֶׁאָמַר טִיטוּס הָרָשָׁע כְּשֶׁגִּדֵּר אֶת הַפָּרֹכֶת, כְּעִנְיָן שֶׁנֶּאֱמַר: "וְתֵרֶא אֹיַבְתִּי וּתְכַסֶּהָ בוּשָׁה הָאֹמְרָה אֵלַי אַיּוֹ ה' אֱלֹהָיִךְ" (מיכה ז, י):

לט) **רְאוּ עַתָּה כִּי אֲנִי וְגוֹ'.** אָז יְגַלֶּה הַקָּדוֹשׁ בָּרוּךְ הוּא יְשׁוּעָתוֹ, וְיֹאמַר: "רְאוּ עַתָּה כִּי אֲנִי אֲנִי הוּא", מֵאִתִּי בָּאת עֲלֵיהֶם הָרָעָה, וּמֵאִתִּי תָּבֹא עֲלֵיהֶם הַטּוֹבָה: **וְאֵין מִיָּדִי מַצִּיל.** מִי שֶׁיַּצִּיל אֶתְכֶם מִן הָרָעָה אֲשֶׁר אָבִיא עֲלֵיכֶם:

מ) **כִּי אֶשָּׂא אֶל שָׁמַיִם יָדִי.** כְּמוֹ 'כִּי נָשָׂאתִי', תָּמִיד אֲנִי מַשְׁרֶה מְקוֹם שְׁכִינָתִי בַּשָּׁמַיִם, כְּתַרְגּוּמוֹ. אֲפִלּוּ אָדָם לְמַעְלָה וְגִבּוֹר לְמַטָּה, אֵימַת עֶלְיוֹן עַל הַתַּחְתּוֹן, וְכָל שֶׁכֵּן שֶׁגִּבּוֹר לְמַעְלָה וְאָדָם מִלְּמַטָּה: **יָדִי.** מְקוֹם שְׁכִינָתִי, כְּמוֹ: "אִישׁ עַל יָדוֹ" (במדבר ב, יז), וְהָיָה בְּיָדִי לְהִפָּרַע מִכֶּם, אֲבָל אָמַרְתִּי שֶׁ"חַי אָנֹכִי לְעֹלָם", אֵינִי מְמַהֵר לִפָּרַע לְפִי שֶׁיֵּשׁ שָׁהוּת בַּדָּבָר, אֲנִי חַי לְעוֹלָם וּבְדוֹרוֹת אַחֲרוֹנִים אֲנִי נִפְרָע מֵהֶם, וְהַיְכֹלֶת בְּיָדִי לִפָּרַע מִן הַמֵּתִים וּמִן הַחַיִּים. מֶלֶךְ בָּשָׂר וָדָם שֶׁהוּא הוֹלֵךְ לָמוּת, מְמַהֵר נִקְמָתוֹ לִפָּרַע בְּחַיָּיו, כִּי שֶׁמָּא יָמוּת הוּא אוֹ אוֹיְבוֹ וְנִמְצָא שֶׁלֹּא רָאָה נִקְמָתוֹ מִמֶּנּוּ, אֲבָל אֲנִי חַי לְעוֹלָם, וְאִם יָמוּתוּ הֵם וְאֵינִי נִפְרָע בְּחַיֵּיהֶם, אֶפָּרַע בְּמוֹתָם:

מא) **אִם שַׁנּוֹתִי בְּרַק חַרְבִּי.** הַרְבֵּה 'אִם' יֵשׁ שֶׁאֵינָם תְּלוּיִין, כְּשֶׁאֶשְׁנֵן "בְּרַק חַרְבִּי וְתֹאחֵז בְּמִשְׁפָּט יָדִי", כֻּלּוֹ כְּמוֹ שֶׁפֵּרַשְׁתִּי לְמַעְלָה:

מד) **הוּא וְהוֹשֵׁעַ בִּן נוּן.** שַׁבָּת שֶׁל דְּיוֹזְגֵי הָיְתָה, נִטְּלָה רְשׁוּת מִזֶּה וְנִתְּנָה לָזֶה, הֶעֱמִיד לוֹ מֹשֶׁה מְתֻרְגְּמָן לִיהוֹשֻׁעַ שֶׁיְּהֵא דּוֹרֵשׁ בְּחַיָּיו, כְּדֵי שֶׁלֹּא יֹאמְרוּ יִשְׂרָאֵל: בְּחַיֵּי רַבְּךָ לֹא הָיָה לְךָ לְהָרִים רֹאשׁ. וְלָמָּה קוֹרֵהוּ כָּאן 'הוֹשֵׁעַ'? לוֹמַר שֶׁלֹּא זָחָה דַּעְתּוֹ עָלָיו, שֶׁאַף עַל פִּי שֶׁנִּתְּנָה לוֹ גְּדֻלָּה, הִשְׁפִּיל עַצְמוֹ כַּאֲשֶׁר מִתְּחִלָּתוֹ:

מו) **שִׂימוּ לְבַבְכֶם.** צָרִיךְ אָדָם שֶׁיִּהְיוּ עֵינָיו וְלִבּוֹ וְאָזְנָיו מְכֻוָּנִים לְדִבְרֵי תּוֹרָה, וְכֵן הוּא אוֹמֵר: "בֶּן אָדָם רְאֵה בְעֵינֶיךָ וּבְאָזְנֶיךָ שְׁמָע וְשִׂים לִבְּךָ" וְגוֹ' (יחזקאל מ, ד), וַהֲרֵי דְּבָרִים קַל וָחֹמֶר: וּמָה תַּבְנִית הַבַּיִת שֶׁהוּא נִרְאֶה לָעֵינַיִם וְנִמְדָּד בַּקָּנֶה, צָרִיךְ אָדָם שֶׁיִּהְיוּ עֵינָיו וְאָזְנָיו וְלִבּוֹ מְכֻוָּנִים לְהָבִין, דִּבְרֵי תּוֹרָה שֶׁהֵן כַּהֲרָרִין תְּלוּיִין בְּשַׂעֲרָה, עַל אַחַת כַּמָּה וְכַמָּה:

ביאור

את גאולתם של ישראל – **הַרְנִינוּ**, רננו, שירו, **גוֹיִם**, **לְעַמּוֹ**, מפני שאז
יתברר שגם כאשר ישראל סבלו מאוד, ה׳ מעולם לא עזב אותם,
אלא הסתיר פניו מהם, כלומר רק נדמה להם כאילו אינו עמם,
**כִּי** כשה׳ יתגלה, את **דַּם עֲבָדָיו** השפוך הוא **יִקּוֹם**, **וְנָקָם יָשִׁיב לְצָרָיו**,
**וְכִפֶּר**, יטהר בכך את **אַדְמָתוֹ** ואת **עַמּוֹ**.[36] פירושים נוספים: אדמתו
שתספוג דמם של הצרים תכפר על עמו; עמו יטהר את אדמתו על
ידי הריגתם של שופכי הדם.[37]

מד **וַיָּבֹא מֹשֶׁה וַיְדַבֵּר אֶת כָּל דִּבְרֵי הַשִּׁירָה הַזֹּאת בְּאָזְנֵי הָעָם, הוּא וְהוֹשֵׁעַ**,
כך שמו המקורי לפני שמשה שינה את שמו[38] ליהושע **בִּן נוּן**. שניהם
אמרו את השירה, בעיקר כדי לחלוק כבוד ליהושע. כך קיבל הושע
בן נון, כאיש מן השורה, את הסמכות ממשה.

מה **וַיְכַל**, סיים **מֹשֶׁה לְדַבֵּר אֶת כָּל הַדְּבָרִים הָאֵלֶּה אֶל כָּל יִשְׂרָאֵל**. מו **וַיֹּאמֶר**
**אֲלֵהֶם** פעם נוספת: **שִׂימוּ לְבַבְכֶם לְכָל הַדְּבָרִים אֲשֶׁר אָנֹכִי מֵעִיד בָּכֶם**
**הַיּוֹם**, הקפידו אתם עליהם, וגם **אֲשֶׁר תְּצַוֻּם אֶת בְּנֵיכֶם לִשְׁמֹר לַעֲשׂוֹת**
**אֶת כָּל דִּבְרֵי הַתּוֹרָה הַזֹּאת** בעתיד. רשימות של מצוות, איסורים,
ברכות, קללות ועונשים כבר נאמרו בהרחבה; השירה אינה מתייחסת
לפרטים ולפרטי הפרטים שכל הספר מלא מהם, אלא לעיקרון
הכללי של הנאמנות לה׳ ולשמירת תורתו. מז **כִּי לֹא דָבָר רֵק**, חסר

הרחבות

**׳ויכל משה לדבר את כל הדברים האלה... ויאמר אלֵהם שימו לבבכם לכל הדברים׳** ייתכן שאלה אינם דבריו האחרונים של משה ממש (אך ראו ראב"ע לעיל לא,א), אלא דברי סיכום שהוא חוזר עליהם שוב ושוב. משה פונה אל שומעיו, שאולי ראו בדבריו רעיונות יפים של הרב הגדול, איש החזון ובעל הרעיונות הגדולים, שאינם נוגעים בחיים הפשוטים ובמציאות הממשית, והוא מדגיש באוזניהם שדברי התורה הם הם החיים האמתיים.

רַק הוּא מִכֶּם כִּי־הוּא חַיֵּיכֶם וּבַדָּבָר הַזֶּה תַּאֲרִיכוּ
יָמִים עַל־הָאֲדָמָה אֲשֶׁר אַתֶּם עֹבְרִים אֶת־הַיַּרְדֵּן
שָׁמָּה לְרִשְׁתָּהּ:
מפטיר מח מט וַיְדַבֵּר יהוה אֶל־מֹשֶׁה בְּעֶצֶם הַיּוֹם הַזֶּה לֵאמֹר: עֲלֵה
אֶל־הַר הָעֲבָרִים הַזֶּה הַר־נְבוֹ אֲשֶׁר בְּאֶרֶץ מוֹאָב
אֲשֶׁר עַל־פְּנֵי יְרֵחוֹ וּרְאֵה אֶת־אֶרֶץ כְּנַעַן אֲשֶׁר אֲנִי
נ נֹתֵן לִבְנֵי יִשְׂרָאֵל לַאֲחֻזָּה: וּמֻת בָּהָר אֲשֶׁר אַתָּה
עֹלֶה שָׁמָּה וְהֵאָסֵף אֶל־עַמֶּיךָ כַּאֲשֶׁר־מֵת אַהֲרֹן
נא אָחִיךָ בְּהֹר הָהָר וַיֵּאָסֶף אֶל־עַמָּיו: עַל אֲשֶׁר מְעַלְתֶּם

רש"י

מז) **כִּי לֹא דָבָר רֵק הוּא מִכֶּם.** לֹא לְחִנָּם אַתֶּם יְגֵעִים בָּהּ, כִּי הַרְבֵּה שָׂכָר תָּלוּי בָּהּ, "כִּי הוּא חַיֵּיכֶם". דָּבָר אַחֵר, אֵין לְךָ דָּבָר רֵיקָן בַּתּוֹרָה שֶׁאִם תִּדְרְשֶׁנּוּ שֶׁאֵין בּוֹ מַתַּן שָׂכָר. תֵּדַע לְךָ, שֶׁכֵּן אָמְרוּ חֲכָמִים: "וַאֲחוֹת לוֹטָן תִּמְנָע" (בראשית לו, כב), "וְתִמְנַע הָיְתָה פִילֶגֶשׁ" וְגוֹ' (שם יב), לְפִי שֶׁאָמְרָה: אֵינִי כְּדַאי לִהְיוֹת לוֹ אִשָּׁה, הַלְוַאי וְאֶהְיֶה פִּילַגְשׁוֹ, וְכָל כָּךְ לָמָּה? לְהוֹדִיעַ שִׁבְחוֹ שֶׁל אַבְרָהָם, שֶׁהָיוּ שִׁלְטוֹנִים וּמְלָכִים מִתְאַוִּים לִדָּבֵק בְּזַרְעוֹ:

מח) **וַיְדַבֵּר ה' אֶל מֹשֶׁה בְּעֶצֶם הַיּוֹם הַזֶּה.** בִּשְׁלֹשָׁה מְקוֹמוֹת נֶאֱמַר "בְּעֶצֶם הַיּוֹם הַזֶּה": נֶאֱמַר בְּנֹחַ: "בְּעֶצֶם הַיּוֹם הַזֶּה בָּא נֹחַ" וְגוֹ' (בראשית ז, יג), בְּמַרְאִית אוֹרוֹ שֶׁל יוֹם; לְפִי שֶׁהָיוּ בְּנֵי דוֹרוֹ אוֹמְרִים, מִכָּךְ וְכָךְ, אִם אָנוּ מַרְגִּישִׁין בּוֹ אֵין אָנוּ מַנִּיחִין אוֹתוֹ לִכָּנֵס בַּתֵּבָה, וְלֹא עוֹד אֶלָּא אָנוּ נוֹטְלִין כַּשִּׁילִין וְקַרְדֻּמּוֹת וּמְבַקְּעִין אֶת הַתֵּבָה. אָמַר הַקָּדוֹשׁ בָּרוּךְ הוּא: הֲרֵינִי מַכְנִיסוֹ בַּחֲצִי הַיּוֹם, וְכָל מִי שֶׁיֵּשׁ בְּיָדוֹ כֹּחַ לִמְחוֹת יָבֹא וְיִמְחֶה. בְּמִצְרַיִם נֶאֱמַר: "בְּעֶצֶם הַיּוֹם הַזֶּה הוֹצִיא ה'" (שמות יב, נא), לְפִי שֶׁהָיוּ מִצְרִיִּים אוֹמְרִים, מִכָּךְ וְכָךְ, אִם אָנוּ מַרְגִּישִׁין בָּהֶם אֵין אָנוּ מַנִּיחִין אוֹתָם לָצֵאת, וְלֹא עוֹד אֶלָּא אָנוּ נוֹטְלִין סְיָפוֹת וּכְלֵי זַיִן וְהוֹרְגִין בָּהֶם. אָמַר הַקָּדוֹשׁ בָּרוּךְ הוּא: הֲרֵינִי מוֹצִיאָן בַּחֲצִי הַיּוֹם, וְכָל מִי שֶׁיֵּשׁ בּוֹ כֹּחַ לִמְחוֹת יָבֹא וְיִמְחֶה. אַף כָּאן בְּמִיתָתוֹ שֶׁל מֹשֶׁה נֶאֱמַר: "בְּעֶצֶם הַיּוֹם הַזֶּה", לְפִי שֶׁהָיוּ יִשְׂרָאֵל אוֹמְרִים, מִכָּךְ וְכָךְ, אִם אָנוּ מַרְגִּישִׁין בּוֹ אֵין אָנוּ מַנִּיחִין אוֹתוֹ, אָדָם שֶׁהוֹצִיאָנוּ מִמִּצְרַיִם, וְקָרַע לָנוּ אֶת הַיָּם, וְהוֹרִיד לָנוּ אֶת הַמָּן, וְהֵגִיז לָנוּ אֶת הַשְּׂלָו, וְהֶעֱלָה לָנוּ אֶת הַבְּאֵר, וְנָתַן לָנוּ אֶת הַתּוֹרָה, אֵין אָנוּ מַנִּיחִין אוֹתוֹ. אָמַר הַקָּדוֹשׁ בָּרוּךְ הוּא: הֲרֵינִי מַכְנִיסוֹ בַּחֲצִי הַיּוֹם וְכוּ':

נ) **כַּאֲשֶׁר מֵת אַהֲרֹן אָחִיךָ.** בְּאוֹתָהּ מִיתָה שֶׁרָאִיתָ וְחָמַדְתָּ אוֹתָהּ, שֶׁהִפְשִׁיט מֹשֶׁה אֶת אַהֲרֹן בֶּגֶד רִאשׁוֹן וְהִלְבִּישׁוֹ לְאֶלְעָזָר, וְכֵן שֵׁנִי, וְכֵן שְׁלִישִׁי, וְרָאָה בְּנוֹ בִּכְבוֹדוֹ. אָמַר לוֹ מֹשֶׁה: אַהֲרֹן אָחִי, עֲלֵה לַמִּטָּה, וְעָלָה. פְּשֹׁט יָדֶיךָ, וּפָשַׁט. פְּשֹׁט רַגְלֶיךָ, וּפָשַׁט. עֲצֹם עֵינֶיךָ, וְעָצַם. קְמֹץ פִּיךָ, וְקָמַץ. וְהָלַךְ לוֹ. אָמַר מֹשֶׁה: אַשְׁרֵי מִי שֶׁמֵּת בְּמִיתָה זוֹ:

ביאור | ערך **הוא מִכֶּם, כִּי הוּא חַיֵּיכֶם**. חייכם תלויים בשמירת התורה, כתלותו של אדם התלוי על פי תהום בחבל שבו הוא אחוז, וכתלותו של השוהה במדבר במנת המים האחרונה. **וּבַדָּבָר הַזֶּה תַּאֲרִיכוּ יָמִים עַל הָאֲדָמָה אֲשֶׁר אַתֶּם עֹבְרִים אֶת הַיַּרְדֵּן שָׁמָּה לְרִשְׁתָּהּ.**

# הציווי האחרון למשה על דבר מותו

## פרק לב פס׳ מח–נב

תמה שירתו של משה, ועמה עומדת להסתיים שירת חייו. עתה משה מצטווה לממש את הגזרה האלוהית שנאמרה לו משכבר כמעט באותה לשון.[39] פטירתו של מֹשֶׁה עֶבֶד ה׳ תתואר כאן כמצווה שהרב מצווה את עבדו, ב'עשה' ו'לא תעשה' – וּמֻת בָּהָר, וְשָׁמָּה לֹא תָבוֹא.

מח **וַיְדַבֵּר ה׳ אֶל מֹשֶׁה בְּעֶצֶם הַיּוֹם הַזֶּה** – באותו יום שאמר את השירה,[40]
יומו האחרון של משה בעולם הזה, **לֵאמֹר:** מט **עֲלֵה אֶל הַר הָעֲבָרִים**
**הַזֶּה**, המתנשא לגובה וגלוי מכל עבריו, **הַר נְבוֹ, אֲשֶׁר בְּאֶרֶץ מוֹאָב**
**אֲשֶׁר עַל פְּנֵי**, מול **יְרֵחוֹ**. מיקומו המדויק באזור זה איננו ידוע. **וּרְאֵה**
מההר **אֶת אֶרֶץ כְּנַעַן**, כפי שהבטחתי לך לראות את הארץ[41] **אֲשֶׁר**
**אֲנִי נֹתֵן לִבְנֵי יִשְׂרָאֵל לַאֲחֻזָּה**, לנחלה. נ עלייתך להר לא נועדה רק
לשם ראיית הארץ. **וּמֻת** – לשון ציווי – **בָּהָר אֲשֶׁר אַתָּה עֹלֶה שָׁמָּה,**
**וְהֵאָסֵף אֶל עַמֶּיךָ**. נפשך תחזור אל מקורה. ביטוי זה מאפיין רק את
הסתלקותם של צדיקים. **כַּאֲשֶׁר**, כמו **שֶׁמֵּת אַהֲרֹן אָחִיךָ בְּהֹר הָהָר**
**וַיֵּאָסֶף אֶל עַמָּיו**. נא וזאת כעונש **עַל אֲשֶׁר מְעַלְתֶּם**, בגדתם **בִּי בְּתוֹךְ**

הרחבות

**'תאריכו ימים על האדמה'** לאחר שתירשו את הארץ ותהיו עם חופשי בארצו, עם לוחם בעל צבא גדול וחזק ומעצמה אזורית, עלולה התורה להישאר בעיניכם זיכרון גרידא, מסורות שפעם עסקו בהן אבות אבותיכם. זכרו גם אז שהיא חייכם, ושבלעדיה לא תאריכו ימים על האדמה, אלא תהפכו במוקדם או במאוחר לעוד עם מן העמים שעברו מן המקום.

**'כאשר מת אהרן אחיך'** ההשוואה למות אהרן מורה שפטירת משה ממשיכה את מות אהרן, אבל יש בה כדי להצביע גם על הדמיון בצורת הפטירה, שמשה היה עֵד לה. (ראו במדבר כ,כג-כט). גם בלי התיאורים שעברו במסורת התורה שבעל פה, ברור שמותו של אהרן לא היה מוות פשוט של אדם הסובל ייסורי מוות או של מי שמת בנסיבות טבעיות. אהרן שכב לנוח, עלה אל הקדוש ברוך הוא והתמזג באלוקות, כפי שדרשו חכמים מן המלים עַל פִּי ה׳ (במדבר לג,לח), שמת 'מיתת נשיקה'. (ראו בבא בתרא יז ע"א). כאן ה׳ מבשר למשה שאף הוא ימות באותו סוג של מוות, מתוך דבקות הנפש וכלותה אל צור מחצבתה. הנפש תצא, ואילו הגוף יישאר במקומו, ללא משבר, אבדן וזעזוע נפשי. (ראו רש"י פס׳ נ).

כִּי בְּתוֹךְ בְּנֵי יִשְׂרָאֵל בְּמֵי־מְרִיבַת קָדֵשׁ מִדְבַּר־
צִן עַל אֲשֶׁר לֹא־קִדַּשְׁתֶּם אוֹתִי בְּתוֹךְ בְּנֵי יִשְׂרָאֵל׃
כִּי מִנֶּגֶד תִּרְאֶה אֶת־הָאָרֶץ וְשָׁמָּה לֹא תָבוֹא אֶל־ נב
הָאָרֶץ אֲשֶׁר־אֲנִי נֹתֵן לִבְנֵי יִשְׂרָאֵל׃

וזאת הברכה כז
וְזֹאת הַבְּרָכָה אֲשֶׁר בֵּרַךְ מֹשֶׁה אִישׁ הָאֱלֹהִים א לג
אֶת־בְּנֵי יִשְׂרָאֵל לִפְנֵי מוֹתוֹ׃ וַיֹּאמַר יְהוָה מִסִּינַי ב
בָּא וְזָרַח מִשֵּׂעִיר לָמוֹ הוֹפִיעַ מֵהַר פָּארָן וְאָתָה
אֵשׁ דָּת מֵרִבְבֹת קֹדֶשׁ מִימִינוֹ אשדת לָמוֹ׃ אַף חֹבֵב עַמִּים ג
כָּל־קְדֹשָׁיו בְּיָדֶךָ וְהֵם תֻּכּוּ לְרַגְלֶךָ יִשָּׂא מִדַּבְּרֹתֶיךָ׃

רש"י

נא] **עַל אֲשֶׁר מְרִיתֶם פִּי** (על פי במדבר כ, כד; שם כז, יד) – גְּרַמְתֶּם לַמְרוֹת פִּי: **עַל אֲשֶׁר לֹא קִדַּשְׁתֶּם אוֹתִי.** גְּרַמְתֶּם לִי שֶׁלֹּא אֶתְקַדֵּשׁ. אָמַרְתִּי לָכֶם: "וְדִבַּרְתֶּם אֶל הַסֶּלַע" (במדבר כ, ח) וְהֵם הִכּוּהוּ, וְהֻצְרְכוּ לְהַכּוֹתוֹ פַּעֲמַיִם, וְאִלּוּ דִּבְּרוּ עִמּוֹ וְנָתַן מֵימָיו בְּלֹא הַכָּאָה, הָיָה מִתְקַדֵּשׁ שֵׁם שָׁמַיִם, שֶׁהָיוּ יִשְׂרָאֵל אוֹמְרִים: וּמָה הַסֶּלַע הַזֶּה שֶׁאֵינוֹ לְשָׂכָר וְלֹא לְפֻרְעָנוּת, אִם זָכָה אֵין לוֹ מַתַּן שָׂכָר וְאִם חָטָא אֵינוֹ לוֹקֶה, כָּךְ מְקַיֵּם מִצְוַת בּוֹרְאוֹ, אָנוּ לֹא כָּל שֶׁכֵּן?:

נב] **כִּי מִנֶּגֶד.** מֵרָחוֹק: **תִּרְאֶה וְגוֹ'.** כִּי אִם לֹא תִרְאֶנָּה עַכְשָׁיו, לֹא תִרְאֶנָּה עוֹד בְּחַיֶּיךָ: **וְשָׁמָּה לֹא תָבוֹא.** וְיָדַעְתִּי כִּי חֲבִיבָה הִיא לְךָ, עַל כֵּן אֲנִי אוֹמֵר לְךָ: "עֲלֵה... וּרְאֵה" (לעיל פסוק מט):

פרק לג

א] **וְזֹאת הַבְּרָכָה. לִפְנֵי מוֹתוֹ.** סָמוּךְ לְמִיתָתוֹ, שֶׁאִם לֹא עַכְשָׁיו אֵימָתַי:

ב] **וַיֹּאמַר ה' מִסִּינַי בָּא.** פָּתַח תְּחִלָּה בְּשִׁבְחוֹ שֶׁל מָקוֹם, וְאַחַר כָּךְ פָּתַח בְּצָרְכֵיהֶם שֶׁל יִשְׂרָאֵל, וּבַשֶּׁבַח שֶׁפָּתַח בּוֹ יֵשׁ בּוֹ הַזְכָּרַת זְכוּת לְיִשְׂרָאֵל, וְכָל זֶה דֶּרֶךְ רִצּוּי הוּא, כְּלוֹמַר כְּדַאי הֵם אֵלּוּ שֶׁתָּחוּל עֲלֵיהֶם בְּרָכָה: **מִסִּינַי בָּא.** יָצָא לִקְרָאתָם כְּשֶׁבָּאוּ לְהִתְיַצֵּב בְּתַחְתִּית הָהָר כְּחָתָן הַיּוֹצֵא לְהַקְבִּיל פְּנֵי כַלָּה, שֶׁנֶּאֱמַר: "לִקְרַאת הָאֱלֹהִים" (שמות יט, יז), לָמַדְנוּ שֶׁיָּצָא כְנֶגְדָּם: **וְזָרַח מִשֵּׂעִיר לָמוֹ.** שֶׁפָּתַח לִבְנֵי עֵשָׂו שֶׁיְּקַבְּלוּ אֶת הַתּוֹרָה וְלֹא רָצוּ: **הוֹפִיעַ.** לָהֶם: **מֵהַר פָּארָן.** שֶׁהָלַךְ שָׁם וּפָתַח לִבְנֵי יִשְׁמָעֵאל שֶׁיְּקַבְּלוּהָ וְלֹא רָצוּ: **וְאָתָה.** לְיִשְׂרָאֵל: **מֵרִבְבֹת קֹדֶשׁ.** וְעִמּוֹ מִקְצָת רִבְבוֹת מַלְאֲכֵי קֹדֶשׁ, וְלֹא כֻלָּם וְלֹא רֻבָּם, וְלֹא כְדֶרֶךְ בָּשָׂר וָדָם שֶׁמַּרְאֶה כָּל כְּבוֹד עָשְׁרוֹ וְתִפְאַרְתּוֹ בְּיוֹם חֻפָּתוֹ: **אֵשׁ דָּת.** שֶׁהָיְתָה כְתוּבָה מֵאָז לְפָנָיו בְּאֵשׁ שְׁחוֹרָה עַל גַּבֵּי אֵשׁ לְבָנָה, נָתַן לָהֶם בַּלּוּחוֹת כְּתַב יַד יְמִינוֹ. דָּבָר אַחֵר, "אֵשׁ דָּת", כְּתַרְגּוּמוֹ, שֶׁנְּתָנָהּ לָהֶם מִתּוֹךְ הָאֵשׁ:

ג-ד] **אַף חֹבֵב עַמִּים.** גַּם חִבָּה יְתֵרָה חִבֵּב אֶת הַשְּׁבָטִים, כָּל אֶחָד וְאֶחָד קָרוּי 'עַם', שֶׁהֲרֵי בִּנְיָמִין לְבַדּוֹ הָיָה עָתִיד לְהִוָּלֵד כְּשֶׁאָמַר הַקָּדוֹשׁ בָּרוּךְ הוּא לְיַעֲקֹב: "גּוֹי וּקְהַל גּוֹיִם יִהְיֶה מִמֶּךָּ" (בראשית לה, יא): **כָּל קְדֹשָׁיו בְּיָדֶךָ.** נַפְשׁוֹת הַצַּדִּיקִים

ביאור | **בְּנֵי יִשְׂרָאֵל, בְּמֵי מְרִיבַת קָדֵשׁ מִדְבַּר צִן** – **עַל אֲשֶׁר לֹא קִדַּשְׁתֶּם אוֹתִי**
**בְּתוֹךְ בְּנֵי יִשְׂרָאֵל**. היה עליכם לקדש את ה' ולא עשיתם זאת, כמו שמבואר בסיפור מי מריבה.[42] לא נענשתם על כך בעצם המיתה. אתם מתים באשר השלמתם את תפקידכם, אבל עונשכם הוא שלאחר עמלכם הרב בהנהגת ישראל ממצרים ולאורך תלאות המדבר, לא תזכו בנחת של ירושת הארץ. נב **כִּי מִנֶּגֶד**, ממול **תִּרְאֶה**
**אֶת הָאָרֶץ, וְשָׁמָּה לֹא תָבוֹא, אֶל הָאָרֶץ אֲשֶׁר אֲנִי נֹתֵן לִבְנֵי יִשְׂרָאֵל.**

פרשת וזאת הברכה

# ברכת משה לשבטי ישראל קודם מותו

## פרק לג

ברכתו של משה דומה לברכות שנאמרו לפניו – ברכות יעקב, ובמידה מסוימת גם ברכת יצחק וברכת אברהם.[1] מופיעים בה יחדיו דברי איחול וברכה ודברי נבואה פרטיים וכלליים העתידים להתרחש בקרוב או לאחר שנים רבות. מכיוון שאלו הן ברכות נבואיות, חשיבותן חורגת מזו של ברכה או צוואה רוחנית שנותן אדם פרטי קודם מותו. גם אזכור משה בגוף שלישי בברכות מורה על כך שאין הוא מבטא בהן את דבריו האישיים, אלא הוא מוסר את דברי ה'.

הברכות בעיקרן מתייחסות לכל שבט ושבט בפני עצמו, אך לפני הפירוט לשבטים ואחריו אומר משה דברים אל העם כולו.

פרק לג א **וְזֹאת הַבְּרָכָה אֲשֶׁר בֵּרַךְ מֹשֶׁה אִישׁ הָאֱלֹהִים אֶת בְּנֵי יִשְׂרָאֵל**
**לִפְנֵי מוֹתוֹ.** ב לפני הפנייה הפרטית לכל שבט משה פונה לכלל העם ומתאר בפניו את המאורע המרכזי ביותר במקרא, ואולי בתולדות עולם – **וַיֹּאמַר: ה' מִסִּינַי בָּא, וְזָרַח מִשֵּׂעִיר לָמוֹ**, להם – לישראל. התגלות סיני מתוארת כהופעת אור שזרח מכמה צדדים. **הוֹפִיעַ מֵהַר פָּארָן וְאָתָה**, בא **מֵרִבְבֹת קֹדֶשׁ**, המלאכים.[2] **מִימִינוֹ** הביא **אֵשׁ דָּת**, התורה, דת שניתנה באש ושדבריה כאש, **לָמוֹ.** ג **אַף**, אמנם ה' **חֹבֵב** את **כָּל הָעַמִּים**.[3] אפשרות אחרת: ה' חובב את כל השבטים.[4] ועם זאת, **כָּל קְדֹשָׁיו**, הן רבבות קודש עליונים והן קדושים של מטה, קשורים ושמורים **בְּיָדֶךָ**, ה', **וְהֵם**, הקדושים **תֻּכּוּ**, הוכו ונפלו כביכול **לְרַגְלֶךָ** בכניעה, ואז **יִשָּׂא**, קיבלו, הכילו את[5] **מִדַּבְּרֹתֶיךָ**, דיבוריך.

תּוֹרָה צִוָּה־לָנוּ מֹשֶׁה מוֹרָשָׁה קְהִלַּת יַעֲקֹב׃ וַיְהִי ד ה
בִישֻׁרוּן מֶלֶךְ בְּהִתְאַסֵּף רָאשֵׁי עָם יַחַד שִׁבְטֵי יִשְׂרָאֵל׃
יְחִי רְאוּבֵן וְאַל־יָמֹת וִיהִי מְתָיו מִסְפָּר׃ וְזֹאת ו ז
לִיהוּדָה וַיֹּאמַר שְׁמַע יהוה קוֹל יְהוּדָה וְאֶל־עַמּוֹ
תְּבִיאֶנּוּ יָדָיו רָב לוֹ וְעֵזֶר מִצָּרָיו תִּהְיֶה׃

רש"י

גְּנוּזוֹת תַּחַת כִּסֵּא הַכָּבוֹד, כְּעִנְיָן שֶׁנֶּאֱמַר: "וְהָיְתָה נֶפֶשׁ אֲדֹנִי צְרוּרָה בִּצְרוֹר הַחַיִּים אֵת ה' אֱלֹהֶיךָ" (שמואל א' כה, כט): **וְהֵם תֻּכּוּ לְרַגְלֶךָ.** וְהֵם רְאוּיִים לְכָךְ, שֶׁהֲרֵי תּוֹכְכוּ עַצְמָם לְתוֹךְ תַּחְתִּית הָהָר לְרַגְלֶיךָ בְּסִינַי. "תֻּכּוּ" לְשׁוֹן פֻּעֲלוּ, הֻתְוְכוּ לְתוֹךְ מַרְגְּלוֹתֶיךָ: **יִשָּׂא מִדַּבְּרֹתֶיךָ.** נָשְׂאוּ עֲלֵיהֶם עֹל תּוֹרָתֶךָ: **מִדַּבְּרֹתֶיךָ.** הַמֵּ"ם בּוֹ קָרוֹב לִיסוֹד, כְּמוֹ: "וַיִּשְׁמַע אֶת הַקּוֹל מִדַּבֵּר אֵלָיו" (במדבר ז, פט), "וָאֶשְׁמַע אֶת מִדַּבֵּר אֵלַי" (יחזקאל ב, ב), כְּמוֹ: מִתְדַּבֵּר אֵלַי, אַף זֶה "מִדַּבְּרֹתֶיךָ", מַה שֶּׁהָיִיתָ מְדַבֵּר לְהַשְׁמִיעֵנִי לֵאמֹר לָהֶם, טי"ש פורפלידור"ש בְּלַעַז. וְאוּנְקְלוֹס תִּרְגֵּם, שֶׁהָיוּ נוֹסְעִים עַל פִּי דְבָרֶיךָ, וְהַמֵּ"ם בּוֹ שִׁמּוּשׁ, מְשַׁמֶּשֶׁת לְשׁוֹן 'מִן'. דָּבָר אַחֵר, "אַף חֹבֵב עַמִּים", אַף בִּשְׁעַת חִבָּתָן שֶׁל אֻמּוֹת הָעוֹלָם, שֶׁהֶרְאֵיתָ לָאֻמּוֹת פָּנִים שׂוֹחֲקוֹת וּמָסַרְתָּ אֶת יִשְׂרָאֵל בְּיָדָם, "כָּל קְדֹשָׁיו בְּיָדֶךָ", כָּל צַדִּיקֵיהֶם וְטוֹבֵיהֶם דָּבְקוּ בְךָ וְלֹא מָשׁוּ מֵאַחֲרֶיךָ וְאַתָּה שׁוֹמְרָם: **וְהֵם תֻּכּוּ לְרַגְלֶךָ.** מִתְמַצְּעִים וּמִתְכַּנְּסִים לְתַחַת צִלְּךָ: **יִשָּׂא מִדַּבְּרֹתֶיךָ.** מְקַבְּלִין גְּזֵרוֹתֶיךָ וְדָתוֹתֶיךָ בְּשִׂמְחָה, וְאֵלֶּה דִּבְרֵיהֶם: **תּוֹרָה.** אֲשֶׁר "צִוָּה לָנוּ מֹשֶׁה, מוֹרָשָׁה" הִיא לִקְהִלַּת יַעֲקֹב, אֲחַזְנוּהָ וְלֹא נַעַזְבֶנָּה:

ה) **וַיְהִי.** הַקָּדוֹשׁ בָּרוּךְ הוּא: **בִישֻׁרוּן מֶלֶךְ.** תָּמִיד עֹל מַלְכוּתוֹ עֲלֵיהֶם, בְּכָל הִתְאַסֵּף רָאשֵׁי חֶשְׁבּוֹן אֲסִיפָתָם: **רָאשֵׁי.** כְּמוֹ: "כִּי תִשָּׂא אֶת רֹאשׁ" (שמות ל, יב), רְאוּיִין אֵלּוּ שֶׁאֲבָרְכֵם. דָּבָר אַחֵר, "בְּהִתְאַסֵּף", בְּהִתְאַסְּפָם יַחַד בַּאֲגֻדָּה אַחַת וְשָׁלוֹם בֵּינֵיהֶם – הוּא מַלְכָּם, וְלֹא כְּשֶׁיֵּשׁ מַחְלֹקֶת בֵּינֵיהֶם:

ו) **יְחִי רְאוּבֵן.** בָּעוֹלָם הַזֶּה: **וְאַל יָמֹת.** לָעוֹלָם הַבָּא, שֶׁלֹּא יִזָּכֵר לוֹ מַעֲשֵׂה בִלְהָה: **וִיהִי מְתָיו מִסְפָּר.** נִמְנִין בְּמִנְיַן שְׁאָר אֶחָיו, דֻּגְמָא הִיא זוֹ, כְּעִנְיָן שֶׁנֶּאֱמַר: "וַיִּשְׁכַּב אֶת בִּלְהָה... וַיִּהְיוּ בְנֵי יַעֲקֹב שְׁנֵים עָשָׂר" (בראשית לה, כב), שֶׁלֹּא יָצָא מִן הַמִּנְיָן:

ז) **וְזֹאת לִיהוּדָה.** סָמַךְ יְהוּדָה לִרְאוּבֵן מִפְּנֵי שֶׁשְּׁנֵיהֶם הוֹדוּ עַל קִלְקוּל שֶׁבְּיָדָם, שֶׁנֶּאֱמַר: "אֲשֶׁר חֲכָמִים יַגִּידוּ וְגוֹ' לָהֶם לְבַדָּם נִתְּנָה הָאָרֶץ וְלֹא עָבַר זָר בְּתוֹכָם" (איוב טו, יח-יט). וְעוֹד פֵּרְשׁוּ רַבּוֹתֵינוּ: כָּל אַרְבָּעִים שָׁנָה שֶׁהָיוּ יִשְׂרָאֵל בַּמִּדְבָּר, הָיוּ עַצְמוֹת יְהוּדָה מִתְגַּלְגְּלִין בָּאָרוֹן מִפְּנֵי נִדּוּי שֶׁקִּבֵּל עָלָיו, שֶׁנֶּאֱמַר: "וְחָטָאתִי לְאָבִי כָּל הַיָּמִים" (בראשית מג, ט), אָמַר מֹשֶׁה: מִי גָּרַם לִרְאוּבֵן שֶׁיּוֹדֶה? יְהוּדָה וְכוּ': **שְׁמַע ה' קוֹל יְהוּדָה.** תְּפִלַּת דָּוִד וּשְׁלֹמֹה, וְאָסָא מִפְּנֵי הַכּוּשִׁים, וִיהוֹשָׁפָט מִפְּנֵי הָעַמּוֹנִים, וְחִזְקִיָּה מִפְּנֵי סַנְחֵרִיב: **וְאֶל עַמּוֹ תְּבִיאֶנּוּ.** לְשָׁלוֹם מִפְּנֵי הַמִּלְחָמָה: **יָדָיו רָב לוֹ.** יָרִיבוּ רִיבוֹ וְיִנְקְמוּ נִקְמָתוֹ: **וְעֵזֶר מִצָּרָיו תִּהְיֶה.** עַל יְהוֹשָׁפָט נִתְפַּלֵּל, עַל מִלְחֶמֶת רָמוֹת גִּלְעָד, "וַיִּזְעַק יְהוֹשָׁפָט וַה' עֲזָרוֹ" (דברי הימים ב' יח, לא). דָּבָר אַחֵר, "שְׁמַע ה' קוֹל יְהוּדָה", כָּאן רָמַז בְּרָכָה לְשִׁמְעוֹן מִתּוֹךְ בִּרְכוֹתָיו שֶׁל יְהוּדָה, וְאַף כְּשֶׁחָלְקוּ אֶרֶץ יִשְׂרָאֵל נָטַל שִׁמְעוֹן מִתּוֹךְ גּוֹרָלוֹ שֶׁל יְהוּדָה, שֶׁנֶּאֱמַר: "מֵחֶבֶל בְּנֵי יְהוּדָה נַחֲלַת בְּנֵי שִׁמְעוֹן" (יהושע יט, ט):

ביאור

ד **תּוֹרָה** שִׁצִּוָּה, הורה **לָנוּ מֹשֶׁה**, היא **מוֹרָשָׁה**, ירושה **לִקְהִלַּת יַעֲקֹב**. מכיוון
שאלו דברי נבואה, משה יכול לדבר על עצמו בגוף שלישי.[6] ה **וַיְהִי**
**בִישֻׁרוּן**, בישראל **מֶלֶךְ**, ה' התגלה במעמד הר סיני, **בְּהִתְאַסֵּף רָאשֵׁי עָם**
**יַחַד** עם כל **שִׁבְטֵי יִשְׂרָאֵל**, כשכל ישראל התאחדו והתקבצו למקום
אחד.[7] לחלופין, יש מפרשים מֶלֶךְ כמוסבים על משה המוזכר בפסוק
הקודם. משה לא היה רק רבם של ישראל והנביא הגדול, אלא גם
הנהיג את ישראל בפועל, ועל כן אפשר לראות בו מלך. משה היה
המנהיג היחידי שמלך בזמן שכל שבטי ישראל חיו יחד – בתקופת
המדבר.[8]

מכאן לברכתו של כל שבט ושבט: ו **יְחִי** שבט **רְאוּבֵן וְאַל יָמֹת**. אף
על פי שהיה בכור, נדחק שבט ראובן לשוליים בגלל מעשהו של
אבי השבט,[9] ואולי גם משום שלא יצאו ממנו ראשים ומנהיגים
בולטים. לכן משה איחל לשבט הזה קיום. ייתכן שברכת החיים
הזו רומזת להשתתפותם היזמנית של בני ראובן במחלוקת קֹרח
במדבר ולתוצאותיה. באותו אירוע תבעו בני ראובן את ירושתם
כבכורות, ובעקבות זאת מתו כמה וכמה מבני השבט. שמא באה
ברכת החיים להשלים את אבדנם.[10] **וִיהִי מְתָיו**, אנשיו **מִסְפָּר**, יישאר
מהם מספר משמעותי.[11]

ז **וְזֹאת** הברכה **לִיהוּדָה, וַיֹּאמַר: שְׁמַע ה' קוֹל יְהוּדָה וְאֶל עַמּוֹ תְּבִיאֶנּוּ**.
שבט יהודה היה שבט הלוחמים וחיל החלוץ של ישראל.[12] משה
מברך את היוצאים להילחם שלא ייפגעו וישובו אל עמם בשלום.
**יָדָיו רָב לוֹ** במלחמה, **וְעֵזֶר מִצָּרָיו**, מאויביו **תִּהְיֶה** לו, ה'.

הרחבות

**'תורה צוה לנו משה מורשה קהלת יעקב'** פסוק מפורסם זה מגדיר את היחס של ישראל לתורה. מצד אחד, התורה היא תורת משה שכן נמסרה באמצעותו; ומצד שני, היא מונחלת לכל קהילת יעקב. בתלמוד נאמר שפסוק זה יְלמד האב את בנו משיתחיל לדבר, וכך יתחיל לקיים את המצווה וְשִׁנַּנְתָּם לְבָנֶיךָ. (ראו סוכה מב ע"א).

**'שְׁמע ה' קול יהודה ואל עמו תביאנו'** נראה כי בידודו של שבט יהודה משאר אחיו קדם לפירוד הממלכה, וראשיתו עוד בחלוקת הארץ לשבטים, (ראו שופטים א; שמואל א' יא,ח), על כן יהודה מתברך להתאחד עם עמו. (ראו עוד יחזקאל כג,ב–ד; לז, טו–כה).

שני ח • וּלְלֵוִי אָמַר תֻּמֶּיךָ וְאוּרֶיךָ לְאִישׁ חֲסִידֶךָ אֲשֶׁר
ט נִסִּיתוֹ בְּמַסָּה תְּרִיבֵהוּ עַל־מֵי מְרִיבָה: הָאֹמֵר
לְאָבִיו וּלְאִמּוֹ לֹא רְאִיתִיו וְאֶת־אֶחָיו לֹא הִכִּיר
וְאֶת־בָּנָו לֹא יָדָע כִּי שָׁמְרוּ אִמְרָתֶךָ וּבְרִיתְךָ יִנְצֹרוּ:
י יוֹרוּ מִשְׁפָּטֶיךָ לְיַעֲקֹב וְתוֹרָתְךָ לְיִשְׂרָאֵל יָשִׂימוּ
יא קְטוֹרָה בְּאַפֶּךָ וְכָלִיל עַל־מִזְבְּחֶךָ: בָּרֵךְ יהוה חֵילוֹ
וּפֹעַל יָדָיו תִּרְצֶה מְחַץ מָתְנַיִם קָמָיו וּמְשַׂנְאָיו מִן־
יב יְקוּמוּן: לְבִנְיָמִן אָמַר יְדִיד יהוה יִשְׁכֹּן

**רש"י** | ח] **וּלְלֵוִי אָמַר.** וְעַל לֵוִי אָמַר: **תֻּמֶּיךָ וְאוּרֶיךָ.** כְּלַפֵּי שְׁכִינָה הוּא מְדַבֵּר: **אֲשֶׁר נִסִּיתוֹ בְּמַסָּה.** שֶׁלֹּא נִתְלוֹנְנוּ עִם שְׁאָר הַמִּתְלוֹנְנִים: **תְּרִיבֵהוּ וְגוֹ'.** כְּתַרְגּוּמוֹ. "תְּרִיבֵהוּ עַל מֵי מְרִיבָה", נִסְתַּקַּפְתָּ לוֹ לָבֹא בַּעֲלִילָה, אִם מֹשֶׁה אָמַר: "שִׁמְעוּ נָא הַמֹּרִים" (במדבר כ, י), אַהֲרֹן וּמִרְיָם מָה עָשׂוּ?:

ט] **הָאֹמֵר לְאָבִיו וּלְאִמּוֹ לֹא רְאִיתִיו.** כְּשֶׁחָטְאוּ בָּעֵגֶל וְאָמַרְתִּי: "מִי לַה' אֵלָי" (שמות לב, כו) נֶאֶסְפוּ אֵלַי כָּל בְּנֵי לֵוִי, וְצִוִּיתִים לַהֲרֹג אֶת אֲבִי אִמּוֹ וְהוּא מִיִּשְׂרָאֵל אוֹ אֶת אָחִיו מֵאִמּוֹ אוֹ בֶּן בִּתּוֹ, וְכֵן עָשׂוּ. וְאִי אֶפְשָׁר לְפָרֵשׁ אָבִיו מַמָּשׁ, וְאָחִיו מֵאָבִיו, וְכֵן בָּנָיו מַמָּשׁ, שֶׁהֲרֵי לְוִיִּם הֵם, וּמִשֵּׁבֶט לֵוִי לֹא חָטָא אֶחָד מֵהֶם, שֶׁנֶּאֱמַר: "כָּל בְּנֵי לֵוִי" (שם): **כִּי שָׁמְרוּ אִמְרָתֶךָ.** "לֹא יִהְיֶה לְךָ אֱלֹהִים אֲחֵרִים" (שמות כ, ג): **וּבְרִיתְךָ יִנְצֹרוּ.** בְּרִית מִילָה, שֶׁאוֹתָם שֶׁנּוֹלְדוּ בַּמִּדְבָּר, שֶׁל יִשְׂרָאֵל לֹא מָלוּ אֶת בְּנֵיהֶם, וְהֵם הָיוּ מוֹלִין וּמָלִין אֶת בְּנֵיהֶם:

י] **יוֹרוּ מִשְׁפָּטֶיךָ.** רְאוּיִין אֵלּוּ לְכָךְ: **וְכָלִיל.** עוֹלָה:

יא] **מְחַץ מָתְנַיִם קָמָיו.** מְחַץ קָמָיו מַכַּת מָתְנַיִם, כְּעִנְיָן שֶׁנֶּאֱמַר: "וּמָתְנֵיהֶם תָּמִיד הַמְעַד" (תהלים סט, כד), וְעַל הַמְעוֹרְרִין עַל הַכְּהֻנָּה אָמַר כֵּן. דָּבָר אַחֵר, רָאָה שֶׁעֲתִידִין חַשְׁמוֹנַאי וּבָנָיו לְהִלָּחֵם עִם הַיְּוָנִים, וְהִתְפַּלֵּל עֲלֵיהֶם לְפִי שֶׁהָיוּ מוּעָטִים, שְׁנֵים עָשָׂר בְּנֵי חַשְׁמוֹנַאי וְאֶלְעָזָר כְּנֶגֶד כַּמָּה רְבָבוֹת, לְכָךְ נֶאֱמַר: "בָּרֵךְ ה' חֵילוֹ וּפֹעַל יָדָיו תִּרְצֶה": **וּמְשַׂנְאָיו מִן יְקוּמוּן.** מְחַץ קָמָיו וּמְשַׂנְאָיו מִהְיוֹת לָהֶם תְּקוּמָה:

יב] **לְבִנְיָמִן אָמַר.** לְפִי שֶׁבִּרְכַּת לֵוִי בַּעֲבוֹדַת הַקָּרְבָּנוֹת וְשֶׁל בִּנְיָמִין בְּבִנְיַן בֵּית הַמִּקְדָּשׁ בְּחֶלְקוֹ, סְמָכָן זֶה לָזֶה, וְסָמַךְ יוֹסֵף

**הרחבות** | **שמעון ולוי** יש בברכת משה מעין תיקון לדברי הגערה של יעקב לשמעון וללוי (בראשית מט,ה–ז). שבט שמעון לא נזכר כאן בפירוש, כי הוא נשאר שבט קטן בעקבות החטא בבנות מדין בשיטים – שבני שמעון היו מעורבים בו ונענשו עליו. (ראו ירושלמי סוטה ז,ד; רד"ק יחזקאל כ,כו). אף על פי כן, את המלים שְׁמַע ה' קול יְהוּדָה היו שהבינו כרמיזה נסתרת לשמעון, שנחלתו הייתה מובלעת בתוך יהודה. (ראו מדרש תנאים ורש"י פס' ז). שבט לוי, לעומתו, זכה בברכה ארוכה, ואכן הוא השתקם והפך שבט מרכזי המוקדש לעבודת ה'.

ביאור

ח **וּלְלֵוִי אָמַר: תֻּמֶּיךָ וְאוּרֶיךָ**, מערכת השמות הקדושים ועניינים נסתרים
שבחושן המשפט, שבאמצעותם אלוקים תִּקשר עם עמו, הקשורים
**לְאִישׁ חֲסִידֶךָ**, הכהן הגדול שהיה חסיד וקדוש. במקרה זה היה
אהרן הכהן **אֲשֶׁר נִסִּיתוֹ בְּמַסָּה, תְּרִיבֵהוּ עַל מֵי מְרִיבָה**. משה ואהרן
התנסו, נגערו ונענשו במסה ומריבה,[13] אבל כאן מודגש שאחרי
הגערה והעונש 'איש חסידך' נשאר לך חסיד ונאמן ולא נרתע
והתרחק. הן בזמן חטא העגל והן בזמנים אחרים היה שבט לוי מעין
חיל המשמר של ה'[14] – ט **הָאֹמֵר לְאָבִיו וּלְאִמּוֹ**, על אביו ואמו "**לֹא
רְאִיתִיו**", **וְאֶת אֶחָיו לֹא הִכִּיר, וְאֶת בָּנָו לֹא יָדָע**. הלויים נלחמו לשם
שמים, וכאשר היו צריכים לקנא את קנאת ה', הם עשו זאת בלי
להתחשב בקרבת משפחה. אף על פי שלמעשה השבט כולו היה
כשר, אם האב או האם היו מן החוטאים – בני לוי לא התחשבו גם
בהם, **כִּי שָׁמְרוּ** את **אִמְרָתֶךָ**, דבר ה' **וּבְרִיתְךָ יִנְצֹרוּ**, ישמרו. י השכר
שמקבלים הלויים – ובייחוד הכהנים שבהם – על צדקתם הוא:
**יוֹרוּ מִשְׁפָּטֶיךָ לְיַעֲקֹב וְתוֹרָתְךָ לְיִשְׂרָאֵל**. אחד מתפקידי הכהנים במשך
דורות רבים היה הוראת תורה לישראל.[15] מלבד תפקידם האזרחי
כמורי ישראל הם **יָשִׂימוּ קְטוֹרָה**, יקטירו קטורת **בְּאַפֶּךָ**, **וְ**יקריבו **כָלִיל**,
קרבנות עולה **עַל מִזְבְּחֶךָ**. יא **בָּרֵךְ ה'** את **חֵילוֹ**, כוחו, ואת **פֹעַל**, מעשה
**יָדָיו** בעבודתו במקדש **תִּרְצֶה**. **מְחַץ**, רוצץ, שבור את **מָתְנַיִם**, כוחם
של **קָמָיו**, העומדים להילחם בו, **וּמְשַׂנְאָיו מִן**, שלא **יְקוּמוּן**.[16]

יב **לְבִנְיָמִן אָמַר**: בנימין **יְדִיד**, אהוב ה'. **ה' יִשְׁכֹּן לָבֶטַח עָלָיו** – על בנימין,

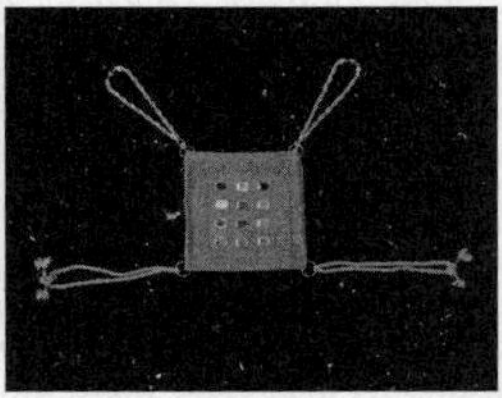

מימין:
חושן המשפט

משמאל:
מזבח הקטורת

הרחבות

**'יורו משפטיך ליעקב'** היו שטענו שאחוז הכהנים בין גדולי התורה בישראל לאורך הדורות היה תמיד מעבר לגודלם היחסי בעם. בתלמוד נאמר שאם מוצאים חכם המורה הוראה לרבים – כנראה הוא משתייך לשבט לוי בדרך כלשהי. (ראו יומא כו ע"א).

**'מְחַץ מָתְנַיִם קָמָיו'** היו שראו בברכה זו רמז לתקופת החשמונאים, שבה ימלאו הכהנים גם תפקיד צבאי. (ראו רש"י).

לָבֶטַח עָלָיו חֹפֵף עָלָיו כָּל־הַיּוֹם וּבֵין כְּתֵפָיו
שלישי שָׁכֵן: • וּלְיוֹסֵף אָמַר מְבֹרֶכֶת יְהוָה אַרְצוֹ יג
מִמֶּגֶד שָׁמַיִם מִטָּל וּמִתְּהוֹם רֹבֶצֶת תָּחַת: וּמִמֶּגֶד יד
תְּבוּאֹת שָׁמֶשׁ וּמִמֶּגֶד גֶּרֶשׁ יְרָחִים: וּמֵרֹאשׁ הַרְרֵי־ טו
קֶדֶם וּמִמֶּגֶד גִּבְעוֹת עוֹלָם: וּמִמֶּגֶד אֶרֶץ וּמְלֹאָהּ טז
וּרְצוֹן שֹׁכְנִי סְנֶה תָּבוֹאתָה לְרֹאשׁ יוֹסֵף וּלְקָדְקֹד נְזִיר
אֶחָיו: בְּכוֹר שׁוֹרוֹ הָדָר לוֹ וְקַרְנֵי רְאֵם קַרְנָיו בָּהֶם יז

רש"י

אחריו, שאף הוא משכן שילה היה בנוי בחלקו, שנאמר: "וימאס באהל יוסף" וגו' (תהלים עח, סז). ולפי שבית עולמים חביב משילה, לכך הקדים בנימין ליוסף: **חפף עליו.** מכסה אותו ומגן עליו: **כל היום.** לעולם, משנבחרה ירושלים לא שרתה שכינה במקום אחר: **ובין כתפיו שכן.** בגובה ארצו היה בית המקדש בנוי, אלא שנמוך עשרים ושלש אמה מעין עיטם, ושם היה דעתו של דוד לבנותו, כדאיתא בשחיטת קדשים (זבחים נד ע"ב): אמרי נחתי ביה פורתא משום דכתיב: "ובין כתפיו שכן", אין לך נאה בשור יותר מכתפיו:

יג] **מבורכת ה' ארצו.** שלא היתה בנחלת השבטים ארץ מלאה כל טוב כארצו של יוסף: **ממגד.** לשון עדנים ומתק: **ומתהום.** שהתהום עולה ומלחלח אותה מלמטה. אתה מוצא בכל השבטים ברכתו של משה מעין ברכתו של יעקב:

יד] **וממגד תבואת שמש.** שהיתה ארצו פתוחה לחמה וממתקת הפירות: **גרש ירחים.** יש פירות שהלבנה מבשלתן, ואלו הן קשואין ודלועין. דבר אחר, "גרש ירחים", שהארץ מגרשת ומוציאה מחדש לחדש:

טו] **ומראש הררי קדם.** ומבורכת מראשית בשול הפירות, שהרריה מקדימין לבכר בשול פרותיהם. דבר אחר, מגיד שקדמה בריאתן לשאר הרים: **גבעות עולם.** גבעות העושות פרות לעולם ואינן פוסקות מעוצר הגשמים:

טז] **ורצון שכני סנה.** כמו: 'שוכן סנה', ותהא ארצו מבורכת מרצונו ונחת רוחו של הקדוש ברוך הוא הנגלה עלי תחלה בסנה: **רצון.** נחת רוח ופיוס, וכן כל 'רצון' שבמקרא: **תבואתה.** ברכה זו "לראש יוסף": **נזיר אחיו.** שהופרש מאחיו במכירתו:

יז] **בכור שורו.** יש בכור שהוא לשון גדולה ומלכות, שנאמר: "אף אני בכור אתנהו" (תהלים פט, כח), וכן: "בני בכרי ישראל" (שמות ד, כב): **בכור.** מלך היוצא ממנו, והוא יהושע: **שורו.** שכחו קשה כשור לכבש כמה מלכים: **הדר לו.** נתון לו, שנאמר: "ונתתה מהודך עליו" (במדבר כז, כ): **וקרני ראם קרניו.** שור – כחו קשה ואין קרניו

הרחבות

**ברכת יוסף** יוסף, בכורה של רחל, נעשה שבט אצולה לעצמו מסיבות שונות. על כן זכה לברכה ארוכה במיוחד. שבטי יוסף היו במשך הזמן אוכלוסיה גדולה מאוד, ורוב המושלים בממלכת ישראל היו מהם. אף שבטי ישראל בכלל נקראו על שם שבט זה, 'בית יוסף', 'שארית יוסף' וכדומה. (ראו שמואל ב' יט,כא ורלב"ג).

ביאור | שכן הוא נאמן לה'. **חֹפֵף**, ה' משרה שכינתו **עָלָיו כָּל הַיּוֹם, וּבֵין כְּתֵפָיו**
**שָׁכֵן**. זהו רמז נבואי לזמן שבו ייקבע בית המקדש בתוך נחלת שבט
בנימין.[17] ירושלים היא חלק מנחלתו יותר מאשר כל שבט אחר,
ומקום השכינה איננו המקום הגבוה ביותר בסביבתה, אלא נמצאת
'בין הכתפיים' כביכול.[18]

יג **וּלְיוֹסֵף אָמַר**: **מְבֹרֶכֶת** על ידי **ה' אַרְצוֹ**, וברכותיה מתקבלות **מִמֶּגֶד**,
מתיקות, טוב **שָׁמַיִם, מִטָּל**, מצד אחד, ומצד שני, **מִתְּהוֹם רֹבֶצֶת תָּחַת**.
ארצו תהיה משופעת במים מלמעלה ומלמטה. יד **וּמִמֶּגֶד תְּבוּאֹת**
שמבשילות **בשָׁמֶשׁ וּמִמֶּגֶד גֶּרֶשׁ יְרָחִים**, וממתק הפֵּרות שכביכול
מגדל הירח, כלומר הפֵּרות המתחדשים בכל חודש וחודש, כל פרי
בעונתו.[19] טו **וּמֵרֹאשׁ הַרְרֵי קֶדֶם** תבוא הברכה, **וּמִמֶּגֶד גִּבְעוֹת עוֹלָם**.
ברכת יוסף תבוא לא רק מן השמים והתהום, השמש והירח, אלא
גם מן הקרקע הפורייה שבנחלתם. אזורי המחיה שלהם כוללים
הרים וגבעות.[20] טז **וּמִמֶּגֶד אֶרֶץ וּמְלֹאָהּ, וּרְצוֹן**, ואהבתו של **שֹׁכְנִי**,
מי ששכן **בַּסְּנֶה**. משה מכנה כך את ה' משום שבסנה התגלה לו
בפעם הראשונה.[21] ברכה זו **תָּבוֹאתָה**, תבוא **לְרֹאשׁ יוֹסֵף וּלְקָדְקֹד**,
לראש הנושא את **נְזִיר**, הנזר, הכתר של **אֶחָיו**. יז **בְּכוֹר שׁוֹרוֹ הָדָר לוֹ**.
הדרו מדומה לשור הבכור והבכיר מאחר שיוסף היה בכור לאמו
האהובה, ומשום שהבכורה הועברה אליו. השור, שהפך בעקבות
ברכה זו לסמלו של השבט לטוב ולרע,[22] מסמל את עצמתם של
בני שבט יוסף. **וְקַרְנֵי רְאֵם קַרְנָיו**, שור בר קדום שנכחד, או: יצור גדול
עתיק ואגדי.[23] הראם מסמל את פארו של יוסף.[24] ובדרך הדימוי,

שור הבר שנכחד ('ראם') שחזור

העולם | **רְאֵם** סוג של שור (תהלים כב,כב; כט,ו ובאכדית – rimu). במחקר מזהים אותו עם שור הבר (שם מדעי: Bos primigenius), שהיה נפוץ בארץ בימי במקרא ונכחד. היה גדול בהרבה מהבקר המודרני. אורכו היה כ-3 מ', גובה כתפיו כ-2 מ' ומשקלו הגיע עד כ-1,000 ק"ג. אין זה הדישון (Oryx) המכונה בימינו ראם.

עַמִּ֥ים יְנַגַּ֛ח יַחְדָּ֖ו אַפְסֵי־אָ֑רֶץ וְהֵם֙ רִבְב֣וֹת אֶפְרַ֔יִם
רביעי וְהֵ֖ם אַלְפֵ֥י מְנַשֶּֽׁה׃ ס וְלִזְבוּלֻ֣ן אָמַ֔ר שְׂמַ֥ח יח
זְבוּלֻ֖ן בְּצֵאתֶ֑ךָ וְיִשָּׂשכָ֖ר בְּאֹהָלֶֽיךָ׃ עַמִּים֙ הַר־יִקְרָ֔אוּ יט
שָׁ֖ם יִזְבְּח֣וּ זִבְחֵי־צֶ֑דֶק כִּ֣י שֶׁ֤פַע יַמִּים֙ יִינָ֔קוּ וּשְׂפֻנֵ֖י
טְמ֥וּנֵי חֽוֹל׃ ס וּלְגָ֣ד אָמַ֔ר בָּר֖וּךְ מַרְחִ֣יב גָּ֑ד כ

רש״י | נָאוֹת, רְאֵם – קַרְנָיו נָאוֹת וְאֵין כֹּחוֹ קָשֶׁה, נָתַן לִיהוֹשֻׁעַ כֹּחוֹ שֶׁל שׁוֹר וְיֹפִי קַרְנֵי רְאֵם: אַפְסֵי אָרֶץ. שְׁלֹשִׁים וְאֶחָד מְלָכִים, אֶפְשָׁר שֶׁכֻּלָּם מֵאֶרֶץ יִשְׂרָאֵל הָיוּ? אֶלָּא אֵין לְךָ כָּל מֶלֶךְ וְשִׁלְטוֹן שֶׁלֹּא קָנָה לוֹ פַּלְטֵרִין וַאֲחֻזָּה בְּאֶרֶץ יִשְׂרָאֵל, שֶׁחֲשׁוּבָה לְכֻלָּם הִיא, שֶׁנֶּאֱמַר: "נַחֲלַת צְבִי צִבְאוֹת גּוֹיִם" (ירמיה ג, יט): וְהֵם רִבְבוֹת אֶפְרַיִם. אוֹתָם הַמְנֻגָּחִים הֵם הָרְבָבוֹת שֶׁהָרַג יְהוֹשֻׁעַ שֶׁבָּא מֵאֶפְרַיִם: וְהֵם אַלְפֵי מְנַשֶּׁה. הֵם הָאֲלָפִים שֶׁהָרַג גִּדְעוֹן בְּמִדְיָן, שֶׁנֶּאֱמַר: "וְזֶבַח וְצַלְמֻנָּע בַּקַּרְקֹר" וְגוֹ' (שופטים ח, י):

יח-יט | וְלִזְבוּלֻן אָמַר. אֵלּוּ חֲמִשָּׁה שְׁבָטִים שֶׁבֵּרַךְ בָּאַחֲרוֹנָה: זְבוּלֻן גָּד דָּן וְנַפְתָּלִי וְאָשֵׁר, כָּפַל שְׁמוֹתֵיהֶם לְחַזְּקָם וּלְהַגְבִּירָם, לְפִי שֶׁהָיוּ חַלָּשִׁים שֶׁבְּכָל הַשְּׁבָטִים, הֵם הֵם שֶׁהוֹלִיךְ יוֹסֵף לִפְנֵי פַרְעֹה, שֶׁנֶּאֱמַר: "וּמִקְצֵה אֶחָיו לָקַח חֲמִשָּׁה אֲנָשִׁים" (בראשית מז, ב), לְפִי שֶׁנִּרְאִים חַלָּשִׁים וְלֹא יָשִׂים אוֹתָם לוֹ שָׂרֵי מִלְחַמְתּוֹ: שְׂמַח זְבוּלֻן בְּצֵאתֶךָ וְיִשָּׂשכָר בְּאֹהָלֶיךָ. זְבוּלוּן וְיִשָּׂשכָר עָשׂוּ שֻׁתָּפוּת, זְבוּלוּן יוֹשֵׁב לְחוֹף יַמִּים וְיוֹצֵא לִפְרַקְמַטְיָא בִּסְפִינוֹת וּמִשְׂתַּכֵּר, וְנוֹתֵן לְתוֹךְ פִּיו שֶׁל יִשָּׂשכָר, וְהֵם יוֹשְׁבִים וְעוֹסְקִים בַּתּוֹרָה. לְפִיכָךְ הִקְדִּים זְבוּלוּן לְיִשָּׂשכָר, שֶׁתּוֹרָתוֹ שֶׁל יִשָּׂשכָר עַל יְדֵי זְבוּלוּן הָיְתָה: שְׂמַח זְבוּלֻן בְּצֵאתֶךָ. הַצְלַח בִּצְאֵתְךָ לִסְחוֹרָה: וְיִשָּׂשכָר. הַצְלַח בִּישִׁיבַת אֹהָלֶיךָ לַתּוֹרָה, לֵישֵׁב וּלְעַבֵּר שָׁנִים וְלִקְבֹּעַ חֳדָשִׁים, כְּמוֹ שֶׁנֶּאֱמַר: "וּמִבְּנֵי יִשָּׂשכָר יוֹדְעֵי בִינָה לָעִתִּים... רָאשֵׁיהֶם מָאתַיִם" (דברי הימים א' יב, לג), רָאשֵׁי סַנְהֶדְרִין הָיוּ עוֹסְקִים בְּכָךְ. וְעַל פִּי קְבִיעַת עִתֵּיהֶם וְעִבּוּרֵיהֶם, "עַמִּים" שֶׁל שִׁבְטֵי יִשְׂרָאֵל "הַר יִקְרָאוּ" – לְהַר הַמּוֹרִיָּה יֵאָסְפוּ. כָּל אֲסֵפָה עַל יְדֵי קְרִיאָה הִיא, "וְשָׁם יִזְבְּחוּ" בָּרְגָלִים "זִבְחֵי צֶדֶק": כִּי שֶׁפַע יַמִּים יִינָקוּ. יִשָּׂשכָר וּזְבוּלוּן, וִיהֵא לָהֶם פְּנַאי לַעֲסֹק בַּתּוֹרָה: וּשְׂפֻנֵי טְמוּנֵי חוֹל. כִּסּוּיֵי טְמוּנֵי חוֹל, טָרִית וְחִלָּזוֹן וּזְכוּכִית לְבָנָה הַיּוֹצְאִים מִן הַיָּם וּמִן הַחוֹל, וּבְחֶלְקוֹ שֶׁל זְבוּלוּן הָיָה, כְּמוֹ שֶׁאָמוּר בְּמַסֶּכֶת מְגִלָּה (דף ו ע״א): "זְבֻלוּן עַם חֵרֵף נַפְשׁוֹ לָמוּת" (שופטים ה, יח) מִשּׁוּם דְּ"נַפְתָּלִי עַל מְרוֹמֵי שָׂדֶה" (שם), הָיָה מִתְרַעֵם זְבוּלוּן עַל חֶלְקוֹ, לְאַחַי נָתַתָּ שָׂדוֹת וּכְרָמִים וְכוּ': וּשְׂפֻנֵי. לְשׁוֹן כִּסּוּי, כְּמוֹ שֶׁנֶּאֱמַר: "וַיִּסְפֹּן אֶת הַבַּיִת" (מלכים א' ו, ט), "וְסָפוּן בָּאָרֶז" (ירמיה כב, יד), וְתַרְגּוּמוֹ: "וּמְטַלַּל בְּכִיּוּרֵי אַרְזַיָּא". דָּבָר אַחֵר, "עַמִּים הַר יִקְרָאוּ", עַל יְדֵי פְּרַקְמַטְיָא שֶׁל זְבוּלוּן, תַּגָּרֵי אֻמּוֹת הָעוֹלָם בָּאִים אֶל אַרְצוֹ, וְהִיא עוֹמֶדֶת עַל הַסְּפָר, וְהֵם אוֹמְרִים: הוֹאִיל וְנִצְטַעַרְנוּ עַד כָּאן נֵלֵךְ עַד יְרוּשָׁלַיִם וְנִרְאֶה מַה יִּרְאָתָהּ שֶׁל אֻמָּה זוֹ וּמַה מַּעֲשֶׂיהָ, וְהֵם רוֹאִים כָּל יִשְׂרָאֵל עוֹבְדִים לֶאֱלוֹהַּ אֶחָד וְאוֹכְלִים מַאֲכָל אֶחָד, לְפִי שֶׁהַגּוֹיִם אֱלֹהָיו שֶׁל זֶה לֹא כֵּאלֹהָיו שֶׁל זֶה וּמַאֲכָלוֹ שֶׁל זֶה לֹא כְּמַאֲכָלוֹ שֶׁל זֶה, וְהֵם אוֹמְרִים: אֵין אֻמָּה כְּשֵׁרָה כָּזוֹ, וּמִתְגַּיְּרִין שָׁם, שֶׁנֶּאֱמַר: "שָׁם יִזְבְּחוּ זִבְחֵי צֶדֶק": כִּי שֶׁפַע יַמִּים יִינָקוּ. זְבוּלוּן וְיִשָּׂשכָר, הַיָּם נוֹתֵן לָהֶם מָמוֹן בְּשֶׁפַע:

כ | בָּרוּךְ מַרְחִיב גָּד. מְלַמֵּד שֶׁהָיָה תְּחוּמוֹ

ביאור

**בָּהֶם** – בקרניים הללו **עַמִּים יְנַגַּח יַחְדָּו** גם את אלה השוכנים **בְּאַפְסֵי,** קצווי **אָרֶץ.** ובתוך שבט יוסף **הֵם רִבְבוֹת אֶפְרַיִם וְהֵם אַלְפֵי מְנַשֶּׁה.** מיוסף יצאו שני שבטים. אמנם היו תקופות שבהן בני מנשה היו רבים מבני אפרים, אך אפרים נחשב לשבט הבכיר, ועל כן לו מיוחסות כאן הרבבות, ואילו למנשה מיוחסים האלפים.[25]

יח **וְלִזְבוּלֻן אָמַר: שְׂמַח, זְבוּלֻן, בְּצֵאתֶךָ** למסחר בים.[26] בנבואתו חזה משה שנחלת זבולון תהיה לחוף הים.[27] **וְיִשָּׂשכָר, שְׂמַח בְּאֹהָלֶיךָ.** שבט יששכר לא הרבה לצאת ממקומו, אלא ישב במקומו במנוחה ועסק בחקלאות ובמרעה.[28] מבני יששכר נודעו גם אנשי רוח יושבי אוהלים.[29] יט במסעותיהם של בני זבולון ובמגעם עם בני אומות שונות, בני זבולון **לְעַמִּים** אל **הַר ה' יִקְרָאוּ** לבוא. **שָׁם יִזְבְּחוּ** העמים **זִבְחֵי צֶדֶק.** המפגש עם בני זבולון יביא את האומות להערצת אלוקי ישראל ולעבודתו,[30] **כִּי** בני שבט זבולון **שֶׁפַע יַמִּים,** מיני הדגים והמסחר בדרך הים **יִינָקוּ,** ויקלטו גם **שְׂפֻנֵי טְמוּנֵי חוֹל,** את המרגליות והפנינים החבויות בחול.[31]

כ **וּלְגָד אָמַר: בָּרוּךְ** ה' אשר **מַרְחִיב** נחלתו של **גָּד** בעבר הירדן המזרחי.

הרחבות

**'זבולֻן בצאתך ויששכר באֹהליך'** במדרשים נכתב על יחסי השותפות ששררו בין זבולון ויששכר: בני זבולון היו יוצאים לים למסעות מסחר, ובכסף שהביאו ממרחקים פרנסו את בני יששכר, שישבו ועסקו בתורה. (ראו יונתן ורש"י על אתר; בראשית רבה עב,ה).

כְּלָבִיא שָׁכֵן וְטָרַף זְרוֹעַ אַף־קָדְקֹד׃ וַיַּרְא רֵאשִׁית לוֹ כא
כִּי־שָׁם חֶלְקַת מְחֹקֵק סָפוּן וַיֵּתֵא רָאשֵׁי עָם צִדְקַת
חמישי יְהוָה עָשָׂה וּמִשְׁפָּטָיו עִם־יִשְׂרָאֵל׃ וּלְדָן כב
אָמַר דָּן גּוּר אַרְיֵה יְזַנֵּק מִן־הַבָּשָׁן׃ וּלְנַפְתָּלִי אָמַר כג
נַפְתָּלִי שְׂבַע רָצוֹן וּמָלֵא בִּרְכַּת יְהוָה יָם וְדָרוֹם
יְרָשָׁה׃ וּלְאָשֵׁר אָמַר בָּרוּךְ מִבָּנִים אָשֵׁר כד

רש"י

של גד מרחיב והולך כלפי מזרח: **כלביא שכן.** לפי שהיה סמוך לספר לפיכך נמשל כאריות, שכל סמוכי ספר צריכים להיות גבורים: **וטרף זרוע אף קדקד.** הרוגיהם היו נכרים, חותכים הראש עם הזרוע במכה אחת:

כא] **וירא ראשית לו.** ראה ליטול לו חלק בארץ סיחון ועוג שהיא ראשית כבוש הארץ: **כי שם חלקת.** כי ידע אשר שם בנחלתו חלקת שדה קבורת מחוקק, והוא משה: **ספון.** אותה חלקה ספונה וטמונה מכל בריה, שנאמר: "ולא ידע איש את קברתו" (להלן לד, ו): **ויתא.** גד: **ראשי עם.** הם היו הולכים לפני החלוץ בכבוש הארץ לפי שהיו גבורים, וכן הוא אומר: "חלוצים תעברו לפני אחיכם" וגו' (לעיל ג, יח): **צדקת ה' עשה.** שהאמינו דבריהם ושמרו הבטחתם לעבור את הירדן עד שכבשו וחלקו. דבר אחר, "ויתא" משה "ראשי עם". "צדקת ה' עשה" על משה אמור:

כב] **דן גור אריה.** אף הוא היה סמוך לספר, לפיכך מושלו באריות: **יזנק מן הבשן.** כתרגומו, שהיה הירדן יוצא מחלקו ממערת פמיאס, והיא לשם שהיא בחלקו של דן, שנאמר: "ויקראו ללשם דן" (יהושע יט, מז), וזינוקו וקלוחו מן הבשן. דבר אחר, מה זינוק זה יוצא ממקום אחד ונחלק לשני מקומות, כך שבטו של דן נטלו חלק בשני מקומות. תחלה נטלו בצפונית מערבית, עקרון וסביבותיה, ולא ספקו להם, ובאו ונלחמו עם לשם שהיא פמיאס, והיא בצפונית מזרחית, שהרי הירדן יוצא ממערת פמיאס והוא במזרחה של ארץ ישראל, ובא מהצפון לדרום, וכלה בקצה ים המלח שהוא במזרח יהודה שנטל בדרומה של ארץ ישראל, כמו שמפורש בספר יהושע, והוא שנאמר: "ויצא גבול בני דן מהם ויעלו בני דן וילחמו עם לשם" וגו' (יהושע שם), יצא גבולם מכל אותה הרוח שהתחילו לנחול בה:

כג] **שבע רצון.** שהיתה ארצו שבעה כל רצון יושביה: **ים ודרום ירשה.** ים כנרת נפל בחלקו, ונטל מלא חבל חרם בדרומה לפרוש חרמים ומכמורות:

כד] **ברוך מבנים אשר.** ראיתי בספרי (שנה) אין לך בכל השבטים שנתברך בבנים כאשר. ואיני יודע כיצד: **יהי רצוי אחיו.** שהיה מתרצה לאחיו בשמן אנפיקינון. דבר אחר, "יהי רצוי אחיו", שהיו בנותיו נאות, והוא שנאמר בדברי הימים (א' ז, לא): "הוא אבי ברזית", שהיו בנותיו נשואות לכהנים גדולים ולמלכים

ביאור

כְּלָבִיא, כאריה הבטוח בעצמתו שָׁכֵן, וְטָרַף זְרוֹעַ אַף קָדְקֹד. גד יהיה שבט לוחמים מפואר, שיכה במכת חרב אחת יד וראש, כאריה השובר יחד את הרגל ואת הראש של טרפו.[32]
כא וַיַּרְא רֵאשִׁית, הוא בחר לו חבל ארץ נוסף זה בתחילת הכיבוש, בעבר הירדן המזרחי, לוֹ, כִּי שָׁם חֶלְקַת מְחֹקֵק, משה עצמו, מחוקק התורה יהיה סָפוּן, טמון.[33] אף אלה דברי נבואה. את מקום קבורתו המדויק של משה אין יודעים, אך בוודאי נקבר בנחלת בני גד שבעבר הירדן המזרחי.[34] וַיֵּתֵא, הוא יביא אל ארצם את רָאשֵׁי הָעָם, את אנשי ישראל, כשיצא חלוץ לפני אחיו במלחמות בעבר הירדן המערבי.[35] בכך את צִדְקַת ה׳ עָשָׂה ואת מִשְׁפָּטָיו, יושרו עִם יִשְׂרָאֵל.[36]

כב וּלְדָן אָמַר: דָּן גּוּר אַרְיֵה יְזַנֵּק, המזנק מִן הַבָּשָׁן. הבשן לא נכלל בנחלתו הראשונית של שבט דן. רק לאחר שיידחק מחלקו שהיה ממערב ליהודה, סמוך לחוף הים התיכון, הוא ידלג וימצא לו נחלה אחרת בצפון הארץ סמוך לבשן.[37]

כג וּלְנַפְתָּלִי אָמַר: נַפְתָּלִי שְׂבַע רָצוֹן, רצונו שָׂבֵע הואיל וחלקו מָלֵא בִּרְכַּת ה׳, מקומו פורה, יָם וְדָרוֹם יְרָשָׁה. נחלת נפתלי תגבול בים כנרת, ובדרומה תיכלל גם בקעת בית שאן.[38]

כד וּלְאָשֵׁר אָמַר: בָּרוּךְ מריבוי[39] בָּנִים אָשֵׁר. יְהִי רְצוּי, אהוד וחביב

גור אריה

יְהִ֥י רְצ֖וּי אֶחָ֑יו וְטֹבֵ֥ל בַּשֶּׁ֖מֶן רַגְלֽוֹ׃ בַּרְזֶ֥ל וּנְחֹ֖שֶׁת כה
מִנְעָלֶ֑ךָ וּכְיָמֶ֖יךָ דָּבְאֶֽךָ׃ אֵ֥ין כָּאֵ֖ל יְשֻׁר֑וּן רֹכֵ֤ב שָׁמַ֙יִם֙ כו

חתן התורה

בְּעֶזְרֶ֔ךָ וּבְגַאֲוָת֖וֹ שְׁחָקִֽים׃ מְעֹנָה֙ אֱלֹ֣הֵי קֶ֔דֶם וּמִתַּ֖חַת כז
זְרֹעֹ֣ת עוֹלָ֑ם וַיְגָ֧רֶשׁ מִפָּנֶ֛יךָ אוֹיֵ֖ב וַיֹּ֥אמֶר הַשְׁמֵֽד׃

רש״י

הַנִּמְשָׁחִים בְּשֶׁמֶן זַיִת: **וְטֹבֵל בַּשֶּׁמֶן רַגְלוֹ.** שֶׁהָיְתָה אַרְצוֹ מוֹשֶׁכֶת שֶׁמֶן כְּמַעְיָן. וּמַעֲשֶׂה שֶׁנִּצְטָרְכוּ אַנְשֵׁי לוּדְקִיָּא לְשֶׁמֶן, מִנּוּ לָהֶם פּוּלְמוּסְטוּס אֶחָד כו׳ [אמרו לו: לך והבא לנו שמן במאה ריבוא. הלך לירושלים, אמרו לו: לך לצור. הלך לצור, אמרו לו: לך לגוש חלב. הלך לגוש חלב, אמרו לו: לך אצל פלוני לשדה הלז, ומצאו שהיה עוזק תחת זיתיו. אמר לו: יש לך שמן במאה ריבוא שאני צריך? אמר לו: המתן לי עד שאסיים מלאכתי. המתין עד שסיים מלאכתו. לאחר שסיים מלאכתו, הפשיל כליו לאחוריו והיה מסקל ובא בדרך. אמר לו: יש לך שמן במאה ריבוא? כמדומה אני שצחוק שחקו בי היהודים. כיוון שהגיע לעירו, הוציאה לו שפחתו קומקמוס של חמין ורחץ בו ידיו ורגליו, הוציאה לו ספל של זהב מלאה שמן וטבל בו ידיו ורגליו, לקיים מה שנאמר: ״וטבל בשמן רגלו״. לאחר שאכלו ושתו, מדד לו שמן במאה ריבוא. אמר לו: כלום אתה צריך ליותר? אמר לו: הן, אלא שאין לי דמים. אמר לו: אם אתה רוצה ליקח קח, ואני אלך עמך ואטול דמיו, מדד לו שמן בשמונה עשר ריבוא. אמרו: לא הניח אותו האיש לא סוס ולא פרד ולא גמל ולא חמור בארץ ישראל שלא שכרו. כיון שהגיע לעירו יצאו אנשי עירו לקלסו, אמר להם: לא לי קלסוני אלא לזה שבא עמי, שמדד לי שמן במאה ריבוא והרי נושה בי בשמונה עשרה ריבוא], כִּדְאִיתָא בִּמְנָחוֹת (דף פה ע״ב):

כה **בַּרְזֶל וּנְחֹשֶׁת מִנְעָלֶךָ.** עַכְשָׁיו הוּא מְדַבֵּר כְּנֶגֶד כָּל יִשְׂרָאֵל, שֶׁהָיוּ גִּבּוֹרֵיהֶם יוֹשְׁבִים בְּעָרֵי הַסְּפָר וְנוֹעֲלִים אוֹתָהּ שֶׁלֹּא יוּכְלוּ הָאוֹיְבִים לִכָּנֵס בָּהּ, כְּאִלּוּ הִיא סְגוּרָה בְּמַנְעוּלִים וּבְרִיחִים שֶׁל בַּרְזֶל וּנְחֹשֶׁת. דָּבָר אַחֵר, ״בַּרְזֶל וּנְחֹשֶׁת מִנְעָלֶךָ״, אַרְצְכֶם נְעוּלָה בֶּהָרִים שֶׁחוֹצְבִין מֵהֶם בַּרְזֶל וּנְחֹשֶׁת, וְאַרְצוֹ שֶׁל אָשֵׁר הָיְתָה מַנְעוּלָהּ שֶׁל אֶרֶץ יִשְׂרָאֵל: **וּכְיָמֶיךָ דָּבְאֶךָ.** וְכַיָּמִים שֶׁהֵם טוֹבִים לְךָ, שֶׁהֵן יְמֵי תְּחִלָּתְךָ, יְמֵי נְעוּרֶיךָ, כֵּן יִהְיוּ יְמֵי זִקְנוּתְךָ שֶׁהֵם דּוֹאֲבִים זָבִים וּמִתְמוֹטְטִים. דָּבָר אַחֵר, ״וּכְיָמֶיךָ דָּבְאֶךָ״, כְּמִנְיַן יָמֶיךָ, כָּל הַיָּמִים אֲשֶׁר אַתֶּם עוֹשִׂים רְצוֹנוֹ שֶׁל מָקוֹם, יִהְיוּ ״דָּבְאֶךָ״, שֶׁכָּל הָאֲרָצוֹת יִהְיוּ דּוֹבְאוֹת כֶּסֶף לְאֶרֶץ יִשְׂרָאֵל, שֶׁתְּהֵא מְבֹרֶכֶת בְּפֵרוֹת וְכָל הָאֲרָצוֹת מִתְפַּרְנְסוֹת הֵימֶנָּה, וּמַמְשִׁיכוֹת לָהּ כַּסְפָּם וּזְהָבָם, אשקורנ״ט, הַכֶּסֶף כָּלֶה מֵהֶם שֶׁהֵן מְזִיבוֹת אוֹתוֹ לְאַרְצְכֶם:

כו-כז **אֵין כָּאֵל יְשֻׁרוּן.** דַּע לְךָ ״יְשֻׁרוּן״, שֶׁ״אֵין כָּאֵל״ בְּכָל אֱלֹהֵי הָעַמִּים, וְלֹא כְּצוּרְךָ צוּרָם: **רֹכֵב שָׁמַיִם.** הוּא אוֹתוֹ אֱלוֹהַּ שֶׁ״בְּעֶזְרֶךָ״, ״וּבְגַאֲוָתוֹ״ הוּא רוֹכֵב ״שְׁחָקִים״: **מְעֹנָה אֱלֹהֵי קֶדֶם.** לְמָעוֹן הֵם הַשְּׁחָקִים לֵאלֹהֵי קֶדֶם, שֶׁקָּדַם לְכָל אֱלֹהִים, וּבֵרַר לוֹ שְׁחָקִים לְשִׁבְתּוֹ וּמְעוֹנָתוֹ, וּמִתַּחַת מְעוֹנָתוֹ כָּל בַּעֲלֵי זְרוֹעַ שׁוֹכְנִים: **זְרֹעֹת עוֹלָם.** סִיחוֹן וְעוֹג וּמַלְכֵי כְּנַעַן שֶׁהָיוּ תָּקְפּוֹ וּגְבוּרָתוֹ שֶׁל עוֹלָם, לְפִיכָךְ עַל כָּרְחָם יֶחֶרְדוּ וְיָזוּעוּ וְכֹחָם חָלַשׁ מִפָּנָיו, כִּי לְעוֹלָם אֵימַת הַגָּבוֹהַּ עַל הַנָּמוּךְ. וְהוּא, שֶׁהַכֹּחַ וְהַגְּבוּרָה שֶׁלּוֹ ״בְּעֶזְרֶךָ״, ״וַיְגָרֶשׁ מִפָּנֶיךָ אוֹיֵב״, ״וַיֹּאמֶר״ לְךָ: ״הַשְׁמֵד״ אוֹתָם: **מְעֹנָה.** כָּל תֵּבָה שֶׁצְּרִיכָה לָמֶ״ד בִּתְחִלָּתָהּ הִטִּיל לָהּ הֵ״א בְּסוֹפָהּ:

ביאור | על **אֶחָיו, וְטֹבֵל בַּשֶּׁמֶן רַגְלוֹ**. בנחלתו שבגליל מצויים מטעי הזיתים הגדולים בארץ.[40]

לאחר שבורך כל שבט לעצמו – מלבד שמעון – חוזר משה ופונה לעם ישראל בכללו:[41] כה **בַּרְזֶל וּנְחֹשֶׁת מִנְעָלֶךָ**. ארצכם תהיה שמורה כמו במנעולי ברזל ונחושת, או: אתם תוכלו להיסמך על מחצבי המתכות הללו ועל כלי המלאכה שייעשו מהם, כמו על נעליים המאפשרות עמידה וצעידה בטוחות.[42] **וּכְיָמֶיךָ דָּבְאֶךָ**. כל ימיך יזוב וייזל אליך שפע הטובה.[43] כו **אֵין כָּאֵל, יְשֻׁרוּן**, ישראל,[44] שהוא **רֹכֵב שָׁמַיִם** והוא **בְּעֶזְרֶךָ**, ישראל, **וּבְגַאֲוָתוֹ** הוא מושל **בִּשְׁחָקִים**, במרומים. כז **מְעֹנָה**, מעון ומחסה נמצא **בֶּאֱלֹהֵי קֶדֶם**, מאז ומעולם.[45] **וּמִתַּחַת** השמים הוא **זְרֹעֹת עוֹלָם**, נושא הכול לנצח.[46] **וַיְגָרֶשׁ מִפָּנֶיךָ אוֹיֵב, וַיֹּאמֶר: הַשְׁמֵד**

כח וַיִּשְׁכֹּן יִשְׂרָאֵל בֶּטַח בָּדָד עֵין יַעֲקֹב אֶל־אֶרֶץ דָּגָן
כט וְתִירוֹשׁ אַף־שָׁמָיו יַעַרְפוּ־טָל׃ אַשְׁרֶיךָ יִשְׂרָאֵל
מִי כָמוֹךָ עַם נוֹשַׁע בַּיהוָה מָגֵן עֶזְרֶךָ וַאֲשֶׁר־חֶרֶב
גַּאֲוָתֶךָ וְיִכָּחֲשׁוּ אֹיְבֶיךָ לָךְ וְאַתָּה עַל־בָּמוֹתֵימוֹ
לד א תִּדְרֹךְ׃ וַיַּעַל מֹשֶׁה מֵעַרְבֹת מוֹאָב אֶל־
הַר נְבוֹ רֹאשׁ הַפִּסְגָּה אֲשֶׁר עַל־פְּנֵי יְרֵחוֹ וַיַּרְאֵהוּ
ב יְהוָה אֶת־כָּל־הָאָרֶץ אֶת־הַגִּלְעָד עַד־דָּן׃ וְאֵת כָּל־
נַפְתָּלִי וְאֶת־אֶרֶץ אֶפְרַיִם וּמְנַשֶּׁה וְאֵת כָּל־אֶרֶץ
ג יְהוּדָה עַד הַיָּם הָאַחֲרוֹן׃ וְאֶת־הַנֶּגֶב וְאֶת־הַכִּכָּר

רש"י

כח) **בֶּטַח בָּדָד.** כָּל יָחִיד וְיָחִיד אִישׁ תַּחַת גַּפְנוֹ, מְפֻזָּרִים, וְאֵין צְרִיכִין לְהִתְאַסֵּף וְלֵישֵׁב יַחַד מִפְּנֵי הָאוֹיֵב: **עֵין יַעֲקֹב.** כְּמוֹ: "וְעֵינוֹ כְּעֵין הַבְּדֹלַח" (במדבר יא, ז), כְּעֵין הַבְּרָכָה שֶׁבֵּרְכָם יַעֲקֹב. לֹא כְ"בָדָד" שֶׁאָמַר יִרְמְיָה: "בָּדָד יָשַׁבְתִּי" (ירמיה טו, יז), אֶלָּא כְּעֵין הַבְטָחָה שֶׁהִבְטִיחָם יַעֲקֹב: "וְהָיָה אֱלֹהִים עִמָּכֶם וְהֵשִׁיב אֶתְכֶם אֶל אֶרֶץ אֲבֹתֵיכֶם" (בראשית מח, כא): **יַעַרְפוּ.** יִטְפוּ: **אַף שָׁמָיו יַעַרְפוּ טָל.** אַף בִּרְכָתוֹ שֶׁל יִצְחָק נוֹסֶפֶת עַל שֶׁל יַעֲקֹב: "וְיִתֶּן לְךָ הָאֱלֹהִים מִטַּל הַשָּׁמַיִם" וְגוֹ' (בראשית כז, כח):

כט) **אַשְׁרֶיךָ יִשְׂרָאֵל.** לְאַחַר שֶׁפֵּרַט לָהֶם בְּרָכוֹת, אָמַר לָהֶם: מַה לִּי לִפְרֹט לָכֶם? כְּלַל דָּבָר, הַכֹּל שֶׁלָּכֶם: **אַשְׁרֶיךָ יִשְׂרָאֵל מִי כָמוֹךָ.** תְּשׁוּעָתְךָ בַּה' אֲשֶׁר הוּא "מָגֵן עֶזְרֶךָ" וְ"חֶרֶב גַּאֲוָתֶךָ": **וְיִכָּחֲשׁוּ אֹיְבֶיךָ לָךְ.** כְּגוֹן הַגִּבְעוֹנִים, שֶׁאָמְרוּ: "מֵאֶרֶץ רְחוֹקָה... בָּאוּ עֲבָדֶיךָ" וְגוֹ' (יהושע ט, ט): **וְאַתָּה עַל בָּמוֹתֵימוֹ תִדְרֹךְ.** כְּעִנְיָן שֶׁנֶּאֱמַר: "שִׂימוּ אֶת רַגְלֵיכֶם עַל צַוְּארֵי הַמְּלָכִים הָאֵלֶּה" (שם י, כד):

פרק לד

א) **מֵעַרְבֹת מוֹאָב אֶל הַר נְבוֹ.** כַּמָּה מַעֲלוֹת הָיוּ, וּפְסָעָן מֹשֶׁה בִּפְסִיעָה אַחַת:

**אֶת כָּל הָאָרֶץ.** הֶרְאָהוּ אֶת כָּל אֶרֶץ יִשְׂרָאֵל בְּשַׁלְוָתָהּ, וְהַמְּצִיקִין הָעֲתִידִין לִהְיוֹת מְצִיקִין לָהּ: **עַד דָּן.** הֶרְאָהוּ בְּנֵי דָן עוֹבְדֵי עֲבוֹדָה זָרָה, שֶׁנֶּאֱמַר: "וַיָּקִימוּ לָהֶם בְּנֵי דָן אֶת הַפָּסֶל" (שופטים יח, ל), וְהֶרְאָהוּ שִׁמְשׁוֹן שֶׁעָתִיד לָצֵאת מִמֶּנּוּ לְמוֹשִׁיעַ:

ב) **וְאֵת כָּל נַפְתָּלִי.** הֶרְאָהוּ אַרְצוֹ בְּשַׁלְוָתָהּ וְחֻרְבָּנָהּ, וְהֶרְאָהוּ דְּבוֹרָה וּבָרָק מִקֶּדֶשׁ נַפְתָּלִי נִלְחָמִים עִם סִיסְרָא וַחֲיָלוֹתָיו: **וְאֶת אֶרֶץ אֶפְרַיִם וּמְנַשֶּׁה.** הֶרְאָהוּ אַרְצָם בְּשַׁלְוָתָהּ וּבְחֻרְבָּנָהּ, וְהֶרְאָהוּ יְהוֹשֻׁעַ נִלְחָם עִם מַלְכֵי כְּנַעַן, שֶׁבָּא מֵאֶפְרַיִם, וְגִדְעוֹן שֶׁבָּא מִמְּנַשֶּׁה נִלְחָם עִם מִדְיָן וַעֲמָלֵק: **וְאֵת כָּל אֶרֶץ יְהוּדָה.** בְּשַׁלְוָתָהּ וּבְחֻרְבָּנָהּ, וְהֶרְאָהוּ מַלְכוּת בֵּית דָּוִד וְנִצְחוֹנָם: **עַד הַיָּם הָאַחֲרוֹן.** אֶרֶץ הַמַּעֲרָב בְּשַׁלְוָתָהּ וּבְחֻרְבָּנָהּ. דָּבָר אַחֵר, אַל תִּקְרֵי "הַיָּם הָאַחֲרוֹן" אֶלָּא 'הַיּוֹם הָאַחֲרוֹן' – כָּל הַמְּאֹרָעוֹת לְיִשְׂרָאֵל עַד שֶׁיִּחְיוּ הַמֵּתִים:

ג) **וְאֶת הַנֶּגֶב.** אֶרֶץ הַדָּרוֹם. דָּבָר אַחֵר, מְעָרַת הַמַּכְפֵּלָה, שֶׁנֶּאֱמַר: "וַיַּעֲלוּ בַנֶּגֶב וַיָּבֹא עַד חֶבְרוֹן" (במדבר יג, כב): **וְאֶת הַכִּכָּר.** הֶרְאָהוּ שְׁלֹמֹה יוֹצֵק כְּלֵי בֵּית הַמִּקְדָּשׁ בְּכִכַּר הַיַּרְדֵּן בְּמַעֲבֵה הָאֲדָמָה:

ביאור | אותו. ונבואה לעתיד:[47] כח **וַיִּשְׁכֹּן יִשְׂרָאֵל בֶּטַח, בָּדָד**, בלא הזדקקות
לאחרים ובלא טרדותיהם **עֵין**, זרע[48] **יַעֲקֹב** כשיבוא **אֶל אֶרֶץ דָּגָן וְתִירוֹשׁ,**
**ואַף שָׁמָיו יַעַרְפוּ**, יורידו **טָל**. כט **אַשְׁרֶיךָ, יִשְׂרָאֵל! מִי כָמוֹךָ**, שאתה
**עַם נוֹשַׁע בַּה'**, והוא **מָגֵן עֶזְרֶךָ**, מגן עליך ועוזר לך, **וַאֲשֶׁר** הוא **חֶרֶב**
**גַּאֲוָתֶךָ**. מכיוון שכך – **וְיִכָּחֲשׁוּ**, יפייסו אותך במרמה **אֹיְבֶיךָ** הכנועים
**לָךְ**. מסימני הניצחון הוא שהכנוע מתאמץ לפייס את מנצחו, ולעתים
הוא נדחק לשם כך לדברי שקר.[49] **וְאַתָּה עַל בָּמוֹתֵימוֹ** – במותיהם של
האויבים **תִדְרֹךְ** ותרמוס אותן.

# מות משה

## פרק לד

תורת משה מסתיימת בהסתלקותו של מוסר התורה ואבי הנביאים והעברת ההנהגה אל משרתו יהושע.

פרק לד א **וַיַּעַל מֹשֶׁה מֵעַרְבֹת מוֹאָב אֶל הַר נְבוֹ**, לראש **הַפִּסְגָּה אֲשֶׁר עַל**
**פְּנֵי יְרֵחוֹ. וַיַּרְאֵהוּ ה' אֶת כָּל הָאָרֶץ**. אכן באזור צחיח זה הראות טובה
יחסית, אך גם אילו הר נבו היה גבוה מאוד – כדי לראות את הארץ
כולה, מקצה לקצה, יש צורך בראייה שהיא מעבר לראיית העין
הרגילה.[50] ה' הראה לו **אֶת הַגִּלְעָד** שבעבר הירדן **עַד** נקודה בגבול
הצפוני של הארץ שתיקרא בעתיד **דָּן**.[51] ב **וְ**עוד הראה לו **אֵת כָּל**
**נַפְתָּלִי**, שאף הוא בצפון; אף אזור זה וכן שאר האזורים הנזכרים
כאן נקראים על שם השבטים שיתיישבו בהם בעתיד, **וְאֶת אֶרֶץ**
**אֶפְרַיִם וּמְנַשֶּׁה** שבאזור השומרון והכרמל, **וְאֵת כָּל אֶרֶץ יְהוּדָה עַד הַיָּם**
**הָאַחֲרוֹן**, המערבי, הים התיכון[52] ג **וְאֶת הַנֶּגֶב וְאֶת הַכִּכָּר** שהיא **בִּקְעַת**

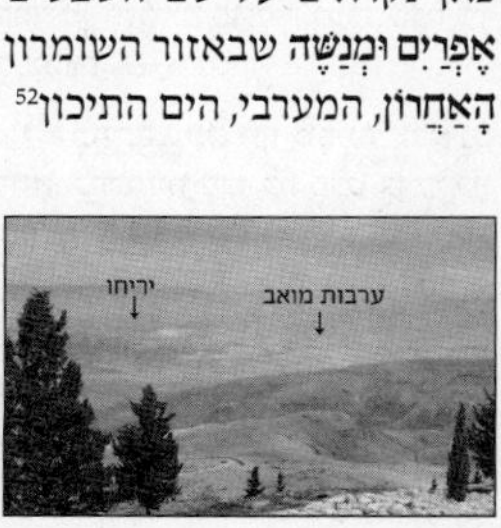


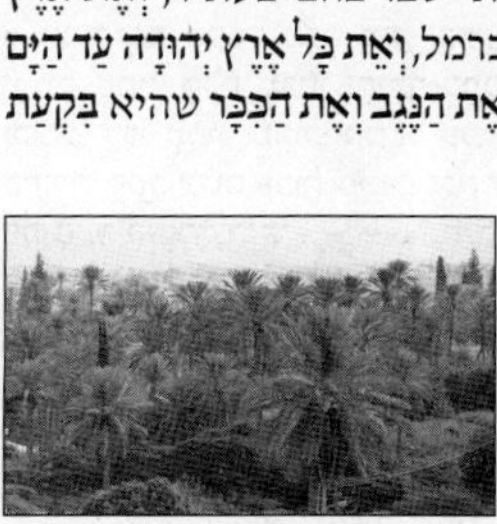

מימין: יריחו וערבות מואב מבט מפסגת הר נבו

משמאל: מטע תמרים ביריחו

הרחבות | 'וַיַּרְאֵהוּ ה'' לפי דרשת חכמים, עינו של משה לא הקיפה רק את המרחבים הגדולים הללו אלא גם את ההיסטוריה ואת המאורעות שעתידים להתרחש. (ראו יונתן ורש"י פס' א–ג; ספרי דברים שנז).

ד בִּקְעַת יְרֵחוֹ עִיר הַתְּמָרִים עַד־צֹעַר׃ וַיֹּאמֶר יְהוָה
אֵלָיו זֹאת הָאָרֶץ אֲשֶׁר נִשְׁבַּעְתִּי לְאַבְרָהָם לְיִצְחָק
וּלְיַעֲקֹב לֵאמֹר לְזַרְעֲךָ אֶתְּנֶנָּה הֶרְאִיתִיךָ בְעֵינֶיךָ
ה וְשָׁמָּה לֹא תַעֲבֹר׃ וַיָּמָת שָׁם מֹשֶׁה עֶבֶד־יְהוָה בְּאֶרֶץ
ו מוֹאָב עַל־פִּי יְהוָה׃ וַיִּקְבֹּר אֹתוֹ בַגַּי בְּאֶרֶץ מוֹאָב
מוּל בֵּית פְּעוֹר וְלֹא־יָדַע אִישׁ אֶת־קְבֻרָתוֹ עַד הַיּוֹם
ז הַזֶּה׃ וּמֹשֶׁה בֶּן־מֵאָה וְעֶשְׂרִים שָׁנָה בְּמֹתוֹ לֹא־
ח כָהֲתָה עֵינוֹ וְלֹא־נָס לֵחֹה׃ וַיִּבְכּוּ בְנֵי יִשְׂרָאֵל אֶת־
מֹשֶׁה בְּעַרְבֹת מוֹאָב שְׁלֹשִׁים יוֹם וַיִּתְּמוּ יְמֵי בְכִי
ט אֵבֶל מֹשֶׁה׃ וִיהוֹשֻׁעַ בִּן־נוּן מָלֵא רוּחַ חָכְמָה כִּי־

רש"י

ד | **לאמר לזרעך אתננה, הראיתיך.** כדי שתלך ותאמר לאברהם ליצחק וליעקב, שבועה שנשבע לכם הקדוש ברוך הוא – קיימה, וזהו "לאמר", לכך הראיתיה לך, אבל גזרה היא מלפני ש"שמה לא תעבר", שאלולי כך, הייתי מקיימך עד שתראה אותם נטועים וקבועים בה ותלך ותגיד להם:

ה | **וימת שם.** אפשר משה מת, וכתב: "וימת שם"? אלא מכאן ואילך כתב יהושע. רבי מאיר אומר: אפשר ספר התורה חסר כלום, והוא אומר: "לקח את ספר התורה הזה" (לעיל לא, כו)? אלא הקדוש ברוך הוא אומר ומשה כותב בדמע: **על פי ה'.** בנשיקה:

ו | **ויקבר אתו.** הקדוש ברוך הוא בכבודו. רבי ישמעאל אומר: הוא קבר את עצמו, וזה הוא אחד משלשה אתים שהיה רבי ישמעאל דורש כן. כיוצא בו: "ביום מלאת ימי נזרו יביא אתו" (במדבר ו, יג), הוא מביא את עצמו. כיוצא בו: "והשיאו אותם עון אשמה" (ויקרא כב, טז), וכי אחרים משיאים אותם? אלא הם משיאים את עצמם: **מול בית פעור.** קברו מוכן שם מששת ימי בראשית לכפר על מעשה פעור, וזה אחד מן הדברים שנבראו בערב שבת בין השמשות (אבות ה, ו):

ז | **לא כהתה עינו.** אף משמת: **ולא נס לחה.** לחלוחית שבו. לא שלט בו רקבון ולא נהפך תאר פניו:

ח | **בני ישראל.** הזכרים, אבל באהרן מתוך שהיה רודף שלום ונותן שלום בין איש לרעהו ובין אשה לבעלה, נאמר: "כל בית ישראל" (במדבר כ, כט) זכרים ונקבות:

הרחבות

**'וימת... על פי ה''** לפי המדרש, ביטוי זה מרמז על מוות מסוג 'מיתת נשיקה'. (ראו רש"י במדבר כ,כו; ברכות ח ע"א). כשם שבחייו ה' דיבר אליו 'פה אל פה' (במדבר יב,ח), כך בסופם ה' כביכול נישק אותו 'פה אל פה', וכך יצאה נפשו בדבקותו בה'. הרמב"ם כותב (בהקדמתו לפירוש המשניות) שלאמתו של דבר משה רבנו

ביאור | יְרֵחוֹ עִיר הַתְּמָרִים, עַד צֹעַר, שעל שפת ים המלח. מבטו של משה עובר
מן הקצה המרוחק עד האזור הקרוב אליו יותר.

ד **וַיֹּאמֶר ה' אֵלָיו: זֹאת הָאָרֶץ אֲשֶׁר נִשְׁבַּעְתִּי לְאַבְרָהָם לְיִצְחָק וּלְיַעֲקֹב**
**לֵאמֹר: לְזַרְעֲךָ אֶתְּנֶנָּה. הֶרְאִיתִיךָ** אותה **בְעֵינֶיךָ, וְשָׁמָּה לֹא תַעֲבֹר**. כך נגזר.

ה **וַיָּמָת שָׁם מֹשֶׁה עֶבֶד ה' בְּאֶרֶץ מוֹאָב עַל פִּי ה'**, בצו ה'.

ו **וַיִּקְבֹּר אֹתוֹ** משה[53] או ה'[54] **בַגַּי**, בגיא **בְּאֶרֶץ מוֹאָב מוּל בֵּית פְּעוֹר**, ואף
שזהו תיאור מפורט למדי, והאזור הוגדר גם בראש העניין, **לֹא יָדַע**
**אִישׁ אֶת קְבֻרָתוֹ** המדויקת **עַד הַיּוֹם הַזֶּה**.

ז **וּמֹשֶׁה בֶּן מֵאָה וְעֶשְׂרִים שָׁנָה בְּמֹתוֹ**. אולם הוא לא מת מפני החולשה
והתשישות, שהרי **לֹא כָהֲתָה עֵינוֹ**. ראייתו עמדה בצלילותה ולא
הידרדרה, כפי שקורה לרוב אצל זקנים, **וְלֹא נָס לֵחֹה**. שלא כמו אצל
זקנים אחרים, שלֵיחוֹת גופם מתייבשות, והם נעשים מצומקים.
משה נותר כשהיה כל ימיו, ולא נראו בו אותות זקנה מעין אלו.

ח **וַיִּבְכּוּ בְנֵי יִשְׂרָאֵל אֶת מֹשֶׁה בְּעַרְבֹת מוֹאָב שְׁלֹשִׁים יוֹם**, הזמן המקובל
לאבל,[55] ולאחר זמן זה – **וַיִּתְּמוּ**, הסתיימו **יְמֵי בְכִי אֵבֶל מֹשֶׁה**.

הרחבות | שמקום הקבורה של משה הוא בריאה מיוחדת שברא ה' בעולמו כדי לטמון בו את משה, המחוקק הספון. (ראו אבות ה,ו). הקבר נשאר בגדר מסתורין; אפילו לא מת כדרך שמתים שאר בני אדם, אלא נפשו חזרה אל יוצרה והתעלתה.

**'ולא ידע איש את קבֻרתו'** חז"ל אומרים

סָמַךְ מֹשֶׁה אֶת־יָדָיו עָלָיו וַיִּשְׁמְעוּ אֵלָיו בְּנֵי־יִשְׂרָאֵל
וַיַּעֲשׂוּ כַּאֲשֶׁר צִוָּה יְהוָה אֶת־מֹשֶׁה׃ וְלֹא־קָם נָבִיא י
עוֹד בְּיִשְׂרָאֵל כְּמֹשֶׁה אֲשֶׁר יְדָעוֹ יְהוָה פָּנִים אֶל־
פָּנִים׃ לְכָל־הָאֹתֹת וְהַמּוֹפְתִים אֲשֶׁר שְׁלָחוֹ יְהוָה יא
לַעֲשׂוֹת בְּאֶרֶץ מִצְרָיִם לְפַרְעֹה וּלְכָל־עֲבָדָיו וּלְכָל־
אַרְצוֹ׃ וּלְכֹל הַיָּד הַחֲזָקָה וּלְכֹל הַמּוֹרָא הַגָּדוֹל אֲשֶׁר יב
עָשָׂה מֹשֶׁה לְעֵינֵי כָּל־יִשְׂרָאֵל׃

**רש"י**

י] **אֲשֶׁר יְדָעוֹ ה' פָּנִים אֶל פָּנִים.** שֶׁהָיָה לִבּוֹ גַּס בּוֹ וּמְדַבֵּר אֵלָיו בְּכָל עֵת שֶׁרוֹצֶה, כָּעִנְיָן שֶׁנֶּאֱמַר: "וְעַתָּה אֶעֱלֶה אֶל ה'" (שמות לב, ל), "עִמְדוּ וְאֶשְׁמְעָה מַה יְצַוֶּה ה' לָכֶם" (במדבר ט, ח):

יב] **וּלְכֹל הַיָּד הַחֲזָקָה.** שֶׁקִּבֵּל אֶת הַתּוֹרָה בַּלּוּחוֹת בְּיָדָיו: **וּלְכֹל הַמּוֹרָא הַגָּדוֹל.** נִסִּים וּגְבוּרוֹת שֶׁבַּמִּדְבָּר הַגָּדוֹל וְהַנּוֹרָא: **לְעֵינֵי כָּל יִשְׂרָאֵל.** שֶׁנְּשָׂאוֹ לִבּוֹ לִשְׁבֹּר הַלּוּחוֹת לְעֵינֵיהֶם, שֶׁנֶּאֱמַר: "וָאֲשַׁבְּרֵם לְעֵינֵיכֶם" (לעיל ט, יז), וְהִסְכִּימָה דַּעַת הַקָּדוֹשׁ בָּרוּךְ הוּא לְדַעְתּוֹ, שֶׁנֶּאֱמַר: "אֲשֶׁר שִׁבַּרְתָּ" (שמות לד, א) – יִישַׁר כֹּחֲךָ שֶׁשִּׁבַּרְתָּ:

**הרחבות**

לבקר בו אי אפשר. (ראו אבות ה,ו; סוטה יג ע"ב – יד ע"א).

**'סמך משה את ידיו עליו'** משה זכה שמשרתו, שנסמך על ידו, ימשיך את דרכו. אמנם בגופו משה לא סיים את מפעל הבאתם של בני ישראל לארצם, אך מלאכתו הושלמה על ידי תלמידו הסמוך הנאמן.

ט **וִיהוֹשֻׁעַ בִּן נוּן מָלֵא**, נתמלא כעת,[56] או: היה כבר מלא **בְּרוּחַ חָכְמָה**, | ביאור
**כִּי סָמַךְ מֹשֶׁה אֶת יָדָיו עָלָיו. וַיִּשְׁמְעוּ אֵלָיו**, סרו אל משמעתו **בְּנֵי יִשְׂרָאֵל**,
**וַיַּעֲשׂוּ כַּאֲשֶׁר צִוָּה ה׳ אֶת מֹשֶׁה**, בכך שקיבלו את יהושע כמנהיגם.

ומלות סיכום על משה, שהוא הדמות המרכזית בתורה: י **וְלֹא**
**קָם נָבִיא עוֹד בְּיִשְׂרָאֵל כְּמֹשֶׁה, אֲשֶׁר**, שכן שאר הנביאים קיבלו את
החזון בהסתר ובהיחבא, בסמלים ובצורות, ואילו משה – **יְדָעוֹ ה׳**
**פָּנִים אֶל פָּנִים**, זכה להתגלות ישירה וגלויה. משה היה שונה מכל
שאר מנהיגי ישראל ונביאיו גם מבחינות נוספות: יא **לְכָל הָאֹתֹת**
**וְהַמּוֹפְתִים אֲשֶׁר שְׁלָחוֹ ה׳ לַעֲשׂוֹת בְּאֶרֶץ מִצְרָיִם, לְפַרְעֹה וּלְכָל עֲבָדָיו וּלְכָל**
**אַרְצוֹ**. מעולם לא חולל איש רצף כזה של נסים ונפלאות, כפי שעשה
משה במצרים, יב **וּלְכֹל הַיָּד הַחֲזָקָה** הן בזמני מלחמה והן בעתות
שלום **וּלְכֹל הַמּוֹרָא הַגָּדוֹל**, יראת ה׳ על משה ויראת משה על כל
ישראל. אלה היו כל התופעות **אֲשֶׁר עָשָׂה**, זימן והראה **מֹשֶׁה לְעֵינֵי כָּל**
**יִשְׂרָאֵל**.

# הפטרות

# הפטרת דברים

**ישעיה**

האשכנזים והספרדים מתחילים כאן

חֲזוֹן יְשַׁעְיָהוּ בֶן־אָמוֹץ אֲשֶׁר חָזָה עַל־יְהוּדָה א א
וִירוּשָׁלָ͏ִם בִּימֵי עֻזִּיָּהוּ יוֹתָם אָחָז יְחִזְקִיָּהוּ מַלְכֵי
יְהוּדָה: שִׁמְעוּ שָׁמַיִם וְהַאֲזִינִי אֶרֶץ כִּי יְהוָה דִּבֵּר ב
בָּנִים גִּדַּלְתִּי וְרוֹמַמְתִּי וְהֵם פָּשְׁעוּ בִי: יָדַע שׁוֹר ג
קֹנֵהוּ וַחֲמוֹר אֵבוּס בְּעָלָיו יִשְׂרָאֵל לֹא יָדַע עַמִּי לֹא
הִתְבּוֹנָן: הוֹי ׀ גּוֹי חֹטֵא עַם כֶּבֶד עָוֺן זֶרַע מְרֵעִים ד
בָּנִים מַשְׁחִיתִים עָזְבוּ אֶת־יְהוָה נִאֲצוּ אֶת־קְדוֹשׁ
יִשְׂרָאֵל נָזֹרוּ אָחוֹר: עַל מֶה תֻכּוּ עוֹד תּוֹסִיפוּ סָרָה ה
כָּל־רֹאשׁ לָחֳלִי וְכָל־לֵבָב דַּוָּי: מִכַּף־רֶגֶל וְעַד־ ו

אבוס

**הרחבות** | **'שמעו שמים והאזיני ארץ'** חכמים העירו שביטוי זה, המבטא פנייה אל תבל ומלואה להקשיב לדבר ה', נראה כמו פרפרזה על דברי השירה האחרונים של גדול הנביאים, משה רבנו: הַאֲזִינוּ הַשָּׁמַיִם וַאֲדַבֵּרָה וְתִשְׁמַע הָאָרֶץ אִמְרֵי פִי (דברים לב,א. וראו תנחומא האזינו ב). מההקבלה בין הפסוקים נראה כי ישעיהו מנסה להמשיך במקום שבו משה הפסיק. ייתכן שמשום כך נפתח הספר בנבואה זו דווקא. הפתיחה מקשרת את הנביא הגדול של ראשית ימי העם עם הנביא הגדול שלקראת סוף תקופת הממלכה. אף תוכן הנבואה אינו רחוק מהרעיונות שבתוכחת האזינו: השחתת בנים ומריים, היעדר התבוננות, אימוץ רשעת סדום

# תוכחה על שחיתות וקלקול המשפט

כשם שמשה פתח דבריו לישראל בתוכחה וסיימם בנחמה ובברכה, כך חזון ישעיהו נפתח בתוכחה נוקבת ומסתיים בנחמה. הנביא מבקר את המסתפקים במעשי פולחן ובטקסים, אשר חייהם המוסריים והחברתיים מנוגדים לרצון ה׳. הנביא אומר להם: החגים והאספות, הביקורים במקדש והבאת הקרבנות - כל אלה אינם מבטאים את חייכם הממשיים. תקנו את חייכם, ואז אקבל אתכם באהבה. השיבו את המשפט ואת הצדקה על כנם.

הפטרת ׳חזון׳ היא השלישית והאחרונה מתוך שלוש הפטרות של פורעניות, והיא סמוכה תמיד לתשעה באב לפניו. מלת הקינה ׳איכה׳ מופיעה הן בתוכחת ישעיהו הן בתחילת דברי משה בפרשה.

ביאור | ישעיה פרק א א **חֲזוֹן**, אחד מכינויי הנבואה, המבטא את יכולתו של
הנביא לראות דברים עלומים. **יְשַׁעְיָהוּ בֶן אָמוֹץ, אֲשֶׁר חָזָה עַל יְהוּדָה**
**וִירוּשָׁלָם** בעיקר, אם כי נבואתו מתייחסת גם לישראל, שהייתה
ממלכה לעצמה, וגם לעמים אחרים, קרובים ורחוקים. את חזונותיו
קיבל ישעיהו **בִּימֵי עֻזִּיָּהוּ, יוֹתָם, אָחָז, יְחִזְקִיָּהוּ, מַלְכֵי יְהוּדָה.**
ב **שִׁמְעוּ שָׁמַיִם וְהַאֲזִינִי אֶרֶץ, כִּי ה׳ דִּבֵּר: בָּנִים**, עם ישראל **גִּדַּלְתִּי וְרוֹמַמְתִּי,**
**וְהֵם פָּשְׁעוּ בִי.** ג **יָדַע** אפילו **שׁוֹר**, שאיננו יצור נבון במיוחד, את **קֹנֵהוּ**,
מי הוא אדוניו. **וַחֲמוֹר** מכיר את **אֵבוּס בְּעָלָיו**, הוא לא רק יודע שזה
אבוס, אלא מכיר בכך שיש לו בעלים, אבל **יִשְׂרָאֵל לֹא יָדַע, עַמִּי לֹא**
**הִתְבּוֹנָן.** לא שם לב לעובדה שיש לו אדון.
כאן מגיעה פנייה חריפה הרבה יותר: ד **הוֹי גּוֹי חֹטֵא, עַם כֶּבֶד עָוֹן,**
שעוונותיו כבדים, **זֶרַע מְרֵעִים**, עושי רע, **בָּנִים מַשְׁחִיתִים, עָזְבוּ אֶת ה׳,**
**נִאֲצוּ**, ביזו **אֶת קְדוֹשׁ יִשְׂרָאֵל**, ה׳. **נָזֹרוּ אָחוֹר.** לא נסוגים אחור בלבד,
אלא מתנזרים - יוצרים חיץ ופונים אחורנית. אנשים ממאנים
להתקשר במהותו הפנימית של ישראל, באלוקיו.[1] ה **עַל מֶה**, לשם
מה **תֻכּוּ עוֹד תּוֹסִיפוּ סָרָה**, ככל שאתם מוכים, אתם מוסיפים למרוד.
**כָּל רֹאשׁ** נתון **לָחֳלִי, וְכָל לֵבָב דַּוָּי**, כואב. ו **מִכַּף רֶגֶל וְעַד רֹאשׁ אֵין בּוֹ** –

הרחבות | וכדומה, אם כי כאן בא פירוט נרחב הרבה יותר.

[1] לכינוי קְדוֹשׁ יִשְׂרָאֵל משמעות כפולה: מצד אחד, המרומָם והנקדש מעל ישראל, ומצד אחר, המקדש את ישראל. (ראו רד״ק ומלבי״ם).
נבואת ישעיהו אינה מכוונת למסגרות של עם ישראל בלבד, אלא גם לממלכות אחרות ולעולם בכללו. למרות גווניה האוניברסליים, ואולי דווקא בגללם, חוזר ונשנה בה עשרות פעמים הכינוי ׳קדוש ישראל׳, המייחד את ישראל, והוא סממן מובהק לסגנונו של הנביא הזה לעומת שאר הנביאים. (ראו למשל ישעיה ה,יט כד; י,כ; ל,יב ועוד רבים).

רֹאשׁ אֵין־בּוֹ מְתֹם פֶּצַע וְחַבּוּרָה וּמַכָּה טְרִיָּה לֹא־
זֹרוּ וְלֹא חֻבָּשׁוּ וְלֹא רֻכְּכָה בַּשָּׁמֶן: אַרְצְכֶם שְׁמָמָה ז
עָרֵיכֶם שְׂרֻפוֹת אֵשׁ אַדְמַתְכֶם לְנֶגְדְּכֶם זָרִים אֹכְלִים
אֹתָהּ וּשְׁמָמָה כְּמַהְפֵּכַת זָרִים: וְנוֹתְרָה בַת־צִיּוֹן ח
כְּסֻכָּה בְכָרֶם כִּמְלוּנָה בְמִקְשָׁה כְּעִיר נְצוּרָה: לוּלֵי ט
יְהוָה צְבָאוֹת הוֹתִיר לָנוּ שָׂרִיד כִּמְעָט כִּסְדֹם הָיִינוּ
לַעֲמֹרָה דָּמִינוּ: שִׁמְעוּ דְבַר־יְהוָה קְצִינֵי י
סְדֹם הַאֲזִינוּ תּוֹרַת אֱלֹהֵינוּ עַם עֲמֹרָה: לָמָּה לִּי יא
רֹב־זִבְחֵיכֶם יֹאמַר יְהוָה שָׂבַעְתִּי עֹלוֹת אֵילִים וְחֵלֶב
מְרִיאִים וְדַם פָּרִים וּכְבָשִׂים וְעַתּוּדִים לֹא חָפָצְתִּי:
כִּי תָבֹאוּ לֵרָאוֹת פָּנָי מִי־בִקֵּשׁ זֹאת מִיֶּדְכֶם רְמֹס יב
חֲצֵרָי: לֹא תוֹסִיפוּ הָבִיא מִנְחַת־שָׁוְא קְטֹרֶת יג

מימין: סוכה בכרם
משמאל: תאו מים ('מריא'?)

**הרחבות** | **בת ציון** כינוי רווח זה לעם ישראל או לממלכה, נשען כנראה על התפיסה המדמה את יחסי ה' וישראל ליחסים של בעל ואשה או של אב ובתו. תפיסה זו מופיעה פעמים רבות בפרט אצל ישעיהו וירמיהו (כמו למשל בהמשך ההפטרה; ישעיה לז,כב; מט,יד–כג; סב,א–ה; ירמיה ד,לא; ו,ב; איכה ב,א ועוד).

ביאור

באדם מישראל **מְתֹם**, מקום ללא מום, **פֶּצַע** שותת דם **וְחַבּוּרָה**, מכה המשאירה סימן[2] **וּמַכָּה טְרִיָּה**, מכה שנעשתה לא מזמן, טרם הגיעה לכלל חבורה.[3] **לֹא זֹרוּ**, לא היה למכות הללו מזור ותרופה, **וְלֹא חֻבָּשׁוּ, וְלֹא רֻכְּכָה**, עוסתה המכָּה **בַּשָּׁמֶן** כדרך ריפוי. ישראל מתוארים כאן כגוף מוכה לחלוטין, פצוע ומוזנח. ז ובמקביל תמונת הארץ – **אַרְצְכֶם שְׁמָמָה. עָרֵיכֶם שְׂרֻפוֹת אֵשׁ. אַדְמַתְכֶם לְנֶגְדְּכֶם**, לעיניכם, **זָרִים אֹכְלִים אֹתָהּ** – את פֵּרותיה, והיא נעשית **שְׁמָמָה כְּמַהְפֵּכַת זָרִים**. פלישתם של זרים אינה כרוכה רק בגנבה ובנזק, אלא גם בפריעת כל סדר, באיבוד ביטחון ועשתונות, חוויה המוכרת למי שביתם נפרץ. ח **וְנוֹתְרָה בַת צִיּוֹן**, עם ישראל **כְּסֻכָּה בְכָרֶם**, כסוכת השומר העזובה בכרם השדוד, **כִּמְלוּנָה בְמִקְשָׁה**, כביתן שבו לן שומר שדה הקישואים, **כְּעִיר נְצוּרָה**, אין יוצא ואין בא.[4] ט **לוּלֵי ה' צְבָאוֹת הוֹתִיר לָנוּ שָׂרִיד כִּמְעָט**, אילולא השאיר לנו מעט שרידים, אז **כִּסְדֹם הָיִינוּ, לַעֲמֹרָה דָּמִינוּ**, כשתי הערים שנהפכו כליל ונעשו סמל להרס ולחורבן.

במעבר מעניין, פונה הנביא אל עמו באותה מטבע:[5] י **שִׁמְעוּ דְבַר ה', קְצִינֵי סְדֹם! הַאֲזִינוּ תּוֹרַת אֱלֹהֵינוּ, עַם עֲמֹרָה!** שתי משמעויות נלוות אל סדום – עיר שכולה רשעה, ומקום שנהפך ולא נשאר ממנו שריד. לאחר שנאמר שארצם של ישראל חרבה כמעט כמו סדום, מתריס הנביא ואומר: אתם אכן דומים בהתנהגותכם לסדום. חייהם של תושבי ארץ יהודה באותה עת סבבו סביב המקדש. פולחן הקרבנות התבצע כסדרו, ואנשים לא הרבו לעבוד עבודה זרה.[6] על כן הם היו שבעי רצון מהתנהגותם וממצבם הדתי. יש להניח שתחושה זו התחזקה במיוחד לאור ההשוואה עם שכניהם אשר בממלכת ישראל, שלא נטלו חלק בעבודת המקדש. זהו הרקע לתוכחתו של הנביא: יא **לָמָּה לִּי רֹב זִבְחֵיכֶם?! יֹאמַר ה'; שָׂבַעְתִּי עֹלוֹת אֵילִים וְחֵלֶב מְרִיאִים**, שוורים מפוטמים, **וְדַם פָּרִים וּכְבָשִׂים וְעַתּוּדִים**, תיישים[7] **לֹא חָפָצְתִּי**. אתם מביאים עוד ועוד קרבנות, ומרגישים בכך התעלות ושביעות רצון. האם אתם חושבים שאני זקוק לכם?! יב **כִּי תָבֹאוּ** לבית המקדש **לֵרָאוֹת פָּנָי**, כשתעלו לרגל,[8] **מִי בִקֵּשׁ זֹאת מִיֶּדְכֶם רְמֹס חֲצֵרָי**, לשם מה אתם דורכים בחצרות בית ה' ורומסים את האבנים?! יג **לֹא תוֹסִיפוּ הָבִיא מִנְחַת שָׁוְא**. מנחתכם היא מתנה ריקה מתוכן ומכוונה. אין כל משמעות

הרחבות

**התלונה על הקרבנות** ראוי לציין שאין פה התנגדות לקרבנות באשר הם, אלא רק למחשבה המוטעית שהעלאת הקרבנות מפצה על כל פגמי ההתנהגות והאישיות. אנשים בטוחים שלאחר שהם מביאים קרבן עוונותיהם נמחלים, זכויותיהם מובטחות, והם מילאו את כל חובתם כלפי ה'. הנביא מביע בשם ה' את הסלידה מתפיסה זו

תּוֹעֵבָה הִיא לִי חֹדֶשׁ וְשַׁבָּת קְרֹא מִקְרָא לֹא־אוּכַל
אָוֶן וַעֲצָרָה׃ חָדְשֵׁיכֶם וּמוֹעֲדֵיכֶם שָׂנְאָה נַפְשִׁי הָיוּ יד
עָלַי לָטֹרַח נִלְאֵיתִי נְשֹׂא׃ וּבְפָרִשְׂכֶם כַּפֵּיכֶם אַעְלִים טו
עֵינַי מִכֶּם גַּם כִּי־תַרְבּוּ תְפִלָּה אֵינֶנִּי שֹׁמֵעַ יְדֵיכֶם
דָּמִים מָלֵאוּ׃ רַחֲצוּ הִזַּכּוּ הָסִירוּ רֹעַ מַעַלְלֵיכֶם מִנֶּגֶד טז
עֵינָי חִדְלוּ הָרֵעַ׃ לִמְדוּ הֵיטֵב דִּרְשׁוּ מִשְׁפָּט אַשְּׁרוּ יז
חָמוֹץ שִׁפְטוּ יָתוֹם רִיבוּ אַלְמָנָה׃ לְכוּ־נָא יח
וְנִוָּכְחָה יֹאמַר יְהוָה אִם־יִהְיוּ חֲטָאֵיכֶם כַּשָּׁנִים כַּשֶּׁלֶג

**הרחבות** | והוא מביע את האבסורד שבה. (ראו עוד מורה נבוכים ח"ג לב; משלי יעקב תחילת ויקרא).

השורש י,כ,ח מופיע מספר פעמים בספר ישעיה, (ראו למשל ישעיה ב,ד; כט,כא), והוא משמש בו בשתי משמעויות דומות: כאשר הוא חד-צדדי מדובר בתוכחה, וכשהוא רפלקסיבי, פירושו הישפטות יחדיו, ויכוח. כאן אין מדובר רק בהיווכחות בעובדות, אלא גם בוויכוח, בדיון ובשיחה. (ראו רד"ק).

ביאור | מאחוריה. הקְטֹרֶת שאתם מביאים – **תּוֹעֵבָה הִיא לִי**, במקום שתהיה
לריח ניחוח העולה לרצון. יתרה מזו, ימי ראש **חֹדֶשׁ וְשַׁבָּת וּקְרֹא
מִקְרָא**, שאר הימים המכונים בתורה מִקְרָאֵי קֹדֶשׁ. פירושו של ביטוי
זה אינו קריאה בספרים בלבד, אלא בעיקר אספה קדושה. אמנם
במועדים ובשבתות אתם מתאספים לקרוא בשם ה׳, להתפלל[9] –
אבל **לֹא אוּכַל** לסבול את **הָאָוֶן**, הרוע ואת **הָעֲצָרָה**, האספה לתפילת
הציבור. חיבור האוון עם העצרה אינו נסבל.[10] התפילה מתנהלת לפי
כל הכללים, כשם שהקרבנות קרבים כסדרם, אך דווקא ההקפדה
הקיצונית על כללי הפולחן שאינה כרוכה בהכרה בחובה שמעבר
לו, היא התועבה. יד את **חָדְשֵׁיכֶם וּמוֹעֲדֵיכֶם**, ימי האספה והחגיגות,
שבהם היה נהוג גם לבקר במקדש או אצל אנשים חשובים, נביאים
וחכמים,[11] **שָׂנְאָה נַפְשִׁי. הָיוּ עָלַי לָטֹרַח, נִלְאֵיתִי נְשֹׂא**. עייפתי מלשאתם.
דבר מכל הטקסים והפולחנים הדתיים שאתם מקיימים באופן
חיצוני, אינו נוגע לחיי היומיום שלכם. טו **וּבְפָרִשְׂכֶם כַּפֵּיכֶם**, כאשר
תפשטו כפות ידיכם למרום בתחנונים[12] – **אַעְלִים עֵינַי מִכֶּם. גַּם כִּי
תַרְבּוּ תְפִלָּה** – **אֵינֶנִּי שֹׁמֵעַ** אותה להיענות לה,[13] **כִּי יְדֵיכֶם** המושטות
אלי בבקשה **דָּמִים מָלֵאוּ**, מגואלות בדם. אין הכוונה לשפיכות דמים
ממשית דווקא, שכן בזמנו של ישעיהו לא הייתה יהודה מלאה
במיוחד ברוצחים, אלא לעוול, סחיטה והתעללות במסכנים.[14]

במקום זאת קורא אליהם הנביא: טז **רַחֲצוּ** את הידיים המלאות דם,
**הִזַּכּוּ**, נקו עצמכם, **הָסִירוּ רֹעַ מַעַלְלֵיכֶם מִנֶּגֶד עֵינָי**, שאותם אני רואה
תמיד, **חִדְלוּ הָרֵעַ**. יז **לִמְדוּ הֵיטֵב** מהי דרך אמת. או: למדו איך להיטיב,
**דִּרְשׁוּ מִשְׁפָּט** צדק, **אַשְּׁרוּ חָמוֹץ**, חזקו את הנחמס,[15] או: ישרו[16] את
דברי החמס. לעומת גזל, חמס איננו פעולה בלתי חוקית אלא בלתי
מוסרית,[17] שכן היא הפעלת לחץ ממוני או אחר מצד העשירים
והחזקים לשם השגת רכוש השייך לזולתם. הנביא אינו מבקר כאן
את אי-שמירת סעיפי החוק, אלא קורא לתקן את העיוות המוסרי.[18]
**שִׁפְטוּ יָתוֹם, רִיבוּ אַלְמָנָה**. ייתכן שהמערכת המשפטית אינה רקובה,
אלא שהיא אינה מותירה סיכוי לאנשים הקטנים הזקוקים לסיוע
ולהגנה.

יח **לְכוּ נָא וְנִוָּכְחָה**, נתווכח, **יֹאמַר ה׳**. ה׳ אינו בא אליכם בהאשמות
בלבד, אלא גם בהצעות תיקון – **אִם יִהְיוּ חֲטָאֵיכֶם כַּשָּׁנִים**, כמו
השני, צבע אדום בוהק[19] – **כַּשֶּׁלֶג יַלְבִּינוּ**. אם תרצו, תוכלו לתקנם

יט יַלְבִּינוּ אִם־יַאְדִּימוּ כַתּוֹלָע כַּצֶּמֶר יִהְיוּ׃ אִם־תֹּאבוּ
כ וּשְׁמַעְתֶּם טוּב הָאָרֶץ תֹּאכֵלוּ׃ וְאִם־תְּמָאֲנוּ וּמְרִיתֶם
כא חֶרֶב תְּאֻכְּלוּ כִּי פִּי יְהוָה דִּבֵּר׃ ★אֵיכָה
התימנים מתחילים כאן
הָיְתָה לְזוֹנָה קִרְיָה נֶאֱמָנָה מְלֵאֲתִי מִשְׁפָּט צֶדֶק
כב יָלִין בָּהּ וְעַתָּה מְרַצְּחִים׃ כַּסְפֵּךְ הָיָה לְסִיגִים סָבְאֵךְ
כג מָהוּל בַּמָּיִם׃ שָׂרַיִךְ סוֹרְרִים וְחַבְרֵי גַּנָּבִים כֻּלּוֹ אֹהֵב
שֹׁחַד וְרֹדֵף שַׁלְמֹנִים יָתוֹם לֹא יִשְׁפֹּטוּ וְרִיב אַלְמָנָה
כד לֹא־יָבוֹא אֲלֵיהֶם׃ לָכֵן נְאֻם הָאָדוֹן יְהוָה
צְבָאוֹת אֲבִיר יִשְׂרָאֵל הוֹי אֶנָּחֵם מִצָּרַי וְאִנָּקְמָה
מֵאוֹיְבָי׃ וְאָשִׁיבָה יָדִי עָלַיִךְ וְאֶצְרֹף כַּבֹּר סִיגָיִךְ
כו וְאָסִירָה כָּל־בְּדִילָיִךְ׃ וְאָשִׁיבָה שֹׁפְטַיִךְ כְּבָרִאשֹׁנָה
וְיֹעֲצַיִךְ כְּבַתְּחִלָּה אַחֲרֵי־כֵן יִקָּרֵא לָךְ עִיר הַצֶּדֶק
כז קִרְיָה נֶאֱמָנָה׃ צִיּוֹן בְּמִשְׁפָּט תִּפָּדֶה וְשָׁבֶיהָ בִּצְדָקָה׃★
האשכנזים והספרדים מסיימים כאן
כח כט וְשֶׁבֶר פֹּשְׁעִים וְחַטָּאִים יַחְדָּו וְעֹזְבֵי יְהוָה יִכְלוּ׃ כִּי
התימנים ממשיכים

צמחים שמהם מופקת בורית ('בֹּר')
מימין: אָהָל מצוי
משמאל: סבונית השדה

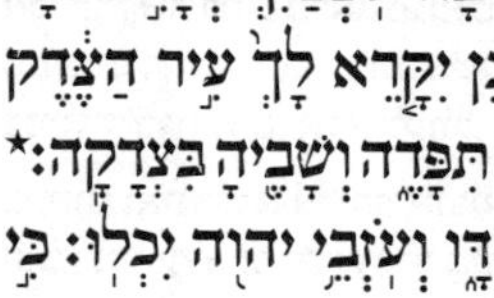

ביאור | בתשובה. ובאותו אופן – **אִם הם יַאְדִּימוּ כַתּוֹלָע**, כתולעת שני[20] –
כַּצֶּמֶר הלבן **יִהְיוּ**. יט **אִם תֹּאבוּ**, תרצו **וּשְׁמַעְתֶּם** את דבר ה׳ – **טוּב הָאָרֶץ**
**תֹּאכֵלוּ**. כ **וְאִם תְּמָאֲנוּ וּמְרִיתֶם – חֶרֶב תְּאֻכְּלוּ**, תושמדו, **כִּי פִּי ה׳ דִּבֵּר**.
זה הצד שלו בוויכוח. הוא הציב את התנאים הללו ונתן בידכם את
אפשרות הבחירה.

בגלל הסגנון הקלאסי של הנבואה, יפי המשפטים, השלמות של
הדימויים וההקבלות המפוארות, לא תמיד שמים לב עד כמה התוכן
בוטה: כא **אֵיכָה הָיְתָה לְזוֹנָה קִרְיָה נֶאֱמָנָה**?! ירושלים, שצריכה להיות
קרייתו הנאמנה של ה׳, הפכה לזונה. העיר שהייתה **מְלֵאֲתִי**, מלאה
**מִשְׁפָּט**, שצֶדֶק **יָלִין**, ישכון **בָּהּ**, **וְעַתָּה** יושביה **מְרַצְּחִים**. כב **כַּסְפֵּךְ הָיָה**
**לְסִיגִים**, חלקי מתכת פשוטה שמעורבים בכסף. בתהליך צירוף רגיל
הסיגים מושלכים, והכסף הנקי נשמר. אצלכם התרחש תהליך הפוך –
הכסף הפך לסיגים. ואין זה דימוי לגבי המערכת הפיננסית בלבד.
**סָבְאֵךְ**, המשקאות החריפים, דוגמת יין, **מָהוּל בַּמָּיִם**. מלבד היותן
דוגמאות ממשיות, הכסף המזויף והיין המהול משמשים גם משלים
כלליים למרמה הטבועה בכול. כג **שָׂרַיִךְ סוֹרְרִים**, בלתי ממושמעים
ובלתי הגונים **וְהם חַבְרֵי גַּנָּבִים**, בשקט הם משתפים פעולה עם
הגנבים. המערך השיפוטי והשלטוני **כֻּלּוֹ אֹהֵב שֹׁחַד וְרֹדֵף שַׁלְמֹנִים**.
לכן **יָתוֹם לֹא יִשְׁפֹּטוּ**, שהרי אין ביכולתו לשלם, **וְרִיב אַלְמָנָה לֹא יָבוֹא**
**אֲלֵיהֶם**. אם האלמנה או היתום מתלוננים על הצדקות, השרים לא
יוציאו צדקתם לאור.

כד **לָכֵן, נְאֻם הָאָדוֹן ה׳ צְבָאוֹת אֲבִיר יִשְׂרָאֵל**, המתנשא על ישראל, או:
מי שמגביה ומנשא את ישראל.[21] ואלו דבריו: **הוֹי אֶנָּחֵם מִצָּרַי**, אנקום
בהם ואז אוכל להירגע, כביכול, **וְאִנָּקְמָה מֵאוֹיְבָי**, החוטאים הללו
נחשבים כשונאַי ואויבַי. כה **וְאָשִׁיבָה יָדִי עָלַיִךְ** לטפל בך, **וְאֶצְרֹף כַּבֹּר**,
חומר ניקוי את **סִיגָיִךְ**, **וְאָסִירָה כָּל בְּדִילָיִךְ**. הבדיל הוא אחד הסיגים
המעורבים בכסף. אולי הוא נקרא כך מפני שהוא נבדל בתהליך
ההיתוך מהמתכת היקרה. כו **וְאָשִׁיבָה** את **שֹׁפְטַיִךְ כְּבָרִאשֹׁנָה**, וְאת
**יֹעֲצַיִךְ**, הממלאים בך תפקידי הנהגה שונים, **כְּבַתְּחִלָּה**. **אַחֲרֵי כֵן יִקָּרֵא**
**לָךְ** – ירושלים, **עִיר הַצֶּדֶק**, כפי שבעבר הצדק לן בך,[22] ותוכלי להיקרא
שוב **קִרְיָה נֶאֱמָנָה** כמו שהיית בעבר, כאמור לעיל. כז **צִיּוֹן** בעשיית
**מִשְׁפָּט תִּפָּדֶה**, **וְשָׁבֶיהָ** ישובו לבנותה[23] באמצעות **צְדָקָה**.

כח **וְשֶׁבֶר פֹּשְׁעִים וְחַטָּאִים יַחְדָּו** יבוא. ושאר **עֹזְבֵי ה׳ יִכְלוּ** עמהם. כט **כִּי**

יֵבֹשׁוּ מֵאֵילִים אֲשֶׁר חֲמַדְתֶּם וְתַחְפְּרוּ מֵהַגַּנּוֹת אֲשֶׁר
בְּחַרְתֶּם׃ כִּי תִהְיוּ כְּאֵלָה נֹבֶלֶת עָלֶהָ וּכְגַנָּה אֲשֶׁר־ ל
מַיִם אֵין לָהּ׃ וְהָיָה הֶחָסֹן לִנְעֹרֶת וּפֹעֲלוֹ לְנִיצוֹץ לא
וּבָעֲרוּ שְׁנֵיהֶם יַחְדָּו וְאֵין מְכַבֶּה׃

ביאור

החוטאים הללו **יֵבֹשׁוּ** כאשר יתבדו, **מֵאֵילִים**, מאילנות האֵלָה, ששימשו
לעבודה זרה, או: מבעלי כוח[24] **אֲשֶׁר חֲמַדְתֶּם. וְתַחְפְּרוּ**, תתביישו[25]
**מֵהַגַּנּוֹת**, מהגנים ששימשו אתכם לפולחן זר[26] או לתענוגות **אֲשֶׁר
בְּחַרְתֶּם**. בכמה מקומות בספר מופיע הרעיון שעולם החטא מושתת
על מותרות ועל דברים חסרי ערך.[27] ל **כִּי תִהְיוּ כְּאֵלָה נֹבֶלֶת עָלֶהָ**,
כמו עץ אלָה שעליו נובלים. האלה היא עץ גדול, מפואר ומרשים
בלבלובו, אולם כשהוא נשאר במערומיו בחורף, לאחר נשירת
עליו, הוא נראה עלוב. גם דימוי זה חוזר ומופיע בדברי ישעיהו.[28]
**וּכְגַנָּה**, כגן **אֲשֶׁר מַיִם אֵין לָהּ**, וכל גידוליה מתייבשים. לא **וְהָיָה הֶחָסֹן**,
גבעולי הפשתן הקשים[29] **לִנְעֹרֶת**, רסיסי הפשתה שנשארו לאחר
שהכינו ממנה חוטים. יש שעושים מרסיסים אלו פקעות, שתועלתן
היחידה היא להיות חומר בערה. **וּפֹעֲלוֹ**, מי שעשאו, יהיה **לְנִיצוֹץ**,
ומכיוון שהנעורת דליקה מאוד – **וּבָעֲרוּ שְׁנֵיהֶם** – החסון והנעורת[30]
**יַחְדָּו, וְאֵין מְכַבֶּה.**

מימין: אלה בשלכת

משמאל: גנה

# הפטרת ואתחנן

ישעיה

מ א ב נַחֲמוּ נַחֲמוּ עַמִּי יֹאמַר אֱלֹהֵיכֶם׃ דַּבְּרוּ עַל־
לֵב יְרוּשָׁלִַם וְקִרְאוּ אֵלֶיהָ כִּי מָלְאָה צְבָאָהּ כִּי
נִרְצָה עֲוֺנָהּ כִּי לָקְחָה מִיַּד יְהוָה כִּפְלַיִם בְּכָל־
ג חַטֹּאתֶיהָ׃ קוֹל קוֹרֵא בַּמִּדְבָּר פַּנּוּ דֶּרֶךְ
ד יְהוָה יַשְּׁרוּ בָּעֲרָבָה מְסִלָּה לֵאלֹהֵינוּ׃ כָּל־גֶּיא
יִנָּשֵׂא וְכָל־הַר וְגִבְעָה יִשְׁפָּלוּ וְהָיָה הֶעָקֹב לְמִישׁוֹר
ה וְהָרְכָסִים לְבִקְעָה׃ וְנִגְלָה כְּבוֹד יְהוָה וְרָאוּ כָל־
ו בָּשָׂר יַחְדָּו כִּי פִּי יְהוָה דִּבֵּר׃ קוֹל אֹמֵר
קְרָא וְאָמַר מָה אֶקְרָא כָּל־הַבָּשָׂר חָצִיר וְכָל־חַסְדּוֹ
ז כְּצִיץ הַשָּׂדֶה׃ יָבֵשׁ חָצִיר נָבֵל צִיץ כִּי רוּחַ יְהוָה

חציר יבש

# נחמה

לאחר יום ציון החורבן נפתחת סדרה של שבע הפטרות נחמה שכולן מספר ישעיה, שאותן קוראים בשבתות שעד ראש השנה. נבואות הנחמה של ישעיהו הן מקור נחמה ועידוד לצרותיו של ישראל בכל הדורות, בין היתר משום שאין הן מתוארכות, ואין בהן כמעט שום התייחסות למאורעות פרטיים, אלא הן עוסקות בתמורות עולמיות רחבות היקף. אמנם בפרקים הראשונים מוזכרת כמה פעמים שיבת ציון מגולת בבל, אך בהמשך בבל איננה מוזכרת כלל.[31]

העניין שלפנינו פותח את הנחמות בארבע הכרזות סביב הבטחת ה׳ לנחם את עמו ולגאלו: בהכרזה הראשונה קורא ה׳ לנחמת עמו ועירו; לאחריה נשמע קול המכריז על הכנת הגאולה, וקורא לסלול דרך לה׳ ולגאוליו השבים מגלויותיהם; הקול השלישי מורה לנמעניו להצהיר כי דבר ה׳ – לנחם את עמו ולגאלו – עומד לעולם; ולבסוף נשמע קול רם בירושלים המבשר על הופעת ה׳ המקבץ נידחיו.

לאחר הקריאות על מימושו של דבר ה׳ לגאול את עמו, הנביא מדבר על גדולת ה׳, שהיא מעבר לכל הגדרה, דמות והערכה אנושית, והוא מדגיש באוזני העם שעליהם לתלות את תקוותם בה׳ לבדו.

ביאור | ישעיה פרק מ א **נַחֲמוּ נַחֲמוּ** את[32] **עַמִּי, יֹאמַר אֱלֹהֵיכֶם.** ב **דַּבְּרוּ עַל לֵב**
**יְרוּשָׁלַ͏ִם** דברי נחמה, הרגעה וריצוי[33] **וְקִרְאוּ אֵלֶיהָ, כִּי מָלְאָה צְבָאָהּ,**
נשלמה תקופת הסבל שנקצבה לה, **כִּי נִרְצָה,** כופר **עֲוֹנָהּ,** חטאה, **כִּי**
**לָקְחָה מִיַּד ה׳** עונש **כִּפְלַיִם בְּ**של **כָל חַטֹּאתֶיהָ.** עליכם להודיע לירושלים
שהגיעה שעת המחילה וההתפייסות.

אחר קריאת הנחמה הכללית, נשמעים קולות מבשרי גאולה: ג הנה
**קוֹל קוֹרֵא: בַּמִּדְבָּר פַּנּוּ דֶּרֶךְ** לה׳, **יַשְּׁרוּ בָּעֲרָבָה מְסִלָּה,** מסלול, נתיב
**לֵאלֹהֵינוּ.** בדרך הזו הוא יביא את גאוליו מכל הארצות.[34] ד **כָּל גֶּיא,**
עמק **יִנָּשֵׂא,** יתרומם ויהפוך למישור, **וְכָל הַר וְגִבְעָה יִשְׁפָּלוּ,** יונמכו,
**וְהָיָה הֶעָקֹב,** העקום, המפותל **לְמִישׁוֹר,** למקום ישר ושטוח, **וְהָרְכָסִים**
של ההרים והגבעות, אשר ביניהם גאיות צרים,[35] יהיו **לְבִקְעָה,** מרחב
נמוך מישורי.[36] לא יהיה כל עיכוב וקושי בדרך המדברית שתיפתח
לשבים. ה אז – **וְנִגְלָה כְּבוֹד ה׳, וְרָאוּ כָל בָּשָׂר,** בגאולת עם ה׳ יתגלה
כבודו לכל העמים **יַחְדָּו, כִּי פִּי ה׳ דִּבֵּר.**

לאחר הקול שקרא לפנות דרך, נשמע קול נוסף: ו **קוֹל אֹמֵר: קְרָא!**
**וְאָמַר** השומע את הקול, הנביא: **מָה אֶקְרָא?**
והתשובה: **כָּל הַבָּשָׂר,** בני האדם דומים **לְחָצִיר,** עשב ירוק המשמש
מספוא לבהמות, שאין לו קיום ממושך, **וְכָל חַסְדּוֹ,** אהבתו וחִנו של
האדם – **כְּצִיץ הַשָּׂדֶה,** כפרחי השדה, שפריחתם אורכת לכל היותר
מספר שבועות.
ז עם הזמן **יָבֵשׁ חָצִיר, נָבֵל צִיץ, כִּי רוּחַ ה׳ נָשְׁבָה בּוֹ.**

נָשְׁבָה בּוֹ אָכֵן חָצִיר הָעָם׃ יָבֵשׁ חָצִיר נָבֵל צִיץ וּדְבַר ח
אֱלֹהֵינוּ יָקוּם לְעוֹלָם׃ עַל הַר־גָּבֹהַ עֲלִי־ ט
לָךְ מְבַשֶּׂרֶת צִיּוֹן הָרִימִי בַכֹּחַ קוֹלֵךְ מְבַשֶּׂרֶת יְרוּשָׁלִָם
הָרִימִי אַל־תִּירָאִי אִמְרִי לְעָרֵי יְהוּדָה הִנֵּה אֱלֹהֵיכֶם׃
הִנֵּה אֲדֹנָי יְהוִה בְּחָזָק יָבוֹא וּזְרֹעוֹ מֹשְׁלָה לוֹ הִנֵּה י
שְׂכָרוֹ אִתּוֹ וּפְעֻלָּתוֹ לְפָנָיו׃ כְּרֹעֶה עֶדְרוֹ יִרְעֶה בִּזְרֹעוֹ יא
יְקַבֵּץ טְלָאִים וּבְחֵיקוֹ יִשָּׂא עָלוֹת יְנַהֵל׃ מִי־ יב
מָדַד בְּשָׁעֳלוֹ מַיִם וְשָׁמַיִם בַּזֶּרֶת תִּכֵּן וְכָל בַּשָּׁלִשׁ
עֲפַר הָאָרֶץ וְשָׁקַל בַּפֶּלֶס הָרִים וּגְבָעוֹת בְּמֹאזְנָיִם׃
מִי־תִכֵּן אֶת־רוּחַ יְהוָה וְאִישׁ עֲצָתוֹ יוֹדִיעֶנּוּ׃ אֶת־מִי יג יד
נוֹעָץ וַיְבִינֵהוּ וַיְלַמְּדֵהוּ בְּאֹרַח מִשְׁפָּט וַיְלַמְּדֵהוּ דַעַת

חרש מצרי נופח באש
תמשיח קיר מקבר רחימר
המאה ה-15 לפנה"ס
תבי, מצרים

ביאור | **אָכֵן**, באמת **חָצִיר הוא הָעָם**, מין האדם שעל פני האדמה.[37] חיי אדם
חולפים ביעף. אין הנביא מבקש כאן להשפיל את הקיום הארעי
האנושי, אלא להדגיש את הצד ההפוך –
ח **יָבֵשׁ חָצִיר, נָבֵל צִיץ, וּדְבַר אֱלֹהֵינוּ יָקוּם לְעוֹלָם.** דורות וחסדיהם
חולפים וכָלים, ורק דבר ה' נותר יציב לנצח.
ט **עַל הַר גָּבֹהַ עֲלִי לָךְ, מְבַשֶּׂרֶת צִיּוֹן**, דמות אלגורית, המקבילה הנשית
למבשר.[38] **הָרִימִי בַכֹּחַ קוֹלֵךְ, מְבַשֶּׂרֶת יְרוּשָׁלָםִ**, להודיע חדשות לעיר
כולה. **הָרִימִי** את קולך ככל יכולתך, **אַל תִּירָאִי, אִמְרִי לְעָרֵי יְהוּדָה:
הִנֵּה אֱלֹהֵיכֶם** מופיע.
י **הִנֵּה ה' אֱלֹהִים בְּחָזָק**, בחוזק **יָבוֹא, וּזְרֹעוֹ מֹשְׁלָה לוֹ.** בכוח זרועו הוא
מושל כחפצו.[39]
**הִנֵּה שְׂכָרוֹ** השכר שהוא מעניק, נמצא **אִתּוֹ, וּפְעֻלָּתוֹ**, משכורת פועליו[40]
מוכנה **לְפָנָיו.** אמנם ה' יתגלה בתוקף, אך הוא יביא עמו את הגמול
המיועד לעושי טוב. יא **כְּרֹעֶה עֶדְרוֹ יִרְעֶה, בִּזְרֹעוֹ יְקַבֵּץ טְלָאִים.** את
צעירי הצאן, שהליכתם עם שאר העדר קשה, יאסוף הרועה בזרועו
המושטת, כדי שלא יאבדו, **וּבְחֵיקוֹ יִשָּׂא** אותם. ואת **הָעָלוֹת**, הבהמות
הצעירות, או: המבכירות **יְנַהֵל**, יוליכן בסדר ובנחת. ה' ינחה את
עמו כרועה טוב ונאמן הדואג לשלום צאנו.

לאחר קריאות הנחמה הנביא פותח בגדולת ה'. יב **מִי מָדַד בְּשָׁעֳלוֹ**,
בפסיעתו,[41] בכף רגלו **מַיִם**, את מימי העולם, **וְשָׁמַיִם בַּזֶּרֶת**, מידת אורך
הנמדדת מקצה האגודל עד קצה הזרת של יד פשוטה – כחצי אמה,
**תִּכֵּן**, מדד, הגדיר את התוכן, **וְכָל**, מדד, קבע את נפח ההכלה **בַּשָּׁלִשׁ**,
כלי מידה קטן[42] את **עֲפַר הָאָרֶץ, וְשָׁקַל בַּפֶּלֶס**, מכשיר שקילה[43] את
**הֶהָרִים**, ואת **הַגְּבָעוֹת** הוא שוקל **בְּמֹאזְנָיִם**?! הבורא מודד כביכול את
היקום כולו בכלים קטנים. בריאת העולם מתוארת כאן כמשחק
בצעצועים.
יג **מִי תִכֵּן**, מי יכול להגדיר ולהכיל **אֶת רוּחַ ה'.** כמו המים, השמים
והארץ שהוזכרו כאן, אף רוח אלוקים נזכרה בראשית בריאת
העולם – וְרוּחַ אֱלֹהִים מְרַחֶפֶת עַל פְּנֵי הַמָּיִם.[44] ומיהו **אִישׁ עֲצָתוֹ** של
ה' – **יוֹדִיעֶנּוּ**, שהוא מודיע לו את מעשיו?!
יד **אֶת מִי נוֹעָץ**, עם מי התייעץ הבורא **וַיְבִינֵהוּ**, ולימד את הבורא
בינה, **וַיְלַמְּדֵהוּ** ללכת **בְּאֹרַח מִשְׁפָּט**, בדרך הראויה לכל עניין ועניין,
**וַיְלַמְּדֵהוּ דַעַת, וְדֶרֶךְ תְּבוּנוֹת יוֹדִיעֶנּוּ**?! הרי אין מקורם של הרוח,
התבונה והדעת אלא בה' לבדו.

וְדֶרֶךְ תְּבוּנוֹת יוֹדִיעֶנּוּ׃ הֵן גּוֹיִם כְּמַר מִדְּלִי וּכְשַׁחַק טו
מֹאזְנַיִם נֶחְשָׁבוּ הֵן אִיִּים כַּדַּק יִטּוֹל׃ וּלְבָנוֹן אֵין דֵּי טז
בָּעֵר וְחַיָּתוֹ אֵין דֵּי עוֹלָה׃ כָּל־הַגּוֹיִם כְּאַיִן יז
נֶגְדּוֹ מֵאֶפֶס וָתֹהוּ נֶחְשְׁבוּ־לוֹ׃ וְאֶל־מִי תְּדַמְּיוּן אֵל יח
וּמַה־דְּמוּת תַּעַרְכוּ־לוֹ׃ הַפֶּסֶל נָסַךְ חָרָשׁ וְצֹרֵף בַּזָּהָב יט
יְרַקְּעֶנּוּ וּרְתֻקוֹת כֶּסֶף צוֹרֵף׃ הַמְסֻכָּן תְּרוּמָה עֵץ כ
לֹא־יִרְקַב יִבְחָר חָרָשׁ חָכָם יְבַקֶּשׁ־לוֹ לְהָכִין פֶּסֶל
לֹא יִמּוֹט׃ הֲלוֹא תֵדְעוּ הֲלוֹא תִשְׁמָעוּ הֲלוֹא הֻגַּד כא
מֵרֹאשׁ לָכֶם הֲלוֹא הֲבִינֹתֶם מוֹסְדוֹת הָאָרֶץ׃ הַיֹּשֵׁב כב
עַל־חוּג הָאָרֶץ וְיֹשְׁבֶיהָ כַּחֲגָבִים הַנּוֹטֶה כַדֹּק שָׁמַיִם
וַיִּמְתָּחֵם כָּאֹהֶל לָשָׁבֶת׃ הַנּוֹתֵן רוֹזְנִים לְאָיִן שֹׁפְטֵי כג
אֶרֶץ כַּתֹּהוּ עָשָׂה׃ אַף בַּל־נִטָּעוּ אַף בַּל־זֹרָעוּ אַף כד
בַּל־שֹׁרֵשׁ בָּאָרֶץ גִּזְעָם וְגַם נָשַׁף בָּהֶם וַיִּבָשׁוּ וּסְעָרָה
כַּקַּשׁ תִּשָּׂאֵם׃ וְאֶל־מִי תְדַמְּיוּנִי וְאֶשְׁוֶה כה
יֹאמַר קָדוֹשׁ׃ שְׂאוּ־מָרוֹם עֵינֵיכֶם וּרְאוּ מִי־בָרָא אֵלֶּה כו
הַמּוֹצִיא בְמִסְפָּר צְבָאָם לְכֻלָּם בְּשֵׁם יִקְרָא מֵרֹב
אוֹנִים וְאַמִּיץ כֹּחַ אִישׁ לֹא נֶעְדָּר׃* לָמָּה כז

האשכנזים והספרדים מסיימים כאן

**הרחבות** | דברי הנבואה המליציים אינם נאמרים בסגנון פילוסופי תיאורטי. אין בהם תיאולוגיה סדורה. הנביא מבקש להוכיח את העם על דימויים אליליים ותפיסות מגבילות ביחס לאל. הוא מחדד את הדברים ומביאם לידי אבסורד: כיצד יכולים אתם לחשוב על הקדוש ברוך הוא כדמותו של פסלון קטן?!

טו הֵן לעומת הבורא נחשבים גּוֹיִם, העמים כְּמַר, כטיפה[45] מִתוך דְּלִי, | ביאור
וּכְשַׁחַק מֹאזְנַיִם, האבקות המצטברות על המאזניים בעקבות שקילתם
של חומרים שונים שחוקים[46] נֶחְשָׁבוּ.
הֵן אִיִּים, איי הים או הארצות הרחוקות[47] כּעפר דַּק יִטּוֹל, הוא נוטלם
ומשליכם.[48]

טז וּבאשר לקרבנות – עצי הר לְבָנוֹן אֵין דֵּי בָּעֵר, אינם מספיקים
להבערת האש על המזבח לכבוד ה', וְחַיָּתוֹ, החיות שביער הלבנון,
אשר היו מצויות בו בעבר לרוב,[49] אֵין דֵּי לקרבנות עוֹלָה.
יז כָּל הַגּוֹיִם כְּאַיִן נֶגְדּוֹ, מֵאֶפֶס ומתֹהוּ נֶחְשְׁבוּ לוֹ. הם מהאין, מהריק.
כיוון שהבורא נשגב, אי אפשר לשוות לו דמות: יח וְאֶל מִי תְּדַמְּיוּן,
תדמו אֵל, וּמַה דְּמוּת תַּעַרְכוּ, תשוו לוֹ?! יט האם[50] תדמוהו לַפֶּסֶל
אשר נָסַךְ, יצק חָרָשׁ, וְצֹרֵף בַּזָּהָב, אומן הזהב יְרַקְּעֶנּוּ, מצפהו
בריקועים, ובנוסף לכך, קושרים בו רְתֻקוֹת, שלשלאות כֶּסֶף מעשה
צוֹרֵף?! כ הַמְסֻכָּן, הסוכן, האוסף[51] ומרים תְּרוּמָה, להכין ממנה אליל,
עֵץ לֹא יִרְקַב יִבְחָר, בוחר עץ קשה כדי שלא יירקב, חָרָשׁ חָכָם יְבַקֶּשׁ,
יחפש לוֹ לְהָכִין פֶּסֶל שלֹּא יִמּוֹט. האם תדמו את האל שיצר הכול לפסל
המעוצב, המיופה, הרתוק, הנברר והמשומר בהשתדלויות אנושיות?!

כא הֲלוֹא, האם לא תֵדְעוּ, הֲלוֹא תִשְׁמָעוּ, הֲלוֹא הֻגַּד מֵרֹאשׁ לָכֶם, הֲלוֹא
הֲבִינֹתֶם מוֹסְדוֹת, יסודות הָאָרֶץ?! האם אינכם מבינים מי מעמיד את
הארץ?![52] כב הלוא הוא – הַיֹּשֵׁב עַל חוּג, מעגל הָאָרֶץ,[53] וְיֹשְׁבֶיהָ בעיניו
כַּחֲגָבִים; הַנּוֹטֶה, הפורש כַדֹּק, כמו קרום, יריעה דקה את הַשָּׁמַיִם,
וַיִּמְתָּחֵם מסביב לארץ כָּאֹהֶל לָשָׁבֶת תחתיו;[54] כג הַנּוֹתֵן רוֹזְנִים לְאָיִן,
ואת שֹׁפְטֵי הָאָרֶץ – כַּתֹּהוּ עָשָׂה. כד אַף כל אותם תקיפים, הנחשבים
כמייצבי החברה, הרי לפניו הם כצמחים בַּל נִטָּעוּ, שאינם נטועים
באדמה, אַף בַּל זֹרָעוּ, לא נזרעו, אַף בַּל שֹׁרֵשׁ, לא הכה שורשים בָּאָרֶץ
גִּזְעָם. וְגַם, ואף זאת[55] – נָשַׁף ה' בָּהֶם – וַיִּבָשׁוּ, וּסְעָרָה כַּקַּשׁ תִּשָּׂאֵם.
כה וְאֶל מִי תְדַמְּיוּנִי, תדמו אותי וְאֶשְׁוֶה?! יֹאמַר קָדוֹשׁ. כינויו של ה'
הנפוץ בעיקר בספר ישעיה.

כו שְׂאוּ מָרוֹם עֵינֵיכֶם, וּרְאוּ מִי בָרָא כוכבים אֵלֶּה, הסדורים במשמרותיהם
ברקיע, הַמּוֹצִיא בְמִסְפָּר צְבָאָם, לְכֻלָּם בְּשֵׁם יִקְרָא. ממה ששמעתם
מאבותיכם ומניסיונכם שלכם אתם יודעים שמסלול הכוכבים
קבוע. כל כוכב דומה לחייל הקרוא לתפקיד מסוים וממלא אותו
בדייקנות. כל זה נעשה מֵרֹב אוֹנִים וְאַמִּיץ כֹּחַ, מגודל כוחו של הבורא.
ולכן אִישׁ, אף כוכב לֹא נֶעְדָּר, נעלם.[56]

אינסופיותו של הבורא כוללת גם את ידיעתו והשגחתו: כז לָמָּה

תֹאמַר יַעֲקֹב וּתְדַבֵּר יִשְׂרָאֵל נִסְתְּרָה דַרְכִּי מֵיהוֹה
וּמֵאֱלֹהַי מִשְׁפָּטִי יַעֲבוֹר׃

הָעֲנִיִּים וְהָאֶבְיוֹנִים מְבַקְשִׁים מַיִם וָאַיִן לְשׁוֹנָם יז מא
בַּצָּמָא נָשָׁתָּה אֲנִי יהוה אֶעֱנֵם אֱלֹהֵי יִשְׂרָאֵל לֹא
אֶעֶזְבֵם׃

ביאור | **תֹאמַר, יַעֲקֹב, וּתְדַבֵּר, יִשְׂרָאֵל:** "**נִסְתְּרָה דַרְכִּי מֵה'**, אין הוא רואה אותי, **וּמֵאֱלֹהַי מִשְׁפָּטִי יַעֲבוֹר**. הגמול הראוי לי מסולק מלפניו. אלוקים אינו משגיח עלי, ולכן אני כה סובל"?![57]

פרק מא י **הָעֲנִיִּים וְהָאֶבְיוֹנִים מְבַקְשִׁים מַיִם – וָאַיִן, לְשׁוֹנָם בַּצָּמָא נָשָׁתָּה**, נעתקה, או: נשכחה, כביכול, מחמת יובש או חוסר שימוש. **אֲנִי ה' אֶעֱנֵם**, אני **אֱלֹהֵי יִשְׂרָאֵל לֹא אֶעֶזְבֵם**.

## הפטרת עקב

ישעיה

וַתֹּאמֶר צִיּוֹן עֲזָבַנִי יהוה וַאדֹנָי שְׁכֵחָנִי׃ הֲתִשְׁכַּח יד טו מט
אִשָּׁה עוּלָהּ מֵרַחֵם בֶּן־בִּטְנָהּ גַּם־אֵלֶּה תִשְׁכַּחְנָה
וְאָנֹכִי לֹא אֶשְׁכָּחֵךְ׃ הֵן עַל־כַּפַּיִם חַקֹּתִיךְ חוֹמֹתַיִךְ טז
נֶגְדִּי תָּמִיד׃ מִהֲרוּ בָּנָיִךְ מְהָרְסַיִךְ וּמַחֲרִבַיִךְ מִמֵּךְ יז
יֵצֵאוּ׃ שְׂאִי־סָבִיב עֵינַיִךְ וּרְאִי כֻּלָּם נִקְבְּצוּ בָאוּ־לָךְ יח
חַי־אָנִי נְאֻם־יהוה כִּי כֻלָּם כַּעֲדִי תִלְבָּשִׁי וּתְקַשְּׁרִים
כַּכַּלָּה׃ כִּי חָרְבֹתַיִךְ וְשֹׁמְמֹתַיִךְ וְאֶרֶץ הֲרִסֻתֵךְ כִּי יט
עַתָּה תֵּצְרִי מִיּוֹשֵׁב וְרָחֲקוּ מְבַלְּעָיִךְ׃ עוֹד יֹאמְרוּ כ
בְאָזְנַיִךְ בְּנֵי שִׁכֻּלָיִךְ צַר־לִי הַמָּקוֹם גְּשָׁה־לִּי וְאֵשֵׁבָה׃
וְאָמַרְתְּ בִּלְבָבֵךְ מִי יָלַד־לִי אֶת־אֵלֶּה וַאֲנִי שְׁכוּלָה כא
וְגַלְמוּדָה גֹּלָה ׀ וְסוּרָה וְאֵלֶּה מִי גִדֵּל הֵן אֲנִי נִשְׁאַרְתִּי
לְבַדִּי אֵלֶּה אֵיפֹה הֵם׃ כֹּה־אָמַר אֲדֹנָי כב

# ציון לא נעזבה

ההפטרה עוסקת בנחמת עם ישראל בקיבוץ גלויותיו. כאשר ה׳ יילחם לישראל ויגאלם, ישתנה העולם כולו; האויבים יחדלו מאיבתם, והארץ ובניה השבים אליה יחיו מחדש. נעימתה של המשך נבואת הנחמה הזאת חריפה יותר – הנביא מבהיר לעם כי יציאתו לגלות תלויה במעשיו ואינה תוצאה של גזרה שרירותית. יסודם של הדברים מופיע גם בפרשת ׳והיה אם שמוע׳ שנקראת בפרשת עקב.

בתוך דברי הנחמה והעידוד לציון, מתואר תפקידו של הנביא על הקושי הכרוך בו. יש שתוכן נבואתו אינו פופולרי כלל; הוא אומר דברים שאינם ערבים לאוזן שומעיו. ואולם הקשיים אינם מערערים את ביטחונו של ישעיהו. הוא איננו נשבר או מבכה את גורלו; להיפך, הוא בז לשומעיו האטומים, ובמקום לעסוק בגורלו, הוא מעורר אותם לדאוג לגורל שנועד להם.

ביאור | ישעיה פרק מט יד **וַתֹּאמֶר צִיּוֹן**, העיר ירושלים, הארץ והאומה:[58] **עֲזָבַנִי**
**ה׳, וַאדֹנָי שְׁכֵחָנִי.**
ה׳ מגיב לטענה זו ואומר: הייתכן?! טו **הֲתִשְׁכַּח אִשָּׁה**, האם אשה
יכולה לשכוח את **עוּלָהּ**, עוללה?! האם היא יכולה לשכוח **מֵרַחֵם**
**עַל בֶּן בִּטְנָהּ**?! אשה אינה שוכחת את תינוקה ואת רחמיה ואהבתה
אליו, אבל **גַּם** אם[59] **אֵלֶּה תִשְׁכַּחְנָה – וְאָנֹכִי** בוודאי **לֹא אֶשְׁכָּחֵךְ**. הקשר
שבין ה׳ לעמו אמיץ יותר מהקשר של אם לבנה.[60] טז **הֵן עַל כַּפַּיִם**,
כפות ידי **חַקֹּתִיךְ**, חקקתי אותך, כמי שקובע דבר כלשהו בידו כדי
לראותו תמיד.[61] **חוֹמֹתַיִךְ** ההרוסות[62] **נֶגְדִּי תָּמִיד**. אינני מפסיק לחשוב
עלייך ועל הגנתך. יז **מִהֲרוּ**, ימהרו **בָּנָיִךְ** לשוב אלייך, ואילו **מְהָרְסַיִךְ**
**וּמַחֲרִבַיִךְ מִמֵּךְ יֵצֵאוּ** וייעלמו.[63] הריק יתמלא, והשיממון ייהפך למקום
מפואר. יח **שְׂאִי סָבִיב עֵינַיִךְ וּרְאִי, כֻּלָּם** – כל הבנים הנידחים **נִקְבְּצוּ**
**בָאוּ לָךְ. חַי אָנִי, נְאֻם ה׳, כִּי כֻלָּם כָּעֲדִי**, כתכשיט **תִלְבָּשִׁי, וּתְקַשְּׁרִים כַּכַּלָּה**
המקושרת ברצועות קישוט. ציון, שחשה עזובה ונשכחת מאישהּ,
עוד תשוב להתקשט בפניו ולהתפאר בריבוי בניה.

יט **כִּי** עד עכשיו היו בך **חָרְבֹתַיִךְ וְשֹׁמְמֹתַיִךְ וְאֶרֶץ הֲרִסֻתֵךְ – כִּי עַתָּה**
**תֵּצְרִי מִיּוֹשֵׁב**. תגדל בך הצפיפות מרוב תושבים, אך יושבייך המרובים
לא יהיו זרים עוינים, שהרי אלו יצאו ממך[64] – **וְרָחֲקוּ מְבַלְּעָיִךְ**,
משחיתייך. כ **עוֹד** יבוא היום שי**ֹאמְרוּ בְאָזְנַיִךְ בְּנֵי שִׁכֻּלָיִךְ**, בנייך
האבודים: **צַר לִי הַמָּקוֹם**, צפוף לי מדי. **גְּשָׁה לִּי**, התרחק מעט הלאה
**וְאֵשֵׁבָה**, כדי שאוכל גם אני לשבת.[65] אם הבנים תהיה מופתעת
לשמע הבקשות על מקומות ישיבה. כא **וְאָמַרְתְּ בִּלְבָבֵךְ** בהשתאות:
**מִי יָלַד לִי אֶת אֵלֶּה, וַאֲנִי שְׁכוּלָה וְגַלְמוּדָה**, עזובה, **גֹּלָה וְסוּרָה**, מרוחקת
או זועפת, **וְאֵלֶּה** כל הצאצאים האלה **מִי גִדֵּל? הֵן אֲנִי נִשְׁאַרְתִּי לְבַדִּי**,
**אֵלֶּה אֵיפֹה**, מאין באו **הֵם**?

יֱהֹוִה הִנֵּה אֶשָּׂא אֶל־גּוֹיִם יָדִי וְאֶל־עַמִּים אָרִים נִסִּי
וְהֵבִיאוּ בָנַיִךְ בְּחֹצֶן וּבְנֹתַיִךְ עַל־כָּתֵף תִּנָּשֶׂאנָה׃
וְהָיוּ מְלָכִים אֹמְנַיִךְ וְשָׂרוֹתֵיהֶם מֵינִיקֹתַיִךְ אַפַּיִם כג
אֶרֶץ יִשְׁתַּחֲווּ־לָךְ וַעֲפַר רַגְלַיִךְ יְלַחֵכוּ וְיָדַעַתְּ כִּי־
אֲנִי יְהֹוָה אֲשֶׁר לֹא־יֵבֹשׁוּ קֹוָי׃ הֲיֻקַּח כד
מִגִּבּוֹר מַלְקוֹחַ וְאִם־שְׁבִי צַדִּיק יִמָּלֵט׃ כִּי־כֹה ׀ כה
אָמַר יְהֹוָה גַּם־שְׁבִי גִבּוֹר יֻקָּח וּמַלְקוֹחַ עָרִיץ יִמָּלֵט
וְאֶת־יְרִיבֵךְ אָנֹכִי אָרִיב וְאֶת־בָּנַיִךְ אָנֹכִי אוֹשִׁיעַ׃
וְהַאֲכַלְתִּי אֶת־מוֹנַיִךְ אֶת־בְּשָׂרָם וְכֶעָסִיס דָּמָם כו
יִשְׁכָּרוּן וְיָדְעוּ כָל־בָּשָׂר כִּי אֲנִי יְהֹוָה מוֹשִׁיעֵךְ
וְגֹאֲלֵךְ אֲבִיר יַעֲקֹב׃ כֹּה ׀ אָמַר יְהֹוָה א נ
אֵי זֶה סֵפֶר כְּרִיתוּת אִמְּכֶם אֲשֶׁר שִׁלַּחְתִּיהָ אוֹ
מִי מִנּוֹשַׁי אֲשֶׁר־מָכַרְתִּי אֶתְכֶם לוֹ הֵן בַּעֲוֹנֹתֵיכֶם
נִמְכַּרְתֶּם וּבְפִשְׁעֵיכֶם שֻׁלְּחָה אִמְּכֶם׃ מַדּוּעַ בָּאתִי ב
וְאֵין אִישׁ קָרָאתִי וְאֵין עוֹנֶה הֲקָצוֹר קָצְרָה יָדִי
מִפְּדוּת וְאִם־אֵין־בִּי כֹחַ לְהַצִּיל הֵן בְּגַעֲרָתִי אַחֲרִיב
יָם אָשִׂים נְהָרוֹת מִדְבָּר תִּבְאַשׁ דְּגָתָם מֵאֵין מַיִם
וְתָמֹת בַּצָּמָא׃ אַלְבִּישׁ שָׁמַיִם קַדְרוּת וְשַׂק אָשִׂים ג

**הרחבות** | 'הקצור קצרה ידי מפדות...' אני מושל בכול. בידי להשפיל כוחות עליונים, להכניע עריצים ולייבש את מקור חיותם. ראו מה חוללתי בקריעת ים סוף, בהצחנת היאור במות דגתו ובמכת חושך. בכוחי גם להעיב את השמים בענני מטר רבים.

ביאור

כב **כֹּה אָמַר ה' אֱלֹהִים** בתשובה לשאלת ציון על הבנים השבים
שאינם מוכרים לה: **הִנֵּה אֶשָּׂא אֶל גּוֹיִם**, אנופף להם **בְּיָדִי, וְאֶל עַמִּים**
**אָרִים נִסִּי**, דגלי לסמן להם שהגיע הזמן,[66] **וְהֵבִיאוּ בָנַיִךְ בְּחֹצֶן**, על
כנף הבגד,[67] **וּבְנֹתַיִךְ עַל כָּתֵף תִּנָּשֶׂאנָה**, כפי שנושאים ילדים קטנים
להנאתם. כג **וְהָיוּ מְלָכִים אֹמְנַיִךְ**, המטפלים בבנייך, **וְשָׂרוֹתֵיהֶם** יהיו
**מֵינִיקֹתַיִךְ. אַפַּיִם אֶרֶץ יִשְׁתַּחֲווּ לָךְ, וַעֲפַר רַגְלַיִךְ יְלַחֵכוּ**. תזכי בכבוד ואהבה
מכל העולם. **וְיָדַעַתְּ כִּי אֲנִי ה' אֲשֶׁר לֹא יֵבֹשׁוּ קֹוָי**, המקווים לי.

וכי יישאל: כד **הֲיֻקַּח מִגִּבּוֹר מַלְקוֹחַ**?! אם גיבור לקח שלל – האם
אפשר להוציאו מידו?! **וְאִם שְׁבִי צַדִּיק**, מנצח ותקיף[68] **יִמָּלֵט**?! האם
אפשר להציל מידי המנצח את שביו?!
כה **כִּי כֹה אָמַר ה'**, בתשובה לתמיהה זו: **גַּם שְׁבִי גִבּוֹר יֻקָּח, וּמַלְקוֹחַ**
**עָרִיץ**, תקיף **יִמָּלֵט**. והטעם הוא – כי **אֶת יְרִיבֵךְ אָנֹכִי אָרִיב**. אמנם
קשה להילחם באויבים גדולים וחזקים, אך לא אתם תעשו זאת,
אלא אני אלחם באויביכם.[69] **וְאֶת בָּנַיִךְ אָנֹכִי אוֹשִׁיעַ**. כו **וְהַאֲכַלְתִּי**
**אֶת מוֹנַיִךְ**, מציקייך **אֶת בְּשָׂרָם, וְכֶעָסִיס** את **דָּמָם** שלהם הם ישתו
**וְיִשְׁכָּרוּן** כנקמה. **וְיָדְעוּ כָל בָּשָׂר כִּי אֲנִי ה' מוֹשִׁיעֵךְ, וְגֹאֲלֵךְ** אני **אֲבִיר**,
אדון, המנושא על[70] **יַעֲקֹב**.

כהמשך התגובה לתחושת הנטישה של ציון, שבביטוייה נפתחה
הנבואה, אומר ה' דברים חריפים יותר: פרק נ א **כֹּה אָמַר ה'** לישראל:
**אֵי זֶה**, היכן **סֵפֶר כְּרִיתוּת**, הגט של **אִמְּכֶם**, הדמות הסמלית של
ישראל, כנסת ישראל,[71] **אֲשֶׁר שִׁלַּחְתִּיהָ**?! הגלות, הייסורים או הסבל
יכולים להתפרש כגירושין הכורתים את העם מאלוקיו. ה' שולל
זאת בשאלה הרטורית: היכן הוא הגט שניתן בידה?! **אוֹ מִי מִנּוֹשַׁי**,
מי הוא הנושה התובע ממני את חובו, **אֲשֶׁר מָכַרְתִּי אֶתְכֶם לוֹ**?! לא
נמכרתם כעבדים לעמים אחרים בגלל עסקות או רווחים כלשהם,
ולא מפני שרציתי להיפטר מכם, אלא כעונש על מעשיכם – **הֵן**
**בַּעֲוֹנֹתֵיכֶם נִמְכַּרְתֶּם, וּבְפִשְׁעֵיכֶם שֻׁלְּחָה אִמְּכֶם**.

על כן מן הראוי שתבואו לקול קריאתי:[72] ב **מַדּוּעַ בָּאתִי וְאֵין אִישׁ,**
**קָרָאתִי וְאֵין עוֹנֶה?! הֲקָצוֹר קָצְרָה יָדִי מִ**להביא **פְּדוּת**, ישועה, **וְ**האם **אֵין**
**בִּי כֹחַ לְהַצִּיל?! הֵן בְּגַעֲרָתִי אַחֲרִיב**, אייבש **יָם, אָשִׂים נְהָרוֹת לְמִדְבָּר**. אז
**תִּבְאַשׁ דְּגָתָם**, הדגים יצחינו **מֵאֵין מַיִם וְתָמֹת בַּצָּמָא**. ג **אַלְבִּישׁ שָׁמַיִם**

הרחבות

אל לכם לחשוב כי מפני קוצר ידי נעזבתם או משום גזרה שרירותית. אתם במעשיכם הוצאתם את עצמכם לגלות, ובידכם לחזור. הדלת פתוחה בפניכם, ויש מי שמצפה לשיבתכם (על פי רד"ק ומצודת דוד).

כְּסוּתָם׃ אֲדֹנָי יֱהֹוִה נָתַן לִי לְשׁוֹן לִמּוּדִים ד
לָדַעַת לָעוּת אֶת־יָעֵף דָּבָר יָעִיר ׀ בַּבֹּקֶר בַּבֹּקֶר
יָעִיר לִי אֹזֶן לִשְׁמֹעַ כַּלִּמּוּדִים׃ אֲדֹנָי יֱהֹוִה פָּתַח־לִי ה
אֹזֶן וְאָנֹכִי לֹא מָרִיתִי אָחוֹר לֹא נְסוּגֹתִי׃ גֵּוִי נָתַתִּי ו
לְמַכִּים וּלְחָיַי לְמֹרְטִים פָּנַי לֹא הִסְתַּרְתִּי מִכְּלִמּוֹת
וָרֹק׃ וַאדֹנָי יֱהֹוִה יַעֲזָר־לִי עַל־כֵּן לֹא נִכְלָמְתִּי עַל־ ז
כֵּן שַׂמְתִּי פָנַי כַּחַלָּמִישׁ וָאֵדַע כִּי־לֹא אֵבוֹשׁ׃ קָרוֹב ח
מַצְדִּיקִי מִי־יָרִיב אִתִּי נַעַמְדָה יָּחַד מִי־בַעַל מִשְׁפָּטִי
יִגַּשׁ אֵלָי׃ הֵן אֲדֹנָי יֱהֹוִה יַעֲזָר־לִי מִי־הוּא יַרְשִׁיעֵנִי ט
הֵן כֻּלָּם כַּבֶּגֶד יִבְלוּ עָשׁ יֹאכְלֵם׃ מִי בָכֶם י
יְרֵא יהוה שֹׁמֵעַ בְּקוֹל עַבְדּוֹ אֲשֶׁר ׀ הָלַךְ חֲשֵׁכִים
וְאֵין נֹגַהּ לוֹ יִבְטַח בְּשֵׁם יהוה וְיִשָּׁעֵן בֵּאלֹהָיו׃ הֵן יא
כֻּלְּכֶם קֹדְחֵי אֵשׁ מְאַזְּרֵי זִיקוֹת לְכוּ ׀ בְּאוּר אֶשְׁכֶם
וּבְזִיקוֹת בִּעַרְתֶּם מִיָּדִי הָיְתָה־זֹּאת לָכֶם לְמַעֲצֵבָה
תִּשְׁכָּבוּן׃ שִׁמְעוּ אֵלַי רֹדְפֵי צֶדֶק מְבַקְשֵׁי א נא

עש
וזחל העש
על אריג

**העולם** | עָשׁ הוא עש הבגדים המצוי (שם מדעי: Tineola bisselliella), מין פרפר שהזחל שלו ניזון מכרסום סיבי בגדים. בתנאי חֲשֵׁכָה, טמפרטורה ולחות נוחים מעמיד העש בשנה ארבעה דורות המסוגלים להשמיד כ-50 ק"ג צמר. שורש השם עש הוא ע,ש,ש, שפירושו רפיון וחולשה (ראו תהלים ו,ח וכן לא,יא). ומכאן גם שמו הנוסף 'סס' (להלן נא,ח). כך הוא נקרא גם באכדית ובשפות שמיות אחרות.

ביאור

קְדֵרוּת, וְשַׂק אָשִׂים כְּסוּתָם. ביכולתי להביא לקדרות ואבל בעולם.
ד ה' אֱלֹהִים נָתַן לִי לְשׁוֹן לִמּוּדִים, מלומדת, בהירה ומיומנת[73] לָדַעַת
לָעוּת, לייעץ דבר בעתו,[74] או: לעזור ולעודד[75] אֶת יָעֵף, עייף, מותש
דָּבָר. ה' יָעִיר אותי בַּבֹּקֶר בַּבֹּקֶר, יָעִיר לִי אֹזֶן, יעורר את אוזני לִשְׁמֹעַ
כַּלִּמּוּדִים. לא רק את כישרון הדיבור קיבלתי מה', אלא גם את
המיומנות להקשיב.
ה ה' אֱלֹהִים פָּתַח לִי אֹזֶן לשמוע הן את דברו והן את בני האדם,
וְאָנֹכִי לֹא מָרִיתִי. אף על פי שיכולתי לסרב לקבל כוחות מיוחדים אלו
ולהיות כאחד האדם, הייתי נכון לקבלם. אָחוֹר לֹא נְסוּגֹתִי. ו כתוצאה
מכך אירע שאת גֵּוִי, גופי נָתַתִּי לְמַכִּים, ואת לְחָיַי נתתי לְמֹרְטִים את
שער זקני. את פָּנַי לֹא הִסְתַּרְתִּי מִכְּלִמּוֹת וָרֹק.
ז אף על פי שאני כה שנוא ובזוי – ה' אֱלֹהִים יַעֲזָר לִי, עַל כֵּן לֹא נִכְלָמְתִּי.
עַל כֵּן שַׂמְתִּי פָנַי כַּחַלָּמִישׁ, כאבן קשה. המכות והיריקות אינן עושות
עלי כל רושם. וָאֵדַע שנבואתי היא דבר ה', כִּי, על כן לֹא אֵבוֹשׁ מן
ההשפלה.[76] ח אינני עומד לבדי – קָרוֹב מַצְדִּיקִי, ה' המאשר את
צדקתי, עומד בצדי, ואני פועל תחת חסותו. לכן מִי יָרִיב אִתִּי?! הבה
נַעַמְדָה יָּחַד ונתעמת, מִי בַעַל מִשְׁפָּטִי – יִגַּשׁ אֵלָי להתווכח ולדון כנגדי.
ט הֵן ה' אֱלֹהִים יַעֲזָר לִי, מִי הוּא יַרְשִׁיעֵנִי?! מי יכול להרשיע אותי?! הֵן
אני נשען על אלוקים נצחי, ואילו כֻּלָּם – כל אנשי ריבי כַּבֶּגֶד יִבְלוּ,
עָשׁ יֹאכְלֵם. קיומם עראי כסמרטוטים בלויים אכולי עש. י מִי, האם
יש בָכֶם יְרֵא ה', שֹׁמֵעַ בְּקוֹל עַבְדּוֹ, הנביא, אֲשֶׁר אותו העבד נראה
בעיניהם כמי שהָלַךְ חֲשֵׁכִים, וְאֵין נֹגַהּ, אור לוֹ. כאדם חשוך, בן לימים
עברו שיִבְטַח בְּשֵׁם ה' וְיִשָּׁעֵן בֵּאלֹהָיו?! אתם, לעומת זאת, נאורים
ומוארים בעיני עצמכם. יא הֵן כֻּלְּכֶם קֹדְחֵי אֵשׁ, עמלים כדי להבעיר
אש,[77] מְאַזְּרֵי זִיקוֹת, מחזקים ו'קושרים' את זיקוקי האש שיצרתם כדי
שיהיו ללהבה. אם כן לְכוּ בְּאוּר אֶשְׁכֶם וּבְזִיקוֹת שֶׁבִּעַרְתֶּם. שמרו על
נאורותכם העלובה, ולכו לאורה.[78] מִיָּדִי הָיְתָה זֹּאת – הגורל שיביא
עליכם ה' לָכֶם, לְמַעֲצֵבָה, בלא מרגוע, אכולי דאגה וספקות תִּשְׁכָּבוּן.
האור שיצרתם ידעך, ותישארו בחשכה.

פרק נא א שִׁמְעוּ אֵלַי, רֹדְפֵי צֶדֶק שהם מְבַקְשֵׁי ה'. הנביא מציע

הרחבות

'לדעת לעות את יָעֵף דבר' בעיקרו של דבר הנביא הוא כלי למסור את דבר ה', ולכן הוא נתפס בדרך כלל כדמות הפונה רק בכיוון אחד – מלמעלה למטה, מה' אל האדם. כאן מצטיירת דמות דו-סטרית; הנביא נדרש גם להבין את האנשים, להיות ער למצוקתם, לעודד אותם ולהתייחס למה שהם חווים. (ראו כיוצא בזה ישעיה סא,א).

יְהוָה הַבִּיטוּ אֶל־צוּר חֻצַּבְתֶּם וְאֶל־מַקֶּבֶת בּוֹר
נֻקַּרְתֶּם: הַבִּיטוּ אֶל־אַבְרָהָם אֲבִיכֶם וְאֶל־שָׂרָה ב
תְּחוֹלֶלְכֶם כִּי־אֶחָד קְרָאתִיו וַאֲבָרְכֵהוּ וְאַרְבֵּהוּ:
כִּי־נִחַם יְהוָה צִיּוֹן נִחַם כָּל־חָרְבֹתֶיהָ וַיָּשֶׂם מִדְבָּרָהּ ג
כְּעֵדֶן וְעַרְבָתָהּ כְּגַן־יְהוָה שָׂשׂוֹן וְשִׂמְחָה יִמָּצֵא בָהּ
תּוֹדָה וְקוֹל זִמְרָה:





מימין: מקבות
משמאל: בור מים למרגלות חורבת עוזה

ביאור | למעוניינים בקרבת ה׳: **הַבִּיטוּ אֶל צוּר**, הסלע שממנו **חֻצַּבְתֶּם**, שממנו
נחצבו אבני היסוד שלכם, **וְאֶל מַקֶּבֶת**, נקיבת **הבּוֹר** שממנו **נֻקַּרְתֶּם**,
הוצאתם או בקעתם.[79] חִזרו אל מקורותיכם הראשוניים.[80] לאבני
המקור הללו מדומים אבי העם ואִמו הראשונים: ב **הַבִּיטוּ אֶל**
**אַבְרָהָם אֲבִיכֶם וְאֶל שָׂרָה תְּחוֹלֶלְכֶם**, יולדתכם, **כִּי אֶחָד קְרָאתִיו** אלי,
וכן: הכרזתי עליו, ייחדתיו בשם וטיפחתי אותו. אברהם ושרה
היו זוג אחד בלבד, אבל אני גידלתי את אברהם ועשיתיו לעם[81] –
**וַאֲבָרְכֵהוּ וְאַרְבֵּהוּ**. כמו אברהם ושרה, זוג ערירי אחד שהייתה לו
עדנה אחרי בלותו והצמיח עם שיִּרש את הארץ, כך בניו הלקוחים
ממנו, אַתם – תגדלו ותבנו את הארץ מחדש.[82] ג **כִּי נִחַם**, ינחם[83] **ה׳**
את **צִיּוֹן**, **נִחַם** את **כָּל חָרְבֹתֶיהָ**, **וַיָּשֶׂם מִדְבָּרָהּ כְּעֵדֶן**, כמקום פורה ונעים,
**וְ**את **עַרְבָתָהּ** עשה **כְּגַן ה׳**. **שָׂשׂוֹן וְשִׂמְחָה יִמָּצֵא בָהּ, תּוֹדָה וְקוֹל זִמְרָה.**

נִחַם כָּל חָרְבֹתֶיהָ

בית כנסת
׳החורבה׳
העיר העתיקה,
ירושלים

**הרחבות** | **׳כִּי נִחַם ה׳ צִיּוֹן׳** מלבד המשמעות הפשוטה של נחמה, משתמע גם שה׳ מתחרט, כביכול,
על הצרות שהביא על ציון ועל חורבנה. (ראו עמוס ז,ג).

# הפטרת ראה

ישעיה

נד יא עֲנִיָּה סֹעֲרָה לֹא נֻחָמָה הִנֵּה אָנֹכִי מַרְבִּיץ בַּפּוּךְ
יב אֲבָנַיִךְ וִיסַדְתִּיךְ בַּסַּפִּירִים: וְשַׂמְתִּי כַּדְכֹד שִׁמְשֹׁתַיִךְ
וּשְׁעָרַיִךְ לְאַבְנֵי אֶקְדָּח וְכָל־גְּבוּלֵךְ לְאַבְנֵי־חֵפֶץ:
יג יד וְכָל־בָּנַיִךְ לִמּוּדֵי יהוה וְרַב שְׁלוֹם בָּנָיִךְ: בִּצְדָקָה
תִּכּוֹנָנִי רַחֲקִי מֵעֹשֶׁק כִּי־לֹא תִירָאִי וּמִמְּחִתָּה כִּי לֹא־
טו תִקְרַב אֵלָיִךְ: הֵן גּוֹר יָגוּר אֶפֶס מֵאוֹתִי מִי־גָר אִתָּךְ

מימין:
chalcedony
('כדכד'?)

משמאל:
רובי
('אבני אקדח'?)

**העולם** | **פּוּךְ** כאן הוא מין אבן יקרה, כמתואר בבניין בית המקדש הראשון: אַבְנֵי שֹׁהַם וּמִלּוּאִים אַבְנֵי פוּךְ וְרִקְמָה וְכֹל אֶבֶן יְקָרָה (דברי הימים א׳ כט,ב). הפוך זוהתה עם הנֹּפֶךְ (שמות כח,יח), אחת מאבני החושן שצבעה כחול או שחור (ראו רד״ק ומלבי״ם על אתר). אחרים סברו כי הפוך הוא חומר מליטה שבו ממלאים את הרווח שבין האבנים הטובות כדי להחזיקן ולהבליטן.

**סַפִּירִים** אבני ספיר הן אחד הסוגים של המינרל קורונדום (Corundum). קשיותן גבוהה ביותר, וצבען הנפוץ הוא כחול, אך הן מצויות בצבעים שונים, למעט אדום.

# נחמת ציון השוממה והענייה

בדברי הנחמה הללו מתבשרת ציון, הממאנת להתנחם, שה׳ נשבע להתקשר אִתה בברית עולם, לבנותה בפאר ובאבנים טובות ולהרחיב תחומה. נבואת העידוד הזאת כוללת קריאה לישראל לשוב אל ה׳ ולדרוש אותו, והבטחה לעזרת ה׳ ולגאולת עולם. כאן מתבטאת הגאולה בשפע טובה לישראל, בקיבוץ הנידחים ובהפיכת העולם כולו למקום שמח, יפה ומסייע.

ביאור | ישעיה פרק נד יא **עֲנִיָּה סֹעֲרָה**, גולה ומטולטלת בלא מנוח שלמרות
כל ההבטחות שקדמו עדיין **לֹא נֻחָמָה** מרוב דכדוכה וסבלה. **הִנֵּה
אָנֹכִי מַרְבִּיץ**, מרצף[84] **בַּפּוּךְ**, באבנים יקרות את **אֲבָנַיִךְ**. כשתשוקמי
במקומך, תיבני באבני בניין יקרות. **וִיסַדְתִּיךְ בַּסַּפִּירִים**, אבני היסוד
שלך יהיו אבני ספיר.[85] יב **וְשַׂמְתִּי כַּדְכֹד**, שם אבן יקרה, שממנה
ייעשו **שִׁמְשֹׁתַיִךְ**, לוחות נוצצים בשמש, העשויים לנוי ולאור.[86] **וּשְׁעָרַיִךְ**
אשים **לְאַבְנֵי אֶקְדָּח**, סוג נוסף של אבן טובה הדומה בגווניה לאש או
לגחלים, **וְכָל גְּבוּלֵךְ**, שטחך[87] – **לְאַבְנֵי חֵפֶץ**, אבני חן שהבריות רוצות
אותן.[88] אז תחדלי להיות ענייה וסוערת, כבר לא תגורי באוהל,
אלא תשבי במשכנות מפוארים – בין באופן ממשי, בין באופן
סמלי.

לא רק מקומה של ציון ותבנית מגוריה ישתנו; יחול שינוי משמעותי
גם ביושבים בה. יג **וְכָל בָּנַיִךְ** יהיו **לִמּוּדֵי**, תלמידי ה׳, והם ידעו אותו
ויורגלו ללכת בדרכיו,[89] **וְרַב**, ירבה **שְׁלוֹם בָּנָיִךְ**. הבנים המלומדים לא
יריבו זה עם זה אלא יחיו יחדיו בשלום.

יד כאשר ישוקמו הריסותייך, **בִּצְדָקָה תִּכּוֹנָנִי**. תיבני על בסיס היושר
והחוק.[90] **רַחֲקִי מֵעֹשֶׁק, כִּי לֹא תִירָאִי**. כיוון שתחיי בשלווה ולא תהיי
נתונה תחת פחדים, תוכלי להתרחק מגזל, שכן לעתים חוסר יושר
מופיע כתוצאה מפחד. ורחקי **מִמְּחִתָּה**, שבר,[91] צרה, **כִּי לֹא תִקְרַב
אֵלָיִךְ**.[92] טו **הֵן**, הלוא **גּוֹר יָגוּר**, יפחד זה שהוא **אֶפֶס מֵאוֹתִי**, מי שאיננו
אתי ושאינו נתון תחת השגחתי.[93] לעומת זאת **מִי גָר אִתָּךְ**, כנסת

העולם | **כַּדְכֹד** בתרגום השבעים זיהו אבן זו עם הַיָּשְׁפֵה, אחת מאבני החושן. בערבית מכונה אבן חן אדומה מסוימת ׳כדכדא׳. ביוונית נושאת אבן קוורץ המופיעה בצבעים שונים שם דומה, karchedon, אך ככל הנראה היא קרויה על שמה הקדום של העיר קרתגו שבתוניס, אשר ממנה היו מביאים אבנים אלו. (באנגלית האבן נקראת Chalcedony).

**אַבְנֵי אֶקְדָּח** השורש ק,ד,ח חוזר בפעלים הקשורים לבערת האש (ראו דברים לב,כב; ישעיה נ,יא; ירמיה טו,יד; יז,ד). על כן היו שזיהו את אבני האקדח עם אבנים יקרות שיש להן מראה גחלי אש, כגון האודם (Ruby). רבנו בחיי והמלבי״ם זיהו אותן עם הַבָּרֶקֶת, אבן מאבני החושן המכונה בימינו אמרלד.

הִנֵּה עָלַיִךְ יִפּוֹל׃ הֵן אָנֹכִי בָּרָאתִי חָרָשׁ נֹפֵחַ בְּאֵשׁ פֶּחָם טז
וּמוֹצִיא כְלִי לְמַעֲשֵׂהוּ וְאָנֹכִי בָּרָאתִי מַשְׁחִית לְחַבֵּל׃
כָּל־כְּלִי יוּצַר עָלַיִךְ לֹא יִצְלָח וְכָל־לָשׁוֹן תָּקוּם־אִתָּךְ יז
לַמִּשְׁפָּט תַּרְשִׁיעִי זֹאת נַחֲלַת עַבְדֵי יְהוָה וְצִדְקָתָם
מֵאִתִּי נְאֻם־יְהוָה׃ הוֹי כָּל־צָמֵא לְכוּ א נה
לַמַּיִם וַאֲשֶׁר אֵין־לוֹ כָּסֶף לְכוּ שִׁבְרוּ וֶאֱכֹלוּ וּלְכוּ שִׁבְרוּ
בְּלוֹא־כֶסֶף וּבְלוֹא מְחִיר יַיִן וְחָלָב׃ לָמָּה תִשְׁקְלוּ־כֶסֶף ב
בְּלוֹא־לֶחֶם וִיגִיעֲכֶם בְּלוֹא לְשָׂבְעָה שִׁמְעוּ שָׁמוֹעַ
אֵלַי וְאִכְלוּ־טוֹב וְתִתְעַנַּג בַּדֶּשֶׁן נַפְשְׁכֶם׃ הַטּוּ אָזְנְכֶם ג
וּלְכוּ אֵלַי שִׁמְעוּ וּתְחִי נַפְשְׁכֶם וְאֶכְרְתָה לָכֶם בְּרִית
עוֹלָם חַסְדֵי דָוִד הַנֶּאֱמָנִים׃ הֵן עֵד לְאוּמִּים נְתַתִּיו ד
נָגִיד וּמְצַוֵּה לְאֻמִּים׃ הֵן גּוֹי לֹא־תֵדַע תִּקְרָא וְגוֹי ה
לֹא־יְדָעוּךָ אֵלֶיךָ יָרוּצוּ לְמַעַן יְהוָה אֱלֹהֶיךָ וְלִקְדוֹשׁ
יִשְׂרָאֵל כִּי פֵאֲרָךְ׃

חרש מצרי נופח באש
תמשיח קיר מקבר רחימר
המאה ה-15 לפנה"ס
תבי, מצרים

**הרחבות** 'לכו שִׁבְרו בלוא כסף ובלוא מחיר יין וחלב' החכמה מספקת גם דברים שאינם הכרחיים לקיום הבסיסי של העולם. הרעיון שהחכמה נקנית מופיע במקרא רק כאן ובספר משלי (ד,ה): קְנֵה חָכְמָה, קְנֵה בִינָה. לאמתו של דבר, היה עליכם

ביאור | ישראל, ומצטרף אלייך – **עָלַיִךְ יִפּוֹל**, ישכון לבטח.[94] תוכלי להיבנות בלא כל פחד, כיוון שאני הוא השולט בכול – בכוחות היצירה ובכוחות ההרס. טז **הִנֵּה אָנֹכִי בָּרָאתִי** את **הֶחָרָשׁ**, האומן, שאחת מעבודותיו להיות **נֹפֵחַ בְּאֵשׁ פֶּחָם**, מלבה את האש כדי להגדילה, ובכך הוא **מוֹצִיא כְלִי לְמַעֲשֵׂהוּ**, מייצר כלים כדי להשתמש בהם, **וְ**יחד עם זאת **אָנֹכִי בָּרָאתִי** גם **מַשְׁחִית לְחַבֵּל**. כשם שאני הוא שבראתי את בוני העולם ויוצרי כליו, אני הוא שבראתי את משחיתיו. יז כיוון שהכול שלי, **כָּל כְּלִי** שיוּצַר, ייעשה **עָלַיִךְ** להזיק לך – **לֹא יִצְלָח. וְכָל לָשׁוֹן**, אומה, או: כל פה דובר, אשר **תָּקוּם אִתָּךְ לַמִּשְׁפָּט – תַּרְשִׁיעִי**. מי שיבואו כנגדך בטענות משפטיות ובוויכוחים, יחויבו ויפסידו, כמו אלו שיבואו כנגדך בכוח.[95] **זֹאת נַחֲלַת**, זהו חלקם המובטח של **עַבְדֵי ה'**, וזו **צִדְקָתָם**, גמולם הצודק, או: שכר מעשי צדקותם,[96] שהם מקבלים **מֵאִתִּי. נְאֻם ה'**.

פרק נה א **הוֹי, כָּל צָמֵא, לְכוּ לַמַּיִם**, אל ה', שהוא מקור חייכם, כמים. **וַאֲשֶׁר אֵין לוֹ כָּסֶף, לְכוּ שִׁבְרוּ**, קנו מזון **וֶאֱכֹלוּ, וּלְכוּ שִׁבְרוּ בְּלוֹא כֶסֶף וּבְלוֹא מְחִיר יַיִן וְחָלָב**, חכמה. לא רק המים החיוניים ניתנים לכם חינם, אף במותרות – יין וחלב – תזכו ללא תשלום.[97] ב **לָמָּה תִשְׁקְלוּ**, תשלמו **כֶסֶף** בעד דברים חסרי ערך, שאינם מזינים – **בְּלוֹא** לקבל **לֶחֶם**?! ולשם מה תשקיעו את **יְגִיעֲכֶם**, מה שאתם מתייגעים בו, **בְּלוֹא לְשָׂבְעָה**, בדבר שאינו משביע?! במקום להשקיע עמל וטרחה במה שאינו מועיל או מספק, **שִׁמְעוּ שָׁמוֹעַ אֵלַי, וְאִכְלוּ טוֹב, וְתִתְעַנַּג בַּדֶּשֶׁן נַפְשְׁכֶם**, שהרי אני הוא מקור הטוב, השפע והעונג.[98] ג **הַטּוּ אָזְנְכֶם וּלְכוּ אֵלַי, שִׁמְעוּ וּתְחִי נַפְשְׁכֶם, וְאֶכְרְתָה לָכֶם בְּרִית עוֹלָם**, כמו **חַסְדֵי דָוִד הַנֶּאֱמָנִים**, כברית שכרַתִּי עם דוד, שאינה פגה לעולם.[99] ד **הֵן עֵד לְאוּמִּים**, עמים[100] **נְתַתִּיו** – את דוד ואת ביתו אחריו. דוד אינו מופיע כאן רק כאדם פרטי; דוד מלך ישראל ואבי שושלת המלוכה מייצג את עם ישראל כולו. על העם מוטל להעיד באוזני אומות העולם על מציאות ה' ועל קדושתו, והוא גם **נָגִיד**, מושל **וּמְצַוֵּה לְאֻמִּים**. ה **הֵן** לעתיד לבוא **גּוֹי לֹא תֵדַע**, עם זר **תִּקְרָא**. הם יסורו למשמעתך ולהוראותיך,[101] **וְגוֹי לֹא יְדָעוּךָ**, העמים הזרים **אֵלֶיךָ יָרוּצוּ**, ייאספו אליך לקבל ממך תורה וחכמה. כל זאת **לְמַעַן ה' אֱלֹהֶיךָ, וְלִקְדוֹשׁ יִשְׂרָאֵל כִּי פֵאֲרָךְ**, נתן לך פאר.

הרחבות | לשלם בעבור החכמה ובעד שאר המעלות הטובות, אך בפועל הן ניתנות גם למי שאין לו כסף. גם דימויי החכמה למזון ולמשקה מופיעים בספר משלי. (ראו משלי ה,יט; ט,ה; יח,ד).

# הַפְטָרַת שֹׁפְטִים

ישעיה

נא יב אָנֹכִי אָנֹכִי הוּא מְנַחֶמְכֶם מִי־אַתְּ וַתִּירְאִי מֵאֱנוֹשׁ
יָמוּת וּמִבֶּן־אָדָם חָצִיר יִנָּתֵן׃ וַתִּשְׁכַּח יְהֹוָה עֹשֶׂךָ יג
נוֹטֶה שָׁמַיִם וְיֹסֵד אָרֶץ וַתְּפַחֵד תָּמִיד כָּל־הַיּוֹם
מִפְּנֵי חֲמַת הַמֵּצִיק כַּאֲשֶׁר כּוֹנֵן לְהַשְׁחִית וְאַיֵּה חֲמַת
הַמֵּצִיק׃ מִהַר צֹעֶה לְהִפָּתֵחַ וְלֹא־יָמוּת לַשַּׁחַת וְלֹא יד
יֶחְסַר לַחְמוֹ׃ וְאָנֹכִי יְהֹוָה אֱלֹהֶיךָ רֹגַע הַיָּם וַיֶּהֱמוּ טו
גַּלָּיו יְהֹוָה צְבָאוֹת שְׁמוֹ׃ וָאָשִׂם דְּבָרַי בְּפִיךָ וּבְצֵל טז
יָדִי כִּסִּיתִיךָ לִנְטֹעַ שָׁמַיִם וְלִיסֹד אָרֶץ וְלֵאמֹר
לְצִיּוֹן עַמִּי־אָתָּה׃ הִתְעוֹרְרִי הִתְעוֹרְרִי יז
קוּמִי יְרוּשָׁלִַם אֲשֶׁר שָׁתִית מִיַּד יְהֹוָה אֶת־כּוֹס
חֲמָתוֹ אֶת־קֻבַּעַת כּוֹס הַתַּרְעֵלָה שָׁתִית מָצִית׃ אֵין־ יח
מְנַהֵל לָהּ מִכָּל־בָּנִים יָלָדָה וְאֵין מַחֲזִיק בְּיָדָהּ מִכָּל־

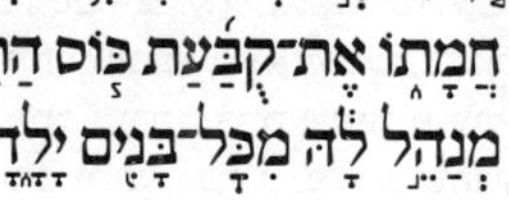

קובעת מברונזה
המאה ה-4
לפנה"ס
לבנון

# נחמה ועידוד

בדברי הנחמה הבאים, המשופעים במלים וניבים כפולים, מעודד הנביא את החוששים ונוסך בהם ביטחון ותקווה לעולם חדש. יש בהם נבואות המתאימות לגאולת גולי בבל, ונראה שהן מכוונות אליה, ויש בהם נבואות המתייחסות לגאולה העתידה, שאין אחריה גלות.

ביאור | ישעיה נא יב **אָנֹכִי אָנֹכִי הוּא מְנַחֶמְכֶם**, ולכן – **מִי אַתְּ וַתִּירְאִי מֵאֱנוֹשׁ**
שבסופו **יָמוּת**?! האם כנסת ישראל צריכה לפחד מבן תמותה, **וּמִבֶּן**
**אָדָם** אשר **כְּחָצִיר יִנָּתֵן**, הנדמה כעשב נובל או נקצר וכלֶה?! יראתך
מאנוש בן חלוף כרוכה בשכחת מקור כוחך. יג **וַתִּשְׁכַּח את ה'**
**עֹשֶׂךָ, נוֹטֶה שָׁמַיִם וְיֹסֵד אָרֶץ**. הרי ביכולתו של ה' לכונן את העולם,
ורק מכיוון שאינך זוכר אותו – **וַתְּפַחֵד תָּמִיד כָּל הַיּוֹם מִפְּנֵי חֲמַת**,
זעמו ואיבתו של **הַמֵּצִיק**, האויב, **כַּאֲשֶׁר כּוֹנֵן**, מכוון את כליו, מתכונן
**לְהַשְׁחִית**, הסתכל סביבך וחפש – **וְאַיֵּה חֲמַת הַמֵּצִיק**?! היכן הוא האויב
שאתה ירא משנאתו?! מה נותר מכל אותם איומים וכיווני קשתות?!
במקום לכלות את זמנכם ואת כוחותיכם בדאגות הרגע המיותרות,
סִמכו על גבורת ה' שאינה מוגבלת בזמן, במקום וביכולת. יד **מִהַר**
**צֹעֶה**, ימהר הנודד, הכפוף, היושב במצוק או: הצועק,[102] הוא עם
ישראל בגולה, **לְהִפָּתֵחַ**, לצאת ממסגר הגלות,[103] **וְלֹא יָמוּת לַשַּׁחַת**,
לבור, לאבדון, **וְלֹא יֶחְסַר לַחְמוֹ**. טו **וְאָנֹכִי ה' אֱלֹהֶיךָ רֹגַע**, מחזיק[104]
את **הַיָּם, וַיֶּהֱמוּ** במצוותי **גַּלָּיו**. ה' שולט בסער הים וגליו כרצונו, ועל
אחת כמה וכמה בכוחו לשלוט בהמיית רגשותיהם ובסערת רוחם
של המציקים.[105] **ה' צְבָאוֹת שְׁמוֹ**. טז **וָאָשִׂים דְּבָרַי** הבוראים, המחיים
והמנחמים **בְּפִיךָ** – בפי העם. בכך אפרוש את חסותי עליך,[106] **וּבְצֵל**
**יָדִי כִּסִּיתִיךָ**. אני הוא ה' אשר אמרתי **לִנְטֹעַ שָׁמַיִם וְלִיסֹד אָרֶץ וְלֵאמֹר**
**לְצִיּוֹן: עַמִּי אָתָּה**.[107] אלה הם הדברים הגדולים והיציבים שברא
אלוקים בעולמו: שמים, ארץ ועם ישראל.[108]

דברי התנחומים נמשכים, ובאופן פיוטי: יז **הִתְעוֹרְרִי הִתְעוֹרְרִי**,
**קוּמִי, יְרוּשָׁלַםִ, אֲשֶׁר** סבלת **וְשָׁתִית מִיַּד ה' אֶת כּוֹס חֲמָתוֹ**, כעסו, **אֶת**
**קֻבַּעַת**, מעין גביע, כלי קיבול גדול[109] **כּוֹס הַתַּרְעֵלָה שָׁתִית מָצִית** עד
תומה. יח לפי תחושתה של ציון, **אֵין מְנַהֵל**, מנהיג, מדריך **לָהּ מִכָּל**
**בָּנִים יָלָדָה**. אף בן מהבנים הרבים שילדה אינו מעוניין לטפל בה.

העולם | **קֻבַּעַת** צלוחית שתייה. 'קובעת' נזכרת כשם נרדף לכוס גם בכתבי אוגרית (עלילת אקהת מהמאה ה-14 לפנה"ס). בממצא ארכיאולוגי מלבנון (ראו איור) נמצאה צלוחית שתייה מברונזה, שקוטרה כ-18 ס"מ וגובהה 3 ס"מ, ובה כתובת הקדשה המציינת שהכלי הוא קובעת המוקדשת ל'מרזח של שמש'.

בָּנִ֖ים גִּדֵּ֑לָה׃ שְׁתַּ֤יִם הֵ֙נָּה֙ קֹרְאֹתַ֔יִךְ מִ֖י יָנ֣וּד לָ֑ךְ הַשֹּׁ֧ד יט
וְהַשֶּׁ֛בֶר וְהָרָעָ֥ב וְהַחֶ֖רֶב מִ֥י אֲנַחֲמֵֽךְ׃ בָּנַ֜יִךְ עֻלְּפ֥וּ כ
שָׁכְב֛וּ בְּרֹ֥אשׁ כָּל־חוּצ֖וֹת כְּת֣וֹא מִכְמָ֑ר הַֽמְלֵאִ֥ים
חֲמַת־יהוה גַּעֲרַ֥ת אֱלֹהָֽיִךְ׃ לָכֵ֛ן שִׁמְעִי־נָ֥א זֹ֖את עֲנִיָּ֑ה כא
וּשְׁכֻרַ֖ת וְלֹ֥א מִיָּֽיִן׃ כֹּֽה־אָמַ֞ר אֲדֹנַ֣יִךְ כב
יהוה וֵאלֹהַ֙יִךְ֙ יָרִ֣יב עַמּ֔וֹ הִנֵּ֥ה לָקַ֛חְתִּי מִיָּדֵ֖ךְ אֶת־
כּ֣וֹס הַתַּרְעֵלָ֑ה אֶת־קֻבַּ֙עַת֙ כּ֣וֹס חֲמָתִ֔י לֹא־תוֹסִ֥יפִי
לִשְׁתּוֹתָ֖הּ עֽוֹד׃ וְשַׂמְתִּ֙יהָ֙ בְּיַד־מוֹגַ֔יִךְ אֲשֶׁר־אָמְר֥וּ כג
לְנַפְשֵׁ֖ךְ שְׁחִ֣י וְנַעֲבֹ֑רָה וַתָּשִׂ֤ימִי כָאָ֙רֶץ֙ גֵּוֵ֔ךְ וְכַח֖וּץ
לַעֹבְרִֽים׃ ע֥וּרִי ע֛וּרִי לִבְשִׁ֥י עֻזֵּ֖ךְ צִיּ֑וֹן א נב
לִבְשִׁ֣י ׀ בִּגְדֵ֣י תִפְאַרְתֵּ֗ךְ יְרוּשָׁלַ֙ם֙ עִ֣יר הַקֹּ֔דֶשׁ כִּ֣י לֹ֥א
יוֹסִ֧יף יָבֹא־בָ֛ךְ ע֖וֹד עָרֵ֥ל וְטָמֵֽא׃ הִתְנַעֲרִ֧י מֵעָפָ֛ר ב
הִתְפַּתְּחִי ק֖וּמִי שְּׁבִ֣י יְרוּשָׁלָ֑ם התפתחו מוֹסְרֵ֣י צַוָּארֵ֔ךְ שְׁבִיָּ֖ה
בַּת־צִיּֽוֹן׃ כִּי־כֹה֙ אָמַ֣ר יהוה חִנָּ֖ם נִמְכַּרְתֶּ֑ם ג
וְלֹ֥א בְכֶ֖סֶף תִּגָּאֵֽלוּ׃ כִּ֣י כֹ֤ה אָמַר֙ אֲדֹנָ֣י ד
יֱהֹוִ֔ה מִצְרַ֛יִם יָֽרַד־עַמִּ֥י בָרִאשֹׁנָ֖ה לָג֣וּר שָׁ֑ם וְאַשּׁ֖וּר

ביזון אירופאי
('תוא מכמר'?)

**העולם** | **תוֹא מִכְמָר** מרבית המפרשים והחוקרים זיהו תְּאוֹ זה עם התאו ברשימת שבע החיות הטהורות בספר דברים (יד,ה). היו שזיהו אותו עם הביזון האירופאי (שם מדעי: Bison bonasus), שור יער מרשים ופראי שהיה מצוי בארץ ונכחד.

ביאור | כולם עסוקים בענייניהם. **וְאֵין מַחֲזִיק בְּיָדָהּ מִכׇּל בָּנִים גִּדֵּלָה.** ציון
מדומה לאשה שילדיה גדלו ועזבוה לנפשה; ובהיעלמם באו אחרים
לבקרה – יט **שְׁתַּיִם הֵנָּה**, צרות כפולות הן[110] **קֹרְאֹתַיִךְ**, ההתרחשויות
הנקראות לבוא אלייך, קורותייך.[111] **מִי יָנוּד לָךְ**?! מי ישתתף בצערך?!
**הַשֹּׁד וְהַשֶּׁבֶר, וְהָרָעָב וְהַחֶרֶב** הם אלה שבאים לבקרך בעזיבת הבנים.
**מִי אֲנַחֲמֵךְ**, ינחמך?! כ **בָּנַיִךְ עֻלְּפוּ**, התעלפו, **שָׁכְבוּ בְּרֹאשׁ כׇּל חוּצוֹת
כְּתוֹא**, תאו, ביזון, בָּקר פראי למחצה שנפל **בְּמִכְמָר**, מלכודת. כתאו
כלוא השוכב חסר אונים, כך בנייך **הַמְלֵאִים חֲמַת ה׳, גַּעֲרַת אֱלֹהָיִךְ**. אף
הם שוכבים ברחובות עלובים ומדוכאים. כא **לָכֵן שִׁמְעִי נָא זֹאת, עֲנִיָּה
וּשְׁכֻרַת**, שיכורה **וְלֹא מִיָּיִן**, אלא מכוס תרעלת הצרות. אדם מיוסר
עשוי להגיע למצב דמוי שכרות; הוא מבולבל ומטושטש, חסר
יציבות ואובד עשתונות.[112] כב **כֹּה אָמַר אֲדֹנַיִךְ ה׳ וֵאלֹהַיִךְ** שלבסוף
**יָרִיב**, יילחם בעד **עַמּוֹ: הִנֵּה לָקַחְתִּי מִיָּדֵךְ אֶת כּוֹס הַתַּרְעֵלָה** שאת שותה,
**אֶת קֻבַּעַת כּוֹס חֲמָתִי – לֹא תוֹסִיפִי לִשְׁתּוֹתָהּ עוֹד**. הצרות, השחיטות,
הרדיפות, האפליה, הגזרות, הגָלויות והפוגרומים שמהם סבלת
לאורך זמן רב, ייפסקו. כג **וְשַׂמְתִּיהָ** – את הכוס הזו **בְּיַד מוֹגַיִךְ**,
מצערייך, מביאי תוגתך,[113] **אֲשֶׁר אָמְרוּ לְנַפְשֵׁךְ**, לגופך החי: "**שְׁחִי**,
התכופפי **וְנַעֲבֹרָה** עלייך, נרמוס אותך". **וַתָּשִׂימִי כָאָרֶץ גֵּוֵךְ**, גופך, **וְכַחוּץ**,
כרחוב תהיי **לַעֹבְרִים** ושבים. אותם גויים גאים שדרסו אותך, ישתו
עתה את כוס התרעלה ששתית אַת. אַת תתאוששי, ואילו הם יבינו
עכשיו מה היה מצבך.

וקריאת נחמה ועידוד נוספת לציון בהגיע זמן הגאולה: פרק
נב א **עוּרִי עוּרִי, לִבְשִׁי עֻזֵּךְ, צִיּוֹן, לִבְשִׁי בִּגְדֵי תִפְאַרְתֵּךְ, יְרוּשָׁלַםִ עִיר
הַקֹּדֶשׁ**. הנביא מעורר ומעודד אותה בניצחונה ובנצחיותה, **כִּי לֹא
יוֹסִיף יָבֹא בָךְ עוֹד עָרֵל וְטָמֵא**. ב **הִתְנַעֲרִי מֵעָפָר**, קומי מהעפר **וּשְׁבִי,
יְרוּשָׁלָםִ, הִתְפַּתְּחִי**, פתחי את **מוֹסְרֵי**, העול אשר על **צַוָּארֵךְ, שְׁבִיָּה**,
שבויה[114] **בַּת צִיּוֹן**, כלל העם. הגיעה העת שתשתחררי.

ג **כִּי כֹה אָמַר ה׳: חִנָּם נִמְכַּרְתֶּם**. כאשר נמכרתם בידי אויביכם, לא
נתקבלה תמורה כלשהי בעדכם, וְלכן **לֹא בְכֶסֶף תִּגָּאֵלוּ**. אינכם חייבים
לשלם כסף לפדיון נפשכם, לא לה׳ ולא לאחרים. ד **כִּי כֹה אָמַר ה׳
אֱלוֹהִים: לְמִצְרַיִם יָרַד עַמִּי בָרִאשֹׁנָה לָגוּר שָׁם**, ושם סָבַל, כידוע. **וְאַשּׁוּר**

העולם | אולם היו שפירשו שהוא מין עוף (ראב"ע וראו שמואל הנגיד), ובתרגום השבעים מתורגם: ὡς σευτλίον ἡμίεφθον, שמשמעותו סלק מבושל למחצה או מצומק.

ה בְּאֶפֶס עֲשָׁקוֹ: וְעַתָּה מַה־לִּי־פֹה נְאֻם־יהוה כִּי־
לֻקַּח עַמִּי חִנָּם מֹשְׁלָו יְהֵילִילוּ נְאֻם־יהוה וְתָמִיד
ו כָּל־הַיּוֹם שְׁמִי מִנֹּאָץ: לָכֵן יֵדַע עַמִּי שְׁמִי לָכֵן בַּיּוֹם
ז הַהוּא כִּי־אֲנִי־הוּא הַמְדַבֵּר הִנֵּנִי: מַה־
נָּאווּ עַל־הֶהָרִים רַגְלֵי מְבַשֵּׂר מַשְׁמִיעַ שָׁלוֹם מְבַשֵּׂר
ח טוֹב מַשְׁמִיעַ יְשׁוּעָה אֹמֵר לְצִיּוֹן מָלַךְ אֱלֹהָיִךְ: קוֹל
צֹפַיִךְ נָשְׂאוּ קוֹל יַחְדָּו יְרַנֵּנוּ כִּי עַיִן בְּעַיִן יִרְאוּ בְּשׁוּב
ט יהוה צִיּוֹן: פִּצְחוּ רַנְּנוּ יַחְדָּו חָרְבוֹת יְרוּשָׁלִָם כִּי־נִחַם
י יהוה עַמּוֹ גָּאַל יְרוּשָׁלִָם: חָשַׂף יהוה אֶת־זְרוֹעַ קָדְשׁוֹ
לְעֵינֵי כָּל־הַגּוֹיִם וְרָאוּ כָּל־אַפְסֵי־אָרֶץ אֵת יְשׁוּעַת
יא אֱלֹהֵינוּ: סוּרוּ סוּרוּ צְאוּ מִשָּׁם טָמֵא אַל־
יב תִּגָּעוּ צְאוּ מִתּוֹכָהּ הִבָּרוּ נֹשְׂאֵי כְּלֵי יהוה: כִּי לֹא
בְחִפָּזוֹן תֵּצֵאוּ וּבִמְנוּסָה לֹא תֵלֵכוּן כִּי־הֹלֵךְ לִפְנֵיכֶם
יהוה וּמְאַסִּפְכֶם אֱלֹהֵי יִשְׂרָאֵל:

**הרחבות** | יציאת מצרים והגאולה העתידה הנביא הזכיר את ירידת העם למצרים בתחילת הנבואה (פס' ד). בהמשכה נאמר שה' ייראה אל שבי ציון עַיִן בְּעַיִן (פס' ח לעיל), כשם שנאמר בהקשר של מסעם של ישראל שיצאו ממצרים במדבר (במדבר יד,יד).

ביאור | בְאֶפֶס, בלא כל סיבה עֲשָׁקוֹ, גזל את עמי במשך שנים. ה וְעַתָּה
מַה לִּי פֹה – בגלות, נְאֻם ה׳, כִּי לֻקַּח עַמִּי חִנָּם, בלי הצדקה, וּמֹשְׁלָו
יְהֵילִילוּ, יתפארו בהצלחתם,[115] נְאֻם ה׳, וְתָמִיד כָּל הַיּוֹם שְׁמִי מִנֹּאָץ,
מחולל, באשר עַמי שרוי בגלות.[116] ו לָכֵן כאשר תבוא הגאולה יֵדַע
עַמִּי את שְׁמִי, שהיום הוא מנואץ, ואת גדולתו. לָכֵן בַּיּוֹם הַהוּא יתקיים
הדבר ויתאמת כִּי אֲנִי הוּא הַמְדַבֵּר, הִנֵּנִי.

ז מַה נָּאווּ, כמה יפות עַל הֶהָרִים רַגְלֵי מְבַשֵּׂר. כמה יפה יהיה כאשר
יופיעו הרצים על ההרים להודיע את בשורות הגאולה העתידה.
לעומת מבשרי מלחמה, פורענות ושבי, מבשר זה יהיה מַשְׁמִיעַ שָׁלוֹם,
מְבַשֵּׂר טוֹב, מַשְׁמִיעַ יְשׁוּעָה, אֹמֵר לְצִיּוֹן: ״מָלַךְ אֱלֹהָיִךְ״. ח הנה קול –
צֹפַיִךְ, נביאייך,[117] שחזו לך נחמה ועתה הם רואים בהתגשמותה,
נָשְׂאוּ, הרימו קוֹל. יַחְדָּו יְרַנֵּנוּ, כִּי עַיִן בְּעַיִן, ראייה מוחשית[118] יִרְאוּ בְּשׁוּב
ה׳ צִיּוֹן. ט פִּצְחוּ בשיר רַנְּנוּ יַחְדָּו, אפילו חָרְבוֹת יְרוּשָׁלָםִ, כִּי נִחַם ה׳
עַמּוֹ, גָּאַל את יְרוּשָׁלָםִ. י חָשַׂף ה׳ אֶת זְרוֹעַ קָדְשׁוֹ לְעֵינֵי כָּל הַגּוֹיִם, וְרָאוּ
כָּל אַפְסֵי, קצות הָאָרֶץ אֵת יְשׁוּעַת אֱלֹהֵינוּ. כך תיראה הגאולה, וכך
יזמרו את שיריה כשתתגלה לעין כול, וכשהכול ייווכחו לדעת כי
הנבואות והציפיות התממשו, וציון נוחמה.

יא סוּרוּ סוּרוּ, צְאוּ מִשָּׁם – מן הגולה. בכל דבר טָמֵא אַל תִּגָּעוּ, כי אתם
עתידים לנגוע בדברים טהורים. צְאוּ מִתּוֹכָהּ, הִבָּרוּ, התנקו, נֹשְׂאֵי כְּלֵי
ה׳. יב כִּי כאשר תשובו מהגולה הזו, לֹא בְחִפָּזוֹן תֵּצֵאוּ, וּבִמְנוּסָה לֹא
תֵלֵכוּן. לא תשובו מתוך בריחה, מהומה וחשש כמו בשעת יציאת
מצרים.[119] הפעם תצאו ברוגע ותלכו בנחת כִּי הֹלֵךְ לִפְנֵיכֶם ה׳, ואף
מְאַסִּפְכֶם, הולך מאחוריכם אֱלֹהֵי יִשְׂרָאֵל. אתם מצויים תחת החסות
המלאה והשלמה ביותר, ועל כן אין סיבה שתחששו.

הרחבות | אף ההגנה האלוקית שתקיף את השבים לארץ לעתיד לבוא לפניהם ואחריהם, המתוארת בסוף הנבואה, מזכירה את מחנה ישראל במדבר, שהיה מוקף במדבר בענן, אש ומלאך מלפנים ומאחור. (ראו שמות יג,כא–כב; יד,יט).

# הפטרת כי תצא

ישעיה

נד א רָנִּי עֲקָרָה לֹא יָלָדָה פִּצְחִי רִנָּה וְצַהֲלִי לֹא־חָלָה
כִּי־רַבִּים בְּנֵי־שׁוֹמֵמָה מִבְּנֵי בְעוּלָה אָמַר יְהוָה׃
ב הַרְחִיבִי ׀ מְקוֹם אָהֳלֵךְ וִירִיעוֹת מִשְׁכְּנוֹתַיִךְ יַטּוּ אַל־
ג תַּחְשֹׂכִי הַאֲרִיכִי מֵיתָרַיִךְ וִיתֵדֹתַיִךְ חַזֵּקִי׃ כִּי־יָמִין
וּשְׂמֹאול תִּפְרֹצִי וְזַרְעֵךְ גּוֹיִם יִירָשׁ וְעָרִים נְשַׁמּוֹת
ד יוֹשִׁיבוּ׃ אַל־תִּירְאִי כִּי־לֹא תֵבוֹשִׁי וְאַל־תִּכָּלְמִי
כִּי לֹא תַחְפִּירִי כִּי בֹשֶׁת עֲלוּמַיִךְ תִּשְׁכָּחִי וְחֶרְפַּת
ה אַלְמְנוּתַיִךְ לֹא תִזְכְּרִי־עוֹד׃ כִּי בֹעֲלַיִךְ עֹשַׂיִךְ יְהוָה
צְבָאוֹת שְׁמוֹ וְגֹאֲלֵךְ קְדוֹשׁ יִשְׂרָאֵל אֱלֹהֵי כָל־הָאָרֶץ
ו יִקָּרֵא׃ כִּי־כְאִשָּׁה עֲזוּבָה וַעֲצוּבַת רוּחַ קְרָאָךְ יְהוָה
ז וְאֵשֶׁת נְעוּרִים כִּי תִמָּאֵס אָמַר אֱלֹהָיִךְ׃ בְּרֶגַע קָטֹן

אוהל - יריעותיו, מיתריו ויתדותיו

# נחמת ציון השוממה והענייה

בראשית ימי הבית השני שבו ארצה רק מעט אנשים, והם שבנו הכול מחדש. ואולם היישוב היה מדוכדך ועלוב. הנביא צופה שבגאולה העתידה הציבור שיישאר בארץ יגדל ויתפשט. הוא קורא לפתוח את ערי הארץ לקראת הגולים העתידים לשוב מארצות פזוריהם.

נחמה זו הולמת את פרשת השבוע המרבה לעסוק במערכת היחסים שבין איש לאשתו ולמשפחתו, בפרֵדות ובקשרים חדשים. אלו משמשים בהפטרה דימויים ליחסי ה׳ וישראל.

ביאור | פרק נד א **רָנִּי,** הנביא פונה לדמות הנשית המגלמת את ישראל:
שמחי ושירי, **עֲקָרָה, שֶׁלֹּא יָלָדָה.** כנסת ישראל בגלות מדומה לאשה
שלא ילדה ושלא תלד ילדים. **פִּצְחִי רִנָּה,** פתחי בשיר **וְצַהֲלִי,** זו **שֶׁלֹּא
חָלָה,** לא ילדה,[120] לכאורה, **כִּי** לאמתו של דבר **רַבִּים** יהיו **בְּנֵי שׁוֹמֵמָה,**
העזובה, יותר **מִבְּנֵי בְעוּלָה, אָמַר ה׳.** ב **הַרְחִיבִי מְקוֹם אָהֳלֵךְ** כדי לקבל
את בנייך הרבים, **וִירִיעוֹת מִשְׁכְּנוֹתַיִךְ יַטּוּ,** יהיו פרושות. **אַל תַּחְשֹׂכִי,**
תקמצי במקום או ביריעות. **הַאֲרִיכִי מֵיתָרַיִךְ,** החבלים שבהם נקשרות
יריעות אוהלך אל היתדות, **וִיתֵדֹתַיִךְ חַזֵּקִי,** שכן הגיע הקץ לנדודייך,
ומעתה ייקבע אוהלך במקום אחד.[121] ג **כִּי יָמִין וּשְׂמֹאול תִּפְרֹצִי, וְזַרְעֵךְ
גּוֹיִם,** עמים **יִירָשׁ, וְעָרִים נְשַׁמּוֹת,** שוממות **יוֹשִׁיבוּ,** ייַשבו.

הנביא דימה קודם את ציון לאשה עקרה, והוא ממשיך ומדבר
אליה: ד **אַל תִּירְאִי** מדָּבר, **כִּי לֹא תֵבוֹשִׁי.** דבר לא יבייש ולא יאכזב
אותך. **וְאַל תִּכָּלְמִי, כִּי לֹא תַחְפִּירִי,** תתביישי[122] עוד, **כִּי בֹשֶׁת עֲלוּמַיִךְ,**
נעורייך **תִּשְׁכָּחִי, וְחֶרְפַּת אַלְמְנוּתַיִךְ לֹא תִזְכְּרִי עוֹד.** שוב לא תזכרי לא את
ימי בדידותך כשהיית רווקה, ולא את פגיעותך ואת חוסר הביטחון
שחווית כשהיית אלמנה. יבוא זמן שכל אלה יישכחו. ה **כִּי בֹעֲלַיִךְ,**
אדונייך[123] הוא **עֹשַׂיִךְ,** יוצרך, **ה׳ צְבָאוֹת שְׁמוֹ.** אינך רווקה או אלמנה,
אלא שהפֵּרדה הממושכת מבעלך היא שהשכיחה ממך את קיומו.
הנה את עומדת להיפגש אתו מחדש. **וְגֹאֲלֵךְ,** קרובך ומושיעך הוא
**קְדוֹשׁ יִשְׂרָאֵל, אֱלֹהֵי כָל הָאָרֶץ יִקָּרֵא,** וביכולתו לעשות הכול.[124] ו **כִּי
כְאִשָּׁה עֲזוּבָה וַעֲצוּבַת רוּחַ,** עלובה, מדוכאת ומיואשת בגלותך **קְרָאָךְ
ה׳,** הזמינך אליו, **וְאֵשֶׁת נְעוּרִים כִּי תִמָּאֵס, אָמַר אֱלֹהָיִךְ.** בעיניו אַת
אשת נעוריו, שאינה נמאסת לעולם. על כן הוא עוד יחדש את
הקשר אתך.

הרחבות | **כנסת ישראל כיושבת אוהל ומשכן** דימוי זה מצטרף לאזכורים נוספים המופיעים בנבואות אלה אשר מרמזים אל תקופת היציאה ממצרים (ישעיה מו,ג; מח,כא; הרחבה ל–נב,יב). אמנם האוהל אינו מבנה נוקשה, אבל זהו גם יתרונו – אפשר להרחיבו בקלות ולמתוח את יריעותיו כדי שיהיה בתוכו מקום רב יותר.

ח עֲזַבְתִּ֑יךְ וּבְרַחֲמִ֥ים גְּדֹלִ֖ים אֲקַבְּצֵֽךְ׃ בְּשֶׁ֣צֶף קֶ֗צֶף
הִסְתַּ֨רְתִּי פָנַ֥י רֶ֙גַע֙ מִמֵּ֔ךְ וּבְחֶ֥סֶד עוֹלָ֖ם רִחַמְתִּ֑יךְ
ט אָמַ֥ר גֹּאֲלֵ֖ךְ יְהוָֽה׃ כִּי־מֵ֥י נֹ֙חַ֙ זֹ֣את לִ֔י אֲשֶׁ֣ר
נִשְׁבַּ֗עְתִּי מֵעֲבֹ֛ר מֵי־נֹ֥חַ ע֖וֹד עַל־הָאָ֑רֶץ כֵּ֥ן נִשְׁבַּ֛עְתִּי
י מִקְּצֹ֥ף עָלַ֖יִךְ וּמִגְּעָר־בָּֽךְ׃ כִּ֤י הֶהָרִים֙ יָמ֔וּשׁוּ וְהַגְּבָע֖וֹת
תְּמוּטֶ֑ינָה וְחַסְדִּ֞י מֵאִתֵּ֣ךְ לֹֽא־יָמ֗וּשׁ וּבְרִ֤ית שְׁלוֹמִי֙
לֹ֣א תָמ֔וּט אָמַ֥ר מְרַחֲמֵ֖ךְ יְהוָֽה׃

ביאור

ואלו דברי ה׳: ז בְּמשך רֶגַע קָטֹן עֲזַבְתִּיךְ. הגלות הארוכה היא כרגע
קטן אצל הקדוש ברוך הוא. ולעומת זאת בְרַחֲמִים גְּדֹלִים וממושכים
אֲקַבְּצֵךְ חזרה.[125] ח בְּשֶׁצֶף קֶצֶף, בשטף זעם המתפרץ בבת אחת[126]
הִסְתַּרְתִּי פָנַי רֶגַע מִמֵּךְ. אין זו נקמה של ממש, אלא הסתרת פנים
רגעית, שאם לא כן לא היה נשאר שריד ופליט מישראל. ומכל מקום,
בְחֶסֶד עוֹלָם, נצחי רִחַמְתִּיךְ, אָמַר גֹּאֲלֵךְ ה׳. כאשר הכול יחזור לתיקונו
תראי כיצד ימי הדכדוך, הגלות והצרות שפקדו אותך בעבר לא היו
אלא מצב עראי. ט כִּי, כמו[127] מֵי נֹחַ, מי המבול – כך זֹאת ההבטחה
לִי.[128] כלומר, אֲשֶׁר, כמו שנִשְׁבַּעְתִּי מֵעֲבֹר מֵי נֹחַ עוֹד עַל הָאָרֶץ, ומאז
אכן לא היה מבול, כֵּן נִשְׁבַּעְתִּי מִקְּצֹף עָלַיִךְ וּמִגְּעָר בָּךְ, שלא אזעם
עלייך ולא אעזבך כבעבר. י כִּי גם אם הֶהָרִים יָמוּשׁוּ, יזוזו ממקומם,
וְהַגְּבָעוֹת תְּמוּטֶנָה, יזדעזעו, ודבר לא יישאר יציב – חַסְדִּי מֵאִתֵּךְ לֹא
יָמוּשׁ, וּבְרִית שְׁלוֹמִי לֹא תָמוּט. הקשר ביני לבינך יישאר יציב תמיד.[129]
אָמַר מְרַחֲמֵךְ ה׳.

# הפטרת כי תבוא

ישעיה

א קוּמִי אוֹרִי כִּי בָא אוֹרֵךְ וּכְבוֹד יְהוָה עָלַיִךְ זָרָח: ס
ב כִּי־הִנֵּה הַחֹשֶׁךְ יְכַסֶּה־אֶרֶץ וַעֲרָפֶל לְאֻמִּים וְעָלַיִךְ
ג יִזְרַח יְהוָה וּכְבוֹדוֹ עָלַיִךְ יֵרָאֶה: וְהָלְכוּ גוֹיִם לְאוֹרֵךְ
ד וּמְלָכִים לְנֹגַהּ זַרְחֵךְ: שְׂאִי־סָבִיב עֵינַיִךְ וּרְאִי כֻּלָּם
נִקְבְּצוּ בָאוּ־לָךְ בָּנַיִךְ מֵרָחוֹק יָבֹאוּ וּבְנֹתַיִךְ עַל־צַד
ה תֵּאָמַנָה: אָז תִּרְאִי וְנָהַרְתְּ וּפָחַד וְרָחַב לְבָבֵךְ כִּי־
ו יֵהָפֵךְ עָלַיִךְ הֲמוֹן יָם חֵיל גּוֹיִם יָבֹאוּ לָךְ: שִׁפְעַת
גְּמַלִּים תְּכַסֵּךְ בִּכְרֵי מִדְיָן וְעֵיפָה כֻּלָּם מִשְּׁבָא יָבֹאוּ
ז זָהָב וּלְבוֹנָה יִשָּׂאוּ וּתְהִלֹּת יְהוָה יְבַשֵּׂרוּ: כָּל־צֹאן
קֵדָר יִקָּבְצוּ לָךְ אֵילֵי נְבָיוֹת יְשָׁרְתוּנֶךְ יַעֲלוּ עַל־
ח רָצוֹן מִזְבְּחִי וּבֵית תִּפְאַרְתִּי אֲפָאֵר: מִי־אֵלֶּה כָּעָב

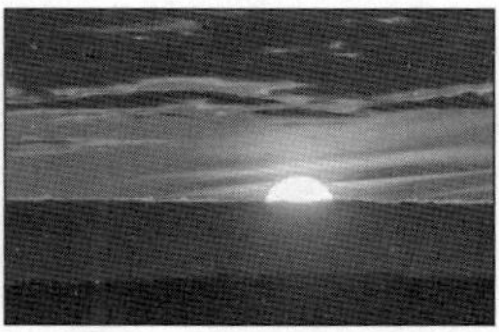

מימין: זריחה

משמאל: שפעת גמלים

**העולם** | **קֵדָר** אחד מבני ישמעאל (בראשית כה,יג) שצאצאיו שכנו במדבריות שממזרח לכנען. בני קדר מתוארים במקרא כנוודים שוכני אוהלים העוסקים ברעיית צאן ומסחר (ראו ישעיה מב,יא; ירמיה מט,כח-כט; יחזקאל כז,כא) מתעודות אשוריות מתקופת המלוכה עולה כי מרחב מחייתו של עם זה התפרס על פני המדבר הסורי וצפון סיני.

# אור עולם בציון

הנבואה הזו כל כולה נחמה לציון. היא מתארת באופן ציורי את גאולת ישראל; ציון החשוכה, העזובה והמרושששת תהיה מקור אור מופלא לעולם, הומייה, משופעת בכל טוב ומוגנת. העמים יתאוו לקודש השורה בה, יבואו ליטול חלק בעבודת הקודש, ובכך יאורו באורה של ציון.

ביאור

פרק ס א **קוּמִי**, כנסת ישראל, ציון, **אוֹרִי**, האירי **כִּי בָא**, הגיע[130] **אוֹרֵךְ**,
**וּכְבוֹד ה׳ עָלַיִךְ זָרָח**, ובו את מוארת. ב **כִּי הִנֵּה הַחֹשֶׁךְ יְכַסֶּה אֶרֶץ**, **וַעֲרָפֶל**
יכסה **לְאֻמִּים**, את העמים האחרים, אבל **עָלַיִךְ יִזְרַח ה׳**, **וּכְבוֹדוֹ עָלַיִךְ**
**יֵרָאֶה**. בעולם שכולו אופל מוארת פינה אחת בלבד. ג כיוון שאת
תהיי מקור האור היחיד – **וְהָלְכוּ גוֹיִם לְאוֹרֵךְ**, **וּמְלָכִים** ילכו **לְנֹגַהּ זַרְחֵךְ**,
לאור זריחתך.

צדדים אחרים של גאולת ציון: ד **שְׂאִי סָבִיב עֵינַיִךְ וּרְאִי: כֻּלָּם** – כל
בנייך הגולים **נִקְבְּצוּ בָאוּ לָךְ**, אלייך. **בָּנַיִךְ** שנעלמו **מֵרָחוֹק יָבֹאוּ**, **וּבְנֹתַיִךְ**
הרכות **עַל צַד** הגוף[131] **תֵּאָמַנָה**, תינשאנה על ידי אומנות, מטפלות,
כדרך שנושאים ילדים קטנים, בסיוע ובהשגחה מוקפדת.[132] ה **אָז**
**תִּרְאִי וְנָהַרְתְּ**, תזרחי, **וּפָחַד וְרָחַב לְבָבֵךְ**. מריבוי החדשות הנפלאות
והטובות יתיירא הלב הנרגש להאמין שהן אמתיות או שיוכל להכילן,
**כִּי יֵהָפֵךְ עָלַיִךְ הֲמוֹן יָם**, המונים יהפכו פניהם מכל מקום וינהרו אלייך
בשפע ובהמיה.[133] גם מתנות וגדולה יעניקו לך – **חֵיל גּוֹיִם**, כוחם
ועושרם **יָבֹאוּ לָךְ**. ו **שִׁפְעַת**, קבוצה גדולה של **גְּמַלִּים תְּכַסֵּךְ**. בלשון
גוזמה: פני הארץ לא ייראו מרוב הבהמות ומשאן. **בִּכְרֵי**, גמלים
צעירים שמקורם במדינות **מִדְיָן וְעֵיפָה**, **כֻּלָּם** מארץ **שְׁבָא יָבֹאוּ**, **זָהָב**
**וּלְבוֹנָה יִשָּׂאוּ** אלייך. תוצרים אלו, האופייניים לשבא, יוענקו לך,
ובבואם, את **תְּהִלֹּת ה׳** רוכביהם **יְבַשֵּׂרוּ**, יספרו בקול. ז **כָּל צֹאן** של
השבט הישמעאלי **קֵדָר יִקָּבְצוּ לָךְ**, אלייך, לירושלים, **אֵילֵי**, בוגרי כבשי
**נְבָיוֹת יְשָׁרְתוּנֶךְ**. נביות היה בנו הבכור של ישמעאל, ושני לו קדר.[134]
כאן הם מייצגים את כלל הישמעאלים, שצאנם יובא לציון לשרת
בקודש. **יַעֲלוּ עַל**, למען[135] **רָצוֹן** על **מִזְבְּחִי**, ובכך – את **בֵּית תִּפְאַרְתִּי אֲפָאֵר**.
לא רק דרך היבשה ישובו הבנים האבודים; הם יבואו גם באוויר

העולם

**נְבָיוֹת** נזכר כבנו הבכור של ישמעאל (בראשית כה,יג), ומזוהה עם השבט הערבי Nabaiate ששכן בספר המדברי של ארץ ישראל והוזכר פעמים הרבה בתעודות אשוריות (מהמאה ה־7 לפנה״ס). לפי מקורות אלו שבט זה שכן ממזרח או מדרום־מזרח לבני קדר 4. (יש לציין שאין אלו הנבטים, שהם שבטים שהגיעו מצפון ערב, ושמשם ניתן להם במאה ה־4 לפנה״ס על ידי היוונים).

ט תְּעוּפֶינָה וְכַיּוֹנִים אֶל־אֲרֻבֹּתֵיהֶם׃ כִּי־לִי ׀ אִיִּים יְקַוּוּ
וָאֳנִיּוֹת תַּרְשִׁישׁ בָּרִאשֹׁנָה לְהָבִיא בָנַיִךְ מֵרָחוֹק
כַּסְפָּם וּזְהָבָם אִתָּם לְשֵׁם יהוה אֱלֹהַיִךְ וְלִקְדוֹשׁ
י יִשְׂרָאֵל כִּי פֵאֲרָךְ׃ וּבָנוּ בְנֵי־נֵכָר חֹמֹתַיִךְ וּמַלְכֵיהֶם
יְשָׁרְתוּנֶךְ כִּי בְקִצְפִּי הִכִּיתִיךְ וּבִרְצוֹנִי רִחַמְתִּיךְ׃
יא וּפִתְּחוּ שְׁעָרַיִךְ תָּמִיד יוֹמָם וָלַיְלָה לֹא יִסָּגֵרוּ לְהָבִיא
יב אֵלַיִךְ חֵיל גּוֹיִם וּמַלְכֵיהֶם נְהוּגִים׃ כִּי־הַגּוֹי וְהַמַּמְלָכָה
אֲשֶׁר לֹא־יַעַבְדוּךְ יֹאבֵדוּ וְהַגּוֹיִם חָרֹב יֶחֱרָבוּ׃
יג כְּבוֹד הַלְּבָנוֹן אֵלַיִךְ יָבוֹא בְּרוֹשׁ תִּדְהָר וּתְאַשּׁוּר

מימין:
יונים בארובתן
משמאל:
ארז הלבנון
('כבוד הלבנון')

**הרחבות** | 'לְפָאֵר מְקוֹם מִקְדָּשִׁי וּמְקוֹם רַגְלַי אֲכַבֵּד' אמנם נאמר באופן כללי הַשָּׁמַיִם כִּסְאִי וְהָאָרֶץ הֲדֹם רַגְלָי (ישעיה סו,א), אבל בכמה מקומות מופיע ביטוי זה ביחס לבית המקדש בפרט. (ראו יחזקאל מג,ז; תהלים קלב,ז; איכה ב,א; ישעיה ו,א; רד"ק על אתר; מורה נבוכים ח"א ט). ה' יכבד את המקדש, שהוא כביכול מקום הנחת רגליו.

ביאור | ובים: ח מִי אֵלֶּה כָּעָב, כענן תְּעוּפֶינָה, וְכַיּוֹנִים השבות אֶל אֲרֻבֹּתֵיהֶם,
תאי מושבם?! ט כִּי לִי, לבוא אלי, לשכרי, או: לפקודתי אִיִּים, מדינות
רחוקות[136] יְקַוּוּ, ייחלו, וָאֳנִיּוֹת תַּרְשִׁישׁ המפליגות ממרחקים[137] יקוו
בָּרִאשֹׁנָה – לְהָבִיא בָנַיִךְ אלייך מֵרָחוֹק. לא כשבויים הנפדים תמורת
כסף וזהב יבואו, אלא כַּסְפָּם וּזְהָבָם אִתָּם, הם יגיעו כשָׂרים ונכבדים
הנושאים עמם רכוש. כל זה ייעשה לְשֵׁם ה' אֱלֹהַיִךְ, וְלִקְדוֹשׁ יִשְׂרָאֵל כִּי
פֵאֲרָךְ.

י וּבָנוּ בְנֵי נֵכָר את חֹמֹתַיִךְ, וּמַלְכֵיהֶם יְשָׁרְתוּנֶךְ. מי שהרסו בתחילה את
חומותייך ושעבדו אותך, הם שיהיו שותפים בתקומתך. אז יתגלה[138]
כִּי בְקִצְפִּי, בכעסי הִכִּיתִיךְ, וּבִרְצוֹנִי, בעת ריצוי ופיוס רִחַמְתִּיךְ. יא וּפִתְּחוּ,
יהיו פתוחים שְׁעָרַיִךְ, ירושלים,[139] תָּמִיד, יוֹמָם וָלַיְלָה לֹא יִסָּגֵרוּ כדי לְהָבִיא
אֵלַיִךְ חֵיל, את עושר הַגּוֹיִם, וּמַלְכֵיהֶם יבואו נְהוּגִים, רכובים על ידי
אחרים, כדרך המלכים.[140] יב כִּי הַגּוֹי וְהַמַּמְלָכָה אֲשֶׁר לֹא יַעַבְדוּךְ –
יֹאבֵדוּ, וְהַגּוֹיִם הללו חָרֹב יֶחֱרָבוּ. כל ממלכה שתסרב לעשות את רצון
ה' תיעלם מן העולם.[141] יג כְּבוֹד הַלְּבָנוֹן, העצים הגדולים המפוארים
הגדלים שם,[142] אֵלַיִךְ יָבוֹא – בְּרוֹשׁ, תִּדְהָר וּתְאַשּׁוּר יַחְדָּו, כולם יבואו

מימין: ערער ('ברוש'?)

משמאל: עץ התיק ('תדהר'?)

מימין: עץ מילה (('תדהר'?)

משמאל: תאשור

**תְּאַשּׁוּר** עץ שיובא מלבנון ואיי הכיתים (יחזקאל כז,ו). לפי הירושלמי (כתובות ז,ט) ויונתן הוא Buxus, עץ הגדל בהרי הלבנון ובצפון אנטוליה, שגובהו 1–9 מ', וקוטר גזעו 20 ס"מ. זהו עץ איכותי, קשה וחזק, שנמצא בממצא הארכיאולוגי ברהיטים. בתעודות אכדיות קדומות נזכר שהוא נדרש על ידי מלכים. בתלמוד הבבלי (ראש השנה כג ע"א) התאשור מזוהה כשורבינא (Cupressus), הוא הברוש של ימינו, אולם עץ זה אינו מתאים כלל לחרושת עץ.

**העולם**

יַחְדָּ֑ו לְפָאֵר֙ מְק֣וֹם מִקְדָּשִׁ֔י וּמְק֥וֹם רַגְלַ֖י אֲכַבֵּֽד׃
יד וְהָלְכ֨וּ אֵלַ֤יִךְ שְׁח֙וֹחַ֙ בְּנֵ֣י מְעַנַּ֔יִךְ וְהִֽשְׁתַּחֲו֛וּ עַל־כַּפּ֥וֹת
רַגְלַ֖יִךְ כָּל־מְנַאֲצָ֑יִךְ וְקָ֤רְאוּ לָךְ֙ עִ֣יר יְהוָ֔ה צִיּ֖וֹן קְד֥וֹשׁ
טו יִשְׂרָאֵֽל׃ תַּ֚חַת הֱיוֹתֵ֛ךְ עֲזוּבָ֥ה וּשְׂנוּאָ֖ה וְאֵ֣ין עוֹבֵ֑ר
טז וְשַׂמְתִּיךְ֙ לִגְא֣וֹן עוֹלָ֔ם מְשׂ֖וֹשׂ דּ֥וֹר וָדֽוֹר׃ וְיָנַקְתְּ֙
חֲלֵ֣ב גּוֹיִ֔ם וְשֹׁ֥ד מְלָכִ֖ים תִּינָ֑קִי וְיָדַ֗עַתְּ כִּ֣י אֲנִ֤י יְהוָה֙
יז מֽוֹשִׁיעֵ֔ךְ וְגֹאֲלֵ֖ךְ אֲבִ֥יר יַעֲקֹֽב׃ תַּ֣חַת הַנְּחֹ֜שֶׁת אָבִ֣יא
זָהָ֗ב וְתַ֤חַת הַבַּרְזֶל֙ אָ֣בִיא כֶ֔סֶף וְתַ֤חַת הָֽעֵצִים֙ נְחֹ֔שֶׁת
וְתַ֥חַת הָאֲבָנִ֖ים בַּרְזֶ֑ל וְשַׂמְתִּ֤י פְקֻדָּתֵךְ֙ שָׁל֔וֹם וְנֹגְשַׂ֖יִךְ
יח צְדָקָֽה׃ לֹא־יִשָּׁמַ֨ע ע֤וֹד חָמָס֙ בְּאַרְצֵ֔ךְ שֹׁ֥ד וָשֶׁ֖בֶר
בִּגְבוּלָ֑יִךְ וְקָרָ֤את יְשׁוּעָה֙ חוֹמֹתַ֔יִךְ וּשְׁעָרַ֖יִךְ תְּהִלָּֽה׃
יט לֹא־יִהְיֶה־לָּ֨ךְ ע֤וֹד הַשֶּׁ֙מֶשׁ֙ לְא֣וֹר יוֹמָ֔ם וּלְנֹ֕גַהּ הַיָּרֵ֖חַ
לֹא־יָאִ֣יר לָ֑ךְ וְהָיָה־לָ֤ךְ יְהוָה֙ לְא֣וֹר עוֹלָ֔ם וֵאלֹהַ֖יִךְ
כ לְתִפְאַרְתֵּֽךְ׃ לֹא־יָב֥וֹא עוֹד֙ שִׁמְשֵׁ֔ךְ וִירֵחֵ֖ךְ לֹ֣א יֵאָסֵ֑ף

**הרחבות** | **'וקראו לך עיר ה' ציון קדוש ישראל'** שינוי מעין זה אירע לאחר זמן, כאשר העיר נקראה ביוונית יהירוסלם, Ἱερουσαλήμ (מקודש=ierós=ιερός) – מעין משחק מלים שפירושו 'שלם הקדושה'. הכינוי חלחל גם לכמה עמים ושפות שהושפעו מהיוונית.

ביאור | לְפָאֵר מְקוֹם מִקְדָּשִׁי, כמו שהעצים שהגיעו מלבנון שימשו לבניין הבית הראשון, וּמְקוֹם רַגְלַי אֲכַבֵּד. יד וְהָלְכוּ אֵלַיִךְ שְׁחוֹחַ, כפופים וכנועים בְּנֵי מְעַנַּיִךְ, וְהִשְׁתַּחֲווּ עַל כַּפּוֹת רַגְלַיִךְ כָּל מְנַאֲצָיִךְ, מקללייך. וְקָרְאוּ לָךְ עִיר ה' וציון קְדוֹשׁ יִשְׂרָאֵל. ירושלים תשנה את שמה. שמותיה החדשים יתייחסו אל ה'.

טו תַּחַת הֱיוֹתֵךְ עֲזוּבָה וּשְׂנוּאָה בזמן הגלות וְאֵין עוֹבֵר בָּךְ. היית מחוז קטן ונידח שאין מתעניינים בו, וְשַׂמְתִּיךְ לִגְאוֹן, תפארת עוֹלָם, לִמְשׂוֹשׂ דּוֹר וָדוֹר, למקור שמחה תמידית. טז וְיָנַקְתְּ חֲלֵב גּוֹיִם, שפע ומתנות מכל העולם. ולא זו בלבד אלא – וְשֹׁד, שַׁד[143] מְלָכִים תִּינָקִי, תזכי בשלל המלכים. וְיָדַעַתְּ אז כִּי אֲנִי ה' מוֹשִׁיעֵךְ וְגֹאֲלֵךְ אֲבִיר יַעֲקֹב, המתנשא ומושל ביעקב.[144]

יז תַּחַת הַנְּחֹשֶׁת המצויה בך אָבִיא זָהָב.[145] לנחושת וגם לזהב יש גוון צהבהב. הצבע נשמר, אך טיב החומרים עולה ומבטא את השפע הגדול שעתיד לבוא.

וְתַחַת הַבַּרְזֶל אָבִיא כֶסֶף. אף כאן נשמר הצבע, שכן הברזל והכסף שניהם מתכות אפורות-לבנות, אולם ערך הכסף גבוה בהרבה מערכו של הברזל.

וְתַחַת הָעֵצִים, החומר הזול, תבוא נְחֹשֶׁת,

וְתַחַת הָאֲבָנִים – בַּרְזֶל.

וְשַׂמְתִּי פְקֻדָּתֵךְ שָׁלוֹם. פקידי השררה בעיר לא ינהגו כמפקחים תובעניים אלא בדרכי שלום. וְנֹגְשַׂיִךְ, מושלייך המטילים עול על הציבור, ינהגו בִּצְדָקָה.[146]

ובפן המוסרי והרוחני: יח לֹא יִשָּׁמַע עוֹד עַל חָמָס, לקיחת ממון שלא כדין, סחיטה בְּאַרְצֵךְ, שֹׁד וָשֶׁבֶר לא יישמעו בִּגְבוּלָיִךְ. וְקָרָאת יְשׁוּעָה חוֹמֹתַיִךְ, וּשְׁעָרַיִךְ תְּהִלָּה. חומות ירושלים היציבות ייקראו אז חומות ישועה וניצחון, ושערי העיר יכונו שערי תהילה.[147] כיוון שלא יהיו אז שוד ושבר, יאבדו החומות את תפקידן המקורי, והן ישמשו רק כעדות לישועת ה' לעמו.[148]

יט יתר על כן, בזמנים ההם לֹא יִהְיֶה לָּךְ עוֹד הַשֶּׁמֶשׁ לְאוֹר יוֹמָם. לא תזדקקי לשמש לתאורת יום,[149] וּלְנֹגַהּ הַיָּרֵחַ לֹא יָאִיר לָךְ בלילה. אלו יהיו טפלים לאור הגדול – וְהָיָה לָךְ ה' לְאוֹר עוֹלָם, וֵאלֹהַיִךְ לְתִפְאַרְתֵּךְ.

כ לֹא יָבוֹא, תשקע עוֹד שִׁמְשֵׁךְ, ציון, לעולם, וִירֵחֵךְ לֹא יֵאָסֵף. גם הירח לא ישקע וייעלם. דימוי המאורות המשמשים יחדיו בשמים בכל עת, שלא כדרך הטבע, מבטא את אור הגאולה הפלאי שאיננו מחזורי,[150]

כִּי יְהוָה יִהְיֶה־לָּךְ לְאוֹר עוֹלָם וְשָׁלְמוּ יְמֵי אֶבְלֵךְ׃
כא וְעַמֵּךְ כֻּלָּם צַדִּיקִים לְעוֹלָם יִירְשׁוּ אָרֶץ נֵצֶר מטעו מַטָּעַי
כב מַעֲשֵׂה יָדַי לְהִתְפָּאֵר׃ הַקָּטֹן יִהְיֶה לָאֶלֶף וְהַצָּעִיר
לְגוֹי עָצוּם אֲנִי יְהוָה בְּעִתָּהּ אֲחִישֶׁנָּה׃

**הרחבות** | **'בְּעִתָּהּ אחישֶׁנה'** עוד אמרו חכמים על פי הכתוב הזה, שקץ הגאולה עשוי לבוא בעתו ובזמנו או שיוחש ויטרים את זמנו. (ראו סנהדרין צח ע"א ורש"י על אתר).

**כִּי ה׳ יִהְיֶה לָּךְ לְאוֹר עוֹלָם**, וישלים את כל מחסורך – **וְשָׁלְמוּ יְמֵי אֶבְלֵךְ**. ביאור
ייתמו ימי האבל בציון.

כא **וְעַמֵּךְ** יהיו אז **כֻּלָּם צַדִּיקִים, לְעוֹלָם**, לנצח **יִירְשׁוּ אָרֶץ** – את ארץ
ישראל.[151] צמיחתו המחודשת של עם ישראל מתוך הקיים תהיה
**כנֵצֶר מַטָּעַי**, ענף קטן הצומח משורשי העץ, ולבסוף נעשה עץ גדול
בפני עצמו. הנצרים, בני העם שיוסיפו לו כוח, הם **מַעֲשֵׂה יָדַי לְהִתְפָּאֵר**,
להתפתח לתפארת.[152] כב **הַקָּטֹן** בעם **יִהְיֶה לָאֶלֶף**, למספר רב, **וְהַצָּעִיר**,
הקטן בכמותו יהפוך **לְגוֹי עָצוּם**. **אֲנִי ה׳** המבטיח **שבְּעִתָּהּ**, בזמן הראוי
לגאולה **אֲחִישֶׁנָּה**, אזרז את בואה ואת תהליכיה.[153]

# הפטרת נצבים

ישעיה

התימנים מתחילים כאן

וְנוֹדַע בַּגּוֹיִם זַרְעָם וְצֶאֱצָאֵיהֶם בְּתוֹךְ הָעַמִּים כָּל־ ט סא

האשכנזים והספרדים מתחילים כאן

רֹאֵיהֶם יַכִּירוּם כִּי הֵם זֶרַע בֵּרַךְ יְהוָה׃ *שׂוֹשׂ י
אָשִׂישׂ בַּיהוָה תָּגֵל נַפְשִׁי בֵּאלֹהַי כִּי הִלְבִּישַׁנִי בִּגְדֵי־
יֶשַׁע מְעִיל צְדָקָה יְעָטָנִי כֶּחָתָן יְכַהֵן פְּאֵר וְכַכַּלָּה
תַּעְדֶּה כֵלֶיהָ׃ כִּי כָאָרֶץ תּוֹצִיא צִמְחָהּ וּכְגַנָּה זֵרוּעֶיהָ יא
תַצְמִיחַ כֵּן ׀ אֲדֹנָי יֱהוִה יַצְמִיחַ צְדָקָה וּתְהִלָּה נֶגֶד
כָּל־הַגּוֹיִם׃ לְמַעַן צִיּוֹן לֹא אֶחֱשֶׁה וּלְמַעַן יְרוּשָׁלִַם א סב
לֹא אֶשְׁקוֹט עַד־יֵצֵא כַנֹּגַהּ צִדְקָהּ וִישׁוּעָתָהּ כְּלַפִּיד
יִבְעָר׃ וְרָאוּ גוֹיִם צִדְקֵךְ וְכָל־מְלָכִים כְּבוֹדֵךְ וְקֹרָא ב
לָךְ שֵׁם חָדָשׁ אֲשֶׁר פִּי יְהוָה יִקֳּבֶנּוּ׃ וְהָיִית עֲטֶרֶת ג

וְכַכַּלָּה תַּעְדֶּה כֵלֶיהָ
עדיי כלה תימנייה וקישוריה

**הרחבות** 'וְקֹרָא לָךְ שֵׁם חָדָשׁ אֲשֶׁר פִּי ה' יִקֳּבֶנּוּ' בכמה מקומות בדברי הנביאים מופיע הרעיון ששמה הישן של ירושלים, שנקבע על ידי בני אדם, יוחלף לכשתעלה העיר לגדולה. (ראו ישעיה א,כו; ס,יד; ירמיה לג,טז; יחזקאל מח,לה). לעתיד לבוא, כשירושלים תהפוך לעירו של ה', הוא שיעניק לה את שמה החדש.

# בשורת הגאולה העתידה

ברקען של נבואות הנחמה הבאות נמצאות ירושלים והמדינה כולה במצב ירוד של דכדוך ושממה. הנביא משמיע נחמות וצופה שכל זה יתוקן. נראה שהנבואות הללו מתייחסות לגאולה האחרונה שלעתיד לבוא.[154] הן מבשרות את טובתם של ישראל וירושלים ואת נקמת ה׳ באויביהם.

כאן, באחרונה משבע ההפטרות של נחמת ה׳ לציון, נראה כי ציון מתפייסת ומגלה סימני שמחה ותקווה. ובכך מסיימים את קריאות השנה.

ביאור | ישעיה פרק סא ט וְנוֹדַע, יתפרסם בַּגּוֹיִם זַרְעָם, לא רק השתייכותם
לעם ישראל תיוודע, אלא גם שמם יצא לתהילה.[155] וְצֶאֱצָאֵיהֶם יהיו
ניכרים כדמויות בולטות ונערצות בְּתוֹךְ הָעַמִּים, כך שכָּל רֹאֵיהֶם
יַכִּירוּם כִּי הֵם זֶרַע בֵּרַךְ ה׳. בכל מקום שהם יהיה בולט שהם ברוכים
משאר העמים.

כמענה על בשורת הניחומים הקודמת[156] מתחילה כאן נבואה
המדברת בשם ישראל בבוא הגאולה:[157] י שׂוֹשׂ אָשִׂישׂ, אשמח בַּה׳,
תָּגֵל, תשמח נַפְשִׁי בֵּאלֹהַי, כִּי הִלְבִּישַׁנִי בִּגְדֵי יֶשַׁע, ישועה, מְעִיל צְדָקָה,
תוקף והצלחה יְעָטָנִי, יעטוף אותי. אשמח ואתהדר בכבוד שיעטר
אותי בזמן הישועה, כֶּחָתָן אשר יְכַהֵן פְּאֵר, בגדיו מפוארים כבגדי שרד,
והוא עומד בראש המסובים, וְכַכַּלָּה תַּעְדֶּה כֵלֶיהָ, לבושה בתכשיטיה
ובבגדי כלולותיה.[158] יא כִּי כָאָרֶץ אשר תּוֹצִיא צִמְחָהּ, וּכְגַנָּה וכמו גינה
אשר זֵרוּעֶיהָ, זרעיה תַצְמִיחַ – כֵּן ה׳ אֱלוֹהִים יַצְמִיחַ צְדָקָה, הצלחה
וּתְהִלָּה, אורה נֶגֶד לעיני כָּל הַגּוֹיִם. הגאולה מדומה לצמח המבצבץ
לפתע מזרע שנרקב באדמה. כשם שבמוקדם או במאוחר תוציא
הארץ צמחים, והגינה תצמיח את הזרעים הטמונים באדמתה מכבר,
כך בבוא העת תתגלה הגאולה מול כל העמים, שכן אפשרות הגאולה
כבר חבויה בעם ישראל, אף שבהווה הוא מושפל לארץ.[159]

את דברי הנחמות על ירושלים הנביא פותח בדברי עצמו:[160] פרק
סב א לְמַעַן צִיּוֹן לֹא אֶחֱשֶׁה, אשתוק, וּלְמַעַן יְרוּשָׁלַםִ לֹא אֶשְׁקוֹט. ברצוני
להתפלל או להרים קולי למען ירושלים, עַד יֵצֵא כַנֹּגַהּ צִדְקָהּ, כוחה,
ישועתה וצדקת דרכה יאירו לעיני כול,[161] וִישׁוּעָתָהּ תאיר כְּלַפִּיד
אשר יִבְעָר. ב וְרָאוּ גוֹיִם את צִדְקֵךְ, וְכָל מְלָכִים יראו את כְּבוֹדֵךְ, ואז,
אחרי שתיגאלי – וְקֹרָא לָךְ גם שֵׁם חָדָשׁ אֲשֶׁר פִּי ה׳ יִקֳּבֶנּוּ, ינקוב

הרחבות | ירושלים לא הופיעה במפורש בראשית ההיסטוריה של העם בארצו, אלא נקנתה רק בזמן דוד המלך, וזכתה בהדרגה במעמד מרכזי יותר ויותר. אף שמותיה הולכים ומתרבים במשך הדורות, משום שירושלים היא האוצר המיוחד של ישראל.

ההלכה רואה את ארץ ישראל כמבנה

וּצְנִיף תִּפְאֶרֶת בְּיַד־יְהוָה וּצְנוּף מְלוּכָה בְּכַף־אֱלֹהָיִךְ׃
לֹא־יֵאָמֵר לָךְ עוֹד עֲזוּבָה וּלְאַרְצֵךְ לֹא־יֵאָמֵר עוֹד ד
שְׁמָמָה כִּי לָךְ יִקָּרֵא חֶפְצִי־בָהּ וּלְאַרְצֵךְ בְּעוּלָה כִּי־
חָפֵץ יהוה בָּךְ וְאַרְצֵךְ תִּבָּעֵל׃ כִּי־יִבְעַל בָּחוּר בְּתוּלָה ה
יִבְעָלוּךְ בָּנָיִךְ וּמְשׂוֹשׂ חָתָן עַל־כַּלָּה יָשִׂישׂ עָלַיִךְ
אֱלֹהָיִךְ׃ עַל־חוֹמֹתַיִךְ יְרוּשָׁלִַם הִפְקַדְתִּי שֹׁמְרִים ו
כָּל־הַיּוֹם וְכָל־הַלַּיְלָה תָּמִיד לֹא יֶחֱשׁוּ הַמַּזְכִּרִים
אֶת־יְהוָה אַל־דֳּמִי לָכֶם׃ וְאַל־תִּתְּנוּ דֳמִי לוֹ עַד־ ז
יְכוֹנֵן וְעַד־יָשִׂים אֶת־יְרוּשָׁלִַם תְּהִלָּה בָּאָרֶץ׃ נִשְׁבַּע ח
יְהוָה בִּימִינוֹ וּבִזְרוֹעַ עֻזּוֹ אִם־אֶתֵּן אֶת־דְּגָנֵךְ עוֹד
מַאֲכָל לְאֹיְבַיִךְ וְאִם־יִשְׁתּוּ בְנֵי־נֵכָר תִּירוֹשֵׁךְ אֲשֶׁר
יָגַעַתְּ בּוֹ׃ כִּי מְאַסְפָיו יֹאכְלֻהוּ וְהִלְלוּ אֶת־יְהוָה ט
וּמְקַבְּצָיו יִשְׁתֻּהוּ בְּחַצְרוֹת קָדְשִׁי׃ עִבְרוּ י

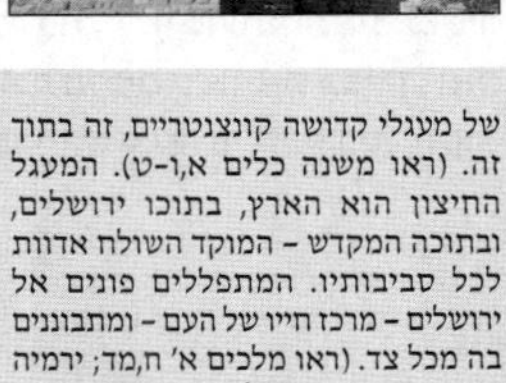

מגדל דוד
וחומת ירושלים

**הרחבות**

של מעגלי קדושה קונצנטריים, זה בתוך זה. (ראו משנה כלים א,ו–ט). המעגל החיצון הוא הארץ, בתוכו ירושלים, ובתוכה המקדש – המוקד השולח אדוות לכל סביבותיו. המתפללים פונים אל ירושלים – מרכז חייו של העם – ומתבוננים בה מכל צד. (ראו מלכים א׳ ח,מד; ירמיה ג,יז). ההתייחסות אליה נבחנת מנקודות ראות שונות, ולכן היא זוכה לשמות כה רבים.

**׳על חומֹתיך ירושלם הפקדתי שֹׁמרים׳** אותם ׳שומרי העיר׳, ובלשון התלמוד ׳נטורי קרתא׳, (ראו ירושלמי חגיגה א,ז; יונתן על אתר), הם שכונו קודם (ישעיה סא,ג) אֲבֵלֵי צִיּוֹן – אנשים הזוכרים ומזכירים תמיד

ביאור
בו. ג **וְהָיִית עֲטֶרֶת**, כתר **תִּפְאֶרֶת בְּיַד ה׳**, **וּצְנִיף**, מצנפת **מְלוּכָה בְּכַף**
**אֱלֹהָיִךְ**, שמורה, קרובה, נתמכת וחבוקה.[162] ד **לֹא יֵאָמֵר לָךְ**, עלייך **עוֹד**
**עֲזוּבָה**, עיר שזנחו אותה, **וּלְאַרְצֵךְ לֹא יֵאָמֵר עוֹד שְׁמָמָה. כִּי** אם להיפך –
**לָךְ יִקָּרֵא חֶפְצִי בָהּ**, זו שרצוני בה. **וּלְאַרְצֵךְ** יקראו **בְּעוּלָה**, מלאה
ופורייה, **כִּי חָפֵץ ה׳ בָּךְ, וְאַרְצֵךְ תִּבָּעֵל**. יהיו לה בעלים. היא תהיה
מיושבת.[163] ה **כִּי**, כמו[164] **שיִבְעַל בָּחוּר בְּתוּלָה**, כך **יִבְעָלוּךְ בָּנָיִךְ**, באותה
חדווה והתלהבות יבואו בנייך לקנות את הארץ, לבנותה ולפתחה.
**וּכְמְשׂוֹשׂ**, כשמחת **חָתָן עַל כַּלָּה יָשִׂישׂ עָלַיִךְ אֱלֹהָיִךְ**. ה׳ ישמח בך
בשמחת ההתחדשות שיש לחתן כלפי כלתו.[165]

כעת הנביא מדבר בשם ישראל: ו **עַל חוֹמֹתַיִךְ, יְרוּשָׁלַםִ, הִפְקַדְתִּי**
**שֹׁמְרִים כָּל הַיּוֹם וְכָל הַלַּיְלָה**. לא יהיו אלה שומרים מפני אויב, אלא
שומרים בלבם את טובתך וממתינים להתגשמותה, **תָּמִיד** דעתם לא
תסור ממך[166] – **לֹא יֶחֱשׁוּ**, ישתקו מלהתפלל בעדך. אלו **הַמַּזְכִּרִים אֶת**
**ה׳**, לה׳, כביכול, ומפצירים בו: הבטחת גאולה לציון אשר אהבת,
מתי היא תבוא? – **אַל דֳּמִי לָכֶם**. אל תשתקו. ז **וְאַל תִּתְּנוּ דֳמִי**, שקט
**לוֹ**. המשיכו להזכיר, להתפלל ולפעול ללא הרף[167] **עַד יְכוֹנֵן וְעַד יָשִׂים**
**אֶת יְרוּשָׁלַםִ תְּהִלָּה בָּאָרֶץ**, עד שיביא את גאולתה השלמה.

כעין תשובה לכך, לפחות בנוגע לעתיד:[168] ח **נִשְׁבַּע ה׳ ביד יְמִינוֹ**
**וּבִזְרוֹעַ עֻזּוֹ**, כוחו.[169] הרמת הידיים היא מחווה של שבועה.[170] **אִם אֶתֵּן**
**אֶת דְּגָנֵךְ עוֹד מַאֲכָל לְאֹיְבַיִךְ, וְאִם יִשְׁתּוּ בְנֵי נֵכָר תִּירוֹשֵׁךְ אֲשֶׁר יָגַעַתְּ בּוֹ**.
לאחר שיבצרו את הענבים ויביאום לגת, לא הזרים הם שישתו את
יינם החדש. ט **כִּי** אם **מְאַסְפָיו** של הדגן הם אלה **שיֹאכְלֻהוּ, וְהִלְלוּ**
**אֶת ה׳** כראוי, בהבאת חלק מהיבול לירושלים על מנת להלל את
ה׳.[171] **וּ**באותו אופן, **מְקַבְּצָיו** של התירוש[172] **יִשְׁתֻּהוּ בְּחַצְרוֹת קָדְשִׁי**.
הארץ תהיה שקטה ושלווה, והדגן שייקצר והיין שייסחט יובאו
לבית ה׳ בשמחה.[173]

ועוד בעניין בוא הגאולה: י **עִבְרוּ עִבְרוּ בַּשְּׁעָרִים** של הערים ההומים

הרחבות

את ציון החרבה (ראב"ע. ויש מפרשים: מלאכים, נביאים, צדיקים, תלמידי חכמים או מוכיחים).

**'אם אתן את דגנך עוד מאכל לאיביך'** מסיבות לוגיסטיות ופרקטיות נהגו בכל הדורות לערוך מלחמות בקיץ, בזמן שהתבואה מצויה בשדות. כאשר מגיעים אויבים למדינה חסרת הגנה, הם קוצרים את דגן הארץ ומשתמשים בו לצורכיהם. הנביא מנחם אפוא את ישראל שלא יהיה בארצם עוד כדבר הזה. הדגן ייאכל על ידי זורעיו ומגדליו. (ראו ויקרא כו,טז; דברים כח,נא; שופטים ו,ג; ספרי דברים מב ורש"י שם יא,יד; הרחבה לשמואל ב׳ יא,א).

עִבְרוּ֙ בַּשְּׁעָרִ֔ים פַּנּ֖וּ דֶּ֣רֶךְ הָעָ֑ם סֹ֣לּוּ סֹ֤לּוּ הַֽמְסִלָּה֙
יא סַקְּל֣וּ מֵאֶ֔בֶן הָרִ֥ימוּ נֵ֖ס עַל־הָעַמִּֽים׃ הִנֵּ֣ה יְהוָ֗ה
הִשְׁמִ֙יעַ֙ אֶל־קְצֵ֣ה הָאָ֔רֶץ אִמְרוּ֙ לְבַת־צִיּ֔וֹן הִנֵּ֥ה
יב יִשְׁעֵ֖ךְ בָּ֑א הִנֵּ֤ה שְׂכָרוֹ֙ אִתּ֔וֹ וּפְעֻלָּת֖וֹ לְפָנָֽיו׃ וְקָרְא֥וּ
לָהֶ֛ם עַם־הַקֹּ֖דֶשׁ גְּאוּלֵ֣י יְהוָ֑ה וְלָ֙ךְ יִקָּרֵ֥א דְרוּשָׁ֔ה עִ֖יר
לֹ֥א נֶעֱזָֽבָה׃ א מִי־זֶ֣ה ׀ בָּ֣א מֵאֱד֗וֹם חֲמ֤וּץ סג
בְּגָדִים֙ מִבָּצְרָ֔ה זֶ֚ה הָד֣וּר בִּלְבוּשׁ֔וֹ צֹעֶ֖ה בְּרֹ֣ב כֹּח֑וֹ אֲנִ֛י
ב מְדַבֵּ֥ר בִּצְדָקָ֖ה רַ֥ב לְהוֹשִֽׁיעַ׃ מַדּ֥וּעַ אָדֹ֖ם לִלְבוּשֶׁ֑ךָ
ג וּבְגָדֶ֖יךָ כְּדֹרֵ֥ךְ בְּגַֽת׃ פּוּרָ֣ה ׀ דָּרַ֣כְתִּי לְבַדִּ֗י וּֽמֵעַמִּים֙
אֵֽין־אִ֣ישׁ אִתִּ֔י וְאֶדְרְכֵ֣ם בְּאַפִּ֔י וְאֶרְמְסֵ֖ם בַּחֲמָתִ֑י וְיֵ֤ז
ד נִצְחָם֙ עַל־בְּגָדַ֔י וְכָל־מַלְבּוּשַׁ֖י אֶגְאָֽלְתִּי׃ כִּ֛י י֥וֹם נָקָ֖ם
ה בְּלִבִּ֑י וּשְׁנַ֥ת גְּאוּלַ֖י בָּֽאָה׃ וְאַבִּיט֙ וְאֵ֣ין עֹזֵ֔ר וְאֶשְׁתּוֹמֵ֖ם
וְאֵ֣ין סוֹמֵ֑ךְ וַתּ֤וֹשַֽׁע לִי֙ זְרֹעִ֔י וַחֲמָתִ֖י הִ֥יא סְמָכָֽתְנִי׃
ו וְאָב֤וּס עַמִּים֙ בְּאַפִּ֔י וַאֲשַׁכְּרֵ֖ם בַּחֲמָתִ֑י וְאוֹרִ֥יד לָאָ֖רֶץ

ביאור מאדם[174] כדי לקרוא לאנשים לצאת לציון, **פַּנּוּ דֶּרֶךְ** למען **הָעָם, סֹלּוּ**
**סֹלּוּ**, סללו וישרו את **הַמְסִלָּה**, הדרך שבה עולים אל הר ה׳, **סַקְּלוּ** אותה
**מֵאֶבֶן**. הסירו את מכשוליה על מנת להקל על הבאים לציון. **הָרִימוּ**
**נֵס**, דגל, כלונס **עַל הָעַמִּים**, כדי להכריז שהגיעה עת שיבת ישראל
לציון.[175] יא **הִנֵּה ה׳ הִשְׁמִיעַ אֶל קְצֵה הָאָרֶץ**, גם במקומות המרוחקים.
**אִמְרוּ לְבַת צִיּוֹן**, אשר הגיעה אל אותם מקומות: **הִנֵּה יִשְׁעֵךְ**, מושיעך
**בָא** לגאלך. **הִנֵּה שְׂכָרוֹ**, התשלום שבו יגמול על עבודתכם **אִתּוֹ**,
**וּפְעֻלָּתוֹ**, ושכר הפעולה שישלם מוכן **לְפָנָיו**.[176] יב **וְקָרְאוּ לָהֶם** – לישראל
בכינויים **עַם הַקֹּדֶשׁ** וכן **גְּאוּלֵי ה׳**. **וְלָךְ**, ירושלים, **יִקָּרֵא** אז **דְרוּשָׁה, עִיר**
**לֹא נֶעֱזָבָה**, שכן תעלי לגדולתך משכבר, ושוב תהפכי לעיר מרכזית
שהכול דורשים את טובתה.

גאולת ישראל מלווה בנקמה מאויביהם. הנקמה מתוארת כאן
באופן ציורי – דמות המגיעה מאדום בבגדים מוכתמים בדם, והיא
נשאלת לזהותה: פרק סג א **מִי זֶה בָּא** מארץ **אֱדוֹם, חֲמוּץ**, אָדום[177]
**בְּגָדִים** מהעיר **בָּצְרָה**?[178] מי[179] **זֶה** אשר **הָדוּר בִּלְבוּשׁוֹ**, מפואר במדי
הקרב שלו, **צֹעֶה**, צועד ורומס[180] **בְּרֹב כֹּחוֹ**?

הבא מאדום מציג את עצמו: **אֲנִי** הוא זה **הַמְדַבֵּר בִּצְדָקָה**, בצדק
ואמת, ואשר קיימתי את דברי.[181] או: אני הוא זה שהצדק אתו
והכוח בידו.[182] אני **רַב**, מרבה, מגדיל **לְהוֹשִׁיעַ**.

ושוב הוא נשאל: ב **מַדּוּעַ אָדֹם לִלְבוּשֶׁךָ**, הרי אין זה צבעך הטבעי,
**וּמדוע בְגָדֶיךָ** ההדורים מוכתמים בכתמים אדומים **כְּדֹרֵךְ** ענבים
**בְּגַת**?

והוא עונה: ג **פּוּרָה**, גת[183] **דָּרַכְתִּי לְבַדִּי**, אך לא דרכתי על ענבים בגת,
אלא דרסתי עמים, **וּמֵעַמִּים אֵין אִישׁ אִתִּי** לסייעני, **וְאֶדְרְכֵם בְּאַפִּי**,
בכעסי, **וְאֶרְמְסֵם בַּחֲמָתִי**, זעמי. **וְיֵז**, והותז **נִצְחָם**, דמם[184] **עַל בְּגָדַי, וְכָל**
**מַלְבּוּשַׁי אֶגְאָלְתִּי**, לכלכתי בדם. ד **כִּי יוֹם נָקָם** היה **בְּלִבִּי**, וכעת הגיע
הזמן להגשימו. **וּשְׁנַת גְּאוּלַי בָּאָה**, ובה יחול יום נקם.[185] ה **וְאַבִּיט** –
**וְאֵין עֹזֵר, וְאֶשְׁתּוֹמֵם**, אתבונן[186] – **וְאֵין סוֹמֵךְ**, אין מי שיעזור לי בנקמה
זו. לכן – **וַתּוֹשַׁע לִי זְרֹעִי**, כוח ידי, **וַחֲמָתִי** על העמים **הִיא סְמָכָתְנִי**.
אין גורם או סיבה אחרת לפעולתי זו מלבד גבורתי וכעסי על
הגויים.[187] בגללם נאלצתי ללכלך בגדי בדם הרב. ו **וְאָבוּס**, אבוסס,
אדרוך **עַמִּים בְּאַפִּי, וַאֲשַׁכְּרֵם בַּחֲמָתִי**. הם יהפכו חסרי אונים
כשיכורים בעטיה של חמתי. **וְאוֹרִיד**, אשפוך **לָאָרֶץ** את **נִצְחָם**,
דמם.[188]

ז נִצְחָֽם׃ חַסְדֵי יְהוָה ׀ אַזְכִּיר תְּהִלֹּת יְהוָה
כְּעַל כֹּל אֲשֶׁר־גְּמָלָנוּ יְהוָה וְרַב־טוּב לְבֵית יִשְׂרָאֵל
ח אֲשֶׁר־גְּמָלָם כְּרַחֲמָיו וּכְרֹב חֲסָדָֽיו׃ וַיֹּאמֶר אַךְ־עַמִּי
ט הֵמָּה בָּנִים לֹא יְשַׁקֵּרוּ וַיְהִי לָהֶם לְמוֹשִֽׁיעַ׃ בְּכָל־צָרָתָם ׀
לוֹ לא צָר וּמַלְאַךְ פָּנָיו הוֹשִׁיעָם בְּאַהֲבָתוֹ וּבְחֶמְלָתוֹ
הוּא גְאָלָם וַיְנַטְּלֵם וַיְנַשְּׂאֵם כָּל־יְמֵי עוֹלָֽם׃

ביאור | הדימוי העז והצבעוני של השב מן המלחמה המתפאר בבגדיו
הספוגים בדם ובהרג שחולל לבדו, מבטא את עצמת נקמתו של ה׳
באויבים על אלפי שנות גלות וסבל שהסבו לישראל.

ז **חַסְדֵי ה׳ אַזְכִּיר, תְּהִלֹּת ה׳,** כפי הראוי[189] **עַל כֹּל אֲשֶׁר גְּמָלָנוּ ה׳, וְעַל
רַב טוּב לְבֵית יִשְׂרָאֵל אֲשֶׁר גְּמָלָם ה׳ כְּרַחֲמָיו וּכְרֹב חֲסָדָיו,** שלא לפי
מעשיהם. ח **וַיֹּאמֶר ה׳,** בזמן שבו גמלנו טוב: **אַךְ,** אכן, **עַמִּי הֵמָּה, בָּנִים**
הם לי, **לֹא יְשַׁקֵּרוּ.** הם נאמנים לי. לכן[190] – **וַיְהִי לָהֶם ה׳ לְמוֹשִׁיעַ.** ט **בְּכָל
צָרָתָם – לוֹ צָר,** בזמן שהם סבלו הוא סבל איתם,[191] **וּמַלְאַךְ פָּנָיו,** מלאך
הפנים שלו, העומד לפניו תמיד,[192] **הוֹשִׁיעָם. בְּאַהֲבָתוֹ וּבְחֶמְלָתוֹ הוּא
גְאָלָם, וַיְנַטְּלֵם,** הרים אותם מלשקוע בצרה,[193] **וַיְנַשְּׂאֵם,** הגביהם **כָּל
יְמֵי עוֹלָם.**

# הפטרה לשבת שובה

הושע

יד ב שׁוּבָה יִשְׂרָאֵל עַד יְהוָה אֱלֹהֶיךָ כִּי כָשַׁלְתָּ בַּעֲוֺנֶךָ׃
ג קְחוּ עִמָּכֶם דְּבָרִים וְשׁוּבוּ אֶל־יְהוָה אִמְרוּ אֵלָיו
כָּל־תִּשָּׂא עָוֺן וְקַח־טוֹב וּנְשַׁלְּמָה פָרִים שְׂפָתֵינוּ׃
ד אַשּׁוּר ׀ לֹא יוֹשִׁיעֵנוּ עַל־סוּס לֹא נִרְכָּב וְלֹא־נֹאמַר
עוֹד אֱלֹהֵינוּ לְמַעֲשֵׂה יָדֵינוּ אֲשֶׁר־בְּךָ יְרֻחַם יָתוֹם׃
ה אֶרְפָּא מְשׁוּבָתָם אֹהֲבֵם נְדָבָה כִּי שָׁב אַפִּי מִמֶּנּוּ׃
ו אֶהְיֶה כַטַּל לְיִשְׂרָאֵל יִפְרַח כַּשּׁוֹשַׁנָּה וְיַךְ שָׁרָשָׁיו
ז כַּלְּבָנוֹן׃ יֵלְכוּ יוֹנְקוֹתָיו וִיהִי כַזַּיִת הוֹדוֹ וְרֵיחַ לוֹ
ח כַּלְּבָנוֹן׃ יָשֻׁבוּ יֹשְׁבֵי בְצִלּוֹ יְחַיּוּ דָגָן וְיִפְרְחוּ כַגֶּפֶן זִכְרוֹ
ט כְּיֵין לְבָנוֹן׃ אֶפְרַיִם מַה־לִּי עוֹד לָעֲצַבִּים אֲנִי עָנִיתִי





מימין:
יִפְרַח כַּשּׁוֹשַׁנָּה
שושן צחור

משמאל:
וִיהִי כַזַּיִת הוֹדוֹ

# תשובה

לאחר דברי התוכחה והפורענות הקשים שצפה הושע, הוא חותם את ספרו בקריאה לעמו לשוב אל אלוקיו, שכן בו ימצא מרפא לפגעיו, וממנו תצמח ישועתו. אל הפסוקים המעטים הללו מצרפים דברי נחמה ופיוס של הנביא יואל או מיכה – לפי מנהגי העדות השונות.

הושע פרק יד | ביאור

ב **שׁוּבָה יִשְׂרָאֵל עַד ה׳ אֱלֹהֶיךָ, כִּי כָשַׁלְתָּ בַּעֲוֹנֶךָ.** כיוון
שחטאיך הובילו אותך למבוי סתום, פתוחה בפניך רק דרך התשובה
אל ה׳.[194] ג **קְחוּ עִמָּכֶם דְּבָרִים.** דברו איש אל רעהו, התייעצו ודונו
כיצד לעשות זאת, **וְשׁוּבוּ אֶל־ה׳. אִמְרוּ אֵלָיו:** ״הרי אתה **כָּל־תִּשָּׂא עָוֺן,**
תסלח לכל חטא,[195] **וְקַח,** תזכור את **הטוֹב** שיש בנו. **וּנְשַׁלְּמָה** במקום
זבחי **פָרִים** בדיבור **שְׂפָתֵינוּ.** במקום להקריב קרבנות יקרים וגדולים
ניתן לך את מלות הווידוי שלנו, שכן חשובה עצם הפנייה אליך.[196]
והשלכותיה הפוליטיות של מסקנה זו: ד **אַשּׁוּר לֹא יוֹשִׁיעֵנוּ,** ולכן לא
מהם נבקש עזרה. **עַל־סוּס לֹא נִרְכָּב** למלחמה. נפסיק את מאמצינו
הצבאיים. **וְלֹא־נֹאמַר עוֹד: ׳אֱלֹהֵינוּ׳ לְמַעֲשֵׂה יָדֵינוּ.** לא נתייחס לפסלים
כאילו הם אלוהינו, **אֲשֶׁר,** כי **בְּךָ יְרֻחַם יָתוֹם,** ומלבדך אין מי שיעזרו
לנו בחולשתנו״.

ה לאחר שישראל ישובו אלי,[197] **אֶרְפָּא** לחוליים ולפגעים שבאו
בעקבות **מְשׁוּבָתָם,** שובבותם. **אֹהֲבֵם נְדָבָה,** בחסד וברחמים, **כִּי שָׁב**
**אַפִּי,** כעסי **מִמֶּנּוּ,** ואמחל לעוונותיהם. ו **אֶהְיֶה כַטַּל לְיִשְׂרָאֵל,** ואז הוא
**יִפְרַח כַּשּׁוֹשַׁנָּה וְיַךְ,** יעמיק את **שָׁרָשָׁיו כ**שורשי עצי **לְּבָנוֹן** העמוקים
והמסועפים. ז וגם כלפי מעלה – **יֵלְכוּ,** יתפשטו למרחוק **יוֹנְקוֹתָיו,**
ענפיו הרכים.[198] **וִיהִי כַזַּיִת,** שהוא עץ ירוק-עד, וענפיו מלאים תמיד,
**הוֹדוֹ,** נופו, **וְרֵיחַ** יהיה **לוֹ** עשיר ומגוון[199] **כַּלְּבָנוֹן** שהוא אזור גשום,
דשן ומיוער.[200] ח **יָשֻׁבוּ יֹשְׁבֵי בְצִלּוֹ,** החוסים תחת מלכות ישראל,[201]
**יְחַיּוּ,** יגדלו **דָגָן וְיִפְרְחוּ,** יצמחו וישגשגו **כַגָּפֶן,** המתפשטת ומצמיחה
ענפים רבים במהירות. **זִכְרוֹ** של ישראל **כְּיֵין לְבָנוֹן,** שריחו מיוחד,[202]
או שטעמו נשמר בפה גם לאחר תום שתייתו.[203]

ט **אֶפְרַיִם** אֱמוֹר, או יאמר:[204] **מַה־לִּי עוֹד לָעֲצַבִּים?!** אינני קשור עוד
לפסילים.
וכתגובה לכך – **אֲנִי עָנִיתִי** לו בעת צרה **וַאֲשׁוּרֶנּוּ,** אני הוא זה המסתכל
ומשגיח עליו. לחלופין: אפרים, אינני מתעסק בפסילים; מה לי
ולהם?! אני הוא העונה לכם ומביט בצורכיכם.

י וְאָשׁוּרֶנּוּ אֲנִי כִּבְרוֹשׁ רַעֲנָן מִמֶּנִּי פֶּרְיְךָ נִמְצָא׃ מִי
חָכָם וְיָבֵן אֵלֶּה נָבוֹן וְיֵדָעֵם כִּי־יְשָׁרִים דַּרְכֵי יהוה
וְצַדִּקִים יֵלְכוּ בָם וּפֹשְׁעִים יִכָּשְׁלוּ בָם׃* התימנים מסיימים כאן

יואל

ב יא וַיהוה נָתַן קוֹלוֹ לִפְנֵי חֵילוֹ כִּי רַב מְאֹד מַחֲנֵהוּ כִּי יש אשכנזים שמוסיפים מכאן
עָצוּם עֹשֵׂה דְבָרוֹ כִּי־גָדוֹל יוֹם־יהוה וְנוֹרָא מְאֹד וּמִי
יב יְכִילֶנּוּ׃ וְגַם־עַתָּה נְאֻם־יהוה שֻׁבוּ עָדַי בְּכָל־לְבַבְכֶם
יג וּבְצוֹם וּבִבְכִי וּבְמִסְפֵּד׃ וְקִרְעוּ לְבַבְכֶם וְאַל־בִּגְדֵיכֶם
וְשׁוּבוּ אֶל־יהוה אֱלֹהֵיכֶם כִּי־חַנּוּן וְרַחוּם הוּא אֶרֶךְ
יד אַפַּיִם וְרַב־חֶסֶד וְנִחָם עַל־הָרָעָה׃ מִי יוֹדֵעַ יָשׁוּב
וְנִחָם וְהִשְׁאִיר אַחֲרָיו בְּרָכָה מִנְחָה וָנֶסֶךְ לַיהוה
טו אֱלֹהֵיכֶם׃ *תִּקְעוּ שׁוֹפָר בְּצִיּוֹן קַדְּשׁוּ־ רוב האשכנזים מוסיפים מכאן
טז צוֹם קִרְאוּ עֲצָרָה׃ אִסְפוּ־עָם קַדְּשׁוּ קָהָל קִבְצוּ
זְקֵנִים אִסְפוּ עוֹלָלִים וְיֹנְקֵי שָׁדָיִם יֵצֵא חָתָן מֵחֶדְרוֹ
יז וְכַלָּה מֵחֻפָּתָהּ׃ בֵּין הָאוּלָם וְלַמִּזְבֵּחַ יִבְכּוּ הַכֹּהֲנִים
מְשָׁרְתֵי יהוה וְיֹאמְרוּ חוּסָה יהוה עַל־עַמֶּךָ וְאַל־

אֲנִי כִּבְרוֹשׁ שהוא תמיד רַעֲנָן, ועליו אינם יבשים, אך יתרון לי על פני | ביאור
הברוש – שהוא עץ סרק, ואילו מִמֶּנִּי פֶּרְיְךָ נִמְצָא.

י מִי חָכָם וְיָבֵן את הצרות, המפלות, הניצחונות וההפסדים הָאֵלֶּה ואת
פשרם?! מי נָבוֹן וְיֵדָעֵם?! אף שאין לרדת לחקרם ולמשמעותם של
מהלכי המציאות, יש להאמין כִּי־יְשָׁרִים דַּרְכֵי ה׳, וְצַדִּקִים יֵלְכוּ בָם ויגיעו
למקום טוב, וּפֹשְׁעִים יִכָּשְׁלוּ בָם ויסתבכו אפילו בדרכים הישרות.

יואל פרק ב יא וַה׳ נָתַן קוֹלוֹ לִפְנֵי חֵילוֹ, צבאו. הארבה הוא מעין צבא
לא אנושי שישלח ה׳, כִּי רַב מְאֹד מַחֲנֵהוּ, כִּי עָצוּם עֹשֵׂה דְבָרוֹ. כִּי־
גָדוֹל יוֹם־ה׳, היום שבו יביא ה׳ על ראשכם את הארבה, וְנוֹרָא מְאֹד,
וּמִי יְכִילֶנּוּ?! מי יוכל לסבלו?! אפשרות אחרת: מכה זו היא מעין
הקדמה ליום הדין באחרית הימים. מתוך העמידה נוכח פשיטת
הארבה הזאת תוכלו לעמוד על האימה הצפויה ביום ה׳ שבעתיד
הרחוק.

יב וְגַם־עַתָּה, נְאֻם־ה׳, אף על פי שהפורענות הגיעה, וסופה אינו
נראה לעין, שֻׁבוּ עָדַי, אלי בְּכָל־לְבַבְכֶם וּבְצוֹם וּבִבְכִי וּבְמִסְפֵּד. בכו
והתחננו אלי. יג וְקִרְעוּ לְבַבְכֶם וְאַל תקרעו את בִּגְדֵיכֶם כנהוג בעת
אבל. מי שיעמדו מול הארץ שהארבה ישחית וינשל ממנה כל
מקור מחיה, בוודאי יתאבלו, אך הנביא דוחק בהם שיקרעו את
לבם בתשובה ולא את בגדיהם כגינון חיצוני. וְשׁוּבוּ אֶל־ה׳ אֱלֹהֵיכֶם,
כִּי־חַנּוּן וְרַחוּם הוּא, אֶרֶךְ אַפַּיִם וְרַב־חֶסֶד וְנִחָם, מתחרט כביכול עַל־
הָרָעָה. יד מִי יוֹדֵעַ אולי אחרי התשובה שלכם הוא יָשׁוּב וְנִחָם על
הגזרה, וְהִשְׁאִיר אַחֲרָיו – אחרי הארבה בְּרָכָה שממנה אפשר יהיה
להביא מִנְחָה וָנֶסֶךְ לַה׳ אֱלֹהֵיכֶם. אז תוכלו לכל הפחות להקריב קרבן
תודה לה׳.

יואל מנבא פלישה עצומה של ארבה, שלא נראתה כמותה בארץ,
ושתותיר את הארץ שוממה לחלוטין. יואל מעודד את שומעיו
לראות במכה סימן משמים ודרך לעורר את הלב לתשובה ולהתעלות,
והוא צופה שבסופו של דבר ייוושעו ממנה. טו תִּקְעוּ שׁוֹפָר בְּצִיּוֹן,
קַדְּשׁוּ, הקדישו את היום לצוֹם, קִרְאוּ, כנסו עֲצָרָה, אספה. טז אִסְפוּ־
עָם, קַדְּשׁוּ קָהָל, קִבְצוּ זְקֵנִים, אִסְפוּ עוֹלָלִים, פעוטות וְיֹנְקֵי שָׁדָיִם.
ערכו אספה גדולה שאליה יבואו הכול. יֵצֵא אפילו חָתָן מֵחֶדְרוֹ
וְכַלָּה מֵחֻפָּתָהּ. כולם ישתתפו בצער הציבור. יז בֵּין הָאוּלָם וְלַמִּזְבֵּחַ
יִבְכּוּ הַכֹּהֲנִים מְשָׁרְתֵי ה׳, וְיֹאמְרוּ: חוּסָה, רחם, ה׳, עַל־עַמֶּךָ, וְאַל־תִּתֵּן

תִּתֵּ֨ן נַחֲלָתְךָ֤ לְחֶרְפָּה֙ לִמְשָׁל־בָּ֣ם גּוֹיִ֔ם לָ֚מָּה יֹאמְר֣וּ
בָֽעַמִּ֔ים אַיֵּ֖ה אֱלֹהֵיהֶֽם׃ וַיְקַנֵּ֥א יְהוָ֖ה לְאַרְצ֑וֹ וַיַּחְמֹ֖ל יח
עַל־עַמּֽוֹ׃ וַיַּ֨עַן יְהוָ֜ה וַיֹּ֣אמֶר לְעַמּ֗וֹ הִנְנִ֨י שֹׁלֵ֤חַ לָכֶם֙ יט
אֶת־הַדָּגָן֙ וְהַתִּיר֣וֹשׁ וְהַיִּצְהָ֔ר וּשְׂבַעְתֶּ֖ם אֹת֑וֹ וְלֹֽא־
אֶתֵּ֨ן אֶתְכֶ֥ם ע֛וֹד חֶרְפָּ֖ה בַּגּוֹיִֽם׃ וְֽאֶת־הַצְּפוֹנִ֞י אַרְחִ֣יק כ
מֵעֲלֵיכֶ֗ם וְהִדַּחְתִּיו֮ אֶל־אֶ֣רֶץ צִיָּ֣ה וּשְׁמָמָה֒ אֶת־פָּנָ֗יו
אֶל־הַיָּם֙ הַקַּדְמֹנִ֔י וְסֹפ֖וֹ אֶל־הַיָּ֣ם הָאַחֲר֑וֹן וְעָלָ֣ה בָאְשׁ֗וֹ
וְתַ֙עַל֙ צַחֲנָת֔וֹ כִּ֥י הִגְדִּ֖יל לַעֲשֽׂוֹת׃ אַל־תִּֽירְאִ֖י אֲדָמָ֑ה כא
גִּ֣ילִי וּשְׂמָ֔חִי כִּֽי־הִגְדִּ֥יל יְהוָ֖ה לַעֲשֽׂוֹת׃ אַל־תִּֽירְאוּ֙ כב
בַּהֲמ֣וֹת שָׂדַ֔י כִּ֥י דָֽשְׁא֖וּ נְא֣וֹת מִדְבָּ֑ר כִּי־עֵץ֙ נָשָׂ֣א פִרְי֔וֹ
תְּאֵנָ֥ה וָגֶ֖פֶן נָתְנ֥וּ חֵילָֽם׃ וּבְנֵ֣י צִיּ֗וֹן גִּ֤ילוּ וְשִׂמְחוּ֙ בַּיהוָ֣ה כג
אֱלֹהֵיכֶ֔ם כִּֽי־נָתַ֥ן לָכֶ֛ם אֶת־הַמּוֹרֶ֖ה לִצְדָקָ֑ה וַיּ֣וֹרֶד לָכֶ֗ם
גֶּ֛שֶׁם מוֹרֶ֥ה וּמַלְק֖וֹשׁ בָּרִאשֽׁוֹן׃ וּמָלְא֥וּ הַגֳּרָנ֖וֹת בָּ֑ר כד
וְהֵשִׁ֥יקוּ הַיְקָבִ֖ים תִּיר֥וֹשׁ וְיִצְהָֽר׃ וְשִׁלַּמְתִּ֤י לָכֶם֙ אֶת־ כה
הַשָּׁנִ֔ים אֲשֶׁר֙ אָכַ֣ל הָֽאַרְבֶּ֔ה הַיֶּ֖לֶק וְהֶחָסִ֣יל וְהַגָּזָ֑ם חֵילִי֙

תאנה

מימין: ענבים
משמאל: וּמָלְאוּ הַגֳּרָנוֹת בָּר

נַחֲלָתְךָ לְחֶרְפָּה לִמְשָׁל־בָּם גּוֹיִם. כיוון שהמדינה מתרוקנת לגמרי ממלאי | ביאור
המזון שלה, מתעורר החשש שהיא תיחשף לשליטתם של עמים זרים.
גם אם נותר במחסנים סגורים היטב משהו שלא אכל אותו הארבה,
אין בו כדי לספק את צרכיה של המדינה. אחרי שתעבור המכה, לא
תהיה אפשרות לעם המוחלש להתגונן מפני עמים שיתנכלו לו.[205]
לָמָּה יֹאמְרוּ בָעַמִּים: "אַיֵּה אֱלֹהֵיהֶם?"

יח וַיְקַנֵּא ה' לְאַרְצוֹ לאחר הנפילה הזו, וַיַּחְמֹל עַל־עַמּוֹ. יט וַיַּעַן ה' וַיֹּאמֶר
לְעַמּוֹ: הִנְנִי שֹׁלֵחַ לָכֶם שוב אֶת־הַדָּגָן וְהַתִּירוֹשׁ, יין וְהַיִּצְהָר, שמן וּשְׂבַעְתֶּם
אֹתוֹ, ממנו, ולאחר שנאלצתם לבקש נדבות מעמי האזור בגלל
מצוקת הרעב,[206] אני מבטיח: וְלֹא־אֶתֵּן אֶתְכֶם עוֹד חֶרְפָּה בַּגּוֹיִם. כ וְאֶת
הארבה הַצְּפוֹנִי אַרְחִיק מֵעֲלֵיכֶם, וְהִדַּחְתִּיו, ארחיק אותו מכם אֶל־אֶרֶץ
צִיָּה וּשְׁמָמָה, אטה אֶת־פָּנָיו אֶל־הַיָּם הַקַּדְמֹנִי, ים המלח שבמזרח, וְסֹפוֹ
אֶל־הַיָּם הָאַחֲרוֹן, הים התיכון שבמערב. מכיוון שהארבה אינו מעופף
תמיד מכוח עצמו, עשויה לבוא רוח שתסחף אותו לכיוון דרום ים
המלח, שהרי שם אין מקום יישוב אלא ערבה צחיחה. כתוצאה מכך,
הארבה יתחיל למות, וְעָלָה בָאְשׁוֹ, וְתַעַל צַחֲנָתוֹ, שהרי מיליוני חרקים
מתים יפיצו סירחון עצום שיתפשט למרחוק. כִּי הִגְדִּיל לַעֲשׂוֹת רעה
בארץ.[207]
כא אַל־תִּירְאִי, אֲדָמָה, גִּילִי וּשְׂמָחִי, כִּי־הִגְדִּיל ה' לַעֲשׂוֹת טוב, כנגד הרעה
שגרם הארבה.[208]
כב אַל־תִּירְאוּ, בַּהֲמוֹת שָׂדַי, בהמות השדה, מהיעדר מזון בעקבות
פשיטת הארבה, כִּי דָשְׁאוּ, יתכסו דשא נְאוֹת מִדְבָּר, כִּי־עֵץ נָשָׂא פִרְיוֹ,
תְּאֵנָה וָגֶפֶן נָתְנוּ חֵילָם, כוחם.
כג וּבְנֵי צִיּוֹן, גִּילוּ וְשִׂמְחוּ בַּה' אֱלֹהֵיכֶם, כִּי־נָתַן לָכֶם אֶת־הַמּוֹרֶה, היורה
לִצְדָקָה מתנת חינם, חסד. וַיּוֹרֶד לָכֶם גֶּשֶׁם מוֹרֶה וּמַלְקוֹשׁ בָּחוֹדש
הָרִאשׁוֹן. נראה שהשנה שבה יכה הארבה את הארץ, תהיה גם שנת
בצורת. התקפת הארבה תהרוס לחלוטין את מעט היבול שייוותר,
אבל בבוא האביב יחול שינוי פתאומי. גשמים מרובים יֵרדו בחודש
ניסן, ויספיקו להצמחתו של יבול חדש.[209] כד וּמָלְאוּ הַגֳּרָנוֹת בָּר,
תבואה, וְהֵשִׁיקוּ, יוצפו הַיְקָבִים תִּירוֹשׁ וְיִצְהָר. כה וְשִׁלַּמְתִּי לָכֶם אֶת,
אפצה אתכם על הַשָּׁנִים אֲשֶׁר אָכַל הָאַרְבֶּה, הַיֶּלֶק וְהֶחָסִיל וְהַגָּזָם, מיני

הַצְּפוֹנִי הארבה מגיע לארץ בדרך כלל מן המזרח או מן הדרום, אבל נראה שבימי יואל הוא הגיע מן הצפון בנתיב לא רגיל. | העולם

הַגָּד֖וֹל אֲשֶׁ֥ר שִׁלַּ֖חְתִּי בָּכֶֽם׃ וַאֲכַלְתֶּ֤ם אָכוֹל֙ וְשָׂב֔וֹעַ כו
וְהִֽלַּלְתֶּ֗ם אֶת־שֵׁם֙ יהוה אֱלֹהֵיכֶ֔ם אֲשֶׁר־עָשָׂ֥ה עִמָּכֶ֖ם
לְהַפְלִ֑יא וְלֹא־יֵבֹ֥שׁוּ עַמִּ֖י לְעוֹלָֽם׃ וִֽידַעְתֶּ֗ם כִּ֣י בְקֶ֤רֶב כז
יִשְׂרָאֵל֙ אָ֔נִי וַאֲנִ֛י יהוה אֱלֹהֵיכֶ֖ם וְאֵ֣ין ע֑וֹד וְלֹא־יֵבֹ֥שׁוּ
עַמִּ֖י לְעוֹלָֽם׃

האשכנזים מסיימים כאן

מיכה

הספרדים ממשיכים

מִי־אֵ֣ל כָּמ֗וֹךָ נֹשֵׂ֤א עָוֺן֙ וְעֹבֵ֣ר עַל־פֶּ֔שַׁע לִשְׁאֵרִ֖ית יח ז
נַחֲלָת֑וֹ לֹא־הֶחֱזִ֤יק לָעַד֙ אַפּ֔וֹ כִּֽי־חָפֵ֥ץ חֶ֖סֶד הֽוּא׃
יָשׁ֣וּב יְרַחֲמֵ֔נוּ יִכְבֹּ֖שׁ עֲוֺנֹתֵ֑ינוּ וְתַשְׁלִ֛יךְ בִּמְצֻל֥וֹת יָ֖ם יט
כָּל־חַטֹּאתָֽם׃ תִּתֵּ֤ן אֱמֶת֙ לְיַעֲקֹ֔ב חֶ֖סֶד לְאַבְרָהָ֑ם כ
אֲשֶׁר־נִשְׁבַּ֥עְתָּ לַאֲבֹתֵ֖ינוּ מִ֥ימֵי קֶֽדֶם׃

ביאור | הארבה השונים שהיו חֵילִי הַגָּדוֹל אֲשֶׁר שִׁלַּחְתִּי בָּכֶם. כו וַאֲכַלְתֶּם אָכוֹל
וְשָׂבוֹעַ, וְהִלַּלְתֶּם אֶת־שֵׁם ה׳ אֱלֹהֵיכֶם, אֲשֶׁר־עָשָׂה עִמָּכֶם לְהַפְלִיא, וְלֹא־
יֵבֹשׁוּ עַמִּי עוד לְעוֹלָם. אחרי המכה תבוא תחילתה של גאולה, שתהיה
גדולה יותר מכל מה שהיה לפניה. כז וִידַעְתֶּם כִּי בְקֶרֶב יִשְׂרָאֵל אָנִי,
וַאֲנִי ה׳ אֱלֹהֵיכֶם וְאֵין עוֹד, וְלֹא־יֵבֹשׁוּ עַמִּי לְעוֹלָם.

בדברי נחמה אלו מסיים ספר מיכה את נבואותיו. מיכה פרק ז יח מִי,
אין עוד אֵל כָּמוֹךָ, נֹשֵׂא, סולח עָוֹן וְעֹבֵר עַל־פֶּשַׁע לִשְׁאֵרִית נַחֲלָתוֹ,
ישראל. לֹא־הֶחֱזִיק לָעַד אַפּוֹ, הוא לא אוחז בכעסו לעולם כִּי־חָפֵץ
חֶסֶד הוּא, לכן הוא ירחם עלינו אף שאיננו מושלמים.[210] יט יָשׁוּב
יְרַחֲמֵנוּ יִכְבֹּשׁ, יסתיר, יעצור את עֲוֹנֹתֵינוּ מלהיראות למעלה כביכול,
וְתַשְׁלִיךְ בִּמְצֻלוֹת יָם את כָּל־חַטֹּאתָם של ישראל, ואז הם יהיו יפים
ונקיים. כ תִּתֵּן אֱמֶת, את הבטחתך ועזרתך הנאמנים[211] לְיַעֲקֹב, ואת
הֶחֶסֶד לְאַבְרָהָם, בעיקר לבניהם אחריהם. תן לנו את החסד והאמת
אֲשֶׁר־נִשְׁבַּעְתָּ לַאֲבֹתֵינוּ מִימֵי קֶדֶם.

ארבה המדבר

## הפטרת האזינו

שמואל ב

לאשכנזים ולספרדים

כב א וַיְדַבֵּר דָּוִד לַיהוָה אֶת־דִּבְרֵי הַשִּׁירָה הַזֹּאת בְּיוֹם
הִצִּיל יְהוָה אֹתוֹ מִכַּף כָּל־אֹיְבָיו וּמִכַּף שָׁאוּל׃
ב ג וַיֹּאמַר     יְהוָה סַלְעִי וּמְצֻדָתִי וּמְפַלְטִי־לִי׃     אֱלֹהֵי
צוּרִי אֶחֱסֶה־בּוֹ     מָגִנִּי וְקֶרֶן יִשְׁעִי מִשְׂגַּבִּי
ד וּמְנוּסִי     מֹשִׁעִי מֵחָמָס תֹּשִׁעֵנִי׃     מְהֻלָּל
ה אֶקְרָא יְהוָה וּמֵאֹיְבַי אִוָּשֵׁעַ׃     כִּי אֲפָפֻנִי מִשְׁבְּרֵי־
ו מָוֶת     נַחֲלֵי בְלִיַּעַל יְבַעֲתֻנִי׃     חֶבְלֵי
שְׁאוֹל סַבֻּנִי     קִדְּמֻנִי מֹקְשֵׁי־
ז מָוֶת׃     בַּצַּר־לִי אֶקְרָא יְהוָה     וְאֶל־
אֱלֹהַי אֶקְרָא     וַיִּשְׁמַע מֵהֵיכָלוֹ
ח קוֹלִי     וְשַׁוְעָתִי בְּאָזְנָיו׃     ותגעש     (וַיִּתְגָּעַשׁ)
וַתִּרְעַשׁ הָאָרֶץ     מוֹסְדוֹת הַשָּׁמַיִם
ט יִרְגָּזוּ     וַיִּתְגָּעֲשׁוּ כִּי־חָרָה לוֹ׃     עָלָה
עָשָׁן בְּאַפּוֹ     וְאֵשׁ מִפִּיו
י תֹּאכֵל     גֶּחָלִים בָּעֲרוּ מִמֶּנּוּ׃     וַיֵּט
שָׁמַיִם וַיֵּרַד     וַעֲרָפֶל תַּחַת
יא רַגְלָיו׃     וַיִּרְכַּב עַל־כְּרוּב וַיָּעֹף     וַיֵּרָא

# שירת דוד

שירת דוד הושרה בשנותיו האחרונות והנינוחות יחסית של דוד, שבהן כבר יכול היה לסכם את ימי חייו. בדברי שירתו דוד שופך את נפשו ומתייחס לכלל חייו המרתקים והמופלאים. נסים התרחשו בעבורו בכל עת. נראה שה׳ התערב לטובתו במקרים קטנים כגדולים, אנשים וכוחות טבע נרתמו לסייע לו, ולא נותר לו אלא להודות לה׳ שהביאו למעמד כזה, שבחר בו וששמו התייחד עליו. זה היה שכרו על צדקתו ועל דבקותו בה׳.

הביטחון בה׳, ישועת ה׳ והנקמה באויבים, משותפים לשירת האזינו הכוללת את העם לדורותיו, ולשירת דוד העוסקת במי שנבחר לעמוד בראש הנהגת העם, הוא וזרעו אחריו לעולם.

שמואל ב׳ פרק כב א **וַיְדַבֵּר דָּוִד לַה׳ אֶת דִּבְרֵי הַשִּׁירָה הַזֹּאת בְּיוֹם הִצִּיל** | ביאור
**ה׳ אֹתוֹ מִכַּף כָּל אֹיְבָיו וּמִכַּף שָׁאוּל.** לאחר המאורעות הסוערים הגיע
שקט יחסי לחייו של דוד, אז חיבר שיר תהילה גדול לה׳ שהציל
אותו, גאל אותו ורומם אותו.[212] ב **וַיֹּאמַר:**

**ה׳ סַלְעִי וּמְצֻדָתִי**, התוקף, החוסן והמחסה שלי, ואין הוא רק
מקום המסתור שלי אלא **מְפַלְטִי לִי**, המציל אותי גם באופן פעיל
יותר. ג **אֱלֹהֵי צוּרִי**, סלעי, החוזק שלי, **אֶחֱסֶה בּוֹ. מָגִנִּי וְקֶרֶן יִשְׁעִי**, פינת
ישועתי, **מִשְׂגַּבִּי**, המעוז שלי, **וּמְנוּסִי**, המקום שאני בורח אליו, **מֹשִׁעִי,
מֵחָמָס**, מעושק **תֹּשִׁעֵנִי**. אתה הוא הכול עבורי.

ד **מְהֻלָּל אֶקְרָא ה׳**, תמיד אהלל את ה׳ בקראי אליו, הואיל **וּמֵאֹיְבַי
אִוָּשֵׁעַ.**[213] חיי היו מלאים סכנות, מלחמות ורדיפות, אך ניצלתי מכולן –
ה **כִּי אֲפָפֻנִי**, כיתרו אותי **מִשְׁבְּרֵי**, גלי[214] **מָוֶת**, צרות שאיימו על חיי, **נַחֲלֵי
בְלִיַּעַל**, זרמים בלתי נשלטים **יְבַעֲתֻנִי**, הפחידו אותי. ו **חֶבְלֵי שְׁאוֹל**,
חבלי רשת היוצאים מהאבדון **סַבֻּנִי**, סובבו אותי ללכדני, **קִדְּמֻנִי** בכל
מקום שהגעתי אליו **מֹקְשֵׁי מָוֶת.** ז **בַּצַּר לִי אֶקְרָא ה׳**, **וְאֶל אֱלֹהַי
אֶקְרָא. וַיִּשְׁמַע מֵהֵיכָלוֹ** שבקצה הרחוק של המציאות את **קוֹלִי, וְשַׁוְעָתִי**
הגיעה **בְּאָזְנָיו.**[215]

ח **וַיִּתְגָּעַשׁ**, הגיע פרץ מאי-שם, **וַתִּרְעַשׁ**, והזדעזעה **הָאָרֶץ, מוֹסְדוֹת**,
יסודות **הַשָּׁמַיִם יִרְגָּזוּ**. העולם כולו סער ורעד. **וַיִּתְגָּעֲשׁוּ** השמים והארץ
השתוללו **כִּי חָרָה לוֹ**, כי ה׳ זעם על אויבי שבאו לפגוע בי. ט ומרוב
כעס והתחממות **עָלָה עָשָׁן בְּאַפּוֹ, וְאֵשׁ** היוצאת **מִפִּיו תֹּאכֵל**, שורפת.
**גֶּחָלִים**, רשפים, ניצוצות **בָּעֲרוּ מִמֶּנּוּ**. הוא הופיע באופן מבהיל. י **וַיֵּט
שָׁמַיִם**, ה׳ הפנה וכופף את השמים[216] **וַיֵּרַד** לעזור לי,[217] **וַעֲרָפֶל**, ענן
מסתיר **תַּחַת רַגְלָיו.** יא **וַיִּרְכַּב עַל כְּרוּב**, מין מלאך **וַיָּעֹף, וַיֵּרָא**, הוא

עַל־כַּנְפֵי־רוּחַ׃ וַיָּשֶׁת חֹשֶׁךְ סְבִיבֹתָיו יב
סֻכּוֹת חַשְׁרַת־מַיִם עָבֵי שְׁחָקִים׃ מִנֹּגַהּ יג
נֶגְדּוֹ בָּעֲרוּ גַּחֲלֵי־אֵשׁ׃ יַרְעֵם מִן־שָׁמַיִם יד
יְהוָה וְעֶלְיוֹן יִתֵּן קוֹלוֹ׃ וַיִּשְׁלַח טו
וַיָּהֹם חִצִּים וַיְפִיצֵם בָּרָק ויהמם׃ וַיֵּרָאוּ אֲפִקֵי טז
יָם יִגָּלוּ מֹסְדוֹת תֵּבֵל בְּגַעֲרַת
יְהוָה מִנִּשְׁמַת רוּחַ אַפּוֹ׃ יִשְׁלַח מִמָּרוֹם יז
יִקָּחֵנִי יַמְשֵׁנִי מִמַּיִם רַבִּים׃ יַצִּילֵנִי יח
מֵאֹיְבִי עָז מִשֹּׂנְאַי כִּי אָמְצוּ
מִמֶּנִּי׃ יְקַדְּמֻנִי בְּיוֹם אֵידִי וַיְהִי יט
יְהוָה מִשְׁעָן לִי׃ וַיֹּצֵא לַמֶּרְחָב כ
אֹתִי יְחַלְּצֵנִי כִּי־חָפֵץ בִּי׃ יִגְמְלֵנִי כא
יְהוָה כְּצִדְקָתִי כְּבֹר יָדַי יָשִׁיב
לִי׃ כִּי שָׁמַרְתִּי דַּרְכֵי יְהוָה וְלֹא כב
רָשַׁעְתִּי מֵאֱלֹהָי׃ כִּי כָל־מִשְׁפָּטָו כג
לְנֶגְדִּי וְחֻקֹּתָיו לֹא־אָסוּר מִמֶּנָּה׃ וָאֶהְיֶה כד
תָמִים לוֹ וָאֶשְׁתַּמְּרָה מֵעֲוֹנִי׃ וַיָּשֶׁב יְהוָה לִי כה
כְּצִדְקָתִי כְּבֹרִי לְנֶגֶד עֵינָיו׃ עִם־ כו

**הרחבות** | צדקת דוד למרות מעידותיו דוד הוא דמות מובהקת של עובד ה'. דוד נהג כל ימיו ככהן בבית ה'. כך עולה גם מסיפורי תולדותיו, ובאופן גלוי הרבה יותר – מספר תהלים. עולמו הדתי לא היה סעיף בחייו אלא מגמת החיים כולם. הוא היה איש

**ביאור** | התגלה **עַל כַּנְפֵי רוּחַ.** יב בהופעתו – **וַיָּשֶׁת**, הוא שם **חֹשֶׁךְ סְבִיבֹתָיו**
להיות **סֻכּוֹת**, מסכים, **חַשְׁרַת**, היערמות **מַיִם, עָבֵי**, עננים המסתירים
**שְׁחָקִים**, שמים. יג ומצד אחר, **מִנֹּגַהּ**, מהזיו **שֶׁנֶגְדּוֹ**, לפניו **בָּעֲרוּ**
**גַּחֲלֵי אֵשׁ.** יד ובזמן הסערה, החושך והאימה, ענני המים והאש
הבוערת סביב – **יַרְעֵם**, מרעים, משמיע רעם **מִן שָׁמַיִם ה׳, וְעֶלְיוֹן יִתֵּן**
**קוֹלוֹ.** טו **וַיִּשְׁלַח חִצִּים וַיְפִיצֵם**, ומפזר באמצעות חציו את אויבַי,
**חִצֵּי בָּרָק – וַיָּהֹם**, מטיל בהם מהומה, או משבר אותם. טז האדמה
רועדת חזק; הגלים נעתקים ממקומם, **וַיֵּרָאוּ אֲפִקֵי**, שבילי **יָם, יִגָּלוּ**
**מֹסְדוֹת תֵּבֵל.** מתגלים התהומות. הים נחשף כמעט במערומיו, והוא
כמו בורח **בְּגַעֲרַת ה׳, מִנִּשְׁמַת**, נשיבת **רוּחַ אַפּוֹ.** יז **יִשְׁלַח ה׳** את ידו
**מִמָּרוֹם וִיקָּחֵנִי. יַמְשֵׁנִי**, הוא מוציא אותי **מִמַּיִם רַבִּים,** יח **יַצִּילֵנִי מֵאֹיְבִי**
**עָז**, הקשה, **מִשֹּׂנְאַי כִּי אָמְצוּ**, אשר גברו **מִמֶּנִּי.** יט **יְקַדְּמֻנִי**, אויבי יצאו
לקראתי **בְּיוֹם אֵידִי**, בשעת המשבר שלי; ובכל זאת גם בנפילתי –
**וַיְהִי ה׳ מִשְׁעָן לִי.**[218] כ **וַיֹּצֵא לַמֶּרְחָב אֹתִי** מתוך המצוקה, **יְחַלְּצֵנִי כִּי**
**חָפֵץ בִּי.** בדימויים אלה מתוארת הצלת דוד בהשגחה פרטית עליו
ובדרכים נסיות הכרוכות בשידוד המערכות ובזעזוע המציאות.[219]

כאן מופיעה הערת הסבר. אמנם דוד מתאר את עזרתו המתמדת
של אלוקים ואת תמיכתו בו ללא הרף, אבל אין זו העדפה חריגה
או חסרת טעם – כא **יִגְמְלֵנִי ה׳ כְּצִדְקָתִי**, ה׳ משלם לי על מעשי הצדק
שלי, **כְּבֹר יָדַי**, כפי טוהר כפי, יושרי ונאמנותי **יָשִׁיב לִי.** כב **כִּי שָׁמַרְתִּי**
מאז ומעולם **דַּרְכֵי ה׳, וְלֹא רָשַׁעְתִּי**, סטיתי[220] **מֵאֱלֹהָי.** כג **כִּי כָל מִשְׁפָּטָו**
תמיד **לְנֶגְדִּי, וְחֻקֹּתָיו**, כל חוקה וחוקה, **לֹא אָסוּר מִמֶּנָּה.** כד **וָאֶהְיֶה**
**תָמִים**, שלם לו, התמסרתי אליו בשלמות, **וָאֶשְׁתַּמְּרָה מֵעֲוֹנִי**, מעוון, או:
מהעוון הטבוע בי.[221] כה **וַיָּשֶׁב ה׳ לִי כְּצִדְקָתִי, כְּבֹרִי**, כניקיוני שהוא
**לְנֶגֶד עֵינָיו.** אני זוכה לחסדי ה׳ ולישועות מיוחדות, משום שתמיד
הלכתי בדרכיו.

ברק

**הרחבות** | מלחמה ומדינאי, והיו לו לא מעט נשים, אך עיסוקיו המגוונים לא עמדו אלא בשולי עולמו. עיסוקו העיקרי שלא הרפה ממנו ותמצית חייו היו אהבת ה׳ ועבודתו. (ראו עוד תנא דבי אליהו רבה, ג).

חָסִיד תִּתְחַסָּד עִם־גִּבּוֹר תָּמִים
תִּתַּמָּם׃ עִם־נָבָר תִּתָּבָר וְעִם־ כז
עִקֵּשׁ תִּתַּפָּל׃ וְאֶת־עַם עָנִי כח
תּוֹשִׁיעַ וְעֵינֶיךָ עַל־רָמִים תַּשְׁפִּיל׃ כִּי־ כט
אַתָּה נֵירִי יְהוָה וַיהוָה יַגִּיהַּ
חָשְׁכִּי׃ כִּי בְכָה אָרוּץ גְּדוּד בֵּאלֹהַי ל
אֲדַלֶּג־שׁוּר׃ הָאֵל תָּמִים לא
דַּרְכּוֹ אִמְרַת יְהוָה צְרוּפָה מָגֵן
הוּא לְכֹל הַחֹסִים בּוֹ׃ כִּי מִי־אֵל מִבַּלְעֲדֵי לב
יְהוָה וּמִי צוּר מִבַּלְעֲדֵי אֱלֹהֵינוּ׃ הָאֵל לג
מָעוּזִּי חָיִל וַיַּתֵּר תָּמִים
דַּרְכִּי | רַגְלַי דרכו׃ מְשַׁוֶּה רגליו כָּאַיָּלוֹת וְעַל־ לד
בָּמוֹתַי יַעֲמִידֵנִי׃ מְלַמֵּד יָדַי לה
לַמִּלְחָמָה וְנִחַת קֶשֶׁת־נְחוּשָׁה זְרֹעֹתָי׃ וַתִּתֶּן־ לו
לִי מָגֵן יִשְׁעֶךָ וַעֲנֹתְךָ תַּרְבֵּנִי׃ תַּרְחִיב צַעֲדִי לז
תַּחְתֵּנִי וְלֹא מָעֲדוּ קַרְסֻלָּי׃ אֶרְדְּפָה לח
אֹיְבַי וָאַשְׁמִידֵם וְלֹא אָשׁוּב עַד־
כַּלּוֹתָם׃ וָאֲכַלֵּם וָאֶמְחָצֵם וְלֹא יְקוּמוּן וַיִּפְּלוּ לט
תַּחַת רַגְלָי׃ וַתַּזְרֵנִי חַיִל מ
לַמִּלְחָמָה תַּכְרִיעַ קָמַי תַּחְתֵּנִי׃ וְאֹיְבַי מא
תַּתָּה לִּי עֹרֶף מְשַׂנְאַי וָאַצְמִיתֵם׃ יִשְׁעוּ וְאֵין מב

ביאור | עתה דוד שב ופונה לה': כו **עִם חָסִיד תִּתְחַסָּד**, אתה מתנהג בחסד.
**עִם גְּבוֹר תָּמִים**, שלם **תִּתַּמָּם**, אתה נוהג בתום, בנאמנות. כז **עִם נָבָר**,
נקי, חף **תִּתָּבָר**, אתה פועל בנקיות, **וְעִם עִקֵּשׁ**, עקום **תִּתַּפָּל**, אתה
מתפתל אתו.[222] יש צדק בעולם, והקדוש ברוך הוא מודד מידה
כנגד מידה. כח **וְאֶת עַם עָנִי**, כנוע **תּוֹשִׁיעַ**, ומנגד **עֵינֶיךָ עַל רָמִים תַּשְׁפִּיל**,
מבטך על הגבוהים הוא מלמעלה למטה. כלומר, אתה מתייחס
אליהם כאל שפלים.

כט **כִּי אַתָּה נֵירִי**, נרי, **ה'**, **וַה' יַגִּיהַּ**, מאיר את **חָשְׁכִּי**. ל **כִּי בְכָה**, בך,
בעזרתך **אָרוּץ**, אני רודף, או מרוצץ[223] **גְּדוּד** שלם. **בֵּאלֹהַי אֲדַלֶּג** על
פני **שׁוּר**, חומה. אני כובש ערים בצורות. לא **הָאֵל – תָּמִים דַּרְכּוֹ**,
דרכו תמימה. **אִמְרַת ה'**, משפטו והבטחתו **צְרוּפָה**, נקייה, מתקיימת
במלואה.[224] גם כשנקלעתי למצבי דחק, בסופו של דבר נחלצתי
וניצחתי, כי **מָגֵן הוּא ה' לְכֹל הַחֹסִים בּוֹ**. לב **כִּי מִי אֵל מִבַּלְעֲדֵי ה'**,
**וּמִי צוּר**, מעוז **מִבַּלְעֲדֵי אֱלֹהֵינוּ**. אין כוח ותוקף מלבדו. לג **הָאֵל**
הוא **מָעוּזִּי חָיִל**, מבצרי החזק, **וַיַּתֵּר**, הוא הקפיץ, התיר ופתח, תר
לפני, או נתן[225] **תָּמִים**, ללא פגם את **דַּרְכִּי**. לד **מְשַׁוֶּה**, מיישר, מעמיד
את **רַגְלַי כָּאַיָּלוֹת** הרצות במהירות וביציבות רבה, ולאחר מכן, **עַל
בָּמוֹתַי**, רמותי, חוזקותי **יַעֲמִדֵנִי** כדרך האיילים והצבאים המגיעים אל
פסגות ההרים. לה **מְלַמֵּד יָדַי לַמִּלְחָמָה, וְנִחַת**, מיישר ומשווה **כְּקֶשֶׁת
נְחוּשָׁה**, נחושת, שהיא קשה מקשת עץ, את **זְרֹעֹתָי**.[226] לו **וַתִּתֶּן לִי
מָגֵן יִשְׁעֶךָ**, ישועתך, **וַעֲנֹתְךָ**, המענה שלך, או: ענוותך[227] **תַּרְבֵּנִי**, גידלה
אותי.[228] לז **תַּרְחִיב צַעֲדִי תַּחְתֵּנִי**, תחתי. הולכת אותי הליכה בטוחה
ויעילה, **וְלֹא מָעֲדוּ קַרְסֻלָּי**. לח **אֶרְדְּפָה**, רדפתי את **אֹיְבַי וָאַשְׁמִידֵם, וְלֹא
אָשׁוּב** מהמלחמה **עַד כַּלּוֹתָם**, עד שאשמידם. לט **וָאֲכַלֵּם וָאֶמְחָצֵם**,
שברתי אותם **וְלֹא יְקוּמוּן, וַיִּפְּלוּ תַּחַת רַגְלָי**. מ **וַתַּזְרֵנִי**, אזרתני, חגרת
אותי **חַיִל לַמִּלְחָמָה, תַּכְרִיעַ** את **קָמַי**, הקמים עלי **תַּחְתֵּנִי**. מא **וְאֹיְבַי
תַּתָּה**, נתת **לִּי עֹרֶף**. גרמת לכך שאויבי הפנו לי עורף, **מְשַׂנְאַי** ברחו
מפני **וָאַצְמִיתֵם**, השמדתי אותם. מב **יִשְׁעוּ**, הם משוועים לעזרה **וְאֵין**

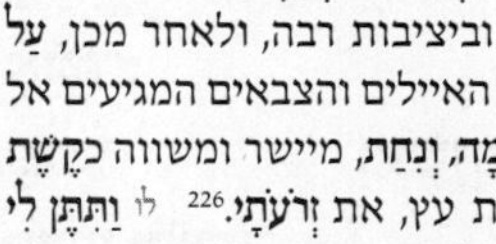
איילות במרוצה

מוֹשִׁיעַ אֶל־יְהוָה וְלֹא עָנָם: וְאֶשְׁחָקֵם מג
כַּעֲפַר־אָרֶץ כְּטִיט־חוּצוֹת אֲדִקֵּם
אֶרְקָעֵם: וַתְּפַלְּטֵנִי מֵרִיבֵי עַמִּי תִּשְׁמְרֵנִי מד
לְרֹאשׁ גּוֹיִם עַם לֹא־יָדַעְתִּי
יַעַבְדֻנִי: בְּנֵי נֵכָר יִתְכַּחֲשׁוּ־לִי לִשְׁמוֹעַ מה
אֹזֶן יִשָּׁמְעוּ לִי: בְּנֵי נֵכָר יִבֹּלוּ וְיַחְגְּרוּ מו
מִמִּסְגְּרוֹתָם: חַי־יְהוָה וּבָרוּךְ צוּרִי וְיָרֻם מז
אֱלֹהֵי צוּר יִשְׁעִי: הָאֵל הַנֹּתֵן נְקָמֹת מח
לִי וּמוֹרִיד עַמִּים תַּחְתֵּנִי: וּמוֹצִיאִי מט
מֵאֹיְבָי וּמִקָּמַי תְּרוֹמְמֵנִי מֵאִישׁ חֲמָסִים
תַּצִּילֵנִי: עַל־כֵּן אוֹדְךָ יְהוָה בַּגּוֹיִם וּלְשִׁמְךָ נ
מִגְדּוֹל אֲזַמֵּר: מגדיל יְשׁוּעוֹת נא
מַלְכּוֹ וְעֹשֶׂה־חֶסֶד לִמְשִׁיחוֹ
לְדָוִד וּלְזַרְעוֹ עַד־עוֹלָם:

יחזקאל

לתימנים כֹּה אָמַר אֲדֹנָי יֱהוִה וְלָקַחְתִּי אָנִי מִצַּמֶּרֶת הָאֶרֶז כב יז
הָרָמָה וְנָתָתִּי מֵרֹאשׁ יֹנְקוֹתָיו רַךְ אֶקְטֹף וְשָׁתַלְתִּי
אָנִי עַל הַר־גָּבֹהַּ וְתָלוּל: בְּהַר מְרוֹם יִשְׂרָאֵל אֶשְׁתֳּלֶנּוּ כג
וְנָשָׂא עָנָף וְעָשָׂה פֶרִי וְהָיָה לְאֶרֶז אַדִּיר וְשָׁכְנוּ
תַחְתָּיו כֹּל צִפּוֹר כָּל־כָּנָף בְּצֵל דָּלִיּוֹתָיו תִּשְׁכֹּנָּה:
וְיָדְעוּ כָּל־עֲצֵי הַשָּׂדֶה כִּי אֲנִי יְהוָה הִשְׁפַּלְתִּי ׀ עֵץ כד
גָּבֹהַ הִגְבַּהְתִּי עֵץ שָׁפָל הוֹבַשְׁתִּי עֵץ לָח וְהִפְרַחְתִּי

ביאור משִׁיעַ, הם פונים אֶל ה׳ וְלֹא עָנָם, כי בי הוא בוחר. מג וְאֶשְׁחָקֵם, אני
כותש את אויבי כַּעֲפַר אָרֶץ, כְּטִיט מושלך בחוצות אֲדִקֵּם אֶרְקָעֵם,
אני מפורר, מרדד ורומס אותם. מד וַתְּפַלְּטֵנִי מֵרִיבֵי, הצלת אותי
ממריבות בתוך עַמִּי, תִּשְׁמְרֵנִי, קיימת אותי עד שהייתי לְרֹאשׁ גּוֹיִם,
עַם לֹא יָדַעְתִּי יַעַבְדֻנִי. כיבושי הנרחבים הגיעו עד עמים רחוקים שלא
הכרתי. מה בְּנֵי נֵכָר, אויבים וזרים, מרוב פחדם מפני יִתְכַּחֲשׁוּ, ישקרו
ויחניפו לִי,[229] לִשְׁמוֹעַ אֹזֶן, הם רק שומעים על גבורתי, וכבר יִשָּׁמְעוּ,
הם נכנעים ומצייתים לִי. או: דבריי מתקבלים על הכול. מו בְּנֵי נֵכָר
יִבֹּלוּ, מתייבשים וקמלים, וְיַחְרְגוּ, וחורגים,[230] מזדעזעים או פורצים
בבהלה מִמִּסְגְּרוֹתָם, ממסגרות ההגנה שלהם, מבצריהם. כל זאת
הוא מתהילת דוד המלך, הכובש והמצביא.

מז חַי ופועל ישועות הוא ה׳, וּבָרוּךְ הוא צוּרִי, וְיָרֻם, ומרומם אֱלֹהֵי צוּר
יִשְׁעִי. מח אותו הָאֵל הַנֹּתֵן נְקָמֹת לִי, וּמוֹרִיד עַמִּים תַּחְתֵּנִי, מט וּמוֹצִיאִי
מתחת יד אֹיְבָי, וּמִקָּמַי, מהקמים עלי תְּרוֹמְמֵנִי, הגבהת אותי, מֵאִישׁ
חֲמָסִים, מאדם אלים תַּצִּילֵנִי. נ עַל כֵּן אוֹדְךָ, ה׳, בַּגּוֹיִם, בפני ישראל
ובפני כל העמים, וּלְשִׁמְךָ אֲזַמֵּר. נא ה׳ הוא מִגְדּוֹל יְשׁוּעוֹת, מגדל
שנושעים בו לְמַלְכּוֹ, לדוד,[231] וְעֹשֶׂה חֶסֶד לִמְשִׁיחוֹ, לְדָוִד וּלְזַרְעוֹ עַד
עוֹלָם.

# עקרונות הגמול,
# האחריות האישית והתשובה

הפטרה זו עוסקת בענייני משפט הגמול האלוקי והבחירה הנתונה לכל אדם ולכל דור – עניינים שמשה מדבר עליהם לישראל קודם מותו.

יחזקאל פרק יז כב כֹּה אָמַר ה׳ אֱלוֹהִים: וְלָקַחְתִּי אָנִי מִצַּמֶּרֶת הָאֶרֶז הָרָמָה,
וְנָתָתִּי, אשתול אותו, מֵרֹאשׁ יֹנְקוֹתָיו, ענפיו הצעירים, רַךְ אֶקְטֹף, וְשָׁתַלְתִּי
אָנִי את השתיל עַל הַר־גָּבֹהַּ וְתָלוּל, כג בְּהַר מְרוֹם יִשְׂרָאֵל אֶשְׁתֳּלֶנּוּ,
וְנָשָׂא עָנָף וְעָשָׂה פֶרִי, וְהָיָה לְאֶרֶז אַדִּיר, וְשָׁכְנוּ תַחְתָּיו כֹּל צִפּוֹר כָּל־כָּנָף,
בְּצֵל דָּלִיּוֹתָיו, ענפיו הארוכים תִּשְׁכֹּנָּה. כד וְיָדְעוּ כָּל־עֲצֵי הַשָּׂדֶה כִּי אֲנִי
ה׳ הִשְׁפַּלְתִּי עֵץ גָּבֹהַּ, הִגְבַּהְתִּי עֵץ שָׁפָל, הוֹבַשְׁתִּי עֵץ לָח, וְהִפְרַחְתִּי עֵץ

יח א עֵ֣ץ יָבֵ֑שׁ אֲנִ֧י יְהוָ֛ה דִּבַּ֖רְתִּי וְעָשִֽׂיתִי׃ וַיְהִ֥י
ב דְבַר־יְהוָ֖ה אֵלַ֥י לֵאמֹֽר׃ מַה־לָּכֶ֗ם אַתֶּם֙ מֹֽשְׁלִים֙ אֶת־
הַמָּשָׁ֣ל הַזֶּ֔ה עַל־אַדְמַ֥ת יִשְׂרָאֵ֖ל לֵאמֹ֑ר אָבוֹת֙ יֹ֣אכְלוּ
ג בֹ֔סֶר וְשִׁנֵּ֥י הַבָּנִ֖ים תִּקְהֶֽינָה׃ חַי־אָ֕נִי נְאֻ֖ם אֲדֹנָ֣י יְהוִ֑ה
ד אִם־יִֽהְיֶ֨ה לָכֶ֜ם ע֗וֹד מְשֹׁ֛ל הַמָּשָׁ֥ל הַזֶּ֖ה בְּיִשְׂרָאֵֽל׃ הֵ֤ן
כָּל־הַנְּפָשׁוֹת֙ לִ֣י הֵ֔נָּה כְּנֶ֧פֶשׁ הָאָ֛ב וּכְנֶ֥פֶשׁ הַבֵּ֖ן לִי־
ה הֵ֑נָּה הַנֶּ֥פֶשׁ הַחֹטֵ֖את הִ֥יא תָמֽוּת׃ וְאִ֖ישׁ
ו כִּֽי־יִהְיֶ֣ה צַדִּ֑יק וְעָשָׂ֥ה מִשְׁפָּ֖ט וּצְדָקָֽה׃ אֶל־הֶֽהָרִים֙
לֹ֣א אָכָ֔ל וְעֵינָיו֙ לֹ֣א נָשָׂ֔א אֶל־גִּלּוּלֵ֖י בֵּ֣ית יִשְׂרָאֵ֑ל
וְאֶת־אֵ֤שֶׁת רֵעֵ֙הוּ֙ לֹ֣א טִמֵּ֔א וְאֶל־אִשָּׁ֥ה נִדָּ֖ה לֹ֥א
ז יִקְרָֽב׃ וְאִישׁ֙ לֹ֣א יוֹנֶ֔ה חֲבֹלָת֥וֹ חוֹב֙ יָשִׁ֔יב גְּזֵלָ֖ה לֹ֣א
ח יִגְזֹ֑ל לַחְמוֹ֙ לְרָעֵ֣ב יִתֵּ֔ן וְעֵירֹ֖ם יְכַסֶּה־בָּֽגֶד׃ בַּנֶּ֣שֶׁךְ לֹֽא־
יִתֵּ֗ן וְתַרְבִּית֙ לֹ֣א יִקָּ֔ח מֵעָ֖וֶל יָשִׁ֣יב יָד֑וֹ מִשְׁפַּ֤ט אֱמֶת֙
ט יַעֲשֶׂ֔ה בֵּ֥ין אִ֖ישׁ לְאִֽישׁ׃ בְּחֻקּוֹתַ֧י יְהַלֵּ֛ךְ וּמִשְׁפָּטַ֥י
שָׁמַ֖ר לַעֲשׂ֣וֹת אֱמֶ֑ת צַדִּ֥יק הוּא֙ חָיֹ֣ה יִֽחְיֶ֔ה נְאֻ֖ם אֲדֹנָ֥י
י יְהוִֽה׃ וְהוֹלִ֥יד בֵּן־פָּרִ֖יץ שֹׁ֣פֵֽךְ דָּ֑ם וְעָ֣שָׂה אָ֔ח מֵאַחַ֖ד
יא מֵאֵֽלֶּה׃ וְה֕וּא אֶת־כָּל־אֵ֖לֶּה לֹ֣א עָשָׂ֑ה כִּ֣י גַ֤ם אֶל־

ביאור | **יָבֵשׁ, אֲנִי ה׳, דִּבַּרְתִּי וְעָשִׂיתִי.** אחרי מפלתה של ממלכת יהודה וגלותה
לבבל, תהיה תקומה לישראל: ה׳ ייקח דבר מה שלכאורה אין סיכוי
שיתקיים, ובכל זאת הוא יגדל ויצמח. בית ישראל ייבנה מחדש.

ומן הנבואה עובר יחזקאל לסוגיה דתית-מוסרית הכוללת דיון
בשני נושאים הקשורים זה בזה – שאלת הגמול ושאלת האחריות
האישית: פרק יח א **וַיְהִי דְבַר־ה׳ אֵלַי לֵאמֹר:** ב **מַה־לָּכֶם כִּי אַתֶּם**
**מְשְׁלִים אֶת־הַמָּשָׁל**, הפתגם המליצי **הַזֶּה עַל־אַדְמַת יִשְׂרָאֵל, לֵאמֹר:**
**״אָבוֹת יֹאכְלוּ בֹסֶר וְשִׁנֵּי הַבָּנִים תִּקְהֶינָה**, ילקו״. כלומר, הבנים נענשים
על חטאי אבותיהם?! ג **חַי־אָנִי, נְאֻם ה׳ אֱלוֹהִים, אִם** – לשון שבועה:
**לֹא יִהְיֶה לָכֶם עוֹד לִמְשֹׁל הַמָּשָׁל הַזֶּה בְּיִשְׂרָאֵל.** המשל הזה צריך להיעלם
מלשונכם וממחשבותיכם. ד **הֵן כָּל־הַנְּפָשׁוֹת לִי הֵנָּה**, ברשותי לבחון
אותן ולשלוט בגורלן;[232] כולן שלי הן, ואיני מעדיף נפש אחת על
האחרת,[233] **כְּנֶפֶשׁ הָאָב וּכְנֶפֶשׁ הַבֵּן לִי־הֵנָּה**, ועל כן **הַנֶּפֶשׁ הַחֹטֵאת הִיא**
**תָמוּת.** לכל אדם אחריות אישית לבחירתו בטוב או ברע.

מכאן מתחיל פירוט העיקרון: ה **וְאִישׁ כִּי־יִהְיֶה צַדִּיק, וְעָשָׂה מִשְׁפָּט**
**וּצְדָקָה**, הוא נוהג כדין ובחמלה, ו **אֶל**, על **הֶהָרִים**, שבהם היו רגילים
להציב אלילים, **לֹא אָכָל** זבחי עבודה זרה, **וְעֵינָיו לֹא נָשָׂא אֶל**, לא חמד
את **גִּלּוּלֵי בֵּית יִשְׂרָאֵל**, הוא לא התפתה לעבוד אלילים המקובלים
בעמו, **וְאֶת־אֵשֶׁת רֵעֵהוּ לֹא טִמֵּא**, איננו נואף עם אשת איש, **וְאֶל־אִשָּׁה**
**נִדָּה**, גם אם היא אשתו, **לֹא יִקְרָב.** הוא נשמר מחטאים שבין אדם
למקום, מתרחק מעבודה זרה ומחטאים שבין גברים לנשים. ז ובדיני
ממונות: **אִישׁ לֹא יוֹנֶה**, אינו מרמה או פוגע באיש,[234] **אֶת חֲבֹלָתוֹ**, הבגד
שלקח מעני כמשכון בעבור **חוֹב** שיש לו בעקבות הלוואה, **יָשִׁיב** מדי
ערב מפני שהעני זקוק להתכסות בו, כאמור בתורה.[235] **גְּזֵלָה לֹא**
**יִגְזֹל, לַחְמוֹ לְרָעֵב יִתֵּן, וְעֵירֹם יְכַסֶּה־בָּגֶד.** ח **בַּנֶּשֶׁךְ לֹא־יִתֵּן, וְתַרְבִּית לֹא**
**יִקָּח**, איננו מלווה בריבית כלל,[236] **מֵעָוֶל**, מרעה **יָשִׁיב יָדוֹ**, נמנע, **מִשְׁפַּט**
**אֱמֶת יַעֲשֶׂה בֵּין אִישׁ לְאִישׁ,** ט **בְּחֻקּוֹתַי יְהַלֵּךְ וּמִשְׁפָּטַי שָׁמַר, לַעֲשׂוֹת אֱמֶת.**
זהו שרטוט כללי של אדם המקיים את ציוויי ה׳ ונמנע מן העברות.
**צַדִּיק הוּא** – **חָיֹה יִחְיֶה**, הוא זוכה לחיים. **נְאֻם ה׳ אֱלוֹהִים.**

י ואם קרה **וְהוֹלִיד בֵּן־פָּרִיץ**, פורץ את גבולות הדין והמוסר, **שֹׁפֵךְ דָּם,**
**וְעָשָׂה, אָח** – כנראה, קריאת כאב.[237] **מֵאַחַד מֵאֵלֶּה**, מהמעשים שאביו
נמנע מהם. יא **וְהוּא אֶת־כָּל־אֵלֶּה** – כל מנהגי אביו **לֹא עָשָׂה, כִּי גַם**
**אֶל־הֶהָרִים אָכַל, וְאֶת־אֵשֶׁת רֵעֵהוּ טִמֵּא,** יב **עָנִי וְאֶבְיוֹן הוֹנָה, גְּזֵלוֹת גָּזָל,**

הֶהָרִים֙ אָכַל וְאֶת־אֵשֶׁת רֵעֵהוּ טִמֵּא׃ עָנִי וְאֶבְיוֹן֙ יב
הוֹנָה גְּזֵלוֹת גָּזָל חֲבֹל לֹא יָשִׁיב וְאֶל־הַגִּלּוּלִים נָשָׂא
עֵינָיו תּוֹעֵבָה עָשָׂה׃ בַּנֶּשֶׁךְ נָתַן וְתַרְבִּית לָקַח וָחָי יג
לֹא יִחְיֶה אֵת כָּל־הַתּוֹעֵבוֹת הָאֵלֶּה עָשָׂה מוֹת יוּמָת
דָּמָיו בּוֹ יִהְיֶה׃ וְהִנֵּה הוֹלִיד בֵּן וַיַּרְא אֶת־כָּל־חַטֹּאת יד
אָבִיו אֲשֶׁר עָשָׂה וַיִּרְאֶה וְלֹא יַעֲשֶׂה כָּהֵן׃ עַל־הֶהָרִים טו
לֹא אָכָל וְעֵינָיו לֹא נָשָׂא אֶל־גִּלּוּלֵי בֵּית יִשְׂרָאֵל אֶת־
אֵשֶׁת רֵעֵהוּ לֹא טִמֵּא׃ וְאִישׁ לֹא הוֹנָה חֲבֹל לֹא טז
חָבָל וּגְזֵלָה לֹא גָזָל לַחְמוֹ לְרָעֵב נָתָן וְעֵרוֹם כִּסָּה־
בָגֶד׃ מֵעָנִי הֵשִׁיב יָדוֹ נֶשֶׁךְ וְתַרְבִּית לֹא לָקָח מִשְׁפָּטַי יז
עָשָׂה בְּחֻקּוֹתַי הָלָךְ הוּא לֹא יָמוּת בַּעֲוֺן אָבִיו חָיֹה
יִחְיֶה׃ אָבִיו כִּי־עָשַׁק עֹשֶׁק גָּזַל גֵּזֶל אָח וַאֲשֶׁר לֹא־ יח
טוֹב עָשָׂה בְּתוֹךְ עַמָּיו וְהִנֵּה־מֵת בַּעֲוֺנוֹ׃ וַאֲמַרְתֶּם יט
מַדֻּעַ לֹא־נָשָׂא הַבֵּן בַּעֲוֺן הָאָב וְהַבֵּן מִשְׁפָּט וּצְדָקָה
עָשָׂה אֵת כָּל־חֻקּוֹתַי שָׁמַר וַיַּעֲשֶׂה אֹתָם חָיֹה יִחְיֶה׃
הַנֶּפֶשׁ הַחֹטֵאת הִיא תָמוּת בֵּן לֹא־יִשָּׂא ׀ בַּעֲוֺן הָאָב כ
וְאָב לֹא יִשָּׂא בַּעֲוֺן הַבֵּן צִדְקַת הַצַּדִּיק עָלָיו תִּהְיֶה
הָרָשָׁע וְרִשְׁעַת רשע עָלָיו תִּהְיֶה׃ וְהָרָשָׁע כִּי כא
יָשׁוּב מִכָּל־חַטֹּאתוֹ אֲשֶׁר עָשָׂה וְשָׁמַר אֶת־כָּל־
חֻקּוֹתַי וְעָשָׂה מִשְׁפָּט וּצְדָקָה חָיֹה יִחְיֶה לֹא יָמוּת׃
כָּל־פְּשָׁעָיו אֲשֶׁר עָשָׂה לֹא יִזָּכְרוּ לוֹ בְּצִדְקָתוֹ אֲשֶׁר־ כב
עָשָׂה יִחְיֶה׃ הֶחָפֹץ אֶחְפֹּץ מוֹת רָשָׁע נְאֻם אֲדֹנָי כג

חֲבֹל, משכון לֹא יָשִׁיב, וְאֶל־הַגִּלּוּלִים נָשָׂא עֵינָיו, תּוֹעֵבָה עָשָׂה. יג בַּנֶּשֶׁךְ ביאור
נָתַן את כספו, וְתַרְבִּית לָקַח, וָחָי?! היעלה על הדעת שרשע כזה
יחיה?! – לֹא יִחְיֶה, אֵת כָּל־הַתּוֹעֵבוֹת הָאֵלֶּה עָשָׂה – מוֹת יוּמָת, דָּמָיו
בּוֹ יִהְיֶה, בן מוות הוא. רשעתו של בן זה תביא להענשתו במלוא
החומרה, גם אם אביו צדיק.

והנביא ממשיך בקורות המשפחה: יד וְהִנֵּה אותו רשע גם הוא הוֹלִיד
בֵּן, וַיַּרְא אֶת־כָּל־חַטֹּאת אָבִיו אֲשֶׁר עָשָׂה, וַיִּרְאֶה וְלֹא יַעֲשֶׂה כָּהֵן. בנו של
הרשע גדל אומנם בבית מושחת, ואפשר לשער שהחינוך שקיבל
אינו מוסרי, ועם זאת, הוא מבחין בכל חטאי אביו ובוחר להימנע
מהם. טו עַל־הֶהָרִים לֹא אָכָל, וְעֵינָיו לֹא נָשָׂא אֶל־גִּלּוּלֵי בֵּית יִשְׂרָאֵל,
אֶת־אֵשֶׁת רֵעֵהוּ לֹא טִמֵּא, טז וְאִישׁ לֹא הוֹנָה, חֲבֹל לֹא חָבָל שלא כדין
וּגְזֵלָה לֹא גָזָל, לַחְמוֹ לְרָעֵב נָתָן וְעֵרוֹם כִּסָּה־בָגֶד, יז מֵעָנִי הֵשִׁיב יָדוֹ, הוא
נזהר מלעשות רע למסכנים, שכרגיל הם הפגיעים ביותר,[238] נֶשֶׁךְ
וְתַרְבִּית לֹא לָקָח, מִשְׁפָּטַי עָשָׂה, בְּחֻקּוֹתַי הָלָךְ – הוּא לֹא יָמוּת בַּעֲוֹן אָבִיו,
אלא חָיֹה יִחְיֶה. יח אָבִיו, כִּי־עָשַׁק עֹשֶׁק, גָּזַל גֵּזֶל אָח, וַאֲשֶׁר לֹא־טוֹב עָשָׂה
בְּתוֹךְ עַמָּיו, וְהִנֵּה־מֵת בַּעֲוֹנוֹ. אביו הרשע ימות בשל חטאיו, אך אין
קשר בין חטאי האב לבין בנו הצדיק.

יט וַאֲמַרְתֶּם, אתם שואלים: מַדֻּעַ לֹא־נָשָׂא, יסבול הַבֵּן בַּעֲוֹן הָאָב?
והתשובה: הרי הַבֵּן מִשְׁפָּט וּצְדָקָה עָשָׂה, אֵת כָּל־חֻקּוֹתַי שָׁמַר, וַיַּעֲשֶׂה אֹתָם
כראוי וכיאות – חָיֹה יִחְיֶה. כ כפי הכלל: הַנֶּפֶשׁ הַחֹטֵאת – הִיא תָמוּת.
בֵּן לֹא־יִשָּׂא בַּעֲוֹן הָאָב, וְאָב לֹא יִשָּׂא בַּעֲוֹן הַבֵּן. צִדְקַת הַצַּדִּיק עָלָיו תִּהְיֶה,
וְרִשְׁעַת הָרָשָׁע עָלָיו תִּהְיֶה. צדיקות או רשעות אינן עוברות בירושה.
כל אדם אחראי למעשיו הוא, לא למעשי הוריו ולא למעשי ילדיו.

כא ואכן, הָרָשָׁע, אף שרשעתו עליו, כִּי יָשׁוּב מִכָּל־חַטֹּאתָו אֲשֶׁר עָשָׂה,
וְשָׁמַר אֶת־כָּל־חֻקּוֹתַי, וְעָשָׂה מִשְׁפָּט וּצְדָקָה – חָיֹה יִחְיֶה, לֹא יָמוּת. כב כָּל־
פְּשָׁעָיו אֲשֶׁר עָשָׂה לֹא יִזָּכְרוּ לוֹ, בְּצִדְקָתוֹ אֲשֶׁר־עָשָׂה יִחְיֶה. הרשע ששב
אל ה', רשעתו הקודמת תימחל, והוא יזכה בחיים, כג שהרי – הֶחָפֹץ
אֶחְפֹּץ במות רָשָׁע?! אין לי חפץ בהריגת רשעים, נְאֻם ה' אֱלוֹהִים,
הֲלוֹא בזאת אחפוץ – בְּשׁוּבוֹ מִדְּרָכָיו וְחָיָה. לכן אני מקבל את תשובת
הרשע באהבה.

יְהוִה הֲלוֹא בְּשׁוּבוֹ מִדְּרָכָיו וְחָיָה׃ וּבְשׁוּב כד
צַדִּיק מִצִּדְקָתוֹ וְעָשָׂה עָוֶל כְּכֹל הַתּוֹעֵבוֹת אֲשֶׁר־
עָשָׂה הָרָשָׁע יַעֲשֶׂה וָחָי כָּל־צִדְקֹתָו אֲשֶׁר־עָשָׂה לֹא
תִזָּכַרְנָה בְּמַעֲלוֹ אֲשֶׁר־מָעַל וּבְחַטָּאתוֹ אֲשֶׁר־חָטָא
בָּם יָמוּת׃ וַאֲמַרְתֶּם לֹא יִתָּכֵן דֶּרֶךְ אֲדֹנָי שִׁמְעוּ־ כה
נָא בֵּית יִשְׂרָאֵל הֲדַרְכִּי לֹא יִתָּכֵן הֲלֹא דַרְכֵיכֶם
לֹא יִתָּכֵנוּ׃ בְּשׁוּב־צַדִּיק מִצִּדְקָתוֹ וְעָשָׂה עָוֶל וּמֵת כו
עֲלֵיהֶם בְּעַוְלוֹ אֲשֶׁר־עָשָׂה יָמוּת׃ וּבְשׁוּב כז
רָשָׁע מֵרִשְׁעָתוֹ אֲשֶׁר עָשָׂה וַיַּעַשׂ מִשְׁפָּט וּצְדָקָה
וַיָּשָׁב הוּא אֶת־נַפְשׁוֹ יְחַיֶּה׃ וַיִּרְאֶה וישוב מִכָּל־פְּשָׁעָיו כח
אֲשֶׁר עָשָׂה חָיוֹ יִחְיֶה לֹא יָמוּת׃ וְאָמְרוּ בֵּית יִשְׂרָאֵל כט
לֹא יִתָּכֵן דֶּרֶךְ אֲדֹנָי הַדְּרָכַי לֹא יִתָּכְנוּ בֵּית יִשְׂרָאֵל
הֲלֹא דַרְכֵיכֶם לֹא יִתָּכֵן׃ לָכֵן אִישׁ כִּדְרָכָיו אֶשְׁפֹּט ל
אֶתְכֶם בֵּית יִשְׂרָאֵל נְאֻם אֲדֹנָי יְהוִה שׁוּבוּ וְהָשִׁיבוּ
מִכָּל־פִּשְׁעֵיכֶם וְלֹא־יִהְיֶה לָכֶם לְמִכְשׁוֹל עָוֺן׃
הַשְׁלִיכוּ מֵעֲלֵיכֶם אֶת־כָּל־פִּשְׁעֵיכֶם אֲשֶׁר פְּשַׁעְתֶּם לא
בָּם וַעֲשׂוּ לָכֶם לֵב חָדָשׁ וְרוּחַ חֲדָשָׁה וְלָמָּה תָמֻתוּ
בֵּית יִשְׂרָאֵל׃ כִּי לֹא אֶחְפֹּץ בְּמוֹת הַמֵּת נְאֻם אֲדֹנָי לב
יְהוִה וְהָשִׁיבוּ וִחְיוּ׃

**הרחבות** | **'הלא דרכיכם לא יתכן'** הצהרתו של הנביא משמעותית מאוד, ולא רק בדורותיו, מפני הנטייה החברתית להיאחז ברקע המשפחתי של אדם ולקטלגו על רקע שיוכו המשפחתי והקהילתי ועל פי עברו. על חוטא שהוא בן משפחה מכובדת ומפורסמת של צדיקים, ואף הוא עצמו היה נוהג כראוי שנים רבות, אנשים נוהגים לומר: "לֹא יִתָּכֵן דֶּרֶךְ ה'". במקרה כזה החברה נוטה למחול לו. בימינו, העיתונאים לא היו ששים לכתוב על מעשיו הרעים. מאידך גיסא, כשהרשע

ביאור | וגם להפך: כד וּבְשׁוּב צַדִּיק מִצִּדְקָתוֹ, צדיק שמחליט לחזור בו
מדרכו[239] וְעָשָׂה עָוֶל, כְּכֹל הַתּוֹעֵבוֹת אֲשֶׁר־עָשָׂה הָרָשָׁע יַעֲשֶׂה – וָחָי?!
כָּל־צִדְקֹתָו אֲשֶׁר־עָשָׂה לֹא תִזָּכַרְנָה, בְּמַעֲלוֹ אֲשֶׁר־מָעַל וּבְחַטָּאתוֹ אֲשֶׁר־
חָטָא – בָּם יָמוּת.

כה וַאֲמַרְתֶּם: לֹא יִתָּכֵן, אינה מידה מכוונת דֶּרֶךְ אֲדֹנָי. איך ייתכן שהצדיק
המפורסם שהסתבך בסוף ימיו בשערוריות שונות ימות? וכי לא
נכון להביא בחשבון את פעולותיו של האיש בעבר ולהקל בעונשו?!

שִׁמְעוּ־נָא בֵּית יִשְׂרָאֵל: הֲדַרְכִּי לֹא יִתָּכֵן? הֲלֹא דַרְכֵיכֶם לֹא יִתָּכֵנוּ!
אמות המידה שלכם הן השגויות. לא עברו המשפחתי ולא עברו
האישי של האדם יקבעו את ההווה. כו בְּשׁוּב־צַדִּיק מִצִּדְקָתוֹ, וְעָשָׂה
עָוֶל – וּמֵת עֲלֵיהֶם – בגלל מעשי העוול שלו, בְּעַוְלוֹ אֲשֶׁר־עָשָׂה יָמוּת.
וכן בכיוון השני, העבר אינו מסיר את אפשרות התיקון: כז וּבְשׁוּב
רָשָׁע מֵרִשְׁעָתוֹ אֲשֶׁר עָשָׂה, וַיַּעַשׂ מִשְׁפָּט וּצְדָקָה – הוא בתשובתו אֶת־
נַפְשׁוֹ יְחַיֶּה. כח וַיִּרְאֶה, התבונן על דרכיו, וַיָּשָׁב מִכָּל־פְּשָׁעָיו אֲשֶׁר עָשָׂה –
חָיוֹ יִחְיֶה, לֹא יָמוּת. כט וְשׁוּב, אָמְרוּ בֵּית יִשְׂרָאֵל: לֹא יִתָּכֵן דֶּרֶךְ אֲדֹנָי! –
הַדְּרָכַי לֹא יִתָּכְנוּ, בֵּית יִשְׂרָאֵל?! הֲלֹא דַרְכֵיכֶם לֹא יִתָּכֵן!

ל לָכֵן, אִישׁ כִּדְרָכָיו אֶשְׁפֹּט אֶתְכֶם, בֵּית יִשְׂרָאֵל, נְאֻם ה׳ אֱלוֹהִים, שׁוּבוּ
וְהָשִׁיבוּ, העבירו את עצמכם מִכָּל־פִּשְׁעֵיכֶם, וְלֹא־יִהְיֶה לָכֶם לְמִכְשׁוֹל
עָוֹן. לא הַשְׁלִיכוּ מֵעֲלֵיכֶם אֶת־כָּל־פִּשְׁעֵיכֶם אֲשֶׁר פְּשַׁעְתֶּם בָּם, וַעֲשׂוּ לָכֶם
לֵב חָדָשׁ וְרוּחַ חֲדָשָׁה, וְלָמָּה תָמֻתוּ, בֵּית יִשְׂרָאֵל. אם דרככם נפשעת,
דבר אינו מחייב להמשיך בה. אין שום סיבה שתחזיקו בעבר מזוהם.
הִפכו לבעלי לב ורוח חדשים, ותזכו בחיים. לב כִּי לֹא אֶחְפֹּץ בְּמוֹת
הַמֵּת, נְאֻם ה׳ אֱלוֹהִים, אין הקדוש ברוך הוא מעוניין לחסל חשבונות
עם העבריין ולהמיתו, וְהָשִׁיבוּ את עצמכם וגם את אחרים, ובכך חְיוּ.

הרחבות | משנה את דרכו, החברה מקבעת את הזיכרון לרעתו. אף את מי שאביו פושע מפורסם, נוטים להכתים בשל העוולות שעשה אביו. לאמתו של דבר, אמירת "לֹא יִתָּכֵן" זו מעוותת, ואינה עקבית ומוסרית. משפט ה׳ תובע אחריות אישית מכל אדם. הקדוש ברוך הוא אינו שומר טינה על אדם בגלל עברו, ואינו מצדיק את מי שהיה צדיק וסר מדרך הישר.

# הפטרת וזאת הברכה

יהושע

א א וַיְהִי אַחֲרֵי מוֹת מֹשֶׁה עֶבֶד יְהוָה וַיֹּאמֶר יְהוָה אֶל־
ב יְהוֹשֻׁעַ בִּן־נוּן מְשָׁרֵת מֹשֶׁה לֵאמֹר׃ מֹשֶׁה עַבְדִּי
מֵת וְעַתָּה קוּם עֲבֹר אֶת־הַיַּרְדֵּן הַזֶּה אַתָּה וְכָל־
הָעָם הַזֶּה אֶל־הָאָרֶץ אֲשֶׁר אָנֹכִי נֹתֵן לָהֶם לִבְנֵי
ג יִשְׂרָאֵל׃ כָּל־מָקוֹם אֲשֶׁר תִּדְרֹךְ כַּף־רַגְלְכֶם בּוֹ לָכֶם
ד נְתַתִּיו כַּאֲשֶׁר דִּבַּרְתִּי אֶל־מֹשֶׁה׃ מֵהַמִּדְבָּר וְהַלְּבָנוֹן
הַזֶּה וְעַד־הַנָּהָר הַגָּדוֹל נְהַר־פְּרָת כֹּל אֶרֶץ הַחִתִּים
ה וְעַד־הַיָּם הַגָּדוֹל מְבוֹא הַשָּׁמֶשׁ יִהְיֶה גְּבוּלְכֶם׃ לֹא־
יִתְיַצֵּב אִישׁ לְפָנֶיךָ כֹּל יְמֵי חַיֶּיךָ כַּאֲשֶׁר הָיִיתִי עִם־

**הרחבות** | הירדן הוא גבולה של ארץ ישראל (במדבר לד,יב). חבלי ארץ גדולים בעבר הירדן המזרחי כבר נכבשו על ידי ישראל, אבל הדבר לא נבע מרצונם מלכתחילה. ישראל נלחמו במלכי האמורי וכבשו את ארצותיהם, רק משום שאלו עמדו בדרכם במסעם אל עבר הירדן המערבי. על כן נחשב עבר הירדן המזרחי מעין נספח שאינו מוגדר כארץ ישראל באופן מלא. (ראו עוד יהושע כב,יט).

**'הים הגדול'** ביטוי זה מתייחס לרוב לים התיכון, והוא מוזכר במקומות שונים במקרא. רק לעתים רחוקות מכנים בו את האוקיינוס, שנחשב אז כקצה השני של העולם. (ראו שו"ת הרא"ש ד,ד ובפירושו

# יהושע בתפקידו החדש

הפטרת וזאת הברכה ממשיכה מהמקום שנסתיימה הקריאה בתורה. יהושע, שהיה משרתו של משה ועושה דברו, הופך למנהיג העם שאין איש מעליו. מעתה אחריות ההנהגה כולה מוטלת על כתפיו. העברת הסמכות לידיו נעשתה עוד בחיי משה. בראשית תקופת הנהגתו העצמאית של יהושע ה׳ פונה אליו ישירות, מנחה אותו, מעודד אותו ומבטיח לו שיצליח במעבר הירדן, בכניסה לארץ ובירושתה. תפקידו של יהושע אינו פוליטי או צבאי גרידא; הוא מצווה לעמוד בקשר מתמיד עם אלוקים ולדבוק בתורתו בשלמות.

במידה רבה מנהיגותו של יהושע התממשה עוד בהיותו מְשָׁרֵת מֹשֶׁה, עוזרו, ובמלחמת עמלק הראשונה שבה ביצע את דברי משה (שמות יז,ח-טז). יהושע, שהיה מצוי תמיד בקרבת משה, נבחר להשלים את תפקידו של רבו. מסיבה זו נזכרים בספר יהושע מפעם לפעם דברי משה.[240] דבריו של משה ונבואתו עומדים בבסיס כל ההתרחשויות, והגשמתם מוטלת על יהושע, המנהיג הממשיך והמצביא.[241]

ביאור | יהושע פרק א א **וַיְהִי אַחֲרֵי מוֹת מֹשֶׁה עֶבֶד ה׳, וַיֹּאמֶר ה׳ אֶל יְהוֹשֻׁעַ
בִּן,** בֶּן[242] **נוּן מְשָׁרֵת מֹשֶׁה**. כנביא, מקבל יהושע מסר ישיר מה׳,
**לֵאמֹר:** ב **מֹשֶׁה עַבְדִּי מֵת, וְעַתָּה קוּם עֲבֹר אֶת** נהר **הַיַּרְדֵּן הַזֶּה, אַתָּה
וְכָל הָעָם הַזֶּה, אֶל הָאָרֶץ אֲשֶׁר אָנֹכִי נֹתֵן לָהֶם, לִבְנֵי יִשְׂרָאֵל.**

לאחר הציווי הכללי על התפקיד, באה הבטחה: ג **כָּל מָקוֹם אֲשֶׁר
תִּדְרֹךְ כַּף רַגְלְכֶם בּוֹ – לָכֶם נְתַתִּיו.** אמנם הארץ תחומה בגבולות
שיפורטו בפסוק הבא,[243] אך גם אם תמשיכו ותכבשו אזורים שמעבר
לגבולותיה – שלכם יהיו,[244] **כַּאֲשֶׁר דִּבַּרְתִּי אֶל מֹשֶׁה.**[245] ד גבולות הארץ
המיועדת לכם: **מֵהַמִּדְבָּר** הסורי-ערבי במזרח, ומדבריות חצי-האי סיני בדרום, הכוללים את מדבריות פארן, צין (סין), סיני ושור, **וְעַד הַלְּבָנוֹן הַזֶּה,** הידוע, בצפון-מערב, שאולי יהושע הצליח לצפות בו ממקום עמדו,[246] **וְעַד הַנָּהָר הַגָּדוֹל, נְהַר פְּרָת,** גבולה הצפוני-מזרחי של הארץ בתחומיה הרחבים, ובכלל זה **כֹּל אֶרֶץ הַחִתִּים.** מדינה גדולה זו, שחלקה באסיה הקטנה ורובה בצפון סוריה, הייתה ממלכה חזקה שכוחה הפוליטי עמד במשך שנים רבות כנגד עצמתה של מצרים מדרום. **וְעַד הַיָּם הַגָּדוֹל** ממערב שהוא **מְבוֹא הַשָּׁמֶשׁ,** מקום שקיעת
החמה[247] **יִהְיֶה גְּבוּלְכֶם.** ה **לֹא יִתְיַצֵּב,** יעמוד **אִישׁ לְפָנֶיךָ,** כנגדך. תהיה מצביא מנצח **כֹּל יְמֵי חַיֶּיךָ. כַּאֲשֶׁר,** כמו **שֶׁהָיִיתִי עִם מֹשֶׁה, אֶהְיֶה עִמָּךְ.**

**הרחבות** | למסכת פרה פרק ח). הים התיכון מכונה הַיָּם הַגָּדוֹל, באופן יחסי לים המלח ולים כנרת שבמזרחה של ארץ ישראל. (ראו במדבר לד,ו; יחזקאל מז,י-כ; רד״ק על אתר).

**גבולות הארץ** אלה הם גבולותיה הגדולים ביותר של הארץ. רק בזמנים נדירים בתולדות ישראל התקרב שלטון ישראל לאזורים הללו בפועל. על יהושע מוטל להיכנס אל הארץ, לכבוש אותה, ובהמשך גם ליישבה בתחומים אלה. (ראו יהושע יג,א ואילך ורש״י שם; רמב״ן דברים יא,כד; אלשיך על אתר).

ו מֹשֶׁה אֶהְיֶה עִמָּךְ לֹא אַרְפְּךָ וְלֹא אֶעֶזְבֶךָּ: חֲזַק וֶאֱמָץ
כִּי אַתָּה תַּנְחִיל אֶת־הָעָם הַזֶּה אֶת־הָאָרֶץ אֲשֶׁר־
ז נִשְׁבַּעְתִּי לַאֲבוֹתָם לָתֵת לָהֶם: רַק חֲזַק וֶאֱמַץ מְאֹד
לִשְׁמֹר לַעֲשׂוֹת כְּכָל־הַתּוֹרָה אֲשֶׁר צִוְּךָ מֹשֶׁה עַבְדִּי
אַל־תָּסוּר מִמֶּנּוּ יָמִין וּשְׂמֹאול לְמַעַן תַּשְׂכִּיל בְּכֹל
ח אֲשֶׁר תֵּלֵךְ: לֹא־יָמוּשׁ סֵפֶר הַתּוֹרָה הַזֶּה מִפִּיךָ וְהָגִיתָ
בּוֹ יוֹמָם וָלַיְלָה לְמַעַן תִּשְׁמֹר לַעֲשׂוֹת כְּכָל־הַכָּתוּב
ט בּוֹ כִּי־אָז תַּצְלִיחַ אֶת־דְּרָכֶךָ וְאָז תַּשְׂכִּיל: הֲלוֹא
צִוִּיתִיךָ חֲזַק וֶאֱמָץ אַל־תַּעֲרֹץ וְאַל־תֵּחָת כִּי עִמְּךָ
י יהוה אֱלֹהֶיךָ בְּכֹל אֲשֶׁר תֵּלֵךְ:* וַיְצַו
יא יְהוֹשֻׁעַ אֶת־שֹׁטְרֵי הָעָם לֵאמֹר: עִבְרוּ ׀ בְּקֶרֶב
הַמַּחֲנֶה וְצַוּוּ אֶת־הָעָם לֵאמֹר הָכִינוּ לָכֶם צֵדָה כִּי
בְּעוֹד ׀ שְׁלֹשֶׁת יָמִים אַתֶּם עֹבְרִים אֶת־הַיַּרְדֵּן הַזֶּה
לָבוֹא לָרֶשֶׁת אֶת־הָאָרֶץ אֲשֶׁר יהוה אֱלֹהֵיכֶם נֹתֵן

הספרדים מסיימים כאן

התימנים מדלגים ליהושע ו, כז

**הרחבות** | 'רק חזק ואמץ מאד' מיד לאחר ההבטחה לחוזק ואומץ, שב והופיע הביטוי חֲזַק וֶאֱמַץ בתוספת המלה מְאֹד, כהוראה על שמירה קפדנית של התורה. כפיפותו של יהושע לתורה ואחיזתו בהנחיותיה יהיו היסוד להצלחותיו.

ביאור | אכן, איש לא זכה לקרבת אלוקים שזכה לה משה. לא פעם התגבר משה על מכשולים ואיומים בדרך פלאית, מידית ולעיני כול; אך אף שבדרך כלל יושגו ניצחונותיו של יהושע בדרך הטבע, ה׳ מבטיח לו שהשגחתו, ואף נסים ומופתים, ילוו אותו תמיד, בתור ממשיכו של משה[248] – **לֹא אַרְפְּךָ**, אסלק אחיזתי ממך **וְלֹא אֶעֶזְבֶךָּ**. ו **חֲזַק וֶאֱמָץ**, אחזק אותך בקבלת התפקיד, **כִּי אַתָּה תַּנְחִיל אֶת הָעָם הַזֶּה אֶת הָאָרֶץ אֲשֶׁר נִשְׁבַּעְתִּי לַאֲבוֹתָם לָתֵת לָהֶם**. שלא כתהליכים היסטוריים אחרים, שבהם תהליך ירושת מקומו של עם אחר נמשכת מספר דורות, אתה תזכה להשלים את עיקר המשימה.

מלבד ההבטחה המחזקת, באה גם אזהרה: ז **רַק חֲזַק וֶאֱמַץ מְאֹד לִשְׁמֹר לַעֲשׂוֹת כְּכָל הַתּוֹרָה אֲשֶׁר צִוְּךָ מֹשֶׁה עַבְדִּי**. היצמד לדברי התורה בשלמות, הן לאלה שבכתב והן להוראות שניתנו בעל-פה, **אַל תָּסוּר מִמֶּנּוּ** – ממשה,[249] או: מספר התורה[250] **יָמִין וּשְׂמֹאול, לְמַעַן תַּשְׂכִּיל**, תראה ברכה והצלחה[251] **בְּכֹל אֲשֶׁר תֵּלֵךְ**. וכאן באה הנחיה נוספת, שיש בה גם עצה:[252] ח **לֹא יָמוּשׁ**, יסור **סֵפֶר הַתּוֹרָה הַזֶּה** שכתב משה, **מִפִּיךָ, וְהָגִיתָ**, חשוב,[253] או: דבר[254] **בּוֹ יוֹמָם וָלַיְלָה**. ראוי לך לדבוק בספר התורה תמיד. יש הרואים בפסוק זה ברכה: אף על פי שתהיה עסוק בכל הדברים האחרים, יעלה בידך להתבונן בספר התורה תמיד יומם ולילה ולא לעזבו.[255] **לְמַעַן תִּשְׁמֹר לַעֲשׂוֹת כְּכָל הַכָּתוּב בּוֹ כִּי אָז תַּצְלִיחַ אֶת דְּרָכֶךָ**, דרכיך יהיו מוצלחות,[256] **וְאָז תַּשְׂכִּיל**, תחכים ותדע מה עליך לעשות. ט **הֲלוֹא צִוִּיתִיךָ: חֲזַק וֶאֱמָץ!** מלבד החיזוק הכללי בקבלת התפקיד וחיזוק נוסף על שמירת התורה, ה׳ מזרז את יהושע כאדם להתחזק בדרכו החדשה, שבוודאי יהיו בה מעלות ומורדות[257] – **אַל תַּעֲרֹץ**, תישבר[258] **וְאַל תֵּחָת**, תיבהל, **כִּי עִמְּךָ ה׳ אֱלֹקֶיךָ בְּכֹל אֲשֶׁר תֵּלֵךְ**. אתה מובטח שלא תנחל מפלה.

יהושע פעל באופן מידי.[259] י **וַיְצַו יְהוֹשֻׁעַ אֶת שֹׁטְרֵי הָעָם**, אנשי הנהגה הממונים על הסדר והמשמעת,[260] **לֵאמֹר**: יא **עִבְרוּ בְּקֶרֶב הַמַּחֲנֶה וְצַוּוּ אֶת הָעָם לֵאמֹר: ״הָכִינוּ לָכֶם צֵידָה**. ייתכן שהכוונה למָן שעדיין היה בידיהם או לבשר או למאכלים וחפצים אחרים שרכשו.[261] עליכם לערוך את כל ההכנות הלוגיסטיות, לארוז את חבילותיכם ולצאת לדרך, **כִּי בְּעוֹד שְׁלֹשֶׁת יָמִים אַתֶּם עֹבְרִים אֶת הַיַּרְדֵּן הַזֶּה, לָבוֹא לָרֶשֶׁת אֶת הָאָרֶץ אֲשֶׁר ה׳ אֱלֹקֵיכֶם נֹתֵן לָכֶם לְרִשְׁתָּהּ״**.

הרחבות | ׳הכינו לכם צידה׳ לא הכרחי לפרש צֵידָה רק כמזון. (ראו רש״י). חייהם במדבר היו בבחינת חלום, ומעתה נכונות להם התמודדויות חדשות. הם באים לנחול ארץ שאורחותיה ויושביה זרים להם, ועליהם להתכונן ולהצטייד היטב בכל המובנים.

יב לָכֶם לְרִשְׁתָּהּ׃ וְלָרְאוּבֵנִי וְלַגָּדִי וְלַחֲצִי
יג שֵׁבֶט הַמְנַשֶּׁה אָמַר יְהוֹשֻׁעַ לֵאמֹר׃ זָכוֹר אֶת־
הַדָּבָר אֲשֶׁר צִוָּה אֶתְכֶם מֹשֶׁה עֶבֶד־יְהוָה לֵאמֹר
יְהוָה אֱלֹהֵיכֶם מֵנִיחַ לָכֶם וְנָתַן לָכֶם אֶת־הָאָרֶץ
יד הַזֹּאת׃ נְשֵׁיכֶם טַפְּכֶם וּמִקְנֵיכֶם יֵשְׁבוּ בָּאָרֶץ אֲשֶׁר
נָתַן לָכֶם מֹשֶׁה בְּעֵבֶר הַיַּרְדֵּן וְאַתֶּם תַּעַבְרוּ חֲמֻשִׁים
טו לִפְנֵי אֲחֵיכֶם כֹּל גִּבּוֹרֵי הַחַיִל וַעֲזַרְתֶּם אוֹתָם׃ עַד
אֲשֶׁר־יָנִיחַ יְהוָה ׀ לַאֲחֵיכֶם כָּכֶם וְיָרְשׁוּ גַם־הֵמָּה
אֶת־הָאָרֶץ אֲשֶׁר־יְהוָה אֱלֹהֵיכֶם נֹתֵן לָהֶם וְשַׁבְתֶּם
לְאֶרֶץ יְרֻשַּׁתְכֶם וִירִשְׁתֶּם אוֹתָהּ אֲשֶׁר ׀ נָתַן לָכֶם
טז מֹשֶׁה עֶבֶד יְהוָה בְּעֵבֶר הַיַּרְדֵּן מִזְרַח הַשָּׁמֶשׁ׃ וַיַּעֲנוּ
אֶת־יְהוֹשֻׁעַ לֵאמֹר כֹּל אֲשֶׁר־צִוִּיתָנוּ נַעֲשֶׂה וְאֶל־כָּל־
יז אֲשֶׁר תִּשְׁלָחֵנוּ נֵלֵךְ׃ כְּכֹל אֲשֶׁר־שָׁמַעְנוּ אֶל־מֹשֶׁה
כֵּן נִשְׁמַע אֵלֶיךָ רַק יִהְיֶה יְהוָה אֱלֹהֶיךָ עִמָּךְ כַּאֲשֶׁר
יח הָיָה עִם־מֹשֶׁה׃ כָּל־אִישׁ אֲשֶׁר־יַמְרֶה אֶת־פִּיךָ וְלֹא־
יִשְׁמַע אֶת־דְּבָרֶיךָ לְכֹל אֲשֶׁר־תְּצַוֶּנּוּ יוּמָת רַק חֲזַק

האשכנזים מסיימים כאן

וֶאֱמָץ׃*

התימנים מוסיפים

וַיְהִי יְהוָה אֶת־יְהוֹשֻׁעַ וַיְהִי שָׁמְעוֹ בְּכָל־הָאָרֶץ׃ כז ו

**הרחבות** | **בני ראובן, גד וחצי שבט מנשה** אינם נלחמים למען שבטיהם, אלא מתמסרים לשרת בצבא כלל העם. שלא כשאר השבטים, שיצאו עתה לכבוש נחלות לעצמם, באופן חלקי או מלא, יגיעו בני השבטים הללו לארץ כנען בתור יחידה צבאית שתשמור אמונים אך ורק ליהושע. הם מצהירים לפניו שיסייעו למנוע כל הפרה של משמעת העלולה לצוץ כנגדו. כשם שלא הכול נתנו תמיד אמון מלא במשה, קיים חשש שאף על מנהיגותו של יהושע יימצאו עוררין. (בבבא בתרא עה ע"א מתואר ערעור במעמדה של ההנהגה: "זקנים שבאותו הדור אמרו: פני משה כפני

ביאור | יש לטפל בעניין נוסף: יב **וְלָראוּבֵנִי וְלַגָּדִי וְלַחֲצִי שֵׁבֶט הַמְנַשֶּׁה**, השבטים
שביקשו שנחלתם תהיה בצדו המזרחי של הירדן במקום לרשת
חלקים מארץ כנען שמעברו המערבי,[262] **אָמַר יְהוֹשֻׁעַ לֵאמֹר:** יג **זָכוֹר**,
זכרו **אֶת הַדָּבָר אֲשֶׁר צִוָּה אֶתְכֶם מֹשֶׁה עֶבֶד ה׳, לֵאמֹר: ה׳ אֱלֹקֵיכֶם
מֵנִיחַ**, מביא מנוחה **לָכֶם, וְנָתַן לָכֶם אֶת הָאָרֶץ הַזֹּאת** שבעבר הירדן
המזרחי. יד לפיכך **נְשֵׁיכֶם, טַפְּכֶם וּמִקְנֵיכֶם יֵשְׁבוּ בָּאָרֶץ אֲשֶׁר נָתַן
לָכֶם מֹשֶׁה בְּעֵבֶר הַיַּרְדֵּן** הזה. אדמות עבר הירדן המזרחי הנרחבות
והמתאימות לצורכי מקנה לא יועדו לכם מידי ה׳, אך קיבלתם אותן
ממשה לפי בקשתכם[263] לאחר שהתחייבתם למשה שלא להתיישב
שם מיד – למעט חיל משמר שכנראה הושאר שם עם בני המשפחה
והרכוש. **וְאַתֶּם תַּעַבְרוּ חֲמֻשִׁים**, מצוידים בנשק **לִפְנֵי אֲחֵיכֶם, כֹּל גִּבּוֹרֵי
הַחַיִל** מכם. אל תטשו את יתר השבטים, אלא תעברו איתם את
הירדן **וַעֲזַרְתֶּם אוֹתָם** כיחידה עצמאית בכל מלחמותיהם. טו **עַד
אֲשֶׁר יָנִיחַ ה׳ לַאֲחֵיכֶם כָּכֶם**, כמו שאתם נחים עתה מן המלחמות,
**וְיָרְשׁוּ גַם הֵמָּה אֶת הָאָרֶץ אֲשֶׁר ה׳ אֱלֹהֵיכֶם נֹתֵן לָהֶם**, רק אז – **וְשַׁבְתֶּם
לְאֶרֶץ יְרֻשַּׁתְכֶם וִירִשְׁתֶּם אוֹתָהּ**, תשבו במנוחה בארץ **אֲשֶׁר נָתַן לָכֶם
מֹשֶׁה עֶבֶד ה׳ בְּעֵבֶר הַיַּרְדֵּן** בצד **מִזְרַח**, שבו זורחת **הַשָּׁמֶשׁ**.

טז **וַיַּעֲנוּ** השבטים הללו **אֶת יְהוֹשֻׁעַ לֵאמֹר: כֹּל אֲשֶׁר צִוִּיתָנוּ נַעֲשֶׂה, וְאֶל
כָּל אֲשֶׁר תִּשְׁלָחֵנוּ נֵלֵךְ**. אנחנו תחת פיקודך, ומתחייבים אליך: יז **כְּכֹל
אֲשֶׁר שָׁמַעְנוּ אֶל מֹשֶׁה – כֵּן נִשְׁמַע אֵלֶיךָ**. הם אף מברכים את יהושע
בכוחות דומים לאלו שהיו למשה: **רַק יִהְיֶה ה׳ אֱלֹקֶיךָ עִמָּךְ כַּאֲשֶׁר הָיָה
עִם מֹשֶׁה**. יח **כָּל אִישׁ אֲשֶׁר יַמְרֶה אֶת פִּיךָ וְלֹא יִשְׁמַע**, יקבל[264] **אֶת דְּבָרֶיךָ
לְכֹל אֲשֶׁר תְּצַוֶּנּוּ – יוּמָת**. אנו מקבלים את מנהיגותך ואת פקודותיך
ללא סייג. **רַק** אתה מצדך **חֲזַק וֶאֱמָץ**, לפקד על העם ולעמוד על כך
שדבריך יקוימו.[265]

פרק ו כז **וַיְהִי ה׳ אֶת**, עם **יְהוֹשֻׁעַ, וַיְהִי שָׁמְעוֹ בְּכָל הָאָרֶץ**. נס כיבוש
יריחו נגע לעמי הארץ הרבה יותר מאשר הנסים שאירעו לישראל
עד כה בכניסתם לארץ.

הרחבות | חמה, פני יהושע כפני לבנה. אוי לה לאותה בושה, אוי לה לאותה כלימה"). על כן הם מבקשים לחזקו שיצייתו לו לחלוטין.

בני השבטים הללו כנראה לא שמעו בעצמם את דברי ה׳ ליהושע, והם מכוונים בסוף דבריהם לדעת עליון, ומשמשים מעין הד לאותן מלים שאמר ה׳ כמה פעמים: חֲזַק וֶאֱמָץ. בכך מודגש המסר העיקרי ליהושע: אתה תהיה המנהיג, והעם יצעד בעקבותיך בתקווה שתצליח להנהיג כמשה, רבך ומורך. (ביטויים של חיזוק ואימוץ המתייחסים ליהושע נשנים כמה פעמים בתורה – ראו דברים א,לח; ג,כח; לא,ז).

# הפטרת שבת ערב ראש חודש

שמואל א

כ יח וַיֹּאמֶר־לוֹ יְהוֹנָתָן מָחָר חֹדֶשׁ וְנִפְקַדְתָּ כִּי יִפָּקֵד
יט מוֹשָׁבֶךָ׃ וְשִׁלַּשְׁתָּ תֵּרֵד מְאֹד וּבָאתָ אֶל־הַמָּקוֹם
אֲשֶׁר־נִסְתַּרְתָּ שָּׁם בְּיוֹם הַמַּעֲשֶׂה וְיָשַׁבְתָּ אֵצֶל הָאֶבֶן
כ הָאָזֶל׃ וַאֲנִי שְׁלֹשֶׁת הַחִצִּים צִדָּה אוֹרֶה לְשַׁלַּח־לִי
כא לְמַטָּרָה׃ וְהִנֵּה אֶשְׁלַח אֶת־הַנַּעַר לֵךְ מְצָא אֶת־
הַחִצִּים אִם־אָמֹר אֹמַר לַנַּעַר הִנֵּה הַחִצִּים ׀ מִמְּךָ
וָהֵנָּה קָחֶנּוּ וָבֹאָה כִּי־שָׁלוֹם לְךָ וְאֵין דָּבָר חַי־יְהוָה׃
כב וְאִם־כֹּה אֹמַר לָעֶלֶם הִנֵּה הַחִצִּים מִמְּךָ וָהָלְאָה לֵךְ
כג כִּי שִׁלַּחֲךָ יְהוָה׃ וְהַדָּבָר אֲשֶׁר דִּבַּרְנוּ אֲנִי וָאָתָּה
כד הִנֵּה יְהוָה בֵּינִי וּבֵינְךָ עַד־עוֹלָם׃ וַיִּסָּתֵר
דָּוִד בַּשָּׂדֶה וַיְהִי הַחֹדֶשׁ וַיֵּשֶׁב הַמֶּלֶךְ עַל־הַלֶּחֶם אֶל־
כה לֶאֱכוֹל׃ וַיֵּשֶׁב הַמֶּלֶךְ עַל־מוֹשָׁבוֹ כְּפַעַם ׀ בְּפַעַם אֶל־
מוֹשַׁב הַקִּיר וַיָּקָם יְהוֹנָתָן וַיֵּשֶׁב אַבְנֵר מִצַּד שָׁאוּל

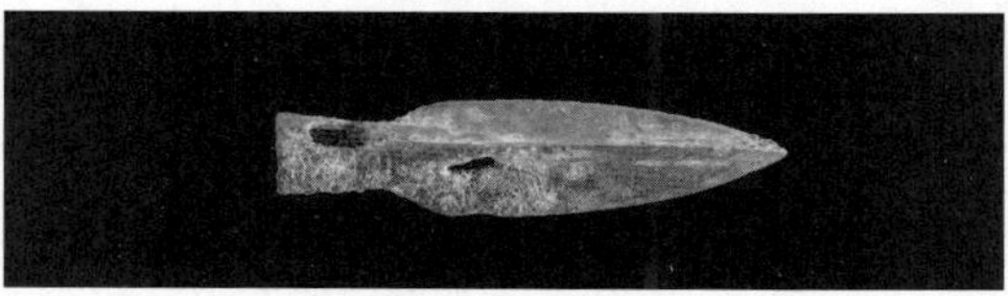

ראש חץ
המאה ה-8
לפנה"ס

**הרחבות** | **ראש חודש** באותם זמנים היה יום זה נחוג כחג של ממש. ממועד זה לא נותר הרבה בימינו, אם כי גם כיום מצווה להרבות בו בסעודה, והנשים נוהגות להימנע בו ממלאכה גמורה. (ירושלמי פסחים ד,א; רד"ק ואברבנאל להלן פס' יט; ספר הרוקח

# בריחת דוד האחרונה מבית שאול ופרדתו מיהונתן

מלבד פתיחתה של ההפטרה, המציינת את ראש החודש שיחול מחר, ייתכן שגם נושא ההפטרה קשור לעניין ראשי חדשים. הסתתרויותיו הזמניות הרבות של דוד וברית קיומו הנצחית מרמזים על ייחודיותו של ישראל כעם נצחי על כל התלאות, הגלויות וההסתרות שהוא עובר. ייחודיות זו מתבטאת גם בכך שישראל קובעים את תאריכיהם וחגיהם לפי הלבנה המסתתרת ונגלית חליפות, הַחֹדֶשׁ הַזֶּה – לָכֶם.

ביאור | שמואל א׳ פרק כ יח **וַיֹּאמֶר לוֹ יְהוֹנָתָן: מָחָר** ראש **הַחֹדֶשׁ, וְנִפְקַדְתָּ**, אתה
תיזכר **כִּי יִפָּקֵד**, ייחסר **מוֹשָׁבֶךָ**. כיסאך בסעודת ראש החודש יהיה
ריק, וכך יבחינו בהיעדרך.[266] יט **וְשִׁלַּשְׁתָּ**, המתן עד היום השלישי,
**וְתֵרֵד מְאֹד**, העמק להתחבא היטב,[267] **וּבָאתָ אֶל הַמָּקוֹם אֲשֶׁר נִסְתַּרְתָּ**
**שָּׁם בְּיוֹם הַמַּעֲשֶׂה**, כשנסתרת בפעם הקודמת, אולי ביום הניצחון
על הפלשתים.[268] פירושים אחרים: ביום חול, לעומת ראש חודש
שנמנעו בו מעשיית מלאכה; ביום המיועד או ביום שבו תכננו
לעשות את המעשה שלנו. **וְיָשַׁבְתָּ אֵצֶל הָאֶבֶן הָאָזֶל**. כך היה שמה
של אבן מסוימת. כ **וַאֲנִי** אצא לשדה עם **שְׁלֹשֶׁת הַחִצִּים** שב**צִדָּה** של
האבן[269] **אוֹרֶה**, אירה **לְשַׁלַּח לִי לְמַטָּרָה**. אעמיד פנים שאני מתאמן
בירייה בקשת.[270] כא **וְהִנֵּה אֶשְׁלַח אֶת הַנַּעַר** שאקח אתי ואומר
לו: **"לֵךְ מְצָא אֶת הַחִצִּים". אִם אָמֹר אֹמַר לַנַּעַר: "הִנֵּה הַחִצִּים מִמְּךָ וָהֵנָּה**,
הם קרובים ואינך צריך להתרחק" – **קָחֶנּוּ וָבֹאָה**, תוכל אתה לצאת
ממחבואך ולהביא אלי בעצמך את החץ,[271] **כִּי שָׁלוֹם לְךָ וְאֵין דָּבָר**,
אין כל חשש, **חַי ה׳**. כב **וְאִם כֹּה אֹמַר לָעֶלֶם: "הִנֵּה הַחִצִּים מִמְּךָ**
**וָהָלְאָה" – לֵךְ, כִּי שִׁלַּחֲךָ ה׳**. כך תקבל את המסר ותוכל להמשיך
להיסתר בלי שאיש כלשהו, אם יהיה במקום, יבין. כג מכיוון שייתכן
שהם לא יתראו יותר, הוסיף יהונתן: **וְהַדָּבָר**, הברית **אֲשֶׁר דִּבַּרְנוּ אֲנִי**
**וָאָתָּה – הִנֵּה ה׳** מעיד עליה[272] **בֵּינִי וּבֵינְךָ עַד עוֹלָם**.

כד **וַיִּסָּתֵר דָּוִד בַּשָּׂדֶה. וַיְהִי הַחֹדֶשׁ, וַיֵּשֶׁב הַמֶּלֶךְ אֶל הַלֶּחֶם**, הסעודה
הגדולה **לֶאֱכוֹל**. כה **וַיֵּשֶׁב הַמֶּלֶךְ עַל מוֹשָׁבוֹ** הרגיל **כְּפַעַם בְּפַעַם**
**אֶל מוֹשַׁב** שגבו צמוד אל **הַקִּיר**, מטעמי נוחות או משום שחשש
לביטחונו.[273] **וַיָּקָם יְהוֹנָתָן** מצד אביו[274] **וַיֵּשֶׁב אַבְנֵר** שר הצבא **מִצַּד שָׁאוּל**

הרחבות | רכח; שולחן ערוך, אורח חיים תיז,א). מהמסופר כאן עולה שראש החודש היה לעתים יומיים, ואף ידעו על כך מראש, כמו שקורה גם כיום בחלק מחודשי השנה. (ראו ירושלמי תענית ד,ג; ר״י מטראני על אתר).

כו וַיִּפָּקֵ֖ד מְק֣וֹם דָּוִ֑ד׃ וְלֹֽא־דִבֶּ֥ר שָׁא֛וּל מְא֖וּמָה בַּיּ֣וֹם
הַה֑וּא כִּ֤י אָמַר֙ מִקְרֶ֣ה ה֔וּא בִּלְתִּ֥י טָה֛וֹר ה֖וּא כִּֽי־לֹ֥א
כז טָהֽוֹר׃ וַיְהִ֗י מִֽמָּחֳרַ֤ת הַחֹ֙דֶשׁ֙ הַשֵּׁנִ֔י וַיִּפָּקֵ֖ד
מְק֣וֹם דָּוִ֑ד וַיֹּ֤אמֶר שָׁאוּל֙ אֶל־יְהוֹנָתָ֣ן בְּנ֔וֹ מַדּ֜וּעַ לֹא־
כח בָ֧א בֶן־יִשַׁ֛י גַּם־תְּמ֥וֹל גַּם־הַיּ֖וֹם אֶל־הַלָּֽחֶם׃ וַיַּ֥עַן
יְהוֹנָתָ֖ן אֶת־שָׁא֑וּל נִשְׁאֹ֨ל נִשְׁאַ֥ל דָּוִ֛ד מֵעִמָּדִ֖י עַד־
כט בֵּ֥ית לָֽחֶם׃ וַיֹּ֗אמֶר שַׁלְּחֵ֣נִי נָ֡א כִּ֣י זֶבַח֩ מִשְׁפָּחָ֨ה לָ֜נוּ
בָּעִ֗יר וְה֤וּא צִוָּה־לִי֙ אָחִ֔י וְעַתָּ֗ה אִם־מָצָ֤אתִי חֵן֙
בְּעֵינֶ֔יךָ אִמָּ֥לְטָה נָּ֖א וְאֶרְאֶ֣ה אֶת־אֶחָ֑י עַל־כֵּ֣ן לֹא־
ל בָ֔א אֶל־שֻׁלְחַ֖ן הַמֶּֽלֶךְ׃ וַיִּֽחַר־אַ֤ף שָׁאוּל֙
בִּיה֣וֹנָתָ֔ן וַיֹּ֣אמֶר ל֔וֹ בֶּֽן־נַעֲוַ֖ת הַמַּרְדּ֑וּת הֲל֣וֹא יָדַ֗עְתִּי
כִּֽי־בֹחֵ֤ר אַתָּה֙ לְבֶן־יִשַׁ֔י לְבָ֨שְׁתְּךָ֔ וּלְבֹ֖שֶׁת עֶרְוַ֥ת
לא אִמֶּֽךָ׃ כִּ֣י כָל־הַיָּמִ֗ים אֲשֶׁ֤ר בֶּן־יִשַׁי֙ חַ֣י עַל־הָֽאֲדָמָ֔ה
לֹ֥א תִכּ֖וֹן אַתָּ֣ה וּמַלְכוּתֶ֑ךָ וְעַתָּ֗ה שְׁלַ֨ח וְקַ֤ח אֹתוֹ֙ אֵלַ֔י
לב כִּ֥י בֶן־מָ֖וֶת הֽוּא׃ וַיַּ֙עַן֙ יְה֣וֹנָתָ֔ן אֶת־שָׁא֖וּל
לג אָבִ֑יו וַיֹּ֧אמֶר אֵלָ֛יו לָ֥מָּה יוּמַ֖ת מֶ֥ה עָשָֽׂה׃ וַיָּ֨טֶל שָׁא֧וּל
אֶֽת־הַחֲנִ֛ית עָלָ֖יו לְהַכֹּת֑וֹ וַיֵּ֙דַע֙ יְה֣וֹנָתָ֔ן כִּֽי־כָ֥לָה
לד הִ֛יא מֵעִ֥ם אָבִ֖יו לְהָמִ֥ית אֶת־דָּוִֽד׃ וַיָּ֧קָם
יְהוֹנָתָ֛ן מֵעִ֥ם הַשֻּׁלְחָ֖ן בָּחֳרִי־אָ֑ף וְלֹא־אָ֞כַל בְּיוֹם־
הַחֹ֤דֶשׁ הַשֵּׁנִי֙ לֶ֔חֶם כִּ֤י נֶעְצַב֙ אֶל־דָּוִ֔ד כִּ֥י הִכְלִמ֖וֹ
לה אָבִֽיו׃ וַיְהִ֣י בַבֹּ֔קֶר וַיֵּצֵ֧א יְהוֹנָתָ֛ן הַשָּׂדֶ֖ה
לו לְמוֹעֵ֣ד דָּוִ֑ד וְנַ֥עַר קָטֹ֖ן עִמּֽוֹ׃ וַיֹּ֣אמֶר לְנַעֲר֔וֹ רֻ֗ץ מְצָא־

ביאור | וַיִּפָּקֵד, חסר מְקוֹם דָּוִד. כו וְלֹא דִבֶּר שָׁאוּל מְאוּמָה על כך בַּיּוֹם הַהוּא,
כִּי אָמַר בלבו: מִקְרֶה הוּא, בִּלְתִּי טָהוֹר הוּא. דוד טמא מחמת קרי לילה
וכדומה, ולא בא אל סעודת הזבח המקודשת, כִּי לֹא טָהוֹר. טומאה
קלה ושכיחה מעין זו, שיכולה לקרות לאדם בעצמו או מתוך יחסיו
עם אשתו, היא ההסבר הפשוט ביותר להיעדרות שאינה צפויה. מן
הסתם יבוא למחרת, לאחר שיטבול בלילה ויטהר.[275]

כז וַיְהִי מִמָּחֳרַת, שהוא יום הַחֹדֶשׁ הַשֵּׁנִי,[276] וַיִּפָּקֵד שוב מְקוֹם דָּוִד.

וַיֹּאמֶר שָׁאוּל אֶל יְהוֹנָתָן בְּנוֹ, חברו של דוד: מַדּוּעַ לֹא בָא בֶן יִשַׁי גַּם
תְּמוֹל, אתמול גַּם הַיּוֹם אֶל הַלָּחֶם?

כח וַיַּעַן יְהוֹנָתָן אֶת שָׁאוּל: נִשְׁאֹל נִשְׁאַל, ביקש דָּוִד מֵעִמָּדִי רשות ללכת
עַד בֵּית לָחֶם. כט וַיֹּאמֶר: "שַׁלְּחֵנִי נָא, כִּי זֶבַח מִשְׁפָּחָה לָנוּ בָּעִיר, וְהוּא
צִוָּה לִי לבוא, אָחִי הגדול.[277] וְעַתָּה אִם מָצָאתִי חֵן בְּעֵינֶיךָ – אִמָּלְטָה,
אשתחרר וארוץ נָּא וְאֶרְאֶה אֶת אֶחָי", עַל כֵּן לֹא בָא דוד אֶל שֻׁלְחַן הַמֶּלֶךְ.
אין בהיעלמותו פגיעה בכבודך, שהרי ביקש את רשותי.

ל וַיִּחַר אַף, כעס שָׁאוּל בִּיהוֹנָתָן, וַיֹּאמֶר לוֹ: בֶּן נַעֲוַת הַמַּרְדּוּת, אשה
מעוותת ומרדנית! שאול מקלל את אם יהונתן ומבזה אותה. והוא
מחריף את התבטאותו:[278] הֲלוֹא יָדַעְתִּי כִּי בֹחֵר אַתָּה לְבֶן, בבן יִשַׁי,
אתה מעדיף שדוד יהיה המלך,[279] לְבָשְׁתְּךָ וּלְבֹשֶׁת עֶרְוַת אִמֶּךָ. לא כִּי
כָל הַיָּמִים אֲשֶׁר בֶּן יִשַׁי חַי עַל הָאֲדָמָה לֹא תִכּוֹן, תתקיים אַתָּה וּמַלְכוּתֶךָ,
וְעַתָּה שְׁלַח אנשים וְקַח אֹתוֹ אֵלַי כִּי בֶן מָוֶת הוּא. הוא חייב מיתה.

לב וַיַּעַן יְהוֹנָתָן אֶת שָׁאוּל אָבִיו, וַיֹּאמֶר אֵלָיו: לָמָּה יוּמַת? מֶה עָשָׂה?

לג וַיָּטֶל שָׁאוּל אֶת הַחֲנִית עָלָיו לְהַכֹּתוֹ, לא כדי להרוג את בנו, אלא
לבטא את זעמו.

וַיֵּדַע יְהוֹנָתָן כִּי כָלָה הִיא, מנוי וגמור מֵעִם אָבִיו לְהָמִית אֶת דָּוִד. שאול
לא הצניע את הדבר אלא גילה את רצונו ברבים פעם אחר פעם,
שהרי שריו ומקורביו של שאול בוודאי נכחו בסעודה החגיגית.
יתרה מזו, לראשונה הוא גם העליב את יהונתן וגם ניסה לפגוע
בו. ליונתן לא נותר כל ספק באשר לכוונותיו. לד וַיָּקָם יְהוֹנָתָן מֵעִם
הַשֻּׁלְחָן בָּחֳרִי אָף, בכעס וְלֹא אָכַל בְּיוֹם הַחֹדֶשׁ הַשֵּׁנִי לֶחֶם, כִּי נֶעְצַב
אֶל דָּוִד וכִּי הִכְלִמוֹ, ביישו אָבִיו. יונתן חש זעם, עצב ובושה גם יחד.

לה וַיְהִי בַבֹּקֶר, וַיֵּצֵא יְהוֹנָתָן הַשָּׂדֶה לְמוֹעֵד, לזמן שקבע עם דָּוִד, וְנַעַר
קָטֹן, שלא יבין ויחשוד בדבר[280] עִמּוֹ.

נָא אֶת־הַחִצִּים אֲשֶׁר אָנֹכִי מוֹרֶה הַנַּעַר רָץ וְהוּא־
יָרָה הַחֵצִי לְהַעֲבִרוֹ: וַיָּבֹא הַנַּעַר עַד־מְקוֹם הַחֵצִי לז
אֲשֶׁר יָרָה יְהוֹנָתָן וַיִּקְרָא יְהוֹנָתָן אַחֲרֵי הַנַּעַר וַיֹּאמֶר
הֲלוֹא הַחֵצִי מִמְּךָ וָהָלְאָה: וַיִּקְרָא יְהוֹנָתָן אַחֲרֵי לח
הַנַּעַר מְהֵרָה חוּשָׁה אַל־תַּעֲמֹד וַיְלַקֵּט נַעַר יְהוֹנָתָן
הַחִצִּים אֶת־הַחִצִּי וַיָּבֹא אֶל־אֲדֹנָיו: וְהַנַּעַר לֹא־יָדַע מְאוּמָה לט
אַךְ יְהוֹנָתָן וְדָוִד יָדְעוּ אֶת־הַדָּבָר: וַיִּתֵּן יְהוֹנָתָן אֶת־ מ
כֵּלָיו אֶל־הַנַּעַר אֲשֶׁר־לוֹ וַיֹּאמֶר לוֹ לֵךְ הָבֵיא הָעִיר:
הַנַּעַר בָּא וְדָוִד קָם מֵאֵצֶל הַנֶּגֶב וַיִּפֹּל לְאַפָּיו אַרְצָה מא
וַיִּשְׁתַּחוּ שָׁלֹשׁ פְּעָמִים וַיִּשְּׁקוּ ׀ אִישׁ אֶת־רֵעֵהוּ וַיִּבְכּוּ
אִישׁ אֶת־רֵעֵהוּ עַד־דָּוִד הִגְדִּיל: וַיֹּאמֶר יְהוֹנָתָן לְדָוִד מב
לֵךְ לְשָׁלוֹם אֲשֶׁר נִשְׁבַּעְנוּ שְׁנֵינוּ אֲנַחְנוּ בְּשֵׁם יהוה
לֵאמֹר יהוה יִהְיֶה ׀ בֵּינִי וּבֵינֶךָ וּבֵין זַרְעִי וּבֵין זַרְעֲךָ
עַד־עוֹלָם:

לו וַיֹּאמֶר לְנַעֲרוֹ: רֻץ מְצָא נָא אֶת הַחִצִּים אֲשֶׁר אָנֹכִי מוֹרֶה, יורה. | ביאור
הַנַּעַר רָץ, וְהוּא יָרָה הַחֵצִי, את החץ[281] לְהַעֲבִרוֹ, כדי שהחץ יעבור את
הנער. לז וַיָּבֹא הַנַּעַר עַד מְקוֹם הַחֵצִי אֲשֶׁר יָרָה יְהוֹנָתָן. התברר שיהונתן
ירה מעבר למטרה היעודה,[282] וַיִּקְרָא יְהוֹנָתָן אַחֲרֵי הַנַּעַר וַיֹּאמֶר: הֲלוֹא
הַחֵצִי מִמְּךָ וָהָלְאָה. לח וַיִּקְרָא יְהוֹנָתָן אַחֲרֵי הַנַּעַר: מְהֵרָה חוּשָׁה, הזדרז,
אַל תַּעֲמֹד.

וַיְלַקֵּט נַעַר יְהוֹנָתָן אֶת הַחִצִּים, וַיָּבֹא אֶל אֲדֹנָיו, כדי שיהונתן יניח אותם
באשפת החצים. לט וְהַנַּעַר לֹא יָדַע מְאוּמָה, אַךְ יְהוֹנָתָן וְדָוִד יָדְעוּ אֶת
הַדָּבָר.

מ וַיִּתֵּן יְהוֹנָתָן אֶת כֵּלָיו, הקשת ואשפת החצים,[283] אֶל הַנַּעַר אֲשֶׁר לוֹ,
וַיֹּאמֶר לוֹ: לֵךְ הָבֵיא אותם אל הָעִיר.

מא הַנַּעַר בָּא, פנה לדרכו, וכאשר לא היה איש בשדה, דָּוִד קָם מֵאֵצֶל
הַנֶּגֶב, מן הצד הדרומי של השדה או של האבן האזל, וַיִּפֹּל לְאַפָּיו, לפני
יהונתן אַרְצָה וַיִּשְׁתַּחוּ, השתחווה לו שָׁלֹשׁ פְּעָמִים כאות תודה.[284] וַיִּשְּׁקוּ
אִישׁ אֶת רֵעֵהוּ וַיִּבְכּוּ אִישׁ אֶת רֵעֵהוּ, כי ידעו שמן הסתם לא ייפגשו עוד,
עַד שדָּוִד הִגְדִּיל, הרבה לבכות מיהונתן. אף על פי שיונתן אהב אותו
לא פחות. דוד ידע שמעתה הוא נידון לחיי קושי, רדיפות וסבל.[285]

מב וַיֹּאמֶר יְהוֹנָתָן לְדָוִד: לֵךְ לְשָׁלוֹם, והוא שב והזכיר לו: אֲשֶׁר נִשְׁבַּעְנוּ
שְׁנֵינוּ אֲנַחְנוּ בְּשֵׁם ה׳ לֵאמֹר: ״ה׳ יִהְיֶה בֵּינִי וּבֵינֶךָ וּבֵין זַרְעִי וּבֵין זַרְעֲךָ עַד
עוֹלָם״.

# הפטרת שבת ראש חודש

ישעיה

בראש חודש קוראים למפטיר בספר במדבר פרק כח פס׳ ט-טו

כֹּה אָמַר יְהוָה הַשָּׁמַיִם כִּסְאִי וְהָאָרֶץ הֲדֹם רַגְלָי אֵי־ א סו
זֶה בַיִת אֲשֶׁר תִּבְנוּ־לִי וְאֵי־זֶה מָקוֹם מְנוּחָתִי׃ וְאֶת־ ב
כָּל־אֵלֶּה יָדִי עָשָׂתָה וַיִּהְיוּ כָל־אֵלֶּה נְאֻם־יְהוָה וְאֶל־
זֶה אַבִּיט אֶל־עָנִי וּנְכֵה־רוּחַ וְחָרֵד עַל־דְּבָרִי׃ שׁוֹחֵט ג
הַשּׁוֹר מַכֵּה־אִישׁ זוֹבֵחַ הַשֶּׂה עֹרֵף כֶּלֶב מַעֲלֵה מִנְחָה
דַּם־חֲזִיר מַזְכִּיר לְבֹנָה מְבָרֵךְ אָוֶן גַּם־הֵמָּה בָּחֲרוּ
בְּדַרְכֵיהֶם וּבְשִׁקּוּצֵיהֶם נַפְשָׁם חָפֵצָה׃ גַּם־אֲנִי אֶבְחַר ד
בְּתַעֲלוּלֵיהֶם וּמְגוּרֹתָם אָבִיא לָהֶם יַעַן קָרָאתִי וְאֵין
עוֹנֶה דִּבַּרְתִּי וְלֹא שָׁמֵעוּ וַיַּעֲשׂוּ הָרַע בְּעֵינַי וּבַאֲשֶׁר
לֹא־חָפַצְתִּי בָּחָרוּ׃ שִׁמְעוּ דְּבַר־יְהוָה ה
הַחֲרֵדִים אֶל־דְּבָרוֹ אָמְרוּ אֲחֵיכֶם שֹׂנְאֵיכֶם מְנַדֵּיכֶם

עץ לבונה

**העולם** | לְבֹנָה שרף ריחני שצבעו לבן־צהבהב המופק מעצים המכונים גם היום לבונה (שם מדעי: Boswellia) ממשפחת הבשמיים, Burseraceae. זהו עץ קטן ממדים, העשוי להגיע עד גובה של 7 מטרים. עליו צרים ופרחיו לבנים־ורודים חיוורים. העץ גדל

# הגמול העתיד לבוא

בצד דברי תוכחה לנוהגים שלא כהוגן המתרחקים מה׳, מתארת חתימת ספר ישעיה את התגלותו של ה׳. הגאולה העתידית אינה מצטיירת כרצף של מתנות, ישועות ונחמות בלבד, אלא כעת של גמול. על כן כוללת הנבואה הן את השכר המיועד להולכים בדרך הטוב והן את הפורענות שתגיע לעושי רע. ההפטרה מסיימת בנבואה שלעתיד לבוא יעלו הכול למקדש בשבתות ובראשי חדשים.

ביאור | ישעיה פרק סו א **כֹּה אָמַר ה׳: הַשָּׁמַיִם** הם **כִּסְאִי, וְהָאָרֶץ** היא **הֲדֹם,**
שרפרף להנחת **רַגְלָי.** על כן – **אֵי זֶה בַיִת אֲשֶׁר תִּבְנוּ לִי, וְאֵי זֶה מָקוֹם**
**מְנוּחָתִי**?! בניית בית לה׳ אינה אמורה להיות אפשרית.[286] ב **וְאֶת כָּל**
**אֵלֶּה,** השמים והארץ, כיסאי והדומי, **יָדִי עָשָׂתָה, וַיִּהְיוּ,** ונתקיימו **כָל**
**אֵלֶּה** מאז, **נְאֻם ה׳.** אין דבר שיכיל אותי, ואין דבר שלא נברא על ידי,
וְלמרות רוממותי על הכול[287] **אֶל זֶה אַבִּיט – אֶל עָנִי וּנְכֵה רוּחַ,** מדוכדך
וְהוא **חָרֵד עַל דְּבָרִי,** לעשותו. שלא כמחשבותיהם של אנשים, כאילו
יוכלו לשמח את לבו של ה׳ בניסיונותיהם לבנות לו בתים וארמונות
ובמעשיהם החיצוניים – כל אלה אינם חשובים בעיניו. העני שרוחו
עצובה עליו, ועם זאת הוא דואג לדבר ה׳ שייעשה, הוא היקר בעיני
ה׳.[288] ג לעומת זה – מי **שׁוֹחֵט** את **הַשּׁוֹר** לצורך קרבן, דומה **לְמַכֵּה,**
להורג **אִישׁ. זוֹבֵחַ הַשֶּׂה** דומה בעיני **לְעֹרֵף כֶּלֶב,** שאין בו קדושה
או מעלה. **מַעֲלֵה מִנְחָה** על המזבח – כאילו הביא **דַּם חֲזִיר. מַזְכִּיר,**
מקטיר[289] **לְבֹנָה** אינו אלא **מְבָרֵךְ אָוֶן,** מעלה מתנת מרמה שאין בה
כל תועלת.[290] **גַּם הֵמָּה,** אותם מקריבי קרבנות **בָּחֲרוּ בְּדַרְכֵיהֶם** הרעות,
**וּבְשִׁקּוּצֵיהֶם נַפְשָׁם חָפֵצָה.** הם חושבים שמעשי הפולחן פוטרים אותם
מכל חובה אחרת, ולכן המעשים הללו משוקצים בעיני. לא מפני
שיש פסול בהקרבת הקרבנות כשלעצמה, אלא משום שמקריבי
הקרבנות ממשיכים ללכת בדרכיהם הרעות.[291] ד לפיכך **גַּם אֲנִי אֶבְחַר**
**בְּתַעֲלֻלֵיהֶם,** אתמקד במעשיהם השליליים,[292] **ואת מְגוּרֹתָם,** פחדיהם,
הדברים שהם חוששים מפניהם,[293] **אָבִיא לָהֶם, יַעַן קָרָאתִי – וְאֵין עוֹנֶה,**
נעתר לקריאתי, **דִּבַּרְתִּי – וְלֹא שָׁמֵעוּ,** קיבלו, **וַיַּעֲשׂוּ הָרַע בְּעֵינַי, וּבַאֲשֶׁר**
**לֹא חָפַצְתִּי בָּחָרוּ.** זה יהיה עונשם של הפונים לעניינים חיצוניים
ומתעלמים מן הנושאים החשובים.

ה **שִׁמְעוּ דְּבַר ה׳, הַחֲרֵדִים אֶל דְּבָרוֹ** והמקשיבים לו באמת: **אָמְרוּ אֲחֵיכֶם**
שהם לפעמים **שֹׂנְאֵיכֶם** ולפעמים **מְנַדֵּיכֶם,** המחרימים אתכם ואינם

העולם | משתמשים בגרגירים המתגבשים מן השרף הנוזלי המתקשה במשך הזמן. באיזור סומליה, אתיופיה ודרום חצי־האי ערב. את השרף מפיקים באמצעות חריצת קליפת העץ ואיסוף השרף המטפטף בכלי.

לְמַעַן שְׁמִי יִכְבַּד יְהוָה וְנִרְאֶה בְשִׂמְחַתְכֶם וְהֵם
ו יֵבֹשׁוּ׃ קוֹל שָׁאוֹן מֵעִיר קוֹל מֵהֵיכָל קוֹל יְהוָה מְשַׁלֵּם
ז גְּמוּל לְאֹיְבָיו׃ בְּטֶרֶם תָּחִיל יָלָדָה בְּטֶרֶם יָבוֹא חֵבֶל
ח לָהּ וְהִמְלִיטָה זָכָר׃ מִי־שָׁמַע כָּזֹאת מִי רָאָה כָּאֵלֶּה
הֲיוּחַל אֶרֶץ בְּיוֹם אֶחָד אִם־יִוָּלֵד גּוֹי פַּעַם אֶחָת כִּי־
ט חָלָה גַּם־יָלְדָה צִיּוֹן אֶת־בָּנֶיהָ׃ הַאֲנִי אַשְׁבִּיר וְלֹא
אוֹלִיד יֹאמַר יְהוָה אִם־אֲנִי הַמּוֹלִיד וְעָצַרְתִּי אָמַר
י אֱלֹהָיִךְ׃ שִׂמְחוּ אֶת־יְרוּשָׁלִַם וְגִילוּ בָהּ
כָּל־אֹהֲבֶיהָ שִׂישׂוּ אִתָּהּ מָשׂוֹשׂ כָּל־הַמִּתְאַבְּלִים
יא עָלֶיהָ׃ לְמַעַן תִּינְקוּ וּשְׂבַעְתֶּם מִשֹּׁד תַּנְחֻמֶיהָ לְמַעַן
יב תָּמֹצּוּ וְהִתְעַנַּגְתֶּם מִזִּיז כְּבוֹדָהּ׃ כִּי־כֹה ׀
אָמַר יְהוָה הִנְנִי נֹטֶה־אֵלֶיהָ כְּנָהָר שָׁלוֹם וּכְנַחַל
שׁוֹטֵף כְּבוֹד גּוֹיִם וִינַקְתֶּם עַל־צַד תִּנָּשֵׂאוּ וְעַל־
יג בִּרְכַּיִם תְּשָׁעֳשָׁעוּ׃ כְּאִישׁ אֲשֶׁר אִמּוֹ תְּנַחֲמֶנּוּ כֵּן אָנֹכִי
יד אֲנַחֶמְכֶם וּבִירוּשָׁלִַם תְּנֻחָמוּ׃ וּרְאִיתֶם וְשָׂשׂ לִבְּכֶם

כְּנָהָר שָׁלוֹם
וּכְנַחַל שׁוֹטֵף
שטף זרימת נהר

ביאור

מעוניינים לשתף אתכם עמם:[294] "לְמַעַן שְׁמִי, בגללנו, בזכותנו יִכְבַּד,
יכובד ה'".[295] הם חושבים שבהם ובקרבנותיהם הכול תלוי, ומגַנים את
זולתם על מעשיהם ועל מחדליהם. וְאולם לבסוף נֵרְאֶה בְשִׂמְחַתְכֶם,
אתם תזכו לשמחה וְאילו הֵם יֵבֹשׁוּ, יתביישו.[296] ו כך יקרה, כאשר קוֹל
שָׁאוֹן, רעש, יֵצא מֵעִיר, מציון.[297] קוֹל יֵצא מֵהֵיכָל. זהו קוֹל ה' מְשַׁלֵּם
גְּמוּל לְאֹיְבָיו. השילום בזמן הגאולה יבוא ברעש גדול.

ז כדימוי לתהליך הגאולה – בְּטֶרֶם תָּחִיל, לפני שחשה ציון צירים – יָלָדָה,
הלידה כבר תהיה מאחוריה. בְּטֶרֶם יָבוֹא חֵבֶל, ציר לָהּ – והנה כבר
הִמְלִיטָה זָכָר. הגאולה תבוא במהירות ובמפתיע, כלידה שלא קדמו
לה סימני הלידה. ח מִי שָׁמַע גאולה פלאית כָּזֹאת?! מִי רָאָה אירועים
כָּאֵלֶּה?! הֲיוּחַל אֶרֶץ בְּיוֹם אֶחָד?! האם ייתכן שארץ שלמה תיהרה
ותיוולד[298] ביום אחד, אִם יִוָּלֵד גּוֹי, עַם בְּפַעַם אֶחָת?! הרי לידתו של
עם היא תהליך ממושך. כִּי, הנה חָלָה, הרתה וכאבה וגַם יָלְדָה צִיּוֹן
אֶת בָּנֶיהָ בבת אחת. ט הַאֲנִי אַשְׁבִּיר, אושיב את ציון על המשבר,
מקום הלידה, וְלֹא אוֹלִיד, לא אסייע לה ללדת?! יֹאמַר ה'. אִם אֲנִי
הַמּוֹלִיד את הכול, וְעָצַרְתִּי את ציון מללדת?! אָמַר אֱלֹהָיִךְ. אני הדואג
לכל התהליכים הללו מתחילתם, ועל כן אביאם לידי גמר.[299]

י לאחר הלידה – שִׂמְחוּ אֶת, עם יְרוּשָׁלַםִ הנפקדת, וְגִילוּ בָהּ, כָּל אֹהֲבֶיהָ,
הכואבים עתה את עליבותה. שִׂישׂוּ אִתָּהּ מָשׂוֹשׂ, כָּל הַמִּתְאַבְּלִים
עָלֶיהָ בחורבנה. השתתפו בשמחתה – יא לְמַעַן תִּינְקוּ וּשְׂבַעְתֶּם מִשֹּׁד,
מִשַּׁד תַּנְחֻמֶיהָ. בני ירושלים יינקו ממנה את תנחומיה, יתנחמו יירגעו
ויתענגו. והדימוי הסמלי ממשיך – לְמַעַן תָּמֹצּוּ, תמצצו, וְהִתְעַנַּגְתֶּם
מִזִּיז, מזיו[300] כְּבוֹדָהּ. ולפי הדימוי רומז לפטמות שדיה.[301]

יב בהמשך לדימוי לידת ציון את בניה – כִּי כֹה אָמַר ה': הִנְנִי נֹטֶה,
מַפנה אֵלֶיהָ – אל ירושלים כְּנָהָר – שָׁלוֹם, את הברכה המושלמת,
וּכְנַחַל שׁוֹטֵף אביא כְּבוֹד, חשיבות או הון גּוֹיִם, וִינַקְתֶּם שפע זה. עַל
צַד תִּנָּשֵׂאוּ, יישאו אתכם כמו שנושאים תינוקות קטנים על צד
הגוף. וְעַל בִּרְכַּיִם תְּשָׁעֳשָׁעוּ, כדרך שמחזיקים ומשעשעים פעוטות.
תשובו לציון כילדים קטנים, בהתחדשות גמורה ובשמחה תמה, בלי
טרדות וייסורים. יג כְּאִישׁ אֲשֶׁר אִמּוֹ תְּנַחֲמֶנּוּ מצרה שעברה עליו,
אולי מעזיבתה אותו,[302] בדברים רכים היוצאים מלב רחמן,[303] כֵּן אָנֹכִי
אֲנַחֶמְכֶם, וּבִירוּשָׁלַםִ שהתאבלתם עליה, על ידה ובה תְּנֻחָמוּ. יד וּרְאִיתֶם
את הגאולה וְשָׂשׂ לִבְּכֶם, וְעַצְמוֹתֵיכֶם כַּדֶּשֶׁא תִפְרַחְנָה, דימוי העצמות

וְעַצְמוֹתֵיכֶם כַּדֶּשֶׁא תִפְרַחְנָה וְנוֹדְעָה יַד־יהוה אֶת־
עֲבָדָיו וְזָעַם אֶת־אֹיְבָיו: כִּי־הִנֵּה יהוה בָּאֵשׁ יָבוֹא טו
וְכַסּוּפָה מַרְכְּבֹתָיו לְהָשִׁיב בְּחֵמָה אַפּוֹ וְגַעֲרָתוֹ
בְּלַהֲבֵי־אֵשׁ: כִּי בָאֵשׁ יהוה נִשְׁפָּט וּבְחַרְבּוֹ אֶת־כָּל־ טז
בָּשָׂר וְרַבּוּ חַלְלֵי יהוה: הַמִּתְקַדְּשִׁים וְהַמִּטַּהֲרִים יז
אֶל־הַגַּנּוֹת אַחַר אחד בַּתָּוֶךְ אֹכְלֵי בְּשַׂר הַחֲזִיר אַחַת
וְהַשֶּׁקֶץ וְהָעַכְבָּר יַחְדָּו יָסֻפוּ נְאֻם־יהוה: וְאָנֹכִי יח
מַעֲשֵׂיהֶם וּמַחְשְׁבֹתֵיהֶם בָּאָה לְקַבֵּץ אֶת־כָּל־הַגּוֹיִם
וְהַלְּשֹׁנוֹת וּבָאוּ וְרָאוּ אֶת־כְּבוֹדִי: וְשַׂמְתִּי בָהֶם אוֹת יט
וְשִׁלַּחְתִּי מֵהֶם ׀ פְּלֵיטִים אֶל־הַגּוֹיִם תַּרְשִׁישׁ פּוּל
וְלוּד מֹשְׁכֵי קֶשֶׁת תּוּבַל וְיָוָן הָאִיִּים הָרְחֹקִים אֲשֶׁר
לֹא־שָׁמְעוּ אֶת־שִׁמְעִי וְלֹא־רָאוּ אֶת־כְּבוֹדִי וְהִגִּידוּ
אֶת־כְּבוֹדִי בַּגּוֹיִם: וְהֵבִיאוּ אֶת־כָּל־אֲחֵיכֶם ׀ מִכָּל־ כ

**הרחבות**

**׳אכלי בשר החזיר והשקץ והעכבר׳** לשון בלתי עדינה זו מתייחסת אף לאוכלים במסעדות גורמה, שבהן לא נאכלים השקצים כמות שהם אלא הם מתובלים בטוב טעם ומקושטים יפה. העונש יחול בשווה על החוטאים בפשעים חמורים כמו עבודה זרה, העשויה לכלול גם פולחן אינטלקטואלי, גילוי עריות ושפיכות דמים, המרומזים גם הם בפרשה זו, ועל מי שחטאו באכילתו של מזון שאינו כשר.

**׳ואנכי מעשיהם ומחשבתיהם באה לקבץ את כל הגוים׳** ייתכן שלכך מכוונים הדברים לעיל (פס׳ ד): גַּם אֲנִי אֶבְחַר בְּתַעֲלֻלֵיהֶם. ויש מי שמפרש כנגד מחשבות האחים השונאים באמרם: לְמַעַן שְׁמִי יִכְבַּד ה׳ - יבואו הגויים ויראו את כבודי. אחרים מפרשים: באה כל אחת ואחת ממחשבותיהם; באה רעת מעשיהם ומחשבותיהם לפני; לנוכח מעשיהם ומחשבותיהם באה העת לקבץ.

גם בנבואות אחרות של אחרית הימים מופיע הרעיון שלא רק ישראל אלא כל בני העולם יעריצו את ה׳ ויבואו לעבדו. (ראו לעיל ב,ב; נו,ו–ז; ירמיה ג,יז; זכריה יד,ב טז).

ביאור | המתרעננות והמתרחבות מבטא חידוש נעורים ושמחה, והוא עומד
כנגד הגוף המצטמק, המשתופף והנראה יבש בתהליכי זקנה.[304]
**וְנוֹדְעָה**, תתגלה **יַד ה׳ אֶת**, אצל **עֲבָדָיו**, בכך שהיא תתמוך בהם
ותנקום נקמתם,[305] ומצד אחר - **וְזָעַם אֶת אֹיְבָיו**. ה׳ יכעס על אלה
שעמדו כנגדו.

טו **כִּי הִנֵּה** באחרית הימים **ה׳ בָּאֵשׁ יָבוֹא**, יתגלה, **וְכַסּוּפָה** ידהרו **מַרְכְּבֹתָיו**
**לְהָשִׁיב** לשכך,[306] או: להחזיר[307] **בְּחֵמָה** את **אַפּוֹ**, כעסו, **וְ**את **גַעֲרָתוֹ**
ישיב **בְּלַהֲבֵי**, בלהבות **אֵשׁ**. טז **כִּי בָאֵשׁ ה׳ נִשְׁפָּט**, יתדיין, **וּבְחַרְבּוֹ** יבוא
במשפט **אֶת**, עם **כָּל בָּשָׂר** - **וְרַבּוּ חַלְלֵי ה׳**. יז **הַמִּתְקַדְּשִׁים**, המכינים
עצמם לפולחן **וְהַמִּטַּהֲרִים** בפנותם **אֶל הַגַּנּוֹת** לעבודה זרה שהיתה
נעשית בהן,[308] **אַחַר אַחַת בַּתָּוֶךְ**. קבוצה אחר קבוצה היו עובדים
לדמות שניצבה במרכז.[309] **אֹכְלֵי בְּשַׂר הַחֲזִיר וְהַשֶּׁקֶץ וְהָעַכְבָּר**. אוכלי
טרפות ונבלות, כל אלה **יַחְדָּו יָסֻפוּ**, יאבדו, **נְאֻם ה׳**.

יח וה׳ אומר: **וְאָנֹכִי** כך אפעל: **מַעֲשֵׂיהֶם וּמַחְשְׁבֹתֵיהֶם**, תוכניתם של
עובדי האלילים להיוועד על ירושלים[310] **בָּאָה**, תתממש - **לְקַבֵּץ אֶת**
**כָּל הַגּוֹיִם וְהַלְּשֹׁנוֹת**, ואז - **וּבָאוּ וְרָאוּ אֶת כְּבוֹדִי** - יט **וְשַׂמְתִּי בָהֶם**, בגויים
שייאספו **אוֹת**, סימן שאני הוא העומד מאחורי גאולה זו. **וְשִׁלַּחְתִּי**
**מֵהֶם פְּלֵיטִים**, שיבואו כשליחים **אֶל הַגּוֹיִם, תַּרְשִׁישׁ פּוּל וְלוּד**, שחלקם
שוכנים בקצוות שונים של הים התיכון, והם **מֹשְׁכֵי קֶשֶׁת**, אנשי
מלחמה המפורסמים כקשתים, וגם אל **תֻּבַל וְיָוָן, הָאִיִּים הָרְחֹקִים** מארץ
ישראל. בזמנים שבהם ההפלגות נעשו באניות מפרש בלתי אמינות,
האיים שאחרי יוון נחשבו רחוקים. **אֲשֶׁר לֹא שָׁמְעוּ אֶת שִׁמְעִי, וְלֹא רָאוּ**
**אֶת כְּבוֹדִי. וְהִגִּידוּ** השליחים הללו **אֶת כְּבוֹדִי בַּגּוֹיִם**. כ **וְהֵבִיאוּ** הגויים
שיעלו לרגל לציון **אֶת כָּל אֲחֵיכֶם** שבגלות **מִכָּל הַגּוֹיִם** אחיכם יובאו

העולם |

**תַּרְשִׁישׁ** מזוהה עם תרסוס שבדרום־מזרח אסיה הקטנה (תורכיה של היום) או עם תרתיסוס (Tartessos) שבדרום־מערב חצי־האי האיברי.

**פּוּל** יש המזהים אותו עם בני פוט, המוזכרים כבעלי ברית של המצרים והיו אנשי מלחמה המומחים בהגנה: "כּוּשׁ וּפוּט אִתָּם כֻּלָּם מָגֵן וְכוֹבָע" (יחזקאל לח,ה, וראו ירמיה מו,ט; נחום ג,ט). יש חוקרים שזיהו אותו עם שבט ששכן בלוב, ואחרים שיערו שהוא 'ארץ פונט' שמדרום למצרים, הנזכרת בתעודות מצריות עתיקות.

**לוּד** בלוח העמים בפרשת נח הלודיים סמוכים לעמי כוש ופוט, ששכנו סמוך למצרים (ישעיה סו,יט; יחזקאל כז,י). הם נזכרים בנביאים כעם שכירי חרב בשירות הצורים, הצידונים והמצרים. בתעודות היסטוריות נזכר לוד כעם שישב לחופי מערב אסיה הקטנה (Lydia), ועל כן היה מי ששיער כי מדובר בעם נודד שמקורו מצרי.

הַגּוֹיִם ׀ מִנְחָה ׀ לַיהוָה בַּסּוּסִים וּבָרֶכֶב וּבַצַּבִּים
וּבַפְּרָדִים וּבַכִּרְכָּרוֹת עַל הַר קָדְשִׁי יְרוּשָׁלַם אָמַר
יְהוָה כַּאֲשֶׁר יָבִיאוּ בְנֵי יִשְׂרָאֵל אֶת־הַמִּנְחָה בִּכְלִי
כא טָהוֹר בֵּית יְהוָה׃ וְגַם־מֵהֶם אֶקַּח לַכֹּהֲנִים לַלְוִיִּם
כב אָמַר יְהוָה׃ כִּי כַאֲשֶׁר הַשָּׁמַיִם הַחֲדָשִׁים וְהָאָרֶץ
הַחֲדָשָׁה אֲשֶׁר אֲנִי עֹשֶׂה עֹמְדִים לְפָנַי נְאֻם־יְהוָה כֵּן
כג יַעֲמֹד זַרְעֲכֶם וְשִׁמְכֶם׃ וְהָיָה מִדֵּי־חֹדֶשׁ בְּחָדְשׁוֹ
וּמִדֵּי שַׁבָּת בְּשַׁבַּתּוֹ יָבוֹא כָל־בָּשָׂר לְהִשְׁתַּחֲוֺת לְפָנַי
כד אָמַר יְהוָה׃ וְיָצְאוּ וְרָאוּ בְּפִגְרֵי הָאֲנָשִׁים הַפֹּשְׁעִים בִּי
כִּי תוֹלַעְתָּם לֹא תָמוּת וְאִשָּׁם לֹא תִכְבֶּה וְהָיוּ דֵרָאוֹן
לְכָל־בָּשָׂר׃

והיה מדי־חדש בחדשו ומדי שבת בשבתו יבוא כל־בשר
להשתחות לפני אמר יהוה׃

ביאור | על ידי הגויים בתור **מִנְחָה**, מתנה **לַה'**, בכל כלי הרכב האפשריים: **בַּסּוּסִים וּבָרֶכֶב וּבַצַּבִּים**, עגלות מטוקסות, ערוכות ומסודרות **וּבַפְּרָדִים וּבַכִּרְכָּרוֹת עַל**, אל **הַר קָדְשִׁי יְרוּשָׁלַםִ, אָמַר ה', כַּאֲשֶׁר יָבִיאוּ בְנֵי יִשְׂרָאֵל אֶת הַמִּנְחָה בִּכְלִי טָהוֹר לְבֵית ה'**. נדחי ישראל בכל האומות יובאו במהירות ובכבוד, כמו שמביאים לה' קרבן מכובד ונאה בטהרה ובשמחת לב. כא **וְגַם מֵהֶם**, מאותם הגולים שישובו ויתגלו,[311] **אֶקַּח לַכֹּהֲנִים לַלְוִיִּם, אָמַר ה'**.

כב **כִּי כַאֲשֶׁר הַשָּׁמַיִם הַחֲדָשִׁים וְהָאָרֶץ הַחֲדָשָׁה אֲשֶׁר אֲנִי עֹשֶׂה** – כמו שהוזכר כבר[312] – **עֹמְדִים לְפָנַי, נְאֻם ה', כֵּן יַעֲמֹד זַרְעֲכֶם וְשִׁמְכֶם**. גם אתם תישארו לנצח. כג **וְהָיָה מִדֵּי חֹדֶשׁ בְּחָדְשׁוֹ וּמִדֵּי שַׁבָּת בְּשַׁבַּתּוֹ יָבוֹא כָל בָּשָׂר**, כל יצורי עולם, **לְהִשְׁתַּחֲוֹת לְפָנַי, אָמַר ה'**. בכל חודש ושבת יבואו אנשים אחרים, ולאו דווקא בבת אחת.[313] העולם יכבד את אלוקי ישראל. כד כאשר הם יגיעו – **וְיָצְאוּ וְרָאוּ בְּפִגְרֵי הָאֲנָשִׁים הַפֹּשְׁעִים**, שפשעו **בִּי, כִּי תוֹלַעְתָּם** האוכלת את הפגרים הללו **לֹא תָמוּת, וְאִשָּׁם**, האש היוקדת בהם **לֹא תִכְבֶּה, וְהָיוּ דֵרָאוֹן**, חרפה **לְכָל בָּשָׂר**. עונשם של הפושעים וביזיונם יהיו אות עולם לעיני כול.[314]

כדי שלא לסיים את הספר בדבר שלילי, נהוג מזה דורות רבים לחזור שנית על קריאת הפסוק שלפני האחרון:

**והיה מדי חדש בחדשו ומדי שבת בשבתו יבוא כל בשר להשתחות לפני, אמר ה'.**

# מקורות והערות

# מקורות והערות

## מקורות והערות לפרשת דברים

1. לפי רשב"ם, מקומות אלו מציינים את המקום המדויק שבו משה מדבר את אלה הדברים. לפי אחרים, הדברים שהוא עומד לדבר, נאמרו להם על ידי משה במקומות הללו. ראו ראב"ע ובכור שור.
2. רש"י.
3. ראו במדבר לד,ד.
4. הגר"א. ראו הכתב והקבלה. ייתכן גם: בעשתרות ובאדרעי, שהרי שתיהן היו ערי ממלכות של עוג. ראו יהושע ט,י; יב,ד; יג,יב לא. לחלופין: בְּעַשְׁתָּרֹת בְּאֶדְרֶעִי - בהרים קשים וגבוהים שבאדרעי. ראו רמב"ן.
5. אונקלוס.
6. בכור שור. וראו שמות ב,כא; שמואל ב' ז,כט.
7. ראו חזקוני, רש"י ורמב"ן.
8. בכור שור.
9. במדבר כ.
10. ראו עוד רבנו בחיי במדבר יג,ב; אברבנאל במדבר כ,א; וראו עוד ההרחבות לדברים ג,כו ולבמדבר כ,יג.
11. רש"י, רשב"ם, ראב"ע ובכור שור.
12. רש"י.
13. ראב"ע.
14. ראו הביאור לבמדבר יד,מה.
15. רשב"ם.
16. ראו רש"י דברים א,ד.
17. ראו בראשית לו,ח ואילך.
18. ראו בראשית טו,יג-יט; עֹבדיה פס' יט; רש"י ורשב"ם על אתר.
19. שם העצם 'שֶׁבֶר' משמעו תבואה, ומשמע שם הפועל 'לשבור' הוא לקנות או למכור תבואה. ראו בראשית מב,א-ג.
20. רש"י על אתר; וראו הושע ג,ב.
21. ראו הושע יג,ה ור"י מטראני שם.
22. ראו בכור שור.
23. מלבד כאן - בבמדבר כ,יד; דברים כג,ח; מלאכי א,ב; עבדיה פס' י.
24. ראו בראשית לו,כ ל.
25. ראו יונתן במדבר כא,יב.
26. ראו ירמיה נ,כד; דניאל יא,כה.
27. ראו ויקרא כב,לא; יהושע כא,יב ועוד.
28. ראו בראשית י,יד.
29. ראו גם שופטים יא,יב-כז. זו לשון הרמב"ם: "אין עושין מלחמה עם אדם בעולם עד שקוראין לו שלום, אחד מלחמת הרשות ואחד מלחמת מצוה". הלכות מלכים ו,א.
30. היחסים עם בני מואב מתוארים בבמדבר כה,א-ג, ואולי גם עם האדומים נוצר קשר דומה. וראו רש"י ורשב"ם על אתר.
31. ייתכן שבאותם זמנים כינו לעתים את הפנייה צפונה 'עלייה'. ראו רש"י; וראו עוד ההפניות מיהושע טו,ג.
32. רס"ג.
33. גבולותיו של חבל ארגוב אינם ידועים. ייתכן ששמו נגזר מלשון רגב אדמה או אריה. וראו מלכים ב' טו,כה.
34. לעיל ב,כ.
35. ראו רמב"ן.
36. ראו עירובין מח ע"א.

## מקורות והערות לפרשת ואתחנן

1. וראו רד"ק זכריה י,י.
2. רש"י.
3. חזקוני.
4. במדבר כה; להלן ד,ג.
5. במדבר כה.
6. מלה זו פורשה גם באופן מילולי - ההר התנשא מעל ראשיהם של ישראל. ראו שבת פח ע"א.
7. המבנה החריג של המשפט רומז לכפילות: אתם עושים את החוקים, אך הם אינם רק מעשים שאתם מקיימים, אלא גם כוחות שיעצבו אתכם. ראו סנהדרין צט ע"ב.
8. אונקלוס ורש"י.
9. ראו מלכים ב' יח,ד.
10. בראשית א,יז-יח.
11. ראו רש"י ורשב"ם על אתר; עבודה זרה נה ע"א; תוספות סנהדרין סג ע"ב; רמ"א אורח חיים קנו.
12. ראו רשב"ם.
13. במדבר כ,ט-יג; וראו גם תהלים קו,לב.
14. ראב"ע וחזקוני.
15. ראו ראב"ע, רמב"ן וספורנו.
16. ראו רש"י על אתר; במדבר ה,יב-יד; כה,יא; שיר השירים ח,ו.
17. יונתן.
18. ראו עוד להלן כח,לו.
19. ראו רש"י.
20. ראו בראשית לב,ל; שמות לג,כ; שופטים יג,כב.
21. רש"י.
22. ראו רס"ג ורש"י.
23. ראו ראב"ע, חזקוני וספורנו.
24. ראו רש"י.
25. על פי אברבנאל.
26. ראו רמב"ן.
27. ראו רש"י על אתר; מכות ט ע"ב.
28. במדבר לט,ט-כט.

# מקורות והערות

29. רד"צ הופמן.
30. הכתב והקבלה; דעת מקרא.
31. רש"י; וראו רבנו בחיי.
32. ראו בבא קמא נה ע"א; פסיקתא זוטרתא כי תשא לד,א; ר' מרגליות, המקרא והמסורה א.
33. ראו שו"ת מהר"ם אלשאקאר קב.
34. ראו להלן י,ד.
35. ראב"ע, חזקוני ספורנו ועוד.
36. ראו שמות יט,יב; כ,טז.
37. ר' חסדאי קרשקש, אור ה' ואברבנאל.
38. ספר המצוות לרמב"ם עשה א.
39. כמו שמתואר בהרחבה ליחזקאל יח. וראו שם רד"ק פס' ה; ברכות ז ע"א.
40. ראו עוד הביאור לשמות כ,ו.
41. וגם: המתן.
42. רש"י על אתר; שבת פז ע"ב.
43. ראו שמות טז,כט.
44. בראשית ב,א-ג.
45. רש"י.
46. ראו בכור שור שמות כ,יא.
47. ראו רש"י.
48. ראו אונקלוס, רש"י וחזקוני על אתר; סנהדרין יז ע"א.
49. ראו רמב"ן על אתר; עבודה זרה ד ע"ב.
50. ראו רשב"ם.
51. ראו בכור שור.
52. רש"י.
53. ראב"ע.
54. ראו שבת נז ע"ב.
55. ראו רס"ג ובכור שור.
56. קדושין לו ע"א.
57. רש"י.
58. רמב"ן.
59. בכור שור.
60. ראו שמות יז,ו-ז ורש"י שמות יז,ח המסביר כי מלחמת עמלק השתלשלה ממבחן זה שבחנו את ה'.
61. ראו רמב"ן.
62. ראו ראב"ע.
63. חזקוני.
64. ספורנו וראב"ע.
65. אונקלוס.
66. ראו בראשית לד,ט; שמואל א' יח,כא.

## מקורות והערות לפרשת עקב

1. אולי מלשון עושר, שכן ריבוי הוולדות מבטא התעשרות. ראו רש"י על אתר; חולין פד ע"ב.
2. ראו רס"ג.
3. רש"י.
4. ראו שמות כג,כז-כט.
5. ראו רש"י וראב"ע.
6. אונקלוס.
7. חזקוני.
8. לעיל ד,ג.
9. העמק דבר.
10. ראו מורה נבוכים ח"ג כד.
11. ראו יונתן על אתר; רש"י שמות לד,כו; רשב"ם וראב"ע ויקרא ב,יא.
12. ראב"ע.
13. ראו שמות טז,ד יט; במדבר כא,ה.
14. ראו אונקלוס וראב"ע.
15. על פי אברבנאל.
16. חולין צ ע"ב.
17. ראו רמב"ן.
18. כך נקרא יום זה גם להלן י,ד; יח,טז. בדורות מאוחרים יותר קראו לו יום המעמד הנכבד. ראו רמב"ן דברים ד,ט.
19. ראו שמות לב,לב.
20. על מה שאירע במסה ראו בשמות יז, ועל מה שאירע בתבערה ובקברות התאוה ראו בבמדבר יא.
21. פס' יח. על פי רש"י, חזקוני ורש"ר הירש.
22. משנה זבחים יד,ד; ירושלמי מגילה א,יא; במדבר רבה ד,ו; וראו שמות לב,כו.
23. ראו רש"י וראב"ע על אתר; אדרת אליהו, כי תשא.
24. ראו ברכות פ"ב מ"ב.
25. ראו ראב"ע יואל ב,יג.
26. ראו ישעיה א,י-יז; מלאכי א,ו-יג.
27. ראו תהלים קיג,ה-ו.
28. רש"י.
29. ראו רמב"ן שמות יג,טז; ההרחבה ליחזקאל כד,יז.

## מקורות והערות לפרשת ראה

1. ראו רש"י על אתר; סוטה לב ע"א.
2. ראו סוטה לג ע"ב.
3. גם קובץ החוקים שבספר שמות כ,יח-כג,לג נפתח באזהרה על עשיית פסלים ובחוקי המזבח שמקריבים עליו לה', וחותם באזהרת שמירה מעבודה זרה והציווי לאבד את מקומות הפולחן הכנעניים. וכן תחילתו וסופו של מקבץ דיני הקדושה שבספר ויקרא יז,א-כו,ב עוסקים בדיני מקום ההקרבה לה' ובאזהרת התרחקות ממנהגי פולחן זר. וראו עוד מורה נבוכים ח"ג כט לז.
4. רש"י.
5. ראו עבודה זרה מו ע"א; הפניות משמואל ב' יא,כא.
6. ראו רש"י, רשב"ם ורמב"ן.
7. על פי רמב"ן.

8. על כן נמנו הלויים עם מעוטי היכולת שבעדה. ראו להלן יד,כט.
9. ראו משנה זבחים יד,ה-ט.
10. ראו ההרחבה לויקרא יז,ד.
11. חכמים דרשו את הכתוב הזה - שיוכפל להלן פס׳ כ-כד - על בהמות שהיו ראויות להיקרב על המזבח ונפסלו מלהיקרב "פסולי המוקדשים", כגון שנפל בהן מום, שדינן כעין חולין, ואף במדבר מותר היה לשחטן בכל מקום. ראו ספרי ורש״י; וראו להלן טו, כא-כג.
12. ויקרא יז,יד.
13. ראו עוד ההרחבה לויקרא ג,יז; מורה נבוכים ח״ג מו.
14. הרחבה במעשר זה, הנקרא ׳מעשר שני׳, ראו להלן יד,כב-כו.
15. פס׳ טו-טז; ראו חזקוני וראב״ע. חכמים דרשו את הכתוב לעיל לעניין פסולי המוקדשים, כאמור.
16. רש״י.
17. ראו בכור שור וחזקוני. ראו עוד: שופטים ח,יט; שיר השירים ח,א.
18. להלן יז,ז.
19. ראו ר״י בכור שור להלן כא,כא.
20. ראו רש״י ובכור שור.
21. על פי מדרש תנאים על אתר; וראו מסכת כותים סוף פ״א.
22. ראו אונקלוס ורש״י.
23. ראו רש״י.
24. רס״ג.
25. ראו חולין עא ע״א. למעשה נוהגים לאכול רק חיות שבמסורת נמסר על אכילתם, כמו אייל וצבי. במקומות מסוימים הייתה מסורת גם על היחמור. ראו חכמת אדם לו,א; זבחי צדק פ,ב.
26. ראו ראש השנה טז ע״ב. ראו עוד הביאור לויקרא טו,לא; יז,טז; ההרחבה לויקרא יא,ח. ויש מפרשים כחיזוק על אזהרת אכילה: לֹא תִגָּעוּ כדי לאכול. ראו בכור שור.
27. ראו חולין סא; סג ע״א ותוספות.
28. כבר בזמן חז״ל זיהוים לא היה ברור. ראו חולין סב ע״א.
29. ראו חולין סג ע״ב: "מאה עופות טמאין יש במזרח וכולן מין איה".
30. ראו גם חולין סג ע״א; רש״י על אתר.
31. ראו שו״ת הרא״ש כ,כ.
32. יש מפרשים שפסוק זה בא להוסיף על הנאמר לעיל פס׳ יא גם חגבים טהורים. על פי הגר״א ורש״ר הירש.
33. זהו ׳גר תושב׳. ראו ספרי; ילקוט שמעוני בהר תרסז.
34. ראו בכור שור ורמב״ן על אתר; רשב״ם שמות כג,יט.
35. למעשר שני נתייחדה מסכת הנושאת את שמו.
36. ספרי ורש״י על אתר; בכורות נג ע״ב.
37. ראו ספרי על אתר; ספר החינוך שס.
38. על פי חזקוני ועוד. נוסף על כך, חכמים למדו מכאן מצוות ביעור מעשרות, המוזכרת בהמשך הספר, שעניינה לבער מהבית את כל מעשרות שלוש השנים שמסיבה כלשהי לא הגיעו ליעדם. ראו להלן כו,יב.
39. שמות כג,יא-יב; ויקרא כה,ב-ז.
40. רש״ר הירש.
41. ראו רשב״ם.
42. ראו רמב״ן פס׳ יא.
43. ראו רמב״ם, הלכות מתנות עניים ז,א-ז.
44. ראו בבא בתרא ט ע״ב; רמב״ם, הלכות מתנות עניים י,ד-ה.
45. ראו שמות כב,ב; קדושין יד ע״ב; רש״י על אתר.
46. ראו ישעיה טז,יד; קדושין יז ע״א ותוספות שם; וראו ראב״ע ורשב״ם.
47. ראו יב,ו יז; יד,כג ובכמה מקומות נוספים.
48. ראו ירושלמי פסחים ו,א; ספרי על אתר; בבלי פסחים ע ע״ב.
49. ראו פסחים קטו ע״ב - קטז ע״א.
50. במקום אחר נצטוו שאת הבשר שייוותר יש לשרוף. שמות יב,י.
51. ספרי.
52. ראו ויקרא כג,ח.

## מקורות והערות לפרשת שֹׁפְטִים

1. ראו רש״י וראב״ע על אתר; רמב״ם, הלכות עבודת כוכבים ומזלות ו,ו. וראו עוד יהושע כד,כו.
2. ראו ויקרא כב,כא-כה.
3. ראו ספרי דברים קמז.
4. ראו רש״ר הירש.
5. ספורנו.
6. החזרה על המלים אֶת הָאִישׁ אוֹ אֶת הָאִשָּׁה באה כדי להבחין בין דין לזה לבין דינו של ציבור שלם שעובד עבודה זרה, שיוחד לו עונש אחר לעיל יג,יג-יז. ראו סנהדרין טז ע״ב.
7. ראו שמות כב,יט; לעיל ח,יט.
8. ראו סנהדרין כט ע״א.
9. ראו שם מה.
10. ראב״ע ורשב״ם.
11. רש״י.
12. ראו יונתן ורש״י.

## מקורות והערות

13. ראו רלב"ג לשמואל ב' כ,כג.
14. ובדורות מאוחרים יותר נקרא בשם שמקורו יווני - 'נשיא הסנהדרין הגדולה'. ראו ירושלמי סנהדרין א,ד.
15. ראו עוד מיכה ה,ט.
16. ראו מלכים א' י,כא.
17. ראו משנה סנהדרין ב,ד; אונקלוס ויונתן.
18. ראו ראב"ע.
19. כך נקרא המזבח במלאכי א,ז.
20. ראו חולין קלד ע"ב.
21. ראו שם.
22. ראו רש"י.
23. ראו רש"י כאן; סוכה נה ע"ב - נו ע"א; רלב"ג דברי הימים א' כט,כט – התועלת השלישית.
24. ראו רמב"ן.
25. ראו רש"י.
26. ראו רש"י ויקרא יט,כו.
27. ראו ראב"ע ויקרא יט,כו והושע ה,יא.
28. ראו סנהדרין סה.
29. ראו אונקלוס ורמב"ן.
30. ראו יונתן וחזקוני פס' יד.
31. ראו רש"י.
32. שמות ב, טו-יח; לעיל ה,כ-כח.
33. ראו נדרים לח ע"א.
34. לעיל ד,מא.
35. ראו מכות ט ע"ב.
36. ראו רש"י על אתר; מכות י.
37. לרוצח כזה אין מקלט. ראו מכות ט ע"ב.
38. ראו רש"י על אתר; מכות ז ע"ב.
39. ראו מכות ז.
40. ולא אם ירצה להרוג את הרוצח ממניע אחר. ראו רד"ק לשמואל ב' יד,ז.
41. כיוצא בזה בשמואל א' כא,ו ובירמיה נא,יד.
42. במדבר לד,א-יב.
43. ראו מכות י ע"ב.
44. ראו שמות כא,יד; במדבר לה,לא.
45. ראו ראב"ע.
46. ראו רש"י על אתר; שבועות ל ע"א.
47. רש"י.
48. בפועל, כאשר עדים מעידים על אדם שחבל בגופו של חברו, הם לא זממו להענישו גופנית אלא לחייבו בתשלום ממוני. ראו ההרחבה לשמות כא,כה. לכן גם הם לא ייענשו בעונש הגוף אלא כפי מזימתם - בממון. ראו יונתן ורש"י על אתר; בבא קמא פד ע"א.
49. ראו סוטה מב ע"א; נזיר מז ע"ב.
50. ראו ויקרא יט,כד והפניות שם.
51. ראו עוד ההרחבה לשמואל א' ח,י.
52. ראו במדבר לג,נה.
53. ראו אונקלוס ורש"י.
54. ראו רש"י.
55. רשב"ם וראב"ע.
56. ראו יונתן ורש"י על אתר; סוטה מד ע"ב.
57. ראו מחלוקת תנאים במשנה פרה א,א.
58. ראו סוטה מו ע"א.
59. ראו סוטה מה ע"ב; רש"י והכתב והקבלה על אתר.
60. על פי רמב"ם, הלכות רוצח ושמירת הנפש ט,ב; אברבנאל.
61. ראו סוטה מו ע"א.
62. ראו רש"י על אתר; סוטה מו ע"ב.
63. במדבר לה,לג.
64. ראו רש"י על אתר; סוטה מז.

## מקורות והערות לפרשת כי תצא

1. לעיל כ,ז; ספרי ורש"י על אתר.
2. ראו יבמות מח ע"א; רמב"ן על אתר.
3. ראו רש"י על אתר; קדושין כא ע"ב.
4. ראו יבמות מח.
5. ר"י בכור שור.
6. ראו רש"י ורמב"ן.
7. ראו רש"י פס' יא; סנהדרין קז ע"א.
8. ראו רס"ג וראב"ע.
9. ראו שם.
10. ראו ר"י בכור שור.
11. ראו רש"י פס' כב; תנחומא כי תצא א.
12. ראו יונתן ורש"י על אתר; סנהדרין מו ע"ב.
13. ראו יהושע ח,כט; י,כו-כז; ראב"ע ורמב"ן על אתר; וראו עוד יחזקאל לט,יב.
14. ראו רש"ר הירש וספר הפרשיות.
15. ראו שמואל א' ט,כה; שמואל ב' יא,ב; ישעיה כב,א.
16. פס' ה.
17. ראו ראב"ע על אתר ועל חגי ב,יב.
18. ראו אונקלוס, רש"י ורשב"ם.
19. ראו קדושין לט ע"א.
20. ראב"ע ועוד.
21. ראו רשב"ם ור"י בכור שור.
22. ראו ויקרא כא,יח; מלכים א' יב,יא; כתובות מו ע"א.
23. ראו להלן כט; כתובות י ע"א; מורה נבוכים ח"ג מט.
24. ראו כתובות לט ע"ב.
25. ספרי; כתובות מו ע"א.
26. ראו סנהדרין מב ע"ב.
27. כתובות מה ע"ב.
28. ראו רמב"ן.
29. ראו ספורנו.

30. וכפי שאמר יעקב ללבן על דבר רחל שעדיין לא נשאה: הָבָה אֶת אִשְׁתִּי. בראשית כט,כא; וראו גם יואל א,ח.
31. שמות כ,יג.
32. גם בספרות מאוחרת יותר מכונה האנוסה לפעמים 'תפוסה'. ראו כתובות מא ע"ב.
33. ראו כתובות לט ע"ב.
34. ראו רש"י על אתר; יבמות עה ע"ב.
35. ראו מדרש תנאים; וראו בפסוק הבא.
36. ראו קדושין סט ע"א.
37. ראו לעיל ב,א-יט.
38. ראו במדבר כג; כד.
39. ראו מלאכי א,ב.
40. ראו בראשית מה,יז ואילך.
41. על פי פסחים סח ע"א; רמב"ן, ר"י בכור שור וחזקוני על אתר; רד"ק ירמיה מא,ט. וראו עוד ההרחבה לבמדבר ה,ג.
42. ראו אונקלוס ויונתן.
43. ראו יונתן ורש"י.
44. יונתן.
45. ראו רש"י על אתר; גטין מה ע"א.
46. ראו מלכים ב' כג,ז; הושע ד,יד; וראו ראב"ע ומשך חכמה על אתר וראב"ע חגי ב,יב.
47. ראו תמורה ל ע"ב.
48. כך פירשו על פי הפשט רשב"ם וראב"ע. בספרי ובתלמוד למדו חכמים מפסוקים אלו אזהרה ללווה שלא ללוות ולשלם ריבית. המלים 'נשך' ו'תרבית' או 'מרבית' מופיעות זו לצד זו בויקרא כה,לו-לז; ביחזקאל יח,ח-יז; כב,יב ובמשלי כח,ח.
49. מבחינת ההלכה אין חילוק בין 'נשך' ל'תרבית' (המוזכרת בויקרא כה,לו. ראו בבא מציעא ס ע"ב - סא ע"א. אך יש מבחינים בין הנשך, שהוא תשלום על הלוואה שפירעונה אינו מוגבל בזמן, והוא הולך וגדל ככל שעובר הזמן, לבין התרבית, שבה הלווה משלם סכום קצוב הגדול מסכום ההלוואה, בלא נשיכה תופחת. ראו רמב"ן ויקרא כה,לו.
50. ראו ויקרא כג,לח; לעיל יב,ה-ו; ראש השנה ד.
51. להלן כה,ד; וראו בבא מציעא פח ע"ב.
52. ראו אונקלוס ויונתן ורש"י על אתר; בבא מציעא פז ע"ב; צב ע"א.
53. ובלבד שאיננו כהן. ראו ויקרא כא,ז.
54. על פי ר"י קמחי; רש"ר הירש.
55. ראו ר"י בכור שור, רמב"ן, ספורנו ורש"ר הירש.
56. יונתן וראו ראב"ע.
57. כלומר כל אשה חוץ ממי שהייתה אשתו והתגרשה ממנו, ועתה נשא אותה בפעם השנייה. ראו סוטה מד ע"א ורש"י על אתר.
58. כ,ד. ראו רש"י על אתר; סוטה מד ע"א.
59. רש"י. האבן התחתונה שהיא עיקר בניין הכלי, נקראת על שם הכלי כולו. ויש מפרשים רֵחַיִם - שתי האבנים, וָרָכֶב - אפילו האבן העליונה לבדה לא יקח. ותפס הכתוב את העליונה מפני שהיא ניידת ואינה קבועה.
60. ראו לעיל כא,יד, ראב"ע ורמב"ן שם; אונקלוס ורש"י על אתר; סנהדרין פח ע"ב.
61. ויקרא פרקים יג-יד.
62. במדבר יב,א-טז.
63. ראו יונתן ורש"י; בבא מציעא קיד ע"ב.
64. ראב"ע על אתר; רד"ק שמואל ב' כא,א.
65. ראו תענית ח ע"ב.
66. נפילה במקרא אינה תנועת השתטחות על הארץ דווקא אלא כל הטיית גוף; ראו בראשית כד,סד; לעיל כב,ד; מלכים ב' ה,כא. לפי מכות כב ע"ב, עמידת הלוקה הייתה מוטית מעט, וגופו היה מונח באלכסון.
67. רש"ר הירש.
68. ראו למשל מכות טז ע"ב.
69. יונתן.
70. ראו ספורנו; וראו עוד מכות כב ע"ב - כג ע"א.
71. ראו פסחים מא ע"ב; מכות יג ע"ב.
72. ראו בבא מציעא צא ע"א.
73. ראו רמב"ן בראשית לח,ט.
74. ראו יבמות יב ע"א; עט ע"ב.
75. ראו ירושלמי יבמות א,א.
76. ספורנו. שמות העצם או הפועל 'יבם' או 'יבמה' מופיעים בשני סיפורים ידועים שיש בהם גם מעשי ייבום - במעשה יהודה ותמר בבראשית לח,ח ובמגילת רות.
77. ראו רמב"ן על אתר ובבראשית לח,ח; יבמות כד ע"א. וראו עוד רלב"ג דברי הימים א' י,יג 'התועלת הרביעי'.
78. ראו יבמות מד ע"א.
79. ספרי; רש"י.
80. ראו רש"ר הירש.
81. ראו שמות כא,יט כד-כה; דברים כב,כד.
82. ראו ספרי על אתר.
83. שמות כא,כד. וכן לעיל יט,כא בפרשת עדים זוממים: יָד בְּיָד, לעיל יט,כא.
84. ראו בבא קמא כח ע"א; פו ע"ב.

85. ראו בבא בתרא פט ע"ב.
86. בראשית לו,יב.
87. לעיל ב,ד-ה.
88. ראו שמות יז,ח-טז.
89. חזקוני על פי מכילתא בשלח.
90. רש"י בשם ספרי; ר"י בכור שור וראב"ע.

## מקורות והערות לפרשת כי תבוא

1. ראו קדושין לז ע"ב.
2. ראו תוספות פסחים לו ע"ב וזבחים קיט ע"א. ויש סוברים שביכורים מובאים רק לבית המקדש שבירושלים, אם משום שאין להם זמן מוגדר ממש, ודינם כחובות שלא נקבע להם זמן, שאינם קרבים אלא במקדש הקבוע; או משום שנאמר בהם הבאה לבית ה' שמות כג,יט ומשכן אינו בית. ראו תוספות פסחים לח ע"ב ורמב"ן על אתר.
3. אמנם יונתן מפרש שהכוונה היא לכהן הגדול, כפי שאפשר ללמוד גם מיהושע כ,ו, אבל דעה זו לא התקבלה להלכה.
4. ראו יונתן ורש"י על אתר; סוכה מז ע"ב.
5. ספורנו. ויש מפרשים: קרוב לאבדון.
6. ראו ראב"ע, חזקוני וספורנו.
7. ראו רש"י על אתר; ספרי דברים שא והגדה של פסח.
8. ראב"ע.
9. ראו יונתן.
10. ראו ההרחבה לעיל יד,כט.
11. ראו רש"י על אתר; ירושלמי מעשר שני ה,ה.
12. ראו לעיל יד,כב-כז; ויקרא כז,ל.
13. על דרך אמיר העץ, צמרתו. ראו ראב"ע ורמב"ן.
14. דומה לתואר השליט הערבי - אמיר. ראו תרגום ירושלמי ודעת זקנים.
15. יט,ה: וִהְיִיתֶם לִי סְגֻלָּה מִכָּל הָעַמִּים.
16. פס' ו: וְאַתֶּם תִּהְיוּ לִי מַמְלֶכֶת כֹּהֲנִים וְגוֹי קָדוֹשׁ.
17. יהושע ח,ל-לה.
18. ראו שמות כ,כב.
19. ראו חזקוני פס' יב. וראו עוד ספר הפרשיות.
20. ראו רש"י פס' יב; סוטה לז ע"א; יהושע ח,לג.
21. ירושלמי סוטה ז,ד.
22. ראו רשב"ם.
23. ראו ר"י בכור שור.
24. ראו שו"ת הרמב"ם רעג.
25. ויקרא יט,יד.
26. ראו יונתן ורש"י.
27. ראו ראב"ע.
28. ראו סנהדרין נג ע"א.
29. ראו חזקוני פס' יט.
30. ראו עוד הביאור לויקרא כ,יז ויחזקאל כב,יא.
31. ראו ויקרא כ,יד.
32. ראו יונתן ורש"י על אתר; פרקי דרבי אליעזר נב.
33. פס' ח.
34. ראו ירושלמי סוטה ז,ד: "למד ולימד, שמר ועשה, והייתה סיפק בידו להחזיק ולא החזיק - הרי זה בכלל ארור"; וראו עוד העמק דבר.
35. ראו ראב"ע.
36. ראו תהלים קמד,יד.
37. אולי 'משארת' קשורה ל'שאור' - הבצק שנשאר במשארת עד שיחמיץ כדי להחמיץ בו את העיסה.
38. כמו מגרעת. וראו מלאכי ב,ג.
39. ר"י בכור שור.
40. רש"ר הירש.
41. לפי ההקשר. ר"י בכור שור ורש"ר הירש.
42. רש"י; וראו מלכים א' ח,לז.
43. ראו שמות ט,ט-יא.
44. ראו ויקרא יט,כג-כה.
45. ראו דברים ד,כח; ירמיה טז,יג; רש"ר הירש על אתר. וראו עוד עבודה זרה ח ע"א.
46. רש"י. וראו רש"י דברי הימים א' יג,ח.
47. רמב"ן.
48. ראו רשב"ם, ראב"ע ורש"ר הירש.
49. אונקלוס.
50. ראו גטין נח ע"א.
51. ראו פס' לו.
52. ראו אונקלוס, יונתן ורש"י.
53. לעיל יז,טז.
54. בפרק כז.
55. ראו ר"י בכור שור כט פס' טו.
56. אונקלוס.

## מקורות והערות לפרשת נצבים

1. ראו רמב"ן.
2. ראו למשל בראשית כד,מא; יחזקאל יז,טז.
3. ראו יונתן ורש"י.
4. ראו רש"י ור"י בכור שור.
5. ראו רשב"ם.
6. ראו בראשית יח,כ-יט,כט.
7. ראו רש"י ורבנו בחיי.
8. ראו יונתן ורש"י.
9. פרק כח לעיל.

# מקורות והערות

10. אונקלוס.
11. לעיל י,טז הוזכרה חובתם של ישראל להסיר את ערלת לבם.
12. הבטחה זו עומדת כנגד הקללה שנאמרה לעיל כח,סג: וְהָיָה כַּאֲשֶׁר שָׂשׂ ה' עֲלֵיכֶם לְהֵיטִיב אֶתְכֶם וּלְהַרְבּוֹת אֶתְכֶם כֵּן יָשִׂישׂ ה' עֲלֵיכֶם לְהַאֲבִיד אֶתְכֶם וּלְהַשְׁמִיד אֶתְכֶם.
13. ויש מפרשים הַמִּצְוָה הַזֹּאת - התשובה. ראו רמב"ן וספורנו.
14. ראו ר"י בכור שור.

## מקורות והערות לפרשת וילך

1. מ'אלה הדברים' שבתחילת הספר. ר"י בכור שור.
2. ראו רש"י; ראש השנה יא ע"א.
3. ראו ראב"ע; במדבר כז,יז; יהושע יד,יא; שמואל א' יח,יג.
4. רש"י. וראו עוד בכור שור וספורנו.
5. רש"י על פי דברים לד,ז.
6. ראו אונקלוס ויונתן.
7. 'אמיץ' היא מלה נרדפת ל'חזק', אבל משמעותה חריפה ואינטימית יותר.
8. ראו סוטה מא ע"ב. בכל שנה חג הסוכות הוא מועד אסיפת היבול. על כן, חג הסוכות של מוצאי השנה השמינית, שאין בו אסיף, ניכר כמועד שמיטה.
9. ר"י בכור שור, חזקוני.
10. ר"י בכור שור.
11. ראו רש"י על אתר; רד"ק יחזקאל יז,ה.
12. ראו ראב"ע ורש"ר הירש. וראו עוד רד"ק לשמואל ב' יז,כח, לירמיה יט,ד וליחזקאל יז,ה; שו"ת הרשב"א ח"א קלד.
13. ביטוי זה חזור כמה וכמה פעמים בדברי ה' ליהושע ובדברי העם אל יהושע לאחר מות משה. ראו יהושע א.
14. ראו בבא בתרא יד.
15. בלשון המקרא הביטוי אַחֲרִית הַיָּמִים אינו מורה בהכרח על קץ ההיסטוריה - כמו בלשון חכמים ובלשון המדוברת - אלא על אחרית יחסית, לאחר הימים הנוכחיים. וכמו המלה 'אחרון' במקרא שמשמעה מאוחר.

## מקורות והערות לפרשת האזינו

1. ראו לעיל ד,כו.
2. ראו חזקוני; הכתב והקבלה.
3. ראו רש"י, ראב"ע ואור החיים; מו"נ ג,יב.
4. ראו שמואל ב' ג,לג; ירמיה יז,יא; אברבנאל על אתר.
5. רשב"ם.
6. פרק י.
7. על פי שמות א,ד; דברים י,כב; ראו יונתן ורש"י על אתר; במדבר רבה ט,יד; מלבי"ם דברי הימים א' א,לח. ויש מפרשים: ארץ ישראל נמסרה לכנען ולבניו, שהם שנים-עשר עמים כמספר בני יעקב. ראו בכור שור ורשב"ם.
8. ראו רש"י, ראב"ע וספורנו.
9. ראו ספרי דברים שיד; רש"י על אתר; מכילתא לפסוק וָאֶשָּׂא אֶתְכֶם עַל כַּנְפֵי נְשָׁרִים. שמות יט,ד.
10. רש"י.
11. ראב"ע.
12. ראו יחזקאל לט,יח; כז,ו; עמוס ד,א ועוד.
13. השם יְשֻׁרוּן ייזכר גם להלן לג,ה כו. וראו ההרחבה לישעיה מד,ב.
14. ראו אונקלוס וראב"ע.
15. ראו אונקלוס ויונתן.
16. ראו רש"י וראב"ע.
17. רס"ג וחזקוני.
18. ראו פסחים קיא ע"ב.
19. ראו ראב"ע.
20. ראו רש"י; העמק דבר.
21. ראו רש"י ורמב"ן.
22. ראב"ע; אדרת אליהו.
23. ראו רש"י.
24. ראב"ע בשם המתרגם.
25. ראו אונקלוס, רש"י, רשב"ם וחזקוני.
26. בכמה מקומות ה'תנין' משמעו נחש - ראו למשל שמות ז,ט.
27. רש"י; ראו שמואל א' ט,יז.
28. רש"י; ראו שמות כג,ה; נחמיה ג,ח.
29. רש"י.
30. חזקוני.
31. ראו שמות ו,ח; יחזקאל כ,טו מב; ישעיה סב,ח.
32. ראו שופטים ח,יט; שמואל א' יט,ו.
33. על פי רש"י ואחרים.
34. ראו יונתן.
35. ראו לעיל פס' יד.
36. חזקוני.
37. ראו ראב"ע; ראו עוד במדבר לה,לג.
38. ראו במדבר יג,טז; ראב"ע על אתר.
39. במדבר כז,יב-יד.
40. ראו רס"ג וראב"ע.
41. ראו במדבר כז,יב; לעיל ג,כז.
42. במדבר כ,א-יג.

# מקורות והערות

## מקורות והערות לפרשת וזאת הברכה

1. ראו בראשית יז,א-ח; כו,ב-ה; כז,כז-כט; מט.
2. ראו רשב"ם ורמב"ן על אתר; ספרי דברים שיד. אות השימוש מ' במלה מֵרִבְבֹת יכולה להתפרש: הופיע להם הנעלה מכל קודש, או: בריבוי קדושה.
3. רשב"ם וספורנו.
4. ראו אונקלוס, רש"י ורמב"ן.
5. ראו רש"י.
6. ראו גם ירמיה יח,יח; יחזקאל כד,כד ורד"ק שם.
7. ראו רש"י ורמב"ן על אתר; ראש השנה לב ע"ב.
8. ראו יונתן, ראב"ע, רמב"ן ומדרש תנאים על אתר; שו"ת פאר הדור, רכה - תשובת ר' סעדיה אבן דנאן.
9. ראו בראשית מט,ד.
10. ראו אור החיים.
11. ראו רמב"ן.
12. ראו שופטים א,ב; כ,יח; שמואל ב' א,יח; ירושלמי סוף הוריות.
13. ראו שמות יז,ו-ז; במדבר כ,יב-יג; בכור שור על אתר.
14. דימוי זה מופיע גם במדרשי חז"ל. ראו במדבר רבה א,יב ועוד.
15. ראו לעיל יז,ט יח; יט,יז; כא,ה; ויקרא י,ח-יא; יחזקאל מד,כב-כג; חגי ב,יא; מלאכי ב,ז; דברי הימים ב' לא,ד ורלב"ג שם.
16. ראו אונקלוס.
17. מיוחדת ברכת בנימין בכך שהיא היחידה מבין ברכות השבטים שאינה מתחילה ב-ו' החיבור - לְבִנְיָמִן אָמַר, כאילו הייתה ברכה ראשונה. ראו רבנו בחיי.
18. ראו רש"י על אתר; זבחים נד ע"ב. הר הזיתים, הר הצופים והר ציון גבוהים מהר המוריה. בכלל, נחלת בנימין העתידה מיוחדת בהיותה 'בין כתפיים' - קצות שטח בולטים, כמוזכר ביהושע טו,י; יח,יא-יט - כתף יריחו, כתף לוז, כתף הר יערים, כתף היבוסי, כתף מול הערבה, כתף בית חגלה.
19. ראו רש"י.
20. לפי ספרי ברכה יב, הפסוק רומז גם לאבות האומה ולאמותיה, שאף הם מקור לברכת יוסף.
21. שמות ג,ב; ראו אונקלוס ויונתן ורש"י על אתר. וראב"ע מפרש סְנֶה כאן ככינוי לשמים.
22. ראו מלכים א' פרק יב; שופטים ד,ה ובהרחבה לבראשית מח,יט.
23. ראו בראשית רבה לא,יג.
24. ראו רש"י.
25. ראו בראשית מח,יג-יט. ולפי אונקלוס, הפסוק משקף את אופן החלוקה הפנימית בשבטים הללו: בני מנשה התחלקו ליחידות של אלפים ובני אפרים - ליחידות של רבבות.
26. ראו יונתן, רש"י, רשב"ם ורמב"ן.
27. ראו גם ברכתו הנבואית של יעקב בבראשית מט,יג: זְבוּלֻן לְחוֹף יַמִּים יִשְׁכֹּן וְהוּא לְחוֹף אֳנִיֹּת וְיַרְכָתוֹ עַל צִידֹן. וראו עוד יהושע יט,טז.
28. ראו ראב"ע, רמב"ן וחזקוני.
29. ראו דברי הימים א' יב,לג; רש"י על אתר.
30. רש"י. דוגמאות לאנשים שאינם מישראל ומאמינים באלוקי ישראל - ישעיה יט,יח; יונה א,י-טז.
31. ראו יונתן ורש"י על אתר; מגילה ו ע"א.
32. ראו רש"י ובכור שור על אתר; בראשית רבתי מט,יט.
33. ראו רש"י על אתר; סוטה יג ע"ב.
34. להלן לד,ו.
35. אברבנאל.
36. ראו רש"י וראב"ע על אתר; במדבר רבה יג,כ.
37. ראו רש"י על אתר; ספרי דברים שנה; שופטים יח.
38. ראו ספרי דברים שנה.
39. ראו רש"י על אתר; ספרי דברים שנה.
40. ראו מנחות פה ע"ב.
41. רש"י. מפרשים אחרים פירשו פסוק זה כלפי אשר.
42. ראו רש"י, ראב"ע וחזקוני.
43. ראו רמב"ן ורש"י.
44. רש"י, ואונקלוס פירש: אין כאל של ישורון.
45. ראו ראב"ע. רעיון דומה מובע בפסוק מתהלים צ,א: אֲדֹנָי, מָעוֹן אַתָּה הָיִיתָ לָּנוּ בְּדֹר וָדֹר.
46. ראו ראב"ע ורש"ר הירש.
47. ראו ספורנו.
48. ראב"ע.
49. רש"י וחזקוני; ראו עוד ישעיה נז,יא שמואל א' כב,מה; תהלים סו,ג; פא,טז.
50. ראו אור החיים על אתר; ספרי במדבר קלה; רש"י דברי הימים א' כה,ה.
51. ראו יהושע יט,מז.
52. ראו אונקלוס וחזקוני. המערב נקרא 'אחור', לעומת 'קדם' שהוא המזרח.

53. משה הלך לבדו ונכנס למקום שבו מת ובו למעשה קבר את עצמו. ראו ראב"ע על אתר; ספרי במדבר לב; רד"ק יחזקאל לד,ב.
54. ראו רש"י ויונתן על אתר; סוטה ט ע"ב.
55. ראו במדבר כ,כט.
56. יונתן.

## מקורות והערות להפטרות

1. ראו רש"י ורד"ק על אתר; רש"י ויקרא טז,לא; כב,ב.
2. ראו רש"י שמות כא,כה ורד"ק על אתר.
3. ראו עוד בראשית רבה צח,יג. ורוב המפרשים פירשו מַכָּה טְרִיָּה - מכה לחה, המוציאה דם וליחה. אך אין ברור כל כך ההבדל בינה ובין פֶּצַע.
4. והרבה פירשו עִיר נְצוּרָה - חֲרֵבָה (כמו בישעיה מט,ו; סה,ד).
5. ראו עוד ברכות יט ע"א.
6. התיאור הזה מתאים לתקופת ההתעוררות הדתית וריבוי הקרבנות בתחילת ימי חזקיהו. ראו דברי הימים ב' כט-לא.
7. על פי אונקלוס בראשית לא,יב ורמב"ן שם לא,י.
8. העלייה לרגל מתוארת בשמות לד,כד במלים לֵרָאוֹת אֶת פְּנֵי ה'.
9. ראו רמב"ן ויקרא כג,ב.
10. ראו רמב"ן שמות כא,לו.
11. ראו מלכים ב' ד,כג; ישעיה סו,כג; ראש השנה טז ע"ב.
12. כמו בשמות ט,כט; מלכים א' ח,כב; עזרא ט,ה.
13. ראו מורה נבוכים ח"א מה.
14. ראו עוד האמונות והדעות לרס"ג ה,ו.
15. ראו יומא לט ע"ב; רש"י ור"א מבלגנצי על אתר; ר"א מבלגנצי ישעיה סג,א.
16. ראו ראב"ע ורד"ק.
17. ראו בראשית רבה לא,ה ופירוש רש"ר הירש לבראשית ו,יא. הפירוש המוצע - ישרו את דברי החמס - מחודש.
18. דוגמאות נוספות לכך בספר ישעיה - ראו במבוא רש"ז פינס לישעיה.
19. ראו יהושע ב,יח; רמב"ם, הלכות פרה אדומה ג,ב.
20. רשב"ם שמות כה,ד: הצבע קרוי שָׁנִי, והבגד הצבוע אדום קרוי תּוֹלָע או תּוֹלַעַת.
21. משמעה המילולי של אָבִיר, ב-ב' רפה, הוא כנראה כנף, מלשון אברה, או אבר. ראו דברים לב,יא; תהלים נה,ז; איוב לט,יג; רש"ר הירש לבראשית יז,ה. ואכן במקרא ה' אינו נקרא אף פעם 'אביר' סתם, אלא רק בצירופים: אֲבִיר יַעֲקֹב או אֲבִיר יִשְׂרָאֵל.
22. ראו בראשית רבה מג,ו: "צדק נקראת ירושלים שנאמר צֶדֶק יָלִין בָּהּ".
23. ראו רד"ק.
24. ראו במפרשים על אתר, יחזקאל יז,יג ותהלים פח,ה.
25. קרוב למלים 'חרפה', ול'חיוורון' הפנים.
26. ראו ישעיה סה,ג; דברים יב,ב; רש"י על אתר.
27. ראו למשל ישעיה ה,יא-יב; כב,יג.
28. ראו לד,ד; מ,ז; סד,ה.
29. ראו שבת כ ע"ב.
30. לאמתו של דבר, גם החסון וגם הנעורת דליקים מאוד, אלא שהכתוב וְהָיָה הֶחָסֹן לִנְעֹרֶת מורה על משמעות נוספת, שהחסון והחזק יהיה כאין. ראו הרב חנוך ארנטרוי, עיונים בדברי חז"ל ובלשונם, עמ' צא.
31. הרמב"ן מחלק את ספר ישעיה כולו לשלושה; הנבואות שעד מפלת אשור (פרקים א-לח), הנבואות על גלות בבל ושיבתה (לט-נא,יא), ונבואות הנחמה על הגאולה העתידה (נא,יב-סו). ראו ספר הגאולה, השער הראשון (מהדורת שעוועל) עמ' רסח.
32. ראו יונתן, רש"י ועוד.
33. ראו בראשית לד,ג; נ,כא; שופטים יט,ג; רות ב,יג.
34. ראו רש"י ורד"ק. פסוק זה משמש מקור לניב הרווח "קול קורא במדבר", המתבסס על קריאה דרשנית שאיננה תואמת את חלוקת טעמי המקרא. ראו זוהר ח"א קיח,א.
35. ראו רש"י על אתר ובשמות כח,כח.
36. להבדיל מגיא או נחל, שהם צרים ואינם נוחים למעבר. כך אֶרֶץ הָרִים וּבְקָעֹת (דברים יא,יא) היא ארץ שבה הרים ואדמות מישור, לא גאיות. ראו רש"י שם. וישעיה (סג,יד): כַּבְּהֵמָה בַּבִּקְעָה תֵרֵד [בנחת ובשמחה] רוּחַ ה' תְּנִיחֶנּוּ. וראו בראשית יא,ב.
37. כמו ישעיה מב,ה.
38. ראו ישעיה מא,כז; נב,ז; נחום ב,א. ראו רש"י על אתר.
39. ראו רד"ק ושד"ל.
40. ראו רש"י על אתר; כיוצא בזה בויקרא יט,יג; ישעיה סא,ח; ירמיה כב,יג.
41. על פי רש"י על אתר ובמדבר כב,כד. כידוע, במשך שנים רבות משמשת באנגלית המידה 'רגל' למידת אורך. רבים פירשו (על פי מלכים א' כ,י

## מקורות והערות

ויחזקאל יג,יט) שַׁעַל – כף יד. וכן הוא בלשון מקרא וחכמים (ראו יחזקאל יג,יט; פסיקתא רבתי, הוספה א).

42. ראו רש"י.
43. בניגוד למשמעו של פֶּלֶס היום – מכשיר המיועד למדידת איזון משטחים – כאן מדובר כנראה במכשיר שקילה, שאולי הוא בנוי על איזון בין שתי כפות מאזניים.
44. בראשית א,ב. היו שפירשו רוּחַ ה' – רצונו. ראו מורה נבוכים ח"א מ.
45. על פי יונתן. ויש מפרשים, כטיפה מרה ומלוכלכת המשתיירת בקרקעית הדלי.
46. רס"ג, האמונות והדעות ח,ב (מהדורת הרב קאפח) תרגם שַׁחַק מֹאזְנַיִם – הֶכרע המאזניים.
47. ראו ירמיה לא,ט.
48. ראו רש"י, ראב"ע ורד"ק.
49. ביערות הגדולים סביב ארץ ישראל חיו בעבר מינים שונים של חיות בר. עד למלחמת העולם הראשונה עוד היו דובים משוטטים בלבנון.
50. על פי שד"ל; חקרי מקרא.
51. ראו שמות א,יא; דברי הימים ב' לב,כח; ראב"ע על אתר. יש פירושים רבים אחרים.
52. ראו רש"י.
53. אפשר לראות כאן מעין רמז על כדוריות הארץ, אף כי חוג הָאָרֶץ יכול להתפרש על כיפת השמים הנראית כמעגל על הארץ, וכמו חוג שָׁמַיִם (איוב כב,יד).
54. רד"ק.
55. משמע המלה וְגַם כאן אינו הוספת דבר על הקודם, כשימושה הרווח; אלא היא מציינת תוספת חידוש, כמו שמשמשת במקרא 'והנה'. ראו בראשית מב,כח: הוּשַׁב כַּסְפִּי, וְגַם הִנֵּה בְאַמְתַּחְתִּי. וכן: יהושע ט,ד: וַיַּעֲשׂוּ גַם הֵמָּה בְעָרְמָה; במדבר כב,לב: גַּם אֹתְכָה הָרַגְתִּי וְאוֹתָהּ הֶחֱיֵיתִי, וכיוצא באלו בירמיה ד,יב.
56. ראו רש"י וראב"ע.
57. ראו רש"י ורד"ק.
58. ראו ישעיה נא,טז: וְלֵאמֹר לְצִיּוֹן עַמִּי אָתָּה. וראו עוד פסיקתא דרב כהנא יט.
59. על פי רש"י.
60. על קשר זה ראו תפארת ישראל למהר"ל לז.
61. ראו רש"י ואברבנאל על אתר; רש"י שמות כד,כז.
62. רד"ק.
63. ראו יונתן, רש"י ורד"ק על אתר. הפירוש שלפיו המהרסים והמחריבים צצים וקמים מתוך העיר עצמה (ראו תנחומא פקודי א), אינו אלא דרשה. אך ראו ר"י מטראני, אברבנאל ומצודת דוד.
64. על פי ראב"ע, ר"י קרא ומלבי"ם.
65. ראו רש"י על אתר ובבראשית יט,ט.
66. כיוצא בזה ישעיה יא,יב: וְנָשָׂא נֵס לַגּוֹיִם וְאָסַף נִדְחֵי יִשְׂרָאֵל וּנְפֻצוֹת יְהוּדָה יְקַבֵּץ מֵאַרְבַּע כַּנְפוֹת הָאָרֶץ.
67. ויש מפרשים חֹצֶן – חיק או זרוע.
68. ר"י כספי. משמעות זו לְצַדִּיק (וכן ל'צדקה' ו'צדק') רווחת בספר זה – ראו הערה לישעיה מא,ב.
69. ראו רד"ק.
70. ראו ישעיה א,כד.
71. ראו יונתן ורד"ק.
72. ראו מלבי"ם.
73. ראו רד"ק.
74. ראו ר"י מטראני, מצודת ציון.
75. מירושלמי ברכות ח,ו נראה שמשמעות המלה לָעוּת קשורה לעזרה.
76. ראו אברבנאל.
77. הוראת השורש ק,ד,ח במקרא היא הבערת אש, אך אולי מדובר בקדיחת נקב, כפי שמצוי בלשון חכמים. אחת השיטות העתיקות להפקת אש הייתה קדיחה מהירה בתוך עץ – לפעמים באמצעות חץ וקשת, על מנת להבעיר את העץ ולהבעירו. ראו רש"ז פינס.
78. ראו מלבי"ם.
79. מן השורש נ,ק,ר או ק,ו,ר – ראו עוד רש"י במדבר כד,יז.
80. ראו גם גבורות ה' ו; ז.
81. ראו מצודת דוד על אתר; גבורות ה' לו.
82. ראו רש"י ור"א מבלגנצי.
83. ראו יונתן ורד"ק.
84. רש"י.
85. ראו יונתן ורד"ק.
86. ראו רש"י, רד"ק ועוד.
87. ראו ר"י קרא ור"א מבלגנצי. ויש שפירש גְּבוּלֵךְ – אבני פינות קירות הבניין, שרגילים לעשותן מיוחדות, כמו האבנים המקיפות את החלונות והשערים.
88. ראו יונתן.
89. ראו ראב"ע, ר"י קרא ורד"ק.
90. מובנה של הצדקה כאן אינו מעשה חסד אלא חוק ויושר. ראו יונתן על אתר, ובביאור לישעיה מב,כא; מה,כג-כד.
91. ראו יונתן.
92. ויש מפרשים: מֵעֹשֶׁק... לֹא תִירָאִי וּמִמְּחִתָּה, כי הם יהיו רחוקים ממך. או: רַחֲקִי מֵעֹשֶׁק, כִּי אז לֹא תִירָאִי

מִמְּחִתָּה.

93. על פי רש"י, ר"י מטראני ואברבנאל. פירושים רבים נוספים נאמרו על פסוק זה.

94. ראו רש"י ור"י מטראני. השורש ג,ו,ר משחק בפסוק זה בתפקיד כפול – במשמעות של פחד ודיור. ויש מפרשים גָּר מלשון מתגרה – בגללך ייפול המתנכל ומתנקש בך.

95. ראו אברבנאל.

96. ראו יונתן ומלבי"ם. ואפשר גם צִדְקָתָם – ישועתם.

97. ראו רד"ק ומלבי"ם, ובהרחבה – באברבנאל ואלשיך על אתר; רד"ק ישעיה סה,יג.

98. ראו רד"ק ומלבי"ם. וראו ירמיה לא,יג: וְרִוֵּיתִי נֶפֶשׁ הַכֹּהֲנִים דָּשֶׁן וְעַמִּי אֶת־טוּבִי יִשְׂבָּעוּ.

99. ראו רד"ק.

100. לא ברור אם האות ל' היא אות שימוש המקדימה את שם העצם אוּמִּים, כלומר אומות, או שהיא מאותיות שם העצם עצמו, שהוא לְאוּמִּים – ראו ראב"ע ושד"ל.

101. ראו מצודת דוד ואברבנאל.

102. ראו מפרשים על אתר ובישעיה סג,א.

103. על פי רד"ק, ראב"ע, אברבנאל ושד"ל. ויש מפרשים: המציק אינו אלא יצור חלש ונחות, המתפרק מהרה מכלי זינו, או הממהר לפלוט זוהמתו מגופו.

104. ופירושים אחרים לפועל רֹגַע – גוער, בוקע, מניח ומשקיט, מקפיא, או להפך: גורם לים לרעוש ולרגוש.

105. ראו מלבי"ם.

106. ראו רד"ק ואברבנאל.

107. אפשרות נוספת: שמתי דברי בפיך וגוננתי עליך כדי לעשות שמים וארץ חדשים על ידיך, ציון עמי. וראו עבודת ישראל, ליקוטים ד"ה ואשים.

108. מעין הדברים הללו אמור גם במשנה אבות ו,יא: חֲמִשָּׁה קִנְיָנִים קָנָה לוֹ הַקָּדוֹשׁ בָּרוּךְ הוּא בָּעוֹלָמוֹ, וְאֵלּוּ הֵן: תּוֹרָה קִנְיָן אֶחָד, שָׁמַיִם וָאָרֶץ קִנְיָן אֶחָד, אַבְרָהָם קִנְיָן אֶחָד, יִשְׂרָאֵל קִנְיָן אֶחָד, בֵּית הַמִּקְדָּשׁ קִנְיָן אֶחָד.

109. ראו יונתן על אתר; רד"ק שופטים ה,כה. ויש מפרשים קֻבַּעַת – השמרים הנקבעים בתחתית הכלי.

110. רש"י ור"י קרא. ויש מפרשים שְׁתַּיִם כפשוטו: השוד והשבר, שהם החרב והרעב.

111. כמו בראשית מט,א: אֵת אֲשֶׁר יִקְרָא אֶתְכֶם בְּאַחֲרִית הַיָּמִים.

112. ראו רד"ק ומצודת דוד.

113. ראו רד"ק וראב"ע.

114. ראו רש"י ורד"ק.

115. רש"י. ויש מפרשים: המושלים על עמי גורמים לו ליילל. ויש מי שפירש מֹשְׁלָו – משורריו, המושלים לו משלים.

116. ראו מלבי"ם.

117. ראו רד"ק ואברבנאל. ויש מפרשים, הצופים העומדים על חומות העיר, המזהים את המבשר הרץ ומתקרב לעיר.

118. ראו מלבי"ם.

119. ראו רד"ק ומלבי"ם.

120. ראו ישעיה סו,ח; כו,יז; יג,ח ורש"י על אתר.

121. ראו אברבנאל; וראו עוד ישעיה לג,כ.

122. ראו רד"ק. השורש ח,פ,ר, המופיע כמה פעמים בספר זה, קרוב ל־ח,ו,ר וכן לשורש ח,ר,ף, שעניינם בושת פנים וביזיון.

123. על פי ראב"ע ורד"ק.

124. ראו רד"ק.

125. על פי רד"ק. עוד אפשר לפרש – כמקביל לאמור בפסוק הבא – בְּרֶגַע קָטֹן של כעס עֲזַבְתִּיךְ לזמן רב, ובמשך זמן הפירוד רחמַי גדלים והולכים.

126. ראו רש"י ורד"ק.

127. כיוצא בזה, כִּי במשמעות כמו – בישעיה נה,ט; סב,ה.

128. ר"א מבלגנצי ור"י מטראני.

129. ראו רד"ק.

130. ראו רד"ק, ר"א מבלגנצי ור"י קרא. ויש מפרשים: שקע אורך שהיית רגילה בו בעבר, וזרח עלייך כבוד ה'.

131. ראו יונתן ורש"י.

132. ראו במדבר יא,יב; משלי ח,ל; רד"ק ומצודת דוד על אתר.

133. ראו רד"ק ושד"ל (וראו ישעיה סג,טו הֲמוֹן מֵעֶיךָ – המיית מעיך). ויש מפרשים שהֲמוֹן יָם מתייחס לרכוש הרב שיגיע ממדינות הים, המפורש בהמשך.

134. ראו בראשית כה,יג; דברי הימים א' א,כט.

135. שד"ל על אתר. ויש מפרשים בהיפוך סדר המלים: יעלו [ל]רצון על מזבחי.

136. לאו דווקא איים השוכנים בים ממש, אלא כמו הביטוי 'מדינות הים' בלשון חכמים. ראו משנה גטין א,א; יבמות ב,ט.

137. ראו ישעיה כג,א.

138. ראו רד"ק על אתר.

139. רד"ק.

140. ראו רד"ק ואברבנאל. או: יבואו בסדר, כצאן נהוג על ידי הרועה. ויש מפרשים נְהוּגִים – מולכים כאסירים.

141. רעיון זה מופיע באופן מפורט יותר בזכריה יד,טז-כא.
142. ראב"ע ורד"ק.
143. רש"י, ראב"ע ורד"ק; וראו יונתן ור"י כספי.
144. ראו ישעיה א,כד.
145. ראו אברבנאל ושד"ל. והרבה מפרשים: תחת מה שהוצא ממך, אביא אליך יקר הימנו.
146. על פי ראב"ע ועוד. ויש מפרשים: הצדקה והשלום יבואו תחת פקידייך ונוגשייך.
147. ראו אברבנאל ושד"ל. אפשרויות נוספות: הישועה תהיה משגבך, והתהילה – הכניסה אליך, או: הישועה והתהילה יקָראו בחומות ירושלים ובשעריה.
148. ראו אלשיך ורש"ז פינס.
149. רש"י. ויש מי שמפרש: לא תהיי נתונה תחת מערכות הטבע, אלא תחת השגחת ה'.
150. ראו אברבנאל ואלשיך.
151. רד"ק.
152. ראו מלבי"ם. או: להתפאר בו.
153. ראו רד"ק, ר"י כספי, אברבנאל, אלשיך ומלבי"ם.
154. ראו ספר הגאולה לרמב"ן (מהדורת מוסד הרב קוק) עמ' רסט; רד"ק ישעיה סג,א.
155. ראו רד"ק ומצודת דוד.
156. ראו אברבנאל.
157. ראו ראב"ע, ר"א מבלגנצי, רד"ק ומצודת דוד.
158. ראו רש"י ורד"ק.
159. ראו רד"ק, אברבנאל ושד"ל.
160. כך נראה מתוך הלשון בפס' ב: אֲשֶׁר פִּי ה' יִקֳּבֶנּוּ – משמע שלא ה' הוא המדבר. יש מפרשים שהדברים אמורים בשם ישראל, ויש מפרשים על ה'. וראו פס' ו.
161. ראו מצודת דוד ומלבי"ם.
162. ראו רד"ק, אברבנאל, שד"ל ודעת מקרא.
163. על פי יונתן ורד"ק.
164. ראו ישעיה נד,ט.
165. ראו רד"ק, אברבנאל, אלשיך ומלבי"ם על אתר. יחסי איש ואשה הם דימוי רווח בנבואות ליחס שבין ה' לישראל, ואילו כאן עניינו שמחת ההתחדשות.
166. כמשמעו של שורש זה באמור ביעקב בבראשית לז,יא: וַיְקַנְאוּ בוֹ אֶחָיו וְאָבִיו שָׁמַר אֶת הַדָּבָר, כלומר נתן דעתו, ציפה והמתין להתממשותו.
167. ראו רד"ק, אברבנאל ומצודת דוד.
168. ראו ראב"ע.
169. ראו נזיר ג ע"ב: מניין לאומר 'ימין' שהיא שבועה, שנאמר נִשְׁבַּע ה' בִּימִינוֹ, ומנין לאומר 'שמאל' שהיא שבועה, שנאמר וּבִזְרוֹעַ עֻזּוֹ. וראו עוד ברכות ו ע"א. והרד"ק על אתר פירש וּבִזְרוֹעַ עֻזּוֹ – זרוע ימין, החזקה.
170. ראו בראשית יד,כב; שמות ו,ח; דברים לב,מ; ישעיה מט,כב; דניאל יב,ז.
171. ראו דברים יד,כב-כז; ויקרא יט,כד; שופטים ט,כז; רד"ק ור"א מבלגנצי על אתר.
172. על פי רש"י.
173. ויש מפרשים שכל הארץ בכלל חַצְרוֹת קָדְשִׁי.
174. ראו ישעיה כט,כא; ראב"ע על אתר.
175. ראו רש"י ורד"ק.
176. על פי רש"י.
177. רד"ק, על פי העניין. ייתכן על שם ריח הדם שהבאיש על הבגדים, ושמא הבגדים נראו כמלוכלכים מחומץ.
178. עיר חשובה באדום – ראו 'העולם' ישעיה לד,ו.
179. ר"א מבלגנצי.
180. הצעות פירוש אחרות: סוער, נודד, מתנדנד, מניע ומטלטל (את הגויים), צועק, הולך זקוף עד שראשו נכפף לאחוריו, מכניע ומכפיף, נאזר. ראו מפרשים על אתר ועל ישעיה נא,יד; לג,כ; ירמיה מח,יב.
181. ר"א מבלגנצי.
182. ראו המועד על ישעיה ה,טז.
183. על פי יונתן ורד"ק. ויש מפרשים, על פי חגי ב,טז ורש"י מפרש – כלי מידה גדול שמשתמשים בו בייצור יין.
184. ראו רד"ק וראב"ע. ויש שפירש נִצְחָם – צחנם.
185. ראו רד"ק.
186. מצודת ציון.
187. ראו רש"י ומלבי"ם.
188. ראב"ע ור"י מטראני.
189. ראו ר"א מבלגנצי.
190. ראב"ע, ר"י מטראני ומצודת דוד.
191. ראו תענית טז ע"א; סוטה לא ע"א; מגילה כט ע"א; ראב"ע רד"ק ר"י כספי ושד"ל על אתר.
192. ראו יונתן, רש"י ור"א מבלגנצי על אתר; רמב"ן שמות ג,ב.
193. ראו ראב"ע ומלבי"ם – כמשמעות הפועל 'נטל' בארמית.
194. ראו רש"י ורד"ק.
195. רש"י ורד"ק.
196. ראו רד"ק.

## מקורות והערות

197. רש"י.
198. ראו יחזקאל יז,כב; משנה פרה יא,ז.
199. רד"ק.
200. ראו עוד שיר השירים ד,יא.
201. ראו ראב"ע ומלבי"ם.
202. ראו ראב"ע.
203. ראו מלבי"ם.
204. יונתן, רש"י, ראב"ע ורד"ק.
205. ראו ראב"ע.
206. הביטוי 'חרפת רעב בגויים' המופיע ביחזקאל לו,ל, משמעו בושתם של ישראל הנזקקים ברעבונם למזונן של אומות אחרות.
207. יונתן.
208. ראו ראב"ע ורד"ק.
209. תענית ה ע"א. וראו רש"י ורד"ק על אתר.
210. ראו רד"ק ומצודת דוד.
211. 'אמת' במובן זה – ראו למשל בראשית כד,כז; תהלים מג,ג.
212. ראו רש"י ורד"ק.
213. רש"י.
214. ראו רש"י ורד"ק.
215. ראו רד"ק.
216. ראו רלב"ג.
217. ראו רלב"ג.
218. מצודת דוד.
219. ראו רלב"ג פס' ט-יב. דימויים דומים של התערבות ה' בנעשה בארץ מופיעים גם בנסי מצרים, במתן תורה ובנבואות שלעתיד לבוא. ראו עוד מכילתא, בשלח ד.
220. ראו רלב"ג.
221. ראו רלב"ג.
222. רש"י על פי תהלים יח,כז.
223. ראו רש"י, רד"ק ורלב"ג.
224. ראו רש"י, רד"ק ורלב"ג.
225. ראו רי"ד, רד"ק ורש"י.
226. לחלופין, אפשר שנושא המשפט הוא הקשת ולא היד. ראו רלב"ג ודעת מקרא.
227. ראו רש"י ורי"ד.
228. ראו מצודת דוד; תהלים יח,לו.
229. בנוהג שבעולם משקרים לאויב המאיים. ראו דברים לג,כט; ישעיה נז,יא; תהלים סו,ג.
230. תהלים יח,מו.
231. רלב"ג.
232. ר"י קרא.
233. על פי רש"י ורד"ק.
234. ראו הפניות מויקרא יט,לג.
235. שמות כב,כה-כו; דברים כד,יב.
236. מבחינת ההלכה אין חילוק בין 'נשך' ל'תרבית'. ראו בבא מציעא ס ע"ב – סא ע"א. אך יש מבחינים בין הנשך, שהוא תשלום על הלוואה שפירעונה אינו מוגבל בזמן, והוא הולך וגדל ככל שעובר הזמן, לבין התרבית, שבה הלווה משלם סכום קצוב הגדול מסכום ההלוואה, בלא נשיכה תופחת. ראו רמב"ן ויקרא כה,לו.
237. כביחזקאל ו,יא; כא,כ. ויש מפרשים: נהג ברשע לאחיו; אחד; בשמחה ובלא נקיפות מצפון.
238. ראו רד"ק.
239. ראו קידושין מ ע"ב.
240. ראו יהושע ח,לא-לה; יא,יב-כג; כג,ו.
241. ראו עוד רלב"ג יהושע א,א.
242. כיוצא בזה בדברים כב,ה. וראו עוד רמב"ן שמות לג,יא.
243. וכבר הופיעו בבמדבר לד,א-יב.
244. ראו רש"י על אתר, על פי ספרי סוף פרשת עקב; רמב"ן שם יא,כד. (ולדעת רד"ק ואברבנאל זו דרך דרש ולא פשט).
245. דברים יא,כד.
246. ראו רד"ק.
247. ראו רד"ק.
248. ראו רמב"ן דברים לד,יא; מורה נבוכים ח"ב לה; רלב"ג על אתר פס' ב.
249. רד"ק.
250. רד"ק ומלבי"ם.
251. ראו יונתן, רש"י ורד"ק על אתר; שמואל א' יח,יד-טו; איוב לד,כז; ילקוט שמעוני ויקרא תרעא.
252. ראו רלב"ג ואברבנאל; ראו עוד עבודה זרה יט ע"ב.
253. רש"י ורד"ק.
254. מצודת ציון.
255. ראו מנחות צט ע"ב; רד"ק ורש"י על אתר. וכך אמרו חכמים במדרשם (בראשית רבה ו,ט): "אמר רבי שמעון בן יוחאי: ספר משנה תורה היה סגנון (– דגל, דגם) ליהושע. בשעה שנגלה עליו הקדוש ברוך הוא, מצאו יושב וספר משנה תורה בידו, אמר לו: חזק יהושע, אמץ יהושע, לא ימוש ספר התורה הזה מפיך".
256. ראו רד"ק.
257. ראו רש"י ואברבנאל.
258. ראו ישעיה ב,יט; איוב יג,כה.
259. זריזותו מודגשת בכמה מקומות בספר, כגון וַיַּשְׁכֵּם יְהוֹשֻׁעַ בַּבֹּקֶר – ראו יהושע ג,א; ו,יב; ז,טז; ח,י.
260. כך עולה גם ממקומות אחרים – ראו שמות ה,ו-יט; במדבר יא,טז; דברים

כ,ה-ט.
261. ראו רש"י ורד"ק.
262. ראו במדבר לב.
263. גם בפסוק טו הודגש שעבר הירדן המערבי ניתן לבני ישראל מאת ה', והמזרחי ניתן מאת משה.
264. ראו מורה נבוכים ח"א מה. והרבה כיוצא בזה במקרא: שמואל א' טו,כב; ב' כב,מה; ירמיה לה,יג-כ ועוד.
265. ראו אברבנאל.
266. ראו יונתן, רש"י ורד"ק.
267. ראו רש"י, רד"ק ורלב"ג.
268. ראו שמואל א' יח,ל-יט,ב.
269. רד"ק.
270. ראו רש"י ורד"ק.
271. רש"י.
272. על פי רש"י.
273. על פי ר"י אייבשיץ, מובא בדעת מקרא.
274. רד"ק ור"י מטראני.
275. ראו דברים כג,יא: כִּי יִהְיֶה בְךָ אִישׁ אֲשֶׁר לֹא יִהְיֶה טָהוֹר מִקְּרֵה לָיְלָה וְיָצָא אֶל מִחוּץ לַמַּחֲנֶה... וּכְבֹא הַשֶּׁמֶשׁ יָבֹא אֶל תּוֹךְ הַמַּחֲנֶה. ראו רש"י, רלב"ג , אברבנאל ומלבי"ם על אתר.
276. ראו יונתן, ר"י בן ג'אנח ורד"ק.
277. רש"י ור"י מטראני.
278. ראו רד"ק ומצודת דוד.
279. רלב"ג.
280. ר"י כספי.
281. כיוצא בזה במלכים ב' ט,כד.
282. ראו רלב"ג.
283. רד"ק.
284. על פי רלב"ג.
285. על פי רלב"ג.
286. כדברי שלמה בתפילתו בשעת חנוכת המקדש: הַאֻמְנָם יֵשֵׁב אֱלֹקִים עַל הָאָרֶץ?! הִנֵּה הַשָּׁמַיִם וּשְׁמֵי הַשָּׁמַיִם לֹא יְכַלְכְּלוּךָ, אַף כִּי הַבַּיִת הַזֶּה אֲשֶׁר בָּנִיתִי (מלכים א' ח,כז).
287. ראו רד"ק, ראב"ע ומצודת דוד.
288. ראו רד"ק ומלבי"ם. ויש מי שמפרש: המקדש והגאולה אינם צורך ה' כלל. אין הוא עושה אותם אלא בשביל ישראל, עם עני ונכה רוח.
289. הלבונה המוקטרת נקראת בתורה אַזְכָּרָה (ראו ויקרא ב,ב; כד,ז). על כן המקטיר אותה מכונה 'מזכיר'. על פי רש"י ורד"ק על אתר.
290. ראו רש"י ורד"ק.
291. ראו ראב"ע ורד"ק. ויש מפרשים את כל הפרשה על עובדי עבודה זרה - ראו אברבנאל.
292. ראו רד"ק.
293. רש"י.
294. כדוגמת האמור בישעיה סה,ה: הָאֹמְרִים קְרַב אֵלֶיךָ, אַל תִּגַּשׁ בִּי כִּי קְדַשְׁתִּיךָ.
295. על פי רש"י ור"י קרא ומלבי"ם; וראו עוד ר"א מבלגנצי ור"י מטראני.
296. ראו רש"י על אתר; וראו עוד בבא מציעא לג ע"ב.
297. ראב"ע.
298. ראו בהערה על ישעיה מה,י.
299. ראו רש"י.
300. רד"ק.
301. ראו ר"א מבלגנצי ומלבי"ם.
302. ראו מלבי"ם.
303. ראו ראב"ע ורד"ק.
304. ראו רד"ק.
305. ראו יונתן, רש"י ורד"ק.
306. ר"א מבלגנצי.
307. רש"י, ראב"ע ורד"ק.
308. כמוזכר בישעיה סה,ג.
309. על פי יונתן ורש"י; מצודת דוד.
310. ראו ראב"ע ור"י מטראני ומלבי"ם על אתר, על פי תהלים ב.
311. על פי רש"י רד"ק ומלבי"ם ממדרש תהלים. ויש מפרשים: מהגויים, או מכלי הרכיבה, אקח לסייע לכהנים.
312. ישעיה סה,יז.
313. מלבי"ם; וראו פסיקתא רבתי: והיה מדי חדש.
314. ראו יונתן ושד"ל.

## מְזַכִּים

כל הזכויות על התמונות שמורות להוצאת קורן ירושלים ולרב עדין אבן-ישראל (שטיינזלץ) מלבד הזכויות על התמונות הבאות:

עמ' 27: כוכבי השמים לרוב - נחלת הכלל

עמ' 39: נחיל דבורים - Liz Hunt

עמ' 51: הר החרמון - נחלת הכלל

עמ' 63: שמש - Derek Σωκράτης Finch

עמ' 63: ירח וכוכבים - Lelê Breveglieri

עמ' 84: קלף ובו פרשיות המזוזה - Dovi

עמ' 87: בור חצוב לאגירת מים - ליאור גולגר Lior Golgher

עמ' 87: כרמים בגולן - נחלת הכלל

עמ' 87: מטע עצי זית - A. Poulos (Iya)

עמ' 93: שגר אלף - נחלת הכלל

עמ' 93: עשתרות צאן - נחלת הכלל

עמ' 95: צרעה מזרחית - Gideon Pisanty (Gidip) גדעון פיזנטי

עמ' 97: נחל סער בגולן - itamar hassan Pikiwiki Israel

עמ' 98: חיטה - נחלת הכלל

עמ' 98: שעורה - נחלת הכלל

עמ' 98: גפן - נחלת הכלל

עמ' 98: תאנה - נחלת הכלל

עמ' 99: רימון - נחלת הכלל

עמ' 99: זית - נחלת הכלל

עמ' 99: תמר - נחלת הכלל

עמ' 99: מכרה נחושת בתמנע - Tiia Monto

עמ' 101: נחש-שרף עין גדי - Oyoyoy

עמ' 101: עקרב - Jose Viana

עמ' 109: עץ שטים - נחלת הכלל

עמ' 111: יטבתה על רקע הרי אדום - Gordio

עמ' 119: חקלאות לאורך הנילוס - Leoboudv

עמ' 119: גוש עציון, טרסות מעובדות - צבי אליאב

עמ' 121: איסוף דגן, תירוש ויצהר, עליון - Mark Robinson

עמ' 121: איסוף דגן, תירוש ויצהר, ימני תחתון - MILNER MOSH

עמ' 123: תפילין של ראש - public domain

עמ' 123: מזוזה בשער - Britchi Mirela

עמ' 125: הר גרזים והר עיבל - צלם

עמ' 133: צבי - Susan Adams

עמ' 133: איל הכרמל - Dornenwolf

עמ' 146: יחמור - נחלת הכלל

עמ' 146: יעל נובי - משה רענן

עמ' 146: דישון - MathKnight

עמ' 147: שור הבר - GooberShots

עמ' 147: כבש הבר - Smichael21
עמ' 147: ג'ירף - Hans Hillewaert
עמ' 147: שוסעת שסע שתי פרסות - Marion Wacker
עמ' 148: פרסת הגמל השסועה - RSPCA WOAW
עמ' 148: תחתית רגל הגמל - משה רענן
עמ' 149: ארנבת - Mr R Enfield, rephoto@btinternet.com
עמ' 149: שפן - Derkarts
עמ' 149: סימני כשרות הדג - Smithsonian Environmental Research Center
עמ' 150: נשר - Lip Kee Yap
עמ' 150: פרס - Richard Bartz
עמ' 150: עזניה - Yathin sk
עמ' 151: איית הצרעים - Sergey Yeliseev
עמ' 151: עקב החורף - PROBjörn
עמ' 151: דיה - Ed Dunens
עמ' 151: עורב - Accipiter (R. Altenkamp: Berlin)
עמ' 152: יען - Stig Nygaard
עמ' 152: בז - Ferran Pestaña
עמ' 152: שחף - I: Jörg Hempel
עמ' 153: נץ - Ian
עמ' 153: כוס החרבות - محمد الفلسطيني
עמ' 153: ינשוף השדות - Dario Sanches
עמ' 153: תנשמת - Laura Ngo
עמ' 154: חוברה - Glen Darrud
עמ' 154: שרקרקים - Dûrzan cîrano
עמ' 154: רחם - Arjan Haverkamp
עמ' 155: עיט הים - © BiteYourBum.Com Photography by Dawn & Jim. Dawn & Jim Langiewicz
עמ' 155: קטופה - brian washburn
עמ' 155: חסידה - נחלת הכלל
עמ' 155: אנפה - Rushen
עמ' 156: דוכיפת - Umberto Salvagnin
עמ' 156: עטלף - נחלת הכלל
עמ' 157: שרץ עוף - נחלת הכלל
עמ' 157: גדי יונק - נחלת הכלל
עמ' 165: גורן - יוחנן בן יעקב
עמ' 165: יקב - ד"ר אבישי טייכר
עמ' 169: גז הצאן - Cstaffa
עמ' 171: מחמצת שאור - arash ghanizadeh
עמ' 171: בצק שתפח - ElinorD
עמ' 173: קציר בחרמש - יוחנן בן יעקב
עמ' 183: סוסים - BLMIdaho Follow
עמ' 186: דגן - Xtuv Photography http://www.shutterstock.com/

עמ' 187: ענבי תירוש - Rexness
עמ' 187: זיתי שמן - Visit Tuscany
עמ' 194: חטיבת עצים - brittgow
עמ' 203: סוס ורכב - Public Domain
עמ' 207: עצים כרותים - נחלת הכלל
עמ' 220: קן ציפור ובו ביצים - Böhringer Friedrich.
עמ' 222: כרם זרוע כלאים - Bauer Karl
עמ' 222: חרישה בשור וחמור - יוחנן בן יעקב
עמ' 238: בציר כרם ענבים - יוחנן בן יעקב
עמ' 238: מלילות - Protasov AN http://www.shutterstock.com/
עמ' 240: רחיים - Chaojoker
עמ' 248: עומרי חיטה - יוחנן בן יעקב
עמ' 248: חביטת זיתים - יוחנן בן יעקב
עמ' 248: עוללת בכרם - נחלת הכלל
עמ' 251: שוורים בעת הדיש - Mark Nesbitt
עמ' 254: אבני שקילה - Chamberi
עמ' 259: ביכורי פירות - תהילה רענן
עמ' 267: שרידי מזבח בהר עיבל - I: Daniel Ventura
עמ' 275: טנא - נחלת הכלל
עמ' 275: משארת חרס - צילום: קלרה עמית, יורם להמן, יעל יולוביץ, מיקי קורן, מריאנה סלצברגר. באדיבות רשות העתיקות
עמ' 283: נשר דואה - Georges & Benjamin Bruny
עמ' 295: רוש עקד - PhotoPhoto33
עמ' 295: שיבא - Forest and Kim Starr
עמ' 297: נטיפי מלח בסדום - Hassan Bushnaq
עמ' 315: אגלי טל - Staffan Enbom
עמ' 321: תיש - נחלת הכלל
עמ' 321: כליות חיטה - Patrick Alexander
עמ' 329: סלונום שעיר - Lies Van Rompaey
עמ' 329: פתן שחור - public domain
עמ' 343: חושן המשפט - באדיבות מכון המקדש
עמ' 343: מזבח הקטורת -באדיבות 'והראנו בבניינו' – לימודי המקדש והקדשים (הרב מנחם מקובר)
עמ' 345: שור הבר שנכחד - Joanbanjo
עמ' 349: גור אריה - Joanbanjo
עמ' 353: יריחו וערבות מואב במבט מפסגת הר נבו - נחלת הכלל
עמ' 353: מטע תמרים ליריחו - Deror_avi
עמ' 360: אבוס - Martin Belam
עמ' 362: סוכה בכרם - יוחנן בן יעקב
עמ' 362: תאו מים - Da~commonswiki
עמ' 364: אהל מצוי - PETER GREENWOOD
עמ' 366: סבונית השדה - נחלת הכלל

עמ' 369: אלה בשלכת - Eitan f
עמ' 369: גנה - נחלת הכלל
עמ' 370: חציר יבש - קרלוס הגדול
עמ' 382: עש וזחל העש על אריג - Clemson University – USDA Cooperative Extension Slide Series: Bugwood.org
עמ' 384: מקבות - נחלת הכלל
עמ' 384: בור מים - Alpha12
עמ' 385: ה'חורבה' העיר העתיקה–ירושלים - Oren Rosenfeld
עמ' 386: chalcedony - David Björn
עמ' 386: רובי - JJ Harrison
עמ' 392: ביזון אירופאי - Michael Gäbler
עמ' 396: אוהל; יריעותיו מיתריו ויתדותיו - yeowatzup
עמ' 400: זריחה - Jori Samonen
עמ' 400: שפעת גמלים - Crashsystems
עמ' 402: יונים בארובתן - נחלת הכלל
עמ' 402: ארז הלבנון - Patche99z
עמ' 403: ערער - Zeynel Cebeci
עמ' 403: עץ התיק - Lokal_Profil
עמ' 403: עץ מילה - Mirgolth
עמ' 403: תאשור - brownpau
עמ' 408: עדיי כלה תימנייה וקישוריה - נחלת הכלל
עמ' 410: מגדל דוד וחומת ירושלים - Geagea
עמ' 416: שושן צחור - Malte Sörensen
עמ' 416: ויהי כזית הודו - נחלת הכלל
עמ' 420: תאנה - נחלת הכלל
עמ' 420: ענבים - נחלת הכלל
עמ' 423: ארבה המדבר - Library of Congress
עמ' 427: ברק - Bresson Thomas
עמ' 429: איילות במרוצה - Steve Slater
עמ' 444: ראש חץ - נחלת הכלל
עמ' 450: עץ לבונה - Mauro Raffaelli
עמ' 452: שטף זרימת נהר - צילום: ד"ר אבישי טייכר